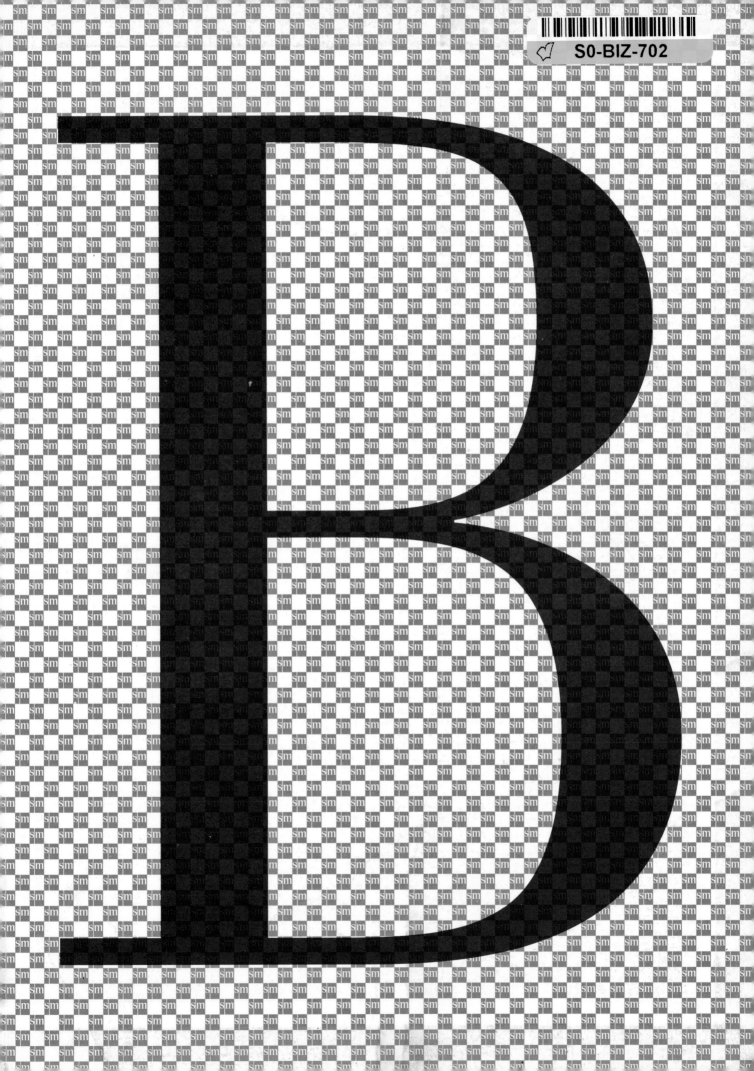

Sofía Caccavale

33,75

Sofía Caccavale

PROYECTO DIDÁCTICO

Esther Carrión
Sara Navas

AUTORES

Juan Antonio Ramírez (unidades 1, 21, 22, 23, 24, 25 y 26, y sección "Grandes temas para el arte")
Manuel Arias (unidades 12, 13, 14, 15, 16, 17 y 18)
María Antonia García Fuertes (unidades 2, 7, 19 y 20)
Beatriz del Castillo (unidades 8, 9, 10 y 11)
Belén Pallol (unidades 3, 4, 5 y 6)

REVISIÓN PEDAGÓGICA

Sara Navas
Gaspar Castaño

DISEÑO DE INTERIORES

José Luis Rodríguez
Julio Sánchez

DISEÑO DE CUBIERTA

Alfonso Ruano
Julio Sánchez

MAQUETA

José Luis Rodríguez
Carmen Corrales

CARTOGRAFÍA Y DIBUJOS

Alta Press
José Luis Navarro
Modesto Arregui

FOTOGRAFÍAS

Archivo SM; ORONOZ; Giraudon, Bridgeman, Fabbri, Canali, Sheridan, S. Frances, VCL-TCL, J. F. Martin, Iranzo, Massonori, A. Tovy / INDEX; Javier Calbet; J. M. Navia; AISA; Ramón Camí, Schrem, EVALC, Richard Einzig-ARCAID, Kurwenal, Ketan / PRISMA; SCIENCE PHOTO LIBRARY / AGE PHOTOSTOCK; Sonsoles Prada; Joseph Martin, National Historical Museum Bucarest, Galería Borghese Roma / ALBUM-KOBAL; Barnes Foudation Merion Pennsylvania, Museo del Louvre, LAUROS / SUPERSTOCK; Yolanda Álvarez; Giovanni, Simeone, Huber, Damm, Mehlig / FOTOTECA 9 × 12; ERICH LESSING-Alex Starkey-MAGNUM / ZARDOYA; BOUILLOT, Olimpia Torres, Hidalgo-Lopesino, H. Gysseis-Erich Planchard-DIAF / MARCO POLO; Erich Bach, Werner Wolf / INCOLOR; HULTON GETTY, John Lamb / FOTOTECA STONE; Pascual Rubio; SCALA; Juan Antonio Ramírez; Pedro Carrión; Antonio Azcona; José Gascón; Carlos Roca; EFE; Ignacio Ruiz Miguel; EDIMAGEN; STOCK PHOTOS; Museo Arqueológico Nacional.

COORDINACIÓN TÉCNICA EDITORIAL

Arturo Martín Garcés

COORDINACIÓN EDITORIAL

Sara Navas
Gaspar Castaño

DIRECCIÓN EDITORIAL

Esther Carrión

ISBN: 978-84-348-7024-6 / Depósito legal: M-48724-2006 / Preimpresión: Da-Vinci
Orymu, S.A. - Ruiz de Alba, 1 - Pinto (Madrid) / Impreso en España - *Printed in Spain*

HISTORIA
del Arte
[2

Autores: JUAN ANTONIO RAMÍREZ/MANUEL ARIAS/M. ANTONIA GARCÍA FUERTES/BEATRIZ DEL CASTILLO/BELÉN PALLOL

Back. Forward. Reload Home Search Guide Images Print Security Stop

sm **BACHILLERATO**

ÍNDICE

1. INTRODUCCIÓN A LA HISTORIA DEL ARTE

La noción de arte es tan rica y compleja como evanescente. Pero podemos acercarnos a su definición estudiando los procesos mediante los cuales se establecen las valoraciones artísticas. Nuestro objeto de estudio no es separable de la historia por su hipotética dependencia de otros factores ajenos (economía o sociedad, por ejemplo), sino porque la noción misma de artisticidad se ha ido fraguando en el transcurso del tiempo. Una aparente tautología: arte es lo que nos enseña la historia del arte. Esta "historicidad" nos conduce a ciertos parámetros propios de la creación: reconocimiento de estilos o lenguajes y el papel de los genios individuales; problemática de los principales medios de expresión (arquitectura, escultura y pintura); finalmente, atención al carácter de institución cultural interactiva que tiene el arte, definido por la acción combinada de diversos agentes (artistas, galeristas, críticos e historiadores, museos, etc.). Una conclusión se impone: el estudio del arte contribuye a la felicidad universal incrementando la sensación de que la humanidad tiene una dimensión "positiva".

LA HISTORIA DEL ARTE EN EL MUNDO ACTUAL

La historia del arte es más sensible que las otras historias [...] a las turbulencias de la cultura de masas. La presión poderosa de tantos agentes, estructuras narrativas, modelos ideológicos, pulsiones icónico-objetuales y géneros, ha sobrecalentado la materia misma de la disciplina [...]. El mundo del arte vive sobrecogido (y divertido) esta especie de gran explosión termonuclear generada y controlada en su propio seno. Puede que no cambien los grandes relatos primordiales, pero la energía que se libera con su puesta a punto está siendo realmente espectacular. Es inevitable ya considerar a la historia del arte [...] como una de las atalayas más privilegiadas para dar cuenta del mundo en que vivimos.

RAMÍREZ, J. A.: *Ecosistema y explosión de las artes.*
Barcelona, Anagrama, 1994, p. 144

GIORGIONE: *Concierto campestre (hacia 1530).*

S   Í   N   T   E   S   I   S

1. ¿QUÉ ES EL ARTE?

Casi todo el mundo cree saber lo que es el arte, y sin embargo es muy difícil definirlo. Tal vez podamos acercarnos a su naturaleza tomando en consideración los siguientes aspectos:

1. "Arte" es un concepto cambiante en el espacio y en el tiempo

Los antropólogos consideran artísticos algunos objetos "no utilitarios" producidos por los llamados pueblos *primitivos*: máscaras rituales, pinturas corporales (o tatuajes), adornos arquitectónicos, etc. Pero esta consideración es reciente y arranca de las vanguardias artísticas del siglo XX, que cambiaron por completo nuestra noción de la artisticidad. Mayor ha sido el consenso respecto al carácter "artístico" de otras cosas elaboradas en sociedades que conocen la escritura y se rigen por sistemas organizativos más complejos. En la cultura euroamericana son "arte" las pinturas, esculturas, dibujos, fotografías, grabados y edificios. Pero también han llegado a serlo cosas difíciles de clasificar, como ciertos "comportamientos", "instalaciones", intervenciones en la naturaleza o simples propuestas. Está claro, en fin, que los europeos cultivados no tenían hace cien años la misma idea del arte que tenemos hoy nosotros. Lo artístico es una cualidad que sólo se puede definir en un momento dado de la historia de la cultura, y con relación a unos parámetros determinados.

*Fotografía de una aldea india de Columbia Británica (Canadá), a principios de siglo. La recuperación de estas pinturas "primitivas" dentro del arte se produjo por un cambio de sensibilidad que permitió también valorar el arte románico (véase la imagen de Tahull de la página siguiente) y que llevó a Picasso a pintar cosas como **Las señoritas de Aviñón** (1907: aquí se reproduce sólo un detalle).*

2. El arte existe dentro de una tradición histórica

En nuestro medio cultural consideramos como artísticas una multitud de obras realizadas entre la más remota antigüedad y la época contemporánea. Cualquier nueva tentativa de modificación o ampliación de la noción de arte se hace con relación a esa tradición. En último extremo, *arte* es lo que llega a ser considerado como tal en el transcurso del tiempo. Es obvio, pues, que la historia del arte tiene una gran importancia para la definición misma del arte.

3. El arte se vincula a unas técnicas y a unos modos de trabajo determinados

En la Antigüedad grecolatina no existía mucha diferencia entre lo que nosotros llamamos "técnica" y el "arte". La habilidad para manejar determinados instrumentos y la obtención con ellos de los mejores resultados estaban tan relacionados que llegaban a confundirse. No es lo mismo dominar bien las técnicas de la pintura (ser muy habilidoso) que ser un gran pintor, pero está claro que tendemos a suponer que lo primero es la precondición para lo segundo. Cada una de las artes implica el dominio de uno o de varios oficios, y algunos de ellos son complejos. La formación de los artistas ha sido tradicionalmente lenta y ardua, y es imposible estudiar la historia del arte si olvidamos las reglas y limitaciones impuestas por las técnicas y convenciones de cada medio de expresión.

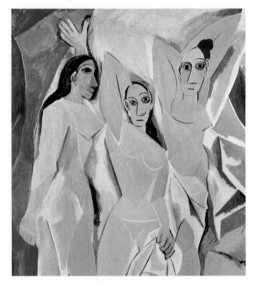

4. Lo artístico se relaciona con lo que no es utilitario

Es éste un asunto muy polémico, pues pocas veces podemos distinguir bien lo que es imprescindible de lo superfluo. ¿No son acaso también *necesarios* lo simbólico, lo espiritual y lo estético? Pero aun contando con ello parece legítimo asociar el arte con la parte menos materialmente necesaria de nuestra vida. Situándonos en el mundo actual, podríamos decir que el arte es como el más sofisticado (y el más noble) de los lujos que nos podemos permitir.

5. El arte ensancha los límites de la experiencia

Las creaciones artísticas nos arrastran más allá de lo que conocemos conduciéndonos a nuevos territorios. Si la ciencia tiene como objetivo primordial aumentar nuestro conocimiento del mundo, una de las misiones del arte es ensanchar el mundo mismo, introduciendo en él objetos y problemas novedosos. Por eso *creador* es uno de los sinónimos de artista. De ahí también la necesidad de estudiar seriamente esta parcela importante de la actividad humana.

EL GUSTO Y EL VALOR ARTÍSTICO

La noción de arte está estrechamente unida a los criterios de valor: una "obra de arte" es algo excelente que supera lo que se considera normal en un campo determinado de la producción. Algunas cosas han mantenido su valor estético a lo largo de los siglos, lo cual puede deberse a que ciertos aspectos de la tradición cultural se han venido transmitiendo a las generaciones sucesivas.

RAFAEL: *La disputa del Sacramento* (1508-1509).

Éste es el caso de Rafael, que gozó de alta consideración en vida, y cuya estima no ha disminuido desde el siglo XVI hasta hoy. Pueden detectarse, es cierto, algunas oscilaciones en su apreciación: muy admirado por los académicos de los siglos XVIII y XIX, el gusto por su obra decayó bastante en los ambientes vanguardistas. Pero sus pinturas han sido contextualizadas con rigor por los historiadores del arte del siglo XX, de modo que un fresco como **La disputa del Sacramento** (1508-1509) nos sigue pareciendo maravilloso pese a las prodigiosas transmutaciones y ampliaciones en la noción de arte que ha conocido el siglo XX. Nuestra valoración actual reconoce los parámetros del siglo XVI, pero se enriquece también con el aporte de interpretaciones que se han sucedido desde entonces.

Los hieráticos Cristos y Vírgenes de la pintura románica no fueron considerados como ejemplos de alto valor artístico en la época en la que Rafael pintó sus obras. Tampoco los siglos ulteriores pensaron que este arte medieval merecía ninguna estimación. Obras como el **ábside de Santa María de Tahull** (hacia 1123) empezaron a entrar dentro de la "artisticidad" por un doble fenómeno: el historicismo del siglo XIX, que veía cada cosa en función del momento histórico en el que se había producido, y el cambio del gusto acarreado por el postimpresionismo y las primeras vanguardias (fauvismo y cubismo, especialmente). No es casual la afición de Picasso por el arte románico. Está claro que los cambios contemporáneos en la sensibilidad y en el gusto provocan transformaciones en la valoración de muchas obras del pasado.

Ábside de Santa María de Tahull, siglo XII.

WARHOL, Andy: *Cajas varias* (1964).

También los nuevos movimientos artísticos modifican la percepción de otras cosas contemporáneas: el *pop art* (desde los años cincuenta y sesenta) permitió recuperar como arte algunos aspectos de la sociedad de masas como el cómic, la publicidad o la fotografía comercial. Son oscilantes los límites entre el buen y el mal gusto, entre el "gran arte" y el *kitsch* (palabra de origen alemán con la que se designa lo cursi o lo hortera). Podemos pensar en todo ello mirando esta fotografía con cajas de productos comerciales, pintadas por Andy Warhol en 1964: vemos los contenedores del detergente *Brillo*, de las sopas *Campbell*, del ketchup *Heinz* y el del melocotón *Del Monte*. El realismo de la escultura tradicional se ha aplicado aquí a insignificantes productos de consumo popular, copiados con toda fidelidad. Una de las consecuencias de esta operación es que nos ha permitido una cierta valoración estética de las despreciadas cajas de cartón, reproducidas en madera y luego serigrafiadas por el gran artista del *pop art*.

Hemos visto que para comprender el arte hay que examinar su evolución en el tiempo. Determinados hechos artísticos dependen de sus condicionantes históricos y geográficos: el arte románico se difundió ayudado por las rutas de peregrinación, Roma fue la capital del arte en los siglos XVI y XVII a causa del mecenazgo de los papas, Nueva York relevó a París como capital artística del mundo tras la Segunda Guerra Mundial debido a la preeminencia económica y política norteamericana, etc. Es muy importante conocer las bases materiales y las exigencias espirituales de las sociedades, pues de ambas cosas se nutre la creación.

Pero no conviene olvidar las estrechas interconexiones entre todos los ámbitos de la vida social. El arte no es un mero *reflejo* inerte de los ámbitos económico, militar o ideológico: se trata, por el contrario, de un elemento activo que ha contribuido a configurar las ideologías, sin olvidar tampoco su influencia decisiva, a veces, sobre la misma vida económica.

Podría hablarse de una "teoría del reflejo" al revés, considerando algunos aspectos de la evolución social, política y cultural como consecuencias (reflejos) de ciertos fenómenos artísticos: es difícil concebir la evolución histórica del catolicismo olvidando el papel atribuido por la Iglesia a las imágenes; la revitalización económica de muchas ciudades bajomedievales estuvo ligada al impulso constructivo de las catedrales; nuestro mundo contemporáneo, en fin, no existiría tal como lo conocemos sin la gran influencia de las artes, sobre todo de la fotografía, el diseño y el cine. De las consideraciones anteriores pueden deducirse dos modos básicos de entender el arte desde la perspectiva de la historia:

1. El arte como documento insustituible para conocer aspectos "no artísticos" del pasado

Poco sabríamos del hombre prehistórico sin los testimonios artísticos que nos ha legado; lo mismo puede decirse de otras civilizaciones de las que sólo han quedado los restos de su creatividad plástica, como la China antigua o las culturas americanas precolombinas. Pero aun en las sociedades que han conocido la escritura resulta imprescindible el auxilio de los documentos iconográficos: lo que sabemos sobre las ropas, armas, mobiliario, etc., europeos de hace sólo unos siglos procede de las representaciones de los artistas.

Casi lo único que sabemos de los olmecas del México precolombino (hacia el siglo VII a.C.) son sus testimonios artísticos, de los que destacan las cabezas de piedra, como ésta de La Venta.

La *iconografía* es una ciencia auxiliar de la historia del arte que estudia el significado de las imágenes: aunque no se ocupa de la "calidad" artística de las representaciones, sí es importante para la historia en general y sirve al historiador del arte para determinar el sentido global de la creación.

BRUEGHEL, Pieter: *La construcción de la Torre de Babel* (1563).
Éste es un documento excelente para conocer las técnicas constructivas y las máquinas de mediados del siglo XVI. Pero este cuadro no agota su significado ni su interés en la utilidad que tiene como ilustración de la historia económica y social.

2. El arte como aportación a la configuración de las mentalidades

Lo que los artistas han dicho con sus obras no se puede decir de otra manera. No es lo mismo lo que escribieron los poetas del Siglo de Oro español, pongamos por caso, que lo que ejecutaron con sus pinceles los pintores de la época: Velázquez no es Cervantes o Lope de Vega, ni Quevedo es comparable a Ribera, aunque sea tan razonable contextualizar las obras artísticas en un marco literario como hacerlo con la literatura respecto a la pintura. Las artes visuales (llamadas también "artes plásticas") pertenecen a un dominio privilegiado de la actividad humana: la pasión que siempre han suscitado explica la persistencia secular de los oficios artísticos así como la proliferación de complejas instituciones dedicadas a su promoción (museos, escuelas de arte, etc.). No es concebible, en fin, una *historia total* medianamente razonable sin contar con las aportaciones específicas de la historia del arte.

Arte, religión, filosofía y sociedad

No se comprende un cuadro como los **Desposorios de la Virgen**, del Maestro de Flémalle, sin saber lo que dicen los Evangelios Apócrifos sobre el matrimonio de la Virgen María. El edificio está "abierto" para mostrar dos momentos sucesivos del relato: 1) el Sumo Sacerdote israelí recibe la revelación de quién será el esposo elegido para María, a la izquierda, y 2) el matrimonio propiamente dicho, a la derecha.

Pero basta con comparar la obra con la que Rafael pintó un siglo después (véase la página 230) para ver que hay muchos modos de ilustrar un mismo tema. El Maestro de Flémalle introdujo cosas que no estaban en el texto pero sí tienen contenido religioso, como la "ruina" o el inacabamiento del Templo de Salomón, una alusión a la naturaleza inconclusa de la "Vieja Ley" que sería completada por la llegada del Redentor y la fundación de la Iglesia. Aparte están los valores formales de la pintura: es obvio que la pintura no se limita a transmitir a los iletrados una leyenda religiosa.

MAESTRO DE FLÉMALLE: *Desposorios de la Virgen*.

GIORGIONE O TIZIANO: *Concierto campestre (hacia 1530)*.

A la filosofía neoplatónica renacentista se vincula el maravilloso **Concierto campestre**, pintado tal vez por Giorgione o Tiziano hacia 1530. Alude a la creencia de que los acordes musicales podían suscitar una "concordancia" con la "música inaudible" de las esferas celestiales, produciéndose así la comunión espiritual con la naturaleza y una beatitud espiritual que "suspende el ánimo". Pero la negación del mundo visible que propugnaba para ese estadio contemplativo la corriente filosófica a la que aludimos, está aquí en contradicción con la belleza suntuosa del color, con el esplendor de los cuerpos (especialmente los desnudos femeninos) y con la fresca turgencia de la naturaleza. También en esta ocasión el artista fue más allá de la mera ilustración de las ideas, transmitiéndonos emociones y sentimientos que no se hallan en los textos.

¿Hasta qué punto refleja el arte las diferencias sociales o la lucha de clases? Podemos pensar en ello sirviéndonos del fresco que Diego Rivera pintó en la capilla de la Universidad Autónoma de Chipango (México) entre 1926 y 1927, y que lleva por título **Formación del liderazgo revolucionario**. Con gran claridad didáctica presenta el sometimiento humillante de los trabajadores agrícolas por parte de los terratenientes y de sus crueles capataces. El futuro líder está en el centro, con una hoz en la mano, y mira desafiante al opresor.

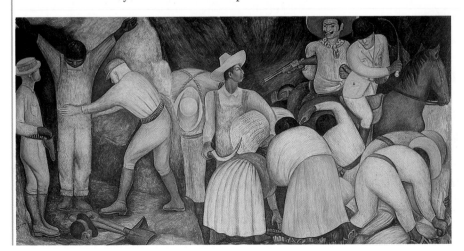

Podría pensarse que no hay en esta pintura nada más, pero no conviene olvidar que Rivera estaba inventando con su trabajo artístico la iconografía fundacional de esa nueva nación mexicana que había surgido, a partir de 1910, de la primera revolución social del siglo XX. El artista no es tampoco aquí el mero ilustrador de una ideología: la crea con su obra.

RIVERA, Diego: *Formación del liderazgo revolucionario (1926-1927)*.

11

3. ESTILOS Y LENGUAJES (LA EXCEPCIÓN FRENTE A LA NORMA)

La historia del arte se ha basado tradicionalmente en el estudio de los "estilos", como si éstos fuesen entes objetivos similares a las especies biológicas. Así, un estilo sería el conjunto de normas y características fijas que nos permiten reconocer como unitaria la producción artística de una o de varias épocas. Se habla así de "estilo románico", "estilo gótico", etc. Pero son pocos los historiadores del arte actuales que se atreven a reconocer un único "estilo renacentista" y nadie menciona un hipotético "estilo contemporáneo". El concepto de estilo está siendo revisado, y ahora se prefiere sustituirlo por el término, más flexible, de *lenguaje*. Manejado en plural sirve para designar la diversidad de opciones dentro de una unidad global de procedimientos o actitudes: si decimos los "lenguajes del gótico", estamos pensando en algo más rico, plural y matizado. Precisaremos un poco más estas ideas atendiendo a algunos puntos concretos:

1. No existe un "espíritu de la época" asociado a cada estilo

En todos los momentos históricos ha habido movimientos espirituales e intelectuales, pulsiones económicas, una dinámica social, y también lenguajes expresivos. Algunos de éstos han dependido estrechamente de los otros factores, pero es abusivo suponer que un espíritu común los engloba siempre a todos. Sólo en sentido metafórico podemos hablar de una sociedad "románica" o de un arte "feudal" (lo primero alude a un estilo artístico y lo segundo a una modalidad de organización social). La noción de estilo funciona sólo en el contexto del arte y no es conveniente extrapolarla.

2. Cada una de las artes tiene su propia dinámica evolutiva

Pensemos en la Grecia antigua: mientras los escultores avanzaron en unas pocas generaciones desde el hieratismo arcaico hasta un naturalismo extremado, los arquitectos mantuvieron relativamente invariables las premisas de su arte. Otras veces los cambios marcharon más en paralelo, como sucedió durante casi todo el Renacimiento italiano. A veces se olvidan estas realidades, enfatizándose para cada estilo la importancia de una de las artes y dejando de lado el diferente ritmo evolutivo de cada medio de expresión.

Li GONGNIAN: *Paisaje de invierno (principios del siglo XII). La sensibilidad ante la naturaleza y sus cambios atmosféricos es típica de la pintura china tradicional. Los pintores del románico europeo, en la misma época, expresaban cosas diferentes.*

3. No todas las civilizaciones o imperios han tenido lenguajes artísticos propios

Un caso claro es el de Roma, que asimiló con pocas variaciones los lenguajes figurativos del mundo helenístico. Y puede suceder que en un mismo ámbito político-cultural convivan varios modos expresivos. Por ejemplo, es obvio que nuestras sociedades actuales se caracterizan por la diversidad de los lenguajes artísticos que se consumen.

Guerreros toltecas sobre la pirámide de Tlahuizcalpantecuhtli, en Tula (México), ejecutados hacia el siglo IX o X. Obras semejantes no pueden ponerse en relación con la evolución de los "estilos" occidentales y deben juzgarse atendiendo a parámetros estéticos específicos.

4. El ritmo, el espacio y el tiempo

El arte evoluciona con un ritmo propio en cada civilización: no podemos considerar como "contemporáneos" (aunque lo sean cronológicamente) a los mayas precolombinos y a los medievales europeos. Los estilos o lenguajes artísticos se dan en ámbitos espaciales y temporales determinados. También evolucionan con un ritmo variable: durante tres mil años el arte egipcio mantuvo su "estilo" con pocas variaciones; pero en Grecia evolucionó mucho en unas pocas generaciones. El arte demuestra la discontinuidad de la evolución histórica.

5. La historia del arte se ocupa de "lo excepcional"

La historia del arte oscila entre el examen de los especímenes más representativos de cada estilo o lenguaje, y la atención a lo más creativo y original. En realidad, la existencia de los criterios de valor artístico nos inclina hacia las obras maestras, esos ejemplos en los que se suelen violentar las normas del lenguaje utilizado. Hay, pues, una tensión entre la atención a lo genérico y la que prestamos a lo único e irrepetible.

¿Existe un estilo único para cada época?

Pocas veces puede responderse afirmativamente a esa pregunta, y la negativa es más rotunda cuanto más nos acercamos al mundo contemporáneo. Las obras reproducidas en esta página fueron ejecutadas en el año 1960 por artistas españoles que compartían una misma actitud política antifranquista.

De Francisco Cuadrado es el linograbado titulado **Segadora**, un trabajo muy representativo de los grupos artísticos de la época conocidos con el nombre de "Estampa popular". Ligados ideológicamente al Partido Comunista (entonces clandestino), pretendían hacer obras que llegaran al pueblo y que denunciaran las penosas condiciones de vida de las clases menesterosas. Se sirvieron por ello de lenguajes realistas con fuerte carga expresiva. También emplearon técnicas de reproducción que abarataban sus creaciones, permitiendo así, en teoría, llegar a un público menos elitista que el habitual de las galerías de arte.

CUADRADO, Francisco: *Segadora* (1960).

La violencia expresionista era entonces mucho mayor en los artistas abstractos del grupo El Paso, uno de cuyos principales representantes, Antonio Saura, fue el autor de este **Cocktail party**. Hay ahí una deuda con el expresionismo abstracto norteamericano y con el "automatismo" (ejecución sin control racional) surrealista. Pero la obra que nos ocupa es más figurativa de lo que parece: hay monstruos, gusanos, seres en descomposición. No es aventurado imaginar un buen número de metáforas sobre la condición de la España de la época, atenazada por la dictadura del general Franco. Saura habría hecho arte político, también, pero éste sería de una naturaleza distinta a la del ejemplo precedente. En realidad el "informalismo" (la corriente a la que perteneció El Paso) se ocupaba más de la trágica condición humana que de la expresión de los anhelos colectivos.

SAURA, Antonio: *Cocktail party* (1960).

Poca pasión subjetiva había, en cambio, en las creaciones del Equipo 57. La pintura reproducida aquí tiene un título meramente técnico, **PA-8**, lo cual da una idea de la voluntad de renunciar a la personalidad individual y a la expresión de las ideas o las emociones. Se trataba de un arte "normativo", racional: los campos de color y los diseños geométricos abstractos estaban determinados por modelos matemáticos.

Vemos aquí, pues, tres modalidades artísticas irreducibles conviviendo en el mismo país durante la misma época. Y no fueron las únicas opciones creativas (también había otros tipos de realismo, por ejemplo). No debemos, por consiguiente, hablar de un estilo para aquel momento sino de varios lenguajes artísticos funcionando simultáneamente.

EQUIPO 57: *PA-8* (1960).

En la antigua jerarquía de las artes plásticas la arquitectura ocupaba el primer lugar, pues se suponía que sus cultivadores debían dominar también el dibujo y la escultura. Aunque esta consideración nos parezca hoy trasnochada, siguen teniendo validez los tres ingredientes con los que debe contar el buen arquitecto, tal como los definió el tratadista romano Vitruvio:

1. Utilidad

Los edificios se hacen para satisfacer las necesidades de sus usuarios. No es casual que casi todos los teóricos de la arquitectura empiecen sus consideraciones aludiendo al deseo ancestral en los seres humanos de buscar cobijo frente a las inclemencias de la naturaleza. Pero la arquitectura en tanto que arte empezó cuando las sociedades se hicieron más complejas, y así es como se desarrollaron las distintas *tipologías arquitectónicas*. Antes, quizá, que la casa y el palacio, surgieron los templos: aunque cada religión los concibe de forma diferente, hay una coincidencia universal en el deseo de que sean especialmente suntuosos; por eso los mejores ejemplos de la historia de la arquitectura pertenecen mayoritariamente a tipologías religiosas. Pero no debemos menospreciar las obras civiles, como puentes, plazas, hospitales, etc. Además, con la revolución industrial aparecieron nuevas tipologías arquitectónicas: estaciones de ferrocarril, aeropuertos, cines, fábricas, rascacielos, etc. La arquitectura es la más social de las artes, y siempre ha tratado de satisfacer la exigencia vitruviana de cubrir distintas clases de necesidades.

Puente de Alcántara en Toledo (construido en época romana y reedificado en el siglo X) y puente de Luis I en Oporto (Portugal). Esta última obra demuestra cómo un material nuevo, el hierro, era capaz de cambiar una tipología arquitectónica que se había mantenido invariable desde la época de los romanos.

2. Solidez

Una precondición de la utilidad es la capacidad de los edificios para resistir el desgaste propio de su uso y los desperfectos causados por los agentes atmosféricos.

Por eso se presta tanta atención a las técnicas constructivas y a los materiales, ambos condicionan los procesos de diseño. Por ejemplo: las bóvedas romanas se hicieron con el hormigón de la época (a base de cal y arena) y no se superaron hasta que el hormigón armado (cemento y arena con refuerzo de hierro), ya en la época contemporánea, hizo técnicamente posible cubrir vanos mucho mayores. La solidez tiene que ver con la economía, pues es frecuente que algunos materiales (como la piedra tallada, más duradera que el ladrillo) sean también más caros. Esa exigencia de solidez explica la importancia de los aspectos "invisibles" de la arquitectura como los cimientos y las cubiertas, con los que se atiende a dos aspectos esenciales: dónde se apoya y cómo se protege el edificio.

3. Belleza

Para que haya arquitectura propiamente dicha (y no mera construcción) es preciso que los edificios tengan una dimensión estética. El arquitecto materializa espacios más o menos emotivos, con connotaciones simbólicas, y lo hace creando formas antes inexistentes, dirigiendo las luces, controlando los recorridos físicos y mentales de los espectadores-usuarios. Se comporta, en suma, como un artista. A esto nos referimos cuando hablamos de estilos y lenguajes arquitectónicos: ya que una misma *necesidad* puede ser satisfecha de modos diferentes, importa mucho atender a las aportaciones creativas de cada arquitecto, grupo estilístico u obra individual. Esta dimensión estética se relaciona también con la cuestión del significado: hay una iconografía de la arquitectura que nos permite reconocer edificios "cruciformes", evocaciones centralizadas del Santo Sepulcro, etc. Algunas imágenes arquitectónicas son complejas, pero siempre se relacionan con el deseo de que los edificios hagan evidente su función, o "hablen" expresando las ideas y los sentimientos de sus promotores. En este sentido, los contactos de la arquitectura con la pintura y la escultura son evidentes.

LOS TRES GRANDES SISTEMAS ARQUITECTÓNICOS DE OCCIDENTE

De los *Entretiens sur l'architecture* de Viollet-le-Duc (1863) procede esta ilustración de un típico templo gótico: como las naves centrales eran muy elevadas y los arcos ojivales estaban "partidos" en dos mitades, las presiones laterales, muy fuertes, debían ser transmitidas hacia unos soportes que estaban situados inevitablemente en el exterior. Por eso eran esenciales los contrafuertes con pináculos (no visibles en esta ilustración) así como los arbotantes. El arquitecto gótico pensaba el edificio desde el espacio interior, que es diáfano y luminoso, y llevó casi todos los soportes hacia fuera.

Las presiones cargaban sobre una malla de pilares y nervaduras: más que construcciones con paredes, aquellas iglesias parecían jaulas de piedra.

El sistema gótico era muy flexible, y resultó a la postre fácil de adaptar (como demostró el mismo Viollet-le-Duc) a las exigencias de la arquitectura metálica de la era industrial.

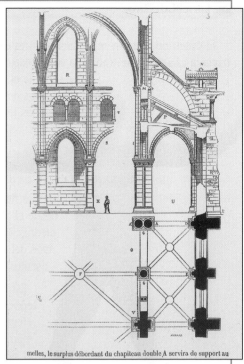

melles, le surplus débordant du chapiteau double A servira de support au

VIOLLET-LE-DUC: *Dibujo de un templo gótico de su obra* Entretiens sur l'architecture *(1863).*

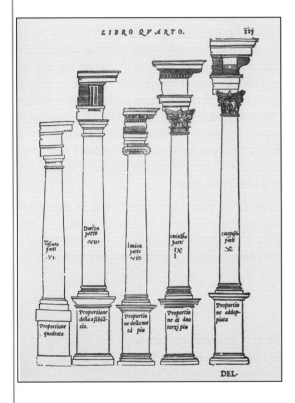

SERLIO: *Ilustración de los cinco órdenes procedente de su tratado* I sette libri dell'architettura *(1537).*

La arquitectura clásica, procedente de Grecia y Roma, se ha basado en el estudio de Vitruvio y en el análisis de algunos restos de la Antigüedad. Un ingrediente esencial del clasicismo ha sido el sistema de los cinco órdenes, que fue sistematizado en 1537 por el tratadista del Renacimiento italiano Sebastiano Serlio, de quien procede la ilustración que presentamos. Es esencial la idea de que para cada orden (toscano, dórico, jónico, corintio y compuesto) existe una relación de forma y proporción entre el fuste, el basamento, el arquitrabe, el friso y la cornisa, es decir, que los elementos de cada orden no pueden trasladarse a los demás. También contenían los órdenes cierto significado iconográfico: el toscano y dórico eran "masculinos" y los otros tres "femeninos". El sistema de la arquitectura clásica mantuvo un elevadísimo prestigio hasta que fue sustituido, en el siglo XX, por las premisas de la modernidad.

Algo de la "jaula" ideal del gótico hay en la arquitectura del Movimiento Moderno: una malla de elementos portantes (metálicos o de hormigón) soporta los muros y los tejados, concebidos como membranas ópticas, espaciales y térmicas, más que como ingredientes estructurales de la construcción. Pero las formas (como vemos en la **Casa del director de la Bauhaus**, construida en Dessau por Walter Gropius en 1925-1926) tienden a ser ortogonales, y el equilibrado sistema de proporciones volumétricas está más próximo al espíritu del clasicismo que a la verticalidad de la arquitectura bajomedieval. Los lenguajes de la arquitectura moderna se han convertido en los únicos de la historia cuya difusión ha sido universal.

GROPIUS, Walter: *Casa del director de la Bauhaus en Dessau (1925-1926).*

El deseo de imitar o reproducir en tres dimensiones la forma de los otros seres llevó a los primeros creadores prehistóricos hacia la escultura. Se trabajaba con el espacio real, y de ahí las grandes relaciones de este medio con la magia: las intervenciones sobre la efigie repercutirían sobre el ser representado. De esta tradición proceden los *ídolos*, las estatuas de los dioses, cuyo poder especial ha sido parcialmente heredado por las creencias de algunas religiones modernas. Todo ello explica el prestigio mítico de este medio de expresión. Veamos por separado tres aspectos esenciales para la apreciación de la escultura:

1. Procedimientos

Se han empleado casi todos los materiales susceptibles de adquirir una cierta dureza, desde el hueso hasta la grasa. Pero los más usados han sido la arcilla, la madera, el yeso, las piedras (incluyendo el mármol), el bronce y el hierro. No es éste un asunto menor, pues la elección del material condiciona el resultado, siempre en estrecha relación con el uso social de la escultura.

Esto nos permite recordar los dos modos contrapuestos de trabajar establecidos por los teóricos del Renacimiento: a base de "poner" y de "quitar". Añade material y moldea, en efecto, el escultor que trabaja con arcilla; en otros casos (ante el bloque de mármol, por ejemplo) el artífice elimina lo sobrante para alumbrar la imagen. Esta distinción tuvo en el siglo XVI algunas connotaciones filosóficas neoplatónicas, pues se asoció la operación de "quitar" con el esfuerzo del alma por hallar la verdad oculta entre la hojarasca del mundo terrenal. El prestigio de la operación contraria ("añadir") ha alcanzado sus cotas más altas en la época contemporánea, gracias a que las ideas de montaje y ensamblaje permiten entender el trabajo del escultor como algo parecido al del mecánico, uniendo elementos diversos para lograr un resultado final.

Cada *material* permite realizar cosas diferentes: con el metal se puede conquistar mejor el espacio circundante que con la madera o la piedra; el yeso no es muy adecuado para obras que han de soportar la intemperie (se deteriora con facilidad); algunas piedras, como el granito, no permiten tallar detalles muy pequeños, etc.

A mediados del siglo V a.C. se impuso en Grecia el bronce como material idóneo para grandes estatuas. Figuras como el Poseidón de Artemision (h. 460-450 a.C.) pudieron levantar los brazos y abrir las piernas con el propósito de "conquistar el espacio".

2. El tamaño y la función

El escultor obtiene determinados efectos con un material concreto, pero siempre teniendo en cuenta las dimensiones de la pieza: un brazo lanzado al vacío puede hacerse de madera siempre que no sea muy grande, pero habrá de ser metálico, seguramente, si tiene que medir varios metros. El tamaño es, pues, un aspecto importante que nos permite considerar la escultura como un arte a mitad de camino entre el carácter colectivo de la arquitectura y la mayor vocación de uso privado de la pintura. Muchas obras de pequeño tamaño están pensadas para el disfrute individual, como piezas de interior: su destino es la colección particular o su convivencia con los otros elementos del mobiliario y la decoración.

La estatuaria pública, por el contrario, cuya expresión más popular es el monumento, ha sido generalmente grandiosa: el deseo de permanencia obliga a emplear materiales duraderos como la piedra, el bronce y, ya en la época contemporánea, el acero.

3. Lo estático y lo dinámico

La palabra "estatua" alude a la falta de movimiento, que era la carencia más llamativa en las imitaciones tridimensionales de los seres vivos. El mito griego de Pigmalión contaba la historia de un escultor que se enamora de una de sus creaciones femeninas a la que los dioses otorgan vida. En la historia del arte ha sido frecuente el deseo de muchos escultores de lograr una ilusión completa de movimiento. Sólo en el siglo XX se ha dado el paso de incorporarlo de un modo real, gracias a los *ready-mades* de Marcel Duchamp, a los móviles de Alexander Calder y a otros artilugios, como las máquinas estrafalarias de Jean Tinguely.

*La **Hera de Claros** (mediados siglo VI a.C.) muestra cómo el bloque monolítico de mármol condicionaba el trabajo de los escultores griegos arcaicos: los brazos están pegados al cuerpo y predomina el estatismo; muy realistas son, en cambio, los detalles del vestido.*

La "ley del marco", la instantánea y el movimiento real

En el pórtico occidental de la catedral francesa de Autun, un tal Gisbertus talló en piedra, hacia 1130, esta imagen de **Eva**. Se trata de un raro ejemplo medieval de cuerpo femenino desnudo, que se encoge parcialmente, en una forzadísma postura, para adaptarse al rectángulo del dintel. Los bajorrelieves como éste tienen como límites los bordes geométricos de la piedra, y es más frecuente hallar en ellos una relación entre el marco y las figuras que en el caso de las estatuas exentas. Puede que aquí se haya evocado una práctica litúrgica local que imponía a los penitentes entrar gateando en la catedral los Miércoles de Ceniza, pero en cualquier caso es obvio que el escultor no ha sabido dar una impresión convincente del movimiento: el románico tenía un fuerte componente geométrico que enfatizaba la quietud de las esculturas.

Eva. Relieve de la catedral de Autun. Siglo XII.

Muchos de los trabajos tridimensionales del pintor impresionista Edgar Degas fueron realizados inicialmente en arcilla, pero no **El baño**, ejecutado en 1889 con cera, yeso, tela estucada y un barreño de plomo. La riqueza de texturas y colores del original se perdió en la fundición de bronce (hecha después de 1917), aunque es evidente que la pieza ganó en durabilidad. Su pequeño tamaño y la naturaleza "íntima" del tema lo sitúan en las antípodas del monumento público, de modo que debemos imaginar un consumo privado, una contemplación cercana y un contacto táctil. Esta dimensión (la posibilidad de tocar) tiene su importancia para la escultura en general, y muy en especial para Degas, que hizo sus estatuillas cuando su vista estaba ya muy deteriorada. Es admirable su perfecta captación de un movimiento fugaz, como si nos halláramos ante una instantánea fotográfica tridimensional.

DEGAS, Edgar: *El baño (1889).*

Esculturas públicas de gran tamaño son ciertos artilugios y muñecos móviles como los construidos en París por Niki de Saint Phalle y Jean Tinguely en 1983. Vemos en esta fotografía algunos de los componentes de su **Fuente Stravinsky**, emergiendo de un estanque y moviéndose frenéticamente para formar juegos de agua y de sonido difíciles de describir. Los materiales (hierros, fibra de vidrio, plásticos...) tienen poco que ver con los de la escultura tradicional, y no hay nada más alejado de la quietud de las viejas estatuas que estas piezas accionadas por motores: el movimiento no es una "ilusión" sino un dato real y esencial de la creación. Trabajos como éste demuestran que es posible revitalizar la vieja idea del monumento público sin necesidad de volver a planteamientos artísticos del pasado, inoperantes en la sociedad contemporánea.

SAINT PHALLE y TINGUELY: *Fuente Stravinsky, París (1983).*

Lo que distingue el dibujo y la pintura de las otras artes plásticas es el carácter plano del soporte: se trata, en principio, de un arte bidimensional. Más que ocupar el espacio real o reproducir el volumen de los objetos, pretende "representarlos" con artificios ilusionistas. Puede que los orígenes de la pintura se hallen en algunas huellas casuales dejadas por hombres y animales, repetidas luego conscientemente (palmas de mano de las grutas prehistóricas). Como una introducción a los múltiples problemas que suscitan la pintura y las otras artes afines (dibujo, grabado, fotografía, etc.), destacamos algunos aspectos esenciales.

1. La técnica y la naturaleza del soporte

Aunque las variantes son abundantísimas, tanto en el tipo de colores como en cuanto a las superficies sobre las que se han aplicado, la tradición artística occidental ha privilegiado unas pocas técnicas básicas.

La *pintura al fresco* consiste en aplicar los colores sobre un muro enlucido, cuando todavía no se ha secado, de modo que lo pintado "penetra" en la pared y no se destruye cuando la superficie sufre algún deterioro.

El *temple* sobre tabla, la técnica preferida por muchos pintores medievales, seca rápidamente pero no se presta mucho a la representación matizada de expresiones y atmósferas.

A partir del siglo XV se empezó a propagar la *pintura al óleo* (diluida en aceite y trementina), que era muy adecuada para hacer "veladuras" (capas con tonos semitransparentes) y para obtener sutilísimos efectos cromáticos; desde el siglo XVI el óleo se aplicó sobre el lienzo, que es ligero, flexible, barato y permite también hacer obras de gran tamaño; puede decirse que el apogeo del arte de la pintura en las edades moderna y contemporánea debe mucho a esta alianza entre el óleo y ese soporte excepcional.

La *acuarela* (colores diluidos con agua) se ha aplicado normalmente sobre papel, y es por ello un medio excelente para bocetos y pequeños formatos.

Esto puede decirse de casi todos los procedimientos de dibujo, desde el *carboncillo* (trazado con un carbón vegetal) o la *tinta china* hasta el lápiz.

MATISSE: *El lujo* (1907). En el fauvismo, corriente a la que perteneció Matisse, predominaron el color y los efectos específicamente "pictóricos".

2. La línea y el color

La historia de la pintura está condicionada por una tensión entre el contorno de las cosas y su color. Lo primero se considera como un asunto propio del *dibujo*, aunque para establecer las distinciones hay que tener en cuenta el instrumental usado: el pincel es propio de la pintura, y no solemos decir que son dibujos las obras hechas con él. El énfasis en los contornos y en el volumen "escultórico" de los cuerpos fue una característica de algunas escuelas de la pintura del Renacimiento italiano, como la florentina; la veneciana, en cambio, estuvo más atenta al color y a la representación vaporosa de las efectos atmosféricos.

3. El espacio ilusorio y la realidad del cuadro

Un anhelo secular de los pintores era lograr la ilusión de que lo representado pareciese "real". A ello contribuyeron dos recursos técnicos: la *perspectiva lineal* (con la cual se dibujaba una trama geométrica convincente), y las *gradaciones de tono y color* que imitaban los efectos de las cosas sobre la retina. Hablamos de ese espacio ficticio realista vigente en Occidente hasta principios del siglo XX. Pero el cubismo y las distintas corrientes de la abstracción generaron otros modos de entender el espacio pictórico: más que imitar la supuesta naturaleza exterior, los artistas crearon ámbitos específicos de la misma pintura, sin referencia a realidades ajenas al cuadro propiamente dicho.

Picasso, además de usar los pinceles con gran maestría, mostró su habilidad como dibujante "lineal", como se ve en esta lámina de su serie de grabados **Suite Vollard** *(1930-1936). Su tema anticipa algunos de los asuntos de* Guernica.

TRES CONCEPCIONES DEL ESPACIO PICTÓRICO

El "ilusionismo" (sensación de realidad) de la pintura renacentista se lograba por la superposición de dos convenciones que sintetizaban las habilidades del dibujante y las del pintor: la perspectiva geométrica y la semejanza cromática (el cielo azul, la sangre roja, las hojas verdes, etc.). Se añadía a eso el claroscuro, es decir, gradaciones de tono que sugerían el volumen. Todo esto se halla en la famosa tabla de Piero della Francesca que representa la **Flagelación de Cristo** (1450-1460). Parece como si un ojo único, inmóvil, estuviera controlando todos los lugares de la representación; las cosas alejadas son más pequeñas que las cercanas, y unas leyes matemáticas rigurosas (las de la perspectiva) determinan qué partes de cada objeto y en qué posición se hacen visibles para el espectador. El cuadro parece así una especie de ventana ideal abierta a un espacio imaginario de profundidad infinita.

DELLA FRANCESCA, Piero: *Flagelación de Cristo (1450-1460)*.

La fotografía, basada en la cámara oscura, heredó el modo de visión típico de la pintura renacentista, con un ojo único e inmóvil (el objetivo) y la proyección sobre un plano (la película) de las impresiones luminosas de los objetos. Pero el arte del siglo XX ha generado otro modo descoyuntado de ver el mundo, heredero del cubismo sintético, cuya mejor expresión se halla en ciertos fotomontajes dadaístas. Uno de los más representativos es **Cortado con el cuchillo de cocina** (1919-1920), de la artista Hannah Höch. Está hecho con muchos fragmentos de fotografías y algunos textos, todo ello recortado y pegado para formar un conjunto heterogéneo, como si fuera un caleidoscopio de representaciones múltiples no jerarquizadas, en perfecta sintonía con la confusión y la complejidad del mundo moderno. No hay un espacio único sino la yuxtaposición de muchos, con esas imágenes flotando en un soporte de profundidad indeterminada. Ello no impidió a Hannah Höch desarrollar un programa iconográfico de exaltación dadaísta y burla de la sociedad burguesa.

HÖCH, Hannah: *Cortado con el cuchillo de cocina (1919-1920)*.

El título de esta pintura realizada en 1957 por Yves Klein es **IKB 54**, una abreviatura de "International Klein Blue". El color azul ocupa toda la superficie, eliminándose de este modo cualquier ilusión de profundidad, así como las emociones y sentimientos asociados al tema. No hay espacio ficticio sino sólo el real de la tela en su relación física con el lugar donde se coloca. Klein jugó con la forma aleatoria del soporte: esto no sería un *cuadro* en sentido estricto, puesto que carece de los cuatro lados habituales en la mayoría de las pinturas. Con el círculo del soporte y la abstracción absoluta de su interior se nos indica que no existen un "arriba" y un "abajo". Nos hallamos ante un alejamiento radical del espacio pictórico generado en la Italia renacentista y que predominó en Occidente hasta la época de las vanguardias.

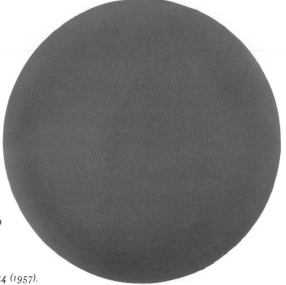

KLEIN, Yves: *IKB 54 (1957)*.

Algunas corrientes creativas contemporáneas nos han enseñado a ver como artísticas cosas aparentemente alejadas de las bellas artes tradicionales: edificios industriales, anuncios, objetos de diseño, etc. A pesar de esto, debe reconocerse que las obras verdaderamente significativas se hallan en algunos lugares específicos. Es clave saber dónde está el arte y cómo se valora, pues la distinción entre lo artístico y lo que no lo es la marcan algunas instituciones o agentes. Mencionaremos ahora por su importancia especial los cuatro siguientes:

1. Los artistas

Son la base del "sistema del arte". Su papel y estatus social han cambiado a lo largo de la historia, pasando de su consideración como artesanos aplicados, durante la Alta Edad Media, a la de creadores más o menos geniales en las épocas moderna y contemporánea. Debe tenerse en cuenta su formación: las escuelas de bellas artes (desde el siglo XVIII) sustituyeron a los antiguos talleres gremiales, permitiendo que el mercado y los otros agentes (la crítica y las galerías) determinaran quién es artista con independencia de cuál pudiera haber sido su aprendizaje. Por ejemplo, Picasso, Duchamp o Dalí (tal vez los más grandes creadores del siglo XX) no terminaron una carrera de "bellas artes".

2. Mecenas y galeristas

Los artistas han vivido siempre de los encargos recibidos o de las ventas de obras realizadas. Esta segunda modalidad se atisbó en la Holanda del siglo XVII, pero hasta fines del XIX no se generalizó el sistema de galerías que impera hoy. Los trabajos artísticos tienen un valor económico: el mercado determina en qué proporción se venden, lo cual influye en la valoración global. Además siempre ha existido el mecenazgo (financiación a algún creador mediante encargos o compras específicas) como un mecanismo importante para la promoción artística.

Un ejemplo de institución artística contemporánea en el contexto de una ciudad histórica: el Museo de Arte Abstracto, instalado en las llamadas "casas colgantes" de Cuenca.

La restauración de obras de arte es una exigencia colateral de los museos, y de ello se ocupan algunos organismos especializados. En la foto, una vista del Instituto de Conservación y Restauración de Bienes Culturales de Madrid.

3. Museos y espacios de arte

Tanto en la Antigüedad grecorromana como luego en la Europa del Renacimiento y del barroco existieron los coleccionistas privados de obras de arte, pero los museos como organismos públicos y abiertos a todos los ciudadanos fueron una conquista de la Revolución francesa. Nada refleja mejor los cambios en las valoraciones del arte que los avatares y cambios de estas instituciones. Los museos se han multiplicado a lo largo de los siglos XIX y XX: unos pocos han podido conservar su vocación "universal" (Museo Británico en Londres, Louvre en París, etc.), pero la mayoría están especializados en un medio de expresión, una época, un artista o alguna escuela nacional. Los museos están cambiando mucho: proliferan ahora en ellos las exposiciones temporales, y no es infrecuente que promuevan las actividades de artistas que aún no han logrado la consagración en otras instancias. Está claro que la visita asidua a los museos es esencial para disfrutar directamete con las obras de arte.

4. La crítica y la historia del arte

La creación se inserta siempre en un contexto intelectual, enlazando (o polemizando) con determinadas corrientes de la sensibilidad o del "gusto". Ello explica la proliferación de opiniones artísticas y la aparición de la crítica a fines del siglo XVIII, como un género literario vinculado al periodismo. Los debates artísticos son consustanciales a las sociedades complejas, abiertas y democráticas del mundo contemporáneo. Pero hay también un consenso muy amplio sobre muchos aspectos de la creación. De ello se ocupa la historia del arte: esta disciplina examina cosas cuyo valor está tan reconocido que su conocimiento y disfrute nos parecen esenciales. La historia universal del arte atiende a los logros más positivos del pasado proyectándose en el presente, y por eso es una materia "esperanzadora" que fomenta la cohesión social e incrementa la felicidad humana.

MONUMENTOS Y MUSEOS: TRES LUGARES DEL ARTE

Los monumentos artísticos pueden estar aislados en algunos sitios de difícil acceso o hallarse rodeados por obras poco significativas, pero es frecuente también encontrarlos en contextos urbanísticos de gran riqueza y complejidad. Es vital en estos casos luchar por el mantenimiento de esos conjuntos, pues el disfrute aislado de algunas obras no puede separarse del diálogo que éstas establecen con otras adyacentes. Muchos lugares en Europa ofrecen la oportunidad de comprobarlo: el interés de ciudades como Toledo, Santiago de Compostela, Salamanca, Sevilla y tantas otras más radica en la personalidad y calidad global de sus "centros históricos", con agrupaciones arquitectónicas enriquecidas con el aporte de numerosos estratos históricos. En la fotografía vemos una vista del **foro romano**, un ejemplo especial de ese tipo de superposiciones monumentales, con obras importantes de distintos períodos, desde la Roma republicana hasta el barroco.

Foro romano.

Exterior del Museo Británico, Londres.

Los lugares del arte por excelencia son los museos. No es fácil constituirlos, pues a la imposibilidad de lograr algunas piezas representativas (nadie podría comprar ahora para un nuevo museo *Las meninas* de Velázquez, pongamos por caso) se unen los elevados precios de otras obras teóricamente disponibles, además de los costes requeridos por el mantenimiento de tales instituciones. Los mejores museos son también el resultado de procesos históricos complejos: el Museo del Prado, en Madrid, se formó con el núcleo de las colecciones de pintura de la antigua monarquía española; el Museo del Louvre, en París, o el londinense **Museo Británico** (representado en la fotografía) tuvieron orígenes parecidos al español, pero engrosaron mucho sus colecciones a lo largo de los siglos XIX y XX, por las adquisiciones y expolios propiciados por el hecho de que tanto Francia como Gran Bretaña fueron entonces grandes estados imperiales.

Un nuevo tipo de museo se ha consolidado en las décadas finales del siglo XX: ya no se trata del venerable "templo del Arte" (con mayúscula) donde se custodian obras seculares de prestigio, sino de un sitio vivo donde se estimula la creación más avanzada. Muchos museos de arte contemporáneo (como el **MACBA** de Barcelona, representado en la fotografía) se están constituyendo sin que posean en el momento fundacional una sólida colección permanente, pues entienden que su misión es presentar exposiciones temporales, encargar proyectos, apostar por valores emergentes y adquirir obras actuales como una inversión cultural que puede ser muy rentable de cara al futuro. Estos museos actúan como mecenas y promotores de actividades culturales: ellos financian y exponen trabajos que tienen difícil salida en el comercio privado del arte (instalaciones, *performances*, piezas de gran tamaño, propuestas "conceptuales", etc). La otra cara de la moneda es su estrecha dependencia de los poderes político, mediático y financiero, que son los que sostienen este tipo de instituciones.

Museo de Arte Contemporáneo, Barcelona.

1. ¿Qué es el arte?

- Es un concepto cambiante en el espacio y en el tiempo.
- Existe dentro de una tradición histórica.
- Se vincula a unas técnicas y modos de trabajo determinados.
- Se relaciona con lo no utilitario.
- Ensancha los límites de la experiencia.

2. El arte y la historia

El arte no es un mero reflejo inerte de la sociedad. Se relaciona con la historia de dos maneras:
- Como documento para conocer otros aspectos del pasado.
- Como aportación insustituible a la formación de las mentalidades.

INTRODUCCIÓN A LA HISTORIA DEL ARTE

3. Estilos y lenguajes

- No existe un único "espíritu de la época" asociado a cada estilo.
- Cada una de las artes tiene su propia dinámica evolutiva.
- Los lenguajes artísticos pueden no coincidir con los imperios o Estados.
- El ritmo en la evolución del arte es diferente para cada civilización.
- La historia del arte se ocupa preferentemente de "lo excepcional".

7. El arte y las instituciones

El arte se define por el trabajo interactivo de varios agentes e instituciones. Entre ellos están:
– Los artistas.
– Mecenas y galeristas.
– Museos y espacios de arte.
– Crítica e historia del arte.

6. El dibujo y la pintura

Carácter plano de la superficie. Hay que considerar lo siguiente:
– La técnica y la naturaleza del soporte.
– La línea y el color.
– El espacio ilusorio y la realidad del cuadro.

5. La escultura

Ocupación del espacio tridimensional. Deben considerarse los siguientes aspectos:
– Procedimientos y materiales.
– El tamaño y la función.
– Lo "estático" frente a lo "dinámico".

4. La arquitectura

Ocupaba el primer lugar en la jerarquía tradicional de las artes plásticas. Hay que seguir considerando la tríada de Vitruvio:
– Utilidad.
– Solidez.
– Belleza.

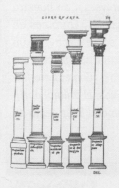

2. ARTE PREHISTÓRICO, DE ORIENTE PRÓXIMO Y DE EGIPTO

Las primeras manifestaciones artísticas que han llegado a nuestros días surgen en la prehistoria, en el seno de las sociedades de cazadores y recolectores del paleolítico. Su interpretación es difícil de hacer, pues estas sociedades carecían de fuentes escritas, pero probablemente surgieron asociadas con una finalidad práctica y vinculadas a las actividades que marcan el ciclo vital, del nacimiento a la muerte.

Posteriormente, la evolución de estas sociedades prehistóricas desembocará en la organización de las primeras sociedades urbanas del Oriente Próximo (Mesopotamia) y el norte de África (Egipto). Ambas desarrollarán unas estructuras sociales, económicas y políticas complejas, y unas manifestaciones artísticas vinculadas a las creencias religiosas y las necesidades políticas que aún hoy nos siguen impresionando por su monumentalidad, su alto grado de elaboración y su complejidad.

Estandarte de Ur, mediados del III milenio a. C.

¿POR QUÉ ES HOMBRE EL HOMBRE?

Desde que tenemos mentes para pensar, estrellas que analizar, sueños que nos perturban, curiosidad que nos inspira, horas libres para meditar y palabras para poner nuestros pensamientos en orden, esa pregunta ha rondado por las profundidades de nuestra conciencia como un alma en pena.

¿Por qué es hombre el hombre? [...]. Ningún pueblo culto y en posesión de la escritura, ninguna tribu ágrafa y primitiva, ha dejado de prestar atención a ese fantasma. La pregunta nos preocupa a todos; es tan universal en nuestra especie como la capacidad para el lenguaje. ¿Entramos en este mundo desde una selva primitiva, sobre el lomo de un elefante sagrado? ¿Fuimos arrojados a una costa pedregosa por un pez benevolente e inmaculado? ¿Con cuánta frecuencia, en nuestros mitos más primitivos, el animal participó en la Creación? Hasta el jardín llamado Edén tenía su serpiente.

ARDREY, R.: *La evolución del hombre: la hipótesis del cazador.* Madrid, Alianza, 1994

S   Í   N   T   E   S   I   S

La intencionalidad del arte prehistórico y su interpretación

Desde sus inicios como especie, el ser humano comenzó a crear un vocabulario artístico. Las pinturas corporales (como los tatuajes) o los objetos realizados en madera, que pudieron estar entre esas primeras manifestaciones, no han llegado hasta nosotros para poder estudiarlos. Sin embargo, sí se han conservado figuras y signos dibujados en las paredes de las cuevas (*arte rupestre* o *parietal*) o tallados en piezas de piedra o hueso (*arte mueble* o *mobiliar*) que datan del paleolítico superior (entre el 35 000 y el 8 000 a.C.).

Las dificultades para el estudio de estas primeras manifestaciones artísticas se agudizan por la carencia de escritura, que impide tener la información precisa sobre lo que pretendían expresar nuestros antepasados. Pero gracias a la información que nos aportan ciencias como la arqueología o la etnología, los especialistas han podido elaborar diversas hipótesis. La interpretación más extendida es la que sostiene que las pinturas o los grabados sobre la roca con animales o signos geométricos podrían hacer referencia a la *apropiación por la imagen*, de manera que pintar una manada de bisontes antes de ir a cazarlos facilitaría su captura. Por otra parte, es muy posible que las representaciones tengan un carácter sagrado y que hagan referencia a ritos y creencias cuyo significado, sin embargo, no podemos conocer con certeza.

Representación de un bisonte tallado en asta de reno. Este relieve, de finales del paleolítico superior, procede de la cueva de la Madelaine (Francia), y podría ser el extremo de un propulsor, arma que servía para cazar.

Los primeros géneros

Arquitectura. Las sociedades del paleolítico vivían de la caza y la recolección y eran, por tanto, nómadas. En sus construcciones empleaban materiales perecederos (maderas o pieles), que no se han conservado. Las cuevas y los abrigos naturales eran utilizados a menudo como lugares de habitación, pero al mismo tiempo cumplían la función de santuarios y espacios de enterramiento. Las primeras construcciones en las que se empieza a experimentar con soluciones arquitectónicas surgen en el neolítico, cuando el hombre comienza a desarrollar la agricultura y la ganadería y se hace sedentario. También en esta época tuvo lugar otro acontecimiento fundamental para las artes plásticas: la *invención de la cerámica*.

Escultura. Las esculturas paleolíticas que han llegado hasta nuestros días consisten en objetos de adorno personal y en herramientas de uso (arpones, bastones de mando, armas), grabados con motivos animalísticos o geométricos. También se tallaban en piedra o marfil figuras femeninas con exagerados rasgos sexuales. Son las denominadas *Venus esteatopígicas*, que se han interpretado como producto del culto a la fecundidad, relacionado con la perduración de la especie.

Pintura. Las pinturas más antiguas que conservamos en las paredes de las cuevas pertenecen también a las sociedades cazadoras del paleolítico superior. Son representaciones aisladas de animales, que no forman escenas, o signos geométricos, sin figuración humana. Posteriormente, la evolución hacia las formas de vida neolíticas se expresará, desde el punto de vista artístico, con la representación de escenas de actividades diversas protagonizadas ya por el hombre (caza, recolección, danza), junto a otras más esquemáticas y difíciles de descifrar (puntuaciones, rayas).

Vaso campaniforme hallado en Ciempozuelos, cerca de Madrid. En el neolítico se inventa la cerámica, que pronto empieza a decorarse de múltiples formas, bien con pintura o con incisiones, como en este caso. La decoración se organiza en bandas con distintos motivos (líneas, zigzags, etc.) que se van alternando.

PREHISTORIA EN EUROPA Y ASIA MENOR						
1 500 000 a.C.	100 000 a.C.	35 000 a.C.	8 000 a.C.	6 000 a.C.	2 500 a.C.	450 a.C.
Paleolítico inferior	Paleolítico medio	Paleolítico superior	Mesolítico	Neolítico	Edad de los metales	

LOS MONUMENTOS MEGALÍTICOS

Algunas sociedades neolíticas europeas dedicadas a la agricultura y a la ganadería comenzaron a desarrollar a mediados del V milenio a.C. unas construcciones que empleaban grandes bloques de piedra desbastada llamados megalitos. La edificación de estos monumentos implicaba la existencia de una organización social compleja, ya que exigía un trabajo coordinado tanto para transportar estos grandes bloques como para colocarlos. Su función era religiosa, relacionada con cultos solares, y funeraria; en su ámbito se han encontrado enterramientos y ajuares con ofrendas y pertenencias del difunto. Los modelos utilizados se difundirán por toda Europa a lo largo de los milenios IV y III a.C., y de ellos se conservan restos importantes en España, Portugal, Francia e Inglaterra. Veamos, a partir de algunos ejemplos sobresalientes, cuáles son los principales monumentos megalíticos.

Menhires

Son las formas megalíticas más sencillas. Consisten en piedras de gran tamaño hincadas de forma vertical en la tierra. En ocasiones aparecen ordenados en los llamados *alineamientos*, que pueden llegar a recorrer cientos de metros en línea recta, o en una colocación circular, en cuyo caso se los denomina *cromlech*. En Stonehenge (Inglaterra), se localiza el cromlech más espectacular del mundo, que ha sido interpretado como lugar de enterramiento y santuario dedicado al sol y que es el resultado de diferentes ampliaciones realizadas entre el 2 450 a.C. y el 1 500 a.C.

Cromlech de Stonehenge, Inglaterra.

Dólmenes

Es la forma megalítica más elaborada. Son construcciones funerarias cubiertas, formadas por varios bloques de grandes dimensiones, que van evolucionando desde una sencillez inicial hacia estructuras más complejas consistentes en una distribución en diferentes espacios con un largo corredor que termina en una o varias cámaras. Ejemplo de ello son las cuevas del Romeral y de Menga en Antequera (Málaga).

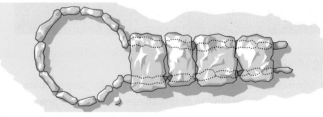

Dolmen de corredor, Menga.

La peculiaridad de los esquemas baleares: taulas, navetas y talayots

En las islas Baleares se conservan ejemplos de una arquitectura megalítica que se desarrolló durante la edad del bronce, y que adquiere formas distintas a las del resto de Europa. Se trata de construcciones que se han relacionado con determinados ritos funerarios y religiosos (navetas y taulas) y también con funciones defensivas (talayots).

Taula y talayot de Trepucó, Menorca.

La obra

Las pinturas de Altamira (Cantabria) fueron realizadas hacia el 12 000 a.C. Aunque hay pinturas en diferentes lugares de la cueva, las más importantes son las que ocupan el techo de una amplia sala. Son obra de la sociedad de cazadores característica del paleolítico superior.

Vista general de la gran sala de la cueva de Altamira.

Análisis formal

Las pinturas representan animales, sobre todo bisontes, aunque también caballos y ciervos. Son grandes figuras policromas, en las que se han utilizado pigmentos de diferentes colores, sobre todo rojo y negro. Estos pigmentos se obtenían de distintas tierras y rocas, y se aplicaban con el dedo o con la ayuda de herramientas.

Las figuras están situadas de tal manera que los abultamientos de la piedra parecen formar parte del animal, y contribuyen, junto con el color, a crear sensación de volumen.

El estilo es muy realista y detallado, y los bisontes aparecen en diferentes posturas. Hay naturalismo, interés por la profundidad y el movimiento, y atención a los detalles. A pesar de estar unos animales representados junto a otros, son figuras aisladas, que no forman una escena.

Significado

El significado de las pinturas es desconocido, pero probablemente esté relacionado con ritos mágicos destinados a propiciar la caza o proteger al grupo social. Se ha supuesto que la cueva pintada era un lugar sagrado, porque se usó a lo largo de mucho tiempo.

Las pinturas de Altamira pueden ser analizadas dentro de un amplio conjunto de pinturas rupestres encontradas en cuevas situadas en el norte de la Península y en Francia, que forman la llamada *pintura franco-cantábrica*. Todas ellas tienen características comunes: representación de animales, ausencia de figuras humanas, estilo naturalista y figuras aisladas, que no forman escenas. Estos rasgos se repiten en las cuevas de Candamo y el Pindal (Asturias), de Covalanas (Cantabria) y de Lascaux y Niaux en Francia.

- Explica la importancia que tenía la caza para los hombres del paleolítico.
- ¿Qué recursos se han usado en Altamira para crear sensación de volumen?
- Busca información sobre otras obras de la escuela franco-cantábrica. ¿Qué animales se representan? ¿Qué rasgos caracterizan a este tipo de pintura rupestre?

La obra

Estas pinturas se encuentran en el abrigo de la Roca dels Mors, en Cogull (Lérida). Están al aire libre y por eso su estado de conservación no es muy bueno. Su datación entre el 6 000 y el 1 000 a.C. las sitúan a finales del mesolítico o neolítico.

Análisis formal

La escena central está formada por un grupo de mujeres situadas alrededor de un hombre. El pintor ha dibujado las siluetas y luego las ha rellenado usando un color plano, es decir, sin hacer sombras. Son figuras monocromas, de un solo color, y de pequeño tamaño, con un estilo esquemático y estilizado, que las reduce a lo esencial. Es una pintura narrativa, que cuenta lo que ocurre, con interés en reflejar la acción y el movimiento de la escena.

Significado

La escena central se ha interpretado como una danza ritual, tal vez relacionada con la fertilidad o la reproducción. Tanto las pinturas como el lugar en el que están debieron de tener un carácter mágico o religioso, ya que las figuras fueron varias veces repintadas y se añadieron nuevas imágenes e inscripciones en distintas épocas.

En la zona levantina se han encontrado muchos abrigos y rocas con pinturas de un estilo muy parecido al de Cogull. En ellas aparecen escenas que reflejan la vida de la sociedad del mesolítico: caza, guerra, recolección de miel, animales domesticados, etc. Son pinturas monocromas, con escenas en las que aparecen más personas que animales, y tienen un estilo esquemático y narrativo. Se han encontrado pinturas de la escuela levantina, entre otros sitios, en Ares del Maestre y en Morella (Castellón), en Calapatá (Teruel) y en Bicorp (Valencia).

LA VENUS DE WILLENDORF

La obra

Esta pequeña estatuilla de caliza, de 11 cm de altura, fue tallada hace aproximadamente 20 000 años, en el paleolítico superior. Se encontró a principios de este siglo en un cazadero de mamuts en Austria.

Análisis formal

Se trata de una escultura de bulto redondo que representa a un mujer gruesa, con grandes caderas y pechos, y cuyos brazos y piernas están poco desarrollados, como si no tuvieran interés para el autor. No tiene facciones en la cara, y la cabeza está cubierta con un diseño geométrico. No parece que esta figura trate de representar a una mujer concreta, y se interpreta como una representación simbólica.

Significado

Se han encontrado unas doscientas estatuillas femeninas de pequeño tamaño diseminadas por gran parte de Europa. No conocemos su significado exacto, pero suponemos que eran imágenes relacionadas con el culto a la fecundidad, tal vez mujeres embarazadas, que podrían simbolizar la capacidad de reproducción.

Muchas de las obras mobiliares de la prehistoria se han encontrado rotas y dispersas por el suelo, o escondidas en hoyos, por lo que es posible que formaran parte de algún rito de destrucción.

- Resume las características de la pintura levantina.
- A través de la información que nos da la pintura, ¿qué sabemos de la sociedad del mesolítico?
- Averigua el significado de la palabra *esteatopigia*. ¿Con qué aspectos de la pintura rupestre puedes relacionar esta estatuilla? Explica tu respuesta.
- ¿Qué finalidad tenía el arte prehistórico?

2. EL ARTE DEL ORIENTE PRÓXIMO

Mesopotamia, un paraíso entre dos ríos

Entre los ríos Tigris y Éufrates se encuentra la región denominada Mesopotamia (que en griego significa "entre ríos"). La fertilidad del terreno y una climatología favorable permitieron que fuera en esta zona donde nacieran las primeras ciudades, en el IV milenio a.C. Allí se establecieron distintos pueblos que, en permanente rivalidad, desarrollaron unas complejas organizaciones sociales y elaboraron los primeros códigos de leyes escritas.

Estandarte de Ur. Sumeria, mediados del III milenio a.C.
Forma parte de una caja de taracea o incrustación en madera de piezas pequeñas (en este caso lapislázuli y concha). En ella se representa la celebración de una victoria militar sumeria.

Los sumerios, establecidos en el sur de la región, fueron unos de sus pobladores más antiguos. Vivían en ciudades-estado independientes, controladas por un soberano que actuaba como representante del dios en la tierra y una poderosa casta sacerdotal. Posteriormente los acadios, en el sur, y los asirios, en el norte, organizarán estados militares bajo el poder de un monarca autoritario. Más tarde, la idea de dominio territorial dará lugar a la formación de otros imperios poderosos, como el babilónico o el persa, en el actual Irán, con una organización estatal muy perfeccionada y centralizada. En todas estas culturas, el arte se pondrá al servicio de las necesidades políticas, actuando como un medio de propaganda de la imagen de los gobernantes y de su poder.

Unas soluciones artísticas novedosas

Arquitectura. Dada la gran escasez de piedra existente, fue el entorno fluvial el que proporcionó el material constructivo más empleado: la *arcilla*. En bloques secados al sol (adobes) o cocidos a altas temperaturas (ladrillo), se obtenía un material ligero y consistente capaz de sustituir a la piedra. Estos materiales permitieron colocar bloques en forma de radio, dando lugar a la construcción de los primeros arcos como elementos sustentantes que al disponerse sucesivamente formaban una cubierta curva o bóveda. Para decorarlos, se utilizará como revestimiento el ladrillo vidriado de diferentes colores. El resultado supuso una gran novedad para la historia de la arquitectura.

La planificación urbanística también surgió en Mesopotamia, con ciudades que respondían a un plan preestablecido y se articulaban en torno a las construcciones más relevantes. Entre ellas sobresalía el templo, que se distinguía por tener una elevada torre formada por plataformas escalonadas (*zigurat*). El *templo* era uno de los polos fundamentales de la sociedad y en él se desarrollaban actividades religiosas, políticas y económicas. El otro edificio destacado era el *palacio real,* que, con el creciente poder de los gobernantes, evolucionó hacia estructuras cada vez más complejas para expresar el dominio del rey sobre sus súbditos. Un ejemplo de ello es la residencia real de Persépolis (iniciada en el 518 a.C.), que poseía inmensos espacios representativos como la sala de audiencias (*apadana*). Su construcción simbolizaba la extensión del dominio persa sobre un gran número de pueblos sometidos.

Escultura. Como materiales escultóricos se usaron la arcilla, la piedra y la cerámica vidriada. Sus formas se caracterizan por la rigidez en las representaciones de dioses, sacerdotes o reyes, con esculturas bloque y figuras de canon corto. Los relieves decoraban las paredes de los edificios significativos o las superficies de *estelas* de piedra, en las que se grababan hechos y victorias militares o leyes, como sucede con el famoso *Código de Hammurabi*. Además de estos motivos, fueron muy frecuentes las imágenes de cacerías, combates o largas procesiones rituales, para exaltar a los monarcas.

Código de Hammurabi. Babilonia, siglo XVIII a.C. Se trata de uno de los primeros códigos normativos.
En la parte superior, el dios entrega al rey Hammurabi las leyes para gobernar a su pueblo;
el resto de la estela, con escritura cuneiforme, contiene el texto legal.

PRINCIPALES CULTURAS DEL ARTE DE ORIENTE PRÓXIMO						
4 000 a.C.	1 800 a.C.	900 a.C.	600 a.C.	500 a.C.	400 a.C.	
Sumerios	Babilonios	Asirios	Neobabilonios	Persas		

LAS CIUDADES MESOPOTÁMICAS

Los habitantes de Mesopotamia se consideraban los constructores de las ciudades más primitivas de mundo. Las excavaciones en conjuntos urbanos como la ciudad sumeria de Uruk permiten valorar la existencia de construcciones de carácter urbano en épocas muy tempranas (IV milenio a.C.). Las ciudades, que sufrieron una gran evolución a lo largo de los siglos, implicaron un nuevo sistema de vida y unas formas de organización diferentes que demuestran el alto grado de desarrollo económico y social que poco a poco fueron adquiriendo los pueblos de Mesopotamia.

Ciudades amuralladas

Debido a las continuas rivalidades existentes entre ellas, las ciudades se rodearon de recintos amurallados, con complicados sistemas defensivos que garantizaban su seguridad. De la importancia que adquirió la construcción de murallas, por el esfuerzo económico y técnico que suponía, tenemos una buena muestra en el famoso *Poema de Gilgamesh*, una narración épica que cuenta la vida de un héroe legendario al que se atribuye la edificación de las murallas de Uruk:

"Él edificó los muros de Uruk, la bien cercada [...]. ¡Contempla su muralla exterior, que parece hecha de bronce! [...]. ¡Mira sus paredes internas que no tienen rival! [...]. ¡Sube y pasea por la muralla de Uruk! Inspecciona su base, observa su fábrica de ladrillo. ¿No son de ladrillo cocido los ladrillos de su estructura?".

Las puertas de acceso

Un elemento destacado de las murallas eran las puertas de acceso, que en ocasiones solían decorarse de forma suntuosa para demostrar el poder y magnificencia de sus constructores. Un buen ejemplo es la monumental *puerta de Isthar* (Babilonia), del siglo VI a.C. Está decorada con cerámica vidriada policromada con figuras en relieve de toros y dragones. Estos animales eran los atributos del dios Marduk y por ello se ha interpretado que podrían tener un carácter protector.

Puerta de Ishtar. Babilonia, período neobabilónico, siglo VI a.C.

El zigurat

En el perfil de las ciudades, destacaba la silueta del zigurat, la torre escalonada de los templos, que simbolizaba la relación con las distintas divinidades y que normalmente estaba consagrada a alguna de ellas. El zigurat más importante y mejor conservado es el de la ciudad sumeria de Ur, de planta rectangular, con tres pisos, construido con adobe y recubierto con un fuerte caparazón de ladrillo cocido. El más famoso, sin embargo, es el mencionado en la Biblia, la llamada Torre de Babel o Babilonia. Así describía Heródoto, historiador griego del siglo V a.C., el zigurat de Babilonia:

"En medio del santuario se levanta una torre cuadrada, de un estadio [164 metros] de largo y otro de ancho. Sobre esa torre se eleva otra, y otra más sobre ésta, y así hasta ocho torres. La subida se efectúa rodeándolas por el exterior".

Zigurat de Ur. Sumeria, finales del III milenio a.C.

ANÁLISIS

GUDEA SENTADO

La obra

Representación de Gudea, gobernador de la ciudad sumeria de Lagash, que vivió a finales del III milenio a.C. La escultura forma parte de un conjunto de unas treinta de este mismo gobernante, pacífico y piadoso, que se colocaban en el templo como ofrenda a los dioses.

Análisis formal

Escultura en bulto redondo realizada en diorita negra, piedra muy dura que no existe en Mesopotamia. La figura tiene un canon corto, y aparece en una actitud recogida y respetuosa. Es un personaje esquematizado e idealizado, no realista, en el que no hay ningún rasgo individual. Las facciones del rostro y la anatomía, especialmente las manos y los pies, aparecen geometrizadas. Los paños del vestido son lisos, para grabar inscripciones sobre su superficie. Las formas son precisas y destaca la composición cerrada, en la que dominan las líneas curvas y las formas cilíndricas.

Significado

Gudea se presenta a sí mismo como un soberano piadoso, orante ante la divinidad. La escultura tiene una finalidad religiosa: mostraba la piedad del gobernante y servía como intercesora de los hombres ante los dioses. El carácter votivo de la escultura explica la solemnidad e idealización de la imagen.

ASURBANIPAL CAZANDO UN LEÓN

La obra

Forma parte de un conjunto que decoraba el palacio de Asurbanipal (669-626 a.C.) en Kuyunchik (Nínive). La ciudad era la capital del imperio asirio, y en sus palacios se desarrolló el relieve asirio con todo su esplendor.

Análisis formal

Las cacerías, junto con la guerra, son los grandes temas del relieve asirio. En esta escena, un león herido por una flecha ataca al rey, que atraviesa al animal con su espada. Se ha utilizado un relieve muy plano, que permite resaltar las líneas del dibujo y los detalles. Los personajes son fuertes, con rostros inexpresivos, y el león está representado con un gran naturalismo. La disposición del relieve, en un friso corrido, es muy adecuada para desarrollar estas narraciones detalladas, llenas de solemnidad y fuerza simbólica.

Significado

Este relieve es parte de una escena más amplia que representa una cacería ritual, en la que se exalta la fuerza, el poder y el valor del rey. El rey aparece como dominador de los animales y de la naturaleza. Estas escenas de cacería, junto con otras que narraban victorias militares, formaban un imponente conjunto, que simbolizaba el inmenso poder del imperio asirio, basado sobre todo en la fuerza militar.

- Explica por qué este *Gudea sentado* es una escultura-bloque. ¿Crees que esta obra es un retrato? Explica tu respuesta.
- Describe la escena asiria. ¿Qué virtudes del rey asirio refleja esta obra? ¿Qué finalidad tenía esta escultura?
- Compara este relieve con la figura de Gudea. ¿Qué rasgos comunes observas?

LOS ARQUEROS REALES
DEL PALACIO DE SUSA

La obra

Este friso de ladrillos vidriados decoraba el palacio de Susa, que el emperador persa Darío I ordenó construir en el siglo v a.C. En él se emplearon materiales y técnicas de todas las regiones del enorme imperio persa.

Análisis formal

El friso es un bajorrelieve que representa un solemne desfile de arqueros armados, que aparecen de riguroso perfil, salvo los ojos. Los arqueros son todos iguales; sólo se diferencian por los colores y diseños de las telas que visten, muy decorativos. Probablemente formaban parte de la guardia personal del rey.

La obra tiene un ritmo monótono y repetitivo típico del arte persa, sometido a unas normas muy rígidas. En los palacios, la escultura tiene una finalidad puramente ornamental, decorativa, y está siempre subordinada a la estructura arquitectónica.

Significado

Los persas conquistaron un enorme territorio, que abarcaba desde Egipto hasta las costas de Asia Menor. Los palacios eran el símbolo de ese poder, y en ellos los relieves decorativos mostraban interminables desfiles de pueblos sometidos y de soldados desfilando. El arte persa recibe influencias de los países conquistados, y las sintetiza en un estilo propio, solemne y de una elegancia muy palaciega.

La técnica

El empleo de ladrillos de arcilla vidriados y policromados en edificios tiene su origen en Babilonia; como hemos visto, este recurso ya se utilizó con excelentes resultados en la *Puerta de Ishtar* un siglo antes. La técnica consistía en lo siguiente: la arcilla se introducía en moldes y una vez modelada la pieza de ladrillo se aplicaba una capa de barniz vítreo de color azul, blanco, amarillo o verde; posteriormente se introducía la pieza en el horno a una temperatura muy alta y se cocía. Los ladrillos se marcaban en su parte superior para indicar dónde debían colocarse. Esta técnica permite obtener unos efectos coloristas espectaculares con un coste muy reducido, ya que la arcilla es muy económica; además, endurece el material y hace mucho más resistente el edificio. Según una de las inscripciones del palacio de Susa realizada por Darío I, fueron artesanos babilónicos al servicio del emperador los que hicieron los ladrillos de esta construcción.

Dedicatoria de Darío I (palacio de Susa)

Yo soy Darío, gran rey, rey de reyes, rey de países, rey de esta tierra [...].
Éste es el palacio que en Susa erigí. De lejos se trajo su ornamentación [...].
Y excavar la tierra [...], y moldear el ladrillo, el pueblo de Babilonia lo hizo.
La plata y el cobre de Egipto se trajeron [...].
Los canteros que trabajaron la piedra, éstos fueron jonios y sardos.
Los orfebres que trabajaron el oro, éstos fueron medos y egipcios.
Los hombres que trabajaban el ladrillo cocido, éstos fueron babilonios.
Los hombres que adornaron la pared, éstos fueron medos y egipcios [...].

FRANKFORT, H.: *Arte y arquitectura del Oriente Antiguo.* Madrid, Cátedra, 1982

- ¿Por qué la técnica de la cerámica vidriada era originaria de Mesopotamia? ¿Qué ventajas tiene la arcilla como material escultórico? ¿Qué inconvenientes?
- Compara este relieve con el anterior asirio y señala las diferencias que halles.
- ¿Qué influencias sumerias o asirias puedes encontrar en esta obra?

3. EL ARTE EGIPCIO

En torno al Nilo fértil

La cultura egipcia se formó en torno a unos particulares condicionantes geográficos alrededor del cauce del Nilo, flanqueado por un desierto que le ofrecía unas fronteras naturales. El río proporcionaba con sus crecidas anuales una capa de tierra fértil que abonaba los campos de labor y mejoraba las cosechas. Se desarrolló de esta forma una sociedad agrícola muy evolucionada, que elaboró un complejo sistema político, al frente del cual se situaba la figura del faraón, un rey considerado como un auténtico dios en la tierra, apoyado por una poderosa clase sacerdotal.

La religión egipcia era politeísta y estaba presente en todas las actividades de la sociedad. Las múltiples divinidades tomaban rasgos humanos o animales, y protagonizaban narraciones curiosas, lo que proporcionaba un repertorio amplísimo para las representaciones artísticas. La creencia en la vida después de la muerte era el motor de todas las creaciones, de manera que podemos decir que el arte egipcio es un arte para los muertos, pensado para durar toda la eternidad.

Patio del templo de Ramsés II en Luxor. Imperio Nuevo, dinastía XIX, siglo XIII a.C. La arquitectura egipcia es arquitrabada, no utiliza el arco, y sus dimensiones son colosales.

Unas formas perdurables

La avanzada civilización egipcia tuvo un desarrollo urbano organizado, con zonas residenciales, ceremoniales y comerciales en ciudades tan importantes como Menfis o Tebas. El uso de materiales de mala calidad en la arquitectura civil (barro y madera) ha impedido su conservación. No sucede lo mismo con las construcciones religiosas y funerarias. El templo, especialmente consolidado a partir del Imperio Nuevo (desde 1 550 a.C.) respondía a un esquema establecido basado en la disposición simétrica de estancias en torno a un eje longitudinal y en la progresiva disminución de la luz para aumentar el misterio de la cámara del dios. Se situaba en las proximidades del río y a su alrededor se levantaban las viviendas de los sacerdotes.

El deseo de permanencia después de la muerte hizo que la arquitectura funeraria destacara por la solidez, la estabilidad y la grandiosidad. El material empleado era la piedra, tallada en grandes sillares regulares. Los edificios tenían proporciones amplias, de acuerdo con unos profundos conocimientos de geometría y matemáticas; en su construcción usaban las columnas con capiteles vegetales como elementos sustentantes y al mismo tiempo decorativos. Los egipcios desconocían el arco, su arquitectura es adintelada o arquitrabada, por lo que todos los vanos se cierran con piezas horizontales de piedra o dinteles. El resultado es una arquitectura de proporciones colosales, que no está pensada a escala humana.

Pintura y escultura responden a los mismos deseos de perduración que la arquitectura. La pintura mural decora las paredes de los enterramientos y sigue unos principios muy característicos, con figuras humanas en las que se combinan la perspectiva frontal y la vista de perfil. La escultura usa la madera o el barro, aunque a nosotros han llegado sobre todo obras realizadas en piedras de gran dureza (como el basalto). Las representaciones se distinguen por su hieratismo, es decir, por la rigidez y el estatismo, el carácter de bloque y la solemnidad. Según avanza el tiempo se conseguirá una mayor captación del movimiento y el realismo. La mayor parte de los ejemplos conservados tienen un carácter funerario, asociados a los objetos que se depositaban en las tumbas.

Tríada de Micerinos. Imperio Antiguo, dinastía IV, III milenio a.C.
Escultura funeraria en alto relieve del faraón Micerinos rodeado de dos divinidades.
La rigidez, la solemnidad y el estatismo son característicos de la escultura egipcia.

LA CIVILIZACIÓN EGIPCIA										
3 100 a.C.	2 686 a.C.	2 181 a.C.	2 040 a.C.	1 786 a.C.	1 552 a.C.	1 069 a.C.	663 a.C.	525 a.C.	404 a.C.	341 a.C.
Dinastías I-II	III-VI	VII-X	XI-XII	XIII-XVII	XVIII-XX	XXI-XXV	XXVI	XXVII	XXVIII-XXX	
Período Tinita	Imperio Antiguo	Primer período intermedio	Imperio Medio	Segundo período intermedio	Imperio Nuevo	Tercer período intermedio	Dinastía Saíta	Primera dominación persa	Últimas dinastías indígenas	

UN ARTE PARA LA ETERNIDAD

La creencia en una existencia más allá de la muerte condicionó fuertemente el arte egipcio y generó unas necesidades funerarias que imprimieron un carácter particular a esta civilización. Los sectores privilegiados de la sociedad, los altos dignatarios y la familia real mandaban construir enterramientos monumentales muy singulares donde esperar su vuelta a la vida. Las construcciones debían ser duraderas y disponer de espacios que estuvieran a salvo de las frecuentes profanaciones que llevaban a cabo los saqueadores de tumbas. Junto al cadáver momificado, se situaban una serie de objetos de uso corriente y alimentos que servirían para la vida futura. Esta creencia ha permitido que llegaran a nosotros muchas muestras de la refinada cultura egipcia, en el trabajo de la madera o los metales preciosos.

Vaso canope utilizado en las tumbas egipcias para contener las vísceras del difunto momificado. Dinastía XXVI.

Tipologías de enterramientos

- **Mastaba.** Es la forma de enterramiento más antigua, con forma de pirámide truncada. En su interior se encontraba una sala para depositar las pertenencias del difunto y las ofrendas, y la cámara mortuoria.

- **Pirámide.** Es la construcción más singular. Se levantan con sillares de piedra ajustados con gran precisión técnica. Debido a su altura se emplearon rampas de tierra para subir la piedra y máquinas sencillas pero muy eficaces. Alrededor se edificaban construcciones religiosas y esculturas que tenían un carácter protector, algunas de un tamaño colosal, como la famosa esfinge de Gizeh. Las pirámides son buena muestra del poder del faraón y la organización política del estado. A la IV dinastía corresponden las grandes pirámides de Kéops, Kefrén y Micerinos.

- **Hipogeo.** Es una tumba excavada, con galerías y cámaras invisibles exteriormente, para evitar los saqueos. Son muy numerosos en el llamado Valle de los Reyes. Tuvieron un gran desarrollo durante el Imperio Medio.

Esfinge de Gizeth y pirámide Kéops.

La decoración de las tumbas

Las tumbas solían disponer de varias estancias, cuyas paredes se pintaban con representaciones sagradas o escenas de la vida terrena del difunto. Estas escenas, en ocasiones, eran muy naturalistas, con paisajes y animales. Las pinturas se caracterizan por el uso de colores planos, la combinación de las dos visiones, frontal y de perfil, y la ausencia de profundidad, distribuyendo las escenas en niveles superpuestos. En la decoración tenían también gran importancia los textos en escritura ideográfica (que utiliza símbolos para expresar ideas), con un carácter sagrado y ornamental.

Pintura egipcia de Tebas, 1400 a.C.

EL TEMPLO EGIPCIO

La tipología arquitectónica

El templo egipcio que hoy conocemos se desarrolló durante el Imperio Nuevo (a partir del 1 500 a.C.), época de victorias militares y auge económico en la que los grandes faraones conquistadores de nuevos territorios utilizan todo su poder y riqueza para construir monumentales templos de piedra, con los que agradecen a los dioses sus triunfos. Se fija entonces un modelo de templo que se mantiene en vigor durante mucho tiempo. Los templos más importantes están en los conjuntos de Karnak y Luxor, cercanos a la ciudad de Tebas.

Templo de Karnak.

Las partes de un templo egipcio

1   **Camino de Dios**. Avenida bordeada de esfinges que conducía hasta el templo. Es una avenida monumental, y con frecuencia las esfinges tienen la cabeza del animal sagrado que corresponde al dios del templo o están acompañadas de estatuas del faraón.

2   **Pilonos**. Muros trapezoidales en los que se abre la puerta. Tienen una misión eminentemente decorativa, y sobre su superficie se disponen relieves e inscripciones. Con frecuencia la puerta estaba flanqueada por obeliscos o estatuas colosales del faraón.

3   **Patio porticado**. Última parte del templo de acceso público.

4   **Sala hipóstila**, de cubierta adintelada y sostenida por gruesas columnas. El suelo está a un nivel más alto que el del patio, y el interior permanece en penumbra, iluminado sólo a través de las ventanas de la parte superior. A esta sala sólo podían entrar determinadas personas, y en ella se celebraban distintos ritos y ceremonias. Las inscripciones y relieves, con frecuencia rehundidos, cubrían los muros y las columnas y solían estar policromados.

5   **Cámara** en la que se conserva la estatua del dios, la parte más cerrada y secreta del templo, a la que sólo tenían acceso los sacerdotes encargados del culto.

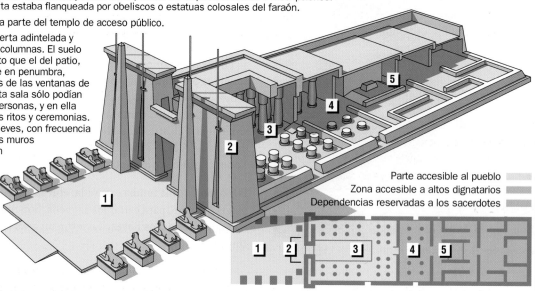

Parte accesible al pueblo
Zona accesible a altos dignatarios
Dependencias reservadas a los sacerdotes

Significado

Los templos son monumentales, grandiosos, construidos para la eternidad. Reflejan el enorme poder acumulado por el faraón y la importancia que la religión tenía en la monarquía egipcia. A lo largo del tiempo, los elementos del templo y las normas compositivas se mantuvieron con muy pocas variaciones. Se respeta siempre la sucesión patio-sala hipóstila-cámara del dios, la ordenación de las estancias a lo largo de un eje longitudinal, así como la simetría a ambos lados de este eje. A medida que se penetra en el interior del templo, aumenta la oscuridad y disminuye el tamaño de las habitaciones, de manera que se crea una atmósfera de misterio. Esta continuidad es característica del arte egipcio, que presenta una gran cohesión formal y estilística a lo largo de toda su historia.

Interior del templo de Ramsés II en Luxor.

- Define los siguientes términos: *pilonos, obeliscos, esfinge, sala hipóstila*.
- Busca información sobre el gran templo de Amón en Karnak y explica qué importancia tuvo este templo durante el Imperio Nuevo.

La obra

Esta escultura, conocida como el *Escriba sentado,* es el retrato de un noble llamado Kai y se encontró en su tumba, en la zona de Sakkarah. Fue tallada durante el Imperio Antiguo, en el III milenio a.C.

Análisis formal

La escultura está realizada en madera y representa a un importante funcionario egipcio. Es un retrato muy realista y la fisonomía aparece claramente individualizada. Los ojos están hechos con cristal de roca y caliza en una cápsula de cobre, técnica con la que se consigue una mirada muy real y viva.

El personaje aparece sentado, con expresión atenta y preparado para escribir. Es una postura tranquila y sin tensión muscular, de un modelado suave que alcanza un realismo sobrio. Tiene el hieratismo característico de la mayor parte de los retratos egipcios y, como es habitual, mantiene también la frontalidad.

Significado de la obra

Como la mayoría de las esculturas egipcias de bulto redondo, éste es un retrato funerario. El rito mortuorio egipcio exigía realizar un retrato fiel del difunto y colocarlo en la tumba para que el ka (o alma) del muerto lo reconociera y se alojara en él.

Es, por tanto, una obra religiosa, pensada para ser eterna, pero que transmite una sensación de realidad y cercanía, propia de la escultura privada de este período.

RELIEVE DE AKENATÓN Y NEFERTITI

La obra

Este bajorrelieve pintado formaba parte de un altar doméstico encontrado en la ciudad de Amarna, la capital del faraón del Imperio Nuevo Akenatón (dinastía XVIII, siglo XIV a.C.), que implantó la religión monoteísta del culto a Atón, la divinidad solar, y rompió así con el milenario politeísmo egipcio. A su muerte, el culto a Atón fue abandonado.

Análisis formal

El relieve, realizado en caliza, muestra al rey Akenatón y su familia en una tranquila escena doméstica: él y su mujer, Nefertiti, juegan con sus hijas bajo los rayos del dios sol, Atón, que domina el centro de la composición, muy simétrica.

Como es característico del arte del reinado de Akenatón, la anatomía no sigue el modelo de perfección que apreciamos en los retratos de los anteriores faraones; las proporciones han cambiado y los personajes aparecen demacrados y enfermizos, casi deformes.

Significado

Durante su reinado, Akenatón introdujo una auténtica revolución religiosa y artística. Fundó una nueva ciudad, Amarna, en la que se desarrolló un nuevo estilo, caracterizado por la ruptura con la tradición y los deseos de cambio. Parte de ese nuevo culto son estos altares domésticos encontrados en las casas de sacerdotes y funcionarios, que muestran el papel de intercesora que la familia del rey tenía en la nueva religión.

Los personajes tienen cráneos alargados, cuellos finos y cuerpos carnosos. En muchas obras hay una gran dosis de naturalismo, que contrasta con la rigidez del estilo anterior, y un deseo de expresividad que lleva a la deformación de la realidad. Todos estos cambios duraron poco tiempo, ya que a la muerte del faraón la nueva ciudad fue abandonada, al igual que el culto a Atón y el nuevo estilo artístico.

- Analiza las características estilísticas del *Escriba sentado*.
- ¿Qué diferencias encuentras entre esta obra y la escultura sumeria de Gudea?
- ¿Por qué el estilo de Tell el-Amarna supuso una revolución artística?

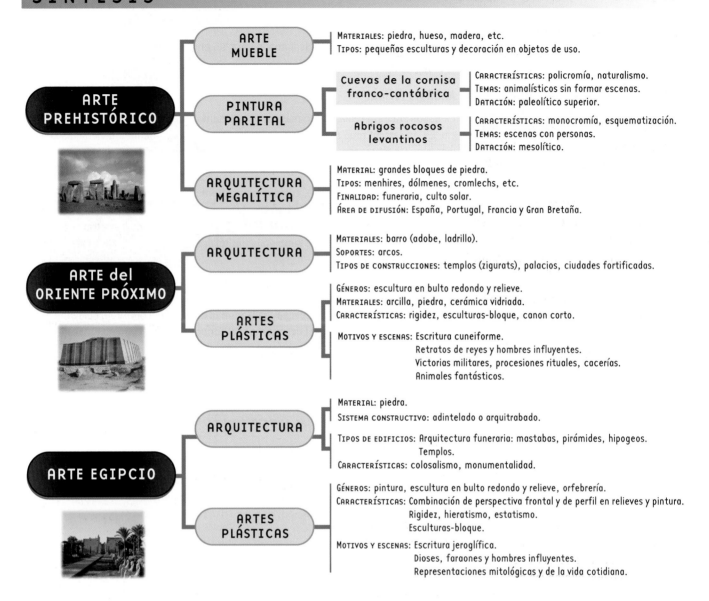

ARTE PREHISTÓRICO

- **ARTE MUEBLE**
  - Materiales: piedra, hueso, madera, etc.
  - Tipos: pequeñas esculturas y decoración en objetos de uso.

- **PINTURA PARIETAL**
  - **Cuevas de la cornisa franco-cantábrica**
    - Características: policromía, naturalismo.
    - Temas: animalísticos sin formar escenas.
    - Datación: paleolítico superior.
  - **Abrigos rocosos levantinos**
    - Características: monocromía, esquematización.
    - Temas: escenas con personas.
    - Datación: mesolítico.

- **ARQUITECTURA MEGALÍTICA**
  - Material: grandes bloques de piedra.
  - Tipos: menhires, dólmenes, cromlechs, etc.
  - Finalidad: funeraria, culto solar.
  - Área de difusión: España, Portugal, Francia y Gran Bretaña.

ARTE del ORIENTE PRÓXIMO

- **ARQUITECTURA**
  - Materiales: barro (adobe, ladrillo).
  - Soportes: arcos.
  - Tipos de construcciones: templos (zigurats), palacios, ciudades fortificadas.

- **ARTES PLÁSTICAS**
  - Géneros: escultura en bulto redondo y relieve.
  - Materiales: arcilla, piedra, cerámica vidriada.
  - Características: rigidez, esculturas-bloque, canon corto.
  - Motivos y escenas: Escritura cuneiforme.
    - Retratos de reyes y hombres influyentes.
    - Victorias militares, procesiones rituales, cacerías.
    - Animales fantásticos.

ARTE EGIPCIO

- **ARQUITECTURA**
  - Material: piedra.
  - Sistema constructivo: adintelado o arquitrabado.
  - Tipos de edificios: Arquitectura funeraria: mastabas, pirámides, hipogeos. Templos.
  - Características: colosalismo, monumentalidad.

- **ARTES PLÁSTICAS**
  - Géneros: pintura, escultura en bulto redondo y relieve, orfebrería.
  - Características: Combinación de perspectiva frontal y de perfil en relieves y pintura. Rigidez, hieratismo, estatismo. Esculturas-bloque.
  - Motivos y escenas: Escritura jeroglífica.
    - Dioses, faraones y hombres influyentes.
    - Representaciones mitológicas y de la vida cotidiana.

PRINCIPALES MANIFESTACIONES ARTÍSTICAS				
PREHISTORIA	**PALEOLÍTICO SUPERIOR** (hace 35 000-8 000 años)		**MESOLÍTICO-NEOLÍTICO** (hace 8 000-1 000 años)	
	• Relieves sobre asta, hueso, etc. • Venus esteatopígicas. • Pintura rupestre franco-cantábrica.		• Megalitos. • Pintura rupestre levantina. • Cerámica (vaso campaniforme).	
ORIENTE PRÓXIMO	**SUMERIOS** (IV-III milenio a.C.)	**BABILONIOS** (Siglo XVIII a.C.)	**ESPLENDOR ASIRIO** (Siglos IX-VII a.C.)	**NEOBABILONIOS** (Siglos VII-VI a.C.)	**PERSAS** (Siglos VI-IV a.C.)
	• Esculturas de Gudea. • Estandarte de Ur. • Primeros zigurats.	• Código de Hammurabi.	• Relieves de los palacios imperiales (Asurbanipal, Asurnasirpal).	• Puerta de Ishtar.	• Relieves de los palacios imperiales (Susa).
EGIPTO	**IMPERIO ANTIGUO** (2 686-2 181 a.C.)		**IMPERIO MEDIO** (2 040-1 786 a.C.)	**IMPERIO NUEVO** (1 552-1 069 a.C.)	
	• Primeras pirámides (Kéops, Kefrén, Micerinos). • Escultura funeraria (Tríada de Micerinos, *Escriba sentado*). • Pintura decorativa.		• Gran importancia de los hipogeos. • Escultura funeraria. • Pintura decorativa.	• Templos (Karnak, Luxor). • Escultura funeraria (Akenatón). • Pintura decorativa.	

HACIA LA UNIVERSIDAD

1. Desarrolla uno de los dos temas siguientes:

   a) *La arquitectura egipcia: tipos de edificios, materiales, elementos arquitectónicos, elementos decorativos.*

   b) *El arte del Oriente Próximo.*

2. Define o caracteriza brevemente cuatro de los términos siguientes: *dintel, mastaba, estela, hipogeo, arte mueble, Venus esteatopígicas, zigurat, cromlech.*

3. Contesta a estas preguntas:

   — ¿Qué diferencias existen entre el arte rupestre y el arte mobiliar?

   — ¿Qué significado tienen las "Venus" en el arte prehistórico?

   — ¿Podrías citar el nombre de tres cuevas de arte rupestre español?

4. Analiza y comenta las imágenes de al lado.

PASADO Y PRESENTE EN EL ARTE

El arte rupestre de la cornisa franco-cantábrica es patrimonio cultural de la humanidad y es nuestra obligación preservarlo para el futuro. El acceso masivo a las cuevas con pinturas rupestres ha puesto en peligro su conservación. Pinturas como las de Altamira o Lascaux, que han resistido miles de años, comienzan a deteriorarse por el elevado número de visitantes que reciben y que alteran las condiciones ambientales en las que habían permanecido, en lo que se refiere a humedad y temperatura. Ante este hecho se ha determinado, en lugares como Altamira, limitar la visita diaria a un número reducido de personas.

En cuanto a la pintura rupestre en abrigos rocosos se plantean graves problemas de conservación, no sólo por el deterioro que sufren muchas de ellas debido a su situación al aire libre (exposición directa al sol, a la lluvia, etc.), sino ante la imposibilidad de protegerlas frente a actos vandálicos.

— ¿Crees que es una buena solución limitar el número de visitantes en las cuevas?

— ¿Qué opinas de la opción de hacer reproducciones a escala natural para evitar estos problemas? ¿Conoces en qué museo español se han reproducido las pinturas de Altamira?

— ¿Debe haber museos al lado de las cuevas para completar la información que éstas pueden ofrecer? ¿Cómo crees que debían ser estos centros y qué tienen que ofrecer al visitante?

— ¿Qué medidas se pueden adoptar para proteger las pinturas rupestres de abrigos rocosos?

— El arte, durante las últimas décadas, se ha convertido en un fenómeno de masas. ¿Qué ventajas puede tener este hecho? ¿Qué inconvenientes?

Arte y lenguaje

	MONT BEGO	ARIÉGE	PIRINEOS ORIENTALES	OLARGUES	PARDAILHAN
Signo de flecha					
Signo arboriforme					
Signo de retícula					
Signo con forma de sol					
Signo antropomorfo					

Cuadro comparativo de los grabados esquemáticos de cinco sitios prehistóricos (según Abélanet). La similitud de algunos motivos nos hace pensar que las imágenes se han convertido ya en lenguaje.

Es frecuente hacer una traslación metafórica diciendo que el arte "es un lenguaje", pero pocas veces se piensa en la estrecha relación que siempre ha existido entre la escritura y las imágenes.
El mundo antiguo es un lugar privilegiado para examinar esta cuestión.

¿Eran signos codificados muchos elementos del arte prehistórico?

Sabemos que en las grutas pintadas, entre el año 30.000 y el 8000 a.C., convivían las imágenes realistas de animales con los signos semiabstractos: triángulos, rectángulos, rayas, flechas, puntos, etc. No parece azarosa su colocación, como tampoco lo es la disposición de los animales en los distintos lugares de las cuevas. Esta constatación llevó al gran prehistoriador francés André Leroi-Gourhan a suponer que se trataba de alusiones codificadas a los géneros masculino y femenino. Las grutas serían algo así como soportes de mitos primordia-

les, de "textos" rituales. Más tarde, en el Neolítico, las representaciones se hicieron sobre rocas al aire libre o en abrigos con mucha luz natural, y abundaron tanto las imágenes de apariencia ideográfica que se habla de un "arte esquemático" como de una etapa diferenciada de la creación prehistórica.

La escritura cuneiforme y los cilindros-sellos

Menos conjeturables son otros testimonios posteriores. Todos los casos demuestran que en el origen remoto de los sistemas de escritura se encuentran representaciones más o menos miméticas del mundo visible.

Hubo estilizaciones radicales, como el del procedimiento cuneiforme mesopotámico, que acabó consistiendo en incisiones trazadas con una pequeña cuña triangular sobre la superficie blanda de tabletas de arcilla. Era una escritura muy abstracta (en el sentido de que las imágenes que originaron los signos dejaron pronto de ser reconocibles) y claramente "escultórica", pues tales textos podrían considerarse bajorrelieves portátiles (hay alguna similitud con

el sistema Braille utilizado por los ciegos); no es infrecuente encontrar en aquellas tablillas otras figuraciones obtenidas con sellos de piedra, planos o cilíndricos. Estos últimos producían al dejarse rodar sobre la arcilla unas imágenes repetidas, formando "bandas" continuas, muy fáciles de reproducir en cualquier otra tableta, con o sin texto cuneiforme acompañante.

El fenómeno es fascinante: escritura e imagen "múltiple" compartían la misma superficie, como volvió a suceder después, a partir del siglo XV, cuando la imprenta hizo posible reproducir indefinidamente grabados y textos. Reparemos también en otras similitudes como la que aproxima esto a las "tiras dibujadas" (historietas) o a las cintas de celuloide de las películas. Son ancestrales, como vemos, los gérmenes de la cultura visual de masas.

Estatua de Ramsés II como niño solar (dinastía XIX).

Escritura cuneiforme e improntas figurativas de cilindros-sellos en una tablilla de arcilla procedente de Meskené-Emar.

Egipto, una cultura de la imagen

Pero es en el antiguo Egipto donde se encuentra una de las más intensas y fascinantes relaciones entre arte y lenguaje de toda la historia universal. La escritura jeroglífica (que significaba "palabra de Dios") mantuvo siempre intacto su carácter figurativo inicial. Se trataba de un conjunto muy numeroso de imágenes codificadas (la gramática egipcia abreviada de Gardiner contiene unos 750 signos) que podían funcionar en un doble sentido, como fonemas y como ideogramas. Un ejemplo: el símbolo que representaba la boca (y de hecho la reproducía visualmente de forma bastante literal) podía significar "boca" o funcionar como la letra "r" en una palabra determinada. En todos los textos se combinaban ambos funcionamientos.

Lo importante es constatar que siempre se combinaban diferentes clases de representaciones figurativas: el escriba y el artista no podían separar sus respectivas competencias. De hecho, saber escribir significaba que se había aprendido a dibujar, y viceversa. Es imposible comprender a fondo el mundo egipcio sin tener en cuenta que su arte era básicamente una extensión o desarrollo de la escritura.

La gran estabilidad estilística, es decir, el hecho de que las formas se mantuvieran casi inalterables a lo largo de unos tres milenios, se debe a que las imágenes estaban codificadas como un sistema de escritura y no se podían introducir variaciones

No hay en Egipto diferencia estructural y estilística entre las imágenes de la escritura y los bajorrelieves figurativos propiamente dichos. Relieve del Templo de Sethi I (dinastía XIX).

sin peligro de hacerlas ilegibles. Es cierto que eso no es todo: existió también un arte "cotidiano" más espontáneo, atento a las variaciones imprevisibles de la vida, pero nunca pudo competir con el enorme peso de la imaginería oficial.

Los jeroglíficos se encuentran presentes en todo el arte egipcio, incluso en bajorrelieves o pinturas que no parecen escritos. También están en muchas esculturas exentas, como es el caso de la representación de Ramsés II que reproducimos aquí: el rey aparece como un niño sentado con un dedo en la boca, igual que el jeroglífico *mes* (niño); lleva en la cabeza el disco solar *ra*, y porta en su mano izquierda la planta estilizada *su*; así se compone el nombre *ra-mes-su*, Ramsés.

Puede afirmarse, pues, que la civilización egipcia fue esencialmente visual. La oposición entre la escritura (el verbo, la palabra) y la imagen es una peculiaridad de los hebreos que heredaron luego los cristianos iconoclastas y el islam. No es una casualidad que Moisés sentara las bases culturales del "pueblo elegido" en oposición radical a la idolatría (proliferación de imágenes) de los egipcios, sus antiguos opresores.

Hacia una escritura visual universal

Muy interesante fue también la convivencia entre la imagen y el texto en los manuscritos iluminados medievales.

El diseño de algunas letras capitales (con las que se iniciaban los capítulos de algunas obras) demuestra que lo figurativo y el signo codificado eran también inseparables.

Los libros de emblemas, en la Edad Moderna, ofrecen otro ejemplo de yuxtaposición texto-imagen, muy fructífera para la comprensión de las "artes visuales". Pero es necesario llegar a la cultura actual para encontrar de nuevo una integración entre la imagen y el texto de una consistencia comparable a la del Egipto antiguo: en los carteles y en los cómics es imposible separar "lo escrito" de "lo representado". Lo mismo cabría decir del cine mudo con sus cartelas explicativas.

Mencionaremos, finalmente, los pictogramas, ubicuos en el mundo contemporáneo, que son imágenes sin texto, de diseño simplificado, fáciles de descifrar, y que funcionan como los signos básicos de un lenguaje visual universal capaz de superar las barreras idiomáticas.

Los pictogramas, un lenguaje figurativo de valor universal.

3. ARTE GRIEGO: ANTECEDENTES Y ARCAÍSMO

La cultura griega se desarrolló en un área relativamente amplia del Mediterráneo oriental; allí confluyeron, entre la Edad del Bronce y la formación de la Grecia histórica, diversos pueblos y corrientes culturales entre los que no hay una absoluta continuidad, pero que de alguna manera contribuyeron a la identidad del espíritu griego.

En Creta, entre el 3000 y el 1450 a.C., se desarrolló una cultura, la minoica, emparentada con los pueblos de Oriente Próximo que acabamos de estudiar. Sus características peculiares y su brusco final la sitúan muy lejos de lo que se considera genuinamente griego, pero algunos aspectos de su religión formaron la herencia de los helénicos. La cultura micénica enlaza cronológicamente con la anterior, pero su origen continental y su arraigo en el Peloponeso ya permiten hablar de los primeros griegos. Por fin, un último pueblo, los llamados dorios, ocupan hacia el 1200 a.C. ese mismo territorio y la península balcánica, originando primero un colapso cultural y, más adelante, un despertar lento pero fértil que dará lugar a la cultura griega clásica.

ARCAÍSMO Y CLASICISMO

Quizá la única gran diferencia entre los períodos Arcaico y Clásico, por ejemplo, sea una actitud nueva de este último [...] en lo que concierne a la representación de emociones [...]. Los artistas griegos, en general, y los arcaicos en particular eran normalmente reacios a representar las expresiones más obvias de la variabilidad emocional: carcajadas, gritos de angustia, muecas de desdén y demás. El arte arcaico, como su contemporánea filosofía milesia, prefirió, en general, trascender la expresión abierta de la emoción y los cambios de ánimo, y atenerse a las cualidades puramente formales del diseño para expresar el mundo ordenado que él veía.

POLLIT, J. J.: *Arte y experiencia en la Grecia clásica.*
Madrid, Xarait, 1984

Pintura minoica procedente de Thera (Santorini), siglo XVI a.C.

S   Í   N   T   E   S   I   S

CLAVES DE LA ÉPOCA

La cultura minoica

Hacia el año 3000 a.C. comenzó a desarrollarse en la isla de Creta una cultura, refinada y pacífica, llamada minoica por el nombre de su rey legendario, Minos. Pertenece a la protohistoria y su escritura, jeroglífica primero y fonético-silábica con ideogramas más adelante (escritura lineal A), no se ha descifrado, así que la conocemos fundamentalmente por testimonios arqueológicos.

Gracias a éstos sabemos que la vida de los minoicos giraba en torno a un complejo urbanístico llamado *palacio*, que era un centro económico (allí se almacenaban mercancías, se organizaban expediciones comerciales, se manufacturaban productos y se administraban los bienes), y también político y religioso (era el palacio-residencia del rey-sacerdote y lugar de culto). Este edificio se suele interpretar como un enorme templo en el que la divinidad allí albergada era la última dueña y para la cual el rey-sacerdote organizaba la distribución de la riqueza.

Sarcófago de Hagia Triada, hacia 1500 a.C. Es una de las pocas obras funerarias del mundo minoico que se conservan. Está decorado con un friso pintado en uno de sus lados (el otro iría adosado a la pared); en él aparecen figuras femeninas que realizan libaciones y otras masculinas llevando ofrendas a lo que puede ser una imagen de madera.

Los cretenses minoicos fueron prósperos comerciantes que gozaron de la hegemonía en el mar (*thalassocracia*) y que mantuvieron frecuentes contactos con los pueblos vecinos (anatolios, sirios, egipcios, etc.), con los que tienen grandes semejanzas. Sus ciudades, amalgamadas en torno al palacio, sin murallas, y la imagen que de sí mismos dan en sus pinturas permiten imaginar un pueblo pacífico, amante de la naturaleza, y entregado a rituales religiosos ancestrales en los que intervienen toros y serpientes, animales frente a los que la vida humana se pone en juego para propiciar la fertilidad que representan.

Los pueblos de origen continental: aqueos y dorios

La cultura minoica sufrió sucesivas crisis: la del año 1700 a.C. fue por un terremoto tras el que los minoicos reconstruyeron una cultura aún más refinada, pero la de 1450 a.C. se debió a la ocupación micénica o aquea, tras la que la cultura minoica se extinguió.

Los *micénicos* eran un pueblo del todo distinto al minoico, seguramente la primera migración de los indoeuropeos a Grecia. Estos indoeuropeos, origen de todos los pueblos históricos desde la península Ibérica a la India, procedían del norte del mar Negro y hablaban una lengua de la que procede el griego. La arqueología deduce que eran nómadas y belicosos y que su cultura respetaba los valores asociados a la guerra y la fidelidad de grupo.

Los micénicos se instalaron fundamentalmente en el Peloponeso, en ciudades amuralladas y austeras. Su sociedad estaba jerarquizada en torno a una casta guerrera, y presidida por un rey que debía su prestigio no a la religión, sino a la dirección eficaz de la guerra. Tenían una escritura prácticamente fonética creada a partir de la minoica, la lineal B, que se ha logrado descifrar gracias a que, básicamente, transcribe lengua griega.

A otra migración, la de los llamados *dorios*, se atribuye el colapso de la cultura micénica en el año 1200 a.C. También de origen indoeuropeo, los dorios irrumpieron de forma más violenta que los micénicos en Grecia, de modo que la cultura parece retroceder (época oscura) y desaparece toda forma de arte. Entre el año 800 a.C. y el 500 a.C., sin embargo, se desarrolla lentamente el auténtico genio griego a partir de su sentido de la libertad y del valor de lo humano, que derivan del espíritu aristocrático de estos invasores.

Vaso François, hacia el 570 a.C. Esta cerámica griega del período arcaico, firmada por el ceramista Ergótimo y el pintor Clitias, recoge en las distintas bandas de su decoración escenas de la mitología helena (guerra de Troya, victoria sobre el Minotauro en Creta, etc.).

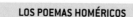

LOS POEMAS HOMÉRICOS

Atribuidos a Homero, recogen aspectos de la sociedad griega entre el 1200 y el 700 a.C. y ofrecen una imagen de lo que pudo ser la aristocracia aquea, audaz y orgullosa por un lado, y temerosa de los dioses por otro.

Ilíada: Poema compuesto a principios del siglo VIII a.C., cuenta la guerra de Troya provocada por el rapto de Helena, princesa micénica, por Paris, príncipe troyano. Aparecen mencionados Agamenón, rey de Argos, el héroe Aquiles y Héctor, hijo de Príamo, rey de Troya.

Odisea: Poema escrito a finales del siglo VIII a.C., relata el regreso accidentado de Ulises, rey de Ítaca, desde la guerra de Troya a su patria y la intervención de los dioses en su viaje.

El mundo griego

El arte minoico se desarrolló sobre todo en las ciudades occidentales de la isla de Creta, entre las que destacan por sus palacios Knosos, Faistos, Malia y Hagia Triada; si bien han aparecido muestras de arte minoico en toda su área de influencia y, sobre todo, en la isla de Thera, hoy Santorini.

La cultura micénica tuvo una difusión más restringida y se centra en la Argólida, donde se levantaron ciudades como Argos, Tirinto y Micenas.

Los distintos pueblos que ocuparon el área griega a partir del 1200 a.C. (jonios, eolios, dorios) eran básicamente griegos, con pequeñas diferencias dialectales en su lengua y separados en unidades políticas del todo independientes, las *polis*. Pronto los griegos ocuparon el sur de Italia (Magna Grecia) y se extendieron por todo el Mediterráneo, pero se consideraban unidos por su lengua y su religión.

Relieve procedente del Tesoro de los Sifnios en Delfos, siglo VI a.C. En él se aprecia la indumentaria de los hoplitas, soldados griegos.

AÑOS	HISTORIA	ARTE
3000-2100 a.C.	• Período prepalacial en Creta; en el continente (al final de la etapa), primeras invasiones indoeuropeas.	• En Creta, vasos de piedra pulimentada. • En el archipiélago de las Cícladas, figuritas de piedra.
2100-1650 a.C.	• Primeros palacios (destruidos hacia el 1700 a.C. por un terremoto) en Knosos, Festos y Hagia Triada. Escritura jeroglífica. Hegemonía cretense.	• En Creta, desarrollo del tipo de palacio (Mallia, Knosos) y cerámica de Camares.
1650-1450 a.C.	• Período de los segundos palacios. Esplendor de la cultura minoica. Aparece la escritura lineal A, que mezcla signos fonéticos silábicos e ideogramas. • *Thalassocracia* cretense. • Llegada de los aqueos o micénicos al Peloponeso y fundación de las ciudades de la Argólida.	• Conjunto del palacio de Knosos: pintura, orfebrería. • Sarcófago de Hagia Triada. • Hacia 1400 a.C., influencia micénica (cerámica de palacio). • En Micenas, tumbas reales.
1450-1200 a.C.	• Hegemonía micénica y escritura lineal B. • La ciudad como unidad política con reyes y nobleza guerrera.	• Arquitectura monumental (Puerta de los Leones) y fortificaciones (Murallas de Tirinto). • Tumbas con forma de *tholoi* (Tesoro de Atreo) y palacios-templos con forma de megarón.
1200-800 a.C.	• Segundas invasiones indoeuropeas, con hierro y carro de guerra (dorios). 1200 a.C., posible fecha de la guerra de Troya. Sigue la época oscura: Grecia se divide en pequeños reinos. Se olvida la escritura. Poemas homéricos.	• Primeros templos derivados del megarón.
800-600 a.C.	• Los aristócratas se hacen con el poder (*oligarquías*) y muchos griegos se ven obligados a emigrar (siglo VIII a.C.). Recuperación económica, aparición de la moneda y de la escritura fonética (siglo VII a.C.).	• Se forma el templo dórico (Apolo en Thermon, Heraion de Olimpia). *Xoanon* (esculturas de madera desaparecidas), de las que deriva la estatuaria de culto.
600-500 a.C.	• En muchas *polis* aparecen *tiranías*. En Atenas se desarrolla la democracia y en Esparta la aristocracia. Filosofía presocrática. Organización de los santuarios panhelénicos (Olimpia, Delfos, Delos).	• El orden dórico adquiere sus proporciones clásicas y se levantan enormes templos jónicos en Asia Menor. Evolución de la escultura: *kouros* y *koré*.

Un arte palaciego

El arte cretense gira en torno al *palacio*, un conjunto arquitectónico integrado en la ciudad y formado por un agregado de habitaciones en torno a un gran patio. El edificio se adapta al terreno a base de terrazas o erigiendo dos o más alturas; el muro se levanta con materiales humildes y en la **época de los segundos palacios** (1650-1450 a.C.) se enluce y se pinta. También entonces aparecen pórticos con columnas de madera enlucidas cuyo fuste es más estrecho en la base y con capiteles de piedra formados por una pieza convexa (*equino*) y una losa plana (*ábaco*). Rematando los edificios aparecen esculturas estilizadas que parecen representar la cornamenta del toro.

No existe en Creta una **escultura** monumental, pero se han encontrado en los palacios pequeñas figuritas, de fayenza o marfil, ricamente policromadas, que parecen representar ceremonias religiosas, como las llamadas *diosas de las serpientes*. Hay también una figura masculina que quizá formaba parte de un conjunto en que se representara la *taurocatapsia*; esta ceremonia, conocida a través de la pintura mural, consistía en una especie de acrobacia en la que jóvenes de ambos sexos se apoyaban en la cornamenta del toro y saltaban sobre el lomo del animal.

La **cerámica minoica** también pudo tener un sentido ritual; aparece asociada al palacio, está ricamente decorada y pudo utilizarse para ofrendas y ceremonias. Está pintada con temas de inspiración vegetal o marina. También aparecen en los palacios minoicos vasos rituales decorados; entre ellos destaca el llamado *rytón*, con forma de cuerno o cabeza de toro.

Cerámica minoica de la época de los segundos palacios, siglo XVI a.C. Destacan su forma globular y la decoración pintada de pulpo y vegetación marina que se adapta a la superficie del vaso.

Diosa de las serpientes minoica hallada en el palacio de Knosos (1600 a.C.). Estas estatuillas de mujeres con vestido largo de volantes, sombrero alto y el pecho desnudo se interpretan como sacerdotisas de algún rito de fertilidad (la serpiente se asocia a la muerte y la resurrección).

La pintura cretense

El origen oriental y mediterráneo de la cultura minoica se deja ver en las características de su pintura, sea mural o sobre cerámica. La primera nos es conocida sobre todo por los restos que el arqueólogo Evans encontró y restauró en el palacio de Knosos y por los hallazgos posteriores de la isla de Thera, hoy Santorini.

El tratamiento de la perspectiva (sin profundidad ni punto de fuga) y de la anatomía humana puede recordar la pintura mural egipcia, pero la cretense es una pintura más flexible, con un trazo más libre y sinuoso, que tiende al movimiento; utiliza colores intensos, sobre todo rojos y azules, a veces de forma arbitraria, sin cuidar que se correspondan con la realidad.

Los temas en los que aparece la figura humana son ceremoniales; aparecen representados auxiliares de palacio (coperos), damas que conversan y ceremonias como la del salto del toro (taurocatapsia), en la que la vida se pone en juego para propiciar la fertilidad que el toro proporciona, un rito que los cretenses no interpretan de forma grave, sino festiva y elegante.

Los personajes suelen presentar una vestimenta escasa pero colorista, con talles delgados y un ligero amaneramiento en su postura. Los temas en los que aparecen animales y elementos naturales (plantas, piedras, etc.) tienden aún más a la estilización y a cubrir el espacio con fines decorativos, como sucede con los delfines del palacio de Knosos.

Dentro de la pintura cretense puede estudiarse una pieza excepcional, un sarcófago de piedra hallado en la ciudad de Hagia Triada que está decorado con escenas pintadas de carácter ritual o funerario.

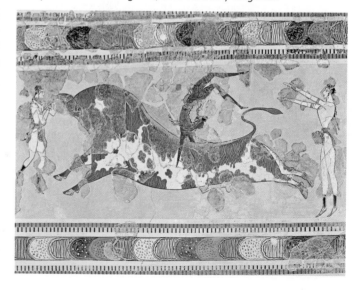

La taurocatapsia. Palacio de Knosos (hacia 1600 a.C.). Esta famosa pintura recoge el movimiento que los jóvenes atletas u oficiantes religiosos realizaban al saltar sobre el toro; como no hay fuentes históricas que aludan a la taurocatapsia, desconocemos en qué consistía realmente esta ceremonia y cuál era su significado.

El palacio de Knosos

El palacio de Knosos pertenece casi íntegramente a la época de los llamados segundos palacios *(1700-1450 a.C.) y se construyó tras el terremoto de 1700 que derribó el palacio anterior. Está incluido en el recinto de la ciudad, que está situada en el centro de la isla de Creta. Restaurado por Evans a principios del siglo XX, puede imaginarse cómo sería su aspecto original, con varias plantas, escaleras monumentales y una estructura complicada.*

Palacio de Knosos. Planta

1 Entrada sur
2 Patio
3 Almacenes
4 Salón del trono
5 Habitaciones reales

La **planta** es compleja, con pequeñas estancias que se abren a un gran patio central. Al sur estaba la entrada, que lleva a un largo pasillo en recodo hasta el patio ceremonial; a occidente, los almacenes, y más cerca del patio el salón del trono; la zona oriental estaba ocupada por habitaciones.

El aspecto confuso de la planta, que se ha dado en llamar laberíntica, se explica sobre todo a causa de un crecimiento orgánico, en el que las estancias se abrían según las necesidades y no según un plan premeditado. Esta distribución tan complicada de la planta indujo a Evans a relacionar el palacio con la leyenda griega del Minotauro. Ésta cuenta cómo el rey Minos encargó la construcción de un laberinto donde ocultar al Minotauro, monstruo nacido de los amores de Pasífae, la reina, con un toro; y cómo Teseo, rey de Atenas, lo mató gracias a la ayuda de Ariadna, hija de Minos. De esta relación deriva el término "minoico" aplicado al arte cretense.

La **construcción** del palacio es adintelada, con techos planos que se apoyan en grandes pilares cuadrados y voladizos, o pórticos y lucernarios sustentados por columnas con fuste troncocónico invertido cuyo capitel, formado por una pieza convexa (*equino*), está unido al dintel por una losa cuadrada (*ábaco*). Las estancias están comunicadas con el patio y con el interior y hay escaleras que unen los distintos niveles.

Los palacios cretenses se consideran **grandes centros ceremoniales** donde el rey-sacerdote preside el culto a divinidades relacionadas con la fertilidad y administra las riquezas que son propiedad de los dioses. El carácter natural de estas divinidades y su proximidad a la vida de los hombres explica que se trate de espacios abiertos, accesibles y públicos y que la decoración evoque con aire refinado y cortesano las ceremonias de la vida religiosa. Por otra parte, se nota el origen oriental de la cultura minoica en el gusto por los colores saturados en la decoración arquitectónica y en la fusión entre el exterior y el interior.

2. EL ARTE MICÉNICO

Murallas y tumbas

El carácter guerrero y la herencia nómada de los micénicos se refleja en el arte: sus ciudades se elevan en altozanos fácilmente defendibles y se rodean de murallas ciclópeas, construidas con grandes piedras, en el interior de las cuales se abre un pasillo, llamado "casamata", que servía para abastecimiento y vigilancia. En Micenas se conserva la puerta monumental de la ciudad, la Puerta de los Leones, a la que se accedía tras un recodo que la hacía inexpugnable.

La **arquitectura funeraria**, como corresponde a una sociedad aristocrática, es muy importante y en ella se distinguen *dos grupos* de tumbas con diferente cronología: en torno al 1600 a.C. aparecen las *tumbas de fosa del llamado Círculo Real*, un recinto incluido dentro de las murallas de Micenas; y en torno al 1450 a.C., las tumbas llamadas *tholos*, cubiertas por una enorme falsa cúpula.

Las tumbas de este último grupo tenían elementos decorativos de influencia cretense que escondían el aspecto severo de estas construcciones de piedra. Se levantaron fuera de Micenas y estuvieron originalmente ocultas con un montículo artificial que dejaba al descubierto la entrada. Sus nombres se deben al arqueólogo que las excavó, que se inspiró en personajes míticos griegos: está así la tumba o *tesoro de Atreo*, que hace alusión al legendario fundador de la dinastía de los átridas a la que perteneció Agamenón, el rey de Argos que participó en la guerra de Troya; o la *tumba de Clitemnestra*, que alude a la esposa de Agamenón. No obstante, cabe insistir en el carácter poético de estas alusiones.

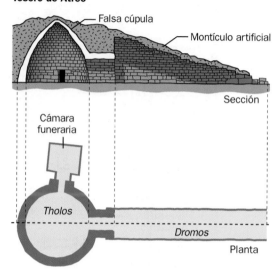

Tesoro de Atreo

Falsa cúpula
Montículo artificial
Sección
Cámara funeraria
Tholos
Dromos
Planta

Tholos llamado Tesoro de Atreo en Micenas, siglo XIV a.C. La falsa cúpula es denominada así porque no se construye con dovelas dispuestas en sentido radial, de modo que unas contrarresten el peso de las demás, sino que se construyen haciendo que las hiladas (filas) de piedra que van formando la pared de la cúpula se aproximen un poco para que las hiladas superiores se unan en lo que sería la clave. El sistema de empujes es aquí vertical (cada piedra descarga el peso sobre la que tiene debajo) y la construcción no tiene la resistencia de una auténtica cúpula. Los falsos arcos y las falsas bóvedas se hacen según el mismo principio.

En las tumbas del Círculo Real aparecieron singulares objetos de orfebrería que formaban parte de los ajuares; destacan las máscaras funerarias, que se colocaban sobre el rostro del cadáver y que están realizadas de forma muy esquemática; asimismo se encontraron unos vasos con asa (llamados de Vaphio) que tienen temas de origen cretense, en relación con ceremonias en las que aparecen toros.

Máscara funeraria micénica llamada de Agamenón, 1500 a.C. Perteneció a un guerrero micénico desconocido, aunque fue llamada como el rey de Argos que aparece en la Ilíada. La pieza es de oro repujado y muestra de forma esquemática los rasgos del difunto, que, por la riqueza de la pieza, tendría un alto rango social.

El megarón

Dentro de las ciudades micénicas no se distinguían calles claramente trazadas ni espacios públicos. En la zona más elevada de Micenas se conservan los cimientos de un edificio que pudo ser el palacio del rey, llamado *megarón*. Se trata de una construcción con dos o tres estancias, en una de las cuales estaba el hogar, y con bancos corridos en los muros laterales; el pórtico tenía dos columnas de tipo minoico.

Esta edificación pudo ser, además de residencia del rey, el lugar de asamblea de la aristocracia guerrera y quizá también donde se custodiaba la imagen del dios, lo que explicaría que diese lugar más tarde al templo griego de la época histórica. Sorprenden las pequeñas dimensiones del edificio, sobre todo si se compara con los palacios minoicos, pero hay que tener en cuenta que aunque hablemos de "aristócratas" y "reyes" en Micenas, la sociedad micénica era muy sencilla y conservaba aún el carácter tosco de su reciente pasado nómada. La semejanza del megarón con el templo arcaico griego no obliga a creer que éste tenga aquí su origen, sino más bien sugiere que los griegos tomaron, como los micénicos para su palacio, el modelo de edificio más elemental y sencillo.

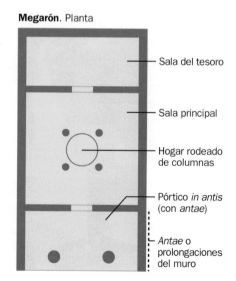

Megarón. Planta

Sala del tesoro
Sala principal
Hogar rodeado de columnas
Pórtico *in antis* (con *antae*)
Antae o prolongaciones del muro

LA PUERTA DE LOS LEONES

La entrada monumental de Micenas, realizada hacia el 1400 a.C., se abre en un recodo de la muralla y recuerda las entradas de las grandes ciudades orientales. Está decorada con un relieve en el que aparece una columna entre dos leones cuyas cabezas, que quizá fueran de bronce, se han perdido. Pudo tener también en origen una imagen sobre la columna, además de abundante policromía decorativa que ocultaba el paramento de piedra. Es una obra singular, en la que se reconoce la fusión de elementos cretenses y micénicos.

La **estructura** de la puerta es la más sencilla que cabe imaginar: dos grandes piedras dispuestas en vertical forman los dos pies derechos sobre los que se apoya un dintel, que es realmente el que soporta el peso del relieve decorativo y del muro que se eleva por encima de la puerta. Para albergar el relieve de los leones, las hiladas de piedra se interrumpen sobre el dintel y forman un falso arco. La puerta está rodeada de un muro de grandes piedras toscamente talladas.

El **relieve** es una composición simétrica en la que el cuerpo de los dos leones flanquea un altar con una columna cretense, con la base más estrecha y capitel formado por un equino muy voluminoso y un ábaco con decoración de rosetas.

Las **puertas monumentales** son frecuentes en las ciudades orientales, sobre todo en Asia Menor. El aspecto tosco de la muralla es propio de una cultura sobria y guerrera, y el tamaño de los sillares refuerza el carácter monumental de la entrada. El relieve tiene también parentesco con la iconografía de Asia Menor y Mesopotamia: en Oriente era frecuente la representación de una diosa de la fertilidad rodeada de fieras, y en este caso la diosa puede estar sustituida por la columna (lo que llevaría a pensar en un deseo de evitar la representación icónica de un ser sagrado) o bien pudo estar representada como una figurita sobre el capitel que ha desaparecido. La función del relieve no es decorativa sino protectora: la divinidad protege la ciudad de los enemigos y los leones son también guardianes de la entrada.

Micenas. Vista general

1 Megarón
2 Murallas ciclópeas
3 Casas
4 Círculo Real
5 Puerta de los Leones

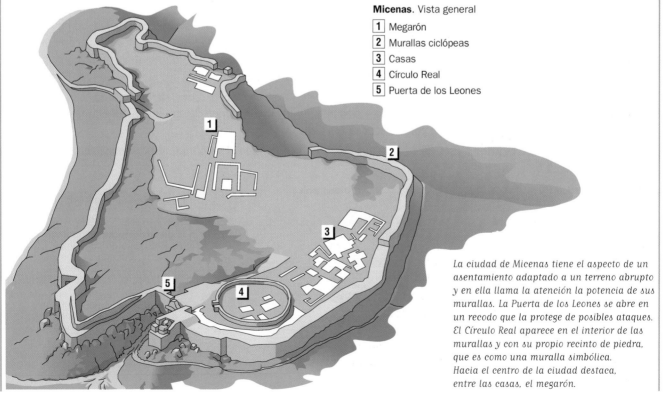

La ciudad de Micenas tiene el aspecto de un asentamiento adaptado a un terreno abrupto y en ella llama la atención la potencia de sus murallas. La Puerta de los Leones se abre en un recodo que la protege de posibles ataques. El Círculo Real aparece en el interior de las murallas y con su propio recinto de piedra, que es como una muralla simbólica. Hacia el centro de la ciudad destaca, entre las casas, el megarón.

3. EL ARTE GRIEGO: LA ARQUITECTURA ARCAICA

Los orígenes de la Grecia histórica

La Grecia plenamente histórica tiene origen en la segunda gran migración indoeuropea producida hacia el 1200 a.C., pero después de que ésta, tras irrumpir violentamente, terminara por asentarse. Durante quinientos años casi no tenemos más que cerámica, pero en ella advertimos características que luego marcan el arte griego: hay una tendencia a buscar lo esencial en la geometría de las cosas, y cuando en el siglo VII a.C. llegan influencias orientales, la decoración se hace más naturalista y flexible, pero se sigue distribuyendo en espacios muy bien medidos.

La formación del templo griego

El edificio más importante y del que tenemos restos fue el templo: éste no servía para la reunión o la oración de los fieles, sino que era la "casa" del dios y, aunque los griegos entrasen a contemplar su imagen, no se congregaban allí. Los sacrificios se hacían en un altar exterior, generalmente situado en el lado oriental del templo, y éste era casi como un decorado de fondo del culto. Así se explica que sea el exterior de los templos lo que acapara toda la atención del artista.

Cerámica votiva del templo de Hera en Argos, siglo VIII a.C. En esta pieza, con decoración geométrica, podemos ver un modelo de templo o casa de la divinidad muy parecido al megarón: planta rectangular, tejado a dos aguas y pórtico con columnas in antis.

Los primeros templos fueron de madera, tanto en la Grecia continental como en Jonia: el templo de Apolo en Thermon (siglo VII a.C.) era enteramente de madera, y el de Hera en Olimpia fue sustituyendo paulatinamente sus columnas de leño por otras de toba. Cuando los templos se fueron edificando en piedra, la estructura original se recogió en elementos arquitectónicos que vienen a ser como símbolos de lo que era la naturaleza original del edificio: los pies derechos o soportes de madera se convirtieron en columnas con estrías que recordaban las de leño; lo que fueron las cabezas de viga, que se apoyaban sobre esos soportes y que también dejaban ver estrías, pasaron a convertirse en piezas acanaladas llamadas *triglifos*; los espacios entre aquellas vigas, que en origen se cubrían con piezas cuadradas de cerámica decorada, dieron lugar en el templo de piedra a las *metopas*. Los templos tenían el tejado a dos aguas, que deja un espacio para la decoración, el *frontón*, y en origen tenían sólo un pórtico con dos columnas, como el megarón, que se fue completando con una columnata alrededor (*peristilo*).

Los órdenes arquitectónicos

Junto con el esquema general del templo surgieron en época arcaica los dos *órdenes* más antiguos, el *dórico* y el *jónico*. El orden es una norma que rige la construcción de los templos y obligaba a usar determinados elementos (columnas, disposición de la decoración, etc.) y proporciones una vez que se optaba por uno u otro. Corresponden a distintas tradiciones culturales: el orden dórico tenía su origen en el Peloponeso y era más austero, y el jónico procedía de Asia Menor. Este último no reproducía tan fielmente como el dórico la estructura de madera de los primeros templos y carecía de algunos elementos como triglifos y metopas, que fueron sustituidos por un friso decorado con relieves. En época arcaica cada orden se utilizaba sólo en su zona de origen, pero en época clásica (siglo V a.C.) se comenzaron a utilizar indistintamente.

No quedan ejemplos arcaicos de templos jónicos (el legendario de Artemisa en Éfeso fue destruido por los persas), pero parece ser que desde el principio fue un orden estilizado y elegante. En cambio, el orden dórico era en origen más pesado y fue evolucionando hasta dar como resultado un edificio sólido pero airoso.

El orden corintio no corresponde a esta época, sino que apareció bien entrado el siglo V a.C. y es prácticamente una variante del templo jónico.

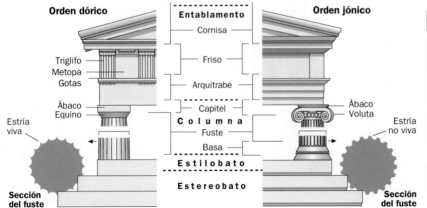

Cómo clasificar un templo

a) Según el **orden**: dórico, jónico o corintio.

b) Según la **disposición de las columnas**:
   – períptero (rodeado de columnas)
   – hemiperíptero (rodeado de semicolumnas)
   – próstilo (un pórtico de columnas)
   – anfipróstilo (dos pórticos de columnas)

c) Según el **número de columnas** en cada lado corto: díptero (dos columnas), tetrástilo (cuatro), exástilo (seis) octásilo (ocho).
   Los templos dípteros suelen tener las dos columnas en el propio pórtico y cobijadas entre dos prolongaciones de los muros de los lados largos (*antae*); entonces se llaman templos *in antis*.

EL TEMPLO GRIEGO

La planta del templo griego es en esencia la de un edificio rectangular que puede estar compartimentada de modo que la estancia del dios (naos) esté precedida de un pórtico o vestíbulo (pronaos) y dejando, a veces con entrada independiente, una pequeña cámara del tesoro (opistodomos o adyton). El edificio suele rodearse de un peristilo.

La evolución del templo arcaico

Los cambios que el templo dórico va sufriendo hasta tomar una forma clásica se perciben tanto en la planta como en el alzado. Los primitivos templos solían ser muy largos y estrechos y fueron evolucionando hasta que la longitud de los laterales se fue aproximando al doble de la del frente del edificio.

La evolución hacia formas más armoniosas se advierte mejor observando los elementos del alzado: los fustes se estilizan, aumenta la distancia entre columnas, el capitel se aligera (de modo que el equino se convierte en una pieza plana y el ábaco en una losa delgada) y el entablamento se estrecha.

El templo griego. Planta

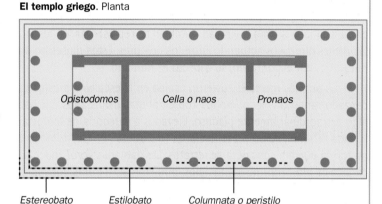

Opistodomos — Cella o naos — Pronaos

Estereobato — Estilobato — Columnata o peristilo

Aspecto actual del templo de Hera en Olimpia, siglo VI a.C.

Aspecto actual del templo de Hera en Posidonia (Paestum), Magna Grecia, mediados del siglo VI a.C.

La advocación de los templos

La religión griega, politeísta, veneraba a los dioses del Olimpo y a ellos dedicaba sus templos. Éstos son los más importantes (con el nombre romano entre paréntesis):

– **Zeus** (Júpiter): Padre de los dioses, señor del rayo y las tormentas.
– **Atenea** (Minerva): Protectora de Atenas, de la razón y de la guerra justa.
– **Afrodita** (Venus): Divinidad del amor y de la fecundidad. Nació de las espumas del mar.
– **Apolo**: Dios de las artes y de la luz. Se le identifica con el Sol. Tenía un oráculo muy importante en Delfos.
– **Hera** (Juno): Esposa de Zeus, diosa del matrimonio y del hogar.
– **Artemisa** (Diana): Hermana de Apolo. Diosa virgen y cazadora.
– **Deméter** (Ceres): Diosa de la agricultura, su hija (Perséfone) fue raptada por Hades (Plutón).
– **Dioniso** (Baco): De origen oriental, dios del vino y de la resurrección.
– **Poseidón** (Neptuno): Dios de los mares y de los ríos.
– **Ares** (Marte): Hijo de Zeus y Hera, es el dios de la guerra.
– **Hermes** (Mercurio): Dios de los caminos y el comercio. Es el mensajero de los dioses.

Templo dedicado a las diosas Atenea y Afaia en Egina, principios del siglo V a.C.

4. EL ARTE GRIEGO: LA ESCULTURA ARCAICA

El significado de la escultura arcaica

La escultura del arcaísmo tiene un marcado carácter sagrado. La Grecia prehelénica no tenía escultura monumental y evitaba la representación icónica de sus dioses, que aún se veían como fuerzas elementales. Con la llegada de los dorios, los dioses se fueron definiendo según la escala humana, con mitos en los que se relata su historia. Son dioses que intervienen de forma concreta en la vida de los hombres y se dejan conocer por su imagen. La escultura arcaica muestra, primero en madera (*xoanon*) y más tarde en piedra, imágenes de los dioses con los símbolos que la tradición religiosa asignaba a cada divinidad. También se representan en los frontones mitos en los que intervienen los dioses olímpicos actuando entre los hombres. Estos dioses no aparecen como seres terribles o sobrenaturales; por el contrario, su aspecto es humano.

Si los propios mortales tuvieron cabida en la escultura arcaica es porque de alguna forma habían alcanzado rango divino, como los *kouroi*, atletas divinizados por haber acumulado victorias o por hacer algo extraordinariamente piadoso. Elevados a categoría de inmortales, no se representan con rasgos de su vida terrenal; son representaciones "del atleta", en cierto modo del héroe, como género, y de ninguna forma pueden considerarse retratos. Las llamadas *korai*, muchachas que aparecen al final de la época arcaica alrededor de los templos, pudieron ser figuras votivas, quizá donadas por los fieles, junto a las que se depositaban ofrendas.

Dama de Auxerre, 620 a.C.
Imagen muy arcaica que aún tiene el aspecto
de las primitivas figuras de madera denominadas xoana.

Evolución de la escultura arcaica

La escultura griega se centró siempre en la figura humana, tanto en las esculturas de bulto redondo como en los relieves. Fue precisamente en el arcaísmo cuando los artistas se esforzaron en humanizar la escultura. Esto debe entenderse en un doble sentido. Por un lado, las imágenes se van pareciendo a los seres humanos, evocan sus sufrimientos y sus anhelos y forman parte de programas iconográficos en los que se relata un mito que afecta a la vida de los hombres. Por otro, se hacen más humanas al irse aproximando a la imagen que los seres humanos tienen de sí mismos. Sin embargo, la humanización de la escultura no consiste en parecerse a personas concretas, sino en reflejar lo que los seres humanos son en esencia; ya hemos visto que no interesa reflejar lo que distingue a un *kouros* de otro con sus rasgos individualizados, sino expresar la idea genérica del heroísmo.

Las primeras imágenes arcaicas están encajadas en un esquema geométrico, son frontales y en cierto modo impresionan por lo que tienen de sobrehumano. En las primeras obras, que se fechan a finales del siglo VII y en el siglo VI a.C., se aprecia mucha influencia oriental que puede recordar a la escultura monumental egipcia: la imagen es frontal, tiene una pierna avanzada, los brazos pegados al cuerpo y un aspecto general hierático, es decir, sagrado, como si representara a un fiel que se ofrece, solemne, a la divinidad. La sonrisa anima la expresión del rostro, pero es un gesto estereotipado y no expresivo, como de un ser ausente y ya divinizado. En torno a los años 540-535 a.C. se va sustituyendo la geometrización que segmentaba las figuras humanas por el modelado que define las partes del cuerpo como volúmenes; se va rompiendo el frontalismo de modo que la imagen gira ligeramente, levanta un brazo o rompe de alguna otra forma la simetría. Sin embargo, la factura de los pliegues del vestido o del pelo de la figura suele evolucionar más despacio y se resuelve con cierto esquematismo geométrico (*Koré del Peplo*). En el paso del siglo VI al V a.C., la sonrisa arcaica desaparece y el artista investiga todavía la forma de integrar la expresión del sentimiento.

Koré del Peplo, 540-530 a.C.
Modelo de koré ática, austera
y con sonrisa ya contenida.

Figura de jinete llamada
Jinete Rampín, 560 a.C.

Frontones del templo de Afaia en Egina

Edificado entre los años 510 y 480 a.C., se considera una obra de transición al clasicismo. Los frontones recogen temas en relación con la guerra de Troya y la estirpe de Telamón, héroe griego que procedía de la isla de Egina. El frontón oriental, realizado unos veinte años después que el occidental, narra el episodio en el que Telamón participa junto a Heracles en la toma de Troya, en la que entonces reinaba Laomedonte. El frontón occidental recoge temas de la guerra de Troya más famosa, la que se narra en la Ilíada, y que tuvo lugar una generación más tarde; es ahora el hijo de Telamón, Áyax, el que, junto a Aquiles y otros héroes griegos, participa en la guerra de la Troya donde ahora reina Príamo, hijo de Laomedonte.

Guerrero caído del frontón oriental.

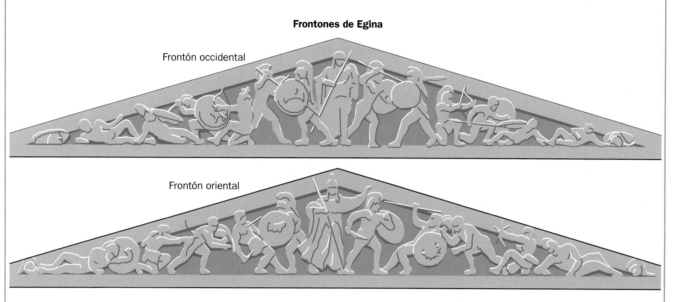

Frontones de Egina

Frontón occidental

Frontón oriental

El frontón occidental

En la reconstrucción del conjunto se puede observar que el frontón más antiguo es más rígido en su composición, totalmente simétrica. La figura central, que forma el eje, es la diosa Atenea, testigo del combate; a ambos lados de esta escultura se sitúan tres grupos de figuras que se van adaptando al marco del frontón: en primer lugar aparecen parejas de guerreros combatiendo de pie; después, arqueros y lanceros; y, por último, soldados heridos, totalmente tumbados.

Combate entre Héctor y Áyax

"Púsose Áyax la armadura de deslumbrante bronce y vestidas las armas marchó tan animoso como el terrible Ares, cuando se encaminaba al combate de los hombres a quienes Saturno hace ir a la batalla que roe los corazones. Tan terrible se levantó Áyax, antemural de los aqueos. Sonreía con rostro fiero."

HOMERO: *Ilíada*, 16, 1-3

El frontón oriental

En él se puede apreciar una composición más libre que en el frontón occidental, aunque sigue dominando la simetría: los grupos de figuras se van enlazando de una manera más fluida, lo que da como resultado una composición menos encorsetada. En las figuras de Egina se advierte que al arte arcaico aún le quedaba por conseguir, más allá de los conocimientos, más humanización y dramatismo en sus imágenes, así como desenvoltura para atreverse a romper con el geometrismo.

Detalle del frontón occidental.

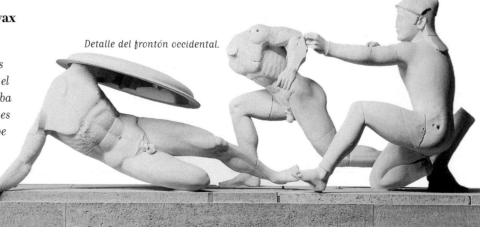

53

La obra

Estas dos esculturas se han asociado tradicionalmente a la leyenda de dos hermanos, Cleobis y Bitón, narrada por Heródoto. Su historia cuenta la proeza realizada por estos jóvenes, que, a falta de bueyes, arrastraron el carro de su madre para que pudiera acudir a los ritos en honor de la diosa Hera, la cual los premió con la inmortalidad. Fueron halladas en Delfos, a cuyo santuario, también según Heródoto, fueron dedicadas estas figuras. Es una de las obras más arcaicas que ha llegado a nosotros y se fecha entre los años 600 y 580 a.C.

Análisis formal

Son imágenes frontales, que avanzan una pierna y cuyas anatomías se definen por formas geométricas muy acusadas, geometrización que también se aprecia en los rasgos de la cara y el pelo. Carecen de movimiento y los miembros están pegados al cuerpo.

Significado

La rigidez y la monumentalidad de estas esculturas (miden más de 2 m), su aire impávido e imponente, la expresión y las posturas, muestran la influencia oriental (sobre todo egipcia) que sufrió la escultura griega del arcaísmo. Sin embargo, a diferencia de la estatuaria egipcia, se trata de figuras completamente desnudas y no tienen carácter funerario, lo que alude a intereses propiamente griegos, centrados en la vida del hombre y no en la muerte.

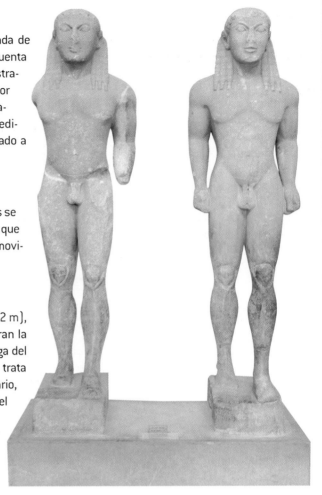

La obra

Esta escultura, que hoy se conserva en el museo de la Acrópolis de Atenas, está fechada hacia el año 560 a.C. Representa a un donante en actitud de llevar una ofrenda a la divinidad, en este caso un ternero.

Análisis formal

La composición se resuelve de forma bastante más compleja que en las esculturas anteriores: el donante forma con las patas del ternero una especie de aspa y la cara y el pelo se inscriben en formas geométricas. La sonrisa proporciona vida a la figura, pero también la hace inexpresiva y distante. Como es una composición asimétrica, se ha roto ligeramente la frontalidad.

Significado

La obra mezcla rasgos técnicos más bien arcaicos (trazo del pelo, postura de los miembros) con otros más avanzados que proceden de la experiencia y de la capacidad de observación del autor, como el ligero giro del cuerpo y la introducción del modelado, que define el cuerpo a pesar del vestido. Como imagen votiva, aparece vestida porque no se trata de un personaje heroizado ni de un dios y está en la línea de las *korai*, también en la Acrópolis.

KOUROS DE MELOS

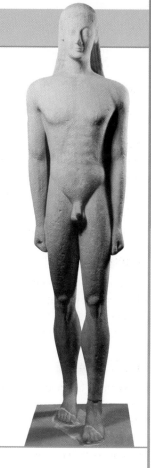

La obra

Este *kouros*, hallado en la isla de Melos, se data aproximadamente hacia el año 540 a.C. En la actualidad se conserva en el Museo Nacional de Atenas.

Análisis formal

Imagen muy geométrica donde las proporciones son bastante correctas. La forma de hacer brazos y piernas es aún torpe, pero el aire de la figura es menos tosco que a principios del siglo VI a.C. La cara está resuelta según un canon de belleza oriental: rasgos finos, ojos almendrados, sonrisa y pelo rizado muy geométrico.

Significado

La figura recuerda mucho a las imágenes egipcias (tobillos gruesos, manos cerradas y pegadas al cuerpo), carece de movimiento y aún tiene ese aire hierático similar al de las figuras de Cleobis y Bitón. Sin embargo, se advierte interés por el modelado (sobre todo del tronco) y por dar más ligereza a la figura.

APOLO DE PIOMBINO

La obra

Hacia el año 500 a.C., en el final del arcaísmo, se sitúa esta imagen de Apolo que se conserva en el Museo del Louvre, en París. Es una obra en bronce que presenta al dios bajo la imagen habitual con la que se suele representar: un hombre joven, imberbe y sereno.

Análisis formal

La postura de Apolo es fundamentalmente arcaica: frontal, con una pierna adelantada y los brazos paralelos al cuerpo. También lo es la forma de esculpir el pelo, nada natural, sino convencional y sin volumen. La figura levanta las manos de modo que la imagen gana profundidad, y las partes del cuerpo están definidas como volúmenes modelados y no por trazos lineales. La expresión severa hace que la figura parezca reflexiva y resulte más humana, pero sin dejar de presentar una noble distancia.

Significado

Al final del arcaísmo se ha superado el geometrismo y el frontalismo propios de principios del siglo VI a.C., pero la postura es aún poco atrevida, rígida y pesan los estereotipos en la representación del pelo y los miembros. La falta de sonrisa aporta dignidad y humanidad a la imagen. El hecho de que la escultura esté fundida en bronce separa esta obra de la influencia oriental. La utilización de este material se hará frecuente a partir de ahora en la plástica griega.

- En las cuatro obras que te presentamos hemos señalado rasgos orientales. Acude a las ilustraciones de escultura egipcia de la unidad anterior y busca alguna que presente estos mismos rasgos. ¿Puedes señalar alguna diferencia entre las obras egipcias y las griegas?
- Intenta hacer un dibujo en el que se representen esquemáticamente las figuras geométricas que forman cada parte del cuerpo de *Cleobis* y del *Kouros de Melos*. Señala las diferencias y semejanzas.
- El *Moscóforo* es una imagen votiva. ¿Tiene alguna semejanza con las *korai*?
- ¿Qué cambios supone para la escultura arcaica la pérdida de la sonrisa? Explícalo a partir del *Apolo de Piombino*.

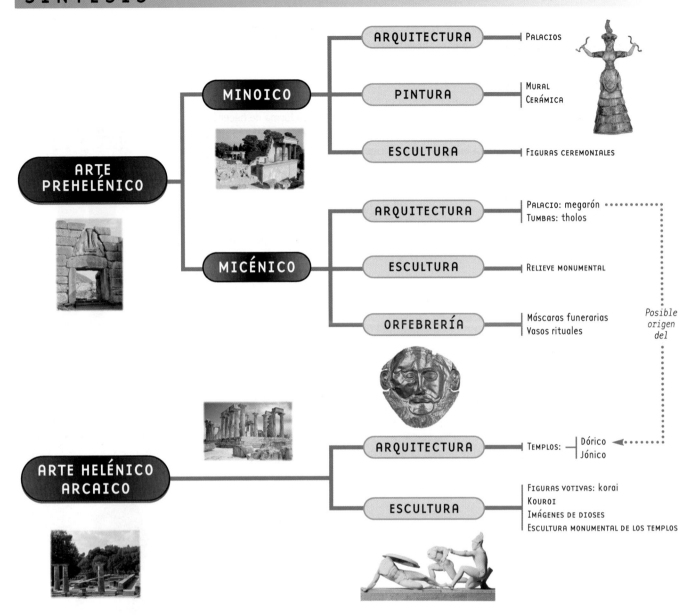

	CULTURA MINOICA	CULTURA MICÉNICA	GRECIA ARCAICA
CRONOLOGÍA	3000-1400 a.C.	1600-1200 a.C.	800-500 a.C.
LOCALIZACIÓN	• Isla de Creta.	• Peloponeso.	• Península balcánica, Peloponeso, costa jónica y Magna Grecia.
CARACTERÍSTICAS GENERALES	• Cultura comerciante, pacífica. • Religión centrada en la fertilidad.	• Civilización guerrera y aristocrática, pero seducida por lo cretense.	• Cultura aristocrática y antropocéntrica.
CARACTERÍSTICAS ARTÍSTICAS	• Naturalismo, gusto por la línea curva y el zigzag. • Arquitectura arquitrabada y abierta.	• Tendencia a la geometrización. • Arquitectura ciclópea y colosal. • Falsos arcos y cúpulas.	• Evolución desde la rigidez geométrica (escultura) y la arquitectura masiva a proporciones más amables. • Formación del templo griego y de los órdenes jónico y dórico.
OBRAS REPRESENTATIVAS	• Conjunto del palacio de Knosos. • Figuras ceremoniales (diosas de las serpientes). • Pintura palaciega. • Cerámica.	• Puerta de los Leones. • Megarón de Micenas. • Tesoro de Atreo. • Orfebrería: máscara de Agamenón.	• Templo de Neptuno en Paestum. • Templo de Hera en Olimpia. • Templo de Afaia en Egina. • Kouroi (*Cleobis y Bitón*). • Korai (*Koré del Peplo*). • Frontones del templo de Afaia en Egina. • Escultura votiva (*Moscóforo*).

HACIA LA UNIVERSIDAD

1. Desarrolla el siguiente tema: *El templo griego: función, evolución y órdenes arquitectónicos.*

2. Define o caracteriza brevemente cuatro de los términos siguientes: *falsa cúpula, megarón, triglifo, taurocatapsia, kouros, orden arquitectónico.*

3. Lee este texto y contesta a las preguntas que hay a continuación:

Se ha explicado con frecuencia cómo, partiendo del xoanon, tan próximo todavía al tronco de árbol original, los helenos alcanzaron la etapa escultórica en que se había estancado Egipto, que sabía echar adelante la pierna izquierda de sus estatuas para una marcha esbozada pero jamás emprendida; cómo también, con la sonrisa arcaica muy pronto en los labios, iba a franquear las etapas hacia esa perfección viva que ningún pueblo había podido alcanzar antes de ellos [...]. La llegada de los dorios infundía en el mundo mediterráneo una organización social por completo diferente en la que el campesino, pasivo y conservador [...], dejaba sitio a un soldado, agricultor sólo de ocasión [...], el "hombre de hierro" [...]. El hombre no depende ya de las potencias misteriosas que lo superan y lo aplastan, vive por sí mismo y para sí mismo.

HUYGUE, R.: *El Arte y el hombre.* Barcelona, Planeta, 1965, p. 238

— ¿Qué diferencias advierte Huygue entre el arte griego y el de las culturas del Mediterráneo oriental?

— ¿Qué es un *xoanon*? ¿Qué función tenía?

— ¿En qué obras y con qué recursos se plasma la nueva mentalidad del hombre griego?

4. Analiza y comenta estas imágenes:

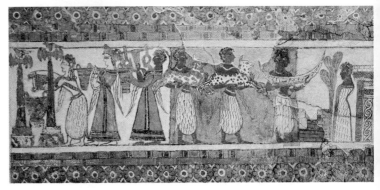

PASADO Y PRESENTE EN EL ARTE

Evans excavó el palacio de Knosos entre los años 1900 y 1932, y los criterios con los que restauró lo que hallaba no serían los que ahora se seguirían. Como era corriente en esa época, Evans buscaba piezas de museo ricas y vistosas, y no se entretenía en recoger materiales más modestos ni en estudiar los cortes estratigráficos (los perfiles de la excavación en los que se ve la secuencia cronológica). Volvió a levantar los cimientos y los pisos altos con hormigón armado y, a partir de los fragmentos que quedaban, completó las figuras al fresco. El llamado *Príncipe de la flor de Lis* (quizá un participante en una procesión religiosa) es uno de los ejemplos en los que mejor se observa que la mayor parte de la superficie de la pintura está reconstruida, mientras que la pintura original, más oscura, es la mínima parte.

— En los criterios de restauración, ¿predomina la fidelidad a la pieza entendida como objeto arqueológico o la contemplación como obra de arte?

— Averigua qué criterios rigen hoy la restauración de obras de arte.

— ¿Qué opinión te merece cada uno de estos planteamientos?

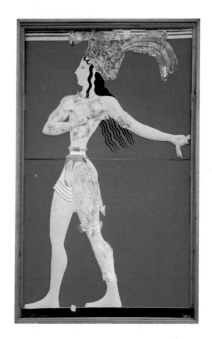

4. ARTE CLÁSICO: CLASICISMO Y POSTCLASICISMO

En el siglo V a.C. la cultura griega se hace clásica, lo que quiere decir que sus frutos no sólo tienen una calidad extraordinaria, sino también que han quedado como algo modélico que merece la pena imitar. Por otra parte, el interés que los griegos ya sentían en el arcaísmo por utilizar su experiencia para hacer las imágenes sagradas y los templos, lleva al descubrimiento de la belleza, un valor que existe en función del que mira y que aparece gracias a la mediación del artista. Es decir, se trata de un arte hecho por el hombre y para el hombre. La belleza se identifica en Grecia con el bien y se considera algo supremo a lo que se debe aspirar.

La culminación clásica no detuvo la evolución artística de Grecia: los avatares de su historia llevaron a la ruptura de ese difícil equilibrio entre carácter y sentimiento que logró el siglo V a.C. y en el que se había esforzado la época clásica. Además, a finales del siglo IV a.C. el espíritu griego, ya por entonces escéptico y atormentado, se extendió por un territorio tan amplio que, si bien ganó en extensión y logró obras más virtuosas y originales, perdió en pureza, y estas mismas obras de arte suelen ser menos elevadas y universales.

Acrópolis de Atenas.

LA ACRÓPOLIS DE ATENAS: UN ALMA INACCESIBLE A LA VEJEZ

En efecto, la pericia y la rapidez de ejecución no confieren a una obra solidez duradera ni belleza perfecta; el tiempo empleado en el trabajo de una creación produce, al igual que un capital colocado a intereses, el valor que asegura la conservación de la obra una vez terminada. La admiración por los monumentos de Pericles crece, puesto que fueron hechos en poco tiempo y destinados a una larga duración. Cada uno de ellos, apenas terminado, era tan bonito que ya tenía el carácter de lo antiguo y tan perfecto que ha conservado hasta nuestra época el frescor de una obra reciente; de tal manera brilla siempre en ellos una especie de flor de juventud, que ha preservado su aspecto del paso del tiempo. Parece como si estas obras tuviesen un soplo siempre vivo y un alma inaccesible a la vejez [...].

PLUTARCO: *Vidas paralelas. Pericles.* Siglos I-II d.C.

**1. ARQUITECTURA CIVIL
Y URBANISMO**

– La vocación cívica
de la ciudad griega

– La adecuación entre
forma y función

– La ciudad helenística

CLAVES DE LA ÉPOCA

– Apogeo de
la cultura griega:
siglos v y iv a.C.

– El helenismo

– Grecia del clasicismo
al helenismo

**2. ARQUITECTURA
RELIGIOSA**

– El templo dórico

– Templos jónicos
y corintios

**3. EL EQUILIBRIO
CLÁSICO:
LA ESCULTURA
DEL SIGLO V A.C.**

– El período severo

– El pleno clasicismo

ANÁLISIS 1

El Partenón

**4. LA ESCULTURA DEL
POSTCLASICISMO**

– El final del siglo v a.C.

– El siglo iv a.C.

**5. LA ESCULTURA
HELENÍSTICA**

– Características:
significado y temas

– Las escuelas
helenísticas

ANÁLISIS 2

Evolución de la
escultura entre
el clasicismo
y el helenismo

**6. LA PRESENCIA
GRIEGA EN ESPAÑA
Y EL ARTE IBÉRICO**

– Los griegos
en España

– El arte ibérico

S Í N T E S I S

CLAVES DE LA ÉPOCA

Apogeo de la cultura griega: siglos V y IV a.C.

Mientras los griegos lograban los mejores frutos de su arte, no hubo un período relativamente largo de paz: la primera mitad del siglo V a.C. estuvo marcada por las guerras médicas (griegos contra persas), y la segunda mitad por el enfrentamiento entre los propios helenos (guerras del Peloponeso).

Las *guerras médicas* fueron casi un estímulo para los griegos. El imperio persa estaba formado en el año 500 a.C. por pueblos diversos y antiquísimos unidos bajo un gobernante casi divino. El poder de su soberano era desmesurado, despótico, y su intención era extender su dominio más allá de sus fronteras: una vez ocupadas las ciudades griegas de Asia Menor, el imperio persa pretendía conquistar la Grecia continental. Ante la rebelión de las ciudades jónicas de Asia Menor contra su poder, los persas contestaron con el saqueo e incendio de Mileto. Los griegos de distintas *polis* se unieron entonces para enfrentarse al que se consideraba enemigo común y tras desiguales resultados consiguieron vencer en el 479 a.C. (batalla de Platea). Interpretaron esta victoria como una sanción de la superioridad del espíritu griego: mientras Persia, llevada por su soberbia, no supo ponerse límites y al final se hundió, Grecia obedece a la máxima délfica que aconseja la moderación y la búsqueda de los propios límites ("Conócete a ti mismo") y triunfa. La razón vence a la fuerza irracional y los griegos se sienten orgullosos y confiados.

Templo de Atenea Niké (Atenea victoriosa), también llamado de la Niké Aptera (Victoria sin alas). Fue construido hacia el año 420 a.C. en la Acrópolis de Atenas para conmemorar la victoria de los atenienses sobre los persas en la isla de Salamina. Es un pequeño edificio sencillo y armonioso, de una sola nave y anfipróstilo.

Atenas, que había liderado las guerras médicas, amortizó la victoria: liberó las ciudades jonias y organizó una liga de ciudades (Liga de Delos) para prevenir otra futura amenaza y ejercer su hegemonía sobre las demás *polis*. Desde el siglo VI a.C., Atenas había ido reduciendo el poder de la aristocracia de modo que, ya con Pericles, en el siglo V a.C., la asamblea de ciudadanos (*Ekklesia*) era la que detentaba el poder. Al mismo tiempo que esta *polis* se gobernaba de forma democrática, ejercía sobre sus aliados un poder injustificado, y así desafiaba a Esparta, cuyos valores aristocráticos Atenas repudiaba. En las tragedias de Esquilo se aprecia esa contradicción: confiada en el poder de la razón, Atenas cree controlar su destino, pero, enloquecida por el orgullo, parece seguir los pasos de los persas y querer destruirse a sí misma. La rivalidad entre Esparta y Atenas terminó por estallar en las *guerras del Peloponeso* en el 430 a.C., el mismo año de la terrible peste, que fue para los propios atenienses señal del descontento de los dioses. La guerra terminó por favorecer a Esparta, pero ésta no fue capaz de aprender la lección: durante el siglo IV a.C. intentó imponerse a otras ciudades y no cesaron las guerras. Estos intentos de dominio de unas ciudades sobre otras, sus continuas peleas, demuestran que el modelo de la *polis*, ciudad independiente, con su propia forma de gobierno, estaba agotado.

El helenismo

En medio de sus disputas, Atenas y Esparta se vieron unidas frente a un nuevo enemigo común: Macedonia, un reino casi bárbaro, con monarquía hereditaria. Su rey, Filipo II, las derrotó gracias a la superioridad de su ejército (batalla de Queronea en el 338 a.C.) y terminó por crear una alianza de todas las *polis* bajo su hegemonía frente a Persia. Fue ya su hijo Alejandro el que tomó la iniciativa de la guerra (334 a.C.) invadiendo Persia, con la intención de construir un imperio universal que uniera a todos los pueblos bajo la superioridad de la cultura griega. A la muerte de Alejandro el año 323 a.C., ese imperio parecía estar construido, si bien su heterogeneidad y amplitud, así como las disputas entre sus generales por heredarlo, lo llevó a su desintegración temprana.

Retrato de Alejandro Magno. Copia del original que Lisipo esculpió en el siglo IV a.C.

Grecia del clasicismo al helenismo

El arte de los siglos V y IV a.C. se considera clásico. Sin embargo, la crisis social e intelectual que sufrió Grecia en el siglo IV tuvo también su reflejo en el arte y durante esta centuria se abandonó la serenidad característicamente clásica. Por ello esta fase se considera como algo distinto y se denomina *postclasicismo*. El arte de estos siglos giraba en torno a Atenas, de la que procedían o con la que estaban relacionados los artistas; allí se ensayaron las novedades y se exportaron al resto de la Hélade.

La figura de Alejandro Magno, educado por Aristóteles y admirador de Atenas, enlaza el postclasicismo con el helenismo. A pesar de la enorme extensión de su imperio, la herencia griega sólo cuajó realmente en zonas próximas y ya helenizadas como Asia Menor y el bajo Egipto, y se prolongó hasta que esta área cayó bajo el dominio de Roma, en el siglo I a.C.

Relieve en el que Perséfone y Deméter enseñan a Triptolemo, rey de Eleusis, el cultivo del trigo. Principios del siglo V a.C.

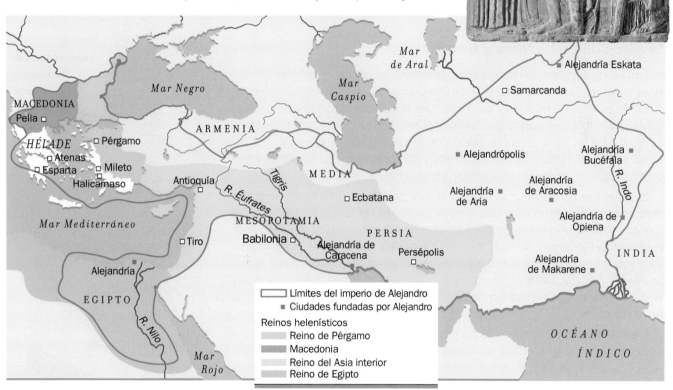

AÑOS	HISTORIA	ARTE
494-460 a.C.	· Guerras médicas en las que vence Grecia (494-479). · Formación de la Liga Délica (478).	· Se terminan los frontones del templo de Afaia en Egina (480). · Se comienza el templo de Zeus en Olimpia. *Auriga de Delfos* (470).
460-400 a.C.	· Empieza la época de Pericles en Atenas (460). · Inicio de las guerras del Peloponeso. Epidemia de peste en Atenas (430). · Atenas derrotada por Esparta en Egospótamos (404).	· Poseidón de Artemisión. Templos de Paestum. *Discóbolo* de Mirón (460). · Comienza la restauración de la Acrópolis: Partenón (447-432). · *Doríforo* de Policleto (450-440). · Imágenes crisoelefantinas de Fidias (438). · *Diadúmenos* de Policleto. Comienzo del templo de Atenea Niké (430). · Inicio del Erecteion (421).
400-300 a.C.	· Victoria de Filipo II en Queronea (338). · Alejandro Magno inicia la conquista de Persia (334). · Muere Alejandro Magno (323).	· Tholos de Delfos (390). · Teatro de Epidauro (370). · Apogeo de Scopas y Praxiteles. Mausoleo de Halicarnaso (360). · Estela de Ilisio (350). · Apogeo de Lisipo (330).
300-30 a.C.	· El imperio de Alejandro Magno se divide en tres reinos: Macedonia, Asia Anterior y Egipto (281). · Roma reclama la hegemonía sobre Grecia (196). · Roma hereda Pérgamo de Átalo III (133). · Egipto se convierte en provincia romana (30).	· Figuras de Tanagra (300). · Mausoleo de Átalo I (240-200). · *Venus de Milo* y *Victoria de Samotracia* (200). · Altar de Pérgamo. *Laocoonte* (180-150). · *Torso Belvedere* (150).

1. ARQUITECTURA CIVIL Y URBANISMO

La vocación cívica de la ciudad griega

Entre los griegos de los siglos V y IV a.C., la arquitectura privada no tenía ninguna importancia. En general, el individuo evitaba destacar entre los demás ciudadanos; los griegos, sobre todo los de origen dorio, eran austeros en su manera de vivir. Quizá por ello la arquitectura doméstica era modesta y no tenía especial relevancia.

La formación de los jóvenes, la discusión filosófica o política, el comercio y, en general, todas las actividades públicas sucedían en un espacio común, el *ágora*, donde los edificios públicos se levantaban y embellecían con orgullo ciudadano, si bien el clima favorecía que muchas de las reuniones se hicieran al aire libre. El ágora era la plaza pública, no tenía una forma definida y se multiplicaba al crecer la ciudad; era frecuente que se rodease de pórticos de columnas denominados *stoas*, en las que los ciudadanos se cobijaban del sol o de la lluvia. Las *stoas* que han llegado hasta nosotros son ya de época helenística y solían estar sufragadas por un particular, como las de Átalo en Atenas.

También en Atenas hay un edificio tardío, el *Bouleuterion*, lugar de reunión del consejo o *Boulé*, que era una asamblea política de carácter deliberativo. Tiene forma de hemiciclo y es un edificio cerrado, si bien su edificación pudo ser de una época en la que esta institución carecía ya de importancia.

La adecuación entre forma y función

Tanto en la arquitectura religiosa como en la laica, los griegos levantaron sus edificios ajustando la forma a la función. En Olimpia hay una serie de edificios vinculados a las pruebas de los atletas que tienen una disposición estrictamente pensada para cumplir la función para la que estaban hechos: es el caso del *estadio*, un recinto alargado para las carreras que se rodeaba de sencillas gradas al aire libre, o la *palestra*, edificio en torno a un patio cuadrado y porticado al que se abrían las estrechas habitaciones de los atletas y de sus preparadores.

La capacidad para adaptar la forma a la función con un mínimo de elementos tiene su mejor ejemplo en el *teatro*: el mejor conservado es tardío, del siglo IV a.C., y está en Epidauro, pero el modelo pudo ser anterior a la época clásica. Aprovechando el desnivel del terreno se forma el *theatron* (cávea para los romanos), espacio reservado para los espectadores, que rodea la *orquestra*, un recinto circular donde el coro se movía y recitaba; frente al *theatron* y tras la *orquestra* estaba la *skena*, una plataforma rectangular y elevada donde se situaban los pocos actores que tenía la tragedia clásica.

El teatro griego surgió como una forma de culto a Dioniso y en Atenas se convirtió pronto en un lugar en el que los ciudadanos asistían al juego de fuerzas irracionales y pasiones humanas en el que se decide el destino de los hombres, de manera que el teatro puede entenderse casi como un edificio religioso. A partir del siglo V a.C. se popularizó la comedia, se introdujeron decorados y tramoyas en la *skena* y la fiesta perdió en parte ese significado original.

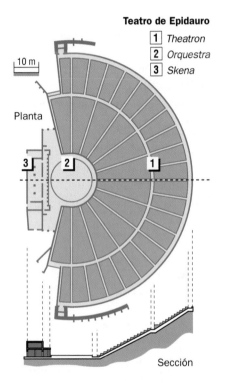

Teatro de Epidauro

1 *Theatron*
2 *Orquestra*
3 *Skena*

10 m

Planta

Sección

La ciudad helenística

Desde finales del siglo IV a.C., la austeridad de los edificios públicos y la vocación cívica desaparecen de las ciudades griegas. En el helenismo surge, sobre todo en Asia Menor, el deseo de ostentación, y las ciudades se embellecen con efectos escenográficos en los que sus monumentos destaquen o sorprendan. El mausoleo de Halicarnaso, tumba del sátrapa Mausolo, es aún del siglo IV a.C., pero ya expresa este deseo de impresionar por el tamaño y por la combinación caprichosa de formas.

Teatro de Epidauro, 370 a.C.

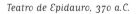

LAS CIUDADES GRIEGAS

En Grecia y el Peloponeso, la mayor parte de las ciudades importantes eran de fundación doria o incluso micénica, y ocupaban emplazamientos elevados para facilitar su defensa. Tenían murallas y las viviendas se extendían por la ladera de forma bastante desordenada. Las ciudades jónicas, orientadas generalmente al comercio, también estaban amuralladas, pero eran por lo general más abiertas y ordenadas. Aquellas que nacieron como colonias o algunas de las que fueron reconstruidas tras las guerras médicas adoptaron un trazado ortogonal (aquel en el que las calles están limpiamente trazadas y se cruzan en ángulo recto). Las ciudades helenísticas también se planteaban con una forma premeditada, pero buscando efectos teatrales y largas perspectivas.

En general, en todas las ciudades griegas se pueden distinguir tres zonas: el ágora (plaza cívica), la acrópolis (lugar de los templos, que analizaremos más adelante) y el espacio ocupado por viviendas privadas.

El ágora de Atenas

El ágora era uno de los pocos espacios abiertos de Atenas, que era una ciudad desordenada y con casas privadas muy humildes. Este espacio público fue en origen sólo lugar de mercado y, a partir del siglo VI a.C., comenzó a utilizarse también para reuniones cívicas. El ágora estaba delimitada por distintas *stoas* entre las que destacaba el Pécile, donde estuvieron las pinturas sobre tabla de los grandes artistas del siglo V y que sólo conocemos por descripicones, ya que se han perdido. A la derecha se situaban las sedes de las instituciones políticas, como el *Bouleuterion* y el *Tholos*, que era un edificio circular donde los miembros de la *Boulé* hacían comidas en común.

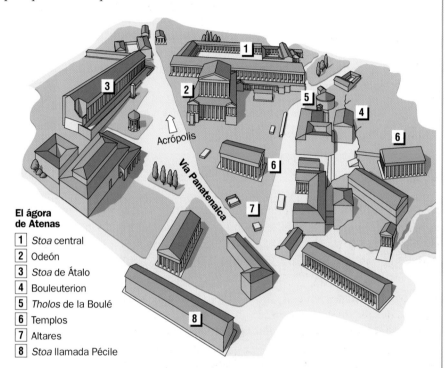

El ágora de Atenas

1 *Stoa* central
2 Odeón
3 *Stoa* de Átalo
4 Bouleuterion
5 *Tholos* de la Boulé
6 Templos
7 Altares
8 *Stoa* llamada Pécile

Mileto

1 Puerto principal
2 Ágora
3 Zona de actividades culturales
  a teatro
  b palestra
  c estadio

La Vía Panatenaica, que conducía a la Acrópolis, atravesaba el ágora y era lugar de procesiones solemnes y juegos deportivos. En el ágora también había altares al aire libre y algunos templos.

Esta reconstrucción ideal nos permite imaginar cómo sería el ágora de Atenas en la época helenística, con el Odeón (edificio para audiciones musicales) y la *stoa* de Átalo y la *stoa* central, que se incorporaron en este período.

La ciudad de Mileto

Mileto estaba situada en una península muy recortada de Asia Menor y fue una de las ciudades jónicas más importantes. Fue destruida por los persas el año 494 a.C. y se reconstruyó a partir del 479 a.C. La nueva ciudad se planteó de una forma completamente distinta a la anterior: frente a la desorganización del antiguo trazado, se planteó un plano ortogonal. Aunque este tipo de trazado no era completamente nuevo, el arquitecto que lo diseñó, Hippodamos, pasó a la historia como su inventor. La nueva organización de Mileto no afectaba exclusivamente a la forma, sino también a la distribución de actividades económicas y distintos grupos sociales que quizá ocuparían barrios diferentes. Hippodamos se ocupó también de proporcionar a la ciudad todo el equipamiento (lugares de ocio, comercio, estadios) y de construir una nueva muralla.

El templo dórico

Grecia tomó del arcaísmo el tipo de templo ya formado. A principios del siglo V a.C. se levantó en Olimpia el templo de Zeus, hoy en ruinas. Era exástilo, períptero, y los lados mayores tenían el doble de columnas que los menores más una, lo que quedó como norma. Los templos de la Magna Grecia en la misma época, como el de Neptuno (Poseidón para los griegos) en Paestum, pueden dar una idea de lo que pudo ser este templo de Olimpia. Sin embargo, estos edificios de la Magna Grecia dan la impresión de estar más cerca del arcaísmo por la pesadez de sus elementos y proporciones. Habrá que esperar hasta mediados del siglo V a.C., con la construcción del Partenón en la Acrópolis de Atenas, para hallar un perfecto equilibrio entre solidez y elegancia, que será lo que caracterice el momento clásico del orden dórico.

Templo de Poseidón (llamado de Neptuno porque luego fue adoptado por los romanos) en Paestum, Magna Grecia, siglo V a.C.

En orden dórico tenemos ejemplos de templos que responden a dos tipos menos frecuentes que el rectangular: el tesoro y el *tholos*:

- El *tesoro* es un templo votivo, donado como agradecimiento o promesa a alguna divinidad y donde se guardaban las ofrendas. Solía tener sólo una *naos* y dos columnas o *cariátides in antis*.

- El *tholos* es un pequeño templo con una sola nave circular rodeada de columnas y parece derivar de algún tipo de monumento funerario; está asociado precisamente a divinidades de la fertilidad y la resurrección.

Tholos de Marmaria, siglo IV a.C. Este templo, situado en una zona próxima a Delfos, está dedicado a Asclepio, dios sanador.

Templos jónicos y corintios

Tras las guerras médicas, Atenas adoptó el orden jónico para mostrar su alianza con los que fueron víctimas de los persas y para disponer de un estilo más refinado. Un buen ejemplo es el templo de Atenea Niké en la Acrópolis.

También en esta parte de la ciudad de Atenas está el Erecteion, que expresa muy bien las transformaciones de la sensibilidad religiosa de finales del siglo V a.C. Lo primero que llama la atención en este templo es la complejidad de su estructura, que consiste en un agregado de distintos espacios, con diferentes entradas y con un acusado desnivel. La explicación de esta construcción tan atípica está en que en el suelo del Erecteion había desde la fundación de Atenas muchos lugares sagrados a los que había que dedicarles un espacio.

Por otra parte, hay una tendencia a romper la norma y a investigar formas distintas para expresar esta nueva religiosidad motivada por el misterio de la muerte y el deseo de la resurrección. Precisamente, son divinidades ancestrales y de la tierra, relacionadas con la fertilidad y el infierno, algunas de las que se veneraban aquí, así como tumbas de los míticos reyes que fundaron Atenas (Cécrope y Erecteo, que da nombre al templo), y lugares sagrados que también tenían relación con la fundación de la ciudad, sobre todo el olivo que la diosa Atenea donó a la ciudad cuando se convirtió en su diosa protectora. En el templo tiene ésta también su santuario, junto con otro dios, Hefesto.

El nuevo orden corintio, con los capiteles de hojas de acanto, era en el siglo V a.C. un estilo que respondía a esta nueva sensibilidad religiosa, porque el acanto se asociaba al mundo de los muertos y de las fuerzas subterráneas que devuelven la vida. Sin embargo, para el helenismo el orden corintio era sencillamente más decorativo, y así se utiliza en el casi desaparecido templo de Zeus Olímpico (siglos II a.C.- II d.C.) en Atenas, con doble peristilo y el efecto de "bosque de columnas".

Capitel corintio del Olimpeion o templo de Zeus Olímpico, Atenas, siglos II a.C-II d.C.

El "témenos", recinto sagrado

Muchos templos de la antigua Grecia se agrupaban en recintos sagrados o témenos. Cada ciudad tenía uno de estos espacios. En algunas como Atenas, el témenos estaba ubicado en la parte más alta de la ciudad y se llamaba acrópolis (ciudad alta), que fue en origen un lugar defensivo. Además, había recintos sagrados muy importantes como Olimpia, consagrado a Zeus; Eleusis, dedicado a las diosas de la regeneración y la agricultura (Perséfone y Deméter); y Delfos, consagrado a Apolo, que se manifestaba en el oráculo a través de la sacerdotisa délfica. Las celebraciones que había en estos tres lugares eran comunes a todos los griegos y por ello se llamaban fiestas panhelénicas.

Tesoro de Delfos, siglo V a.C. En lugares sagrados como los santuarios de Olimpia y Delfos, era frecuente que se construyeran tesoros con las contribuciones de los ciudadanos de alguna polis, como hicieron los atenienses en este caso.

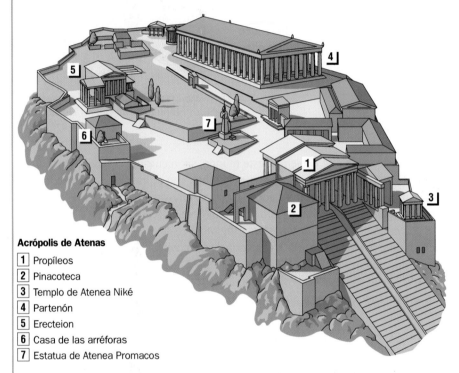

Acrópolis de Atenas

1. Propíleos
2. Pinacoteca
3. Templo de Atenea Niké
4. Partenón
5. Erecteion
6. Casa de las arréforas
7. Estatua de Atenea Promacos

Aspecto que pudo tener la Acrópolis a finales del siglo V a.C.

La Acrópolis de Atenas

Es una colina donde hubo un palacio micénico, sobre cuyos restos se levantó en época arcaica un templo a Atenea y, más tarde, el Erecteion. También hubo un primer Partenón, levantado por Cimón y destruido por los persas. De época de Pericles son el templo de Atenea Niké y los Propíleos, entrada monumental con fachadas similares a un templo dórico, y un pasillo con seis columnas jónicas en el interior. Desde los Propíleos se accedía a la pinacoteca y al recinto del templo de Atenea Niké. En la Acrópolis, además de los templos, había un manantial sagrado, altares, la casa de las *arréforas*, *korai* e imágenes, entre las que destacaban las de Fidias: *Atenea Lemnia* y *Atenea Promacos*.

Cada año, y de forma más solemne cada cuatro años, se celebraban en la Acrópolis las fiestas *Panatenaicas*, que estaban reservadas exclusivamente a la población ática. Consistían en competiciones (atléticas, musicales y poéticas) y una procesión en la que las *arréforas* (muchachas escogidas entre las mejores familias) y la sacerdotisa de Atenea, acompañadas por una comitiva de oficiantes, músicos y guerreros, entregaban un *peplo* nuevo a la imagen más antigua de Atenea, que estaba en el Erecteion. El recorrido de la procesión comenzaba en las puertas del Dipilón, atravesaba el ágora y los Propíleos y concluía en la Acrópolis, siguiendo la Vía Panatenaica.

Erecteion, siglo V a.C. Dos pórticos con columnas jónicas, cada uno a un nivel del suelo, servían como entradas a distintas zonas del templo. En eje con uno de ellos está el pórtico de las cariátides, en el que figuras de muchachas, a modo de korai, hacen la función de columnas.

3. EL EQUILIBRIO CLÁSICO: LA ESCULTURA DEL SIGLO V A.C.

El período severo

Entre el año 500 y el 460 a.C., se distingue en la plástica griega un *primer período* clásico llamado *severo* porque las imágenes pierden la característica sonrisa arcaica y adoptan una expresión de reflexiva serenidad. Anteriormente, el artista arcaico podía destacar en las representaciones de hombres y dioses el sentimiento del personaje (*pathos*) o bien su carácter, el dominio de sí a pesar de la situación dramática (*ethos*): ahora, en el período severo y en pleno clasicismo, el ideal es el equilibrio entre ambos, con imágenes que a la vez sienten y se dominan.

Las obras más significativas de la escultura del período severo son las figuras de los frontones del templo de Zeus en Olimpia, en las que, dentro de este difícil equilibrio entre expresión y autodominio, se impone este último. Los dos frontones se refieren a la historia mítica de esa zona. En el frontón occidental aparece un episodio en el que, en las bodas del héroe Pirítoo, los centauros se emborrachan y pretenden raptar a las mujeres invitadas; los lapitas, compañeros de Pirítoo, luchan contra ellos, y en el combate la violencia de las posturas contrasta con las expresiones impávidas de los lapitas y sus mujeres, y con el gesto solemne con el que Apolo, en el centro, interviene poniendo paz.

Lucha entre un centauro y una mujer lapita. Frontón occidental del templo de Zeus en Olimpia, 470-450 a.C.

El pleno clasicismo

Esta serenidad se debe a la confianza del griego clásico en hallar el bien en este mundo, sin recurrir a lo sobrenatural. Creen que, en el fondo, el mundo es armonioso y que el hombre, con su razón, puede encontrar el orden y la felicidad. **Mirón**, un escultor beocio, estudia el movimiento, algo que los griegos temen porque cambia las cosas y las desordena, pero Mirón busca orden en el movimiento y halla una postura (*rhytmos*) en la que la figura, parada, resume la trayectoria de su movimiento, como en el *Discóbolo* que veremos más tarde o en el *Marsias*. Así refleja algo real del mundo (el movimiento) sin sacrificar un ideal (el orden).

Policleto de Argos fue un teórico que en su obra, el *Canon* (hoy perdida), busca la armonía en la proporción y la simetría. Cree que en todas las cosas grandes y pequeñas y, sobre todo, en el cuerpo humano hay un orden que consiste en una relación adecuada entre las partes y el conjunto. En sus esculturas del hombre adulto establece que la longitud total del cuerpo debe ser siete veces la de la cabeza. Así, trata de hallar la naturaleza ideal del ser humano.

Fidias, el gran escultor ateniense, influyó en todo el arte de su época. Su ideal de orden es menos medible y científico que en los otros dos maestros: consiste en la creación de figuras conscientes, pensativas, que parecen capaces de sentir, pero que surgen contenidas y llenas de nobleza. Con Fidias culmina el equilibrio entre el *pathos* y el *ethos*, adecuado a la dignidad de los dioses olímpicos. De este modo creó una iconografía de Zeus que sus contemporáneos veían como el mejor reflejo del padre de los dioses tal y como aparece en los poemas homéricos. Su obra está prácticamente perdida: las figuras crisoelefantinas de oro y marfil, que representaban a Zeus y Atenea, se conocen por réplicas, así como la *Atenea Promacos* que había en la Acrópolis de Atenas.

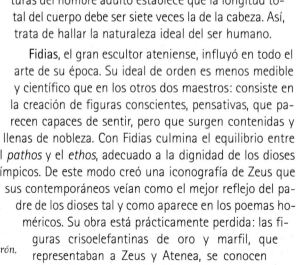

Copia de la escultura de Marsias, de Mirón, siglo V a.C. En esta escultura, el sátiro Marsias retrocede sorprendido por el sonido de una flauta.

Atenea Partenos. Copia en mármol de la escultura crisoelefantina de Fidias, siglo V a.C.

DEL PERÍODO SEVERO AL CLASICISMO: TRES ESCULTURAS

Auriga de Delfos

Es un original en bronce hallado en Delfos que dedicó Polizalos, tirano de Gela, al santuario como gratitud por haber vencido en una carrera. Formaba parte de un conjunto con caballos y carro, de los que se conservan restos. Se desconoce quién fue su autor.

La figura aparece vestida, con la ropa recogida bajo el pecho para que no estorbe en la carrera. Podría reducirse a pocas formas geométricas (una esfera para la cabeza y un cilindro para el cuerpo), pero la geometría queda rota por la ligera torsión del cuerpo y por el juego irregular de los pliegues del vestido.

En el período severo los escultores supieron sacar del bronce maravillosos efectos gracias a que este material permite hacer formas más precisas (manos, pies, rasgos de la cara, etc). Frente a la rigidez de los *kouroi*, en la actitud sosegada y atenta del auriga se percibe sentimiento (la expectación de la carrera que va a empezar), a la vez que serenidad. Esa expresión contenida es la que hace que a las esculturas de este período se las califique como severas. Los pliegues paralelos están irregularmente distribuidos, rompiendo también con el esquematismo arcaico, lo que demuestra que el artista no sólo aplica esquemas, sino que también observa la realidad.

El Doríforo, de Policleto

Esta obra se conoce como el *Doríforo* (portador de una lanza) o el *Canon* (porque se considera la plasmación de la teoría griega acerca de las proporciones que escribió el mismo Policleto). La altura total de la figura equivale a siete veces la longitud de la cabeza. El peso cae en una pierna, y el sentido de la marcha se contrapone a la dirección de la mirada, de modo que se rompe la monotonía del frontalismo mientras se conserva cierto estatismo. El autor no se ha interesado por la expresión de sentimientos ni por virtuosismo ninguno (el pelo, por ejemplo, es muy plano). Esta escultura está en la línea de los *kouroi* de la época arcaica. Argos, la patria de Policleto, era una *polis* típica del Peloponeso, y mantenía la austeridad de los valores dóricos. Estos valores demuestran que en la representación del cuerpo humano se pueden encarnar los más elevados ideales, en este caso los de un orden hallado matemáticamente.

El Diadumenos, de Policleto

Representa algo intemporal: un atleta que se ata una cinta en la cabeza, apenas una excusa para hacer un estudio de proporciones, que era el interés primordial de su autor.

Doríforo. Copia romana del original de Policleto, 450-440 a.C.

Es una figura perfectamente medida, con una longitud total de siete cabezas, que rompe la rigidez de postura propia del arcaísmo con un esquema con forma de equis (dobla la pierna izquierda y se inclina hacia la derecha) y que ha abandonado toda geometrización en la anatomía y el modelado del cuerpo.

Las proporciones que estableció Policleto definen una figura sólida, perfecta herencia del tipo de *kouros* y del ideal de atleta argivo; pero las innovaciones en la postura, con el cuerpo inclinado y los brazos despegados del cuerpo, aportan a su escultura una flexibilidad nueva, en la que naturalidad y norma se equilibran.

Auriga de Delfos, 476 a.C.

Diadumenos. Copia romana del original de Policleto, 440-430 a.C.

La obra

Edificado entre los años 450-430 a.C. en la Acrópolis de Atenas, vino a sustituir el antiguo Partenón destruido por los persas. Estaba pensado para albergar la imagen crisoelefantina que había hecho Fidias de Atenea Partenos, que significa en griego "virgen" y que da nombre al templo. Se mantuvo en relativo buen estado de conservación gracias a que fue iglesia bajo el dominio bizantino y luego mezquita persa, pero los venecianos lo volaron el año 1687. Entre 1801 y 1803 el embajador inglés en Turquía, Lord Elgin, compró la mayor parte de la escultura que quedaba para llevársela a Londres, donde se conserva actualmente en el Museo Británico.

Los autores

Fueron los arquitectos Ictinos y Calícrates quienes construyeron el edificio. Este último, si no era jónico, al menos tenía una clara influencia de los artistas jónicos (lo que se verá reflejado en el edificio y se analizará más adelante). La escultura se debe a la escuela de Fidias, que trabajó personalmente en los frontones y en gran parte del *friso de las Panateneas* y supervisó el conjunto de la obra.

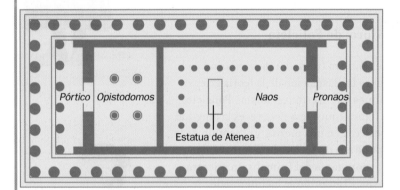

Planta del Partenón.

Análisis formal

– **La planta.** Se trata de un templo octástilo con una proporción de 8 columnas en el lado corto y 17 en el largo. El interior del edificio está dividido en *pronaos* (un pórtico), *naos* y *opistodomos*, accesible desde otro pórtico. Para lograr más altura en el interior, la *naos* y el *opistodomos* tienen dos columnatas dóricas superpuestas que en el caso de la *naos* rodeaban la imagen de Atenea.

– **El exterior.** La fachada respeta el canon del orden dórico. Sobre el estilobato se elevan las columnas, estilizadas pero con un ligero ensanchamiento del fuste en su parte central (*éntasis*), característico del dórico. Los capiteles tienen equinos casi planos y ábacos ligeros. Sobre el arquitrabe, liso, corre un friso decorado con triglifos, que caen sobre cada columna, y metopas a la altura de los intercolumnios. La estructura del tejado tiene un alero decorado con elementos que recuerdan a la estructura de carpintería de los primitivos templos. La doble vertiente del tejado deja un espacio triangular, el frontón, completamente decorado con esculturas de bulto redondo.

Ictinos introdujo sutiles irregularidades en la construcción del templo para que la percepción del edificio fuese lo más perfecta posible. Como la impresión que darían un estilobato y un entablamento completamente planos sería la de que estuvieran abombados, el arquitecto los curva ligeramente en sentido inverso. Lo mismo sucede con las columnas, que tienen el capitel inclinado hacia el interior para compensar la impresión que darían de estar inclinados hacia el exterior. Del mismo modo, las columnas de los extremos son más anchas para que, recortadas contra el cielo, no resultaran más delgadas que las demás.

Vista que ofrece actualmente el Partenón, desde la entrada por los Propíleos.

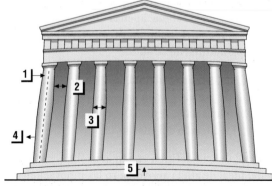

1 Ejes de las columnas inclinados hacia el interior

2 Espacios más estrechos entre las columnas próximas al ángulo

3 Columnas ensanchadas en el centro

4 Las columnas exteriores son más anchas

5 "Abombamiento" de las líneas horizontales

Dibujo exagerado con las correcciones introducidas en el Partenón para que sea percibido más perfecto de lo que aparecería a simple vista.

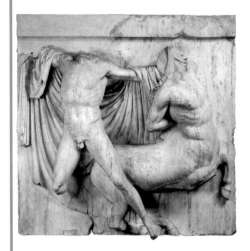

La escultura

Temas. Las metopas simbolizan el triunfo del orden sobre la barbarie (luchas entre dioses y gigantes, hombres y amazonas, lapitas y centauros), que alude a la victoria de los griegos sobre los persas en las guerras médicas. El friso interior, denominado *friso de las Panateneas*, recoge la procesión en la que los atenienses entregaban como ofrenda y agradecimiento un nuevo manto a la imagen de Atenea. Los frontones se ocupan de los orígenes de Atenas: el nacimiento de Atenea, la diosa protectora de la ciudad (frontón oriental), y el desafío de Atenea y Poseidón por el patronazgo de la ciudad (frontón occidental).

Relieve que representa a los jinetes que cerraban la comitiva de las Panateneas.

El *friso de las Panateneas* es especialmente interesante. Es un relieve bastante bajo en el que varios jinetes avanzan hacia la imagen de la diosa. En el movimiento de los caballos y los mantos vemos una compensación de agitación y serenidad, de modo que resulta una imagen dinámica, sin caer en el desorden. Los jinetes y efebos aparecen heroizados, desnudos y con proporciones clásicas y no representan personajes concretos sino prototipos de los ciudadanos atenienses.

Uno de los ángulos del frontón oriental, donde se representa el nacimiento de Atenea, está ocupado por estas tres figuras que se han interpretado como las diosas Leto, Artemisa y Afrodita. Las figuras se adaptan a la forma del frontón de una forma fluida que queda muy lejos del estatismo de los frontones que hasta ahora hemos visto. Los volúmenes aparecen enlazados y las formas de los cuerpos de las diosas se dejan adivinar sensualmente gracias al tratamiento de los paños.

Figuras que decoraban el frontón oriental del Partenón.

Significado

Fidias supo recoger en el Partenón la interpretación que los atenienses y, sobre todo, Pericles dieron a la victoria sobre los persas. Con la edificación de un nuevo Partenón, el templo de su diosa tutelar, es la ciudad de Atenas la que afirma su orgullo y su protagonismo en las guerras médicas: en ellas la razón ha vencido a la barbarie (tema de las metopas) y lo ha conseguido gracias a que sus ciudadanos tienen conocimiento de sus fuerzas y de sus límites, que están, por un lado, en la pertenencia a la *polis* (cuyos ritos ancestrales se conmemoran en las Panateneas) y en reconocer la superioridad de los dioses (nacimiento y triunfo de Atenea). La forma en la que los dioses y hombres se representan confirma este confiado equilibrio.

Por otra parte, el Partenón es un templo dórico con influencias jónicas (que se aprecian en las columnas estilizadas o en el friso corrido interior) que pudieron aludir a la hermandad que los atenienses querían establecer con las ciudades de Asia Menor, las primeras amenazadas por los persas y a las que Atenas pretende tutelar en el futuro.

Las correcciones ópticas demuestran el nivel de sutileza y refinamiento que alcanzó la Atenas del siglo V a.C., en la que todos los esfuerzos se vuelcan hacia la consecución de obras que estén en función del ser humano y que resulten agradables a lo que él puede percibir.

- Clasifica el Partenón según el orden, el número de columnas del lado corto y la disposición de las columnas.
- Hemos afirmado que, con el Partenón, el orden dórico alcanza una perfección clásica. Justifica esta afirmación.
- Compara la arquitectura del Partenón con el templo de Neptuno en Paestum y señala las diferencias.

4. La escultura del postclasicismo

El final del siglo V a.C.

Hacia el año 430 a.C. la confianza del hombre en sus propias fuerzas retrocede y a cambio regresa el miedo al desorden, al caos y a lo irracional. Por un lado hay artistas que reaccionan al pesimismo haciendo una escultura virtuosa y elegante, como si se evadieran de la realidad de la época: las *nikai* (Victorias) sin alas que decoran el friso del templo de Atenea Niké o la Niké de Peonios se visten con mantos pegados al cuerpo en los que se advierte el gusto por crear efectos de claroscuro y por recrearse en la decoración. Por otro lado, otras obras van dejando sitio al sentimiento, al *pathos*, cada vez menos contenido: las estelas funerarias del cementerio de Atenas representan al difunto cabizbajo, despidiéndose de los familiares conmovidos o de sus objetos personales, y son precisamente estas obras, en su gran mayoría anónimas, las que mejor expresan hasta qué punto estaba generalizada la nueva sensibilidad.

Estela llamada de Iliso, atribuida a Scopas, siglo IV a.C. En esta estela, el difunto aparece desnudo, heroizado, con una sombra profunda sobre los ojos que entristece su expresión, mientras un anciano y un niño manifiestan con distintos gestos su dolor.

El siglo IV a.C.

La novedad de este siglo consiste en que no es el dolor universal (que se puede tratar filosóficamente) el que preocupa, sino el dolor personal, el que sólo podemos compartir conociendo el nombre e historia del que lo sufre. La exploración de los sentimientos como algo personal se debe sobre todo a **Scopas de Paros**, que esculpió los frontones del templo de Atenea en Tegea. Hoy casi perdidas, estas imágenes expresaban el dolor con gestos alterados. La estela funeraria de Iliso, atribuida al mismo artista, permite reconstruir esos gestos y el sentimiento que los acompañaba.

Lo mismo que se explora la capacidad de sentir dolor, se explora la de percibir la belleza, no intelectualmente como en el siglo V a.C., sino a través de los sentidos.

Praxiteles trabajaba el mármol para que pareciera carne viva y para que el espectador se recrease en su verismo y su belleza; con el cuerpo inclinado y la expresión ensoñada y melancólica, da una visión completamente humana de los dioses, que enternecen o conmueven más que impresionan. El *Apolo Sauróctonos* representa a este dios de la luz matando al monstruo de la oscuridad, que solía representarse como un reptil, y que en este caso es un simple lagarto; el dios aparece representado sin solemnidad, casi con simpatía, de modo que el grave significado del tema queda en segundo lugar.

La *Afrodita desnuda de Cnido* supone para Praxiteles la ocasión de hacer por primera vez un desnudo femenino, que despertaba el deseo antes que la piedad.

Lisipo fue sobre todo un técnico y no se interesaba por los sentimientos, sino que se propuso mejorar la proporción de Policleto, para que las figuras no sólo estuvieran bien proporcionadas, sino que lo parecieran, de modo que alargó a siete cabezas y media el módulo de la altura total. Este interés (ejemplificado sobre todo en el *Agias* y el *Apoxiomenos*, obra que se analizará más adelante) muestra cómo también a Lisipo le importaba más el punto de vista del espectador que la forma abstracta de la imagen; precisamente para implicar al espectador introdujo una segunda novedad: hizo que las figuras invadieran su espacio, no posando para él, sino avanzando brazos y piernas, girando el cuerpo (*Apoxiomenos*, *Hermes de la sandalia*), para que se viera obligado a buscar un punto de vista y a moverse alrededor de la imagen.

Además, Lisipo ganó gran fama esculpiendo *retratos de Alejandro Magno* que, según se decía, eran únicos en reflejar su imagen casi divina. Estas esculturas de Alejandro Magno inauguran además un género, el retrato, que continuó sobre todo el helenismo.

Copia romana del Apolo Sauróctonos de Praxiteles, siglo IV a.C.

DOS OBRAS DE PRAXITELES

Hermes con Dioniso

En el siglo XIX se encontró esta escultura en el templo de Hera en Olimpia. Su calidad excepcional hizo pensar que se trataba de un original de Praxiteles que, además, coincidía con la descripción que había hecho de esta obra Pausanias, un geógrafo del siglo II d.C. Hoy se cuestiona si la pieza es realmente la esculpida por Praxiteles o si se trata de una copia, excelente, del helenismo.

La escultura recoge el momento en el que Hermes y Dioniso descansan en su viaje a Nisa, donde las ninfas cuidarían al pequeño dios. El cuerpo de Hermes se inclina hacia Dioniso formando una curva bastante acusada (curva praxiteliana) en un gesto de cierto abandono. Para mantener el equilibrio de la figura, el artista ha introducido un elemento de paisaje (un árbol) que aparece cubierto con el manto de Hermes.

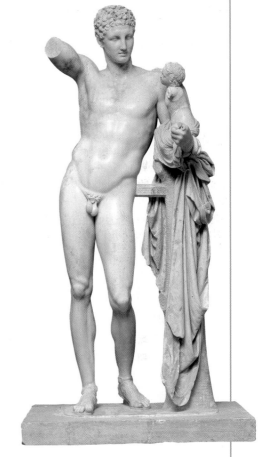

La figura del niño y la cabeza y el brazo de Hermes forman un espacio en el que se establece cierta complicidad entre los personajes. Los rasgos de la cara y el pelo del dios están difuminados, lo que aporta más suavidad y cierto aire andrógino a la figura. El grupo de Hermes y Dioniso da una visión encantadora de ambos dioses: la composición desequilibrada, la suavidad con la que está pulido el mármol y el difuminado de los rasgos dan como resultado una imagen llena de gracia, que seduce al espectador. El desnudo contrasta con la abundancia del manto, y no es aquí una forma de heroizar al personaje sino de hacerlo más sensual. A pesar de lo anecdótico del tema (según Pausanias, Hermes ofrece unas uvas con las que Dioniso, dios del vino, se entusiasma), la mirada que el dios dirige al pequeño transmite una cierta melancolía, como si Hermes intuyera la muerte del niño (que será descuartizado por los gigantes para después resucitar). Dioniso se hizo muy popular precisamente en el siglo IV a.C., cuando los fieles preferían dioses más próximos y que garantizaran la resurrección tras la muerte: todo el conjunto expresa esa nueva sensibilidad y la humanidad que se solicita de la divinidad.

Praxiteles: Hermes con Dioniso.
siglo IV a.C.

Afrodita de Cnido

Esta obra fue famosísima en época de Praxiteles y tuvo una enorme influencia en el arte griego y romano posterior. Representa a la diosa del amor saliendo de las aguas del mar, de cuya espuma nació según el mito más conocido.

Estuvo al aire libre dentro de una especie de templo o patio circular para que pudiera ser contemplada desde todos los puntos de vista. La admiración y los deseos, no siempre honestos, que despertaba dejan adivinar que esta imagen de la diosa tenía un atractivo claramente erótico, pero no vulgar. Afrodita aparece ensimismada, algo ausente, y con una postura lánguida que acentúa la sensualidad.

No eran frecuentes los desnudos femeninos en el arte griego anterior y sólo a partir del siglo IV a.C. es concebible una visión sentimental y sensual del cuerpo femenino.

PRAXITELES: *Afrodita de Cnido.*
siglo IV a.C. Copia romana.

5. La escultura helenística

Características: significado y temas

El arte helenístico abarca, a diferencia del clásico y postclásico, un período de tiempo muy largo y un territorio diverso y amplio. Sin embargo, sus características pueden explicarse a partir de un solo fenómeno: la crisis de la *polis*, que deja de ser el marco en el que el hombre se educa y vive, y en el que encuentra la felicidad y la virtud. Como consecuencia de esta crisis proliferan éticas personales que dan respuesta a las inquietudes de un hombre que ya no cree en los valores colectivos y que vive en ciudades enormes en las que no hay vida en común. Los artistas se interesan por situaciones de intenso dramatismo en las que el ser humano conoce sus límites y experimenta sentimientos muy personales pero también universales. Como reacción, también se desarrolla el gusto de la etapa anterior por lo evasivo y refinado, de modo que esta etapa aparece llena de contrastes.

Mientras que en el clasicismo los temas eran muy concretos y convencionales, en el helenismo se busca la variación, la anécdota, el episodio literario especialmente dramático, y los temas son infinitos, desde lo más vulgar y superficial, hasta oscuras y eruditas alusiones a obras literarias muy escogidas. Para recoger todos los posibles estados del alma humana, se incluye la representación de niños, de seres deformes, de bárbaros e incluso de personajes concretos retratados, algo que repugnaba al griego clásico. El retrato, que comenzó a hacerse en el postclasicismo y que aún entonces era poco frecuente, tendrá un interesante desarrollo en esta época en la que son los individuos y no las ciudades los que destacan.

Victoria de Samotracia, hacia el 200 a.C.

Las escuelas helenísticas

A pesar de la variedad de temas e inquietudes, pueden distinguirse escuelas:

– La de *Alejandría*, en Egipto, imitó el estilo de Praxiteles con figuras femeninas de rasgos esfumados y versiones de su *Venus de Cnido* (entre las que destaca la *Venus de Milo*), pero también popularizó figuritas grotescas, de niños y personajes callejeros.

– En la de *Tanagra*, cerca de Atenas, se hacían unas figuritas de terracota que representaban damas elegantes y veladas que sintetizan toda la gracia e imaginación de la que fue capaz esta época.

– La de la *isla de Rodas* destaca por dos obras dispares: la *Victoria de Samotracia*, que formaba parte de un conjunto espectacular, un santuario con la proa de un barco ante la cual la figura alada evocaba, impetuosa, una victoria naval; y el grupo del *Laocoonte* hallado en Roma, que puede ser el original rodio del que hablan los textos. Esta obra, que analizaremos más adelante, recoge, como la *Victoria de Samotracia*, la sabiduría clásica, pero con un nuevo efecto, en este caso muy dramático.

Copia romana de un gálata moribundo de los que formaban parte del mausoleo de Átalo I.

– La de *Pérgamo*, un pequeño reino en Asia Menor, fue sin embargo la escuela más importante: el rey Átalo I mandó erigir un monumento, hoy perdido, para conmemorar su victoria contra los gálatas (finales del siglo III a.C.), que aparecían en lo alto con desesperados gestos de agonía y caracterizados como bárbaros. Algo posterior es el altar de Pérgamo, que formaba parte de un conjunto escenográfico.

Hay una serie de obras que no pueden inscribirse en una escuela en concreto y que completan este panorama del helenismo: la *Afrodita agachada*, que tiene una composición sabia y compleja como una figura que gira, recogida sobre sí misma; y el *Niño de la oca*, una composición también en espiral, que es un magnífico ejemplo del gusto por la anécdota de la época helenística.

Afrodita agachada, copia romana de un original del siglo III a.C.

DOS OBRAS DEL HELENISMO

El altar de Pérgamo

Esta obra formaba parte del conjunto monumental de Pérgamo y es una versión de un tipo frecuente en Asia Menor; un altar al aire libre para hacer sacrificios a los dioses. Lo mandó levantar el rey Eumeo II y se construyó entre los años 190 y 180 a.C. El conjunto se completaba con el templo de Atenea victoriosa al fondo. Actualmente se conserva en el museo de Berlín.

Conjunto del altar de Pérgamo, siglo II a.C.

El tema esta tomado de la *Teogonía* de Hesíodo y narra la lucha de los dioses y los gigantes (gigantomaquia), que habían devorado al niño Dioniso.

El altar de Pérgamo es una construcción en forma de herradura. En el centro, rematado por una columnata, estaba el altar de Zeus y Atenea. El zócalo, salvo la parte que ocupa la escalera, está decorado con un altísimo relieve continuo.

En el relieve, las figuras del gigante, Atenea y la Victoria que acude a coronarla están trazadas en diagonales contrapuestas que invitan a pasar de una a otra. La anatomía del gigante y la ropa de las figuras femeninas, con técnica de paños mojados, recoge toda la herencia del mundo clásico. Cabellos, telas, alas del gigante y la Victoria están tratados con gran virtuosismo e introducen mayor agitación en la escena. El dramatismo mayor está en las caras del gigante y de su madre Gea (que acude desde el suelo en su ayuda), en las que el trépano crea acusadas sombras.

Friso oriental del altar de Pérgamo, siglo II a.C.

Para Eumeo II, que tiene por modelo a Zeus y como protectora a Atenea, la lucha entre dioses y gigantes simboliza la victoria de su propia dinastía sobre los gálatas y la convicción de que este pequeño reino helenístico prolongaba los ideales de los griegos clásicos. Como parte de un conjunto escenográfico, pretendía antes impresionar al espectador que moverlo a la piedad.

El niño de la oca

Esta obra es representativa de una larga serie de esculturas de tema intrascendente que se harían para la decoración de las viviendas más ricas. Representa a un niño atrapando una oca, una especie de versión cómica de las clásicas esculturas de luchas que eran frecuentes desde el arcaísmo. Si el tema carece de interés, no ocurre lo mismo con la factura. La composición triangular, que además gira sobre sí misma en el abrazo del niño y del animal, es propia del refinamiento y la complicación de la escultura helenística. La ejecución de las distintas texturas (la carne blanda del niño, las plumas del animal, etc.), recoge todo el conocimiento acerca del pulido del mármol que ya hizo admirable a Praxiteles. Tema y ejecución son, en definitiva, característicos de una época refinada que se recrea en la anécdota menuda y en el contraste.

El niño de la oca, obra atribuida a Boetos, siglo II a.C.

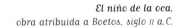

La obra

Formaba parte del frontón occidental del templo de Zeus en Olimpia, en el que se describe la lucha entre centauros y lapitas en las bodas de Pirítoo, y ocupaba el eje de la composición (parte más alta del espacio triangular). Está fechada hacia el año 460 a.C. Todas las esculturas de los frontones de este templo se conservan en el museo de Olimpia.

Análisis formal

Mayor que las otras figuras del conjunto, el dios aparece desnudo, firmemente plantado en el suelo, y levanta un brazo en la misma dirección que gira la cabeza, para imponer el orden. El pelo tiene aún la geometría de lo arcaico y la expresión carece de sentimiento.

Significado

La majestad del dios destaca por su talla y por la nobleza de su gesto. Como Zeus en el otro frontón, es una figura de gran serenidad, como corresponde a dioses que presiden los sucesos de los hombres pero que permanecen invisibles. El modelado del pelo es arcaico, pero en la severidad y anatomía es una figura clásica. Su impasibilidad y la presencia de ciertos rasgos arcaizantes se han interpretado como una forma de mostrar mayor distancia de los asuntos humanos.

DISCÓBOLO, DE MIRÓN

La obra

Es una copia romana en mármol del original en bronce de Mirón, que se fecharía entre los años 460 y 450 a.C. Se conserva en el museo de las Termas de Roma. Es una de las obras más reproducidas de la Antigüedad y está también descrita en muchos textos literarios.

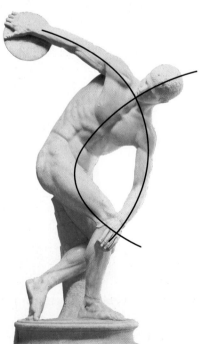

Análisis formal

Representa a un atleta justo en el momento de lanzar el disco. La postura no es forzada sino armoniosa: dos curvas se combinan, una que une las dos manos (en cuyo centro está la cabeza) y otra que va desde la cabeza hasta la rodilla.

Significado

Mirón encuentra un momento de orden en medio del movimiento, justo aquel en el que el atleta ha terminado de girar y ha concluido su movimiento hacia atrás y, como un péndulo, gana impulso y se dispone a lanzar el disco. Para mostrar que en medio de ese movimiento la figura se mantiene ordenada e igual a sí misma, nos muestra al discóbolo parado en equilibrio, perfectamente colocado.

APOXIOMENOS, DE LISIPO

La obra

Representa a un atleta que se retira la grasa del cuerpo después del ejercicio con ayuda de un utensilio curvado llamado estrigile. No se conserva el original de Lisipo, que era de bronce y que se fecharía hacia el año 330 a.C. Esta copia se conserva en el Museo Vaticano de Roma.

Análisis formal

La escultura está de pie pero no firmemente plantada, sino que, con una ligera inclinación y un pie algo despegado del suelo, parece ágil, en pleno movimiento. Tiene un canon largo, sólo media cabeza más en la longitud total del cuerpo, para que, desde un punto de vista bajo, pareciera mayor. Avanza los brazos hacia el espectador creando varios puntos de vista y desarrollándose en las tres dimensiones del espacio.

Significado

La obra de Lisipo completó el proceso de pérdida de frontalidad que comenzó en el arcaísmo; la estatua está naturalmente puesta en pie en el suelo, invadiendo el espacio del espectador, y llama su atención sin necesidad de mirar fijamente en dirección a él, sino creando una comunicación entre ambos. Las composiciones en espiral del helenismo continúan la misma investigación del espacio y harán desaparecer por completo el frontalismo. Como sucede con las obras de Policleto, el tema del atleta sirve para hacer investigaciones exclusivamente técnicas, en las que ahora asoman nuevas inquietudes.

LAOCOONTE

La obra

Este grupo escultórico de mármol (siglo II a.C.) recoge un episodio de la guerra de Troya en el que Laocoonte, sacerdote de Apolo, muere estrangulado por serpientes marinas enviadas por Poseidón para que no revelara el secreto del caballo de Troya (los griegos, escondidos en el interior de un caballo de madera, pretendían engañar al enemigo y entrar en la ciudad asediada). Esta escultura apareció en el siglo XVI en las excavaciones de las termas de Tito, estando presente Miguel Ángel, que quedó impresionado con el dramatismo de la obra.

Análisis formal

La figura del sacerdote, con anatomía de atleta, se extiende en diagonal, y la cabeza, de voluminosos rizos, está inclinada. Los rasgos de la cara están profundamente marcados y el dramatismo del gesto acompaña al del cuerpo. Las serpientes enlazan a las tres víctimas y conducen la mirada desde el padre a los hijos, cuya factura es más amanerada y pudo deberse a otro artista. La composición es plana, pensada para que se vea de frente, y pudo formar parte de un conjunto escenográfico.

Significado

Esta obra recoge toda la sabiduría del mundo clásico: el anciano sacerdote tiene el cuerpo de un joven atleta, lo que hace más dramática la escena, gracias a que permite representar a un hombre que se defiende con todas sus fuerzas. La cara, en cambio, distorsionada, es la de un hombre de edad, y el claroscuro de los rasgos recuerda a las imágenes del altar de Pérgamo.

- Tanto el *Discóbolo* como el *Laocoonte* son figuras en movimiento, pero ¿qué diferencia hay entre el movimiento de un atleta y el de un hombre agonizante? ¿Por qué cada época prefiere precisamente ese tipo de movimiento?
- El *Apolo* del templo de Zeus y el *Apoxiomenos* están en pie, pero el segundo tiene una disposición más flexible. ¿En qué consiste esa flexibilidad?
- Fíjate en las dos últimas imágenes. ¿Crees que el *Laocoonte* recoge el sentido del espacio de Lisipo?
- Explica la evolución de la escultura griega a partir de las obras que aparecen en estas páginas.

Los griegos en España

Según el historiador griego Heródoto, los griegos llegaron a España en fecha muy temprana, entre los siglos VIII y VII a.C., pero no se han encontrado pruebas tan antiguas de su presencia. De finales del siglo VII y principios del VI a.C. son las colonias de Hemereskopion, Akra Leuke y Rodhe, las tres en la costa mediterránea.

Hacia el año 580 a.C. se fundó la colonia más importante, Emporión (actual Ampurias), primero en un emplazamiento en la costa (ciudad vieja o Paliópolis) y, más adelante, en el interior (Neápolis); esta última fue una ciudad pequeña, con 26 000 metros cuadrados y con urbanización en cuadrícula, como era usual en las colonias. En ella se distinguía un barrio de los templos (entre los que estaba el de Asclepio, del que se conserva una imagen del siglo III a.C.), un ágora con *stoa* y un barrio marinero.

Tras el enfrentamiento con los cartagineses en el 535 a.C., el dominio griego en España sólo se mantuvo al norte de la desembocadura del Ebro, pero su influencia siguió dando frutos en el área sureste de la Península hasta que la romanización impuso nuevas formas artísticas a partir del siglo II a.C.

Aspecto general de las ruinas de Ampurias. Gerona.

El arte ibérico

Entre los siglos VI y II a.C., el estímulo de los griegos, fenicios y cartaginenses sobre los pueblos de la Península dio como resultado un arte que no es sólo una copia provinciana del oriental, sino una adaptación a las necesidades, bastante peculiares, de los pueblos hispánicos del sur y del área levantina. Prácticamente no adoptaron el esquema de templo mediterráneo (si bien en Castello, Alicante, se ha podido reconstruir uno de materiales pobres, varias cámaras y columnas *in antis*), y rendían culto a sus dioses, de los que sabemos muy poco, en santuarios al aire libre como el del Cerro de los Santos (Albacete). En ellos aparecen exvotos, pequeñas esculturas de hombres y mujeres en las que no se recoge el ideal de belleza de los griegos. Prima, en cambio, la solemnidad, con figuras frontales y rígidas, con cabeza y manos desproporcionadamente grandes que las hacen más expresivas. De tipo votivo son también las damas oferentes, ricamente ataviadas y en actitud de presentar un vaso donde se depositaban las ofrendas.

Las tumbas, tan modestas en la Grecia anterior a Alejandro Magno, son aquí muy importantes. El monumento de Pozo Moro, encontrado en Albacete, es un enterramiento en forma de torre con cuatro leones en la base y relieves de escenas mitológicas o de animales que pueden recordar a lo que hemos visto en Mesopotamia. Seres fantásticos, como la *esfinge de Agost* o la llamada *bicha de Balazote* (también una esfinge), pudieron tener una función protectora parecida a la que tuvieron los leones de Pozo Moro.

Hay obras de escultura de difícil interpretación. El relieve de Osuna, un zócalo decorado con guerreros y una aulista, o las esculturas encontradas en Porcuna que representan luchas entre hombres y animales fantásticos (grifos), se interpretan como exvotos o imágenes funerarias. Si bien podemos rastrear estos temas en el mundo griego, proceden más bien de la influencia oriental común a griegos e ibéricos. Pero mientras que los griegos fueron arrinconando esta herencia para centrarse en el hombre y sus inquietudes, los ibéricos fueron enriqueciendo esta tradición, quizá porque tuvieran una religión más asociada al culto funerario y a la muerte.

Dama oferente del Cerro de los Santos (Albacete), siglos IV-II a.C.

T RES PIEZAS IBÉRICAS

La Dama de Elche y la Dama de Baza

El busto de la **Dama de Elche** fue hallado casualmente cerca de esta ciudad alicantina en 1897. Fue adquirido luego por el Museo del Louvre y definitivamente devuelto a España en 1947. Representa una dama ricamente ataviada, con mantos, collares (uno de ellos de anforillas), velo sujeto sobre una especie de peineta y dos estructuras con forma de disco junto al rostro, de las que también cuelgan anforillas. Frente al abigarramiento del atavío, el rostro es de una belleza muy sencilla y la expresión es serena, aunque se adivinan las facciones de una mujer concreta.

Dama de Elche,
primera mitad del siglo V a.C.

La **Dama de Baza** se encontró en 1971 en esta localidad de Granada, enterrada junto a un rico ajuar, y conserva bastante bien la policromía original. Es una estatua sedente, sobre un trono, que aparece rígidamente sentada, frontal, con una paloma en la mano. Los rasgos de la cara permiten creer que se trata de un retrato.

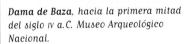

No sabemos si estas dos damas son representaciones de diosas o de difuntas, incluso puede que se trate de difuntas divinizadas en su paso al otro mundo. En la espalda de ambas figuras hay unos huecos, donde (en el caso de la segunda así se demostró) pudo haber cenizas. El tocado de la *Dama de Elche* aparece representado en otras imágenes votivas ibéricas de manera más simplificada y pudo ser, en origen, de oro. La *Dama de Baza* recuerda a las imágenes de la diosa Artemisa como diosa de la fertilidad aparecidas en Jonia, que también tenían un sentido funerario y estaban asociadas a la resurrección de los muertos.

La aulista del relieve de Osuna

Esta escultura se encontró cerca de la ciudad de Osuna, Sevilla. Formaba parte de un zócalo con relieves. No tiene un contexto arqueológico claro que pueda dar una idea de su significado. Su cronología es bastante incierta, aunque parece que puede fecharse entre los siglos II y I a.C. Aunque estas fechas son demasiado tardías para hablar estrictamente de arte ibérico, se observan en esta obra características propias del arte indígena que en esta zona tuvo un importante desarrollo.

Dama de Baza, hacia la primera mitad del siglo IV a.C. Museo Arqueológico Nacional.

En este detalle aparece una figura femenina que toca un aulos, doble flauta de origen griego. No obedece a las proporciones clásicas porque sus brazos son cortos y la cabeza algo grande respecto al cuerpo. Tiene un cinturón labrado con una decoración en espiral que recuerda a la orfebrería ibérica. Se desconoce el significado concreto de esta obra, aunque seguramente haga referencia a algún rito funerario.

Aulista del relieve de Osuna, siglos II-I a.C.

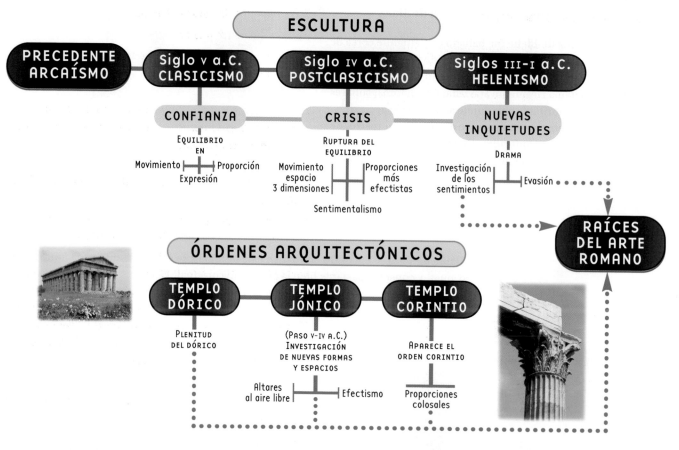

ESCULTURA

| PRECEDENTE ARCAÍSMO | Siglo V a.C. CLASICISMO | Siglo IV a.C. POSTCLASICISMO | Siglos III-I a.C. HELENISMO |

CONFIANZA

Equilibrio en
Movimiento ⊢ Proporción
Expresión

CRISIS

Ruptura del equilibrio
Movimiento espacio 3 dimensiones ⊢ Proporciones más efectistas
Sentimentalismo

NUEVAS INQUIETUDES

Drama
Investigación de los sentimientos ⊢ Evasión

RAÍCES DEL ARTE ROMANO

ÓRDENES ARQUITECTÓNICOS

| TEMPLO DÓRICO | TEMPLO JÓNICO | TEMPLO CORINTIO |

Plenitud del dórico

(Paso V-IV a.C.) Investigación de nuevas formas y espacios
Altares al aire libre ⊢ Efectismo

Aparece el orden corintio
Proporciones colosales

ARQUITECTURA	ARQUITECTURA CIVIL Y URBANISMO	ARQUITECTURA RELIGIOSA
CARACTERÍSTICAS	• Funcionalismo. • Preeminencia de lo político sobre lo privado.	• Tres órdenes: dórico, jónico y corintio. Concepto de orden.
TIPOS DE EDIFICIOS Y CONJUNTOS URBANÍSTICOS	• Palestra, estadio. • Templo. • Ágora (Stoa, Bouleuterion). • Funerario: mausoleo.	• Templo: de planta rectangular. *Tholoi*. Tesoros. • Altares al aire libre. • Santuarios y acrópolis (*Temenoi*).
OBRAS PRINCIPALES	• Teatro de Epidauro. • Ágora de Atenas. • Mausoleo de Átalo I.	• Conjunto de la Acrópolis (Partenón, Erecteion, Atenea Niké). • Tesoro de los atenienses. • *Tholos* de la Marmaria. • Altar de Pérgamo.

ESCULTURA	CRONOLOGÍA	CARACTERÍSTICAS	AUTORES O ESCUELAS	OBRAS PRINCIPALES
CLASICISMO	Siglo V a.C.	• Equilibrio en el movimiento	• MIRÓN	• *Discóbolo, Marsias*
		• Proporción	• POLICLETO	• *Doríforo, Diadumenos*
		• Serenidad	• FIDIAS	• Conjunto del Partenón, *Ateneas* (crisoelefantina, Lemnia, Promacos), *Zeus* de Olimpia.
POSTCLASICISMO	Siglo IV a.C.	• Sentimiento	• SCOPAS	• Relieves del templo de Tegea.
		• Sensualidad	• PRAXITELES	• *Hermes con Dioniso* • *Venus de Cnido* • *Apolo Sauróctono*
		• Nuevas proporciones	• LISIPO	• *Agias* • *Apoxiomenos* • *Hermes de la sandalia*
HELENISMO	Siglos III-I a.C.	• Dramatismo: movimiento, composiciones complejas	• Rodas	• *Victoria de Samotracia, Laocoonte.*
			• Alejandría	• Venus praxitelianas, personajes populares.
		• Evasión: virtuosismo, temas frívolos.	• Pérgamo	• Mausoleo Átalo I, altar de Pérgamo.
			• Sin escuela	• Figuras de Tanagra, *Venus agachada, Niño de la oca.*

HACIA LA UNIVERSIDAD

1. Analiza y comenta estas imágenes:

2. Desarrolla uno de estos dos temas:

a) *La arquitectura griega.*

b) *La escultura helenística. Características, iconografía y obras destacadas.*

3. Define o caracteriza brevemente cuatro de los seis conceptos siguientes: *acrópolis, tholos, templo anfipróstilo, stoa, pathos, proporción.*

4. Lee el siguiente documento y contesta a las cuestiones planteadas:

Los filósofos que aseguran que las ciencias matemáticas no tratan de lo bello ni del bien están en un error: porque lo bello es el objeto principal del razonamiento de estas ciencias y de sus demostraciones [...]. Las formas más elevadas de lo bello son el orden, la simetría, lo definido, y es ahí, sobre todo, donde aparecen las ciencias matemáticas. Y puesto que estas formas (el orden y lo definido) son causas manifiestas de una multitud de efectos, es evidente que las matemáticas deben considerarse como causa de lo bello.

ARISTÓTELES: *Metafísica,* 62.1

— ¿Qué relación hay entre la belleza y las matemáticas en el arte griego?

— ¿Qué se entiende por simetría?

— ¿Qué autor o autores expresaron mejor este concepto de belleza?

— Recuerda que Aristóteles vivió en el siglo IV a.C. ¿Expresa el ideal de belleza de su época?

PASADO Y PRESENTE EN EL ARTE

Gran parte de la escultura del mundo antiguo estuvo policromada, y en ocasiones tenía piedras semipreciosas engastadas en los ojos de las imágenes y aplicaciones de pan de oro, marfil y otros materiales. Los autores clásicos elogian en sus descripciones tanto las proporciones y la talla, que son tarea del escultor, como la decoración pintada de estas esculturas. El paso del tiempo ha impedido que conozcamos estas obras en su aspecto original y nuestra percepción sobre ellas está desvirtuada.

Esta imagen recoge la posible apariencia que tendrían estos relieves del *friso de las Panateneas,* del Partenón.

— ¿Por qué crees que la policromía era tan importante en la escultura antigua?

— ¿Se deberían reconstruir las esculturas con su aspecto original?

— A partir del Renacimiento empieza a ser habitual que la escultura de piedra no estuviera policromada. Investiga cuáles fueron las fuentes de inspiración para los escultores del Renacimiento y justifica el porqué de esa ausencia de policromía.

El cuerpo humano, medida de todas las cosas

No fueron los griegos los primeros que se interesaron en la representación del cuerpo humano, pues es evidente que este asunto había aparecido ya en la prehistoria (con el importante ejemplo de las "venus" paleolíticas), y se perfeccionó bastante en el arte de Egipto y de Oriente Próximo.

Koré de Eutidico.
Siglo VI a.C.

Lo humano y lo animal

Pensemos en los músculos tensados de los guerreros y cazadores del arte asirio: hay en ellos observación atenta del natural, fuerza visual y capacidad de síntesis. Pero son las mismas virtudes y cualidades que encontramos en las figuras de los caballos o de los grandes felinos. Algo similar

cabría decir para el arte egipcio, que no prestó mayor cuidado a las representaciones humanas que a las animalísticas. El universo de los seres vivos parece haber sido un todo continuo, no jerarquizado, para los artistas de casi todas las civilizaciones de la Antigüedad, y lo mismo podría afirmarse también de los griegos primitivos, que estuvieron muy marcados por la fuerte influencia de sus vecinos orientales. Las figuraciones humanas helénicas fueron, hasta el siglo VII a.C., muy esquemáticas, y no abundaban más ni eran mejores que las de los muchos animales, reales o fantásticos, que encontramos en la cerámica o en la estatuaria.

Pulsión antropomórfica y evolución formal

Pero en el siglo VI a.C. se notó una poderosa inclinación antropomorfa, desconocida hasta entonces en ninguna otra civilización: el cuerpo humano empezó a ser el asunto casi exclusivo del arte, sin que sepamos muy bien cuál es la verdadera causa

de semejante orientación temática.

En realidad, lo que caracteriza a los helenos no es tanto esa temática como su rapidísima evolución estilística, lo cual tiene mucho que ver con la emulación personal de los creadores, con su deseo de agradar a un público relativamente indiferenciado. Cada gran artista griego quería sacar de su taller obras "distintas" y "mejores" que las de sus rivales, y así es como vemos evolucionar el arte a un ritmo muy acelerado. O sea, que cambiaron las formas y se modificó el gusto artístico sin que ello implicase necesariamente transformaciones equivalentes en otros niveles de la sociedad.

El énfasis en el cuerpo humano tiene mucho que ver con eso: los *kouros* desnudos eran representaciones de

Guerrero de Riace.
Principios del siglo V a.C.

atletas vencedores en los juegos olímpicos.

Los artistas halagaban a las masas al representar con un realismo creciente aquellos cuerpos venerados, sin dejar de atender al mismo tiempo a los deseos de expresión heroica manifestados por sus clientes aristocráticos. El joven masculino desnudo se convierte así en la imagen prototípica del arte griego. Primero es una figura rígida, con la mirada al frente, los brazos pegados al cuerpo y una pierna ligeramente adelantada; se adivina que está hecha con un bloque monolítico de mármol, y que sus modelos son egipcios. La conquista del movimiento precedió a la de la expresión individual y pasional, y todo indica que semejante avance fue una consecuencia del empleo del bronce para las estatuas de gran tamaño.

El bronce y el dinamismo

En efecto, en la época arcaica había habido pequeñas figuras fundidas con el procedimiento de la "cera perdida", pero es a principios del siglo V a.C. cuando surgieron los talleres capaces de hacer grandes figuras de bronce, huecas por dentro, lo cual significa que podían transportarse con relativa facilidad y no eran abusivamente caras. Aquellas estatuas se elaboraban por partes, y luego se unían mediante remaches y ensamblajes. Los escultores concibieron los cuerpos como totalidades, pero los ejecutaban "en fragmentos" separados: el análisis del detalle y la síntesis global se complementaban. Así es como las

piernas y los brazos pudieron separarse mucho del tronco, dotando a las figuras de un dinamismo extraordinario. Debemos recordar que el original de una de aquellas esculturas era una especie de estructura de barro cubierta con una "piel" de cera, a la cual sustituía el bronce durante la fundición (el barro del interior se eliminaba, y por eso quedaban huecas las figuras). Ahora bien, la cera es el material que mejor imita a la superficie del cuerpo humano; también es muy adecuada, por su ductilidad, para reproducir cuidadosamente detalles anatómicos como cabellos, uñas, arrugas, músculos y tendones.

Sabemos ya cuáles fueron las consecuencias en la primera mitad del siglo V a.C.: representación extremada del movimiento (como vemos en el *Discóbolo* de Mirón), por una parte, y un deseo "conservador" de controlar esta tendencia. La actitud estética de Policleto parece haber ido en semejante dirección, con su propuesta de codificar las formas y medidas (el *canon*) de un cuerpo "perfecto", entendido como un ente platónico ideal, abstraído del análisis de muchos atletas individuales.

El alma, "motor" de los cuerpos

Pero no era posible detener la evolución. Una vez conquistado el movimiento exterior, los artistas se lanzaron a la expresión de las pasiones y de los sentimientos.

Durante el siglo IV a.C., y luego en la época helenística, vemos cómo los cuerpos ríen o

lloran, se entristecen, meditan, sufren y gozan. Se diría que hubo un cambio importante en la concepción del "motor" humano: hasta entonces habían sido los músculos los que accionaban los cuerpos, pero ahora los artistas intentaron resolver el arduo problema de cómo el alma (o la personalidad apasionada individual) provoca la posición y la trayectoria de cada detalle anatómico. Por eso el arte griego final se hizo también erótico. La mujer desnuda, que no había aparecido con anterioridad (recordemos que las *korés* estaban vestidas), fue un asunto importantísimo a partir del siglo IV a.C. Se trata de diosas, variantes de Afrodita generalmente, pero eso refuerza la idea de que aquellas figuras estaban fuertemente cargadas de erotismo. Sabemos que la *Venus de Cnido* (antes del 350 a.C.), uno de los más célebres mármoles de Praxiteles, provocaba auténticas pasiones físicas, y no fue el único ejemplo de obra de arte que incitaba los deseos.

Para aquellos artistas no hubo tampoco dificultad en afrontar la vejez, el sueño o el momento mismo de la agonía. El arte griego, en fin, legó a la posteridad la idea de que la finalidad de la representación de los cuerpos consiste en provocar mecanismos de identificación, conmoviendo intensamente al espectador.

Venus Anadiomene o Landolina. Siglo II a.C.

Fauno Barberini. Siglo III a.C.

5. ARTE ROMANO Y PALEOCRISTIANO

Entre la fecha mítica de la fundación de Roma (hacia el 750 a.C.) y la de su caída (476 d.C.), se desarrolla una de las civilizaciones más universales que han existido. Roma, en principio sólo una ciudad, se convirtió en la capital de un inmenso imperio, en el cual la fidelidad de los habitantes dependía de la aceptación de una forma de vida, la del ciudadano romanizado, que se consideraba, aún después de caer el Imperio romano de Occidente, la única deseable.

De la civilización romana resultan admirables las características peculiares que supo desarrollar y la distinguen de otros pueblos, pero también la forma en que asimiló la sabiduría de todas las grandes civilizaciones de la antigüedad que la habían precedido y tuvieron contacto con ella, y cómo difundió ese conocimiento por un extenso territorio, convirtiéndose en un modelo de civilización para toda la cultura occidental. En el mundo romano, a pesar de su magnitud, no hubo formas de arte locales, sino que en todas las provincias se trató de realizar el modelo de la capital; tampoco fue la evolución de la experiencia personal, como en Grecia, la que nos permite distinguir etapas, sino la realización de valores a los que ya aspiraba la Roma de los tiempos míticos: universalidad, utilidad y belleza.

LA MAGNIFICENCIA DE ROMA, CAPITAL DEL ORBE

Si uno considera con cuidado la cantidad [de dinero] dedicada al uso público en baños, piscinas, canales, casas, jardines, villas del extrarradio y los espacios recorridos por el agua, los arcos que ha habido que construir a tal efecto, los montes que ha habido que excavar y los valles profundos que igualar, se reconocerá que no ha habido nada más admirable en todo el orbe de las tierras [...]. Omito la obra del puerto de Ostia, los caminos abiertos a través de los montes, las obras de separación del mar Tirreno y el lago Lucrino, y la cantidad de puentes construidos, con los consiguientes gastos.

PLINIO EL VIEJO: 36, 122-126

Coliseo, Roma, siglo I d.C.

S   Í   N   T   E   S   I   S

CLAVES DE LA ÉPOCA

De los orígenes míticos a la formación del Imperio

En el momento que se sitúa la fundación mítica de Roma por Rómulo y Remo (siglo VIII a.C.) habitaban en la península Itálica diferentes pueblos, algunos muy helenizados. Entre ellos destacaban los *etruscos*, que proporcionaron a Roma el rito de fundación y el modelo de ciudad que luego ésta extendió por todo el orbe romanizado, los fundamentos de su religión y los sacrificios adivinatorios y funerarios.

El primer sistema de gobierno de los romanos fue la *Monarquía*. Entre los primeros reyes de Roma algunos fueron de origen etrusco y también lo fue el último, Tarquinio el Soberbio, cuya tiranía despertó el espíritu republicano y suscitó una nueva fase en la historia de Roma: el inicio de la *República* (siglo VI a.C.). Los ideales del hombre republicano eran la sobriedad, la fidelidad a la patria y a la familia y el respeto hacia las tradiciones. En este ambiente conservador se diferenciaron desde el principio dos clases sociales: los patricios, que gozaban de privilegios religiosos y políticos y controlaban el poder económico, y los plebeyos, que luchaban por obtener la igualdad jurídica.

La expansión territorial por el Mediterráneo, que supuso la creación de un ejército profesional y la apertura hacia el refinamiento oriental y la cultura helenística, engrandeció a Roma, pero envaneció a los poderosos y fomentó la aparición de una plebe urbana cada vez más disconforme. Las guerras civiles de los siglos I y II a.C. fueron consecuencia de este enfrentamiento social y también de la ambición de los jefes militares que aspiraban a controlar el poder de forma personal. Al final del período republicano, Augusto instauró el Principado, y supo prolongar el poder extraordinario que había recibido del pueblo romano legando a sus sucesores una forma de dominio (el *Imperio*) centrada en la persona del gobernante y prácticamente hereditaria (siglo I d.C.).

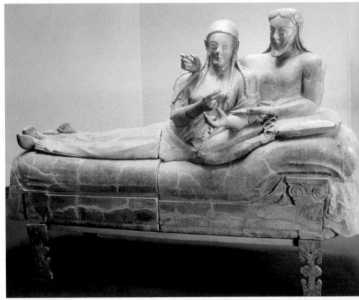

Sarcófago de los esposos de Cerveteri, hacia el año 520 a.C. El arte etrusco, aunque muy influido por el griego, aportó novedades como el retrato funerario, que después pasaron al arte romano. Los sarcófagos y pinturas etruscas reproducían el banquete que se hacía en honor del difunto.

La evolución del Imperio romano

Las dinastías de emperadores del siglo I d.C. encarnaron el ideal de gobernante militar (dirige las campañas de guerra contra los bárbaros), piadoso (sumo sacerdote) y divinizado. Su elección dependía en principio del antecesor y del Senado; pero el ejército, auténtico motor del Imperio, fue aumentando poco a poco su influencia.

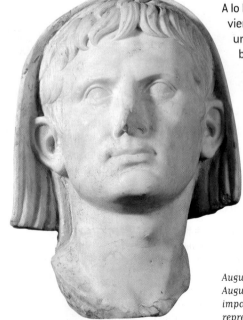

A lo largo del siglo II los emperadores, ya más bien administradores que héroes, mantuvieron aún la autoridad. Pero ya en el siglo III, las crisis económicas, el declive de la vida urbana en la que Roma plasmaba su prestigio y su modelo de vida, y la presión de los bárbaros en las fronteras llevaron al desorden político en el que el ejército acabó por decidir siempre la elección de los emperadores (anarquía militar).

Fue en aquellos momentos cuando el cristianismo comenzó a extenderse desde su foco originario del Oriente Próximo a las zonas más romanizadas del Imperio. La sencillez de su doctrina hizo que se difundiera rápidamente, uniendo a gentes de diferentes costumbres y lenguas en unos valores a salvo de la crisis de su tiempo.

Tras el fracaso de las reformas administrativas de los últimos emperadores, será finalmente la religión cristiana, convertida por el emperador Teodosio en religión oficial del Imperio (391), la que mantuvo la universalidad de la civilización romana, orientada ahora a nuevos ideales.

Augusto como Pontífice Máximo, siglo I d.C. Augusto asumió la dignidad sacerdotal más importante de Roma y como tal se representaba con la cabeza cubierta.

El mundo romano

La civilización romana estuvo durante la Monarquía y los primeros tiempos de la República muy cerca de sus raíces etruscas y latinas. En aquellos siglos, Roma conquistó la península italiana y recibió las primeras influencias importantes de la cultura griega a través de las ciudades del sur de Italia (la Magna Grecia). Pero fue su expansión por el Mediterráneo occidental, tras derrotar a Cartago, y sobre todo la conquista de Grecia y Asia Menor, las que hicieron a Roma más permeable a las influencias griegas y orientales. Estas antiguas civilizaciones cautivaron a los romanos, que adoptaron de ellas costumbres, principios literarios, mitos e iconografía. Sin embargo, fue sobre todo en el arte donde Grecia, en concreto, venció espiritualmente a Roma transmitiéndole el ideal de belleza clásico.

Roma supo sintetizar todas estas aportaciones y, a su vez, legar a los pueblos que conquistó su propia lengua, su sentido práctico y su administración política, además de su derecho, una de las principales aportaciones de los romanos a la civilización europea.

Relieve procedente del arco de Marco Aurelio que se reaprovechó en el arco de Constantino, siglo II d.C. Conmemora la victoria sobre los pueblos bárbaros del Norte.

SIGLOS	HISTORIA	ARTE
Monarquía (siglos VIII a.C.-VI a.C.)	• Asentamientos etruscos de Toscana y el Lacio (hacia 800 a.C.). • Fundación de Roma (hacia 750 a.C.). • Creación de las instituciones y organizaciones religiosas. División entre patricios y plebeyos. • Expansión por la península italiana.	• Roma recibe las influencias culturales y artísticas de los etruscos y otras culturas itálicas primitivas.
República (siglos VI a.C.-I a.C.)	• Expansión por la península Ibérica, Macedonia, Grecia, Siria y norte de África (s. III y II a.C.), Galia y el Oriente Próximo (s. I a.C.). • Guerras civiles entre patricios y plebeyos (s. II y I a.C.) • 27 a.C.-14 d.C. Principado de Octavio Augusto.	• Construcción de templos y primeras basílicas. • Desarrollo del urbanismo. Influencias artísticas de Grecia y Oriente Próximo. • Fase de retrato realista.
Imperio (siglos I a.C.-V d.C.)	• Dinastías Julia (14 a.C.-68 d.C.) y Flavia (69-96). • Ampliación del Imperio: Germania, Tracia y Palestina (70). • Dinastía de los Antoninos (s. II d.C.): Trajano, Adriano y Marco Aurelio. • Máxima expansión del Imperio con Trajano. • Dinastía de los Severos (193-235) e inicio de la anarquía militar (235-284). • El emperador Constantino autoriza la religión cristiana (Edicto de Milán, 313). • Teodosio convierte el cristianismo en religión oficial (391). • Es depuesto el último emperador, Rómulo Augústulo (476).	• Gran desarrollo de la arquitectura y el urbanismo: sepulcros, edificios públicos, templos, obras de ingeniería, etc. • Retratos idealizados (s. I y II). • Pinturas de Pompeya. • No hay focos regionales: el arte de las provincias imita a Roma. • Inicios del arte paleocristiano: catacumbas (s. I-III). • Expresionismo escultórico (s. II-IV). • El arte paleocristiano se convierte en oficial (s. IV y V): *martyria* (mausoleos), basílicas y baptisterios.

La ciudad romana

El concepto romano de ciudad es de origen etrusco, aunque la propia Roma, condicionada por una topografía difícil y el respeto a sus vestigios del pasado, no sea el mejor lugar para constatarlo. La capital del mundo romano era una ciudad densa y caótica, con barrios humildes que se incendiaban con facilidad, y atestada de monumentos. La tradición legendaria cuenta sin embargo cómo Rómulo y Remo, después de consultar los augurios para elegir el emplazamiento de la ciudad, trazaron un surco que se interrumpía para dejar espacio a las puertas y junto al cual había una franja de terreno sagrada. Dos calles se cruzaban en ángulo recto: el *cardo* (Norte-Sur) y el *decumanus* (Este-Oeste), que simbolizaban el universo y dividían la ciudad en cuatro sectores (*Roma quadrata*); en ese cruce se edificaron los templos y se hicieron los sacrificios fundacionales.

Vista general del foro de Roma. Fue el modelo que se tomó como referencia en el resto de las ciudades.

Así se trazaban las ciudades nuevas en territorio romano; quizá por influencia griega (las colonias griegas de la Magna Grecia solían ser de tipo hipodámico) el trazado de vías menores se hacía de forma ortogonal y las ciudades romanas presentaban un aspecto muy ordenado. En el cruce de las vías principales estaba el *foro*, en principio lugar de templos y mercado y más adelante espacio público en el que, al modo de las ciudades helenísticas, se concentraban edificios con distintas funciones: basílicas, para juicios públicos y mercado, termas, fuentes monumentales, bibliotecas, pórticos y todo tipo de monumentos conmemorativos (arcos, columnas, estatuas, tesoros, etc.). Los foros más antiguos de Roma fueron lugar de mercado: Foro Holitorio (de verduras) y Boario (de bueyes). Los emperadores construyeron, junto al antiguo foro republicano, sucesivos foros cada vez más grandiosos. La ciudad romana, sobre todo en provincias, imitaba esta arquitectura monumental y se distinguía por estos edificios que plasmaban la gloria de Roma.

Los campamentos romanos imitaban a escala reducida el modelo de ciudad. Gracias a que algunos de estos campamentos acabaron por hacerse permanentes (como Timgad, en Argelia, o León, en España), nos permiten adivinar en su trazado un esquema que en muchas ciudades no se ve tan claramente.

Los servicios públicos

La ciudad romana exigía importantes obras de ingeniería que la mantuvieran comunicada, limpia y abastecida. También en este campo los romanos fueron herederos de los etruscos, que ya construyeron puentes, acueductos y quizá iniciaran la Cloaca Máxima de Roma.

Mientras que las calzadas y puentes aseguraban la comunicación entre ciudades (únicos lugares donde tiene cabida la civilización romana), el resto de los edificios de ingeniería (esto es: acueductos, cloacas, termas y cisternas) están en función del abastecimiento y evacuación del agua, sin la que un romano no entiende la vida. Las termas, edificios públicos de baños, estaban costeadas por el emperador o por los ciudadanos más ricos de provincias. Tenían un carácter ingenieril (había que abastecerlas de agua y mantener ésta a diferentes temperaturas) y cívico, de modo que se embellecían con mármoles, pinturas y mosaicos. Pronto estas construcciones prácticas se fueron ornamentando y considerando parte de la arquitectura civil.

Puente del Gard, cerca de Nimes (Francia), siglo I a.C. Esta obra singular es a la vez puente y acueducto y una de las más tempranas de la Galia.

LA CASA ROMANA

Las viviendas romanas podían ser de varios tipos: las insulae *eran edificios de pisos, hechos generalmente de materiales pobres, que solían incendiarse y derrumbarse con facilidad, y cuyas habitaciones eran oscuras y estrechas; la* domus *era la vivienda tradicional patricia; las* villas *aparecieron a finales del siglo* I a.C. *y eran viviendas situadas en el campo, rodeadas de una explotación agrícola, lujosas y amplias; por último el* palacio, *que recibe su nombre del que Augusto se construyó en el monte Palatino, era una vivienda ostentosa y enorme dentro de la ciudad.*

La **domus** es una versión de la típica casa mediterránea, cerrada al exterior y con las habitaciones abiertas a un patio. Las mejores casas estaban pintadas generalmente en tonos rojizos y con el suelo cubierto de mosaicos.

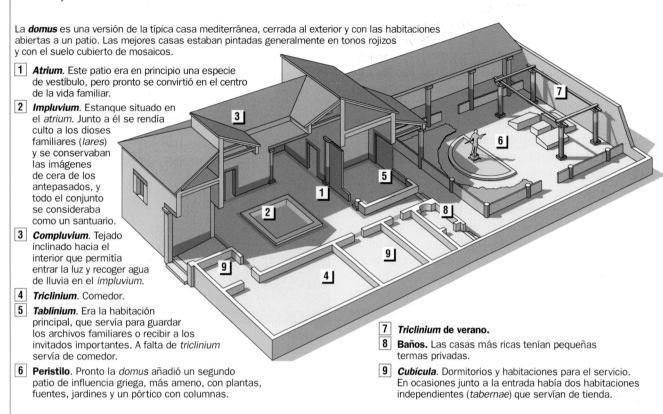

1 **Atrium**. Este patio era en principio una especie de vestíbulo, pero pronto se convirtió en el centro de la vida familiar.

2 **Impluvium**. Estanque situado en el *atrium*. Junto a él se rendía culto a los dioses familiares (*lares*) y se conservaban las imágenes de cera de los antepasados, y todo el conjunto se consideraba como un santuario.

3 **Compluvium**. Tejado inclinado hacia el interior que permitía entrar la luz y recoger agua de lluvia en el *impluvium*.

4 **Triclinium**. Comedor.

5 **Tablinium**. Era la habitación principal, que servía para guardar los archivos familiares o recibir a los invitados importantes. A falta de *triclinium* servía de comedor.

6 **Peristilo**. Pronto la *domus* añadió un segundo patio de influencia griega, más ameno, con plantas, fuentes, jardines y un pórtico con columnas.

7 **Triclinium** de verano.

8 **Baños.** Las casas más ricas tenían pequeñas termas privadas.

9 **Cubícula**. Dormitorios y habitaciones para el servicio. En ocasiones junto a la entrada había dos habitaciones independientes (*tabernae*) que servían de tienda.

La decoración de las casas: los mosaicos

El interior de las casas romanas se decoraba con pinturas murales en las paredes [como veremos más adelante] y mosaicos en los suelos. Los temas solían ser geométricos o bien alegóricos. Entre éstos destacan los que representan el universo o los meses del año. El mosaico, conocido en Grecia, se desarrolló en Roma, con distintas técnicas:

— *Opus teselatum:* hecho con cubos de mármol de distintos colores (teselas) cuya belleza dependía del pequeño tamaño de las piezas para obtener muchos matices de color.

— *Opus signinum:* realizado con guijarros y piezas de barro cocido esmaltadas.

— *Opus sectile:* formado con grandes piezas de mármol perfectamente ajustadas.

Atrio de la casa samnítica de Herculano,
siglo II a.C.

Una arquitectura útil y bella

En Roma no se entendía la arquitectura sin conocimientos prácticos, es decir, de los materiales, de su peso y resistencia y de las distintas técnicas de edificación, lo que hoy consideraríamos parte de la ingeniería. Para el arquitecto romano su oficio consistía en levantar edificios útiles y bellos, y de aquí derivan las características de la arquitectura romana: para que los edificios fueran útiles hacían falta materiales resistentes y ligeros como el cemento, que permitieran elevar grandes alturas y abrir amplios espacios, y que adoptaran formas curvas; tenían que incorporar el uso del arco de medio punto y la bóveda de cañón, que hacen posible que un muro se eleve varios pisos y cubrir grandes espacios rectangulares. La cúpula fue especialmente desarrollada por los romanos para cubrir espacios cuadrados o circulares.

Para que fuesen bellos, los edificios ocultaban los materiales baratos y ligeros de que estaban hechos (cemento, ladrillo, mampuesto) con placas de mármol o con pintura, y decoraban las fachadas utilizando elementos arquitectónicos (columnas, arquitrabes, arcos, etc.). En Roma no existía el concepto de orden arquitectónico que hemos estudiado en Grecia: los elementos de los tres órdenes griegos, el *toscano* (originario de Italia y semejante al dórico, con fuste liso y basa) y el *compuesto* creado por los romanos (mezcla de jónico y corintio) se combinaban en un mismo edificio según criterios compositivos y ornamentales.

Foro de Pompeya. En las ruinas del pórtico del foro se puede apreciar cómo la arquitectura romana combina con libertad los distintos órdenes: el toscano, propiamente itálico, y el jónico.

Tipología de los edificios romanos

– *Templos.* El templo propiamente romano podía tener dos formas: el de *planta circular* con una sola cella (semejante al *tholos*), posiblemente reservado a divinidades infernales y de la fertilidad, y el de *planta rectangular* sobre zócalo, con un pórtico de dos columnas y también de una sola cella, de origen etrusco. Este último, por influencia griega, se rodeó luego de medias columnas, generalmente corintias, que recordaban a un peristilo, y se amplió el pórtico (templo de Portuno en Roma o Maison Carrée de Nimes), a la vez que se levantaban templos que imitaban casi en todo a los griegos (Cástor y Pólux en el foro de Roma). El Panteón es una obra singular que será analizada más adelante.

– *Sepulcros.* A finales de la República y los dos primeros siglos del Imperio se generalizó la cremación de los cadáveres, cuyas cenizas se colocaban bajo torrecillas (cipos) o en construcciones caprichosas, como la pirámide de Cayo Cestio. Muchos patricios y emperadores como Augusto o Adriano mandaron construir mausoleos como los helenísticos.

– *Edificios conmemorativos.* Se consideran como tales por sus dimensiones, pero en realidad son soportes para esculturas que narraban la victoria de algún general o el poder del emperador. La columna ya existía con este fin en la República, y el arco de triunfo es una versión en piedra del de madera que atravesaban los generales victoriosos.

– *Edificios de espectáculos.* Los principales eran el anfiteatro, el teatro y el circo; de estos últimos apenas se conservan en Roma los recintos que ocuparon y que constaban de cávea, arena y espina (eje en torno al que se realizaban las carreras).

– *Basílicas.* Eran casi una prolongación del foro, y parecen tener su origen en las *stoas* cubiertas que permitían realizar juicios y comerciar a pesar del calor y la lluvia. Quizá por este origen conservaron durante mucho tiempo su aspecto austero, con techo plano y naves de columnas, y sólo en el siglo IV d. C. aparece una versión monumental, abovedada y espaciosa de basílica, la que se conoce como de Majencio (Roma).

Columna Trajana. Roma, siglo II d.C. Era el centro del foro de Trajano. Los relieves conmemoran las victorias del emperador en Dacia (hoy Rumania).

LOS SISTEMAS Y TÉCNICAS DE CONSTRUCCIÓN ROMANOS

Los romanos usaron el sistema de construcción arquitrabado y el abovedado. Egipto y Grecia habían utilizado el primero y los pueblos de Mesopotamia, el segundo. Roma empleó ambos sistemas según la función de los edificios, e incluso aisló algunos de sus elementos para crear monumentos singulares (columnas y arcos triunfales). En cuanto a las técnicas de construcción, los romanos utilizaron recursos muy variados: desde el gran aparejo cuadrangular o el ladrillo, hasta un tipo de cemento realizado con guijarros.

Sistema arquitrabado

Era el más elemental y conservador. Roma lo utilizó en muchas basílicas y templos de tipo griego y etrusco.

Templo de Portuno (antes llamado templo de la Fortuna Viril) en Roma, siglo II a.C.

Sistema arquitrabado

Sistema abovedado

Consistía en prolongar un arco en profundidad. Originario de Mesopotamia, permitía soportar más peso, levantar más alturas y que el espacio interior fuera más amplio.

Basílica de Majencio en Roma, siglo IV d.C.

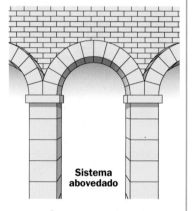

Sistema abovedado

Combinación de ambos sistemas

El sistema que soporta la estructura en estos edificios es el abovedado. Arquitrabes y columnas son ornamentales, se usan con un criterio compositivo.

Anfiteatro de Nimes, siglo I d.C.

Sistema mixto

Opus quadratum
Con sillares, generalmente de toba (conjunto de piedras volcánicas de color variable), aparejados a soga y tizón o al hilo

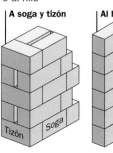

Opus latericium
(*later*: ladrillo)
Con ladrillos, más estrechos y profundos que los actuales

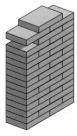

Opus reticulatum
El cemento (trozos de ladrillo, piedra volcánica y guijarros) recibía forma entre dos paredes de piedras de toba

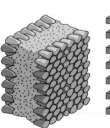

Opus testaceum
El cemento iba entre ladrillos triangulares o rectangulares

Opus caementicium
(*caementa*: piedra)
El cemento blando se vertía en una armadura de madera que más tarde se retiraba (encofrado)

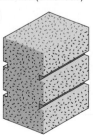

Opus incertum
El cemento se echaba entre piedras irregulares

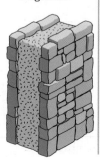

La obra

El Panteón (templo de todos los dioses) fue construido en tiempos del emperador Adriano, en el siglo II d.C. (118-125), sobre los restos del primitivo Panteón edificado por Agripa, yerno de Augusto, el 27 a.C.

Adriano ordenó construir un edificio nuevo, circular, pero conservó parte de la fachada del antiguo y el dintel con la dedicatoria. Tuvo revestimiento de mármol y tejas de bronce que se perdieron al comienzo de la Edad Media.

Fachada del Panteón. Roma, siglo II d.C.

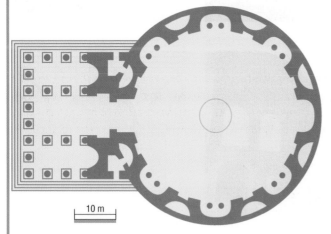

Planta del Panteón. Roma, siglo II d.C.

10 m

Análisis formal

Tras el pórtico de acceso hallamos un estrecho vestíbulo, sustentado por ocho columnas, que no permite adivinar lo que hay tras él: el mayor espacio cubierto realizado por la arquitectura romana. La enorme cúpula (43,20 m de altura por 32 m de diámetro) que cubre este espacio circular descansa sobre ocho grandes pilares de hormigón entre arcos de descarga bajo los cuales se sitúan las estatuas de culto. La cúpula tiene una decoración radial de casetones cuya decoración de florones de bronce se ha perdido.

En la parte baja del edificio, los nichos con frontoncillos del nivel superior y los distintos nichos para imágenes crean un ritmo en el muro que lo hacen más ligero. Todo el interior está ornamentado con mármoles magníficos y la iluminación sólo procede de un óculo (vano circular) cenital.

Significado

El Panteón es una proeza técnica: se fue levantando por estratos de materiales, de modo que los más pesados se sitúan en la parte inferior y los más ligeros en la superior: hormigón primero, después ladrillo y, por fin, piedra pómez.

Es el primer edificio en el que lo importante es el espacio interior, en el que la luz cenital y el reflejo que ésta tendría en la decoración de bronce contribuían a crear un ambiente sagrado (la cúpula evocaría la forma esférica del universo y la iluminación, la luz enviada por los dioses). Un templo de estas características invita al recogimiento y conviene a la universalidad de su consagración (está dedicado a todos los dioses).

Interior del Panteón. Roma, siglo II d.C.

• Describe el exterior del edificio.

• Aparte de su significado simbólico, ¿la luz cenital era la única que, estructuralmente, podía proporcionarse al edificio?

La obra

Para algunos autores este templo, llamado Maison Carrée (casa cuadrada) y edificado en Nimes (Francia), estaba dedicado a dos nietos de Augusto, Cayo y Lucio Césares. Otros, sin embargo, piensan que fue consagrado a Roma divinizada y al propio Augusto, que ordenó edificarlo (16 a.C.- 4 d.C.).

Análisis formal

Es un templo corintio y hemiperíptero, con medias columnas adosadas a la cella que simulan un peristilo, y otras columnas completas que forman un pórtico profundo. Está elevado en un alto podio con una sola escalera frente a la entrada. El arquitrabe está, como en el orden corintio griego, dividido en tres bandas y el friso no tiene decoración figurada, sino una decoración floral estilizada que procede de la orfebrería y que también aparece en el Ara Pacis de Augusto. El frontón carece de decoración, seguramente perdida.

Significado

Responde al modelo de templo de origen etrusco, pequeño, sin peristilo propiamente dicho, con una sola nave y sobre podio, pero tiene influencia griega en la adopción del orden corintio, en la simulación de un peristilo con columnas adosadas y en la división del entablamento. Este tipo de templo era frecuentísimo en provincias en tiempos de Augusto, que también restauró muchos en Roma de este mismo modelo, y pudo responder a la voluntad de mostrar el poder de Roma en su territorio y de materializar la reforma religiosa en la que este príncipe se empeñó.

EL MAUSOLEO DE CECILIA METELLA

La obra

Esta tumba fue edificada en época de Augusto, en los primeros años de siglo I d.C. Se encuentra situada en la Vía Apia, entonces fuera de la ciudad de Roma, una zona donde eran frecuentes los enterramientos. Pertenecía a la patricia Cecilia Metella y es un enterramiento individual. La parte superior del muro y las almenas son medievales.

Análisis formal

Es un cilindro construido con sillares de piedra, a su vez apoyado sobre un cimiento de planta cuadrada, también de piedra. El muro está casi completamente desnudo salvo la decoración de bucráneos (cráneos de bueyes) y guirnaldas de flores que aluden a los sacrificios funerarios.

Significado

Aunque en los primeros tiempos de la República los patricios inhumaban los cadáveres, a finales del período republicano y durante los siglos I y II del Imperio tanto los patricios como los plebeyos adoptaron la cremación. La urna con las cenizas apenas necesitaba una estructura donde conservarse, pero algunos patricios como Cecilia Metella adoptaron el tipo helenístico de mausoleo. Es muy probable que sobre el cilindro hubiera un montecito de tierra plantado, como en los túmulos etruscos, para que el alma vagara, y así se hizo en el mausoleo de Augusto (siglo I d.C.) y de Adriano (el famoso castillo de Sant Ángelo del Vaticano, siglo II d.C.).

- ¿Cuáles son las diferencias más significativas entre un templo griego y la Maison Carrée?
- ¿Cuándo y dónde apareció el tipo de enterramiento del mausoleo?

DE OBRAS

La obra

Fue edificado junto al foro republicano de Roma para conmemorar las campañas de Tito en Palestina y la destrucción y saqueo del famoso templo de Salomón en Jerusalén. Se concluyó en el año 82 d.C., cuando ya había muerto Tito tras su breve reinado (79-81), y es un monumento dedicado a sus hazañas y no un arco para la ceremonia del triunfo.

Análisis formal

Es un arco de mármol de un solo vano junto al que hay dos columnas que se apoyan sobre un plinto y que tienen capiteles en los que se mezclan las volutas del jónico con las hojas de acanto del corintio (orden compuesto). Otras columnas flanquean las esquinas dejando los pilares limpios y sólo aligerados por nichos cuadrados. La decoración se limita a ménsulas en la clave del arco, victorias en las albanegas y la epigrafía del entablamento. Es muy profundo y está decorado con relieves en el intradós (parte interior del arco).

Significado

El arco de Tito es el más austero y el más clásico de los que levantó Roma. Sus novedades (columnas sobre plinto y nichos en los pilares) no consisten en añadir ornamentos sino en dividir el espacio con distintos elementos, de modo que resulte un conjunto armonioso, con partes proporcionadas. Podemos decir que es un edificio con espacio interior, al ser tan profundo y gracias al interés de sus relieves.

La obra

El acueducto abastecía de agua a Emérita Augusta (Mérida) desde el pantano de Proserpina, cuya presa también es obra romana. Se supone que puede ser obra tardía, del siglo III d.C.

Análisis formal

Se mantienen en pie los pilares, que son de hormigón revestidos por hiladas de ladrillos y granito que se alternan en grupos de cuatro. Los arcos entre pilares hacen la función de tirantes, evitando que los pilares se venzan, y con las dovelas inferiores embutidas o enjarjadas en ellos. La rosca del arco se prolonga en paralelo al pilar sirviendo como contrafuerte, mientras que otros contrafuertes lo recorren de arriba abajo dando como resultado un pilar cruciforme.

Significado

La alternancia de ladrillo y piedra, así como el sistema de enjarjar los arcos en la estructura, fueron luego copiados por los musulmanes, especialmente en la mezquita de Córdoba. Por otra parte, el sistema de refuerzos del pilar, que seguramente se utilizó en el Bajo Imperio en muchos otros edificios, fue una solución que también tomó el románico.

- Busca alguna ilustración de otros arcos de triunfo romanos (por ejemplo, el de Constantino o el de Septimio Severo) y realiza un comentario.
- Observa el acueducto de los Milagros y, a partir de su descripción, intenta definir estos elementos: *dovela*, *enjarjar*, *rosca de un arco*, *pilar cruciforme*, *tirante* y *contrafuerte*.

La obra

En el anfiteatro Flavio o Coliseo cabían más de 50 000 espectadores. El nombre de Coliseo o Coloseo se debe quizá a que hubo cerca una estatua de Nerón llamada "el coloso". Ocupó el emplazamiento de un lago artificial que había creado Nerón y lo mandó edificar Vespasiano; destruido por un incendio, lo inauguró su hijo Tito el año 80 d.C. Durante la Edad Media y especialmente durante el Renacimiento sirvió de cantera.

Análisis formal

Planta. Tiene forma elíptica, con una cávea para los espectadores y la arena para las luchas. Bajo la cávea hay pasillos que rodean la arena y escaleras y corredores radiales (*vomitoria*) para que el desalojo fuese rápido. Bajo la arena había pasadizos y cámaras (*cárceres*) para preparar el espectáculo.

Alzado. Es una pared de sillares que oculta la estructura de ladrillo y que consiste en tres pisos de arcos flanqueados por columnas (dórico-toscanas, jónicas y corintias) y un piso superior macizo decorado con pilastras. Los arcos aligeran la estructura y columnas y pilastras crean un ritmo que hace armonioso un edificio tan enorme. En la parte donde se ha perdido esta pared exterior se ve la estructura de ladrillo y hormigón del graderío con arcos de descarga.

Significado

El anfiteatro fue una invención romana, quizá a partir de la unión de dos estructuras de teatro, aunque se desconoce su origen. Servía para espectáculos de luchas, que entre los etruscos y los antiguos romanos formaban parte de los ritos funerarios y más tarde, al popularizarse, perdieron su primitivo carácter. El alzado exterior, combinando arcos y arquitrabes y distintos tipos de columnas, se inspira en los alzados de antiguos teatros (el de Marcello sobre todo) y en el Tabularium (edificio, hoy perdido, que albergaba el archivo estatal en Roma), pero fue el anfiteatro Flavio el que consagró el modelo y lo difundió por provincias.

Anfiteatro Flavio, aspecto exterior e interior, siglo I d.C. Está situado junto al foro republicano de Roma.

• ¿Por qué el sistema abovedado es el que sustenta el edificio y el arquitrabado es ornamental?

• ¿Qué otros edificios de espectáculos conoces de la arquitectura romana?

• Investiga sobre si quedan en España restos de algún anfiteatro romano.

3. La plástica romana

Características y evolución de la escultura

Podemos distinguir dos *influencias* en la escultura romana: la etrusca y la helenística. Los *etruscos* influyeron con su concepto del retrato funerario, que tendía al realismo, a pesar de que los rasgos aparecieran a veces esquematizados y se representase sólo la cabeza o el busto del retratado, algo que el concepto orgánico de la escultura griega no podía aceptar. También de origen etrusco son las esculturas de bronce con animales, a veces fantásticos, protectores de las tumbas (como la famosa Loba Capitolina), que en Roma se emplearon como simple decoración.

De influencia helenística son el gusto por la alegoría y por los temas mitológicos y frívolos, así como el retrato, tanto realista como idealizado, y el relieve narrativo. Durante la República el ideal de vida del patricio romano todavía rechazaba la influencia extranjera y todo aquello que debilitara sus costumbres, el arte incluido, de modo que lo que solemos encontrar son retratos, generalmente de la cabeza, realistas, que continúan la tradición de conservar en cera las imágenes de los antepasados como parte del culto familiar. En cambio, en los primeros momentos del Imperio la influencia helenística se fue imponiendo y muchas veces eran incluso artistas griegos los que ejecutaban las obras. En general, la nueva Roma, fascinada por Atenas, prefirió imitar la época clásica y así aparece, en época de Augusto y la dinastía Julia, un retrato cada vez más idealizado. Esta tendencia se mantuvo hasta el final del siglo II, aunque hacia su mitad, el deseo de hacer retratos más expresivos y espirituales trajo la moda de agrandar los ojos y marcar las pupilas, tendencia que se acentuó mucho en los últimos siglos del Imperio.

Por otra parte, en los primeros siglos del Imperio se difundieron imágenes del emperador como forma de propaganda, en las que aparece como pontífice (con la cabeza cubierta), divinizado como Júpiter (desnudo) y como héroe militar a pie o a caballo.

Retrato de patricio desconocido con las imágenes de sus antepasados. Fechado hacia el cambio de era. Roma.

El relieve romano

El relieve narrativo no fue completamente ajeno al mundo helenístico, pero sí fue propiamente romano el interés por relatar con detalle hechos reales de su propia historia (no episodios míticos e intemporales). Este fenómeno responde al convencimiento del hombre romano de vivir una historia excepcional. Como en el retrato, en el relieve histórico se advierte una evolución. En el siglo I a.C. predomina el idealismo de influencia griega, como se estudiará a continuación en el Ara Pacis. En la segunda mitad del siglo I d.C., la imagen se hace más realista y se impone la tendencia a explicitar detalles que completan la narración del episodio, como en el relieve del arco de Tito, donde los símbolos del templo de Jerusalén dan significado a la historia. Ya en el siglo II, el gusto por el detalle y por el relato de acontecimientos pormenorizados se impone al interés por la perspectiva o la belleza, como por ejemplo en la Columna Trajana.

Cuando en el siglo II d.C. se recuperó la costumbre de inhumar los cadáveres, reapareció igualmente el sarcófago como soporte de la escultura.

De acuerdo con su significado y con una época muy influida por religiones mistéricas de origen oriental, que hablan de la resurrección de los cuerpos y de la posibilidad de salvarse o condenarse en el otro mundo, se dio más importancia al significado del tema que a su belleza aparente. En estas obras, las figuras de Orfeo o Dioniso, que salvan de la muerte, aparecen entre columnitas o estigiles, o bien se relata su mito en friso corrido.

Relieve del arco de Tito en el que aparece el saqueo del templo de Salomón: los romanos llevan el arca de la Alianza y el candelabro de siete brazos. Año 82 d.C.

El Ara Pacis

En los primeros años de su principado, Augusto pacificó las Galias, Hispania y todas las fronteras del Imperio. Para conmemorar este hecho proclamó la Pax Augusta y para celebrar el inicio de un episodio de paz tras tantos años de guerra mandó construir un altar de madera, en cuyos sacrificios participaron el emperador y su familia (año 17 a.C.). El Ara Pacis reprodujo, pocos años más tarde, ese altar y aquella procesión en un monumento de mármol.

El conjunto

Es un edificio rectangular sin techo, ligeramente elevado sobre el suelo, y con una escalera para acceder al interior, donde otro tramo de escaleras lleva al altar propiamente dicho. El exterior tiene pilastras con capiteles corintios junto a la puerta y en las esquinas, y dos zonas de decoración: un zócalo con estilizaciones vegetales y un friso alto con escenas alegóricas y otras que aluden a la consagración del altar. El interior, más austero, está decorado con guirnaldas de flores y bucráneos que simbolizan los sacrificios que tuvieron lugar en el altar original.

Ara Pacis o altar de la paz. Construido entre los años 13-9 a.C.

Relieve de la diosa Gea (Tierra) o de la propia Roma.
Representa a la madre nutricia, que alimenta y cuida a sus hijos.

Un símbolo de la grandeza del Imperio

El Ara Pacis, quizá inspirado en los altares helenísticos, destaca por sus ajustadas proporciones y la cantidad de significados que encierra, más que por su monumentalidad. La procesión de las partes norte y sur concluye en dos relieves a los lados de la puerta que aluden a los orígenes míticos de Roma y las personificaciones de Roma e Italia (o la Paz y la Tierra), y que simbolizan la grandeza del Imperio. La decoración del zócalo, tomada de la de muebles y candelabros de bronce, estilizada pero aún con aspecto vegetal, convierte el pequeño edificio en una gran réplica de un cofre o estuche. El relieve asimila la influencia griega, quizá del propio Partenón, no sólo en la idealización de los personajes, sino en el ritmo fluido de la composición.

El relieve del lado sur: *gens Julia*

En él los descendientes de Julio César (Julios) aparecen participando en los sacrificios a la paz. Combina diferentes niveles de relieve para conseguir efectos de profundidad. Las figuras están en pie pero se inclinan y flexionan ligeramente las rodillas para romper la monotonía e indicar el sentido de la marcha. Los flamines (con antorchas) y líctores (con hachas) aparecen caracterizados para identificar el episodio, y los miembros de la familia imperial aparecen con rasgos que los individualizan pero idealizados.

Relieve exterior del Ara Pacis en el que aparece la familia de Augusto participando en los sacrificios.

RETRATO DE AUGUSTO

La obra

Es una copia del año 14 d.C. de un original del año 20 a.C. Se encontró en una villa al norte de Roma, en la zona conocida como Prima Porta. Estaba policromada.

Análisis formal

La cabeza de Augusto, si bien algo ennoblecida, es un auténtico retrato. El cuerpo es completamente ideal. Aparece el emperador con gesto de arengar a las tropas con el brazo levantado y el atuendo de general, pero con los pies descalzos, lo que significaría que está ya entre los dioses. La postura equilibrada con una pierna ligeramente flexionada repite el modelo del *Doríforo* de Policleto.

Significado

La obra pone la serenidad del clasicismo al servicio de un individuo y es una síntesis entre el retrato militar y el divinizado. En la coraza se representa un tema alegórico: la sumisión del rey de los partos al emperador. Este rey aparece devolviendo las insignias que pocos años antes había arrebatado al ejército romano, después de ocupar Oriente Próximo. El gusto por la alegoría y la combinación de serenidad clásica y de virtuosismo en el labrado de la coraza y el manto relacionan esta obra con el helenismo.

RETRATO DE MARCO AURELIO

La obra

Es un original de bronce del año 166 d.C. aproximadamente que, de forma excepcional, no se fundió durante la Edad Media porque se le creyó una representación de Constantino, emperador que autorizó el cristianismo. Quizá tuvo a los pies la imagen de un bárbaro vencido.

Análisis formal

El emperador aparece con túnica, no con vestimenta militar y, según la moda de la época, con barba, quizá adoptada de los bárbaros. Levanta el brazo como gesto de clemencia. El pelo esta hecho con mucho volumen y cierto barroquismo, y el gesto de la cara es autoritario pero un poco ensimismado.

El caballo tiene una talla algo baja respecto al jinete y se apoya en sólo tres patas que mueve nerviosamente en contraste con la serenidad de Marco Aurelio.

Significado

Parece ser que esta estatua tuvo como precedente otra semejante de Domiciano, aunque no se sabe de dónde procede la tipología. Importa mucho más el influjo que tuvo a partir del Renacimiento, cuando desplazó a las otras formas que habitualmente se empleaban para representar a los grandes personajes bajo el ideal de vencedor y de caballero.

- Relaciona la imagen de Augusto con el *Doríforo* de Policleto. ¿Qué aspectos de la segunda no recoge la primera? ¿Qué novedades introduce?
- Busca entre las obras de Velázquez alguna que continúe la iconografía del *Marco Aurelio* y señala las semejanzas que encuentres entre ambas.

LA PINTURA MURAL

El género

La pintura mural la conocemos sobre todo por las ruinas de Pompeya, que quedó enterrada por las lavas del Vesubio el año 79 d.C. y comenzó a excavarse en el siglo XVIII. La
clasificación de los tipos de pintura en cuatro estilos llamados pompeyanos se establece a partir de lo que conocemos de esta ciudad, si bien hay ejemplos en otros lugares del territorio romano.

Los ciudadanos más ricos,seguramente tuvieran pinturas sobre tabla, pero lo habitual
era decorar toda la pared, con el rojo ladrillo como base simulando ricos elementos
arquitectónicos y mármoles. En los temas figurados, Roma pudo copiar famosas pinturas griegas que sólo conocemos por descripciones.

Las cuatro estilos pompeyanos

a) Primer estilo.

Simula mármoles y a veces recurre a molduras de estuco para enmarcarlos y hacer-
los más verosímiles. Es un estilo copiado de los palacios helenísticos.

*Decoración a base de estucos modelados en una
casa de Herculano, siglo II a.C. Primer estilo.*

b) Segundo estilo.

No sólo se imitan mármoles sino también columnas, ventanas, galerías. Pretende crear la ilusión de que la habitación se
prolonga e incluso que hay personajes en el paisaje simulado.
Esto da ocasión para introducir escenas alegóricas.

c) Tercer estilo.

El muro, igual que si fuera un retablo, se divide con estilizados
elementos arquitectónicos y de orfebrería como si fuera una
estructura en la que cada recuadro se cubre de colores planos
y tiene una pequeña escena independiente.

*Pinturas de la villa de los Misterios en Pompeya, siglo I a.C. Segundo
estilo. Simula que los personajes están dentro de la habitación
y representa los ritos de iniciación al culto de Dionisos.*

*Casa de los Vetii,
Pompeya, siglo I d.C.
Tercer estilo. Destaca
la división a base de
elementos que
recuerdan a la
decoración de los
candelabros resalta
sobre el fondo
oscuro.*

d) Cuarto estilo.

Puede entenderse como una complicación del segundo estilo, con perspectivas muy
complejas y efectos ilusionistas, como en los decorados de teatro.

- ¿Cómo definirías el término *ilusionista* en relación con la
pintura?
- Para describir algunas escenas de la pintura romana se utiliza también el término *trampantojo*. Busca su significado y
algún ejemplo que lo ilustre.
- ¿En qué otro monumento se emplea la *decoración de candelabro*? Investiga sobre la importancia que tuvo este motivo decorativo en el Renacimiento.

*Pintura del cuarto
estilo hallada en
Herculano, siglo I d.C.
Museo de Nápoles.*

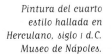

Características generales

El cristianismo surgió en el mundo romano pero vinculado a la tradición judaica, que era anicónica, es decir, rechazaba la representación de Dios y de los personajes de la historia sagrada. Con el paso del tiempo la nueva doctrina asimiló la cultura clásica, gracias a la cual explicaba y expresaba sus contenidos; la belleza, que al principio se rechazaba como enemiga de la salvación, se aceptó como una forma de elevar el alma y estimular la vida interior. Sus figuras son expresivas, pero no bellas en el sentido que le darían los antiguos griegos y romanos, y jamás aparecen en situaciones dramáticas sino muy serias, mirando al espectador para que éste se centre en su significado. Son, por tanto, representaciones simbólicas.

Sarcófago de Junio Basso, siglo IV. Los primeros cristianos usaron la inhumación como forma de enterramiento y tomaron el modelo de sarcófago romano.

Símbolos paleocristianos

Crismón: iniciales de Cristo en griego ("Xp") con la corona del triunfo y las letras alfa y omega (Cristo como principio y fin del mundo).

Cordero: Cristo como víctima (que muere para salvar a la humanidad).

Pez: su nombre en griego son las iniciales de esta leyenda: *Jesús Cristo Hijo de Dios Salvador.*
Pan: Eucaristía.

Buen Pastor: Cristo como salvador y protector de sus fieles.

Evolución del arte paleocristiano

Desde el apostolado de San Pedro en Roma hasta que Constantino autorizó la religión cristiana (Edicto de Milán, 313 d.C.), hay una *primera fase* en que el arte se realiza sobre todo en las *catacumbas*; éstas eran galerías de enterramientos como las que se hacían en Palestina y que se pintaban al modo de las viviendas romanas. Aunque el trazo es hábil, prescinden en las pinturas del paisaje y de efectos ilusionistas; algunos de los temas más habituales, tomados del repertorio romano pero interpretados de forma simbólica, son la salvación por la fe (Daniel entre los leones) o Dios como salvador y protector de sus fieles (el Buen Pastor); los personajes suelen aparecer confiados e inexpresivos, orando con las manos levantadas mientras otros símbolos sirven como expresiones sintéticas de la confianza de los cristianos en Dios.

Una *segunda fase* se inicia a partir del Edicto de Milán, cuando la Iglesia desarrolla su arte libremente y, tras convertirse en religión oficial (391), adopta la iconografía y los edificios de la antigua Roma. Las historias del Antiguo y del Nuevo Testamento se narran como en los relieves históricos, pero para mayor claridad los personajes se disponen en fila, a la misma altura (*isocefalia*), sin perspectiva ni detalles que distraigan. Las representaciones de Cristo se inspiran en las del emperador del Bajo Imperio, considerado también como intercesor entre el Cielo y la Tierra, y aparece entronizado dando la ley a los discípulos o entre los apóstoles, como el emperador entre sus dignatarios; se evitan las escenas de la Pasión y, sobre todo, la Crucifixión, y en cambio aparece Cristo triunfante (apoteosis), o el crismón (anagrama de Cristo) con la corona triunfal de los emperadores.

Tras la división del Imperio (395), en Occidente (capital primero en Roma y después en Ravena) predominaron las formas clásicas, embellecidas, si bien desapareció prácticamente la perspectiva ilusionista (escuela helenística); mientras que en Oriente (capital Bizancio) se prefirió un estilo más inexpresivo y simbólico (escuela siríaca).

Los edificios del cristianismo oficial aprovecharon las formas romanas. Los *martyria* conmemoraban a un cristiano muerto por su fe y adoptaron la planta centralizada. Los *baptisterios* se destinaban al bautizo de los que aún no podían entrar en la Iglesia, y tenían también planta central, quizá como la de algunas salas de las termas. Por último, el lugar de congregación fue la *basílica*, único edificio que podía servir para reuniones muy numerosas.

DE LA BASÍLICA ROMANA A LA PALEOCRISTIANA

La forma esencial del culto de los primeros cristianos consistía en la reunión de todos los fieles. La palabra iglesia (Ekklesía) en griego significa reunión. La eucaristía o comunión no sólo conmemoraba a Cristo sino que reafirmaba la unión de la comunidad. Estas funciones no tenían cabida ni en el templo romano, ni siquiera eran adecuadas a la tipología del Panteón. Quizá por este motivo se adoptara la basílica romana como lugar de reunión. La basílica de San Pedro del Vaticano tuvo este esquema antes de la construcción renacentista; con aspecto muy semejante al original se conserva la basílica de San Pablo Extramuros en Roma.

Mosaico de Santa Constanza, Roma, siglo IV.
El mosaico fue una técnica muy utilizada para decorar los ábsides de las basílicas e iglesias. En éste se representa a Dios Padre entregando las tablas a Moisés.

Primitiva basílica de San Pedro del Vaticano. Planta, siglo IV

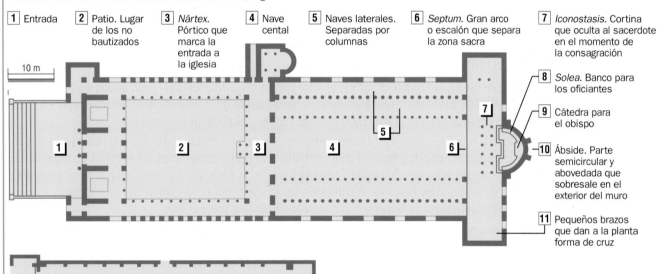

1 Entrada

2 Patio. Lugar de los no bautizados

3 *Nártex.* Pórtico que marca la entrada a la iglesia

4 Nave cental

5 Naves laterales. Separadas por columnas

6 *Septum.* Gran arco o escalón que separa la zona sacra

7 *Iconostasis.* Cortina que oculta al sacerdote en el momento de la consagración

8 *Solea.* Banco para los oficiantes

9 Cátedra para el obispo

10 Ábside. Parte semicircular y abovedada que sobresale en el exterior del muro

11 Pequeños brazos que dan a la planta forma de cruz

10 m

Basílica romana de Pompeya.
Planta, siglos III a.C.

Sección de la antigua basílica de San Pedro del Vaticano.

Las exigencias del culto

Debido a la necesidad de adaptar los espacios al culto, la planta de la basílica romana se modificó notablemente en las basílicas paleocristianas: el fiel tenía que advertir que entrar en la iglesia era un acto sagrado, de ahí la introducción del atrio y del nártex como elementos de transición del exterior al interior; y según se aproximaba el fiel al altar, en ocasiones colocado sobre la tumba de un mártir, distintos elementos lo subrayaban (el *septum*, las escaleras). Por otra parte, el momento en que Cristo se encarna en el pan y el vino de la eucaristía se ocultaba a los fieles, y la participación de éstos no consistía en contemplarlo sino en tomar parte con su presencia (por este motivo surge el *iconostasis*).

5. LA HISPANIA ROMANA

La conquista de la península Ibérica

Hispania fue una de las zonas más romanizadas del Imperio. Pero su ocupación no fue algo premeditado sino forzado por las circunstancias. Durante la segunda guerra púnica (siglo III a.C.), mientras Aníbal avanzaba contra Roma, ésta desmanteló la retaguardia cartaginesa en la península Ibérica y conquistó el territorio que había sido púnico. Luego la ocupación se amplió, impulsada por la necesidad de tierras de cultivo y metales preciosos, así como por el deseo de someter a los pueblos que en el interior y el norte de la península Ibérica hacían peligrar el poder de Roma. La conquista se consideró concluida en el año 27 a.C., cuando el emperador Augusto hizo una expedición de castigo contra los rebeldes cántabros y astures.

Puente de Alcántara, Cáceres, siglo II d.C. Es una de las más logradas obras de ingeniería, por la amplitud del espacio que salva y la armonía de sus proporciones.

Romanización y manifestaciones artísticas

La romanización de la Península fue muy irregular: el sur y el levante fueron los territorios más romanizados y que antes aceptaron la civilización romana (la religión politeísta, las magistraturas urbanas, el uso de la moneda, etc.); mientras que en el centro y en especial en el norte y el oeste peninsular la influencia romana fue más tardía y menos intensa.

En el arte, como en todos los aspectos de la cultura, Hispania tendrá su modelo en Roma y no puede hablarse de un arte hispanorromano distinto al del resto del Imperio. Los retratos de emperador divinizado, los templos, los edificios de espectáculos, las casas particulares, etc., son fruto del esfuerzo por copiar lo que se hacía en la Urbe, y toda forma de arte local desapareció por completo. Pero puede considerarse que en Hispania se realizaron obras que están en la cumbre del arte romano, especialmente obras de ingeniería, como el acueducto de Segovia o el puente de Alcántara sobre el Tajo.

Los ejemplos de urbanismo romano abundan en Hispania. El trazado, inspirado en el rito etrusco, tiende al esquema octogonal en las ciudades de nueva planta como Legio (León), un antiguo campamento romano. Tampoco faltan los edificios públicos que hacían de cada ciudad una copia de Roma. En Hispania destacan, de manera especial, los edificios de espectáculos (teatro de Mérida, anfiteatros de Sagunto o Itálica, etc.) y los templos (como el de Diana en Évora, Portugal). Como era frecuente en las provincias, Roma levantó en Hispania arcos conmemorativos que suelen ser austeros, como el arco de Bará en Tarragona.

También las artes figurativas siguieron los modelos de la capital, y puede que algunas de las obras halladas en nuestro suelo fueran incluso talladas en Roma. Destacan, más que los retratos, las imágenes de dioses como las de Diana y Mercurio de Itálica (Sevilla). En esta última ciudad también hubo una estatua de Trajano divinizado, prueba de la importancia que tuvo en Hispania el culto imperial. En Mérida se ha encontrado una imagen de Mitra, dios de origen oriental cuyo culto estaba muy extendido entre los soldados veteranos que ocuparon esta ciudad.

Durante el Bajo Imperio (siglos III y IV) hubo en la península Ibérica riquísimas villas; en ellas se han encontrado mosaicos realizados con gran maestría y temas muchas veces eruditos, como los de la villa de la Olmeda, lo que confirma que Hispania vivió una etapa de prosperidad durante una fase (la del Bajo Imperio) que suele considerarse de crisis.

Arco de Bará, Tarragona, siglos II-I a.C. Los arcos hispánicos son monumentos conmemorativos y no triunfales y sorprenden por su austeridad.

TRES OBRAS ROMANAS EN ESPAÑA

El emperador Trajano

Fue sobre todo en provincias donde se difundió la iconografía del emperador divinizado al que se rendía culto como forma de que los pueblos vencidos asimilaran su autoridad. En Hispania han aparecido otras estatuas de emperadores, pero ésta (y otra de Adriano, también en Itálica) es una de las pocas que pudo hacerse en Roma y no presenta la torpeza que a veces tienen las producciones locales. El emperador aparece desnudo como símbolo de su divinidad, con el cuerpo idealizado pero con rasgos en la cara que permiten pensar que sí era un retrato aunque algo ennoblecido. A pesar de la mutilación se deduce que la postura era la de un hombre en pie, con una ligera inclinación del cuerpo y el brazo derecho en alto. El manto sobre el hombro marca la vertical de la figura.

Mosaico de las carreras del circo.
Museo Arqueológico de Barcelona. Principios del siglo IV.

Mosaico de las carreras del circo

Es un mosaico hallado en Barcino, la Barcelona romana. Los mosaístas no eran considerados artistas, pero han dejado auténticas obras maestras con efectos casi pictóricos. Este mosaico está hecho según la técnica del *opus teselatum*, con pequeños cubos de mármol de distintos colores. Aparece una representación del espacio en profundidad e incluso se insinúa la sombra bajo los caballos.

Estatua del emperador Trajano hallada en Itálica, principios del siglo II d.C.

Hay algunos errores en la composición (el eje del carro no va paralelo al que forman las patas traseras de los caballos), pero el mosaísta ha sido muy hábil en la gradación de los tonos y en combinar las distintas posturas de los caballos para romper la monotonía.

El teatro de Mérida

Se hizo tomando como modelo el de Pompeyo, hoy destruido, y es uno de los mejores ejemplos de este tipo de edificios. Responde al tipo de teatro romano: la *cávea* se construye elevando una estructura oculta por una pared de arcos, la *orquesta* es semicircular y no circular como en Grecia, y tras la escena o *scaena* hay un pórtico de columnas, que tiene un nicho semicircular en el centro y dos rectangulares a cada lado. Las columnas tienen capiteles corintios y fustes monolíticos de mármol. Esta estructura porticada así concebida proporcionaba un cierre flexible que también servía de decorado.

Los cambios que introduce el tipo de teatro romano respecto al griego se deben a que la función no es aquí religiosa sino civil. En el teatro se representan obras exclusivamente literarias, muchas veces comedias, y el coro ya no tiene sentido. Por eso la orquesta desaparece: es sólo un espacio entre coro y escena; ésta ahora es mucho más importante y se cierra para favorecer la ilusión del espectáculo y proporcionarle un decorado.

Teatro de Mérida, Badajoz, siglos I a.C.-I d.C.

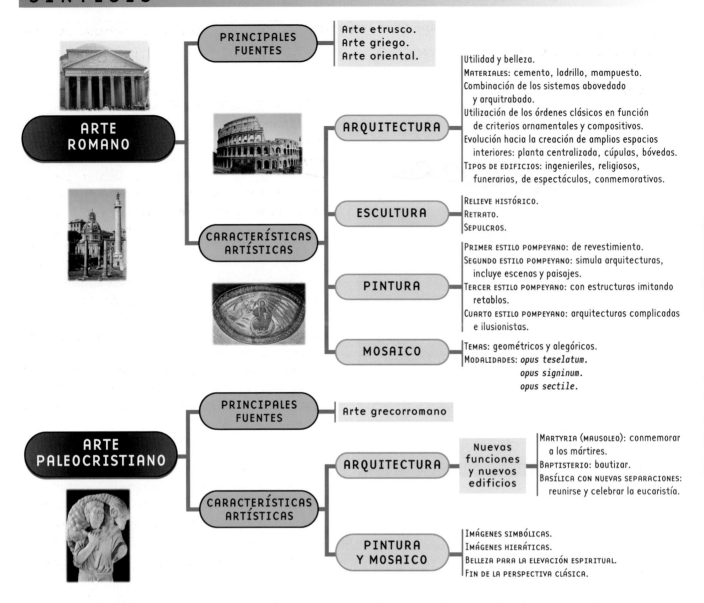

ARTE ROMANO

PRINCIPALES FUENTES
- Arte etrusco.
- Arte griego.
- Arte oriental.

CARACTERÍSTICAS ARTÍSTICAS

ARQUITECTURA
- Utilidad y belleza.
- MATERIALES: cemento, ladrillo, mampuesto.
- Combinación de los sistemas abovedado y arquitrabado.
- Utilización de los órdenes clásicos en función de criterios ornamentales y compositivos.
- Evolución hacia la creación de amplios espacios interiores: planta centralizada, cúpulas, bóvedas.
- TIPOS DE EDIFICIOS: ingenieriles, religiosos, funerarios, de espectáculos, conmemorativos.

ESCULTURA
- RELIEVE HISTÓRICO.
- RETRATO.
- SEPULCROS.

PINTURA
- PRIMER ESTILO POMPEYANO: de revestimiento.
- SEGUNDO ESTILO POMPEYANO: simula arquitecturas, incluye escenas y paisajes.
- TERCER ESTILO POMPEYANO: con estructuras imitando retablos.
- CUARTO ESTILO POMPEYANO: arquitecturas complicadas e ilusionistas.

MOSAICO
- TEMAS: geométricos y alegóricos.
- MODALIDADES: *opus teselatum.*
  opus signinum.
  opus sectile.

ARTE PALEOCRISTIANO

PRINCIPALES FUENTES
- Arte grecorromano

CARACTERÍSTICAS ARTÍSTICAS

ARQUITECTURA
- Nuevas funciones y nuevos edificios
  - MARTYRIA (MAUSOLEO): conmemorar a los mártires.
  - BAPTISTERIO: bautizar.
  - BASÍLICA CON NUEVAS SEPARACIONES: reunirse y celebrar la eucaristía.

PINTURA Y MOSAICO
- IMÁGENES SIMBÓLICAS.
- IMÁGENES HIERÁTICAS.
- BELLEZA PARA LA ELEVACIÓN ESPIRITUAL.
- FIN DE LA PERSPECTIVA CLÁSICA.

LA ARQUITECTURA ROMANA		
CLASIFICACIÓN	**TIPOLOGÍA**	**ALGUNAS OBRAS**
Edificios ingenieriles	De comunicación • Calzadas • Puentes Hidráulicos • Termas • Acueductos • Cloacas	• Cloaca Máxima • Acueducto de los Milagros (s. III d.C.) • Acueducto de Segovia (s. II d.C.) • Puente de Alcántara
Edificios religiosos	Templos de planta rectangular Templos de planta circular	• Templo de Portuno, Roma (s. II a.C.) • Maison Carrée, Nimes (s. I a.C.) • Panteón (s. II d.C.)
Edificios funerarios	Torrecillas (cipos) Mausoleos Pirámides	• Mausoleo de Cecilia Metella (s. I d.C.)
Edificios de espectáculos	Circo Anfiteatro Teatro	• Coliseo (s. I d.C.) • Teatro de Mérida (s. I a.C.-II d.C.)
Edificios conmemorativos	Columna triunfal Arco triunfal	• Columna Trajana (s. II d.C.) • Arco de Tito (s. I d.C.) • Arco de Bará (s. II-I a.C.)

HACIA LA UNIVERSIDAD

1. Desarrolla uno de los dos temas propuestos:

    a) *Las técnicas de construcción y los materiales de la arquitectura romana.*

    b) *La escultura romana.*

2. Analiza y comenta estas imágenes:

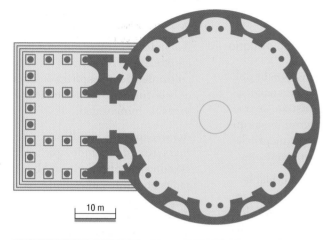

10 m

3. Define brevemente estos términos: *anfiteatro, opus caementicium, foro, arco triunfal, orden toscano, bucráneo, nártex.*

4. Lee el siguiente texto y contesta a las cuestiones:

Es la arquitectura una ciencia que debe ir acompañada de muchos otros conocimientos y estudios, merced a los cuales juzga las obras de todas las artes que con ella se relacionan. Esta ciencia se adquiere por la práctica y por la teoría. La práctica es una continua y repetida aplicación del uso en la ejecución de proyectos propuestos, realizada con las manos sobre la materia, correspondiente a lo que se desea formar. La teoría, en cambio, es la que puede explicar y demostrar, de acuerdo con las leyes de la proporción y del razonamiento, la perfección de las obras ejecutadas. Por tanto, los arquitectos que sin teoría, y sólo con la práctica, se han dedicado a la construcción, no han conseguido labrarse crédito alguno con sus obras, como tampoco lograron otra cosa que una sombra, no la realidad, los que se apoyaron sólo en la teoría. En cambio, los pertrechados de ambas cosas, como soldados provistos de todas las armas necesarias, han llegado más prestos y con mayor aplauso a sus fines.

VITRUBIO

– ¿Qué artes se relacionan con la arquitectura? ¿Cuál sería, según el autor, el criterio para juzgarlas?

– ¿En qué construcciones de la antigua Roma se demuestra esta unión de teoría y práctica? Cita algunos ejemplos.

– ¿Qué es lo que decide que una obra sea bella? ¿Cómo se realizaba concretamente este ideal en el arte romano?

PASADO Y PRESENTE EN EL ARTE

1. Observa esta construcción realizada en Madrid durante el franquismo.

– ¿Qué tipo de edificación imita?

– Investiga las circunstancias en las que se edificó. ¿Tiene algún significado el que se escogiera precisamente un modelo romano?

2. Da algún otro ejemplo de edificios actuales que se inspiren en los romanos.

Arco de la Moncloa, Madrid.

Arte y poder

Proyecto de Dinócrates para la remodelación del monte Athos, según la reconstrucción que hizo en el siglo XVIII el arquitecto austriaco Fisher von Erlach.

Vitruvio, el gran tratadista romano, cuenta en su "De Architectura" la curiosa historia de cómo el arquitecto Dinócrates presentó sus planes a Alejandro Magno: "Te traigo (le dijo) ideas y proyectos dignos de tu gloria. He modelado el monte Athos en forma de una estatua viril, en cuya mano izquierda he diseñado una gran ciudad y en la derecha una gran taza en la que recibirá las aguas de todos los ríos que descienden de aquel monte y desde allí vayan a parar al mar". Aunque el monarca consideró inviable aquella propuesta, quedó gratamente impresionado, y por eso decidió, siempre según Vitruvio, aprovechar el talento de Dinócrates encargándole el diseño de la nueva ciudad de Alejandría, en el norte de Egipto.

Las maravillas del mundo antiguo

La anécdota revela bien los usos del arte (y de la arquitectura en particular) en el mundo helenístico: se trataba de ejecutar cosas grandiosas que suspendieran el ánimo y que proclamasen la gloria de sus promotores.

Alejandro Magno puso en crisis la idea de una separación nítida entre los helenos y los bárbaros: todos los inmensos territorios de Grecia, Asia Menor, el oriente mesopotámico hasta la India, además de Egipto, formaban parte de una nueva unidad política y cultural. La escala del mundo "civilizado" cambiaba así de un modo radical. Aunque la democracia practicada previamente en algunas ciudades-estado griegas era ahora impensable, quedaba vivo su recuerdo, y eso explica de alguna manera la necesidad sentida por los monarcas helenísticos de poner en práctica una política de gestos propagandísticos espectaculares. Proliferaron los monumentos escultóricos, con representaciones en las que se fundían los objetivos religiosos oficialmente proclamados con el propósito más sutil de obtener legitimidad para los promotores. El éxito de tales empresas fue variable.

No pudo impedirse, en cualquier caso, el desarrollo entre las élites culturales de un espíritu ecuménico, del sentimiento de pertenecer a una sola humanidad.

Así se explica la codificación de las maravillas del mundo, que acabaron siendo siete obras admirables, localizadas en puntos muy distintos del imperio que había conquistado en su día Alejandro Magno: las pirámides de Gizeh y el faro de Alejandría, en Egipto; los jardines colgantes de Babilonia, en Mesopotamia; el templo de Artemisa en Éfeso y el Mausoleo de Halicarnaso, en Asia Menor; el Coloso, en la isla de Rodas; y, finalmente, en Grecia, la estatua de Zeus en Olimpia.

Cada una de aquellas realizaciones representaba un prototipo de excelencia, sin dejar de aludir también a una región, a la cual representaba en el imaginario colectivo: había dos grandes imágenes religiosas (la crisoelefantina de Zeus que había hecho Fidias y la estatua colosal de Apolo, en bronce, a la entrada del puerto de Rodas); un templo dedicado a una diosa (Artemisa, la Diana de los romanos); una empresa arquitectónico-urbanística de carácter lúdico

La arquitectura fue en Roma soporte de un programa de imágenes que exaltaba el poder imperial. Arco de triunfo de Constantino.

(los jardines suspendidos); unas tumbas faraónicas (las pirámides); finalmente, un monumento escultórico-arquitectónico de exaltación monárquica (la tumba de Mausolo).

Obsérvese que aquellas obras no se reiteraban, tenían funciones diferentes, y parecían funcionar como los monumentos representativos de una única ciudad ideal. Al estar situadas en un ámbito geográfico inmenso, tenían forzosamente que poseer unas dimensiones colosales: se diría que el universo conceptual de la *polis* se agigantaba para abarcar a todo el "mundo conocido".

Imagen y arquitectura en el imperio romano

Roma heredó y reinterpretó a su manera casi todos los valores del helenismo. Conquistadores y pragmáticos, los gobernantes del imperio latino comprendieron bien el poder que podía obtenerse controlando las imágenes. Hubo, pues, una multitud de pinturas más o menos propagandísticas, y una verdadera legión de escultores encontró trabajo copiando retratos imperiales, estatuas prestigiosas de los grandes maestros del pasado, o elaborando algunas cosas nuevas, siempre al servicio de los amos del mundo. Aunque no escasearon las creaciones de calidad, abundaron más los bajorrelieves de tosca factura y escaso cuidado en el detalle. Es imposible ver bien desde el nivel del suelo lo que hay en la Columna Trajana, por ejemplo, pero cuando podemos hacerlo (gracias a las modernas fotografías con teleobjetivo) apreciamos que aquellas "cintas narrativas" se hicieron con la misma premura que muchas películas populares del mundo contemporáneo. Roma pidió al arte eficacia, capacidad persuasiva. La cantidad primaba sobre la calidad.

La arquitectura asumió los papeles que se derivaban de la exigencia de control territorial, y de ahí su frecuente subordinación al urbanismo y a la ingeniería civil. Foros, anfiteatros, acueductos, puentes, etc., tenían mucho que ver con el trazado de las carreteras y de las calles, con el tráfico de mercancías y de tropas. Roma aprendió de los estados helenísticos algo trascendental: los arquitectos podían contribuir decisivamente a modelar la imagen simbólica del poder; por eso proliferaron en el Imperio los arcos de triunfo, las columnas conmemorativas y los templos dedicados. La arquitectura, en suma, recibió el encargo de dar la mejor imagen del poder romano. A la necesidad de combinar aquella función simbólica con las exigencias funcionales es a lo que se refiere Vitruvio en la historia de Dinócrates y Alejando que hemos mencionado antes.

Arquitectura y poder en las edades Moderna y Contemporánea

El maridaje entre arquitectura y poder no se perderá ya nunca más en la historia occidental. Está presente en el Renacimiento y en el barroco, y también en los estados burgueses surgidos tras la Revolución francesa. Mencionaremos, finalmente, algunos casos paradigmáticos del siglo XX: Hitler y Mussolini promovieron empresas colosales (inspirados, por cierto, en la gran arquitectura romana) como expresiones perdurables de su poder totalitario. No muy diferentes formalmente fueron algunos edificios construidos durante los años treinta en la Rusia de Stalin o en la Norteamérica de Roosevelt. Muchas obras modernas, aparentemente "funcionales", han expresado a su vez la voluntad de poder de gobernantes y corporaciones. No olvidemos, sin embargo, que el arte verdadero supera a esas coartadas político-económicas, pudiendo llegar a ser como el subproducto maravilloso de intenciones eventualmente espurias.

Los delirios arquitectónicos del poder nazi se manifestaron en proyectos colosales como el del Gran Palacio para Berlín, diseñado por el propio Hitler con la colaboración del arquitecto Albert Speer. Foto de la maqueta tomada en 1941.

La eficacia narrativa primaba en muchos bajorrelieves romanos sobre la calidad de la ejecución. Detalle de la Columna Trajana.

6. ARTE BIZANTINO, GERMÁNICO Y ASTURIANO

En los primeros siglos de la Edad Media se fue desintegrando la cultura clásica. Ya en el bajo imperio romano hemos visto cómo se impuso un nuevo concepto de belleza, que invitaba a mirar a través de las imágenes para alcanzar los conceptos de una religión nueva.

Esa tendencia siguió desarrollándose después de la caída del imperio romano de Occidente: por un lado, en el imperio oriental o bizantino, y por otro, en los territorios del imperio romano de Occidente, ocupados por nuevos pueblos de origen germánico.

El aislamiento que siguió a la caída del imperio romano de Occidente causó la aparición de soluciones artísticas peculiares en cada región. Buena muestra de ello es el arte asturiano, ya del siglo IX.

Mosaico de San Apolinar del Puerto. Ravena, Italia, siglo VI.

EL VALOR DE LA IMAGEN

Pues una cosa es adorar un cuadro, y otra aprender del cuadro qué es lo que debe ser adorado. Pues lo que la obra escrita presenta a sus lectores, el cuadro lo presenta a los iletrados, ya que incluso los ignorantes ven lo que deben seguir: en él leen los iletrados. Por tanto, y principalmente para el pueblo, una pintura es un sustituto de la lectura. Y esto debería haber sido tenido en cuenta especialmente por vos, que vivís entre los gentiles, pues si no, al inflamaros desconsideradamente por el justo celo, podríais hacer ofensa a sus mentes salvajes. Y, viendo que en la antigüedad se ha permitido, no sin razón, que las historias de los santos fueran pintadas en lugares venerables, si tú hubieras sazonado el celo con la discreción, hubieras conseguido lo que buscabas, y no dispersado las ovejas ya recogidas, sino más bien recogido una descarriada.

Instrucciones del papa Gregorio MAGNO (590-640) al obispo de Marsella

+SANCTVS APOLENARIS

CLAVES DE LA ÉPOCA

– La disolución
de la cultura clásica

– Los reinos
germánicos
y su evolución

– La pervivencia
de la cultura clásica
en Oriente

– Europa a principios
de la Edad Media

1. EL ARTE BIZANTINO

– Arquitectura

– Las artes figuradas

ANÁLISIS 1

– San Apolinar el Nuevo

– San Vital de Ravena

**2. EUROPA:
DE LOS REINOS
GERMÁNICOS
AL ARTE CAROLINGIO**

– El arte de los
primeros reinos
germánicos

– Un intento
de recuperar
el mundo clásico:
el arte carolingio

**3. EL ARTE VISIGODO
EN ESPAÑA**

– Arquitectura de época
visigoda

– La decoración
de las iglesias

– La orfebrería

4. EL ARTE ASTURIANO

– Ámbito espacial
y cronológico

– Singularidad
y fuentes del arte
asturiano

– Santa María
del Naranco

ANÁLISIS 2

– San Julián
de los Prados

– San Miguel de Lillo

S Í N T E S I S

CLAVES DE LA ÉPOCA

La disolución de la cultura clásica

En el siglo IV, el emperador Constantino le dio su nombre a la antigua Bizancio, que pasó a llamarse Constantinopla y se convirtió en la capital cristiana del imperio, frente a Roma, la capital pagana. Las diferencias entre una zona oriental cristiana y otra occidental poco refinada y apegada a sus antiguos dioses se fue acentuando hasta que Teodosio, en el año 395, dividió el imperio entre sus hijos: Oriente para Arcadio y Occidente (con capital en Ravena) para Honorio.

Mientras tanto, los pueblos germánicos, procedentes del norte y centro de Europa, que llevaban un par de siglos presionando sobre las fronteras romanas, se fueron asentando a lo largo del siglo IV en los confines del imperio occidental, generalmente como federados, es decir, al servicio de Roma para impedir que otros pueblos bárbaros penetrasen en territorio romano. Finalmente en el año 476, el último emperador de Occidente, Rómulo Augústulo, fue depuesto por los ostrogodos, el imperio romano de Occidente se disolvió y se formaron en su lugar los distintos reinos germánicos. En Oriente, sin embargo, el imperio pervivió hasta el siglo XV con el nombre de imperio bizantino.

Los reinos germánicos y su evolución

Los pueblos germánicos, que habían estado en contacto con el imperio romano a lo largo de los siglos, se habían romanizado en mayor o menor grado: muchos eran arrianos (cristianos que no aceptaban la naturaleza divina de Cristo) y usaban el latín.

En la península Ibérica se fundó en el siglo VI el *reino visigodo*. La población hispanorromana, más numerosa y culta, fue influyendo en los invasores, y los germánicos fueron convirtiéndose al catolicismo, aceptando el latín como lengua oficial y culta e imitando la administración romana. Sin embargo, antes de las invasiones, la cultura clásica estaba en plena disolución y ni los visigodos, ni los pueblos germánicos en general, fueron capaces de mantenerla. Esto se hizo evidente también en las manifestaciones artísticas de estos pueblos.

El año 800, Carlomagno, el rey de los francos, intenta restaurar el imperio romano en territorio germánico y se hace coronar emperador por el papa. En el *arte carolingio* se aprecia un intento claro de recuperar los valores y formas clásicas del mundo romano.

Baptisterio de San Juan de Poitiers, Francia, siglos VI y VII. Este edificio de ladrillo es una de las pocas obras que se han conservado en Francia de época merovingia. La articulación de los muros con pilastras y la planta centralizada recuerdan a las construcciones romanas y paleocristianas.

También a lo largo del siglo IX, mientras casi toda la península Ibérica estaba bajo el poder musulmán, el reino asturiano pretendió reanudar la forma de vida romana, a su vez heredada del reino visigodo y condenada a desaparecer. Al igual que el arte carolingio, el *arte asturiano* destaca entre todas las manifestaciones artísticas europeas de ese siglo, pero adoptando unas soluciones formales totalmente distintas y peculiares.

La pervivencia de la cultura clásica en Oriente

Mientras, el imperio oriental sobrevivía: era romano en la administración política, griego en la cultura y la lengua, y cristiano en las costumbres y creencias; se sostenía gracias a la estrecha alianza entre Iglesia e Imperio y a la pervivencia de una sociedad urbana y culta. En el siglo VI, el emperador Justiniano proporcionó a Bizancio una auténtica *edad de oro* en la que el arte dio sus mejores frutos, e incluso se pudo creer en una restauración del antiguo imperio romano gracias a las conquistas de algunos territorios occidentales. Pero el imperio bizantino, asediado también por pueblos bárbaros, sobre todo eslavos, y dividido además por violentos conflictos internos, sufrió después momentos de crisis que fueron superados en el siglo IX, centuria en la que se produjo una *segunda edad de oro*. Pero, a partir de esa fecha, la cultura y el arte bizantinos se desarrollaron al margen de las corrientes occidentales, y sin que las formas creadas en el siglo VI experimentasen apenas cambios.

Iglesia de San Vital, Ravena, siglo VI. El arte bizantino decoró sus templos con espectaculares mosaicos de tradición romana en los que desarrolló complejos programas iconográficos. En este caso, Cristo ofrece la corona del martirio a san Vital, a quien está consagrada la iglesia.

Europa a principios de la Edad Media

Los pueblos germánicos tardaron en asentarse definitivamente. Los visigodos llegaron pronto a Roma: Alarico la saqueó en el año 410 y su sucesor, Ataúlfo, llegó incluso a casarse con la hermanastra del emperador Honorio, Gala Placidia. El sucesor de Ataúlfo fundó un reino con capital en Tolosa y desde aquí los visigodos fueron penetrando en Hispania desplazando a suevos, alanos y vándalos. En la antigua Galia, además de los visigodos también se instalaron los francos y los burgundios. Italia fue ocupada por los ostrogodos y más adelante por los lombardos. Al norte, los pueblos escandinavos (anglos, jutos, sajones) fueron ocupando las islas Británicas y Normandía.

Este panorama cambió mucho en el paso del siglo VIII al IX. Por un lado, en la península Ibérica, que había sido conquistada por los musulmanes a principios del siglo VIII, el reino asturiano fue fortaleciéndose y definiéndose frente al mundo islámico. Por otro, la dinastía carolingia anexionó al reino franco buena parte del territorio alemán e italiano y llegó a recuperar, si bien de forma efímera, la noción de imperio.

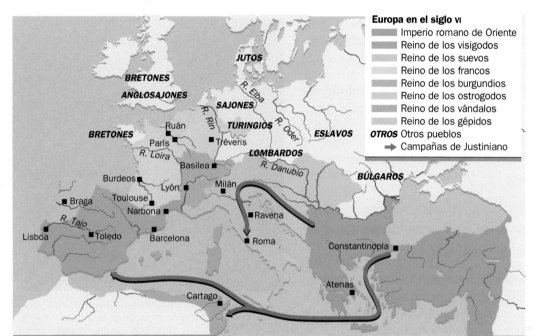

Europa en el siglo VI
- Imperio romano de Oriente
- Reino de los visigodos
- Reino de los suevos
- Reino de los francos
- Reino de los burgundios
- Reino de los ostrogodos
- Reino de los vándalos
- Reino de los gépidos
- *OTROS* Otros pueblos
- → Campañas de Justiniano

Fíbula (broche para la túnica) con forma de águila y decorada con esmaltes de la época visigoda. Este tipo de piezas son características del mundo germánico.

SIGLOS	HISTORIA	ARTE
IV-V	· Bizancio pasa a llamarse Constantinopla (330). · Teodosio divide el imperio entre sus hijos Honorio y Arcadio (395). · En el siglo IV, instalación de pueblos germánicos en el imperio como federados. · El rey visigodo Alarico saquea Roma (410). · El rey visigodo Valia funda el reino visigodo de Tolosa (415). · El último emperador romano, Rómulo Augústulo, es depuesto (476). · Teodorico funda el reino ostrogodo de Italia (476). · A lo largo del siglo, fundación de los reinos franco, burgundio y vándalo.	· Mausoleo de Gala Placidia en Ravena. · Mausoleo de Teodorico en Ravena.
VI	· Reino visigodo hispánico con una provincia en la Galia (Septimania) (545). · Justiniano, emperador de Bizancio (527-565). · Formación del reino lombardo (norte de Italia) (568). · Los visigodos se convierten al catolicismo (589).	· Iglesias bizantinas de Constantinopla (Santa Sofía, San Sergio y San Baco) y de Ravena (San Apolinar el Nuevo, San Apolinar del Puerto y San Vital). · Baptisterio de San Juan de Poitiers.
VII	· Unificación del reino franco. · Guerras entre distintos reinos germánicos y el imperio bizantino.	· En España, iglesias visigodas de San Juan de Baños, Quintanilla de las Viñas y San Pedro de la Nave.
VIII	· Conquista musulmana de Hispania (711). · Hacia el 720, fundación del reino de Asturias. · El emperador bizantino León III prohíbe las imágenes en las iglesias y se inicia la querella iconoclasta (726). · Inicio de la dinastía carolingia en Francia (751). Reinado de Carlomagno (768).	· Se inicia la construcción del conjunto de Aquisgrán. · Destrucción de imágenes en Constantinopla.
IX	· Carlomagno, emperador (800-814). · Reinados asturianos: Alfonso II (791-842), Ramiro I (842-850), Alfonso III (866-910). · Termina el conflicto iconoclasta en Bizancio (843). · Segunda edad de oro bizantina con Miguel III (842-867). · Cisma de Oriente: ruptura entre el patriarca de Bizancio y el papa (867).	· Imperio carolingio: capilla palatina de Aquisgrán. · Arte asturiano: San Julián de los Prados (Alfonso II), Conjunto del monte Naranco (Ramiro I), San Salvador de Valdediós (Alfonso III). · Iconos bizantinos.

Arquitectura

El imperio bizantino se prolongó durante un dilatado período de tiempo, desde el siglo IV hasta el XV, aunque aquí nos centraremos en el arte de la primera etapa, la llamada *primera edad de oro,* que coincide con el reinado de Justiniano (siglo VI).

El arte bizantino continuó la tradición arquitectónica y la vocación ingenieril de la Roma clásica; también utilizó los distintos sistemas de construcción romanos, que en Bizancio incluso se mejoraron y aligeraron. La arquitectura bizantina destaca por sus iglesias, que tenían una riquísima decoración interior que contrastaba con la mayor sobriedad del exterior. En ellas se adoptó sobre todo el sistema abovedado, y se renunció a combinarlo con elementos arquitrabados, quizá por la proximidad de la influencia oriental (donde era más frecuente el uso de este sistema constructivo) y porque las cúpulas y bóvedas permitían crear grandes espacios interiores, más adecuados a la religiosidad bizantina. La obra cumbre del arte bizantino fue la iglesia de Santa Sofía de Constantinopla, del siglo VI.

El sistema de planta central, también más frecuente en la parte oriental del imperio, se utilizó para construir iglesias y no sólo mausoleos y baptisterios como en la época paleocristiana, y las cúpulas, más ligeras, se apoyaban en semicúpulas y exedras (cuartos de esfera) que repartían el peso de la cubierta. En el siglo VI apareció la *planta de cruz griega,* un tipo de planta central con forma de cruz de brazos iguales y que solía tener cúpulas en los brazos y en el crucero. En Ravena, que formó parte del imperio bizantino en época de Justiniano, se mantuvo la tradición latina de planta basilical y en el siglo VI se construyeron dos basílicas (las dos consagradas a San Apolinar) según el modelo paleocristiano.

Los órdenes clásicos desaparecieron casi por completo. El capitel corintio, que era demasiado naturalista para el gusto bizantino, se fue simplificando hasta reducirse a un tronco de pirámide con una decoración geométrica calada, que esquematizaba las hojas de acanto, y una gran losa encima, el cimacio, también decorada. La preferencia por los materiales nobles llevó a sustituir los fustes estriados por otros lisos, de mármol, en los que destacaba más la calidad del material, y en general toda la estructura del edificio se ocultaba bajo la decoración.

Capitel de Santa Sofía de Constantinopla, siglo VI. En él se aprecia la geometrización de los capiteles corintios a la que llegó el arte bizantino.

Las artes figuradas

La escultura monumental cayó en desuso. La efigie del emperador se reproducía en monedas, medallas o marfiles, no en grandes estatuas. El arte figurado se reservaba para la Iglesia, del mismo modo que en el mundo paleocristiano, y consistía en mosaicos riquísimos, de mármol o esmalte, que reflejaban episodios de los textos sagrados.

Ya fueran pinturas o mosaicos, los personajes sagrados aparecían sobre fondos planos, en muchas ocasiones dorados, sin paisaje ni perspectiva para subrayar su intemporalidad. Son imágenes hieráticas (sagradas) que miran al frente fascinadas por la divinidad, sin comunicarse entre sí ni individualizarse, porque se trata de símbolos y no de personajes de un relato. El artista definía la imagen con un trazo oscuro y luego matizaba los colores del interior, de modo que los personajes quedaban nítidamente separados del fondo. El canon suele ser largo, de ocho o nueve cabezas, lo que crea una gran estilización en las figuras.

Los temas de la iconografía bizantina estaban rígidamente establecidos y pasaron luego a la iconografía occidental (románico y gótico). Además de algunos esquemas ya empleados por los primeros cristianos (Cristo como Buen Pastor, Cristo resucitado), aparecieron temas del Nuevo Testamento y de la Virgen con el Niño. Las imágenes sagradas fijaron definitivamente su código de representación, muy estricto, a partir del siglo IX; entonces se inicia un período de esplendor y desarrollo de los iconos.

Ábside de San Apolinar del Puerto, Ravena, siglo VI. San Apolinar ocupa el centro de la composición al modo de las representaciones de Cristo como Buen Pastor. El paisaje no representa un espacio real, sino simbólico. La cruz que aparece encima del santo es un símbolo de Cristo.

SANTA SOFÍA DE CONSTANTINOPLA

La basílica de Santa Sofía, dedicada a la Sabiduría Divina, la mandó construir Justiniano en el 523 para sustituir a otra de tiempos de Constantino que había sido destruida ese mismo año. Los arquitectos eran orientales: Antemio de Tralles, que pudo ser el que concibió el plan artístico de la obra, e Isidoro de Mileto, quizá más centrado estrictamente en la arquitectura. Sufrió un derrumbe parcial en el 558 y se rehízo con una cúpula aún más elevada. Con la ocupación otomana (1453) la iglesia se convirtió en mezquita, perdió casi toda la decoración y sirvió de modelo para las mezquitas turcas.

Aspecto interior de Santa Sofía. La decoración de mosaico está destruida u oculta por yeso y pintura. Los medallones con el nombre de Dios en árabe son posteriores a la ocupación musulmana y obedecen al uso de esta basílica como mezquita.

Un gran espacio cubierto por una cúpula

La *planta* de Santa Sofía es ligeramente rectangular, muy poco alargada, con patio y nártex como las basílicas paleocristianas. La nave central está ocupada por una gran cúpula que descansa en semicúpulas que a su vez lo hacen en exedras. El peso se apoya por fin en el suelo a través de pilares. La cúpula hace que la planta sea casi central, porque subraya el centro del edificio y la sensación que recibía el fiel que entraba en la basílica era la de un gran espacio que se extendía a su alrededor.

Es interesante el sistema de contrarrestos. La cúpula es muy ligera porque está formada por vasitos de cerámica encajados unos en otros y unidos por cemento, de modo que quedan muchos espacios vacíos que hacen que la estructura no sea del todo maciza.

El paso de la cúpula a las semicúpulas se resuelve con muros con forma de triángulos esféricos (pechinas), lo mismo que entre semicúpulas y exedras. Al fondo se ve un gran arco de descarga que junto a exedras y pilares recibía el empuje.

Al *exterior* la estructura era confusa y el casquete de la cúpula, más plano que ésta, la camuflaba y dejaba un espacio para ventanas (cúpula baída) de modo que, vista desde fuera, parecía menos profunda de lo que era en realidad.

Exterior de Santa Sofía.

Imagen del cielo

En el *interior*, la impresión era la de un espacio amplísimo que, con la decoración de los mosaicos que se han perdido, era como una imagen del cielo. A partir de lo que se ha podido averiguar por los escasos restos que quedan, estos mosaicos consistían en arquitecturas, plantas y joyas que eran símbolos del Paraíso.

La arquitectura quedaba oculta por la decoración, y el espacio, ampliado por los sistemas de contrarresto a base de semicúpulas y exedras, resultaba abierto y mucho más amplio.
Las arquerías del piso alto contribuían a ese efecto creando luces y sombras.

Santa Sofía es una obra singular por su planta, original combinación de basílica y planta central, y por las soluciones técnicas que aporta y que consiguen levantar y cubrir un espacio amplísimo. El contraste entre su pobreza exterior y su riqueza interior estaba relacionado con las teorías neoplatónicas del cristianismo ortodoxo: la belleza es lo que está oculto, en el alma, pero se descubre a través de los sentidos.

Planta de Santa Sofía.

1 Cúpula   2 Semicúpulas
3 Exedras   4 Pechinas

La obra

Esta iglesia se encuentra en Ravena, ciudad situada en el golfo de Venecia que estuvo en poder de Bizancio desde que la ocupó Justiniano el año 553 hasta el año 751. Fue construida en el siglo VI y dedicada, en principio, a san Martín; pero en el siglo VIII cambió su consagración cuando acogió las reliquias de san Apolinar, que parecían poco seguras en la iglesia que las contenía, que estaba en el puerto. La planta es basilical, de tres naves, la central más ancha y alta que las laterales. Las raíces latinas de esta ciudad explican que en Ravena se mantenga la tradición del uso de la planta basilical en las iglesias.

No se conserva la decoración original del ábside, que es de época barroca.

Análisis formal

El **interior** de la iglesia está decorado con mosaicos, entre los que destacan los que están sobre las arquerías que separan la nave central de las laterales. Dos procesiones de santos y santas se aproximan al altar. La de los santos parte del palacio de Teodorico y concluye ante una imagen de Cristo entronizado entre ángeles. La de las santas está encabezada por los Reyes Magos, que se dirigen hacia la Virgen y el Niño. Sobre las procesiones y entre las ventanas aparecen figuras aisladas de profetas y patriarcas de la Iglesia, y arriba de todo, sobre las ventanas, escenas de la vida y la Pasión de Cristo, en las que se representan milagros.

Vamos a centrar el análisis en la escena que encabeza la procesión de las santas. Los tres Reyes Magos están ataviados como persas o armenios, o sea, como personajes orientales, y aparecen con rasgos individualizados, quizá representando las tres edades del hombre. La Virgen, entronizada, sirve a su vez de trono al Niño y aparece entre ángeles, como Reina del cielo. Hay bastante naturalismo en la representación: las figuras son flexibles y varían ligeramente sus posturas. No hay perspectiva, sino mosaico dorado que alude a la riqueza espiritual de la escena.

Mosaico de la nave central de San Apolinar el Nuevo: escena de Epifanía o de adoración de los Reyes Magos, siglo VI.

Significado

La **decoración** de la iglesia forma un conjunto iconográfico de clara raíz paleocristiana. Los santos y santas se dirigen hacia Cristo y la Virgen, que son quienes proporcionan la salvación eterna que los profetas y patriarcas del registro superior ya anunciaron; las escenas superiores insisten en la imagen de Cristo como Salvador. Por otra parte, Cristo y la Virgen están en la zona más próxima al altar y hacia éste se dirige la mirada del fiel, mientras que en la zona más alejada se sitúa el palacio de Teodorico; éste es un símbolo del poder político que está al servicio de la Iglesia.

Los tipos iconográficos tienen también influencia paleocristiana, como la representación de Cristo o la Virgen en un trono, símbolo de su majestad. Frente al naturalismo de la Roma clásica, que aún se conserva, la influencia bizantina impone esquemas más rígidos: los personajes se visten y se mueven estereotipadamente.

Por otra parte, la disposición de los mosaicos subraya la función del edificio: las procesiones de los santos y las santas dirigen la atención hacia Cristo y la Virgen y, en definitiva, hacia el altar, lo que subraya el significado de estas imágenes como símbolos.

La obra

Juliano Argentarius levantó este templo en Ravena durante el siglo VI por orden de Justiniano. Por el tema desarrollado en su interior, que representa al emperador y a su esposa, la iglesia de San Vital era un símbolo en Ravena del poder del emperador y, en cierto modo, de la extensión del imperio bizantino hacia occidente.

Análisis formal

– **La planta.** Es octogonal, con una cúpula en el centro apoyada en un tambor cilíndrico, que a su vez se apoya en una serie de arcos. Éstos forman un deambulatorio (nave que rodea el altar). Un nártex marca la separación entre el espacio profano y el sacro.

El emperador Justiniano y su séquito.
Mosaico de la iglesia de San Vital de Ravena, siglo VI.

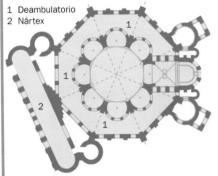

1 Deambulatorio
2 Nártex

Planta de San Vital de Ravena, siglo VI.

– **El mosaico.** Representa al emperador con signos de poder (el manto púrpura, la corona y el halo que rodea su cabeza) y a su séquito. Tiene rasgos relacionados con un retrato, pero las figuras siguen un modelo común en el que predomina la expresividad de la mirada y el gesto atento y solemne.

Entre los dignatarios aparece sólo con su nombre Maximino, obispo de Ravena, y otro de los personajes (entre el emperador y el obispo) podría ser el general Belisario, que fue el que realizó las principales anexiones al territorio bizantino en época de Justiniano. El esquema es simétrico: el emperador aparece entre los administradores políticos y los funcionarios de la religión uniendo ambos poderes. Los personajes principales entregan ofrendas al templo, que significan el beneficio que hacen a la nueva iglesia.

El mosaico en el que aparece la emperatriz Teodora con sus damas y clérigos (abajo) sigue el mismo esquema, pero aquí la escena es más desahogada y se incluyen algunos elementos de paisaje, pero no un paisaje real ni puramente decorativo, sino simbólico y reducido a sus elementos esenciales.

Significado

San Vital de Ravena responde al modelo más difundido de iglesia bizantina. La planta central hace de ella un auténtico símbolo del cielo, y este significado predomina sobre el uso del templo como lugar de congregación, porque no hay propiamente naves en las que se reúnan los fieles. Los mosaicos del emperador y la emperatriz se orientan hacia el altar, demostrando así que son protectores de la Iglesia. Esto es más evidente en el mosaico que representa a Teodora, en el que la cortina entreabierta simboliza la Iglesia, donde se guarda la fuente de la Gracia (que proporciona la salvación); la emperatriz aparece cubierta con la venera, que hace alusión al universo, como sucedía en las representaciones de los emperadores romanos, y las damas están bajo una rica cortina, símbolo de la corte imperial.

También como en las representaciones de los últimos emperadores, Justiniano y Teodora aparecen poderosos entre sus séquitos. La pervivencia de la estética clásica aún se puede notar en las proporciones de las figuras y en los rasgos de la cara, próximos al retrato, pero la falta de comunicación entre los personajes, la actitud de quien participa en algo sagrado (hieratismo) y la falta de perspectiva indican ya una ruptura con el concepto clásico de belleza.

La emperatriz Teodora y su séquito.
Mosaico de la iglesia de San Vital de Ravena, siglo VI.

- ¿Qué características de raíz romana y paleocristiana se observan en estas iglesias?

- ¿Qué relación hay en ellas entre arquitectura e iconografía?

- ¿En qué detalles de San Vital se nota que en Bizancio se identificaban el poder político y el religioso?

El arte de los primeros reinos germánicos

Los pueblos germánicos no tenían un desarrollo cultural que se acompañara de formas de arte en el sentido que hemos estudiado hasta ahora: con reyes aún concebidos como jefes guerreros, una sociedad ajena a la vida urbana y recién cristianizada, y arrastrando aún un pasado nómada, los germanos no necesitaban ni podían crear palacios, edificios civiles o imágenes religiosas. Por tanto, estos pueblos carecían de modelos arquitectónicos y escultóricos propios, aunque sí desarrollaron unas formas peculiares en la orfebrería.

En la península italiana y en las zonas más romanizadas (sur de Hispania y Galia), la superioridad numérica y cultural de la población indígena hizo que los invasores adoptaran los modelos artísticos heredados de Roma, y podemos observar en el arte de los primeros reinos germánicos una continuidad del arte paleocristiano que se desarrolló a finales del siglo v. Así, por ejemplo, el rey ostrogodo Teodorico se hizo construir un mausoleo en Ravena, con planta octogonal, dos pisos (el inferior para el culto y el superior para el sepulcro) y gran cúpula tallada en un solo bloque de piedra, en la tradición de enterramiento que conocemos de Roma. En el sur de Francia se pueden reconocer pervivencias paleocristianas durante los siglos VI y VII, y así se construyeron basílicas (con aparejo poco trabajado) o baptisterios con planta central, como por ejemplo el de San Juan de Poitiers, con planta de cruz griega. De los visigodos, uno de los pueblos germánicos más romanizados y del que se han conservado más restos, nos ocuparemos más adelante.

Mausoleo de Teodorico en Ravena, finales del siglo v.

En las zonas menos romanizadas, como por ejemplo las islas Británicas, la tradición germánica se impuso. Irlanda se evangelizó pronto, en el siglo v, y desde allí partió la evangelización de Inglaterra; en estos territorios la decoración de cruces, libros sagrados, sarcófagos y joyas tiende a cubrir todo el espacio con diseños geométricos de complicados entrelazos que proceden de la tradición celta. Esta tendencia a cubrir toda la superficie con decoración es lo que se ha dado en llamar "horror al vacío".

Un intento de recuperar el mundo clásico: el arte carolingio

Carlomagno, que fue rey de los francos entre el 768 y el 784, recibió del papa la corona de emperador en la Navidad del año 800, como jefe político y espiritual de todos los reyes que entonces ocupaban los territorios occidentales que antes habían sido romanos.

Desde su corte en Aquisgrán, quiso recuperar la cultura clásica y construyó un conjunto de edificios con la estética y los sistemas constructivos romanos, entre los que destacaban la sala regia (lugar del trono) y la capilla palatina, unidas por un enorme patio rectangular.

Carlomagno también emprendió una homogeneización de los ritos y edificios religiosos en un intento de fortalecer la unidad del mundo católico. Durante su reinado, que duró hasta el año 814, se extendió un tipo de iglesia que influyó más tarde en el románico y que solía tener: planta basilical; bóvedas de medio cañón o de arista (formadas por la intersección de dos bóvedas de cañón); un pórtico alto (tribuna) y torres en la fachada occidental, donde estaba la entrada; y una cripta bajo el ábside de la cabecera.

El arte carolingio destaca también por sus excelentes marfiles, de clara raigambre romana, y por sus manuscritos, que están magníficamente ilustrados y tienen un tipo de letra especialmente claro que siglos más tarde se tomó para la imprenta.

Evangelio de Kells, siglos VIII-IX. En este ejemplo se aprecia la complicada decoración de entrelazos y motivos geométricos típica de la tradición celta.

La capilla palatina de Aquisgrán: la continuidad de un modelo clásico

Lo que hoy es la catedral de Aquisgrán fue en origen la capilla del palacio (hoy desaparecido) de Carlomagno, que tuvo en esta ciudad una de las sedes de la corte imperial. Actualmente el exterior está muy alterado por añadidos góticos y barrocos. Se conoce el nombre del autor, Eudes de Metz, y las crónicas cuentan que para construir esta obra el emperador mandó traer mármoles de Italia y que se apoderó de las puertas del mausoleo de Teodorico en Ravena. Fue construida a principios del siglo IX.

La estructura del edificio

La *planta* es octogonal, tiene deambulatorio y una cúpula en el centro. En vez de nártex, la capilla palatina tiene un vestíbulo flanqueado por dos torres. La distribución interior se organiza con arcos de medio punto que separan el cuerpo central del deambulatorio, y este último está dividido en dos alturas. Tanto la planta como la organización interior del edificio tienen cierta similitud con San Vital de Ravena, aunque no hay documentos que atestigüen una relación directa entre ambas construcciones.

Hace falta fijarse en el aspecto interior para apreciar cómo la capilla de Aquisgrán está mucho más cerca de la Roma clásica que de San Vital: con la alternancia de colores de las dovelas se definen claramente los arcos, que subrayan así su carácter arquitectónico, y la estructura del edificio carolingio es en general más robusta y nítida. Los capiteles y fustes de las columnas están reaprovechados de edificios clásicos o son copias bastante fieles de éstos. También en Aquisgrán hubo mosaico, como en las iglesias bizantinas, pero la decoración no ocultaba la arquitectura.

Interior de la capilla palatina de Aquisgrán, primeros años del siglo IX.

Expresión del renacimiento carolingio

La capilla palatina es una expresión del renacimiento romano que Carlomagno se propuso conseguir. La arquitectura es más clásica que en San Vital porque los elementos arquitectónicos tienen valor por sí mismos y no aparecen confundidos bajo la decoración y el deslumbramiento que en la iglesia bizantina produce el mosaico. Por otra parte también está a salvo de influencias germánicas, que el emperador consideraba bárbaras, ni hay elementos decorativos de la orfebrería o los tapices.

El interés de Carlomagno por construir un gran complejo arquitectónico, en el que la iglesia y el palacio quedaran asociados, puede explicarse como un deseo de imitar los enormes palacios de los emperadores romanos, y sobre todo, el palacio de Domiciano en Roma.

Planta de la capilla palatina de Aquisgrán.

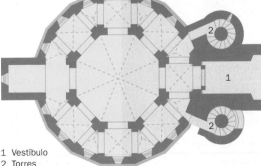

1 Vestíbulo
2 Torres

3. EL ARTE VISIGODO EN ESPAÑA

Arquitectura de época visigoda

Los visigodos fueron los más romanizados de los germanos y su asentamiento temprano en el imperio de Occidente facilitó la aparición de un arte de tradición clásica, con influencias bizantinas y paleocristianas, sobre todo en las ciudades más importantes (Toledo, Mérida, Sevilla). En la zona occidental y norte de la Península, donde el peso de la tradición antigua era mucho menor, el arte visigodo es más peculiar y está más cerca de sus raíces bárbaras; precisamente en esta zona, sobre todo en el valle del Duero, han pervivido más obras visigodas porque quedó relativamente a salvo de la invasión musulmana (711). Se trata de iglesias pequeñas, cuyo espacio se encuentra condicionado por las exigencias del culto. Entre ellas destacan las de Santa María de Quintanilla de las Viñas (Burgos), San Pedro de la Nave (Zamora) y San Juan de Baños (Palencia).

Los visigodos seguían una herejía de origen oriental, el arrianismo, que se distinguía del catolicismo, además de por cuestiones teológicas, por sus complicados ritos, que tuvieron su reflejo en la arquitectura de las iglesias. En ellos los fieles no podían presenciar determinadas partes de las ceremonias, y el sacerdote necesitaba mucho espacio y elementos que separaran las naves del altar. Por ello las iglesias visigodas presentan una cabecera amplia con capillas auxiliares y elementos de separación como el *septum* y el *iconostasis*.

Interior de la iglesia de San Juan de Baños (Palencia), siglo VII. El arco de herradura y un espacio muy compartimentado son característicos de la arquitectura visigoda.

La planta de estas iglesias suele ser basilical, aunque también hay alguna de cruz griega; las distintas capillas se abren en los brazos o en la cabecera. Tanto las capillas auxiliares como la propia cabecera de la iglesia tienen los muros planos (esto es, sin ábside). El arco visigodo es de herradura poco acusada; este tipo de arco ya existía en territorio romano, sobre todo en la zona oriental del imperio.

La decoración de las iglesias

Las iglesias visigodas se decoraban con relieves que están siempre supeditados a la arquitectura y condicionados por el espacio que ésta les permite. La Iglesia visigoda, también por su origen oriental, rechazaba la representación iconográfica de las personas sagradas, y en el siglo VI sólo aparecen representados temas vegetales y abstractos.

Los motivos están tomados de diferentes fuentes: hay motivos vegetales como los que se usaban en la Roma clásica, símbolos del repertorio paleocristiano (pavos, uvas) y otros de la propia tradición germánica, como las cruces patadas (de brazos iguales y los extremos más anchos) y los entrelazos a base de cordones o sogas.

Muchos están labrados con una talla en la que la superficie no queda pulida, sino con una arista (talla a bisel). Su diversidad de talla y estilos induce a creer que se copiaran indistintamente de tapices, piezas de orfebrería o cofres de madera.

En el siglo VII comenzaron a aparecer temas figurados, quizá por la conversión de la población visigoda al catolicismo, pero se mantuvieron estas características técnicas, así como un cierto rechazo a la representación icónica.

La orfebrería

La tradición nómada pervivió entre los pueblos germánicos en algunos aspectos de su cultura material, como por ejemplo en el gusto por la orfebrería. Se trata de piezas toscamente trabajadas, en las que es más importante la riqueza del material que la factura. Destacan las fíbulas (broches para sujetar el manto), a veces con forma de águila, y las coronas votivas, piezas suntuosas que se donaban a los templos como ofrendas. Son piezas muy coloristas en las que se insertaban cabujones o piedras preciosas pulimentadas (no talladas).

Corona votiva de Recesvinto, procedente del tesoro de Guarrazar (Toledo), siglo VII.
Fue donada por el rey Recesvinto a la Iglesia para demostrar su fidelidad. Estas piezas de orfebrería se acompañaban de cruces y cálices de factura similar. La técnica más usada era la de los cabujones, que están encerrados en celdillas.

TRES OBRAS VISIGODAS

La iglesia de **San Juan de Baños** fue
edificada por el rey Recesvinto en el
siglo VII para agradecer a san Juan
Bautista la curación que había hallado
en las aguas de esa localidad.

San Juan de Baños, en Baños de Cerrato (Palencia), siglo VII.

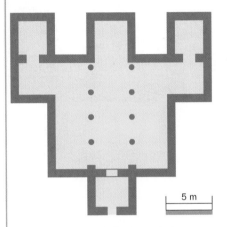

Planta de la iglesia de San Juan de Baños.

5 m

La *planta* es basilical, pero con tres capillas en la cabecera completamente
separadas. Las capillas auxiliares eran ya frecuentes en el arte paleocristiano y
solían ocupar los brazos de la cruz en las basílicas. El que aparezcan tan separadas
puede deberse a la incapacidad técnica de los arquitectos visigodos para apoyar
dos bóvedas en un mismo muro. Las tres capillas tienen muros planos, sea
también por incapacidad técnica para hacer ábsides o por cuestiones rituales.

En **Santa María de Quintanilla de las Viñas** (Burgos) se hallaron sillares
labrados que representan el Sol y la Luna. Estos relieves muestran cómo fue
penetrando la decoración figurada en las iglesias visigodas. La iconografía es
de origen romano: el "Sol nunca vencido" (Sol invictus), el sol deificado,
que a veces era una representación del emperador. El motivo se usa para
representar a Cristo. Las figuras son esquemáticas, y en vez de modelados los
detalles están incisos (pelo, pliegues, alas, etc.). En ellas se ve la pérdida del
naturalismo del arte visigodo con respecto al romano y la tendencia a la
geometrización de las formas.

*Relieve de Santa María de Quintanilla
de las Viñas (Burgos), siglo VII.*

De la iglesia de **San Pedro de la Nave** (Zamora), de la segunda mitad del siglo VII,
son muy interesantes sus *capiteles* labrados.

Uno de los capiteles recoge un tema del Antiguo Testamento: Abraham se
dispone a sacrificar a su hijo Isaac por mandato de Dios, antes de que Éste
envíe un ángel que lo impida y un cordero que sustituya a la víctima. Las figuras
se adaptan al espacio y se reducen a lo esencial: el padre a punto de sacrificar
al hijo, el cordero que por fin será objeto de sacrificio y la mano intercesora de
Dios. La talla y el esquematismo son propios de la decoración geométrica, como
la del cimacio del propio capitel.

*Capiteles del transepto de San Pedro de la
Nave (Zamora), segunda mitad del siglo VII.*

El otro capitel recoge otro tema bíblico: el profeta Daniel fue mandado encerrar
por el rey de Babilonia en un foso lleno de leones; Dios premió su fidelidad
impidiendo que las fieras lo devoraran. La figura del profeta está muy
desproporcionada y aparece con el gesto de oración antiguo, con las manos
elevadas. Los leones parecen copiados de algún tapiz o pieza de orfebrería
y se ajustan completamente al marco.

Estos dos capiteles permiten estudiar la forma en la que los visigodos
incorporaron la decoración figurada a las iglesias, subordinada a la arquitectura
y a los espacios que ésta dejaba. Los temas prolongan la tradición paleocristiana,
en los que se insiste en que Dios salva a aquellos que confían en Él. Destaca el
sacrificio del concepto clásico de belleza y de las proporciones a favor del
significado religioso de las escenas.

Ámbito espacial y cronológico

El reino de Asturias surgió a principios del siglo VIII como un enclave cristiano aislado de otros reinos de su misma religión por la ocupación musulmana de la península Ibérica. Desarrolló un arte muy peculiar, en el que se reinterpretaron y recrearon elementos de la tradición romana, visigoda y germánica. Tanto su ámbito geográfico como su extensión en el tiempo (siglos VIII y IX) son muy reducidos, y estas obras apenas tuvieron influencia sobre el arte medieval posterior.

Los monarcas asturianos intentaron a través de su arte fijar unos modelos que enlazaran claramente con la tradición anterior a la conquista musulmana; con ello reafirmaban la legitimidad de su dinastía frente al islam. Con el reinado de Ramiro I (842-850), uno de los períodos más brillantes desde el punto de vista artístico, los elementos característicos del arte asturiano están completamente desarrollados; las obras más importantes del momento fueron las construcciones del monte Naranco (la iglesia de San Miguel de Lillo y un palacio o pabellón de caza convertido después en la iglesia de Santa María), situadas a las afueras de Oviedo. Con el reinado de Alfonso III (866-910) se inició la repoblación del valle del Duero, y a partir de entonces el foco asturiano perderá su importancia y también su arte.

Iglesia de San Salvador de Valdediós (Asturias), finales del siglo IX. Ésta fue una de las últimas obras del arte asturiano y se construyó en época del rey Alfonso III. Destaca el escalonamiento de los distintos volúmenes que forman la iglesia: la nave central, las laterales, el transepto, etc.

Singularidad y fuentes del arte asturiano

La arquitectura asturiana es muy singular, quizá porque este reino estuvo aislado y pudo desarrollar su propia personalidad. Salvo el palacio del Naranco, las construcciones que nos han llegado del arte asturiano son iglesias. Los edificios tienen un aspecto elevado, con altos contrafuertes y arcos de medio punto y peraltados (aquellos en los que la rosca del arco se inicia más arriba de la línea de imposta). Para cubrir las naves se empleaban bóvedas de medio punto que, además, se refuerzan en el interior con arcos fajones. Sobre la entrada de las iglesias hay una pequeña cámara que pudo ser el tesoro (lugar donde se guardaban los exvotos).

La arquitectura tiene abundante decoración. Se han conservado restos de unas interesantes pinturas en San Julián de los Prados (primera mitad del siglo IX), que simulan arquitecturas y que después analizaremos. En cuanto a la decoración en relieve, los fustes de las columnas tienen incisiones diagonales que les hacen parecer grandes cuerdas; también hay decoración de sogas en los capiteles y en los arcos. Distintos elementos ornamentales, como por ejemplo las bandas decorativas que cubren los arcos fajones y que se rematan con medallones (llamados clípeos), quizá copien elementos de orfebrería, celosías, tapices, etc., que decorarían los edificios y que los artistas asturianos quisieron recoger en piedra.

Interior de la iglesia de Santa Cristina de Lena, en Pola de Lena (Asturias), mediados del siglo IX. Destaca el interesante iconostasis que consiste en tres arcos peraltados y decorados con celosías y un cancel que tiene tallas y motivos visigodos.

Algunas de estas características son exclusivas del arte asturiano y pueden interpretarse como creaciones originales. Sin embargo, también podemos reconocer elementos que tienen su origen en épocas anteriores. De tradición visigoda puede ser la aparición en sus iglesias de cabeceras planas y divididas en tres cámaras, y algunas formas de decoración, como el sogueado; también en las piezas de orfebrería asturianas se aprecian influencias visigodas. La pintura de arquitecturas y los temas de algunos relieves pueden tener una inspiración romana, que ya quedaba muy remota y que se retomó en esta época precisamente porque se asocia a un arte palaciego y se considera apropiado a las iglesias protegidas por el poder real. También pudo influir en el arte asturiano el arte carolingio (la corte de Carlomagno quedó en el siglo IX como modelo de corte europea), tanto en la tendencia a la planta basilical como en la presencia de una arquería que recuerda a las tribunas de las iglesias carolingias.

Santa María del Naranco

Esta construcción formaba con la iglesia de San Miguel de Lillo un conjunto de palacio e iglesia que el rey Ramiro I mandó construir en la primera mitad del siglo IX en el monte Naranco, cerca de Oviedo. Por su ubicación pudo ser sencillamente un pabellón de caza o bien un "aula regia", esto es, un auténtico palacio. Aunque se concibiera como edificio laico, fue consagrado como iglesia de Santa María cuando aún vivía Ramiro I, el año 848, según la inscripción del altar.

Ligereza y altura

La *planta* es alargada, con dos miradores o belvederes en los lados menores y escaleras de doble tramo en los mayores. Los dos pisos están cubiertos por bóveda de cañón, reforzada en el superior con arcos con fajones.

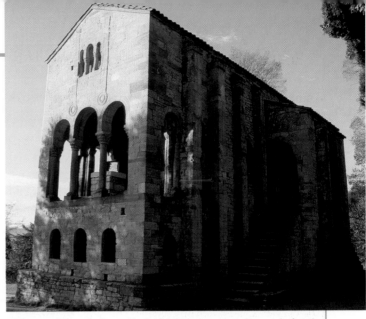

Aspecto exterior de Santa María del Naranco, a las afueras de Oviedo, mediados del siglo IX.

Piso superior de Santa María del Naranco.

En la vista *exterior* se aprecia que cada piso tiene su propia entrada y que sobre los miradores del piso superior hay pequeñas cámaras, como los llamados "tesoros" de las iglesias. El aspecto general del edificio es el de una construcción muy elevada y bastante ligera, gracias sobre todo a los contrafuertes que subrayan la verticalidad.

Los elementos arquitectónicos y decorativos corresponden al momento más puro del arte asturiano. Los arcos son peraltados, las columnas están sogueadas, hay capiteles troncocónicos con decoración también sogueada en cuyos espacios vacíos aparecen elementos figurativos (animales y hombres). Es interesante la utilización de la bóveda como sistema constructivo, que aparece reforzada por arcos fajones que se prolongan y rematan con los característicos clípeos. Los arcos de descarga que se suceden a ambos lados de la nave no sólo alivian el peso del muro, sino que crean un ritmo que hace armonioso el espacio interior y establece una continuidad entre la nave y los miradores.

Uno de los pocos edificios civiles de época medieval

Aunque pronto se convirtiera en iglesia, el edificio fue concebido como palacio y hay que interpretarlo como tal. Para algunos autores, puede ser una versión en piedra de un tipo primitivo de palacio germánico que se construía con madera, y que también pudo ser el que se siguió para hacer el palacio de Carlomagno en Aquisgrán. Esto explicaría que la construcción fuese reducida y alargada, ya que las vigas de madera no permiten cubrir espacios muy amplios. Así se explicarían también las características de la decoración, que copiaría los tapices y medallones de bronce que había en estos edificios.

Según otros estudios más recientes, el edificio tendría su inspiración en un tipo de palacio romano aún vigente en la época. La bóveda de cañón, perfectamente sustentada por arcos de descarga, el muro y los contrafuertes, indican un gran dominio de la construcción en piedra; además, en el piso inferior había un baño, modesto, pero que indica hasta qué punto las técnicas constructivas romanas y el refinamiento propios de un palacio de tipo romano seguían siendo el modelo de estas primitivas monarquías medievales. Éste es uno de los poquísimos edificios civiles de época medieval que se conservan, lo que aumenta el interés de la obra.

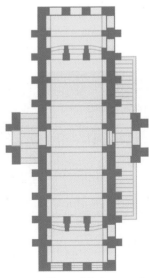

Planta del piso superior de Santa María del Naranco.

SAN JULIÁN DE LOS PRADOS

La obra

La iglesia de San Julián de los Prados o de Santullano fue en origen una basílica extramuros de Oviedo que mandó construir Alfonso II el Casto en la primera mitad del siglo IX para una comunidad monástica; hoy queda dentro de la parte moderna de la ciudad. Entre las iglesias asturianas destaca porque conserva bastantes restos de la decoración pintada que tenía el interior y por ser un interesante precedente de las obras del período ramirense.

Exterior de San Julián de los Prados. Vista de la cabecera de la iglesia.

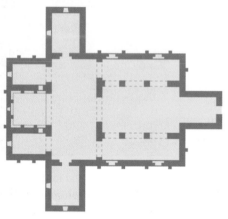

Planta de San Julián de los Prados.

Análisis formal

– La **planta** es basilical con tres naves, con un gran transepto (nave que corta la nave central) y una cabecera tripartita (con tres capillas) con muros planos. La división de las naves está hecha por arcos de medio punto sobre pilares de planta cuadrada. El interior es amplio y luminoso, porque la altura no es tanta que haya forzado a hacer los muros y los pilares demasiado gruesos. En la iglesia se reservó un espacio, la tribuna, para que el soberano pudiera asistir a los oficios.

– La **decoración mural** es uno de los aspectos más relevantes de este edificio. Las paredes están cubiertas enteramente por pinturas en las que no aparecen imágenes, sino elementos arquitectónicos esquematizados dispuestos en dos frisos y con efectos de perspectiva. En el registro superior aparece una cruz entre las arquitecturas. La parte inferior, que engloba hasta los arcos, tiene una decoración exclusivamente ornamental.

Significado

La **estructura arquitectónica** es, según expresión de las crónicas, muy "romana". Esto quiere decir que es fiel a la tradición paleocristiana, que es el legado inmediato de Roma que los arquitectos asturianos pudieron conocer. Muchos elementos nos recuerdan a las construcciones de la Roma antigua: los arcos de medio punto, el que la arquitectura tenga unos elementos tan definidos y rotundos, y la planta basilical. Recordemos, además, que en el mundo hispanovisigodo se habían conservado elementos de la tradición tardorromana. A las iglesias visigodas recuerdan también el amplio transepto y la cabecera plana dividida en tres cámaras.

Detalle de las pinturas donde se puede apreciar las arquitecturas representadas.

La **decoración mural** se suele interpretar como una derivación de la pintura arquitectónica de tradición romana. Todos los autores coinciden en señalar que se trata de una representación de la Jerusalén Celeste, que estaría reflejada en el friso superior. En él la imagen de Cristo se ha sustituido por una cruz, lo que evidencia el carácter anicónico y simbólico de estas pinturas. Junto a la cruz se ven las letras griegas *alfa* y *omega* (primera y última de este alfabeto), que tienen un claro mensaje: Cristo es el principio y el fin. El friso inferior, decorado también con arquitecturas pero entre las que no aparece la cruz, representaría el mundo terrenal.

Interior de la basílica de San Julián de los Prados. Oviedo, primera mitad del siglo IX.

La obra

San Miguel de Lillo se interpreta como una iglesia palatina que correspondería al palacio de Santa María del Naranco y fue edificada en época del rey Ramiro I en el año 848. Sólo se conserva la tercera parte del edificio original, la que corresponde al vestíbulo y arranque de las naves; el resto fue arrasado por un corrimiento de tierras que tuvo lugar a finales de la Edad Media.

Análisis formal

Su aspecto es el de un edificio elevado y que se desarrolla en sentido vertical. Como en Santa María, este efecto se consigue gracias a los contrafuertes y a la ausencia de vanos en el piso inferior. En el piso superior destaca la decoración calada de las ventanas, con elementos geométricos y arquitos peraltados sobre fustes con ornamentación de soga.

Se han conservado unos interesantes relieves que decoraban las jambas de la puerta cuyas escenas están enmarcadas por motivos geométricos. Dos de estas escenas, la superior y la inferior, repiten el mismo motivo: un personaje principal aparece sentado entre otros dos que forman su séquito. En el centro aparece una escena circense. Las figuras de hombres y animales aparecen muy simplificadas, con un relieve muy plano en el que la silueta y los detalles son incisiones y no se definen por el modelado. Los motivos que enmarcan las escenas parecen tener su origen en elementos vegetales: hojas, rosetas, piñas (en las diagonales de la jamba), pero muy simplificados y dispuestos de forma geométrica.

Exterior de San Miguel de Lillo, hacia mediados del siglo IX.

Significado

La iglesia de San Miguel de Lillo pertenece al período ramirense y en ella se pueden reconocer características que hemos advertido en Santa María del Naranco, como la verticalidad de la edificación, el empleo de sistemas constructivos abovedados y el uso de arcos peraltados y decoración sogueada. Las jambas son excepcionales. Reproducen la decoración de un díptico consular, que era una pieza de marfil que los cónsules del bajo imperio y de Bizancio encargaban para conmemorar su designación para esta magistratura. La escena de circo aludiría a los juegos que el nuevo cónsul costeaba con motivo de su ascenso. La ausencia de modelado y de auténtica técnica escultórica y su sustitución por la incisión recuerdan a la plástica visigoda y confirman la inspiración de esta decoración en un marfil o medalla. La simplificación de los elementos vegetales, tomados también del mundo clásico, está en la línea de geometrización y esquematismo que hemos observado en el arte visigodo y en la decoración asturiana.

Puede sorprender que un tema laico aparezca en el ingreso de una iglesia, pero hay que recordar que los temas relacionados con el poder político se consideraban propios de una capilla real, encargada por el monarca y que formaba parte de un conjunto palatino. En este caso puede que el personaje entronizado sea el propio Ramiro I.

Jamba de la puerta de San Miguel de Lillo, hacia mediados del siglo IX.

- ¿Qué semejanzas puedes establecer entre la iglesia de San Julián de los Prados y la capilla palatina de Aquisgrán?
- ¿En qué otras iglesias de esta misma unidad didáctica hemos visto decoración simbólica?
- A modo de síntesis, enumera los sistemas constructivos y decorativos romanos que perviven en el arte asturiano.
- A partir de los contenidos de esta unidad, desarrolla un tema sobre arquitectura religiosa y poder político en los primeros siglos de la Edad Media.

SÍNTESIS

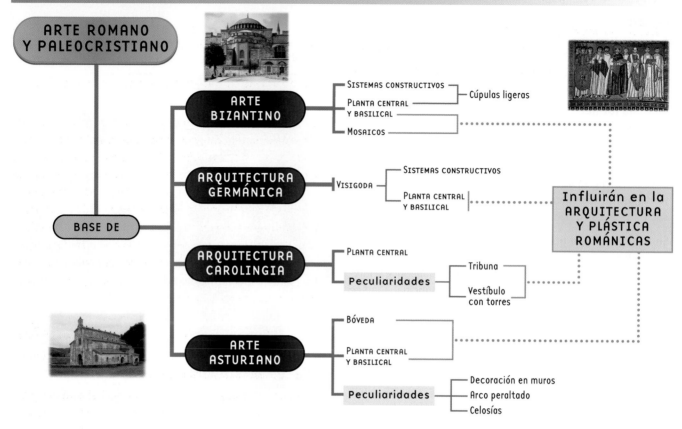

ARTE ROMANO Y PALEOCRISTIANO

BASE DE

ARTE BIZANTINO
- Sistemas constructivos
- Planta central y basilical — Cúpulas ligeras
- Mosaicos

ARQUITECTURA GERMÁNICA
- Visigoda
  - Sistemas constructivos
  - Planta central y basilical

ARQUITECTURA CAROLINGIA
- Planta central
- Peculiaridades
  - Tribuna
  - Vestíbulo con torres

ARTE ASTURIANO
- Bóveda
- Planta central y basilical
- Peculiaridades
  - Decoración en muros
  - Arco peraltado
  - Celosías

Influirán en la **ARQUITECTURA Y PLÁSTICA ROMÁNICAS**

	CRONOLOGÍA	CARACTERÍSTICAS	OBRAS PRINCIPALES
ARTE BIZANTINO DE LA *PRIMERA EDAD DE ORO*	Siglo VI	• Continuación de los sistemas constructivos romanos. • Preferencia por la planta central, aunque en Italia pervive la planta basilical. • Cúpulas más ligeras. • Sistema de descarga en semicúpulas y exedras. • Tendencia a la esquematización y a camuflar los elementos arquitectónicos. • Capiteles calados de origen corintio. • Fustes lisos. • Aspecto exterior sobrio e interior ricamente decorado. • Gran desarrollo del mosaico con escenas sagradas: hieratismo, ausencia de paisaje y perspectiva, elementos simbólicos paleocristianos, carácter sacro y cortesano.	• Santa Sofía de Constantinopla. • San Vital de Ravena. • San Apolinar del Puerto (Ravena). • San Apolinar el Nuevo (Ravena).
ARTE DE LOS PUEBLOS GERMÁNICOS	Siglos V-VII	**Ostrogodos, merovingios, etc.** • Influencia romana y paleocristiana en la arquitectura. • Tradición germánica en la decoración geométrica y abigarrada.	• Baptisterio de San Juan de Poitiers. • Mausoleo de Teodorico en Ravena.
		Arte visigodo • Influencia romana y paleocristiana. • Arcos de herradura. • Plantas con capillas y amplia cabecera. • Separación entre las naves y el altar. • Aniconismo, que se va abandonando, y esquematismo en la decoración. • Talla a bisel. • Interesantes piezas de orfebrería.	• Santa María de Quintanilla de las Viñas. • San Pedro de la Nave. • San Juan de Baños. • Coronas votivas y fíbulas.
ARTE CAROLINGIO	Siglo IX	• Influencia romana y bizantina. • Fijación de un modelo de iglesia que tendrá gran repercusión posterior.	• Capilla palatina de Aquisgrán.
ARTE ASTURIANO	Siglo IX	• Recuperación del pasado romano y visigodo. • Empleo de arcos peraltados y de medio punto. • Utilización de la bóveda de cañón reforzada por arcos fajones. • Cabeceras planas. • Decoración de relieves con motivos de sogueado. • Pintura mural en iglesias.	• San Julián de los Prados. • Conjunto del monte Naranco (Santa María y San Miguel de Lillo). • Santa Cristina de Lena. • San Salvador de Valdediós.

HACIA LA UNIVERSIDAD

1. Desarrolla uno de estos dos temas:

   a) *La arquitectura bizantina: tipos de plantas, sistemas y elementos constructivos y ejemplos más importantes.*

   b) *La arquitectura prerrománica del reino asturiano.*

2. Analiza y comenta estas imágenes:

3. Define o caracteriza brevemente: *talla a bisel, arco peraltado, cabujón, clípeo, transepto, planta de cruz griega.*

4. Lee este texto y contesta a las preguntas que se plantean a continuación:

Santa Sofía ilustra con nitidez los principios fundamentales del arte bizantino. Su construcción marca el punto de partida de un tipo de trazado, el de la iglesia abovedada y con planta central (independiente de cuál fuera su función específica), que va a determinar el carácter y desarrollo de la arquitectura religiosa en Oriente durante más de un milenio. Primero los arquitectos bizantinos y luego los balcánicos y rusos, toman un camino que difiere radicalmente del escogido por Occidente, que va a continuar considerando la basílica como la forma de edificio más apropiado durante la Edad Media e incluso después.

CORTÉS ARRESE, M.: *El arte bizantino.*
Barcelona, Historia 16, 1989

— ¿Qué es una planta central? ¿Qué forma tenía, concretamente, la de Santa Sofía de Constantinopla?

— El texto dice que Santa Sofía determinó el carácter y desarrollo de la arquitectura religiosa en Oriente. ¿Qué precedentes podrías señalar de este modelo de edificios?

— ¿Qué origen y forma tiene una planta basilical? ¿Qué iglesias bizantinas adoptaron este tipo de planta?

— Sitúa la iglesia de Santa Sofía en su contexto histórico y cultural.

PASADO Y PRESENTE EN EL ARTE

Observa estos dos capiteles. El primero de ellos es un capitel corintio clásico y el segundo pertenece a una iglesia visigoda del siglo VII.

— Comenta qué tienen en común.

— ¿Cómo evoluciona el capitel corintio en época visigoda? ¿En qué se han convertido las volutas y las hojas de acanto?

— ¿Qué diferencias en cuanto a la talla se pueden apreciar? ¿Y en cuanto a la forma del capitel?

Capitel corintio clásico.

Capitel visigodo.

7. ARTE ISLÁMICO

En el siglo VII, en la actual Arabia Saudí surgió una de las confesiones monoteístas más influyentes de todos los tiempos: el islam. La nueva religión, predicada por el profeta Mahoma y plasmada en el texto sagrado del Corán, supuso, además de una doctrina religiosa, una forma de vida que se extendió con extraordinaria rapidez a partir del año 622 d.C. por Asia, África y Europa.

El arte islámico está condicionado por la religión, que es su razón de ser. La nueva fe originó un arte singular, caracterizado por su capacidad de absorber y reinterpretar el lenguaje artístico de las culturas con las que el islam entró en contacto a través de su expansión territorial. Este arte alcanzó un gran refinamiento, lleno de matices decorativos, y aportó interesantes soluciones ornamentales a la historia de las formas.

Cúpula de la mezquita de Córdoba.

**UN ARTE PARA LOS SENTIDOS.
DESCRIPCIÓN DEL SALÓN RICO DEL PALACIO CALIFAL
DE MEDINA AL-ZAHRA EN CÓRDOBA**

Otra de las maravillas de al-Zahra era el salón llamado de los califas [...]. Eran de oro y plata las tejas de este magnífico salón y, según Ben Baskuwal, había en el centro del mismo un gran pilón lleno de mercurio.

Daban entrada al salón ocho puertas de cada lado, adornadas con oro y ébano, que descansaban sobre pilares de mármoles variados y cristal transparente. Cuando el sol penetraba en la sala a través de estas puertas y reflejaba en las paredes y techo, era tal su fuerza que cegaba. Y cuando Al Nasir quería asombrar a algunos de sus cortesanos, le bastaba hacer una seña a uno de sus esclavos para poner en movimiento el mercurio, e inmediatamente parecía que toda la habitación estaba atravesada por rayos de luz y la asamblea empezaba a temblar, porque se tenía la sensación de que el salón se alejaba, sensación que duraba mientras se movía el mercurio.

SÁNCHEZ ALBORNOZ, C.: *La España musulmana*. Madrid, Espasa Calpe, 1982. 6.ª edición, t. I., pp. 334-335

CLAVES DE LA ÉPOCA

– Una civilización y un
arte de encrucijada

– Un arte al servicio
de la fe

– Un arte y un mundo

**1. EL ARTE ISLÁMICO:
REINTERPRETACIÓN
Y CREACIÓN**

– Una arquitectura
ecléctica

– Un arte de gran
riqueza decorativa

**2. ARTE ISLÁMICO
EN ESPAÑA**

– Del arte califal al arte
de los reinos de taifas
(siglos VIII-XI)

– La depuración
artística
de las invasiones
norteafricanas
(siglos XI-XIII)

– El arte nazarí
(siglos XIII-XV)

**3. LA HUELLA
DEL ISLAM**

– La influencia del arte
hispanomusulmán
en los reinos
cristianos del norte

– El arte mudéjar

ANÁLISIS 1

– La cúpula de la Roca

– Los alminares

ANÁLISIS 2

– La mezquita
de Córdoba

ANÁLISIS 3

– La Alhambra

S   Í   N   T   E   S   I   S

CLAVES DE LA ÉPOCA

Una civilización y un arte de encrucijada

El islam surge en la península arábiga, situada en el extremo del Mediterráneo y en la puerta de Oriente. Era un territorio privilegiado desde el punto de vista comercial, pues por él pasaban las más importantes rutas mercantiles de la antigüedad. El control de estas rutas por parte de los musulmanes favoreció de forma extraordinaria la expansión del islam y, con ella, la asimilación de las distintas culturas con las que la nueva religión entró en contacto. Este hecho caracterizó la singularidad de unas formas artísticas que recibían e incorporaban a su lenguaje las más diversas aportaciones.

El papel de la cultura islámica sería durante siglos el de mediadora entre Oriente y Occidente, introduciendo en la Europa medieval influencias orientales y a la inversa. Avances científicos e ingenios industriales (como todos los relacionados con el agua), novedades literarias, materiales y técnicas artísticas se conocieron gracias a las relaciones intercontinentales que protagonizaron los musulmanes. En este sentido, fue fundamental para la cultura europea occidental el papel que el islam jugó durante la Alta Edad Media de salvaguarda del saber de la Antigüedad clásica, mientras en Europa occidental, sumida en una larga crisis, se olvidaba este importante legado.

Sala de oraciones de la gran mezquita de Damasco, Siria (706). La influencia clásica es claramente perceptible en este edificio, una de las primeras construcciones religiosas del arte islámico.

Un arte al servicio de la fe

El arte islámico está condicionado por la religión que lo originó, el islam. La nueva fe, predicada por el profeta Mahoma en el siglo VII, requería un lenguaje artístico específico para satisfacer las necesidades litúrgicas de sus fieles. Así, para cumplir con la oración fue preciso construir un nuevo edificio, la *mezquita*; para enseñar teología se edificaron escuelas residencia llamadas *madrasas*; también fue necesario construir conventos fortaleza para los monjes guerreros dedicados a la guerra santa, los *ribat*. Por último, se realizaron objetos relacionados con la liturgia, como púlpitos para dirigir la oración, vasos rituales para celebrar el final del ayuno, alfombras sobre las que los fieles pudieran rezar en las mezquitas, etc., con lo que las artes industriales (arte textil, cerámica, cristal, marfil y trabajo de los metales) alcanzaron un alto nivel de calidad.

Con la religión islámica se creó también una nueva organización política en la que los poderes religioso y político eran asumidos por la misma persona, el *califa*. Para él se construyeron palacios fortificados inspirados en construcciones romanas y persas, con salas de audiencia, zonas de residencia, talleres reales, espacios para albergar las guarniciones militares, mezquitas para la oración, etc., que se convirtieron en auténticas ciudades palacio. En ellas se pusieron todo el empeño y todos los medios artísticos disponibles para crear un espacio imponente que mostrase el poder y la fuerza de la nueva religión.

Por otro lado, la doctrina islámica, siguiendo teorías muy arraigadas en Oriente, desaconseja representar a Dios y prohíbe adorar imágenes para evitar la idolatría (por ello se habla de *aniconismo islámico*). Debido a este hecho, la pintura quedó excluida de los edificios religiosos y relegada a la arquitectura civil y, sobre todo, a la ilustración de libros (miniaturas). Por el mismo motivo, tampoco se desarrolló en exceso la escultura en bulto redondo y en relieve con figuras humanas.

Miniatura islámica del siglo XIII: Mahoma conducido por un ángel del paraíso. La representación figurativa quedó limitada en el arte islámico a la decoración de los edificios civiles y a la ilustración de libros en los que se insertaban miniaturas como ésta.

LOS PILARES DEL ISLAM

Los principales preceptos de todo musulmán son:

- **La profesión de fe**: Atestiguar que no hay más Dios que Alá y que Mahoma es su profeta.
- **La oración**: Se debe orar cinco veces al día, repitiendo textos del Corán, inclinándose en dirección a La Meca.

- **El ayuno**: Se debe ayunar durante todo el mes del Ramadán, desde el alba hasta la noche.
- **La limosna**.
- **La peregrinación a La Meca**: Todo musulmán que pueda debe ir a La Meca por lo menos una vez en su vida.

- **La yihad**: En Occidente se traduce por "guerra santa", aunque literalmente no guarda ninguna relación con la guerra, sino que significa "esfuerzo". La *yihad* no es otra cosa sino "luchar por Dios en cualquier circunstancia".

Un arte y un mundo

La expansión del islam condicionó el arte islámico en cuanto al lenguaje formal y a las soluciones artísticas que se emplearon. Además, la enorme dimensión del territorio por donde se extendió tuvo otra consecuencia importante en el plano artístico: surgieron distintos focos locales con unos rasgos peculiares y característicos. Por último, el arte islámico se desarrolla con un lenguaje similar en un dilatado espacio de tiempo (de hecho, hoy podemos seguir hablando de arte islámico), y aunque aquí vamos a tratar exclusivamente la etapa correspondiente a la Edad Media, su larga duración (desde el siglo VII hasta el siglo XV, cuando los turcos conquistan Constantinopla y el imperio bizantino cae bajo la órbita musulmana) permite distinguir distintos períodos y etapas.

La expansión del islam

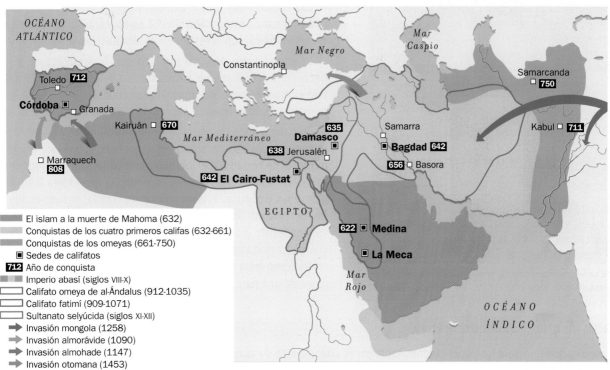

- ▬ El islam a la muerte de Mahoma (632)
- ▬ Conquistas de los cuatro primeros califas (632-661)
- ▬ Conquistas de los omeyas (661-750)
- ◾ Sedes de califatos
- **712** Año de conquista
- ▬ Imperio abasí (siglos VIII-X)
- ☐ Califato omeya de al-Ándalus (912-1035)
- ☐ Califato fatimí (909-1071)
- ☐ Sultanato selyúcida (siglos XI-XII)
- ➡ Invasión mongola (1258)
- ➡ Invasión almorávide (1090)
- ➡ Invasión almohade (1147)
- ➡ Invasión otomana (1453)

SIGLOS	HISTORIA	ARTE
VII-VIII	· *Hégira*. Comienza la era musulmana (622). · Tras la muerte de Mahoma se inicia una etapa en la que los califas son electivos (632-661). · A partir del 661 la dinastía omeya ocupa el califato y lo convierte en hereditario: califato omeya (661-750). La sede del califato es Damasco. · Etapa de gran expansión del islam: los musulmanes controlan desde la India hasta la península Ibérica (conquistada del 711 al 718).	· Época de gestación del arte islámico. Asimilación de la herencia romana, bizantina, cristiana y persa sasánida y búsqueda de un lenguaje artístico propio. · Construcción de las primeras mezquitas y palacios.
VIII-XIII	· La dinastía abasí desplaza por la fuerza a la omeya: califato abasí (750). La sede del califato se traslada a Bagdad. · Se produce la ruptura de la unidad religiosa del islam y surgen tres califatos independientes y rivales a partir del siglo IX: el califato abasí (Oriente), el califato fatimí (norte de África) y el califato andalusí (península Ibérica). · A partir del siglo XI, nuevas invasiones en los tres califatos: turcos selyúcidas en Oriente y tribus beréberes del Sahara (almorávides y almohades) en el norte de África y la península Ibérica.	· Época de esplendor del arte islámico. Consolidación y desarrollo espectacular de las artes. Comienzan a diferenciarse distintos focos locales de arte islámico. · Edificación de los primeros ribat (convento fortaleza) y madrasas (escuelas religiosas).
XIII-XV	· Sucesivas oleadas de mongoles derrotan a los turcos selyúcidas y destruyen Bagdad (1258). · Expansión de los turcos otomanos en Oriente a partir de 1281, que culminará con la toma de Constantinopla en 1453 y con la conquista del norte de África. · Dinastía nazarí en Granada (1238-1492), último reducto del islam en la península Ibérica.	· La influencia oriental, traída por los mongoles, produce un arte de gran suntuosidad y una magnificencia y ostentación sin precedentes. · Gran desarrollo de mausoleos, mezquitas y madrasas. · En el reino nazarí destacan la importancia de la arquitectura palaciega (Alhambra) y el alto desarrollo de las artes industriales.

Una arquitectura ecléctica

El arte islámico se caracteriza por su eclecticismo, es decir, por su capacidad de asimilar y reinterpretar elementos artísticos tomados de distintas culturas y fundirlos con sus propias raíces para crear nuevas formas. Las tribus árabes que habitaban en la península de Arabia antes de la llegada del islam eran nómadas y, por tanto, habían desarrollado muy poco la arquitectura; cuando los musulmanes tuvieron que construir sus edificios se inspiraron en los modelos existentes en los territorios conquistados, asimilando el arte persa sasánida, la tradición romano-bizantina y el arte cristiano, con elementos incluso indios o chinos.

Cúpula con forma de bulbo de la mezquita de Sayh Lutfullah en Ispahán (Irán), siglo XVII.

La aridez y el clima extremo del medio físico en que se originó la cultura islámica condicionaron desde el material hasta los planteamientos arquitectónicos. La escasez de piedra hizo que se perfeccionaran los elementos cerámicos, como el ladrillo y el azulejo, y que se utilizaran la madera y el yeso. La pobreza de estos materiales se enmascara, sobre todo en el interior de los edificios, con revestimientos decorativos.

La climatología provocó también que la arquitectura se volcara hacia dentro, buscando espacios frescos y confortables. En este sentido es clave el papel del agua y la naturaleza, integrados a través de fuentes, canalizaciones en superficie y agradables jardines.

En cuanto a los soportes, se emplean columnas y pilares de origen romano. Los arcos más usuales fueron el apuntado, el de medio punto, el de herradura, el lobulado, el mixtilíneo y los arcos entrecruzados. En las cubiertas utilizan carpinterías de madera labrada, junto a bóvedas y cúpulas. El desarrollo de la cúpula, basado en los modelos del mundo romano y bizantino, fue espectacular; así surgen variedades de gran belleza, como la *cúpula con forma de bulbo*; la *califal*, formada por nervios que no se cruzan en el centro, o la *gallonada*, compuesta por gallones o segmentos cóncavos parecidos a los gajos de una naranja.

Un arte de gran riqueza decorativa

La decoración adquiere un papel predominante en el arte islámico ya que, por influencia de la tradición oriental de horror al vacío (no dejar espacios sin ornamentar), ocupa toda la superficie del objeto decorado, ya sea un muro, una cerámica, una alfombra, un marfil, etc.

Los materiales más utilizados para la decoración arquitectónica fueron el yeso, la madera, la piedra y la cerámica vidriada. Todos se policromaban y el resultado final es de gran riqueza cromática.

En cuanto a las técnicas, se usan el mosaico de tradición bizantina, la escultura en relieve, el estuco y el alicatado. La composición sigue siempre unos mismos esquemas basados en la repetición seriada de los motivos, la combinación de distintas decoraciones y la simetría.

Es una decoración plana, cuyos motivos más usuales son los *geométricos* (con líneas que se enlazan y se cruzan entre sí), el *ataurique* (motivos vegetales estilizados) y los *epigráficos* (motivos de escritura) extraídos de textos del Corán.

Fachada del mihrab de la mezquita de Córdoba, siglos VIII-X.

Arco de herradura
Enjutas o albanegas
Alfiz
Arcos lobulados ciegos

LA MEZQUITA, LUGAR DE ENCUENTRO Y ORACIÓN

Las mezquitas fueron uno de los primeros monumentos creados por los musulmanes, y seguramente el más significativo. La mezquita era el lugar de reunión, donde se rezaba, se administraba justicia y se congregaba la comunidad, por lo que se necesitaban espacios amplios. No era, por tanto, la casa de los dioses del mundo grecolatino ni la casa del Dios cristiano, que requerían unas particulares condiciones para las celebraciones rituales.

Muchos investigadores han visto el origen de la mezquita en la estructura de la casa de Mahoma en Medina (un recinto cuadrado de adobe con un patio central enmarcado en su lado sur por un cobertizo de doble fila de troncos de palmera, y techado de palma y barro). Aunque los musulmanes edificaron a lo largo del tiempo diferentes tipos de mezquita, la tipología más utilizada desde la instauración del califato omeya hasta la llegada de los turcos otomanos fue la llamada mezquita hipóstila o basilical. Independientemente de su tipología, en todas las mezquitas aparece una serie de elementos fundamentales, que veremos a partir del ejemplo de la mezquita de Kairuán (Túnez), del siglo IX, uno de los mejores modelos de mezquita hipóstila.

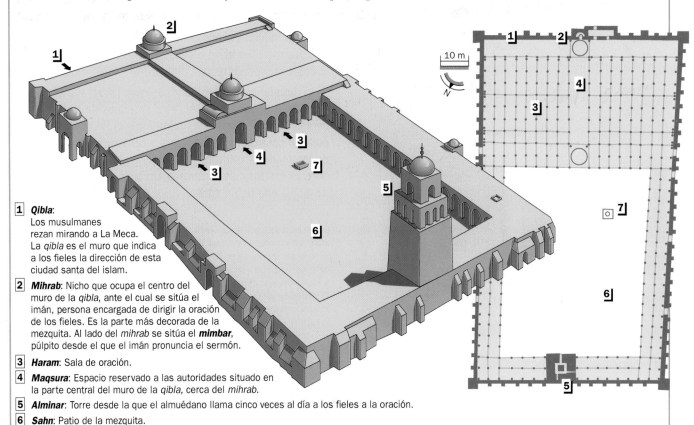

1 **Qibla**: Los musulmanes rezan mirando a La Meca. La *qibla* es el muro que indica a los fieles la dirección de esta ciudad santa del islam.

2 **Mihrab**: Nicho que ocupa el centro del muro de la *qibla*, ante el cual se sitúa el imán, persona encargada de dirigir la oración de los fieles. Es la parte más decorada de la mezquita. Al lado del *mihrab* se sitúa el **mimbar**, púlpito desde el que el imán pronuncia el sermón.

3 **Haram**: Sala de oración.

4 **Maqsura**: Espacio reservado a las autoridades situado en la parte central del muro de la *qibla*, cerca del *mihrab*.

5 **Alminar**: Torre desde la que el almuédano llama cinco veces al día a los fieles a la oración.

6 **Sahn**: Patio de la mezquita.

7 **Sabil**: Fuente para las abluciones o purificaciones rituales que los musulmanes deben realizar antes de entrar a orar en la mezquita.

Mezquita de Kairuán (Túnez), siglo IX. Destaca la cúpula gallonada que cubre el espacio de acceso al haram.

LA IMPORTANCIA DE LA MEZQUITA

La mezquita del viernes [día sagrado entre los musulmanes] *es la construcción más importante de una ciudad islámica. Todos los creyentes varones adultos deben encontrarse allí los viernes al mediodía para el servicio religioso, y el gobernante o su representante pronuncia el sermón, que además de su función religiosa tiene una función política. En la oración del viernes se invoca el nombre del gobernante, lo cual la convierte en una proclama política. De hecho, la mezquita del viernes es como un estandarte de la dinastía, la expresión personal y monumental del jefe espiritual y temporal. El gigantesco complejo arquitectónico de la mezquita del viernes y el palacio del príncipe gobernante constituyen una constante de la ciudad islámica desde sus inicios en el Cercano Oriente.*

BARRUCAND, M., y BEDNORZ, A.: *Arquitectura islámica en Andalucía*. Benedikt Taschen, 1992, p. 40

Del arte califal al arte de los reinos de taifas (siglos VIII–XI)

La primera etapa del arte hispanomusulmán se corresponde con la dominación de la dinastía omeya y se conoce, de forma general, como **arte califal** (750-1031). Éste toma del arte hispanorromano técnicas constructivas y elementos arquitectónicos (dobles arquerías superpuestas, alternancia de piedra y ladrillo en dovelas, aparejo a soga y tizón, etc.) y del arte visigodo el arco de herradura. A estos elementos arquitectónicos, el califal añade otros del arte islámico, como las cúpulas de crucería, el alfiz (moldura que enmarca el arco) o el uso de una variada tipología de arcos (lobulados, entrecruzados, etc.). El resultado es un *arte de síntesis* que refleja lo que durante siglos supuso la convivencia entre las distintas religiones de la península Ibérica.

Elegida Córdoba como capital, los musulmanes la convirtieron en uno de los principales focos culturales y artísticos europeos. Los ejemplos más significativos de ese esplendor son la mezquita mayor [ver páginas de análisis de obras] y la fastuosa ciudad-palacio de Medina al-Zahra, construida por Abderramán III en el siglo X a las afueras de la ciudad, de la que quedan muy pocos restos.

La desaparición del califato cordobés (1031) supuso la fragmentación política de al-Ándalus en **reinos de taifas**. Los soberanos de estos pequeños reinos, con el fin de demostrar su pujanza política, rivalizarán en sus construcciones complicando los modelos califales e incrementando la decoración para obtener efectos más suntuosos. Un buen ejemplo es el palacio de la Aljafería de Zaragoza.

Salón Rico de Medina al-Zahra, Córdoba, siglo X. Esta ciudad-palacio poseía una decoración exuberante. Las paredes de las salas principales estaban casi totalmente recubiertas con paneles decorativos siguiendo la tradición de los palacios omeyas orientales. También abundaban los mosaicos, las esculturas de mármol, la piedra tallada, el estuco y la madera tallada y pintada.

La depuración artística de las invasiones norteafricanas (siglos XI–XIII)

Entre 1086 y 1238 se suceden dos oleadas de invasiones protagonizadas por pueblos norteafricanos, que se distinguen por su celo religioso y su belicosidad, y que propiciarán un desarrollo de la arquitectura defensiva y una simplificación de los esquemas decorativos.

En primer lugar los **almorávides** (de cuya ocupación apenas han quedado restos materiales en España), que introducen una nueva decoración geométrica en forma de red de rombos, llamada *sebqa*, y el empleo de bóvedas de *mocárabes* (elementos prismáticos colgantes).

Más tarde los **almohades**, cuyas manifestaciones artísticas se distinguen por una simplificación de las formas y los esquemas almorávides. Su construcción más significativa fue la mezquita de Sevilla, de la que subsisten el patio y la Giralda, antiguo alminar y modelo de torre almohade.

El arte nazarí (siglos XIII–XV)

Desde 1238 hasta 1482 la dinastía nazarí gobierna Granada, el último bastión musulmán en la Península. Su arte se caracteriza por el uso de materiales baratos y frágiles (ladrillo, yeso o madera), ocultos por una recargada decoración que les proporciona una apariencia suntuosa y combinados con una constante presencia del agua y de los jardines. La gran variedad de recursos constructivos y ornamentales (columnas de fuste cilíndrico muy estilizadas, capiteles de dos cuerpos decorados con atauriques, bóvedas de mocárabes, etc.) se pone de manifiesto en la ciudad palatina de la Alhambra, la última gran edificación de la civilización hispanomusulmana.

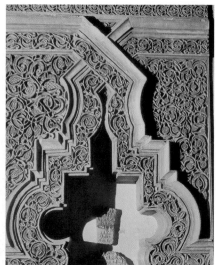

Detalle de un arco mixtilíneo de la Aljafería, Zaragoza, siglo XI. El arte de los reinos de taifas mantuvo los modelos califales, pero incrementó la decoración en los edificios.

LAS CIUDADES HISPANOMUSULMANAS

El islam desarrolló a lo largo del tiempo una rica civilización urbana. En España conservamos un extraordinario patrimonio que es buena muestra de ello y que proviene del esplendor que en su momento alcanzaron algunas ciudades de al-Ándalus. Entre ellas destacó Córdoba, que en los tiempos del califato omeya llegó a tener medio millón de habitantes, con más de trescientas mezquitas y numerosos colegios, palacios, hospitales y baños públicos, convirtiéndose en la ciudad más próspera y culta de su época.

Las ciudades musulmanas se caracterizan por su uniformidad: desde las ciudades fundadas en el golfo Pérsico hasta las ciudades de al-Ándalus, se puede reconocer una misma estructura urbana y una morfología similar.

- **El trazado** de las ciudades islámicas era muy irregular y no existía (salvo raras excepciones) una planificación previa. Eran muy frecuentes los *adarves* o calles sin salida que terminaban en una casa. También eran muy habituales los pasos altos entre casas, lo que contribuía a crear un ambiente muy íntimo y recogido. En el trazado del casco antiguo de localidades como Toledo, Sevilla, Córdoba, etc., todavía se puede rastrear su pasado musulmán.

- **Los barrios residenciales** contaban con una infraestructura notable: hospitales, escuelas, jardines, red de alcantarillado, depósitos de agua (*aljibes*), zocos comerciales, baños públicos, incluso en algunos casos alumbrado público. En muchas localidades españolas quedan abundantes restos de baños musulmanes, que en general seguían la disposición romana. Ejemplos de ello tenemos en Gerona, El Bañuelo (Granada), Cáceres, etc.

Vista general de Toledo.

- **La medina** era el núcleo principal de la ciudad islámica, donde se encontraban la mezquita mayor, la *alcaicería* (residencia del alcalde) y un zoco con las principales calles comerciales.

- **La alcazaba** era el recinto militar fortificado. En España se conserva buena parte de las alcazabas de Toledo, Málaga y Almería, construidas bajo el dominio de los reinos de taifas.

En la época almohade (1153-1238) se desarrolló un nuevo tipo de arquitectura defensiva, que se adaptaba a la superficie del terreno y se disponía en varios recintos concéntricos amurallados, con entradas no alineadas, puertas en recodo y *almenas* en las torres. Un elemento característico de estas fortificaciones eran las torres *albarranas*, de las que es una buena muestra la torre del Oro de Sevilla, que se levantaban de forma independiente al recinto amurallado y al que se conectaban a través de una *coracha* o muro saliente.

Vista general de la alcazaba de Málaga, siglo XI.

Torre del Oro, Sevilla, siglo XII.

La influencia del arte hispanomusulmán en los reinos cristianos del norte

El arte hispanomusulmán dejó una profunda huella en la península Ibérica, que se puede observar en las construcciones que los cristianos del norte peninsular edificaron mientras ambas culturas convivieron en el tiempo.

Iglesia de San Miguel de la Escalada, León, siglo x. El arte de repoblación recogió elementos de la arquitectura hispanomusulmana como los arcos de herradura de esta iglesia.

El **arte mozárabe** o de repoblación designa la arquitectura desarrollada en los reinos cristianos a lo largo del siglo x por los cristianos que habían permanecido en territorio musulmán conservando su antigua religión y que, al emigrar hacia los territorios cristianos del norte, habrían llevado con ellos la influencia islámica.

Es en Castilla, León y Galicia donde se conservan los mejores ejemplos de este tipo de construcciones, como San Miguel de la Escalada o Santiago de Peñalba. Se trata de iglesias de piedra, por lo general de sillarejo, sobrias al exterior, de pequeño tamaño y austeras en la decoración. Utilizan columnas de fuste liso y capiteles de tradición visigoda, arcos de herradura enmarcados a menudo por un alfiz y cúpulas de origen califal, de crucería o gallonadas.

El arte mudéjar

Tras la expulsión de los musulmanes, los modelos y esquemas típicamente islámicos pervivieron en el arte español a través de los *mudéjares*, musulmanes que permanecieron en los territorios reconquistados por los cristianos.

Al hablar del arte mudéjar conviene tener en cuenta la existencia de diversos focos regionales (León y Castilla, Toledo, Aragón, Extremadura y Andalucía), ya que en cada región española el encuentro entre el arte musulmán y el cristiano se produjo en un momento diferente según las distintas etapas de la Reconquista.

En general, el arte mudéjar se desarrolló entre los siglos XII y XVI. En él se funden los recursos constructivos islámicos y su variado repertorio decorativo con los principios artísticos de la Europa cristiana, tanto con el estilo románico como con el gótico. Además, hay que tener en cuenta la gran variedad tipológica de esquemas utilizados en este arte, como consecuencia de la fusión de estilos muy diversos. Sin embargo, en la mayor parte de los edificios mudéjares se observa una serie de rasgos comunes como el uso del ladrillo, la cerámica o el yeso, el empleo de arquerías ciegas en los exteriores o la utilización de soluciones estructurales típicamente islámicas, visibles en las torres mudéjares aragonesas, que recuerdan a los alminares musulmanes. Es característica de estas torres, muy decoradas en el exterior con motivos geométricos, la combinación de ladrillo con cerámica vidriada.

Los mudéjares también trabajaron para las comunidades judías que vivían en las ciudades cristianas. Así, encontramos sinagogas, como Santa María la Blanca o la sinagoga del Tránsito, ambas en Toledo, que repiten los esquemas y motivos decorativos mudéjares.

Sinagoga de Santa María la Blanca, Toledo, siglo XII. En las sinagogas construidas por los mudéjares se observa el empleo de los modelos y motivos hispanomusulmanes. En este caso, los característicos arcos de herradura.

Torre mudéjar de San Martín, Teruel, siglo XIV. Los mudéjares demuestran en sus obras el dominio del ladrillo y su capacidad para crear formas de una gran riqueza decorativa.

LAS ARTES APLICADAS E INDUSTRIALES: UNA HERENCIA RICA Y PERDURABLE

La estancia de los musulmanes en la península Ibérica dejó una profunda influencia en las artes aplicadas de nuestro país. Los artesanos musulmanes fueron unos artistas consumados, especialmente en la fabricación de tejidos, objetos de marfil, cueros, cerámica y madera labrada, alcanzando una gran reputación, no sólo en los reinos cristianos peninsulares sino también en el resto de los países europeos, que establecieron un fructífero comercio con al-Ándalus. Esta fama hizo que, ya bajo el control político cristiano, los artesanos mudéjares continuaran desarrollando sus oficios, teniendo ahora como principales clientes a los reyes, la nobleza y la Iglesia. En el aspecto artístico, se utilizaron los motivos decorativos característicos de la tradición hispanomusulmana (geométricos, vegetales, etc.), a los que los mudéjares fueron incorporando poco a poco temas decorativos occidentales. Veamos algunas técnicas de este importante legado.

Guadamecíes y cordobanes

El trabajo artístico en cuero fue introducido en la Península por los árabes, siendo Córdoba el principal centro productor. La variedad de objetos fabricados era enorme: cajas, muebles, encuadernaciones para libros, tapices para muros, etc. Eran muy apreciados los *guadamecíes* (piel de carnero curtida y más tarde dorada y policromada) y los *cordobanes* (piel curtida de cabra con la que se hacían zapatos, guantes, sillas de montar, cofres, etc.).

Adarga (escudo) nazarí hecha con cuero e hilos de seda, siglo XV.

Marfil

El arte del marfil alcanzó una calidad extraordinaria en los talleres hispanomusulmanes, especialmente durante el califato de Córdoba. Se realizaron arquetas, botes cilíndricos, estuches y piezas menores como puños de espadas y piezas de ajedrez. Los motivos decorativos utilizados demuestran gran sensibilidad y fantasía a la hora de representar figuras humanas y zoomórficas que destacan sobre los característicos fondos de decoración de ataurique.

Detalle de la arqueta de Leyre, realizada en marfil, período califal, siglo IX.

Tejidos de seda y alfombras

Con la llegada de los musulmanes comienza la historia del tejido de seda en nuestro país. Fue en Córdoba donde se creó el primer taller hacia el año 822. En los reinos cristianos se valoraban estos tejidos como auténticas joyas y los utilizaban para envolver reliquias, como indumentaria de lujo o como tapices.

Los musulmanes introdujeron igualmente la técnica textil de origen oriental para realizar alfombras anudadas, un arte que se desconocía en Europa. Pero, con el paso del tiempo, en al-Ándalus se creó una técnica propia y se desarrolló una próspera industria que exportaba productos a numerosos puntos del continente europeo. Los talleres de alfombras más famosos de al-Ándalus estaban situados en el sureste de la Península (Albacete, Cuenca, Valencia, etc.) y continuaron funcionando, tras la conquista cristiana de la zona, en manos de artesanos mudéjares.

Palio de las Brujas, tejido de seda del período de taifas, siglo XII.

Los alarifes y carpinteros musulmanes

El trabajo de las techumbres de madera, donde se combina arquitectura y ornamentación, fue uno de los logros más espectaculares de los albañiles (*alarifes*) y carpinteros hispanomusulmanes. Es, además, una de las manifestaciones más genuinas del arte español, por su originalidad con respecto al resto de Europa.

Techumbre de madera de la capilla de Santiago del monasterio de las Huelgas Reales, Burgos, siglo XIII.

LA CÚPULA DE LA ROCA

La obra

La cúpula de la Roca se construyó a fines del siglo VII por encargo del califa Abd al-Malik. El edificio se levanta en el monte Moriah, en el espacio antes ocupado por el antiguo templo de Jerusalén, y su función es albergar una gran roca considerada sagrada para las religiones judía, cristiana y musulmana. Terminada en el año 691, esta edificación es el monumento islámico más antiguo que se conserva.

Análisis formal

La planta. Es octogonal, centralizada, de clara influencia bizantina. La gran cúpula sobre tambor es el centro del edificio. Se apoya en arquerías sostenidas por pilares y columnas y está rodeada por dos girolas o deambulatorios, que contrarrestan el empuje de la cúpula.

El exterior. El conjunto está dominado exteriormente por la visión de la cúpula. El edificio tiene cuatro entradas con porches y estaba ricamente decorado con mármol y mosaicos que fueron sustituidos casi en su totalidad, durante el período otomano, por magníficas baldosas turcas.

El interior. Las técnicas de construcción (arcos sobre pilares y columnas, cúpulas de madera, ventanas enrejadas, mampostería de piedra y ladrillo) y su sistema de proporciones son de influencia bizantina. En la decoración también se emplean técnicas y materiales bizantinos, como los mármoles brillantes y los mosaicos, pero esto se hace de una manera nueva y diferente, tanto por los motivos decorativos utilizados (vegetales, geométricos y epigráficos) como por su disposición, que enmascara completamente la estructura arquitectónica del edificio.

Vista del exterior de la cúpula de la Roca.

Significado

El propósito original del edificio era conmemorar el triunfo del islam construyendo un recinto que pudiera competir en esplendor y riqueza con los mejores santuarios cristianos. Por ello es muy significativo el sitio en el que se levantó, un lugar sagrado para las tres grandes religiones monoteístas. Por otra parte, es una obra característica del período omeya, en el que el arte islámico utiliza elementos artísticos preexistentes, pero estableciendo una combinación enteramente nueva entre arquitectura y decoración.

Detalle del interior de la cúpula de la Roca.

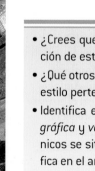

- ¿Crees que la planta centralizada es adecuada para la función de este edificio? Explica tu respuesta.
- ¿Qué otros edificios de planta centralizada conoces? ¿A qué estilo pertenecen?
- Identifica en las ilustraciones *decoración geométrica, epigráfica* y *vegetal* y menciona en qué elementos arquitectónicos se sitúan. ¿Qué función cumple la decoración epigráfica en el arte islámico?
- Investiga sobre la roca y averigua qué significado tiene para judíos, cristianos y musulmanes.

LOS ALMINARES

La tipología

El *alminar* es una torre adosada a la mezquita o exenta desde la que el almuédano llama a los fieles a la oración cinco veces al día en horas fijas: al alba, al mediodía, por la tarde, al crepúsculo y por la noche. Está formado por una base, en muchas ocasiones de sección cuadrada, un cuerpo central decorado y un remate constituido por la *galería del almuédano,* que culmina en una linterna coronada por el *alam,* elemento decorativo en metal que representa la media luna islámica.

La forma

El alminar es una construcción común a todo el mundo islámico y, sin embargo, tiene muchas formas y estilos. Esta variedad es característica del arte islámico, que recibe fuertes influencias de las distintas culturas que conquista y utiliza las formas antiguas de una manera nueva, como muestran los ejemplos recogidos en esta página.

Alminar de la mezquita de Samarra, cerca de Bagdad, siglo IX. Está construido en ladrillo, y su forma recuerda al zigurat mesopotámico.

Significado

El alminar es el elemento característico del perfil de la ciudad islámica: sobresale entre todos los edificios y es punto de referencia obligado del espacio urbano. Parece que su origen está en Siria o Egipto, cuando estas tierras estaban poco islamizadas. En este sentido, el alminar adquiere un significado de propaganda de la nueva fe y se convierte en un símbolo del islam. El alminar, como señala Oleg Grabar, sería, por tanto, *"el resultado al mismo tiempo de una necesidad de la fe [llamar a los fieles a la oración] y de la situación de los musulmanes en las tierras que habían conquistado".*

La Giralda, Sevilla, siglo XII. Se construyó durante el período almohade, y era el alminar de la antigua mezquita de Sevilla. Más tarde se utilizó como campanario de la catedral y se levantó el cuerpo superior, renacentista.

Alminar de la mezquita de Ibn Tulun, en El Cairo, siglo IX. Se divide en tres cuerpos: una base cuadrada, un tramo helicolidal (influido por el alminar de Samarra) y un pequeño cuerpo de remate.

Alminar de la mezquita al-Kutubiyya, en Marraquech, siglo XII. Esta construcción, de base cuadrada, refleja la austeridad decorativa del arte almohade. La decoración se limita a los juegos de arcos y a la red de rombos, o sebqa, que se utiliza en el cuerpo superior.

- ¿Cuál es la función del alminar? ¿Qué características comunes, relacionadas con su función, tienen estos alminares?
- Realiza el análisis formal de estos alminares teniendo en cuenta las características de la base, el cuerpo central y el remate.
- Observa la Giralda y señala en ella algunas características del arte almohade.
- ¿En qué país está cada uno de estos alminares? ¿Crees que la gran expansión geográfica del arte islámico tiene alguna relación con su variedad? ¿Cuál?

LA MEZQUITA DE CÓRDOBA

La obra

La mezquita era el templo principal de Córdoba y se construyó para reunir a los fieles en la oración de los viernes. Se comenzó en el siglo VIII, bajo el mandato de Abderramán I, sobre una basílica visigoda, pero pronto resultó demasiado pequeña y se amplió tres veces, la última de ellas en época de Almanzor, a finales del siglo X. La más importante de estas reformas, por su calidad, fue la que se hizo durante el califato de Al-Hakán II, a mediados del siglo X.

En el siglo XVI se construyó una catedral cristiana en su interior, con mezcla de gótico y otros estilos, y el alminar se transformó en un campanario.

Análisis formal

La planta. La mezquita fue construida sobre una tradicional planta hipóstila, de gran regularidad, y las distintas ampliaciones aumentaron la capacidad del templo manteniendo la misma disposición de naves alineadas perpendicularmente hacia el muro de la *qibla*. La última de las reformas dejó descentrado el *mihrab*, debido a que la ampliación tuvo que hacerse a partir del muro lateral por la proximidad del río.

Vista aérea de la mezquita de Córdoba.

El muro exterior de la mezquita posee contrafuertes y once puertas con abundante decoración.

Mezquita original de Abderramán I
Ampliación de Abderramán II
Ampliación de Abderramán III
Ampliación de Al-Hakán II
Ampliación de Almanzor

20 m

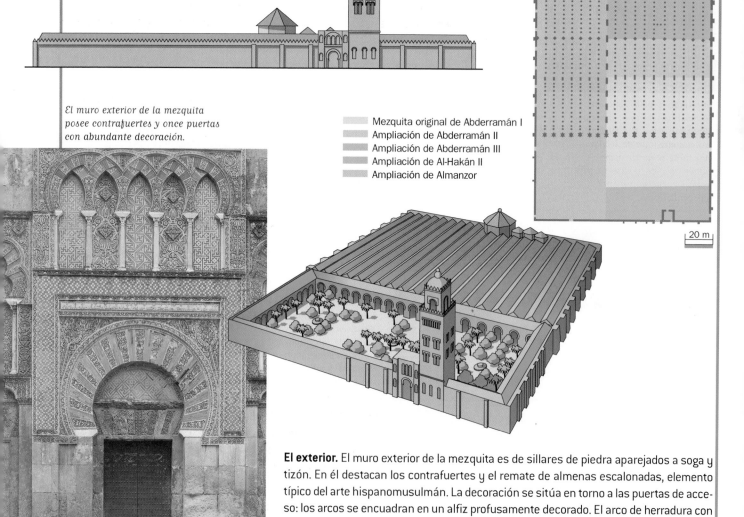

El exterior. El muro exterior de la mezquita es de sillares de piedra aparejados a soga y tizón. En él destacan los contrafuertes y el remate de almenas escalonadas, elemento típico del arte hispanomusulmán. La decoración se sitúa en torno a las puertas de acceso: los arcos se encuadran en un alfiz profusamente decorado. El arco de herradura con alfiz, característico del arte califal, se emplea por primera vez en la mezquita.

El interior

El haram. Para conseguir mayor altura y luminosidad se superponen dos hileras de arcos, que están enjarjados, es decir, embutidos en los soportes. El sistema de doble arquería y la alternancia de piedra y ladrillo en las dovelas de los arcos ya se habían utilizado en el acueducto romano de los Milagros, en Mérida. El resultado es un espacio espectacular, lleno de ritmo y color, en el que los arcos y columnas se multiplican.

Naves del haram edificado por Abderramán I, 784-786.

La maqsura y el mihrab. En este espacio los elementos arquitectónicos se usan como decoración y la ornamentación señala la importancia litúrgica del lugar. Los temas decorativos más utilizados son la epigrafía y el ataurique. Es una decoración plana, que tapiza y recubre los elementos arquitectónicos, a los que siempre está subordinada. El *mihrab* se recubrió con mosaicos regalados por el emperador de Bizancio.

En la *maqsura* destacan el juego de arcos lobulados y entrelazados, revestidos de relieves con ataurique, y las cúpulas de crucería califal que cierran este espacio, con nervios muy gruesos que no se cruzan en el centro. Estas bóvedas tendrán gran influencia en la arquitectura cristiana.

Cúpula de la maqsura. Las cúpulas de crucería que cubren la maqsura son todas distintas y son las primeras conservadas del arte hispanomusulmán.

Arcos de la maqsura y fachada del mihrab.

Significado

La mezquita de Córdoba es una obra fundamental en el arte islámico y muestra la importancia que esta ciudad tuvo en la Edad Media. Construida sobre un templo visigodo y transformada en catedral con la conquista cristiana, es la expresión de la síntesis islámica. En ella se aprecia la aparición del estilo califal, en el que se crean formas nuevas a partir de elementos ya existentes. Se sintetizan las distintas aportaciones en un estilo nuevo, rico y refinado, que tendrá gran influencia en etapas posteriores.

- Señala de qué estilos artísticos proceden estos elementos usados por el arte califal: *arco de herradura, superposición de dos hileras de columnas, alternancia en el material de las dovelas, decoración vegetal, mosaicos.*

- Localiza en las ilustraciones y dibuja en papel los siguientes tipos de arco: *de herradura, lobulado, entrecruzado, superpuesto, ciego.*

- Observa la vista aérea de la mezquita y señala qué tipo de cubierta tiene el *haram*. ¿Destaca de alguna manera la cubierta de la *maqsura* y el *mihrab*? ¿Cómo?

- Identifica en la fachada del *mihrab* los siguientes elementos: *alfiz, dovelas, enjutas, línea de imposta, jambas* y *clave del arco.*

- Resume las características del arte califal.

ANÁLISIS

La obra

La Alhambra ("fortaleza roja" en lengua árabe) es una ciudad-palacio amurallada construida en la colina granadina de la Sabika a lo largo de los siglos XIV y XV. Fue edificada sobre los restos de una fortaleza-palacio del siglo XI por los reyes de la dinastía nazarí, fundamentalmente por Yusuf I (1333-1354) y Mohamed V (1354-1391). Tenía diversas funciones (residenciales, religiosas, militares, oficiales, etc.) que se desarrollaban en el marco refinado del estilo nazarí, caracterizado por el predominio de una decoración exuberante, realizada con materiales pobres, que oculta una estructura arquitectónica sencilla.

En el siglo XVI, el emperador Carlos V se hizo edificar un imponente palacio en la Alhambra, respetando las construcciones preexistentes y reafirmando, así, la importancia del recinto.

Vista parcial del exterior de la Alhambra.

1 Patio de Machuca
2 Salón de los Embajadores (torre de Comares)
3 Patio de los Arrayanes o de Comares
4 Baños reales
5 Mirador de Daraxa
6 Sala de las Dos Hermanas
7 Patio de los Leones
8 Sala de los Abencerrajes

9 Palacio de Carlos V
10 Capilla de Palacio

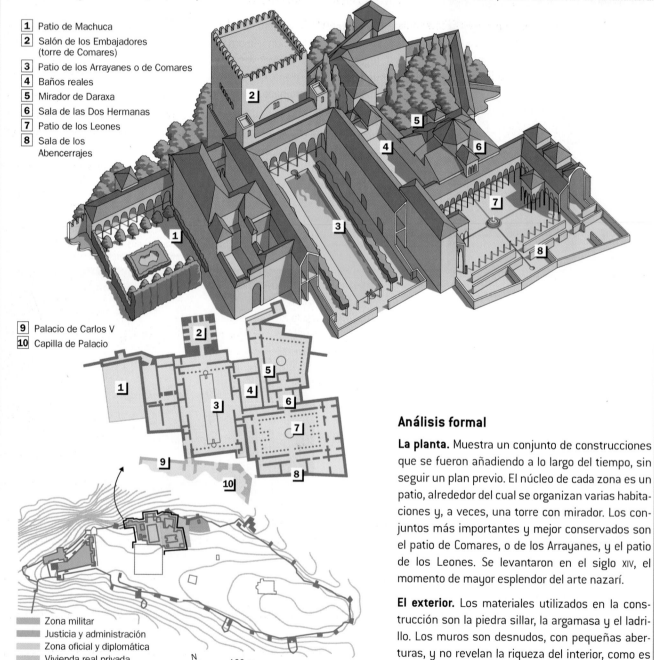

Zona militar
Justicia y administración
Zona oficial y diplomática
Vivienda real privada
Función religiosa

N
100 m

Análisis formal

La planta. Muestra un conjunto de construcciones que se fueron añadiendo a lo largo del tiempo, sin seguir un plan previo. El núcleo de cada zona es un patio, alrededor del cual se organizan varias habitaciones y, a veces, una torre con mirador. Los conjuntos más importantes y mejor conservados son el patio de Comares, o de los Arrayanes, y el patio de los Leones. Se levantaron en el siglo XIV, el momento de mayor esplendor del arte nazarí.

El exterior. Los materiales utilizados en la construcción son la piedra sillar, la argamasa y el ladrillo. Los muros son desnudos, con pequeñas aberturas, y no revelan la riqueza del interior, como es característico de la arquitectura civil islámica.

El interior

– *Estructuras constructivas*. Son muy sencillas: muros, arcos ligeramente apuntados, columnas y techos adintelados. Sobre estos elementos se despliega una riquísima decoración, que esconde la simplicidad de la estructura. La columna nazarí es de mármol, muy esbelta. Se levanta sobre un plinto y tiene un capitel con dos cuerpos decorados: el inferior es cilíndrico y el superior es cúbico.

– *Materiales*. Se utiliza mármol en los suelos, un friso alicatado y paneles de yeso en las paredes y madera en los techos. En algunos techos se deja la estructura a la vista; en otros, se cubre con decoraciones geométricas realizadas en madera. En las zonas más ricas se sitúan falsas cúpulas y bóvedas de mocárabes, con formas estrelladas u octogonales.

– *Decoración*. El ataurique, los motivos geométricos y la epigrafía son los temas decorativos. Los textos de la decoración epigráfica son muy variados y tratan temas fundamentalmente religiosos, poéticos y de exaltación de la propia dinastía nazarí.

La decoración se organiza en paneles rectangulares que cubren toda la superficie del muro y es menuda, compacta y densa. Con frecuencia desarrolla complejos diseños geométricos, basados en la simetría y repetición de un motivo, o bien en la prolongación de sus líneas hasta cubrir todo el espacio disponible.

Patio de los Leones.

En el conjunto de la Alhambra juega un papel fundamental la naturaleza. Los jardines, albercas, fuentes y canales son tan importantes como los elementos arquitectónicos y muchas veces arquitectura y naturaleza parecen fundirse formando un todo homogéneo.

Significado

La Alhambra es uno de los palacios musulmanes mejor conservados de la Edad Media. Su importancia no estriba en las soluciones estructurales que propone, que no son novedosas, sino en el hecho de que el conjunto resultante es una síntesis de las mejores aportaciones artísticas realizadas por la cultura hispanomusulmana y el mejor reflejo de la exuberancia y refinamiento que llegó a alcanzar esta civilización. La Alhambra, además de cumplir su función residencial de

Cúpula de mocárabes de la sala de las Dos Hermanas.

ciudad-palacio, fue concebida como un edificio simbólico en el que, a través de los elementos arquitectónicos y de la decoración, sobre todo la epigráfica, se realiza una exaltación de la religión islámica y de la dinastía nazarí. El conjunto adquiere, así, una clara simbología política y religiosa.

Mirador de Daraxa.

- Observa el plano de la Alhambra y resume las funciones que tenía la ciudad-palacio.
- Observa la topografía. ¿Cómo es la zona en la que está situada la Alhambra? ¿Por qué crees que se elegiría este emplazamiento?
- Observa las fotos y escribe una lista de los elementos arquitectónicos y decorativos utilizados en el palacio. Menciona las características del arte nazarí.
- Las inscripciones que aparecen en el edificio ¿qué significado tienen? ¿Conoces algún otro tipo de monumento en el que las inscripciones sean importantes? ¿Cuál?
- Haz un esquema de una columna nazarí y realiza una comparación entre estas columnas y las que se utilizan en la mezquita de Córdoba. Señala las diferencias que aprecias.
- El patio es un elemento importante en la Alhambra. ¿En qué otros edificios musulmanes tiene importancia el patio? ¿Puedes citar otras construcciones con patio que no pertenezcan al arte musulmán? ¿Cuáles?

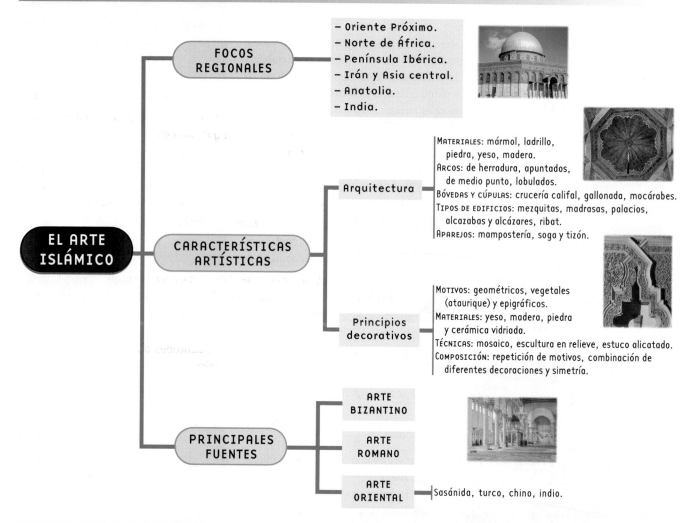

EL ARTE ISLÁMICO

FOCOS REGIONALES
- Oriente Próximo.
- Norte de África.
- Península Ibérica.
- Irán y Asia central.
- Anatolia.
- India.

CARACTERÍSTICAS ARTÍSTICAS

Arquitectura
- MATERIALES: mármol, ladrillo, piedra, yeso, madera.
- ARCOS: de herradura, apuntados, de medio punto, lobulados.
- BÓVEDAS Y CÚPULAS: crucería califal, gallonada, mocárabes.
- TIPOS DE EDIFICIOS: mezquitas, madrasas, palacios, alcazabas y alcázares, ribat.
- APAREJOS: mampostería, soga y tizón.

Principios decorativos
- MOTIVOS: geométricos, vegetales (ataurique) y epigráficos.
- MATERIALES: yeso, madera, piedra y cerámica vidriada.
- TÉCNICAS: mosaico, escultura en relieve, estuco alicatado.
- COMPOSICIÓN: repetición de motivos, combinación de diferentes decoraciones y simetría.

PRINCIPALES FUENTES
- ARTE BIZANTINO
- ARTE ROMANO
- ARTE ORIENTAL — Sasánida, turco, chino, indio.

EL ARTE HISPANOMUSULMÁN

PERÍODO	Emirato-califato de Córdoba (756-1031)	Reinos de taifas (1031-1086)	Invasiones norteafricanas (1086-1238)	Nazarí (1238-1492)
CARACTERÍSTICAS	• Arcos de herradura con alfiz, alternancia de dovelas, superposición de arcos. • Cubiertas de madera. • Cúpulas: gallonadas, de crucería califal, etc. • Motivos decorativos: arcos epigráficos, ataurique.	• Utilización de materiales pobres: madera, ladrillo, yeso... • Abundancia de motivos decorativos: vegetales, geométricos, etc.	• Almorávides: se inicia la decoración geométrica de *sebqa*. Proliferación de los mocárabes en la decoración. • Almohades: simplificación de los esquemas almorávides.	• Gran variedad de recursos constructivos y ornamentales: columnas estilizadas, bóvedas de mocárabes, etc.
PRINCIPALES OBRAS	• Mezquita de Córdoba. • Palacio de Medina al-Zahra.	• Aljafería de Zaragoza. • Alcazabas de Málaga, Toledo y Almería.	• Torre del Oro y Giralda, Sevilla. • No hay restos almohades importantes en la Península.	• La Alhambra de Granada.

EL LEGADO DEL ARTE HISPANOMUSULMÁN

PERÍODO	Arte de repoblación (mozárabe, siglo X)	Mudéjar (siglos XII-XVII)
CARACTERÍSTICAS	• Fusión de elementos cristianos y musulmanes: edificios de piedra con columnas de fuste liso y capiteles de tradición visigótica, cúpulas de origen califal (crucería y gallonadas) y arcos de herradura con alfiz. • Planta basilical o de doble ábside.	• Fusión de recursos constructivos y decorativos islámicos con elementos tomados del románico y del gótico. • Gran variedad tipológica de esquemas constructivos. • Materiales: yeso, ladrillo, cerámica. • Empleo de arquerías ciegas en el exterior y techumbres de madera en el interior.
PRINCIPALES OBRAS	• Iglesias de San Miguel de la Escalada y Santiago de Peñalba.	• Sinagogas de Santa María la Blanca y del Tránsito, Toledo, y torre de San Martín, Teruel.

HACIA LA UNIVERSIDAD

1. Desarrolla el siguiente tema: *La arquitectura hispanomusulmana, espacio y decoración.*

2. Analiza y comenta estas imágenes:

3. Define o caracteriza brevemente cuatro de los seis términos siguientes: *mocárabe, mihrab, decoración de sebqa, cúpula gallonada, alfiz.*

4. Lee el siguiente documento y contesta a las cuestiones:

El arte islámico no evolucionó lentamente desde el encuentro de una fe nueva y de un Estado nuevo con las tradiciones más antiguas que predominaban en sus territorios: se presentó tan súbitamente como la propia fe y el propio Estado, puesto que, independientemente de las influencias que hubiera en la construcción y la decoración de los primeros monumentos islámicos, lo característico es que fueron construidos para los musulmanes, para fines que no existían de la misma y precisa forma antes del islam.

Para comprender este arte y las formas que creó, y también cómo fue esa creación, es necesario investigar primero si los árabes que conquistaron una zona tan vasta trajeron consigo alguna tradición concreta; segundo, si la nueva fe imponía determinadas actitudes o reglas que fueran base de la expresión artística; y, por último, cuáles fueron los grandes movimientos artísticos que encontraron los musulmanes en las tierras que ocuparon.

ETTINGHAUSEN, R., y GRABAR, O.: *Arte y arquitectura del islam.*
Madrid, Cátedra, 1997, pp. 650-1250

— Resume de manera breve el texto, exponiendo la valoración que sus autores hacen del arte islámico. Intenta dar respuesta a las tres claves que plantea el texto para entender el arte islámico.

— Cita alguna obra realizada en los primeros momentos de la expansión musulmana y describe brevemente sus principales características.

PASADO Y PRESENTE EN EL ARTE

1. Observa estos edificios de arquitectura islámica posterior al siglo XV y señala en cada caso:
— Los elementos característicos del arte islámico.
— Aquellos que son influencias de estilos del pasado.
— Las características nuevas que se aprecian.

Mezquita Azul de Estambul, siglo XVII.

Instituto del Mundo Árabe, París, siglo XX.

2. Busca información sobre estos edificios, comprueba si tus conclusiones son las acertadas y realiza una ficha de análisis sobre cada uno de ellos.

8. ARTE ROMÁNICO

El románico surgió a partir del siglo XI como arte de la cristiandad europea, unida en torno al papado de Roma y a la orden monacal de Cluny; en las iglesias y los monasterios se desarrollaron las principales manifestaciones artísticas que nos han llegado. Ésta fue también la época de los vínculos feudales, que llevó a los señores a levantar castillos por toda Europa.

Basado en construcciones que usan la bóveda de cañón, el arco de medio punto y los edificios de sillares bien tallados y de grandes dimensiones, el románico definió una época, expresó la más alta espiritualidad cristiana y sentó las bases para el gótico (que comenzó a formularse a finales del siglo XII).

El románico se fue gestando en Europa con unos caracteres comunes, pero también con una gran variedad, porque según las regiones incorporó elementos de las tradiciones locales. Anclado, pues, en la tradición, pero también innovador, es la primera manifestación a gran escala del arte cristiano de Occidente.

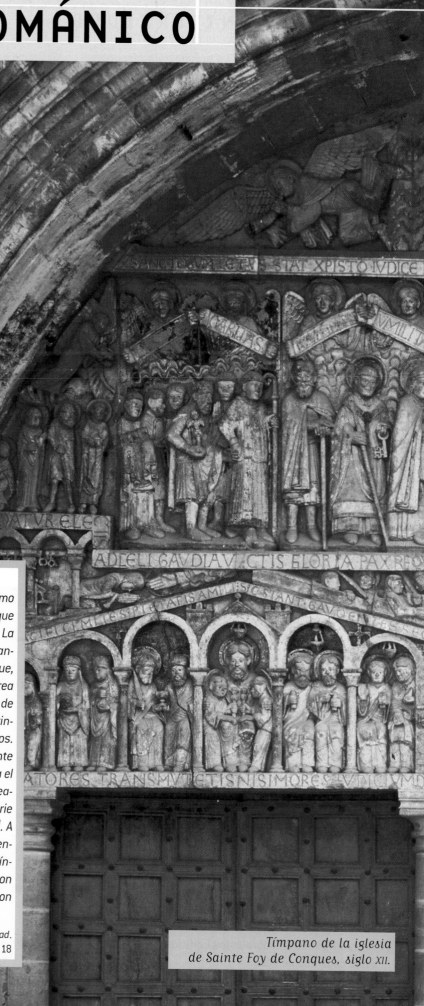

Tímpano de la iglesia de Sainte Foy de Conques, siglo XII.

SINGULARIDAD DEL ARTE ROMÁNICO

Lo que llama la atención en estas obras es, al mismo tiempo, su diversidad, la exuberante inventiva que muestran y su muy profunda y sustancial unidad. La variedad no tiene nada de sorprendente. La cristiandad latina se extendía sobre una inmensa área que, para recorrerla, se necesitaban varios meses, área fragmentada en mil obstáculos por los accidentes de una naturaleza indómita [...]. Cada una de las provincias, de difícil acceso, cultivaba sus particularismos. [...]. Estas diferencias aparecían particularmente acentuadas en los confines del mundo latino. Hacia el norte, el oeste y el este, un amplio semicírculo rodeaba a las zonas cristianas de una zona de barbarie más densa en la que sobrevivía el paganismo [...]. A estas zonas tan primitivas se oponían vigorosamente las regiones meridionales, las de Italia y la península Ibérica, donde se producían los encuentros con el islam, con la cristiandad bizantina, es decir, con mundos mucho menos salvajes.

DUBY, Georges: *La época de las catedrales. Arte y sociedad. 980-1420*. Madrid, Cátedra, 1997, p. 18

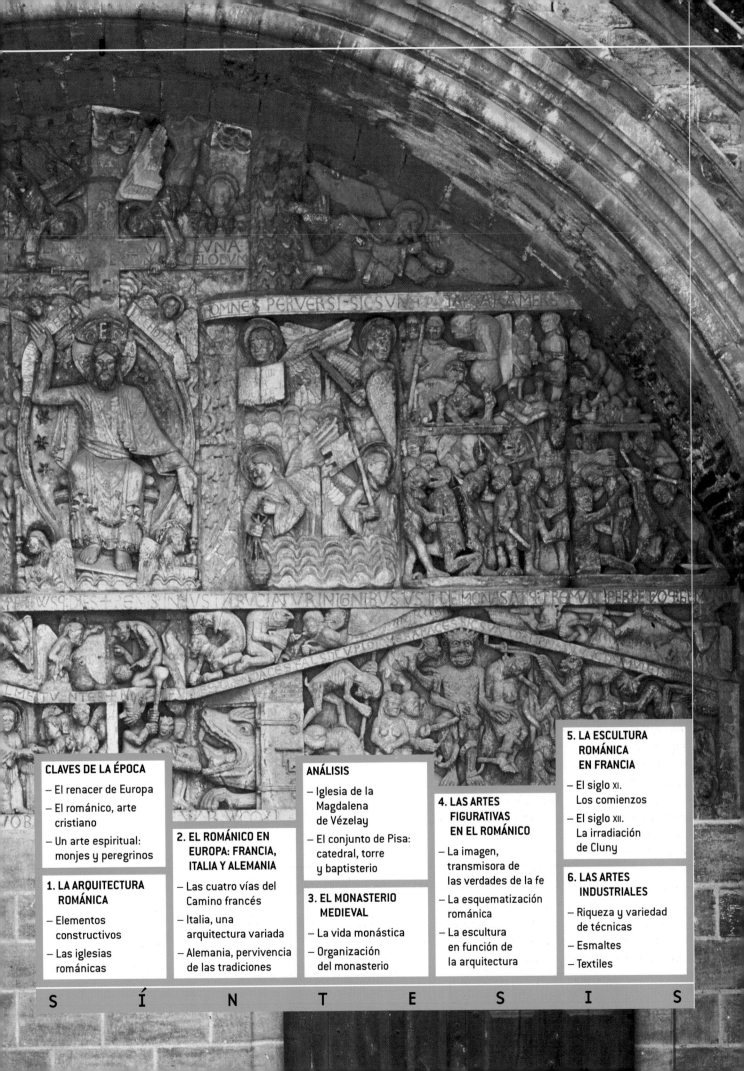

CLAVES DE LA ÉPOCA

– El renacer de Europa
– El románico, arte cristiano
– Un arte espiritual: monjes y peregrinos

1. LA ARQUITECTURA ROMÁNICA

– Elementos constructivos
– Las iglesias románicas

2. EL ROMÁNICO EN EUROPA: FRANCIA, ITALIA Y ALEMANIA

– Las cuatro vías del Camino francés
– Italia, una arquitectura variada
– Alemania, pervivencia de las tradiciones

ANÁLISIS

– Iglesia de la Magdalena de Vézelay
– El conjunto de Pisa: catedral, torre y baptisterio

3. EL MONASTERIO MEDIEVAL

– La vida monástica
– Organización del monasterio

4. LAS ARTES FIGURATIVAS EN EL ROMÁNICO

– La imagen, transmisora de las verdades de la fe
– La esquematización románica
– La escultura en función de la arquitectura

5. LA ESCULTURA ROMÁNICA EN FRANCIA

– El siglo XI. Los comienzos
– El siglo XII. La irradiación de Cluny

6. LAS ARTES INDUSTRIALES

– Riqueza y variedad de técnicas
– Esmaltes
– Textiles

S Í N T E S I S

CLAVES DE LA ÉPOCA

El renacer de Europa

Hacia el año mil, en Europa occidental comienza una recuperación demográfica, económica y cultural. Los siglos anteriores estuvieron marcados por la expansión del islam, las guerras, las invasiones de normandos, sarracenos y magiares y por el espectro del hambre. Pero lentamente se asiste a un resurgir general: se roturan nuevos campos, mejoran los aperos de labranza, la población crece y poco a poco se van repoblando las viejas ciudades romanas, que llevaban siglos semidespobladas. Paralelamente, el comercio se reactiva. Hay también algunos progresos técnicos en la metalurgia: se fabrican más herramientas de hierro, y con ellas el hombre acomete trabajos más perfectos y de mayor envergadura.

También al inicio del segundo milenio se fue consolidando el sistema feudal, que consistía en la vinculación personal de señores y vasallos y en la rígida división de la sociedad en tres estamentos: el de los caballeros, el clero y el campesinado. Dos poderes, el papado y el imperio, luchan por la supremacía en Europa. Mientras, la autoridad de los monarcas se fragmenta, pero en el siglo XI surgen algunas figuras enérgicas (el papa Gregorio VII, los reyes Alfonso VI de Castilla, Guillermo el Conquistador de Inglaterra o Sancho III el Mayor de Navarra) que fortalecen el papado y la institución monárquica. El dinamismo de este mundo en expansión se manifiesta en vastas empresas económicas y políticas: avanza la reconquista en la península Ibérica, se predican las cruzadas, los mercenarios y soldados de fortuna intentan conseguir feudos propios y los hombres piadosos surcan las rutas de peregrinación.

Claustro de la catedral de Monreale, Sicilia, siglo XII. En el románico del sur de Italia, territorio que había sido ocupado por los musulmanes, se aprecian influencias árabes.

El románico, arte cristiano

El románico es asimismo manifestación de la fe cristiana. La religión impregna muchos aspectos de la vida y está muy vinculada al poder. Los papas recuperaron la hegemonía que habían perdido en el siglo X y apoyaron la acción de obispos y abades emprendedores que fundaron monasterios, erigieron nuevas iglesias y multiplicaron los centros de creación artística. Mientras, el ritual de la misa romana quedaba definitivamente fijado y se imponía sobre los rituales franco, irlandés y mozárabe en uso en otros lugares de Europa. Los cánticos que lo acompañaban, algunos muy antiguos, recibieron el nombre de "canto gregoriano", porque fueron recopilados a instancias del papa Gregorio VII en el siglo XI. El esplendor de la liturgia y del rito religioso se corresponde con una nueva visión del lenguaje arquitectónico, con iglesias de dimensiones y riqueza inusitadas hasta entonces.

La gran depositaria del saber durante estos siglos marcados por la inseguridad fue la Iglesia, y la labor de los monjes en el *scriptorium* salvó para Occidente la cultura clásica. En el monasterio de Cluny, fundado en el siglo X en la Borgoña francesa, se produjo el movimiento de reforma de la orden benedictina con el objetivo de volver a la primitiva regla de san Benito (siglo VI), ascética, laboriosa y contemplativa. También se modificó la liturgia, de modo que fue necesaria una nueva estructura del templo. Como la regla benedictina hace hincapié en el trabajo, las grandes abadías poseyeron talleres y controlaron vastos territorios en los que el abad era un auténtico señor feudal. Los monjes cluniacenses gozaron de la protección de papas y príncipes poderosos, que cedieron tierras y privilegios a la orden. Pronto los monasterios se propagaron por Europa llevando consigo el nuevo espíritu, protegiendo a los peregrinos y dejando a su paso un reguero de magníficos edificios románicos. En ellos trabajaron unos artistas organizados en talleres itinerantes, pero cuya consideración social era más bien la de simples artesanos, por lo que apenas nos han llegado algunos de sus nombres.

Exterior de la catedral de Spira, Alemania, siglo XI. Si bien el románico creó un lenguaje arquitectónico común a toda la cristiandad occidental, algunas regiones conservaron características peculiares, como la tribuna y las torres de la fachada, de raíz carolingia, en Alemania.

Un arte espiritual: monjes y peregrinos

Con el arte románico surgió por primera vez desde la caída del imperio romano un lenguaje artístico con una cierta homogeneidad en la Europa cristiana, a pesar de que hay particularidades regionales. Las fuentes del románico fueron diversas y en cada área se reflejaron las tradiciones locales. Las iglesias y los monasterios fueron fundamentales para la propagación del nuevo lenguaje arquitectónico. La fe medieval movió a incontables creyentes que peregrinaban hacia Santiago, al santuario de Rocamadour en Francia, o a Tierra Santa, visitando los principales santuarios de los caminos de peregrinación y favoreciendo los contactos entre unas zonas y otras. Aquellos hombres buscaban perdón para sus pecados, redimir un delito, obtener una petición o sencillamente hacer un acto de fe. Francia fue la gran encrucijada de esta peregrinación.

Portada de la iglesia de San Trófimo de Arlés, sur de Francia, siglo XII. En esta región, muy romanizada, la plástica románica conservó parte del idealismo clásico, como se aprecia en la imagen del Pantocrátor.

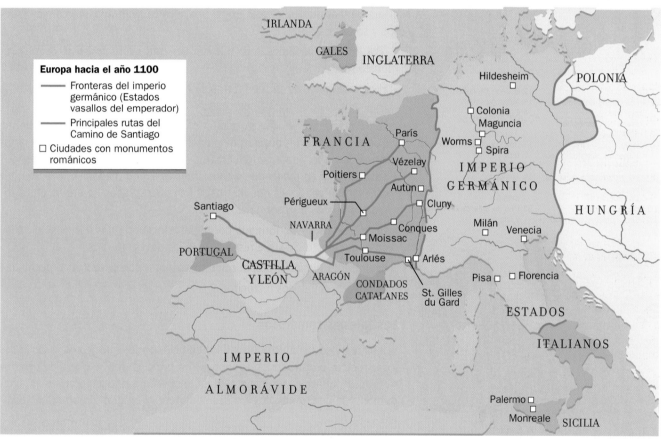

Europa hacia el año 1100

— Fronteras del imperio germánico (Estados vasallos del emperador)
— Principales rutas del Camino de Santiago
□ Ciudades con monumentos románicos

SIGLOS	HISTORIA	ARTE
XI	• Comienza el esplendor de Cluny. • Se crean otras órdenes monásticas (Camaldulenses, Cartujos). • Cisma de Oriente (1054). • Guillermo el Conquistador se apodera de Inglaterra (1066). • Se funda la universidad de Bolonia (1088). • Primera Cruzada: los cruzados toman Jerusalén (1099).	• Comienzan las obras de San Ambrosio de Milán y San Miniato (hacia 1018). • Consagración de San Miguel de Hildesheim (1026). • Se consagra la catedral de Spira (1060). • Construcción de Sainte Foy de Conques. Se empieza la catedral de Pisa (1065). • Tapiz de Bayeux (1077). • El papa Inocencio II inaugura un nuevo edificio del monasterio de Cluny (1088).
XII	• Creación de la orden de los Hospitalarios y de los Templarios (1110/1120). • San Bernardo predica la Segunda Cruzada (1147). • Se funda la universidad de Oxford (1167). • Jerusalén cae en poder de los turcos (1187). • Empieza la Tercera Cruzada (1189).	• Comienzan las obras en Autun y Vézelay (1120). • Esculturas de Vézelay y Conques (1130). • Se realiza la Portada Real de Chartres y las esculturas de San Trófimo de Arlés (hacia 1150). • Se empieza la construcción de la catedral de Monreale, la torre de Pisa y la catedral de Worms (1172).

1 Crucero
2 Arcos ciegos decorativos
3 Cimborrio
4 Cornisa con canecillos
5 Arquivoltas
6 Ábside
6 Volúmenes simples y escalonados
8 Vano estrecho y abocinado
9 Contrafuerte
10 Columna adosada
11 Muro macizo y continuo

12 Bóveda de cañón
13 Arcos fajones
14 Cúpula.
15 Trompas
16 Impostas
17 Bóveda de cuarto de esfera
18 Arquivoltas
19 Ábside
20 Pilar con columnas adosadas
21 Uso de sillares en muros y pilares

Bóveda
de arista

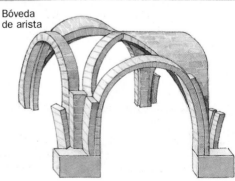

Elementos constructivos

A partir del año 1000, una verdadera fiebre arquitectónica se apodera de Europa occidental. Había que reemplazar las ruinas ocasionadas por las invasiones normandas y magiares, y ofrecer nuevos edificios a una población en plena expansión demográfica. Los maestros constructores de esta época querían levantar construcciones de *piedra* que fuesen dignas y duraderas. Además, con el empleo de este material se reducía el riesgo de incendios, otra de las preocupaciones del momento; en las crónicas medievales abundan los relatos acerca de fuegos que destruyeron o dañaron gravemente las iglesias, que tradicionalmente tenían techos de madera o artesonados. Los maestros canteros dieron pues prioridad a las bóvedas construidas en piedra. De esta manera, proliferó la construcción de grandes bóvedas de cañón que, al cruzarse, formaban la llamada bóveda de arista. Levantar una bóveda sobre una altura de más de diez metros exigía una técnica avanzada, muros más espesos y soportes más recios.

Por lo tanto, podemos decir que los *elementos característicos del arte románico* son:

– El *arco de medio punto*, con forma de media circunferencia. En las portadas se acompaña de varios arcos concéntricos llamados arquivoltas.

– La *bóveda de cañón*, que se origina prolongando un arco de medio punto. Como el peso de las bóvedas de piedra es considerable y tiende a desparramarse hacia los lados, se refuerza por dentro mediante arcos fajones, que en el exterior corresponden a contrafuertes. El muro adquiere considerable espesor (en ocasiones dos metros) y hay pocos vanos. La arquitectura románica es más bien sombría.

– La *bóveda de arista*, formada por la penetración de dos bóvedas de cañón en ángulo recto. Se suele reservar para las naves laterales.

– Las *cúpulas semiesféricas*, que suelen apoyarse sobre trompas o pechinas.

– Los *pilares* cilíndricos o cruciformes.

Las iglesias románicas

Los templos románicos fueron los edificios en los que se centraron todos los esfuerzos constructivos. La innovación principal fue la iglesia de peregrinación, de dimensiones majestuosas, destinada a acoger grandes muchedumbres de peregrinos, con un deambulatorio y un gran desarrollo de capillas y ábsides.

El románico articuló también un tipo de fachadas y alzados que configuró la arquitectura religiosa durante siglos. Fueron características las fachadas flanqueadas por torres, esquema que ya se había utilizado en el arte carolingio. También predominaron las portadas tripartitas, imponentes, que constituían un acceso monumental al templo.

La disposición del exterior es clara y permite anticipar cómo serán los interiores: así, la portada principal más grande que las laterales evoca la mayor amplitud de la nave central. Es visible también el brazo del transepto, que cruza perpendicularmente las naves. A veces, en la intersección de ambos cuerpos se coloca un cimborrio de altura y dimensiones considerables.

Las *plantas* de las iglesias presentan gran variedad; se emplean la centralizada (cruz griega, poligonal, etc.), la basilical, la de cruz latina, etc. En ocasiones se ha interpretado esta última, la más habitual del templo románico, como un esquema de un hombre con los brazos en cruz (Cristo), y el alzado como un símbolo de la tierra presidida por el cielo (la cúpula); en definitiva, un símbolo de la vocación espiritual del hombre.

La IGLESIA DE PEREGRINACIÓN

Las iglesias de este tipo están pensadas para que los peregrinos puedan deambular sin obstáculos por el interior del templo, venerar las reliquias y asistir al culto. En la Edad Media la veneración de las reliquias tenía un aspecto físico: había que tocarlas para recibir sus poderes curativos, físicos o espirituales; de modo que los maestros constructores de las iglesias importantes de peregrinación tuvieron en cuenta el hecho de que los visitantes pudieran tocar al menos el lugar donde se encontraban estos milagrosos despojos, y todo ello sin perturbar el desarrollo de otras ceremonias que se hicieran en el templo. A veces se construye una cripta, generalmente bajo el altar mayor, a la que puede accederse desde la girola, como en Sainte Foy de Conques y en Saint-Sernin de Toulouse. La planta prototipo es de cruz latina, con transepto, girola, capillas absidiales y triforio o tribuna alta que da a la nave principal. Los peregrinos que se dirigían a Santiago, la principal vía de peregrinación de la época, tomaban cuatro rutas en territorio francés que confluían en la localidad navarra de Puente la Reina.

Cúpula del crucero de la iglesia de Sainte Foy de Conques, siglo XI. La transición de la planta octogonal de la cúpula y el cuadrado del crucero se resuelve aquí mediante trompas.

Saint-Sernin de Toulouse: un modelo de iglesia de peregrinación

Esta iglesia se construyó entre los siglos XI y XIII, y es una de las más importantes de la vía de peregrinación tolosana, que recorrían los peregrinos procedentes de Italia y de Oriente y que atravesaba la Provenza francesa. Aquí se veneraban las reliquias del mártir Saturnino o Sernin, sobre cuya tumba se levantó este templo.

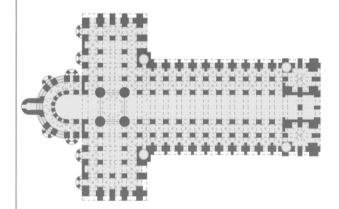

La *planta* es muy característica de las iglesias de peregrinación: tiene forma de cruz latina, con girola o deambulatorio y varias capillas en los brazos y en el ábside de la cabecera. Tiene cinco naves: la central, más amplia y alta que las laterales, está cubierta con bóveda de cañón, mientras que las naves laterales se cubren con bóvedas de arista. De este modo los empujes se reparten y caen escalonadamente. Esta planta tomó su modelo de Sainte Foy de Conques y a su vez inspiró la de Santiago de Compostela; estas tres pueden considerarse las más importantes iglesias de peregrinación del románico.

En el *exterior* se aprecia muy bien la estructura del templo y destaca el gran campanario que, como es característico de esta región, tiene planta octogonal y se eleva sobre el crucero. También es peculiar de esta zona el que los muros estén levantados con paramento de ladrillo y que la piedra se reserve para columnas, pilares y ventanas.

En las iglesias de peregrinación se aprecia la definitiva desaparición de los elementos que en las antiguas basílicas separaban las naves del altar. De este modo, el transepto sirve ahora para dar cabida a más fieles y no para delimitar el espacio sagrado del profano. En este sentido es característico de este tipo de iglesias el deambulatorio, que permitía que la devoción popular fuera compatible con el oficio religioso.

2. El románico en Europa: Francia, Italia y Alemania

*Notre Dame de Poitiers, siglo XII.
Destaca en esta iglesia la profusión
de la decoración en la fachada.*

Las cuatro vías del Camino francés

En Francia existen diferentes tradiciones artísticas dentro del románico que en gran medida se forman a lo largo de las vías de peregrinación. En el sur se encuentra la *vía tolosana* y allí predomina la herencia clásica, como se observa en San Trófimo de Arlés; en esta misma vía está la iglesia de Saint-Sernin de Toulouse que acabamos de analizar.

Dos vías atravesaban el centro de Francia: la *podensis*, donde se levantaron grandes iglesias de peregrinación como Sainte Foy de Conques y San Pedro de Moissac; y la *vía limusina*, en la que se halla la Magdalena de Vézelay (que se analizará más adelante) y un conjunto de iglesias muy marcadas por la influencia bizantina (plantas de cruz griega y cúpulas sobre pechinas como en Saint-Front de Périgueux).

La *vía turonensis* recorría el oeste de Francia. Entre sus templos destaca Notre Dame de Poitiers, con esculturas en la fachada y torres flanqueando la entrada, cuyos tejadillos tienen una decoración de escamas.

*Atrio de San Ambrosio de Milán, siglo XII. Esta iglesia
fue erigida en el emplazamiento de una basílica
paleocristiana. En la parte superior de los muros se
observan los arquillos lombardos, que a intervalos
bajan en bandas verticales.*

Italia, una arquitectura variada

La arquitectura románica italiana reproduce la imagen de su paisaje político, fragmentado en regiones de acusada personalidad:

– En el norte, la Lombardía y regiones vecinas muestran su vitalidad construyendo grandes iglesias con bóvedas de cañón, gruesos soportes, criptas y una decoración a base de arcos lombardos: unos arquillos ciegos que a intervalos regulares se prolongan hasta el suelo en bandas verticales. Los canteros lombardos tuvieron gran reputación y difundieron su estilo por Alemania y Cataluña. La obra más representativa es San Ambrosio de Milán, edificio poderosamente articulado, con un atrio como en las basílicas paleocristianas.

– En la Toscana, en la Italia central, pervivió la herencia clásica. Allí se construyeron templos con arquerías decorativas, frontones y proporciones equilibradas. El uso del mármol también imprime carácter clásico a los edificios más importantes de esta zona. San Miniato al Monte, en Florencia, y el grandioso conjunto de Pisa, con catedral, baptisterio y campanario, que analizaremos más adelante, son los mejores ejemplos del románico de esta zona.

– En la Italia meridional se observan influencias bizantinas, normandas y árabes. En las catedrales de Palermo y Monreale (ambas en Sicilia) hay efectos de policromía, juegos de arcos entrecruzados y decoración de motivos geométricos y mosaicos.

Alemania, pervivencia de las tradiciones

La arquitectura románica se desarrolló en la zona del Rin con algunas particularidades: las iglesias tienen dos transeptos y a veces es frecuente el juego de dos ábsides enfrentados, uno a cada extremo de la iglesia, como ocurre en la catedral de Maguncia. La arquitectura de esta zona estaba muy anclada en viejas tradiciones, y con frecuencia la techumbre era plana o de artesonado, aunque en épocas posteriores se haya reemplazado por cubiertas abovedadas.

Características notables de los exteriores son las arquerías lombardas, porque muchos canteros del norte de Italia cruzaron los Alpes y trabajaron a lo largo del Rin. Las iglesias de Alemania sorprenden también por su verticalidad y dimensiones monumentales. Entre las obras principales se encuentran las catedrales de Spira y Worms y San Miguel de Hildesheim.

*Santa María Laach, Alemania, siglo XII. Es la iglesia de un monasterio
benedictino y tiene tres naves, doble transepto, torres y cimborrios.
Los muros exteriores están articulados con bandas lombardas.*

LA VARIEDAD DEL ROMÁNICO: TRES EJEMPLOS

La iglesia de peregrinación de **Saint-Front de Périgueux** (siglo XII) no sigue el modelo habitual de cruz latina. Debido a la influencia bizantina tiene planta de cruz griega y cúpulas en los distintos brazos y el crucero. Como en el arte bizantino, estas cúpulas se apoyan sobre pechinas, dirigiendo el peso a los pilares y logrando un sistema de descarga más eficaz que el de la bóveda de cañón. Es propio del románico, en cambio, la nitidez con la que esa estructura se deja ver en el exterior, así como la presencia de un gran campanario.

Saint-Front de Périgueux, siglo XII.

San Miniato al Monte, Florencia, siglo XI.

La elegantísima fachada de **San Miniato al Monte de Florencia** (siglo XI) está cargada de reminiscencias clásicas: arquerías ciegas, pilastras acanaladas en el cuerpo superior y un remate con frontón triangular que recuerda los templos grecorromanos. La técnica de incrustación con mármoles de distintos colores se mantuvo viva en la Toscana. El interior recuerda más bien a una basílica romana o paleocristiana, con tres naves, columnas de mármol y techumbre de artesonado. Tiene la particularidad de poseer tres niveles: bajo el altar mayor hay una cripta, como en las iglesias de peregrinación, y además un coro alto. La importancia de esta iglesia se explica por la devoción que los florentinos sentían por san Miniato, un mártir de la fe que anduvo predicando, dice la tradición, después de ser decapitado.

San Miguel de Hildesheim fue terminada hacia 1022, y su sistema de construcción marcó profundamente la arquitectura alemana posterior: tres naves, doble transepto, pilares alternando con columnas, y en el exterior severas torres con base poligonal y cuerpo superior cilíndrico. El promotor de la construcción fue el célebre obispo Bernward, ayo del joven emperador Otón III. Este prelado deseaba ser enterrado allí, y unas semanas antes de morir consagró una parte del edificio.

Planta de San Miguel de Hildesheim.

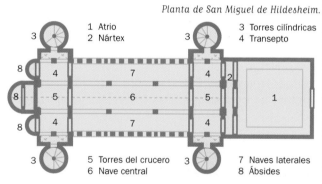

1 Atrio	3 Torres cilíndricas
2 Nártex	4 Transepto
5 Torres del crucero	7 Naves laterales
6 Nave central	8 Ábsides

La iglesia se presenta como un conjunto de dos bloques opuestos, macizos y voluminosos, unidos entre sí por las naves. Corresponden a dos coros, situados en el este y el oeste. Cada transepto tiene sus propios ábsides y cuatro torres los completan. En el interior alternan pilares y columnas, y todo el edificio está techado con artesonado. La iglesia fue muy dañada durante los bombardeos de la Segunda Guerra Mundial, y se reconstruyó según criterios arqueológicos para devolverle su aspecto original.

San Miguel de Hildesheim, Alemania, siglo XI.

IGLESIA DE LA MAGDALENA DE VÉZELAY

La obra

El templo actual se construyó después del incendio de 1120 que destruyó el antiguo edificio carolingio. Es una de las obras maestras del románico borgoñón y punto de arranque de una de las cuatro vías de peregrinación que surcaban Francia hacia Santiago de Compostela. Renaud de Semur emprendió las obras de la nave, que se terminó hacia 1140. La construcción prosiguió hasta 1215. A mediados del siglo XVI fue saqueada por los hugonotes (protestantes franceses) y luego fue parcialmente destruida durante la Revolución francesa. El célebre arquitecto Viollet-le-Duc la restauró a finales del siglo XIX.

Análisis formal

La planta. Es de cruz latina con el brazo del transepto muy poco pronunciado. La nave es imponente, de 62 m de longitud, con diez crujías (espacios entre columnas o pilares). Tiene nártex, cabecera amplia con girola y capillas radiales y fuertes pilares cruciformes. Todas las naves están cubiertas por bóvedas de arista.

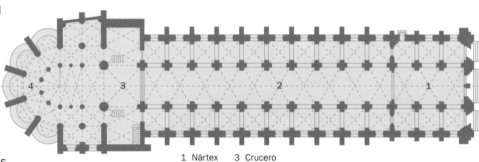

1 Nártex   3 Crucero
2 Nave   4 Girola

El exterior. La fachada fue reconstruida por Viollet-le-Duc basándose en documentos antiguos. La torre de la izquierda quedó inacabada, y la de la derecha es del siglo XIII, así como el amplio frontón que corona la parte central. En los costados de la iglesia hay arbotantes que soportan el peso de la bóveda.

El interior. El nártex, muy amplio, tiene tres crujías separadas por cuatro pilares. Da acceso al templo, cuya innovación principal es una hermosa nave con bóvedas de arista sobre planta rectangular.

Los arcos fajones tienen dovelas de piedra caliza blanca y oscura, policromía que atenúa la severidad del trazado. La línea de imposta separa las ventanas de la parte inferior. Son famosos los pilares cruciformes, con cuatro elegantes columnas adosadas que recogen otros tantos arcos. En los tímpanos se desarrolló un complejo programa iconográfico que ayudaría a los peregrinos a conocer la historia de Cristo, de la santa y sus reliquias.

Significado

Vézelay era uno de los lugares señeros de la peregrinación y cabeza del itinerario que recorría la Borgoña. Los milagros que allí se realizaron atrajeron a multitud de peregrinos, y junto a ellos a una gran actividad comercial de ferias y mercados. Vézelay era, después de Cluny, la abadía más rica de Borgoña, y sus monjes querían que la iglesia fuera tan impresionante como ésta. En 1125 se hundieron las bóvedas de cañón de Cluny, y los arquitectos de Vézelay aprendieron de esa experiencia y decidieron cubrir la nave central con bóvedas de arista. Este sistema, junto con los arcos fajones (que presentan una elegante bicromía), hace que el edificio resulte sólido y amplio, y que haya quedado como ejemplo del mejor románico.

Vista de la nave central de la Magdalena de Vézelay desde el altar.

- Identifica en el interior de la iglesia estos elementos: *bóveda, arco fajón, dovela, pilar cruciforme.*
- ¿Cuál es la función de la girola?
- ¿Qué características identifican este templo como iglesia de peregrinación?

EL CONJUNTO DE PISA: CATEDRAL, TORRE Y BAPTISTERIO

La obra

Según la leyenda, la catedral de Pisa se comenzó a construir con el botín que la flota pisana arrebató a los musulmanes en Palermo. El arquitecto Buscheto inició las obras hacia 1063, y éstas acabaron a mediados del siglo XII bajo la dirección de otro arquitecto, Rainaldo, cuando ya el papa Gelasio II había consagrado la iglesia. En la célebre plaza llamada de los Milagros, se encuentra también el camposanto, un cementerio porticado de planta rectangular.

Análisis formal

La *catedral*, paradigma del románico pisano, tiene planta de cruz latina con cinco naves, una de ellas de 100 metros de longitud, transepto, un ábside profundo y una cúpula ligeramente ovalada. Posee influencias clásicas (arquerías, frontones), lombardas (división del espacio en bandas verticales) y orientales (colorido, riqueza decorativa).

Conjunto de Pisa. En primer término, el baptisterio.

A diferencia del románico florentino, muy plano, los arquitectos pisanos incorporaron el relieve en forma de galerías con columnillas que crean zonas de claroscuro. Las puertas de bronce de la catedral son célebres, en especial la de San Rainiero, de finales del siglo XII, obra del maestro Bonanno Pisano.

En el interior hay una clara evocación paleocristiana en el artesonado que cubre la nave central, como en las antiguas basílicas. Se aprecia la influencia oriental en la policromía de los mármoles, en el arco triunfal apuntado que da paso al presbiterio y en el motivo de rombos que decora el interior.

Catedral.

El *baptisterio* es un majestuoso edificio de planta circular coronado por una gran cúpula. Posee la misma elegante decoración en la que alternan mármoles blancos y oscuros, y columnas monolíticas con capiteles muy trabajados. Lo empezó Diotisalvi en 1153 y se terminó en el siglo XV.

El *campanile* (campanario) se alza aislado del cuerpo de la iglesia y tiene 58 metros de altura. Es un cilindro de ocho pisos: la parte baja tiene nichos ciegos y placas ornamentales; luego se elevan seis pisos con galerías circulares exteriores que repiten el esquema de arquerías de la catedral, y finalmente el recinto para las campanas. El terreno ya cedió cuando se construía el primer piso, pero pudo terminarse en 1350.

Significado

El conjunto arquitectónico de Pisa nos habla de una ciudad-estado competidora de Venecia, floreciente, poblada por ricos burgueses que pueden permitirse financiar una obra de esta envergadura como manifestación de la riqueza y el esplendor de su ciudad. Su comercio con Oriente influye decisivamente en el estilo y los materiales empleados, pero muestra también la inspiración del románico toscano.

Campanile.

- Estudia las semejanzas de elementos y decoración existentes entre San Miniato al Monte de Florencia y el conjunto de Pisa.
- ¿Qué elementos decorativos existen en el exterior de la catedral?
- Enumera las diferencias que existen (formas, materiales, situación) entre las torres de una iglesia románica alemana y la de Pisa.

3. EL MONASTERIO MEDIEVAL

La vida monástica

El monasterio medieval es un conjunto de edificios en los que vive, ora y trabaja una comunidad de monjes. Los monasterios no fueron sólo centros religiosos sino también culturales, artísticos, económicos y políticos, y pueden considerarse prácticamente pequeñas ciudades de economía autosuficiente y con una organización rigurosa.

Su origen está en los antiguos eremitorios que habían florecido en Tierra Santa entre los siglos IV y VI, y que eran lugares donde se recogía un ermitaño al que luego se unían otros hombres o mujeres que querían compartir su estilo de vida. San Benito de Nursia, en el siglo VI, dictó una serie de normas para una comunidad monástica que, junto con otras órdenes, tuvo una gran difusión; era característica del monasterio benedictino una regla en la que el horario del monje y todos los aspectos de su vida estaban rígidamente establecidos, de manera que éste no sólo se dedicaba al ascetismo sino también al trabajo y al estudio. Con el tiempo, estas comunidades benedictinas (llamadas de monjes negros por el color de sus hábitos) fueron descuidando el trabajo manual, del que se ocupaban los siervos, en favor de la oración y las labores intelectuales, y en esta línea surgió en el siglo X el monasterio de Cluny. Durante los siglos XI y XII los cluniacenses difundieron por Europa la arquitectura románica. El excesivo enriquecimiento que alcanzó esta orden forzó una reforma a principios del siglo XII, la del Císter, que tendrá importantes consecuencias para el arte durante el siglo siguiente y que trataremos en otra unidad.

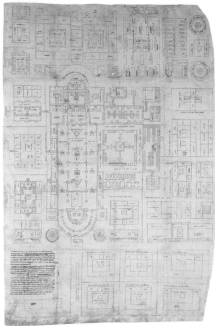

Plano de San Gall, siglo IX. De este monasterio sólo conocemos este documento dibujado sobre pergamino, el único plano arquitectónico anterior al siglo XIII que se conserva.

Organización del monasterio

San Benito no especificaba en su regla monacal cómo debía ser la arquitectura de los monasterios; sin embargo, las normas que regían la vida de los monjes condicionaban la existencia de una serie de dependencias y su organización espacial. El monasterio de San Gall, de época carolingia (siglo IX), es un interesante precedente de los monasterios de los siglos XI y XII, sobre todo en la concepción del espacio como una unidad autosuficiente y jerárquicamente organizada.

Claustro de San Pedro de Moissac, Francia, siglo XII.

La planta de un monasterio venía dictada por esa visión jerárquica y religiosa: dominando las demás construcciones se encontraba la iglesia, de grandes dimensiones: era la casa de Dios y por ello se construía con los materiales más ricos (piedra bien labrada), mientras que en los edificios adyacentes se seguía empleando con frecuencia la madera. Junto a la iglesia había un claustro, espacio abierto, ajardinado y rodeado por una galería cubierta, y que servía como lugar de procesiones y de esparcimiento para los monjes. El claustro funcionaba como centro distribuidor de las distintas dependencias del monasterio, que se abrían a él. Entre éstas destacaba la sala capitular, normalmente cuadrada y con bancos que recorren la pared, donde se reunían los miembros de la comunidad y el prior.

El refectorio o comedor solía ser una gran sala rectangular, en la que a veces se encontraba un púlpito elevado donde se situaba un monje que leía en voz alta textos religiosos mientras la comunidad comía. Además, el monasterio contaba con otras muchas dependencias: dormitorios, el *scriptorium* (donde los monjes estudiaban y copiaban los libros antiguos), las cocinas y almacenes, el hospital, la hospedería de peregrinos, los establos, las letrinas, etc.

Dormitorio de Fonterault, Francia, siglo XII. Los dormitorios de los monjes solían ser colectivos y a veces tenían una puerta que conducía directamente a la iglesia para favorecer los oficios nocturnos.

El MONASTERIO DE CLUNY

El monasterio de Cluny fue una fundación del siglo X patrocinada por el duque Guillermo de Aquitania en uno de sus dominios de la zona de Borgoña. Era intención de este duque que el monasterio dependiese directamente del papa, pero la dificultad que la Santa Sede tenía para controlar una comunidad tan lejana y la importancia que pronto adquirió Cluny conviertieron este monasterio en un núcleo independiente que llegó a ser cabeza de casi 1.500 abadías. Los cluniacenses promovieron, además, una nueva concepción de la vida religiosa basada en la regla de san Benito. A pesar de su autonomía, Cluny colaboró estrechamente con el papado y secundó el interés de éste por uniformizar los ritos y templos católicos.

Restos actuales de la abadía de Cluny. Para la Francia ilustrada, Cluny era un símbolo del poder reaccionario de la Iglesia; por ello durante el siglo XVIII se destruyeron casi todos los edificios monásticos y en los primeros años de la Revolución francesa se derribó la iglesia.

El complejo arquitectónico

El monasterio de Cluny fue un conjunto de edificios que se fueron construyendo y reformando a lo largo del tiempo. El plano que se recoge en esta página corresponde a la distribución que tendría el monasterio en el siglo XII.

1 Iglesia monástica	5 Dormitorios	9 Fábrica de conservas
2 Sala capitular	6 Hospital	10 Establos
3 Claustro	7 Cocina y almacén	11 Hospedería
4 Refectorio	8 Panadería	12 Letrinas

Plano del monasterio de Cluny.

La iglesia fue una de las mayores de la cristiandad; tenía una enorme nave y numerosos absidiolos cuya función era albergar capillas. Estos pequeños absidiolos se distribuyen a lo largo de dos transeptos y en el gran ábside de la cabecera. En el exterior se apreciaba claramente la disposición de estos elementos constructivos; algo que es característico de las edificaciones románicas y que vemos en el dibujo de abajo, que muestra cuál sería el aspecto de la iglesia en el siglo XII.

Cerca de la iglesia, pero no integrada entre las dependencias de la comunidad monástica, estaba la hospedería, espacio reservado para albergar a los peregrinos. Con un criterio funcional, el refectorio, las cocinas y la panadería se agrupan en la misma zona y se sitúan junto al claustro. Los dormitorios eran colectivos, pero existían varias dependencias que separaban a legos y monjes. Algo alejado del conjunto estaba el hospital.

Cluny, centro difusor del románico

La importancia de Cluny en la arquitectura románica no debe interpretarse como la de un foco difusor que dictase normas estilísticas sobre los demás monasterios cluniacenses de Europa occidental. Más bien debe considerarse como un estímulo y un modelo que, con su ideal de vida monástica consagrada a la oración y al estudio, animase a las abadías a elevar edificios religiosos ricos y poderosos. Con este propósito de levantar mejores iglesias se generalizó el uso de la piedra como material constructivo y se desarrollaron las técnicas arquitectónicas del románico.

Dibujo ideal que muestra cómo sería el aspecto de la iglesia de Cluny en el siglo XII.

La imagen, transmisora de las verdades de la fe

Las imágenes románicas, pintadas o labradas sobre el muro, o bien exentas, se integran en el templo para completar y confirmar su carácter simbólico. Así presentan el edificio como una anticipación de la gloria divina en la tierra y como un resumen de las verdades que los fieles debían respetar. Para el hombre medieval, las imágenes eran auténticas lecciones que ilustraban las verdades de la fe y los episodios sobresalientes de la Escritura. Los temas están tomados del Evangelio, de las vidas de los santos (hagiografías), del Antiguo Testamento y, especialmente, del *Apocalipsis* de san Juan. Estos asuntos sagrados tenían en gran medida iconografías de raíz paleocristiana y bizantina.

Durante el románico fue asentándose también la iconografía de Cristo crucificado, que aparece sereno, triunfando sobre la muerte; así, fueron muy frecuentes las imágenes exentas o marfiles que desarrollaron este tema y que se colocaban sobre el altar.

Junto a estos temas sagrados había otros, sobre todo aquellos en los que el artista expresaba sus inquietudes y los aspectos de su vida cotidiana, en los que el románico crea su propia tradición o bien se inspira en las fuentes más dispares. Es el caso, por ejemplo, de los seres fabulosos con los que se representa el pecado o el demonio, inspirados en los bestiarios de origen oriental.

La esquematización románica

El artista románico no utiliza un lenguaje naturalista para plasmar el movimiento, las proporciones o las emociones. En este sentido, la escultura y la pintura románicas más bien están emparentadas con el arte bizantino y paleocristiano: las figuras son planas, rígidas, los gestos hieráticos. Los personajes se ajustan a la ley del marco, es decir, se adaptan sus proporciones al espacio disponible. Con frecuencia se tiende a la geometrización: ojos almendrados, dedos tubulares, pliegues que parecen rayas trazadas a escuadra. Aun así, en las grandes obras del románico se consigue una expresividad rica y llena de fuerza.

Aunque se habla de un estilo románico, hay gran variedad formal entre las distintas regiones europeas, porque los diversos maestros se inspiraban en los modelos más cercanos. Por ejemplo, en la Provenza francesa, rica en restos del imperio romano, surgió una tendencia a tratar pliegues y proporciones como en la antigua Roma. En España, en cambio, algunos maestros tomaron como punto de referencia los marfiles califales, objetos de prestigio que circulaban como producto de lujo en los reinos cristianos.

La escultura en función de la arquitectura

La tradición de la gran escultura monumental había decaído en Europa occidental tras la desaparición del imperio romano. A partir del siglo XI, cuando se reanuda la actividad constructiva y empieza el renacer cultural y artístico de la época feudal, vuelven a hacerse grandes proyectos escultóricos.

La *fachada* de la iglesia románica es el lugar donde se encuentran los relieves principales, especialmente en la portada. Ésta se divide en varias partes: el *tímpano*, parte semicircular que se encuentra sobre la puerta; el *dintel*; el *parteluz* o columna que divide la puerta en dos partes, y las *arquivoltas*.

También puede aparecer escultura de tamaño considerable en las jambas de la puerta y, en menor escala, en capiteles y cimacios, o en los canecillos, piezas que sostienen los aleros del edificio o del pórtico.

Además de toda esta escultura en relieve, en el interior de la iglesia se encontraban esculturas de bulto redondo, exentas, ricamente policromadas, que representaban a Cristo, la Virgen o los santos a los que estaba dedicada la iglesia. Con ello se completaba el programa iconográfico.

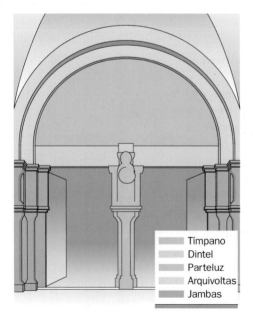

Portada central del nártex de la iglesia de la Magdalena de Vézelay, siglo XII.

Tímpano
Dintel
Parteluz
Arquivoltas
Jambas

LA IMAGEN ROMÁNICA: CUATRO EJEMPLOS

El tema principal de las portadas románicas es el
Pantocrátor, como se observa en la portada de **Sainte Foy
de Conques**, del siglo XII: Cristo aparece con todo su poder,
siguiendo la descripción que se da del Juicio Final en el
Apocalipsis de san Juan, y surge de los cielos dentro de una
mandorla, coronado con un nimbo y rodeado de ángeles
que, en otras obras, suelen sustituirse por los evangelistas
bajo sus respectivos símbolos (tetramorfos). La cruz alude
en este caso al triunfo de Cristo sobre la muerte. La
dignidad de esta imagen debe mucho a la tradición clásica,
con la que este tema iconográfico nunca rompió del todo.

*Pantocrátor de la portada
de Sainte Foy de Conques, siglo XII.*

Esta miniatura del **salterio de Enrique de Blois** (mediados del siglo XII) ilustra
uno de los terrores más persistentes de la Edad Media: el infierno. Los pecadores
han sido devorados por las enormes fauces de Satanás, y allí son torturados para
toda la eternidad por los seres infernales. El pecado no conoce clases sociales:
entre los condenados se encuentran reyes y reinas con la corona aún sobre la
cabeza, como escarnio suplementario. Un ángel elegante y delicado, que parece
flotar en el aire, cierra las puertas del infierno, como nos explica la inscripción
superior.

*Miniatura del salterio de Enrique de Blois,
siglo XII.*

Relieve de la fachada de la catedral de Módena, siglo XI.

Los temas del Antiguo Testamento aparecen distribuidos por capiteles, jambas y fachadas. Son frecuentes los temas del
Génesis, como en este relieve de la **fachada de la catedral de Módena**, del siglo XI, que narra la historia de Adán y Eva. Los
temas más anecdóticos (y otros que no son sagrados) se retiran a zonas menos importantes de la iglesia. El relieve aquí
reproducido muestra la influencia clásica que pervivía en Italia; los desnudos y la disposición de las figuras recuerda a los
sarcófagos romanos, mientras que la tendencia a hacer prevalecer el significado sobre la forma es propia del románico.

Por otra parte, los capiteles, tanto de las iglesias como de
los claustros, se aprovechaban para representar escenas
narrativas del Antiguo y del Nuevo Testamento, como en el
capitel de la huida a Egipto que se encuentra en la iglesia
de Saint-Andoche de Saulieu (mediados del siglo XII): en él
se representa a la sagrada familia sobre un fondo boscoso,
en una escena que abarca todo el capitel. En este tipo de
obras, como en otras que se ocupan de las labores del
campo, o de escenas cortesanas, se advierte la capacidad del
artista románico para captar detalles de la realidad y de su
entorno más inmediato, y de reflejarlas con un lenguaje
rotundo y esquemático.

*Capitel de la iglesia
de Saint-Andoche de Saulieu, siglo XII.*

El siglo XI. Los comienzos

Una de las primeras esculturas románicas francesas es el dintel de Saint-Genis-les-Fonts (hacia 1130). Tallado a bisel, plano, con proporciones arbitrarias, recuerda a los relieves visigodos, aunque quizá su autor se inspiró en algún marfil carolingio.

Pero es en la iglesia de Saint-Sernin de Toulouse donde aparece el primer escultor notable del siglo XI, Gilduino. Su Pantocrátor, probablemente inspirado en un marfil, debió de ser muy admirado. Los discípulos de Gilduino trabajaron en la rica y poderosa abadía cluniacense de Moissac, donde realizaron el claustro, y su estilo se observa también en una de las portadas de Saint-Sernin, la puerta de Miégeville, que representa la ascensión de Cristo. Estos mismos autores trabajaron después en el Camino de Santiago, dejando una réplica de la puerta de Miégeville en San Isidoro de León. El estilo de estos maestros es más expresivo y de relieve más pronunciado.

El siglo XII. La irradiación de Cluny

Quedan pocos restos del programa iconográfico del monasterio de Cluny tras su destrucción, pero sabemos que algunos de los escultores que trabajaron allí se dispersaron después por la Borgoña, dejando obras maestras. Los más valiosos fueron Gisbertus, que se menciona en una inscripción de San Lázaro de Autun, y el maestro anónimo del tímpano de la Magdalena de Vézelay. Sus obras son de gran tamaño, y ambas tienen parteluz para soportar el peso del tímpano. Éste consta de varias losas yuxtapuestas, y en un marco tan amplio los escultores desarrollan escenas de gran efecto dramático: el Juicio Final en Autun y Pentecostés en Vézelay. Las esculturas se caracterizan por su monumentalidad, agitación y dramatismo.

Dintel de Saint-Genis-les-Fonts (hacia 1130). Es obra de un taller de los Pirineos y pertenece a los inicios de la escultura románica. En el centro está el Pantocrátor dentro de una mandorla que sostienen dos ángeles. A cada lado se hallan tres apóstoles bajo arcos de herradura. El modelado es plano y el canon corto.

Tímpano de la portada de Miégeville de la iglesia de Saint-Sernin de Toulouse (antes de 1118). Representa la Ascensión: Cristo sube apoyándose en dos ángeles, mientras otros cuatro lo contemplan. Es la primera vez que se representa el movimiento de una figura ascendente en el románico.

El tímpano de San Lázaro de Autun es una de las obras maestras de la escultura románica. Representa el Juicio Final y fue realizado entre 1130 y 1135 en piedra caliza bastante dura. La disposición tradicional coloca a los justos a la derecha de Cristo, y a los condenados a su izquierda. Entre los bienaventurados que han alcanzado la gloria eterna se encuentran obispos, niños y dos peregrinos de Compostela y de Jerusalén, reconocibles por la concha, el bordón y el zurrón.

El tema de Pentecostés recogido en Vézelay, en el que el Espíritu Santo exhorta a los apóstoles para que prediquen a todos los pueblos, fue de gran efecto en la época de las cruzadas: aquellos hombres de los siglos XI y XII se sintieron herederos del mandato hecho a los apóstoles, y querían responder a la guerra santa de los infieles con la liberación del Santo Sepulcro que se encontraba en Jerusalén.

Mucho más reposada es la escuela provenzal. En San Trófimo de Arlés y Saint-Gilles-du-Gard la inspiración es la escultura romana, y aquí las figuras, graves e inmóviles, suelen aparecer entre pilastras acanaladas; no cruzan las piernas ni giran la cabeza, y los pliegues de la ropa caen en líneas verticales. Incluso el esquema que enmarca a las figuras parece un arco triunfal romano y subraya el carácter glorioso de la Iglesia y del destino humano tras la redención.

Tímpano del Juicio Final en San Lázaro de Autun (1140-1145). El Cristo gigantesco, sentado en un trono, preside el destino final de los humanos. A su derecha están los bienaventurados y a su izquierda los condenados. Un célebre detalle describe el peso de las almas. En el dintel y a tamaño mucho menor se ve la resurrección de los muertos.

El tímpano de Moissac

La abadía de Moissac, una antigua fundación del siglo VII, cayó bajo el poder de Cluny en el siglo XI cuando el abad Odilón logró some-terla a este monasterio, que en aquel momento era el más poderoso de la cristiandad. Desde fines del siglo XI hasta 1188 Moissac cono-ció su edad de oro. Bajo la dirección del abad Anquétil (1085-1115) se hicieron el claustro y las esculturas del tímpano, obras maestras de la escultura románica europea. La abadía fue decayendo en los siglos siguientes debido a los saqueos, las guerras y, sobre todo, a la destrucción que sufrió en la Revolución francesa a finales del siglo XVIII. Fue restaurada por Viollet-le-Duc a mediados del siglo XIX.

Gran arco triunfal

El tímpano de Moissac es comparable a un gran arco triunfal que acogía a los peregrinos y les daba un atisbo de la gloria celestial. Para aquellos hombres llenos de fe que aún tenían por delante un largo recorrido, tal visión servía de exhortación, esperanza y promesa.

La portada está protegida por un profundo pórtico, cuyos muros están decorados con relieves que representan la infancia de Cristo, el pobre Lázaro y el castigo de la avaricia y la lujuria. La escultura de este tímpano de más de cinco metros y medio es monumental, y domina por entero la entrada al templo. Su enorme masa se apoya en un parteluz y dos jambas con esculturas que representan a san Pedro y al profeta Isaías.

En el centro del tímpano hay un gigantesco Pantocrátor coronado y entronizado. A su alrededor se agrupan dos serafines y el Tetramorfos, símbolos de los evangelistas: san Juan (el águila), san Marcos (el león), san Lucas (el buey) y san Mateo (el ángel). A ambos lados y bajo este grupo central, distribuidos en frisos, están los veinticuatro ancianos del Apocalipsis, que llevan cálices e instrumentos musicales. La escena representa, casi al pie de la letra, versículos del cuarto y quinto capítulos del *Apocalipsis* de san Juan.

La majestad de Cristo

La severa inmovilidad del Cristo acentúa su poder y majestad, contrastando con la agitación de los demás personajes. Éstos están minuciosamente estudiados uno por uno y presentan características que los individualizan: no tienen la misma postura, no cruzan las piernas de la misma forma ni visten igual.

Todos los ancianos de la revelación miran, eso sí, hacia el Salvador. Las líneas ondulantes que separan las filas de ancianos y la orla sinuosa de sus túnicas resaltan esta impresión de movimiento. El escultor ha acentuado la agitación de la escena colocando una línea serpenteante que discurre paralela a la arquivolta interior.

Un detalle interesante es cómo están representados los símbolos del Tetramorfos: aunque miran también ellos hacia el Pantocrátor, sus cuerpos expresan vida y movimiento, como para crear más contraste con el hieratismo lleno de majestad del Cristo. La escala corresponde a la jerarquía: la figura mayor es la de Cristo, seguida por los ángeles y los ancianos.

Riqueza y variedad de técnicas

Las artes industriales alcanzaron un gran auge en el arte románico. Muestra de ello fue la elaboración de tratados en los que se explicaban las técnicas más comunes para fabricar muebles, tejidos, vidrieras, joyas, etc. Tanto en el ámbito profano como en el religioso eran muy frecuentes estos objetos, si bien se han conservado relativamente pocos restos y éstos, en su mayoría, son piezas religiosas que han llegado hasta nosotros gracias a su carácter sagrado. En los templos románicos estas piezas contribuían en gran medida a la belleza del conjunto de la iglesia y su riqueza estaba en relación con la función litúrgica que tenían. En este sentido, destacan los marfiles y la orfebrería que se utilizaban sobre todo para decorar los relicarios. Las piezas de marfil suelen tener los mismos rasgos estilísticos que hemos estudiado en la escultura monumental.

Aunque el arte de las vidrieras alcanzó su esplendor en el gótico, ya desde mediados del siglo XI se perfeccionó esta técnica. Consiste en engarzar vidrios de colores con unas barritas de plomo (emplomado) formando un dibujo. De trecho en trecho la ventana tiene unos tirantes de hierro para proteger los vidrios inferiores del excesivo peso de toda la vidriera. Se dibujaba el tema elegido sobre una tabla de madera; encima se ponían las láminas de vidrio de distintos colores, que se cortaban según las formas del dibujo, como en un calco. Con óxidos metálicos se pintaban los vidrios para obtener detalles (rasgos del rostro, pliegues) y se cocían a temperatura suave.

Imagen de Santa Fe de Conques, finales del siglo X. La figura, de madera, está cubierta con láminas de oro y plata dorada y con incrustaciones de piedras preciosas. La santa aparece en majestad con los símbolos de los emperadores romanos: trono y corona.

Esmaltes

La antiquísima técnica del esmalte consiste en decorar una placa, generalmente de cobre, con colores que se obtienen con pasta de vidrio. Hay *dos procedimientos* fundamentales:

Arqueta de Limoges, siglo XII. Un color azul intenso es el característico de esta escuela. Las figuras coloreadas contrastan con el fondo dorado de la placa.

- *El cloisonné* o *esmalte tabicado* consiste en una sutil red como de alvéolos soldados sobre la plancha que se rellenan luego con la pasta de los colores correspondientes. El canto de los tabiques queda a la vista separando los colores.

- *El champlevé* o *campeado* requiere una base más gruesa. Se hacen unos agujeros en la placa metálica y allí se coloca la pasta vítrea.

Los esmaltes tuvieron su esplendor en el siglo XII, con tres escuelas principales: la del Mosa, con centro en Lieja, la renana en Colonia y la de Limoges en Francia. Los esmaltes de la escuela del Mosa, opacos y con grandes superficies de color, utilizan el contraste entre la policromía y el fondo dorado, y son casi siempre objetos litúrgicos como cálices, relicarios, crucifijos y altares portátiles. El artista más conocido, a fines del siglo XII, fue **Nicolás de Verdún**, autor del famoso ambón de Klosterneuburg. La escuela renana, especializada asimismo en la técnica del campeado, tiene como marca distintiva la preocupación por los efectos cromáticos, sobre todo entre el azul y el oro.

La escuela de Limoges es la más representativa y duradera de las tres, pues estuvo en activo desde el siglo XII al XVI. Se exportaron grandes cantidades de objetos (candeleros, relicarios, crucifijos) con la técnica del campeado. No sólo produjo objetos sacros y de uso litúrgico, sino que también fabricó aguamaniles, fíbulas, cofrecillos, bandejas y otros enseres profanos.

Textiles

Un tapiz es un tejido hecho a mano con un dibujo que se teje a la vez que su soporte y por lo tanto constituye parte integrante de la pieza. Hay dos tipos de telares: el vertical o de alto lizo y el de bajo lizo, horizontal. El dibujo se realiza con lana o seda de colores y a veces, en los tapices más ricos, hay hilos de oro o plata. A lo largo de toda la Edad Media se utilizaron los tapices como colgaduras que se ponían en las iglesias en algunas solemnidades litúrgicas para engalanar el templo y en las paredes de los palacios para decorar y proteger del frío. También fueron muy importantes otro tipo de textiles, como los bordados, entre los que destaca el *tapiz de Bayeux*, uno de los más famosos del mundo.

ARTE SACRO Y ARTE PROFANO

El marfil de la catedral de Narbona

El marfil es un material blando que permite una talla precisa y finamente acabada. El trabajo en este material fue muy importante en la Roma bajoimperial y en Bizancio. Las tallas en marfil de época románica suelen conservar algo del aire clásico de estas épocas, sobre todo en la composición de las escenas. El relieve en marfil que se conserva en la catedral de Narbona (finales del siglo XI, principios del XII) debió de ser la cubierta de un evangelio y sintetiza lo más relevante del mensaje del Nuevo Testamento. Cristo crucificado aparece en el centro; a su alrededor, bajo los brazos de la cruz, hay escenas que hacen referencia a la Pasión (el beso de Judas, la Última Cena, el expolio, etc.) y a la resurrección (las Marías en el sepulcro, duda de santo Tomás, etc.). Las imágenes que se ven sobre los brazos aluden al triunfo de Cristo: la Ascensión a los cielos y Pentecostés. A pesar de hallarse en trance de muerte, Cristo aparece en majestad, sereno y digno. Su figura conserva en gran medida las proporciones clásicas y sigue la iconografía llamada helenística, en la que Cristo está sin barba, como en las imágenes paleocristianas.

Relieve en marfil de la catedral de Narbona, siglos XI-XII.

El tapiz de Bayeux

Es en realidad un paño bordado que fue realizado entre los años 1066 y 1077. Tiene unos 70 metros de largo por 50 centímetros de alto. Sus distintas escenas narran la conquista de Inglaterra por los normandos; cada una de ellas tiene un texto explicativo, también bordado, donde se precisa al espectador quiénes son los personajes y el episodio representado.

El rey de Inglaterra, Eduardo el Confesor, había muerto sin herederos; y un noble anglosajón, Harold, y el duque de Normandía, Guillermo, se disputaban el trono. Harold había jurado, según lo que se narra en el tapiz, fidelidad al duque Guillermo, pero finalmente no lo aceptó como rey. Guillermo, con el permiso del papa, decidió entonces invadir Inglaterra y acabó proclamándose monarca.

Se cree que el obispo de Bayeux, hermanastro de Guillermo el Conquistador, encargó el tapiz para reforzar la legitimidad del nuevo rey. Aunque aparentemente su temática es profana, el hecho de colocarlo en la iglesia de Bayeux en determinadas ocasiones nos habla de un contexto de arte sacro y nos recuerda que los poderes político y religioso estaban en la Edad Media estrechamente unidos.

Esta obra es un ejemplo de arte al servicio del poder. El juramento de Harold es quizá la escena clave del tapiz, y la que justifica políticamente la conquista de Inglaterra. Harold, el preferido por la facción anglosajona, jura ante Guillermo que lo reconocerá como rey en cuanto muera Eduardo. Coloca la mano derecha sobre un relicario y la izquierda sobre el altar. Así Harold aparece retratado como perjuro y esto autoriza la conquista de Guillermo.

Las escenas de la preparación de la invasión y la guerra destacan por su carácter dinámico, que contrasta con el hieratismo de las imágenes religiosas. Abundan los detalles acerca del armamento, la vestimenta, las técnicas de lucha, los oficios, etc., que aproximan esta obra a los cantares de gesta que empezaban a componerse en estas fechas.

Tapiz de Bayeux, siglo XI. Escenas del juramento de Harold, de la construcción de las naves y de la batalla.

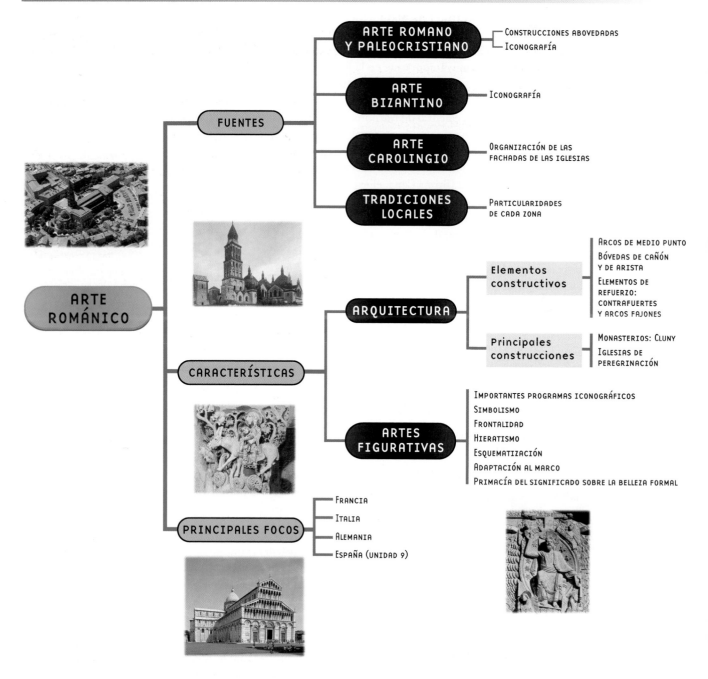

ARTE ROMANO Y PALEOCRISTIANO
- Construcciones abovedadas
- Iconografía

ARTE BIZANTINO
- Iconografía

ARTE CAROLINGIO
- Organización de las fachadas de las iglesias

TRADICIONES LOCALES
- Particularidades de cada zona

FUENTES

ARTE ROMÁNICO

ARQUITECTURA

Elementos constructivos
- Arcos de medio punto
- Bóvedas de cañón y de arista
- Elementos de refuerzo: contrafuertes y arcos fajones

Principales construcciones
- Monasterios: Cluny
- Iglesias de peregrinación

CARACTERÍSTICAS

ARTES FIGURATIVAS
- Importantes programas iconográficos
- Simbolismo
- Frontalidad
- Hieratismo
- Esquematización
- Adaptación al marco
- Primacía del significado sobre la belleza formal

PRINCIPALES FOCOS
- Francia
- Italia
- Alemania
- España (unidad 9)

REGIÓN	CARACTERÍSTICAS	OBRAS PRINCIPALES

FRANCIA	• Cuna de la reforma de Cluny: Borgoña.
	• Iglesias de planta de peregrinación.
	• Influencias variadas:
	  Roma → Provenza.
	  Bizancio → Poitou.
	• Portadas con programas escultóricos complejos.
		• Magdalena de Vézelay.
		• Monasterio de Cluny.
		• Saint-Front de Périgueux.
		• San Pedro de Moissac.
		• San Lázaro de Autun.
		• Sainte Foy de Conques.
		• San Trófimo de Arlés.

ITALIA	• Norte: románico lombardo (arcos ciegos, atrios). • Toscana: influencia clásica, mármoles de colores, arquerías superpuestas. • Sur: influencias árabes, arcos apuntados y entrelazados, policromía. • Escasa escultura en portadas.	• San Ambrosio de Milán. • San Miniato de Florencia. • Conjunto de Pisa. • Catedral de Monreale.
ALEMANIA	• Verticalidad, varias torres, doble transepto, arquitectura monumental. • Pervivencia de techumbres artesonadas en Hildesheim.	• San Miguel de Hildesheim. • Catedral de Maguncia. • Catedral de Spira. • Catedral de Worms.

HACIA LA UNIVERSIDAD

1. Desarrolla uno de estos dos temas:

a) *La escultura románica: aspectos temáticos y estilísticos.*

b) *La arquitectura románica: elementos constructivos y diferencias regionales en Europa.*

2. Analiza y comenta estas imágenes de la manera más completa posible:

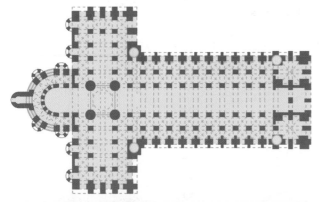

3. Define o caracteriza brevemente los términos y nombres siguientes: *iglesia de peregrinación, bóveda de cañón, Cluny, transepto.*

4. Lee con atención el siguiente texto y responde a las cuestiones que se plantean:

Antes de 1130 los mayores centros de la cultura occidental, los grandes manantiales del nuevo arte son los monasterios y no las catedrales. Los monasterios erigidos en el campo, en el corazón de grandes tierras animadas por el continuo progreso de las técnicas agrícolas, se adaptaban mejor a las exigencias y estructura de una sociedad eminentemente rural; pero su primacía depende sobre todo de que las instituciones monásticas se purificaron antes de los males que la habían corrompido temporalmente. En el medievo occidental los abades fueron santos antes que los obispos, reorganizaron la escuela antes que ellos, y cesaron mucho antes de despilfarrar sus rentas, continuamente incrementadas por donaciones generosas, destinándolas a la reconstrucción y ornamento de sus iglesias, para mayor gloria de Dios.

DUBY, Georges: *El arte y la sociedad medieval.*
Roma, Universale Laterza, 1981

— Resume brevemente el contenido del texto.

— ¿Qué estilo artístico predominaba en el arte en el siglo XII? Explica brevemente las características de su arquitectura religiosa.

— ¿Qué importancia tuvieron los monasterios en la arquitectura de esta época? ¿Cuáles eran las dependencias más importantes de estos conjuntos religiosos?

PASADO Y PRESENTE EN EL ARTE

En el arte románico es muy frecuente la aparición de monstruos y animales fantásticos que suelen simbolizar el pecado. Por otro lado, según las creencias religiosas de la época, el ser humano había recibido su imagen de Dios y se consideraba la criatura más perfecta de la Creación, mientras que los animales, y más aún las criaturas fantásticas, que se creían mezcla de diferentes bestias, representaban lo más bajo. Por ese motivo simbolizaban también al hombre rebajado por el vicio.

— ¿En qué otras culturas hemos estudiado la presencia de animales fantásticos en el arte?

— ¿Tienen el mismo significado que en el románico?

— Averigua qué es un bestiario y cuál es su relación con el arte románico.

Capitel de San Martín de Canigó (siglos XI-XII).

9. ARTE ROMÁNICO EN ESPAÑA

Durante los siglos XI y XII la península Ibérica albergaba una diversidad cultural que le confería un carácter peculiar en la Europa de entonces.

En el norte, que estaba dividido en pequeños reinos cristianos, el Camino de Santiago supuso un lazo de unión que contribuyó a que la economía se activara y a enardecer la fe de los cristianos. Las mejores obras del románico se realizaron precisamente en torno a esta vía de peregrinación.

En el sur, al-Ándalus empezaba en el siglo XI su decadencia, pero aún conservaba intacto su prestigio cultural: los artesanos árabes eran solicitados por doquier, extendiendo el lenguaje de sus formas artísticas. Además, junto a cristianos y musulmanes existía una importante comunidad judía de la que salieron figuras relevantes en el campo del pensamiento.

EL TRASLADO DE LAS RELIQUIAS DE SAN ISIDORO

El cuerpo de san Isidoro [...] fue trasladado desde Sevilla a Toledo por dos obispos, Alvito de León y Ordoño de Astorga, que eran ilustres por muchos milagros [...]. Lo cierto es que el rey Fernando hizo levantar una iglesia conmemorativa y consagrarla a san Isidoro, que adornó con oro, plata, piedras preciosas y telas de seda, y a esta iglesia acudía por la mañana, por la tarde, por la noche y a las horas del sacrificio, unas veces acompañando a los clérigos en sus cantos de alabanza a Dios y otras incluso haciendo la vez de chantre [canónigo]. Y aunque había determinado situar su panteón en el monasterio de Sahagún o de San Pedro de Arlanza, accediendo a los ruegos de su esposa la reina Sancha, situó el suyo, el de su esposa y el de sus sucesores en la iglesia que había construido en León.

JIMÉNEZ DE RADA, Rodrigo (siglo XIII): *Historia de los hechos de España*. Madrid, Alianza, 1989, p. 235

Frescos del panteón de San Isidoro de León, siglo XII.

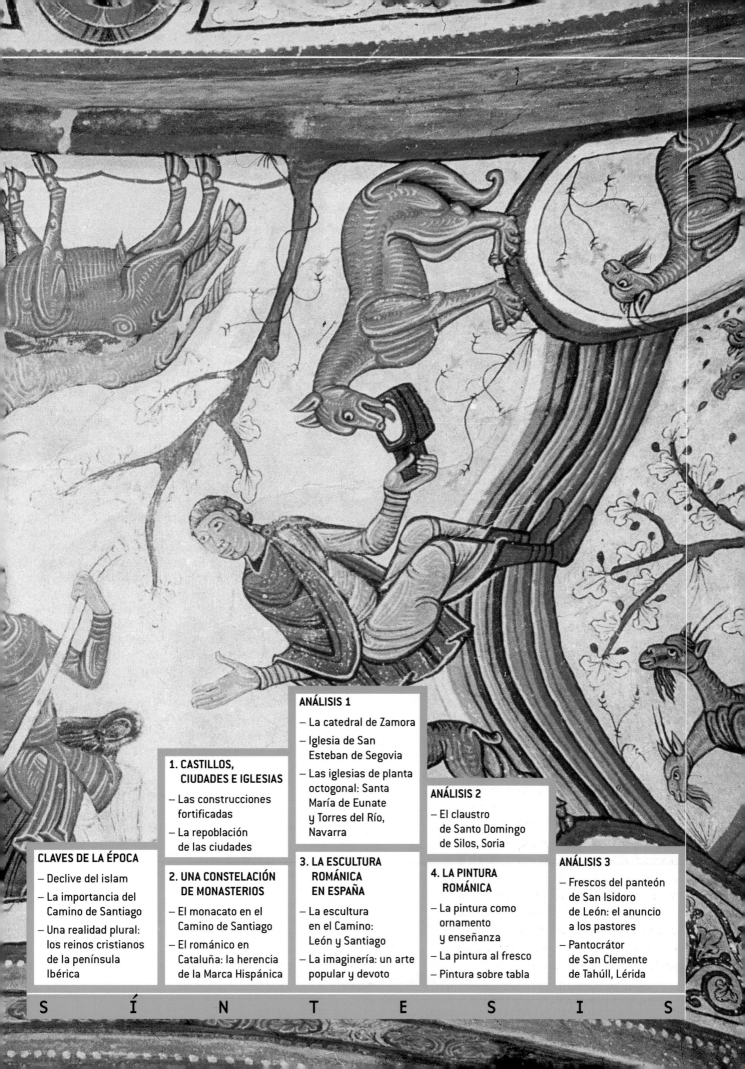

ANÁLISIS 1

– La catedral de Zamora

– Iglesia de San Esteban de Segovia

– Las iglesias de planta octogonal: Santa María de Eunate y Torres del Río, Navarra

1. CASTILLOS, CIUDADES E IGLESIAS

– Las construcciones fortificadas

– La repoblación de las ciudades

ANÁLISIS 2

– El claustro de Santo Domingo de Silos, Soria

CLAVES DE LA ÉPOCA

– Declive del islam

– La importancia del Camino de Santiago

– Una realidad plural: los reinos cristianos de la península Ibérica

2. UNA CONSTELACIÓN DE MONASTERIOS

– El monacato en el Camino de Santiago

– El románico en Cataluña: la herencia de la Marca Hispánica

3. LA ESCULTURA ROMÁNICA EN ESPAÑA

– La escultura en el Camino: León y Santiago

– La imaginería: un arte popular y devoto

4. LA PINTURA ROMÁNICA

– La pintura como ornamento y enseñanza

– La pintura al fresco

– Pintura sobre tabla

ANÁLISIS 3

– Frescos del panteón de San Isidoro de León: el anuncio a los pastores

– Pantocrátor de San Clemente de Tahúll, Lérida

S   Í   N   T   E   S   I   S

CLAVES DE LA ÉPOCA

Declive del islam

El año mil amanece en los reinos cristianos peninsulares con las acei-
fas de Almanzor, visir del califa Hisham II de Córdoba, que asoló ciudades tan lejanas de al-Ándalus como León, Pamplona, Barcelona,
Oviedo o Santiago. A su muerte, en 1002, el mundo musulmán peninsular se sumió en una larguísima guerra civil, de resultas de la cual se
fragmentó en los llamados *reinos de Taifas*. Los cristianos aprovecharon este momento de debilidad, recuperaron el pulso y gradualmente
pasaron a la ofensiva.

Entre los siglos XI y XII se produjeron algunos de los avances más
espectaculares de la reconquista. El reino occidental de León, tras
unirse al de Castilla, ocupó Toledo (1085), que había sido capital visigoda e importante reino taifa. La invasión almorávide que siguió a esta
expansión sólo supuso un parón momentáneo del avance para los
monarcas cristianos. A principios del siglo XII, Aragón ocupó el reino
taifa de Zaragoza con ayuda de los caballeros cruzados e inauguró a su
vez la etapa más importante de expansión para los territorios orientales (Aragón y Cataluña), que, además, se unieron en el año 1137.

Interior de la iglesia de San Vicente de Cardona, Barcelona, siglo XI.
La arquitectura románica se desarrolló pronto en Cataluña.

La importancia del Camino de Santiago

El Camino de Santiago marcó profundamente la vida de los reinos cristianos. Al menos desde el siglo X los cristianos peregrinaban para
venerar las reliquias del apóstol, pero no fue hasta los siglos XI y XII cuando se configuró el Camino como gran vía de peregrinación. Se
peregrinaba por muchos motivos: pedir un favor del cielo, cumplir una promesa, expiar un delito. El viaje era largo y azaroso y el prestigio de haberlo hecho, grande. En aquellos siglos se creía que las reliquias tenían propiedades mágicas y que el hecho de tocarlas
podía obrar milagros.

Puerta de Platerías de la catedral de Santiago de Compostela, finales del
siglo XI. Ésta es la puerta más antigua que se conserva de la catedral.

Los reyes cristianos comprendieron perfectamente la
importancia del Camino. Suponía afluencia de peregrinos,
dinero, mercaderes, comercio y vías transitadas. Por eso se
esforzaron en hacer fundaciones que fueran hitos religiosos obligados para el peregrino, a veces de nueva planta y
a veces aprovechando antiguos monasterios o iglesias. Así
surgieron Santa María de Leyre en Navarra, San Juan de la
Peña en Aragón, San Martín de Frómista en Palencia y San
Isidoro de León. Además, algunos monarcas cristianos
favorecieron la peregrinación construyendo hospederías,
puentes, iglesias o colegiatas, y dando fueros y privilegios
que pudieran ser de ayuda al peregrino. La afluencia internacional dejó su impronta en algunas obras importantes
hechas por italianos, alemanes y francos, así como en la
toponimia.

Hasta el siglo XI la Iglesia de la península Ibérica había goza-
do de gran autonomía, tanto por la dificultad de comunicaciones de la época como porque una parte de los cristianos
peninsulares vivían sometidos a los gobernantes musulmanes. Los obispos eran prácticamente independientes a la
hora de tomar decisiones, ya que aún se debatía la primacía
del papa sobre los concilios, e incluso se rebatieron herejías
en sínodos locales. Pero esto cambió cuando subió al pontificado el vigoroso monje Hildebrando, que tomó el nombre
de Gregorio VII. Este papa practicó una política centralista y
unificadora. Durante su pontificado, se introdujo en la
Península la orden de Cluny, que traía consigo el nuevo estilo arquitectónico, el canto y ritual gregoriano, la obediencia
al papa y el ideal de vida monástica. Hubo resistencia, pues
los obispos españoles se negaban a perder su autonomía, y
los cristianos en general estaban apegados a su rito mozárabe. Pero se acabó imponiendo la autoridad de Roma, y a la
larga también los cluniacenses protegieron y beneficiaron a
los peregrinos.

Una realidad plural: los reinos cristianos de la península Ibérica

A pesar del hito cultural que supuso el Camino de Santiago, la península Ibérica era un mundo variopinto, y así lo expresa su románico. Cataluña, antigua Marca Hispánica del imperio carolingio, permanecía vinculada a viejas fórmulas alemanas y lombardas. Navarra, bajo Sancho III el Mayor (principios del siglo XI), se abrió a la peregrinación, empedrando el reino de magníficas construcciones que inauguraban el Camino de Santiago. En Aragón, territorio formado por pequeños condados pirenaicos, se construyó, sin embargo, una de las primeras catedrales románicas de la España cristiana: Jaca. Por último, en Castilla y León, los reinos más activos en la reconquista y con gran influencia musulmana, se utilizó tanto la piedra como el ladrillo trabajado por los artesanos mudéjares.

Pantocrátor de la iglesia de Santiago de Carrión de los Condes, Palencia, finales del siglo XII. En esta iglesia que formaba parte del Camino de Santiago se encuentra uno de los mejores ejemplos de esta iconografía.

Evolución territorial de los reinos peninsulares

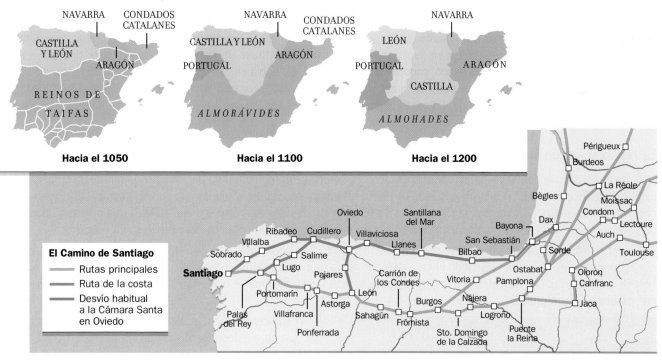

Hacia el 1050 — NAVARRA, CONDADOS CATALANES, CASTILLA Y LEÓN, ARAGÓN, REINOS DE TAIFAS

Hacia el 1100 — NAVARRA, CONDADOS CATALANES, CASTILLA Y LEÓN, ARAGÓN, PORTUGAL, ALMORÁVIDES

Hacia el 1200 — NAVARRA, LEÓN, ARAGÓN, PORTUGAL, CASTILLA, ALMOHADES

El Camino de Santiago
- Rutas principales
- Ruta de la costa
- Desvío habitual a la Cámara Santa en Oviedo

SIGLOS	HISTORIA	ARTE
XI	· Reinado de Sancho III el Mayor (1000-1031). · Oliba, abad de Ripoll (1008). · Al-Ándalus se fragmenta en reinos taifas (1031). · Reinado de Fernando I (1035-1065). · Alfonso VI de Castilla toma Toledo (1085). · Invasión almorávide (1090). · Muerte del Cid (1099).	· Se consagra San Pedro de Roda, y se reconstruyen San Vicente de Cardona y Santa María de Ripoll (1022). · Fundación de San Martín de Frómista (1066). · Consagración de la iglesia de Santo Domingo de Silos (1068). · Comienzo de las obras en Santiago (1078). · Consagración de la catedral de Jaca (1080). · Consagración de San Juan de la Peña (1094). · Construcción del castillo de Loarre (1096).
XII	· Muere Alfonso VI (1109). · Alfonso I toma Zaragoza (1118). · Unión de Cataluña y Aragón (1137). · Invasión almohade (1145). · Ramón Berenguer IV reconquista Tortosa y Lérida (1148). · Última separación de León y Castilla (1157). · Alfonso VII toma Cuenca (1177). · Cortes en Castilla (1188). · Los almohades vencen en Alarcos a Alfonso VII (1195)	· Se esculpe la portada de Santa María de Leyre (1118). · Se pintan los frescos de San Clemente de Tahúll (1123). · Pinturas al fresco de San Isidoro de León (1149). · Se termina la construcción de la catedral de Santiago (1150). · Se acaba la catedral de Zamora (1174). · Se construyen las murallas de Ávila (fines del XII). · Se acaba el Pórtico de la Gloria (1188).

1. CASTILLOS, CIUDADES E IGLESIAS

Las construcciones fortificadas

La situación fronteriza de los reinos hispánicos con al-Ándalus favoreció la construcción de castillos, murallas y torres fortificadas, que marcaron notablemente la fisonomía de estos reinos. A partir del siglo XI, las fortificaciones se fabricaron en piedra y con sistemas de construcción abovedados, o bien se restauraron los muros de aquellas conquistadas a los musulmanes, a menudo según la misma técnica de alternancia de ladrillo y mortero. Solían estar erigidas sobre un monte de caras abruptas, difícilmente expugnable, dominando y protegiendo el territorio y a cuantos allí vivían. Muchas han desaparecido, pero quedan algunos ejemplos excepcionales, como el castillo de Loarre, en Huesca, o el de San Esteban de Gormaz, en Soria. Los elementos más característicos de este tipo de fortalezas eran las murallas almenadas con adarve o paseo de ronda, estancias para vivienda, aljibe, patio de armas, torre del homenaje y capilla.

El castillo de Loarre en Huesca (siglo XI) tiene una elegante cabecera con decoración de arcos ciegos. Destaca también la torre del homenaje, o "de la Reina".

Otro tipo de construcción, más típicamente urbana y menos defensiva, era el palacio señorial de nobles o altas dignidades de la Iglesia. El palacio del obispo Gelmírez en Santiago de Compostela constituye un ejemplo singular de este tipo de vivienda. Cuando este prelado accedió al episcopado, cuentan las crónicas que no había en Santiago residencia "honesta y cabal" para el obispo. De modo que, a la vez que las obras de la catedral, que él impulsó, acometió la tarea de edificar un palacio nuevo. Sabemos que estaba terminado hacia 1117. Entre sus dependencias principales figuran una sala de armas rectangular con bóvedas de arista y gran chimenea, un patio, y en el piso alto un amplio comedor, cocina y varias habitaciones.

La repoblación de las ciudades

A partir del siglo XI, la población europea experimentó un crecimiento demográfico que impulsó la lenta recuperación de la vida urbana. De este modo se fueron ocupando de nuevo las antiguas ciudades romanas y se fundaron ciudades nuevas, generalmente protegidas por los reyes para fomentar así la repoblación de las zonas recién conquistadas. Estas nuevas ciudades tienen a veces un trazado regular y planta aproximadamente cuadrangular, como es el caso de Briviesca en Burgos.

En muchas ocasiones las ciudades nacieron en relación con el Camino de Santiago. Es muy frecuente que en estos casos las nuevas poblaciones crecieran en sentido lineal, siguiendo la vía de peregrinación, como ocurre en Castrogeriz (Burgos) o Puente la Reina (Navarra). Las viviendas, iglesias, hospederías y otras construcciones se disponían a ambos lados de la calzada por la que pasaban los peregrinos.

El edificio principal de las ciudades medievales era la iglesia, y a su alrededor se disponían las calles, estrechas y tortuosas. Todas las ciudades estaban amuralladas. En algunos casos, como Zamora o Toro, se aprovechaba el emplazamiento natural sobre el acantilado de un río. Ávila conserva uno de los recintos amurallados más importantes del mundo.

Una de las zonas más favorecidas por la recuperación urbana fue la del Camino de Santiago. Las construcciones románicas de esta vía de peregrinación son variadas, pero tienen una cierta unidad estilística. Las iglesias están hechas de sillares bien tallados y bóvedas de cañón, que aparecen desde fecha temprana; las dimensiones de algunos de estos templos son extraordinarias para la época.

Las murallas románicas de Ávila (principios del siglo XII) aprovecharon en parte el trazado de otras más antiguas, romanas; forman un rectángulo de unos 2,5 km y tienen casi un centenar de cubos y torres a lo largo del perímetro, que está horadado por nueve puertas.

Tres hitos del Camino de Santiago

La **catedral de Jaca**, construida hacia 1080, tiene planta basilical, tres naves y tres ábsides, y alterna pilares cilíndricos con otros cruciformes. Tuvo una techumbre que se quemó y fue sustituida en el siglo XV por unas bóvedas góticas, pero en el crucero conserva aún una cúpula románica de nervios gruesos. En el exterior, sus ábsides son muy elaborados, con canecillos, columnas adosadas y una decoración en la línea de imposta que aparece en otras muchas iglesias del Camino: el taqueado jaqués o ajedrezado. Más adelante se hablará de su excelente escultura.

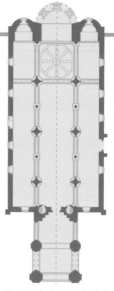

Planta de la catedral de Jaca.

Uno de los ábsides de la catedral de Jaca, Huesca, siglo XI.

La iglesia de **San Martín de Frómista** fue fundada hacia 1066 por la condesa castellana doña Mayor, esposa de Sancho III de Navarra. Igual que el templo de Jaca, es de planta basilical con tres naves y tres ábsides, y posee pilares cruciformes y unas altas bóvedas de cañón. En el crucero tiene una cúpula que en el exterior está marcada por un gran cimborrio octogonal. A los pies de la iglesia, unas torrecillas circulares le confieren carácter defensivo. Aunque su portada es desornamentada, tiene una rica escultura en capiteles y canecillos.

San Martín de Frómista, Palencia, siglo XI.

La **catedral de Santiago de Compostela** fue durante mucho tiempo la construcción más importante de la España cristiana. El obispo Diego Peláez empezó este templo hacia 1075 sobre el emplazamiento de otro anterior. Su sucesor, el obispo Gelmírez, fue el principal impulsor a partir del 1093. Junto a maestros franceses trabajaron canteros locales. La planta, típica de peregrinación, recuerda a la de Saint-Sernin de Toulouse: cruz latina con nártex, tres naves, girola y capillas en el ábside y en los brazos del transepto, que es especialmente amplio.

El interior es de dimensiones y pureza deslumbrantes. La altura de la nave central es de casi 22 metros y se apoya en pilares cuya basa es alternativamente cuadrada y circular. Sobre las naves laterales hay un triforio, nave alta desde la que los fieles podían asistir al oficio y que incluso servía para albergar a los peregrinos durante su estancia en la ciudad. El exterior ha sufrido profundas transformaciones, sobre todo en los siglos XVII y XVIII, cuando se construyó la fachada del Obradoiro.

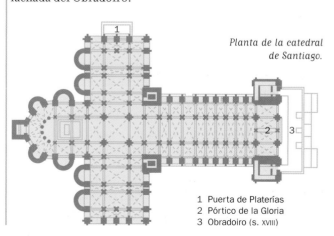

Planta de la catedral de Santiago.

1 Puerta de Platerías
2 Pórtico de la Gloria
3 Obradoiro (s. XVIII)

Interior de la catedral de Santiago de Compostela, siglos XI y XII.

2. UNA CONSTELACIÓN DE MONASTERIOS

El monacato en el Camino de Santiago

El Camino y sus aledaños fueron tierra de monasterios. La orden de Cluny arraigó desde el primer tercio del siglo XI, pero desde mucho antes en los reinos cristianos del norte existían monasterios famosos. En ellos se habían convocado concilios, recopilado bibliotecas e iluminado códices. Su venerable antigüedad es patente porque, junto a las edificaciones de época románica, algunos han conservado vestigios anteriores, visigodos o mozárabes.

El nombre de ciertos monasterios está unido al origen de los reinos cristianos, como el de San Juan de la Peña (Huesca), cuna de Aragón y panteón real. En Castilla, San Pedro de Arlanza (Burgos) quedó vinculado a la formación del condado, que más tarde se convertiría en reino. Otros monasterios, en cambio, se dedicaron preferentemente al saber y la cultura: San Pedro de Siresa (Huesca) tenía una extraordinaria biblioteca ya en el siglo IX, y sabemos que hubo clérigos muy letrados que viajaron desde Córdoba para consultar sus textos. Otros evocan glorias literarias: San Millán de la Cogolla (La Rioja) va unido al recuerdo y la poesía de Gonzalo de Berceo.

El románico en Cataluña: la herencia de la Marca Hispánica

El origen del territorio que hoy llamamos Cataluña fue en tiempos de Carlomagno (siglos VIII-IX) la Marca Hispánica, es decir, un enclave fronterizo en la península Ibérica. En el siglo XI, el condado de Barcelona comenzaba a destacar sobre el resto de los condados en los que se dividía el territorio. Abierta al mundo económico, cultural y espiritual del sur de Francia y norte de Italia, Cataluña se consolidó políticamente y consiguió expandirse hacia el sur por Lérida y Tarragona. En el siglo XII llegó a anexionarse Provenza, región cuyas construcciones, como hemos visto, tenían mucha influencia clásica, y en 1137 se unía a Aragón por el matrimonio entre el conde Ramón Berenguer IV de Barcelona y la princesa Petronila de Aragón.

El lenguaje formal del románico catalán, de influencias lombardas, provenzales y alemanas, se manifiesta en una gran variedad de edificios, desde importantes abadías y monasterios a las pequeñas iglesias de los valles pirenaicos. Se caracteriza por unas construcciones severas, con muros articulados por bandas lombardas y arquillos ciegos.

Monasterio de San Pedro de Roda, Gerona, siglo XI.

Cabecera de la iglesia del monasterio de Ripoll, Gerona, siglo XI.
En el ábside mayor que alberga el altar se puede observar la decoración de arcos ciegos y bandas lombardas.

La personalidad del abad Oliba de Ripoll señala la edad de oro del románico catalán. El año 1008 fue elegido abad de esta localidad, y más tarde obispo de Vic. Desde esta posición privilegiada emprendió una actividad constructiva sin precedentes, embelleciendo y ampliando construcciones antiguas y creando otras de nueva planta como San Pedro de Roda (Gerona) o San Vicente de Cardona (Barcelona). Considerado como la cuna de Cataluña, el monasterio de Ripoll creció incesantemente entre los siglos IX y XIII. Tiene el prestigio de haber sido fundado en el año 879 por el conde Wifredo el Velloso en su intención de unificar y repoblar el territorio catalán. La basílica primitiva fue reconstruida y agrandada en sucesivas ocasiones, y el monasterio contó con un *scriptorium* que gozó de fama en la Europa de aquella época. El abad Oliba edificó la actual iglesia, que es una gran construcción de cinco naves con un gran transepto que tiene tres capillas en cada brazo. En el exterior se observan las bandas lombardas que decoran el ábside principal y la torre. El edificio se quemó en 1835 y fue reconstruido a finales del siglo XIX.

LOS MONASTERIOS DE FUNDACIÓN REAL

Una de las costumbres más extendidas durante la Edad Media fue el patrocinio real de monasterios tanto masculinos como femeninos, que se alinearon normalmente en torno al Camino de Santiago o en las principales ciudades de los reinos peninsulares. Los monarcas solían conceder al abad y a su monasterio las tierras que servirían para sustentar a la comunidad y, a menudo, una donación en metálico que sirviera para edificar el recinto. A cambio de ello los monjes oraban por su salvación eterna. Era frecuente que algunos miembros de la familia real ingresaran en los monasterios.

El monasterio de **Santa Cruz de la Serós** (Huesca) está situado en un valle del Pirineo; Es de fundación real y estaba ocupado por una comunidad femenina. La infanta Doña Sancha, hermana del rey de Aragón Sancho Ramírez I, profesó y vivió en él desde 1076 a 1096. La iglesia tiene una sola nave y en el transepto hay capillas que son curvas en el interior y rectangulares en el exterior. Sobre la iglesia está el convento propiamente dicho, que por razones defensivas es una ancha torre de varios pisos. Es uno de los pocos ejemplos existentes de monasterio vertical. El aire severo y desornamentado de todo el conjunto es exponente del mejor románico del siglo XI.

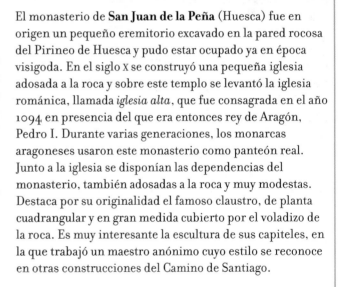

Santa Cruz de la Serós, Huesca, siglo XI.

San Juan de la Peña, Huesca, siglos XI y XII.

El monasterio de **San Juan de la Peña** (Huesca) fue en origen un pequeño eremitorio excavado en la pared rocosa del Pirineo de Huesca y pudo estar ocupado ya en época visigoda. En el siglo X se construyó una pequeña iglesia adosada a la roca y sobre este templo se levantó la iglesia románica, llamada *iglesia alta*, que fue consagrada en el año 1094 en presencia del que era entonces rey de Aragón, Pedro I. Durante varias generaciones, los monarcas aragoneses usaron este monasterio como panteón real. Junto a la iglesia se disponían las dependencias del monasterio, también adosadas a la roca y muy modestas. Destaca por su originalidad el famoso claustro, de planta cuadrangular y en gran medida cubierto por el voladizo de la roca. Es muy interesante la escultura de sus capiteles, en la que trabajó un maestro anónimo cuyo estilo se reconoce en otras construcciones del Camino de Santiago.

El **monasterio de Leyre** (Navarra) existía desde el siglo IX, pero fue devastado por Almanzor y reconstruido por Sancho III. Los reyes de Navarra protegieron a esta comunidad, cuya importancia fue enorme porque el obispo de Pamplona era elegido entre sus monjes. En 1057 se empezó la iglesia, que tiene planta basilical, con una gran nave abovedada que se bifurca en tres al llegar a la cabecera. Su estilo es severo, desnudo y ascético. Tiene además una famosísima cripta, con unos pilares muy bajos para reforzar las estructuras. Los capiteles son sencillos bloques cúbicos, con una ornamentación rudimentaria, unas estrías curvas que podrían esquematizar elementos vegetales.

Cripta del monasterio de Leyre, Navarra, siglo XI.

D E O B R A S

LA CATEDRAL DE ZAMORA

La obra

Fundada por Alfonso VII el Emperador y su hermana Doña Sancha en 1135, fue terminada en 1174. Tiene planta de cruz latina con tres naves. Sufrió una remodelación en el XVIII, pero queda intacto el famoso cimborrio gallonado que inspiró los de Toro y Salamanca.

Análisis formal

– **Exterior:** El cimborrio se apoya sobre un tambor con pequeños vanos, altos y estrechos, adornados con un festón lobulado. En la parte superior se observan los nervios que van dividiendo la cúpula semiesférica en gallones o gajos, y un remate de escamas de piedra. A su alrededor hay cuatro torrecillas con cúpulas que repiten en menor escala el esquema principal. Toda esta disposición acusa la influencia del románico del Poitou, como Saint-Front de Périgueux.

– **Interior:** La cúpula se apoya sobre pechinas, como sus modelos franceses, y el tambor es luminoso porque está horadado por un anillo de ventanas. Los nervios son muy elegantes y convergen en el centro. El resto de la catedral pertenece ya al final del románico o comienzos del gótico, con un estilo severo y desornamentado propio de la arquitectura cisterciense.

Significado

La catedral de Zamora pertenece ya al mundo, más urbano que rural, del románico tardío. La influencia del Poitou revela la riqueza cultural y artística que entró en España a través del Camino de Santiago y de las alianzas matrimoniales de las hijas de Alfonso VI, casadas con condes franceses. Muestra de este mismo lenguaje son la colegiata de Toro y la catedral vieja de Salamanca, que tienen cúpulas similares.

IGLESIA DE SAN ESTEBAN DE SEGOVIA

La obra

Las numerosas iglesias del románico segoviano fueron edificadas durante los siglos XI y XII, cuando la ciudad conoce un momento de esplendor y la división del obispado en parroquias favorece que cada barrio posea su propia iglesia principal. La de San Esteban es una de las más tardías y elegantes de Castilla.

Análisis formal

La iglesia, de tres naves, tiene un pórtico con arquerías que recorre sus lados sur y oeste. Los capiteles están tallados con animales y formas vegetales. Destaca por su único campanario, en el ángulo oriental del pórtico, de planta prismática y con cinco cuerpos. Los de abajo tienen arquerías ciegas, y los tres superiores, vanos que recuerdan el abocinamiento de las portadas. Unas finas líneas de imposta subrayan la separación de los distintos pisos.

Significado

La iglesia de San Esteban, como las demás del románico segoviano, es un claro exponente de la vida ciudadana que floreció en Castilla durante el siglo XII. Su atrio sirvió como lugar donde se reunían gremios y concejos, y fue punto de encuentro donde a veces se celebraron juicios y representaciones litúrgicas, procesiones y autos sacramentales.

Las obras

Estas dos iglesias navarras del Camino de Santiago se fechan en el siglo XII. Su construcción está vinculada a los caballeros templarios, que formaban una orden militar consagrada a la recuperación de Tierra Santa (en poder de los musulmanes), y que también participó en la reconquista. Estos edificios se suelen interpretar como iglesias funerarias en torno a las cuales habría hospitales y cementerios para los peregrinos.

Análisis formal

Ambas iglesias tienen *planta* central, concretamente octogonal, con un ábside en uno de sus lados. La de Eunate, además, se completa con una galería exterior que rodea la construcción por completo. En Torres del Río, enfrentado al ábside, hay otro cuerpo semicircular que sobresale en el exterior y que alberga la escalera que conducía a la linterna, guía de los peregrinos.

Exterior de Santa María de Eunate, siglo XII. Como en otras iglesias del Camino, el muro aparece articulado con columnitas adosadas.

El *interior* de estos edificios es sobrio. Destaca el sistema constructivo de la cúpula, especialmente en la iglesia de Torres del Río. En ella se ha tomado como modelo una tipología de origen oriental que consiste en gruesos nervios que no se cruzan en el centro, como en las cúpulas califales andalusíes. En la de Eunate, por el contrario, los nervios convergen en la clave.

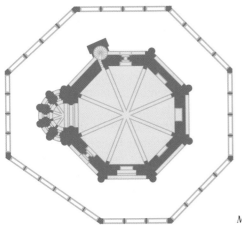

Planta de Santa María de Eunate.

Significado

Estas dos iglesias responden a un modelo de origen paleocristiano, el *martyrium*, que se levantaba sobre la tumba de un mártir y que tenía planta centralizada. Aunque este modelo de construcción funeraria había sido habitual en Europa occidental, la tradición de construir iglesias de este tipo se había perdido prácticamente a lo largo de la Edad Media.

Sin embargo, en el mundo bizantino y musulmán se mantuvo esta tipología de iglesia funeraria de planta centralizada. Los caballeros cruzados, influidos por estas culturas orientales, recuperaron este tipo de iglesia, que resultaba, además, especialmente apropiada para levantarse junto a hospitales y cementerios de peregrinos, a cuyo cuidado se consagraban a menudo las órdenes militares. Es muy posible también que el modelo de estas iglesias fuera la propia tumba de Cristo (el Santo Sepulcro), también de planta central y por cuya recuperación luchaban estos caballeros en Tierra Santa.

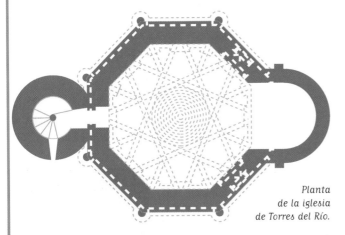

Planta de la iglesia de Torres del Río.

Cúpula de la iglesia de Torres del Río, siglo XII.

- Identifica en las fotos del cimborrio de Zamora los elementos siguientes: *tambor, nervios, gallones, pechinas*.
- ¿Por qué se afirma que el románico segoviano tiene carácter urbano?
- Indica las diferencias entre las iglesias de Eunate y Torres del Río.
- ¿Qué otras bóvedas conoces semejantes a la de Torres del Río?
- Haz un eje cronológico señalando los edificios de planta centralizada que has estudiado hasta ahora.

3. LA ESCULTURA ROMÁNICA EN ESPAÑA

La escultura en el Camino: León y Santiago

El escultor románico era un artesano que llevaba a la piedra los programas iconográficos que le indicaban las autoridades eclesiásticas. En un mundo tan complejo y variado como el Camino de Santiago, que atravesaba varios reinos y por el que pasaban gentes tan dispares, estos escultores fueron dejando obras muy distintas por sus temas, estilo, origen y significado, pero de gran calidad. Llegar a una iglesia profusamente decorada con esculturas y pinturas era, tras las fatigas del viaje, una manifestación del poder divino, de la gloria de sus representantes en la tierra y un refuerzo de las verdades de la fe.

En la colegiata de San Isidoro de León, una de las iglesias más importantes del Camino de Santiago, los peregrinos entraban a la iglesia por la portada del Perdón. El tímpano está dividido en tres registros que describen tres momentos de la Pasión y resurrección de Cristo. El autor tiene relación con el de la portada de Miégeville de Saint-Sernin de Toulouse.

Puerta llamada del Perdón de la colegiata de San Isidoro de León, finales del siglo XI y principios del XII. En el tímpano se distinguen tres escenas de la resurrección de Cristo: el descendimiento de la cruz, las tres Marías en el sepulcro y la Ascensión. Las figuras, muy expresivas, se distorsionan para adaptarse al marco.

En la catedral de Santiago, meta de la peregrinación, hay dos portadas con esculturas románicas. La más importante es el Pórtico de la Gloria (finales del siglo XII), que estudiaremos en la página siguiente. La otra portada, más antigua, es la de Platerías; se realizó probablemente a fines del siglo XI, y tiene una doble puerta. En el tímpano de la derecha se representan las tentaciones de Cristo y destaca la célebre escultura de la mujer con la calavera en el regazo, que quizá represente a Eva. En el de la izquierda aparecen episodios de la Pasión, cuyo estilo recuerda a las imágenes de la portada de Sainte Foy de Conques. Otras esculturas procedentes de una puerta que se quemó se incorporaron a esta fachada sobre los arcos. En las jambas también hay esculturas, entre las que destaca la estilizada figura del rey David.

La imaginería: un arte popular y devoto

En las iglesias románicas había imágenes de Cristo y de la Virgen, generalmente de madera policromada, que el pueblo veneraba y comprendía mejor que los intelectuales programas iconográficos de las portadas. Estilísticamente eran muy parecidas al resto de la estatuaria románica: hieráticas, con desproporciones anatómicas, pliegues lineales y severidad. Los Cristos aparecen en ocasiones vestidos con una larga túnica que les llega hasta los tobillos, son de tipo siríaco e influencia oriental. Otras veces se representa a Cristo con el torso desnudo y un paño que le cubre desde la cintura a las rodillas. En ambos tipos se advierte un desdén por el realismo anatómico, la figura suele tener los ojos abiertos y estar clavada con cuatro clavos.

Figura del rey David tocando el rabel de la puerta de Platerías de la catedral de Santiago, finales del siglo XI.

Las Vírgenes aparecen sentadas con el Niño en el regazo y por su postura actúan como trono del Hijo de Dios. Las más antiguas tienen al Niño, muy rígido, en el centro, y los pliegues de las ropas caen verticales. A medida que avanza el siglo XII, el Niño se desplaza hacia un lado, los pliegues adquieren más naturalidad y empieza a aparecer un sentimiento más humano y risueño.

Otro material que sirvió de soporte a la imaginería románica fue el marfil, que por su precio y por ser difícil de obtener se reservó para objetos suntuarios: báculos episcopales, cetros y arquetas de reliquias. En el románico los marfiles se inspiraron en la escultura de piedra, pero también en los dípticos bizantinos, los marfiles califales y los códices mozárabes. Hubo en España dos talleres eborarios: uno en San Millán de la Cogolla y otro en torno a San Isidoro de León, protegido por los reyes Fernando I y Doña Sancha.

Crucifijo de Don Fernando y Doña Sancha (1063). Imagen de marfil donada por los reyes de Castilla y León a la iglesia de San Isidoro.

TRES OBRAS MAESTRAS DE LA ICONOGRAFÍA ROMÁNICA

La **catedral de Jaca** (siglo XI) posee la elegante portada del Crismón. El antiguo símbolo de Cristo, de origen paleocristiano, está dentro de la mandorla y flanqueado por dos leones, que son también símbolos del Hijo de Dios. Uno de ellos pisotea a un hombre que se saca del pecho una serpiente (el pecado), y el otro aplasta dos animales fantásticos, mortales para el hombre: el áspid y el basilisco. La simbología tan complicada de esta obra es que Cristo vence al pecado y a la muerte. El hecho de representar al Salvador con un símbolo y no bajo forma humana hunde sus raíces en las representaciones paleocristianas.

Portada del Crismón de la catedral de Jaca, siglo XI.

La **portada del monasterio de Ripoll** (siglo XII) es el conjunto escultórico más importante de Cataluña. Destacan la profusión de su decoración escultórica, que ocupa el espacio por completo, y la concepción de la puerta como un arco triunfal con un único vano. En las jambas están las figuras de Pedro y Pablo, y la arquivolta que une las dos esculturas recoge episodios de la vida de los dos santos. También se representan en las jambas escenas alusivas a los doce meses del año. A ambos lados de la puerta se extienden siete frisos: en el superior, ocupando el centro del registro, aparece el Pantocrátor con el Tetramorfos; en los tres frisos siguientes aparecen los bienaventurados y escenas del Antiguo Testamento; en el quinto friso unas arquerías separan distintos personajes encabezados por Cristo y el rey David. Bajo este nivel destacan, con mayor relieve, los leones que atrapan un animal entre sus garras. El friso inferior o séptimo es un pequeño zócalo con temas incluidos en roleos. El conjunto viene a significar el triunfo de Cristo que ya anticipaba el Antiguo Testamento. La distribución de las esculturas en la fachada recuerda a composiciones italianas inspiradas en el mundo clásico.

Portada del monasterio de Ripoll, siglo XII.

El **Pórtico de la Gloria**, obra del maestro Mateo fechada en 1168-1188, es el ejemplo más perfecto del románico de transición al gótico. Es una portada triple, símbolo de la Trinidad. La puerta central tiene un tímpano dominado por un Cristo monumental que enseña las llagas, tal como se describe en los capítulos 4 al 7 del *Apocalipsis*. A su lado hay ángeles con instrumentos de la Pasión; en la arquivolta, los ancianos del Apocalipsis, y en las jambas, los profetas. La portada, que aún conserva restos de policromía, expresa el triunfo y la gloria de los bienaventurados. En el parteluz está esculpido el apóstol Santiago, muy idealizado y con una cartela en la mano izquierda que dice: *Missit me Dominus* (el Señor me ha enviado). Junto con el monumental Cristo del tímpano, es la figura más hierática de todo el conjunto. En cambio, las esculturas de las jambas (apóstoles y profetas) se mueven: giran las cabezas y han perdido el hieratismo anterior, sonríen y poseen ya un naturalismo que presagia la escultura gótica. El interés por el mundo circundante que caracteriza la época se observa también en el realismo con que están representados los instrumentos que tañen los ancianos de la arquivolta.

Pórtico de la Gloria de la catedral de Santiago de Compostela, finales del siglo XII.

EL CLAUSTRO DE SANTO DOMINGO DE SILOS

La obra

El monasterio de Silos era ya antiguo en tiempos de Fernán González (siglo X). La tradición, confirmada por hallazgos arqueológicos, asegura que fue fundación visigoda. Su momento de esplendor llegó en la segunda mitad del siglo XI, bajo la autoridad del nuevo abad: el futuro santo Domingo. Éste era un monje benedictino nacido en la localidad riojana de Cañas, que emprendió la reconstrucción del monasterio y estuvo al frente del mismo hasta su muerte, acaecida en el año 1073. La fama de este santo abad fue decisiva para la prosperidad del monasterio: creció la comunidad, se agrandaron los edificios y llegaron rentas y donaciones reales. En el siglo XVIII se derruyó la iglesia románica, que fue reconstruida en estilo neoclásico por el arquitecto Ventura Rodríguez. El claustro, afortunadamente, no corrió la misma suerte.

Análisis formal

– **El conjunto:** El claustro del monasterio de Silos, un cuadrilátero irregular de grandes dimensiones, es uno de los más importantes de Europa. Tiene dos pisos con arcos de medio punto sostenidos por columnas pareadas con capiteles individuales y cimacios comunes. La mejor escultura del conjunto se ha reunido en el nivel inferior, y, a pesar de ser obra de artistas diferentes, posee una cierta unidad.

En algunos de los capiteles hay decoración geométrica y calada; otros tienen motivos figurados en los que encontramos animales (leones, águilas, flamencos y otros muchos tipos de aves), y seres fantásticos (arpías, trasgos, grifos, centauros); además, hay una serie de capiteles en los que predominan los animales enredados en una jungla de tallos que recuerdan a los marfiles árabes, con entrelazos como fondo. Por lo general, los capiteles tienen una talla muy fina, con trazos delgados y disposición simétrica.

Mención aparte merecen los relieves que decoran los cuatro machones (pilares que se encuentran en los ángulos del claustro), en cuyas caras están labradas escenas de la Pasión y resurrección de Cristo, que aluden al tema de la redención.

– **Los maestros:** Se pueden distinguir hasta seis maestros diferentes en el claustro, entre los que destaca el llamado "primer maestro" de Silos. Desconocemos su nombre y biografía, pero sabemos que trabajó en los últimos años del XI, cuando realizó la serie de machones que tienen como tema la muerte y resurrección de Cristo.

Cien años después trabaja en Silos otro escultor, quizá oriundo de Francia y a quien se identifica con el nombre de maestro Fruchel, que anuncia ya el gótico en su estilo más movido y naturalista. Hizo el machón de la Anunciación y trabajó asimismo en algunas iglesias del Camino de Santiago y en San Vicente de Ávila.

Machón con las escenas de la Ascensión y Pentecostés.

El machón de la duda de santo Tomás (siglo XI)

– **El tema:** Representa la incredulidad del santo, que se negaba a creer en la resurrección de Cristo hasta que no viera y tocara las llagas de la pasión. La escena refleja precisamente este episodio.

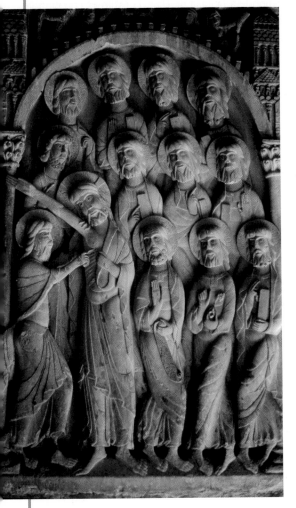

– **La composición:** Jesús es algo mayor que los demás personajes: es la proporción jerárquica. Los discípulos están distribuidos en hileras ordenadas, con las cabezas a la misma altura, en una disposición que recuerda a los manuscritos mozárabes. El artista se ha esmerado en individualizar a los personajes, cambiando peinados, rizos, barbas. Los pies cruzados sugieren movimiento. Los pliegues de la ropa y los mechones de cabelleras están hechos con incisiones muy finas, herencia de la talla del marfil. Toda la escena se sitúa bajo un arco que simula una gran fortaleza románica, con sus torres y almenas. Sobre ellas, cuatro personajes con instrumentos musicales celebran la resurrección de Cristo. Se ha pensado que esta representación arquitectónica pueda aludir a la Jerusalén celeste.

El machón de la Anunciación (finales del siglo XII)

– **El tema:** Este relieve de finales del siglo XII, que ilustra la evolución de la escultura románica, representa la Anunciación mientras dos ángeles bajan del cielo y coronan a María.

– **La composición:** La Virgen está de frente, pero gira la cabeza para mirar al ángel. El tratamiento de los pliegues es más complejo: ya no son incisiones en la piedra sino auténticas masas de tela que se pliegan con formas voluminosas. Los dos ángeles que coronan a María están medio desnudos y se observa en ellos una preocupación por la anatomía inexistente en el siglo anterior. Aparece también, de forma incipiente, el estudio de los sentimientos: la Virgen es un personaje grave, pero el ángel tiene un carácter más risueño. La aparición de sentimientos marca un paso más en la conquista de la realidad y supone un distanciamiento con el hieratismo de la centuria precedente. El relieve es mucho más abultado que en los machones más antiguos, y en un alarde de naturalismo, el escultor ha colocado detrás de la Virgen unos cortinajes que el viento mueve. Todos estos detalles prefiguran ya el naturalismo de la escultura gótica.

Significado

El *primer relieve* guarda estrecha relación con otros machones del claustro que describen el drama de la muerte y resurrección de Cristo. Probablemente evoca también los dramas litúrgicos de la Pasión, que los monjes escenificaban en el claustro durante la Semana Santa. Asimismo, hay que tener en cuenta la importancia religiosa de este espacio en la vida de los monjes, donde se desarrollaban procesiones, rezos, cánticos y meditaciones. Insistir en las verdades de la fe, en el misterio de la Pasión y resurrección mediante unas escenas esculpidas, era también en cierto modo una forma de catequesis.

En el caso del *machón de la Anunciación*, el tema mariano es un indicio de goticismo, y viene a refutar algunas herejías del siglo XII que negaban la humanidad de Cristo y la encarnación. La Virgen tuvo por estas fechas apasionados defensores, y el hecho de incluir entre los demás machones el tema de la Anunciación alude a su papel de copartícipe en la redención como madre de Cristo.

- Compara el tratamiento de cabellos, brazos y pliegues en ambos machones.
- ¿Qué detalles indican movimiento en el machón de la Anunciación?
- Enumera elementos no naturalistas en el machón de la duda de santo Tomás.

La pintura como ornamento y enseñanza

El muro románico, con pocos vanos, era idóneo para recibir pinturas al fresco. En ellas vuelven a aparecer todas las verdades de la fe revelada que el pueblo necesitaba para su salvación. Eran, por así decirlo, refuerzo de lo que aparecía en las portadas, y además el interior de las iglesias así decoradas quedaba suntuoso, como corresponde a la casa de Dios. El estilo es comparable al de la escultura: personajes planos, pliegues rígidos, desdén por la verosimilitud anatómica; junto a ello, las pinturas románicas tienen riqueza de color, fuerza, sentido de lo trascendente, carácter expresivo y solemne.

La pintura al fresco

La pintura al fresco se hace sobre una pared a la que se ha dado un revoque de cal húmeda. Sobre este enlucido, el pintor suele hacer una sinopia, es decir, un boceto de color rojizo, pero tiene que pintar el fresco mientras la pared está húmeda, pues retocar después es difícil. Respetando la jerarquía que impera en todo el arte románico, el ábside se reserva para el tema principal, que puede ser el Pantocrátor con el Tetramorfos. Por los muros de la iglesia se distribuyen las demás escenas: pasajes del Antiguo Testamento, vidas de santos, episodios del Evangelio, etc.

Cataluña hizo una de las más extraordinarias aportaciones al románico europeo. Sus pinturas suelen ser lineales, con figuras nítidamente recortadas sobre el fondo, presentadas de frente, con ojos grandes y mirada de gran fijeza, y al fondo unas anchas bandas de distintos colores que esquematizan el paisaje. Junto a obras insuperables, como el Pantocrátor de San Clemente de Tahúll, que se analiza más adelante, hay pinturas en Santa María de Tahúll, San Quirce de Pedret, etc.

En San Isidoro de León se conserva un conjunto excepcional de pinturas que fueron realizadas en la primera mitad del siglo XII y que veremos más adelante. Narran episodios de la vida de Cristo con un estilo vívido y espontáneo que contrasta con el bizantinismo hierático de la pintura en Cataluña.

Escena de David venciendo a Goliat procedente de la iglesia de Santa María de Tahúll, primer tercio del siglo XII. La escena carece de un espacio definido y el paisaje se sustituye por bandas de color horizontales.

Pintura sobre tabla

La técnica de pintura sobre tabla tiene la ventaja de su espesor y solidez, pero el inconveniente de que la madera puede hincharse con la humedad o deformarse con los cambios de temperatura. Sobre la tabla se dan unas capas muy finas de encolado, luego varias de yeso en capas perpendiculares, y a continuación la pintura.

Tenemos pocos datos acerca de la pintura sobre tabla. Parece que los pintores que se dedicaron a ella estuvieron vinculados a los grandes monasterios, como Ripoll, o catedrales como la Seo de Urgell. Las tablas se usaron como frontales de altar y algunas de ellas se reutilizaron más tarde en retablos. Su temática es muy variada; el centro se reserva para el Pantocrátor o la Virgen, y los laterales para apóstoles o escenas narrativas, normalmente sobre la vida de un santo. El trazo firme de las figuras hace que resalten nítidas sobre fondos de brillante colorido.

Frontal de altar de la Seo de Urgell, principios del siglo XII. La rigidez compositiva y la simetría son propias del primer románico, características que se observan en este Pantocrátor rodeado por los apóstoles.

TRES SOPORTES PARA LA PINTURA Y EL DIBUJO ROMÁNICOS

Los códices

La copia e iluminación de libros fue una especialidad de las escuelas monacales. El material utilizado era el pergamino, hecho con piel de ternera, sobre el que se distribuía el texto, escrito por un calígrafo, y luego las diversas escenas que lo ilustraban. Una misma página podía pasar por varias manos, pues la especialización era precisa, y había expertos en iniciales, márgenes, facciones de los rostros, dorados y colofones. El *Beato de Fernando I*, realizado en 1047 por Facundo, tiene unos entrelazos complicados, comparables a los mejores manuscritos irlandeses. Las figura son altas y el dibujo muy esmerado, como se observa en esta página en la que se representan a los cuatro jinetes del apocalipsis.

Página del Beato de Fernando I, siglo XI.

Los tapices

Estrechamente ligado a la pintura por sus motivos y simbología se encuentra el arte de los tapices, al que ya hicimos referencia en la unidad anterior. Una de las obras maestras de finales del siglo XI, el *Tapiz de la Creación*, se guarda en la catedral de Gerona. Mide 4,15 metros de ancho por 3,65 metros de alto, aunque originariamente tenía dimensiones más amplias, pues ha sido recortado por la parte baja y por el lado derecho.

Tapiz de la Creación, siglo XI.

El dibujo está bordado sobre la tela. En la parte central tiene un círculo grande dividido por ocho franjas convergentes con representaciones alusivas al episodio bíblico de la Creación: ángeles de la luz y las tinieblas; separación de las aguas de la tierra; creación del sol, la luna y las estrellas; creación de aves, peces y demás animales, y por último, de Adán y Eva. En el centro de este círculo que simboliza al cosmos, hay un Pantocrátor de tipo alejandrino, en cuya mano izquierda sostiene el Libro de la revelación con un texto que dice en latín: "Dios Santo, Rey fuerte". Enmarcando estas escenas están los cuatro vientos y los meses del año, que simbolizan la omnipresencia y perennidad de Dios en el universo. El tapiz es pues una especie de síntesis cosmogónica medieval, una descripción del universo y sus orígenes, una meditación acerca de la presencia del Creador en el mundo.

Las tablas de altar

Los frontales decoraban la parte delantera del altar y señalaban el lugar del sacrificio pascual. Se trata de tablas de madera con un enlucido y pintadas con escenas como la del *frontal dedicado a santa Margarita*, procedente de Sant Martí Sescorts (Osona) (siglo XII). En el centro está la Virgen María dentro de una mandorla mística que simboliza el poder de su hijo, y a ambos lados se representan escenas de la vida de santa Margarita de Antioquía, mártir durante la persecución de Diocleciano en el siglo IV. El colorido es brillante y el dibujo tiene vigor y precisión. Destacan las curvas concéntricas que hacen que los pliegues de los paños lleguen a convertirse, a la altura de las rodillas, en decorativas rosetas. El arte de los frontales se desarrolló sobre todo en Cataluña, y este frontal se considera obra de un taller local.

Frontal de altar de santa Margarita, siglo XII.

La obra

Los fundadores de este panteón fueron los reyes Don Fernando I y Doña Sancha (siglo XI). El rey pensaba construirse un enterramiento en otro monasterio, pero la reina le influyó para que se hiciera un solemne panteón real en León, adosado a la colegiata de San Isidoro. La decoración al fresco estaba ya terminada a principios del siglo XII, y se desconoce el nombre de su autor o autores. Hay también discrepancias entre los especialistas: algunos sostienen que son obra de artistas leoneses, mientras que otros afirman que son pintores con influencias ultrapirenaicas. La técnica con la que están realizadas estas pinturas es la del temple. La fecha de ejecución es otro enigma, aunque los estudios más recientes tienden a pensar que el ciclo se realizó en los últimos años del siglo XI o primeros del XII.

Análisis formal

Las pinturas recubren seis tramos de las bóvedas del panteón. Narran la historia de la infancia, Pasión y resurrección de Cristo, por orden cronológico, siguiendo el texto de los Evangelios. Vamos a centrar el análisis en la escena del anuncio a los pastores, por ser una de las más peculiares del conjunto.

El ángel es una figura elegante y estilizada. Está vestido con una larga túnica que cae en pliegues verticales, terminados en punta, que son característicos de este pintor. Los pastores están representados en actitudes realistas y espontáneas: el primero, tocando el caramillo; el segundo, sorprendido al ver al ángel, no se da cuenta de que el mastín se está bebiendo su leche; y el tercero toca un cuerno. Alrededor de los personajes, ovejas, cabras, vacas y cerdos ramonean entre la vegetación.

El paisaje montañoso está sugerido por bandas onduladas de colores ocre y azul plomizo.

Detalles como los machos cabríos que luchan en un ángulo, o el rústico recipiente de madera para beber leche, denotan que puede tratarse de un pintor local, familiarizado con el mundo pastoril de la montaña leonesa. Las figuras están dibujadas con trazo firme, delineadas en negro y luego coloreadas. Como en todas las escenas, hay una breve inscripción que indica el tema, tomado del evangelio de Lucas.

Significado

Este ciclo de pinturas se ajusta a un programa litúrgico-funerario. El panteón no es una iglesia, sino un sepulcro, y no había precedentes de qué escenas colocar, ni dónde. Probablemente fueron los mismos reyes Don Fernando y Doña Sancha quienes solicitaron estos temas de la vida, muerte y resurrección de Cristo, de modo que constituye una especie de misa plástica permanentemente celebrada sobre sus tumbas. La disposición de escenas se ajusta a un rito de la liturgia mozárabe que estuvo en vigor hasta 1080. De este modo, los reyes e infantes allí enterrados esperaban participar de la resurrección y de la gloria celestial.

La obra

En diciembre de 1123, el obipo Raymond, antiguo prior de Saint-Sernin de Toulouse, consagró la iglesia de San Clemente de Tahúll. Era un momento importante para la corona de Aragón, que consolidaba las conquistas de Alfonso I el Batallador. Las pinturas al fresco probablemente datan de estos mismos años. Desconocemos el nombre del pintor, que es una de las personalidades más poderosas de la pintura medieval. Actualmente estos frescos han sido trasladados al Museo Nacional de Arte de Cataluña, en Barcelona.

Análisis formal

– **El tema:** El formidable Pantocrátor, que ocupa gran parte del ábside, está sentado sobre el arco iris, dentro de la mandorla mística. Alza la mano derecha en señal de bendición, y sostiene en la izquierda el libro de las Escrituras, en el que se lee el texto *"Ego sum lux mundi"* ("Yo soy la luz del mundo"). Alrededor de la cabeza ostenta el nimbo con la cruz y por encima de sus hombros están escritas la primera y última letras del alfabeto griego, alfa y omega, que simbolizan principio y fin de todas las cosas y de todo el saber humano. Es el Cristo apocalíptico del final de los tiempos, en su segunda venida como Señor del universo, ante quien se inclinan los ángeles y la creación toda. A escala mucho más reducida están los símbolos de los evangelistas, y a los pies del Pantocrátor, en el muro del ábside, la Virgen y algunos santos situados debajo de arcos.

Exterior de San Clemente de Tahúll.

– **El estilo:** El Cristo es colosal. La cabeza, la mano derecha y los pies sobresalen por encima de la mandorla. Hay geometrización en el tratamiento del rostro: los ojos son como semicírculos, el óvalo de la cara y la nariz son rectangulares, y tiene rizos simétricos a ambos lados de la cabeza. El pintor ha estudiado con detenimiento detalles anatómicos como los músculos de la mano, sombreando la pintura, o los tendones de los pies. El carácter mayestático de Cristo está subrayado por medio del lujo de la vestimenta, con cenefas bordadas. El colorido es suntuoso, con predominio de azules y grises. El autor trata los paños con extraordinaria sutileza: hay pliegues rectilíneos sobre el pecho y las piernas, pero la manga derecha parece volar, y entre las rodillas la tela se riza en finos arabescos. Los ángeles y personajes que rodean al Pantocrátor no son tan frontales, porque giran la cabeza para mirar hacia la Divinidad.

Significado

Obra cumbre de la pintura medieval, este Cristo no es un dios castigador o bondadoso, sino una manifestación suprema de la divinidad. Su fuerza, su inmovilidad, la fijeza de su mirada, remiten a una visión sobrenatural. Junto con el tímpano de Vézelay, es una de las representaciones medievales más grandiosas de lo divino.

- ¿Qué elementos realistas existen en la escena del anuncio a los pastores de San Isidoro de León?
- ¿Qué detalles sugieren que el pintor de Tahúll se interesa por la anatomía?
- Señala en qué consiste la organización simétrica del Pantocrátor de Tahúll.
- ¿Por qué hay esa diferencia de tamaño entre el Cristo y los demás personajes?
- Comenta las diferencias que encuentres entre las dos obras analizadas en estas páginas.

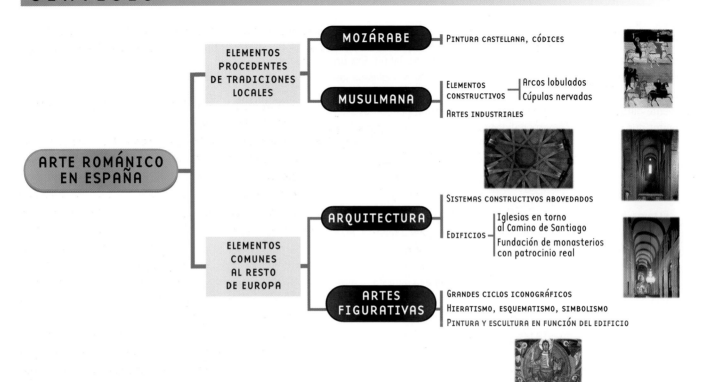

ARTE ROMÁNICO EN ESPAÑA

- ELEMENTOS PROCEDENTES DE TRADICIONES LOCALES
  - MOZÁRABE → Pintura castellana, códices
  - MUSULMANA
    - Elementos constructivos — Arcos lobulados / Cúpulas nervadas
    - Artes industriales
- ELEMENTOS COMUNES AL RESTO DE EUROPA
  - ARQUITECTURA
    - Sistemas constructivos abovedados
    - Edificios — Iglesias en torno al Camino de Santiago / Fundación de monasterios con patrocinio real
  - ARTES FIGURATIVAS
    - Grandes ciclos iconográficos
    - Hieratismo, esquematismo, simbolismo
    - Pintura y escultura en función del edificio

ARQUITECTURA ROMÁNICA EN ESPAÑA

CARACTERÍSTICAS	OBRAS PRINCIPALES
• Elementos constructivos: arco de medio punto, bóvedas de cañón y arista, pilares cruciformes, arcos fajones, contrafuertes, cúpulas sobre trompas o pechinas. • Tipos de edificios: iglesias, monasterios y fortificaciones (castillos, murallas). • Gran actividad constructiva en torno al Camino de Santiago; importante revitalización urbana en esta vía de peregrinación. • En Cataluña, lenguaje formal con influencias lombardas y provenzales.	**Iglesias** Catedral de Jaca, Huesca (siglo XI). Iglesia de San Martín de Frómista, Palencia (siglo XI). San Isidoro de León (siglos XI y XII). Catedral de Santiago de Compostela (siglos XI y XII). Catedral de Zamora (siglo XII). San Esteban de Segovia (siglo XII). Santa María de Eunate, Navarra (siglo XII). Iglesia de Torres del Río, Navarra (siglo XII). **Monasterios** San Pedro de Roda, Gerona (siglo XI). Ripoll, Gerona (siglo XI). Santa Cruz de la Serós, Huesca (siglo XI). San Juan de la Peña, Huesca (siglo XI). Leyre, Navarra (siglo XI). **Fortificaciones** Castillo de Loarre, Huesca (siglo XI). Murallas de Ávila (siglo XI).

ARTES FIGURATIVAS DEL ROMÁNICO ESPAÑOL

CARACTERÍSTICAS	OBRAS PRINCIPALES
• Grandes ciclos iconográficos realizados en escultura (puertas, fachadas y esculturas exentas) y pintura (mural y sobre tabla). • Hieratismo. Predominio del significado sobre la belleza formal. • Esquematismo.	• Puerta del Crismón de la catedral de Jaca (siglo XI). • Puertas de la colegiata de San Isidoro de León (siglos XI y XII). • Puertas de la catedral de Santiago de Compostela: Platerías (siglo XI) y Pórtico de la Gloria (siglo XII). • Machones y capiteles de Silos (siglo XI y XII). • Portada de Ripoll (siglo XII). • Pintura mural en Cataluña: San Clemente y Santa María de Tahúll (siglo XII). • Pintura mural en Castilla: San Isidoro de León (siglo XII). • Pintura sobre tabla: frontales de altar de Vic y la Seo de Urgell (siglo XII).

HACIA LA UNIVERSIDAD

1. Desarrolla el siguiente tema: *Arquitectura y escultura románicas del Camino de Santiago*.

2. Analiza y comenta estas imágenes:

3. Define o caracteriza brevemente cuatro de los seis términos siguientes: *machón, tímpano, fresco, bandas lombardas, triforio, Pantocrátor*.

4. Lee el siguiente texto y contesta a las preguntas que se plantean a continuación:

En la época románica la naturaleza estaba tan cerca del hombre que éste apenas la tomó en cuenta como objeto de representación [...]. El paisaje nunca fue un lugar en el arte románico como tampoco lo fueron las arquitecturas ilusorias. Con mucho, en los murales, relieves o miniaturas románicas se indica como elemento referencial la presencia de la tierra a través de unas líneas paralelas ondulantes de las que brotan matojos o flores [...]. Incluso el cielo y los astros nunca tienen vida propia y sólo se entienden (sobre todo, el sol y la luna) como motivos que simbolizan la luz y las tinieblas, lo celeste y lo infernal, la Nueva y la Vieja Ley, etc. [...]. En el arte de los siglos XI y XII dominó, pues, la esencialización, la abstracción y la ornamentación [...]. A pesar de ello, los animales, por ejemplo, no estuvieron ausentes del arte románico e incluso se podría afirmar que fue su presencia lo que posibilitó que el artista mostrase fuera de los convencionalismos del cuerpo del hombre su vena más imaginativa y fantástica.

SUREDA, Joan: "El arte románico", en *Historia del arte. La Edad Media*. Madrid, Alianza Editorial, 1996

— Resume brevemente el texto.

— Menciona algunos ejemplos del arte románico español que ilustren el contenido del texto.

— Explica esta frase: *En el arte de los siglos XI y XII dominó, pues, la esencialización, la abstracción y la ornamentación.*

PASADO Y PRESENTE EN EL ARTE

Gran parte de los frescos románicos que se conservan no están hoy en las iglesias donde fueron pintados, sino en museos. Para poder realizar el traslado se desprende la pintura del muro con una capa adhesiva que arranca en algunos casos sólo la película pictórica, y en otros todo o parte del soporte mural. Después se fija la pintura en nuevo soporte, ya en el museo.

Este procedimiento supone sacar la obra de su contexto original, anulando parte de su significado. Además, la intervención puede resultar agresiva y provocar modificaciones físicas sobre la pintura, por ejemplo un cambio en la saturación (intensidad) de los colores. Pero, en muchos casos, el traslado de la pintura mural a un museo supone el único modo de conservarla y garantizar su transmisión al futuro.

— ¿Consideras que es lo mismo contemplar una pintura mural en el lugar para el que fue pintada que verla en un museo? ¿Qué se gana y qué se pierde trasladando una obra de arte de su lugar de origen?

— ¿Justificarías el traslado de una obra de arte? ¿En qué casos?

Pinturas románicas de la ermita de la Vera Cruz de Maderuelo, siglo XII. Museo del Prado.

10. ARTE GÓTICO

Durante el siglo XII aparecen en la arquitectura algunas técnicas de construcción profundamente innovadoras que permitieron levantar edificios más altos y luminosos. El término gótico se acuñó en el siglo XVI para definir un tipo de arte que los hombres del Renacimiento consideraban bárbaro porque no se ajustaba a las normas del arte clásico. El romanticismo de comienzos del siglo XIX empezó a contemplarlo con entusiasmo, a restaurar y copiar sus monumentos, y hoy día es considerado como una de las cumbres de la vitalidad y la espiritualidad europeas.

Al igual que el románico, el gótico fue un estilo internacional, que abarcó desde la segunda mitad del siglo XII hasta principios del XVI, aunque existieron también diferencias regionales. En Francia se construyeron las primeras catedrales góticas, y este nuevo lenguaje arquitectónico pronto se difundió por la cristiandad, dejando un sinfín de catedrales e iglesias, pero también palacios, torres, ayuntamientos, lonjas de comercio y hasta ciudades enteras. En las artes figurativas, el gótico plasmó fielmente un mundo que se observaba cada vez con mayor detenimiento.

LA BELLEZA COMO REFLEJO DE LO ESPIRITUAL

Cuando embelesado ante la belleza de la casa de Dios, cuando el encanto de las gemas multicolores me ha conducido a meditar sobre la diversidad de las virtudes sagradas, transponiendo lo que es material en lo que es inmaterial, tengo la impresión de verme a mí mismo residir realmente en alguna extraña región del universo, sin existencia anterior en el limo de la tierra, ni en la pureza del cielo, y que por la gracia de Dios yo puedo sentirme transportado en el mundo más elevado [...].

SUGER DE SAINT DENIS, citado por NIETO ALCAIDE, Víctor: *La luz, símbolo y sistema visual*. Madrid, Cátedra, 1985

La Sainte Chapelle, París, siglo XIII.

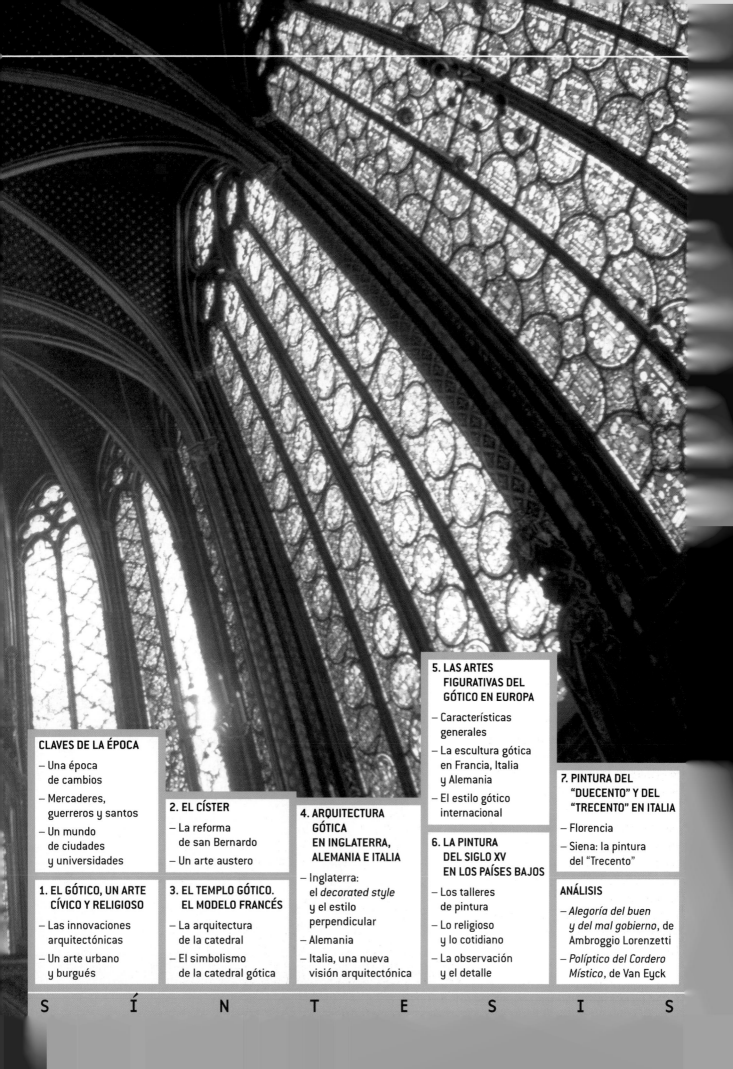

CLAVES DE LA ÉPOCA

– Una época
de cambios

– Mercaderes,
guerreros y santos

– Un mundo
de ciudades
y universidades

**1. EL GÓTICO, UN ARTE
CÍVICO Y RELIGIOSO**

– Las innovaciones
arquitectónicas

– Un arte urbano
y burgués

2. EL CÍSTER

– La reforma
de san Bernardo

– Un arte austero

**3. EL TEMPLO GÓTICO.
EL MODELO FRANCÉS**

– La arquitectura
de la catedral

– El simbolismo
de la catedral gótica

**4. ARQUITECTURA
GÓTICA
EN INGLATERRA,
ALEMANIA E ITALIA**

– Inglaterra:
el *decorated style*
y el estilo
perpendicular

– Alemania

– Italia, una nueva
visión arquitectónica

**5. LAS ARTES
FIGURATIVAS DEL
GÓTICO EN EUROPA**

– Características
generales

– La escultura gótica
en Francia, Italia
y Alemania

– El estilo gótico
internacional

**6. LA PINTURA
DEL SIGLO XV
EN LOS PAÍSES BAJOS**

– Los talleres
de pintura

– Lo religioso
y lo cotidiano

– La observación
y el detalle

**7. PINTURA DEL
"DUECENTO" Y DEL
"TRECENTO" EN ITALIA**

– Florencia

– Siena: la pintura
del "Trecento"

ANÁLISIS

– *Alegoría del buen
y del mal gobierno*, de
Ambroggio Lorenzetti

– *Políptico del Cordero
Místico*, de Van Eyck

S   Í   N   T   E   S   I   S

CLAVES DE LA ÉPOCA

Una época de cambios

En la época en la que se desarrolló el arte gótico (desde finales del siglo XII hasta el siglo XVI en algunas regiones), tuvo su culminación el proceso de crecimiento demográfico y desarrollo urbano que hemos estudiado en las unidades anteriores. Como consecuencia, la *ciudad* se convirtió en este período en el centro más activo de la vida medieval y tuvo lugar entonces el desarrollo de la *burguesía*, grupo social cuyos miembros se dedicaban a la artesanía y el comercio y que protegían sus actividades agrupados en gremios. El término burgués deriva de "burgo", que era como se llamaba a cada localidad de nueva planta. Este grupo social emergente acometió muchas de las grandes obras del gótico. Los burgueses eran emprendedores, súbditos del rey pero libres de ataduras feudales, y estaban ávidos de riquezas y deseosos de equipararse con la vieja nobleza guerrera.

Palacio Ducal de Venecia, siglos XIV y XV. Fue la residencia del Dux de Venecia, una de las ciudades más prósperas de este período que supo mantener su independencia y que conserva importantes edificios de su pasado esplendor.

El símbolo del orgullo de las ciudades fue la *catedral*, que se elevaba y embellecía para rivalizar con las de las ciudades vecinas y que muestra cómo la Iglesia mantenía aún su protagonismo o preeminencia en la sociedad medieval.

A partir del siglo XIV, la peste negra (que diezmó la población europea en 1348), el cisma de Aviñón y la llamada guerra de los Cien Años entre Francia e Inglaterra ensombrecieron los siglos finales del gótico. En algunas zonas de Europa este movimiento artístico comenzó a ser desplazado por una nueva sensibilidad, el Renacimiento, cuyo lenguaje artístico, plenamente formulado en Italia ya en el siglo XV, convivió con el gótico en muchas otras regiones europeas hasta principios del siglo XVI.

Mercaderes, guerreros y santos

La actividad mercantil se desarrolló bastante gracias a las *ferias*. Eran mercados anuales, y nacieron para que los comerciantes pudieran aprovisionarse de mercancías que no hallaban en su región, o que podían revender con provecho en otras tierras. Las más importantes de Europa fueron las de Champaña, pero también hubo ferias afamadas en la Alemania renana y en Castilla. Además de traer prosperidad a las ciudades que las organizaban, las ferias eran lugar de encuentro, de intercambios culturales y fermento de actividad económica. Algunos mercaderes llevaron aún más lejos su ambición: el veneciano Marco Polo (1254-1324) llegó hasta Extremo Oriente.

Pero el espíritu burgués, laborioso y práctico, no logró desplazar por completo los valores feudales. La nobleza, ahora en declive, se refugiaba en la idealización del espíritu de la caballería. Es la época dorada de las *órdenes militares*, fundadas en el siglo XII pero cuyo apogeo tuvo lugar en la siguiente centuria, y que unían el ideal guerrero con el monástico: los caballeros Templarios, Hospitalarios, Teutones o los de la Orden de Calatrava reclutaban a sus miembros entre la nobleza y propugnaban un ideal de vida, el del "caballero sin miedo y sin reproche".

Este modelo inspiró los libros de caballería, tan populares en el siglo XV. También fue la época del amor cortés y del gusto refinado que se recogió en miniaturas, pinturas y tapices.

Por otra parte, la *religión* se convirtió en una fuerza poderosa que inspiraba al ser humano y lo animaba a buscar una nueva espiritualidad. Entre los siglos XII y XV proliferaron las herejías y las condenas al poder corruptor del dinero. Además apareció un ansia de renovar la vida espiritual protagonizada por grandes santos como Domingo de Guzmán, fundador de la orden de los dominicos; Francisco de Asís, cuyo ideal fue la pobreza, la humildad y el amor a todas las criaturas; o el alemán maestro Eckhart, místico y teólogo que escribió maravillosos sermones y comentarios a las Escrituras.

Tapiz de la Dama del Unicornio, siglo XV. El refinamiento y los temas simbólicos de este tapiz son característicos del gusto aristocrático de finales de la Edad Media.

Un mundo de ciudades y universidades

Muy en relación con el desarrollo urbano, aparecen a partir del siglo XII las *universidades*, centros de estudio que se organizaron sin intervención de los obispos. En ellas había cuatro facultades, según la naturaleza de lo que se estudiaba: artes (el *Trivium* y el *Quadrivium*), derecho, medicina y teología. La enseñanza era oral y generalmente en latín. Las universidades tenían carácter internacional, por la procedencia de los estudiantes y de los profesores. De estos siglos son algunas obras intelectuales en las que se aborda el destino del hombre (como la *Divina Comedia* de Dante) o el conocimiento del mundo creado por Dios (como la *Summa Theologica* de Tomás de Aquino). Apareció además un espíritu científico centrado en la experimentación y que aborda la observación de todo lo que rodea al ser humano.

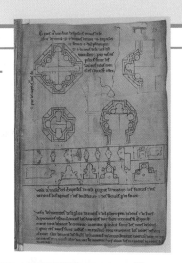

En el siglo XIII, Villard de Honnecourt dibujó apuntes sobre lo que más le llamó la atención en un viaje por Europa (arquitecturas, esculturas, etc.) Este manuscrito muestra la capacidad de observación y curiosidad propias de la época.

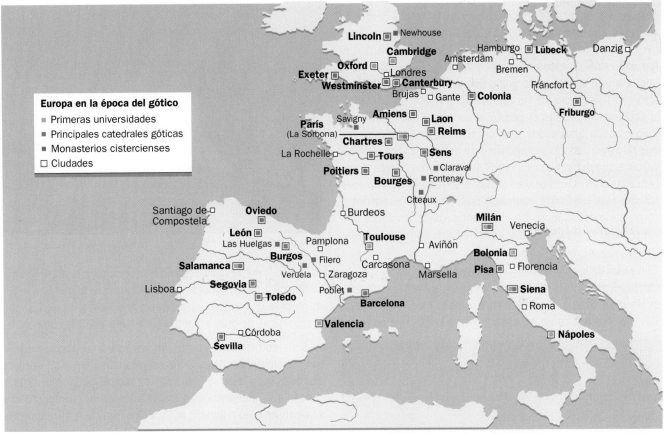

Europa en la época del gótico
- Primeras universidades
- Principales catedrales góticas
- Monasterios cistercienses
- Ciudades

SIGLOS	HISTORIA Y CULTURA	ARTE
XII-XIII	• San Bernardo funda Clairvaux (1115). • Fundación de la orden franciscana por san Francisco de Asís (1210). • Fundación de la Universidad de París (1256). • Auge de la Universidad de Oxford (1270). • Primer viaje de Marco Polo (1271-1295).	• Iglesia cisterciense de Citeaux (1148). • Consagración de las catedrales de Reims (1210) y Amiens (1220). • Consagración de la Sainte Chapelle (1248). • Construcción de la catedral de Salisbury (1220-1260). • Nicola Pisano esculpe el púlpito de la catedral de Pisa (1260). • Actividad del pintor Cimabue en Toscana (final de siglo XIII).
XIV	• Dante escribe la *Divina Comedia* (1312-1317). • Muere el místico alemán maestro Eckhart (1327). • Empieza la guerra de los Cien Años (1339). • Estalla el cisma de Aviñón (1348).	• Se tallan las figuras de la fachada de la catedral de Estrasburgo (siglo XIV). • Se inicia la construcción del Palacio Ducal de Venecia (1310). • Muere el pintor Giotto (1337). • Ambroggio Lorenzetti pinta los frescos de Siena (1338-1339). • El escultor Claus Sluter inicia el *Pozo de Moisés* (1389).
XV	• Apogeo de las ciudades de Brujas, Gante y Amberes. • Auge de Venecia y Florencia. • Constantinopla cae en poder de los turcos (1453). • Termina la guerra de los Cien Años (1453). • Guttenberg inventa la imprenta (1476). • Descubrimiento de América (1492).	• Desarrollo del gótico flamígero en Francia. • Los hermanos Limbourg ilustran *Las muy ricas horas del duque de Berry* (1415). • Los hermanos Van Eyck pintan *La adoración del Cordero Místico* (1426). • Van der Weyden pinta el *Descendimiento* (1435). • Se inicia el lenguaje artístico del Renacimiento en Italia.

1. EL GÓTICO, UN ARTE CÍVICO Y RELIGIOSO

Las innovaciones arquitectónicas

El gótico supuso un nuevo concepto artístico. Hemos estudiado ya cómo el románico había investigado la posibilidad de elevar edificios de piedra con estructuras abovedadas que requerían a su vez gruesos muros con vanos estrechos. Ese mismo afán se consiguió con el gótico de manera mucho más notable. La arquitectura resolvió la estructura de los edificios a partir de nuevos sistemas de sustentación, que permitieron abrir grandes vanos e inundar los edificios de luz.

Estas innovaciones se aplicaron y desarrollaron tanto en el arte religioso, del que las grandes catedrales son el mayor exponente, como en el arte laico, que encontró en el gótico un cauce en el que plasmar los gustos e intereses de la nueva sociedad urbana.

Un arte urbano y burgués

El urbanismo medieval está configurado por el poder de la burguesía mercantil y artesana que vivía y trabajaba dentro de la ciudad y que estaba protegida generalmente por los monarcas. Palacios, torres, lonjas de comercio y ayuntamientos fueron expresión de este poder civil y burgués. Sin embargo, la Iglesia siguió conservando una preeminencia que se manifestaba en la fisonomía de las ciudades, en las que las agujas de la catedral dominaban el paisaje urbano. La ciudad gótica siguió estando amurallada, con un sistema de fortificaciones que no había variado sustancialmente desde la época románica, pero que ostentaba elementos góticos, como el arco ojival. Las calles eran estrechas y tortuosas, interrumpidas por plazas. Los gremios tendían a agruparse en determinados barrios o zonas, de modo que los nombres antiguos de las calles han conservado el recuerdo de la actividad que en ellas se desarrolló.

Lonja de Yprès, Bélgica, siglo XIII.

A pesar de las profundas transformaciones que han sufrido estas ciudades medievales, todavía hoy se pueden rastrear sus características a través del trazado urbano y, sobre todo, de algunos edificios aislados propios de la época y que se han conservado. Es el caso de la lonja, un edificio amplio en el que se utilizan las mismas técnicas constructivas que en las naves de las iglesias, y que servía como mercado. Destaca la lonja de paños de Yprès (Bélgica), de gran amplitud y con una altísima torre.

Palacio Público de Siena, Italia (1297-1310).

Otro edificio importante de las nuevas ciudades era el ayuntamiento. En aquellas localidades, como Siena o Florencia, donde la burguesía se había apoderado del poder municipal y defendía su independencia frente a los papas o emperadores, el ayuntamiento o palacio público tenía una alta torre que servía no sólo como sistema de defensa, sino también como símbolo de orgullo cívico frente al poder aristocrático. En Florencia también adoptaron este tipo de torre los palacios privados, y las familias burguesas rivalizaban por tener las torres más altas.

Tampoco estuvieron sujetas a una autoridad central las ciudades de la Hansa, una asociación mercantil que comerciaba sobre todo en el Báltico y en el mar del Norte. Su prosperidad está atestiguada por una gran cantidad de viviendas burguesas acomodadas que suelen tener en la parte baja una zona de almacén o negocio. Aun cuando algunas de estas ciudades tuvieran una importante catedral, símbolo del poder del obispo, los ricos burgueses sufragaron la construcción de iglesias, de mayores dimensiones, para que rivalizaran con aquélla y evidenciaran su pujanza social y económica. Otra característica destacada del urbanismo de estas ciudades es la existencia de gran cantidad de plazas, que se abrían para facilitar las actividades mercantiles.

L OS NUEVOS SISTEMAS CONSTRUCTIVOS

Los edificios góticos son más altos y luminosos y con plantas más abiertas. Su estructura se apoya en los pilares, los arbotantes y los contrafuertes, y no en los muros, de modo que en éstos se pueden abrir grandes vanos. Estas innovaciones fueron muy útiles para los nuevos edificios civiles, pero tuvieron su principal desarrollo en las catedrales, cuya amplitud y claridad eran, más allá de los programas iconográficos de su decoración escultórica, un auténtico símbolo religioso.

Los elementos constructivos

– La **bóveda de crucería** consiste en dos nervios que se cruzan y entre los que se pone la plementería (materiales que llenan el espacio entre los nervios), para cubrir un espacio cuadrangular. Los nervios llevan el peso de la bóveda al suelo apoyándose en los pilares o en columnas adosadas. Así se forma la bóveda de crucería simple que, junto con la sexpartita, es propia del siglo XIII. En el siglo XIV se complican los diseños: aparecen la bóveda de terceletes y las primeras formas estrelladas. En el siglo XV, éstas se desarrollarán con formas cada vez más complicadas.

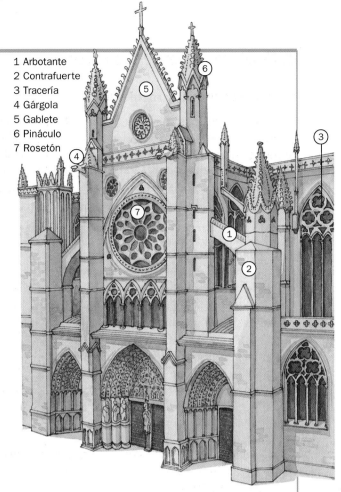

1 Arbotante
2 Contrafuerte
3 Tracería
4 Gárgola
5 Gablete
6 Pináculo
7 Rosetón

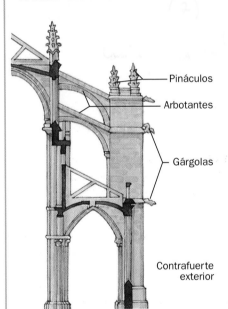

Pináculos

Arbotantes

Gárgolas

Contrafuerte
exterior

– Junto con las bóvedas evolucionan los **pilares**: según se multiplica el número de **nervios**, también aumenta el de columnas adosadas, que llegan en el siglo XV a compartir un mismo capitel.

– El peso de la bóveda, además de en los pilares, se traslada al exterior a través de los **arbotantes**, que son grandes arcos que envían el empuje a los **contrafuertes**. Se forma así un sistema de equilibrio que permite crear en el interior espacios más diáfanos.

– El **arco apuntado**, también llamado *ojival*, es característico del gótico. En las ventanas estos arcos recibieron una decoración calada llamada **tracería**, que consistía en el siglo XIII en círculos, tréboles, etc., y que se fue complicando a lo largo del gótico. En el siglo XV aparecieron nuevos tipos de arcos como el *mixtilíneo*, el *conopial* o el *rebajado*.

Siglos	Bóvedas		Arcos y tracerías
Siglo XIII	① ②	1 Crucería 2 Sexpartita 3 Terceletes 4, 5, 6 Estrelladas	
Siglo XIV	③ ④		
Siglo XV	④ ⑤ ⑥		Conopial Rebajado o carpanel

La reforma de san Bernardo

Si el románico, como vimos, estuvo ligado a la orden de Cluny, el gótico se asocia con el Císter, que tuvo su origen en la reforma de la orden benedictina emprendida por san Bernardo de Claraval (1091-1153). Su fundación más conocida es el monasterio de Claraval o Clairvaux, en el que puso en práctica sus nuevos ideales y el programa arquitectónico que los acompañaba. Tres principios básicos inspiraron esta reforma, los cuales se reflejan en su arquitectura: la pobreza, el deseo de huir del mundo y la estrecha unión entre conventos hermanos. La huida del mundo hizo que los *monjes blancos* (llamados así por el color de sus hábitos) eligieran como emplazamiento de sus monasterios los valles más aislados. Así se convirtieron en colonizadores de nuevos territorios, aplicando a las tierras sus conocimientos, por lo que se les considera excelentes agrónomos y ganaderos.

El refectorio del monasterio de Santa María de Huerta (Soria) es una pieza maestra del gótico español de comienzos del siglo XIII, con bóvedas sexpartitas, ventanales que lo iluminan y una hermosa escalera de acceso a la tribuna del lector.

Para evitar que la orden dependiera de una autoridad externa (príncipe, señor, obispo) que pudiera hacer valer su poder o imponer normas a los monjes, los propios cistercienses fundaban otros monasterios filiales que estaban unidos a la casa madre por vínculos estrechos. Todos ellos tenían una estructura arquitectónica similar, de modo que hay auténticas familias de monasterios que comparten rasgos en común. Entre ellos podemos citar Fontenay, en Francia, y en España Poblet y Santes Creus (Tarragona), Las Huelgas (Burgos) y Santa María de Huerta (Soria).

Un arte austero

Las dependencias más importantes del monasterio cisterciense siguen siendo las mismas que vimos en el monasterio de Cluny (iglesia, claustro, refectorio, sala capitular, etc.). Se construyen edificios sólidos y duraderos, hechos de piedra. Al contrario que en el monasterio cluniacense, no estaba prevista en el cisterciense toda el área destinada a hospedería, pero en algunos de ellos se acabó construyendo más tarde. En cambio, se añadía una zona para los conversos, pero de forma que estuvieran separados de los monjes: se les asignaba el ala occidental de la iglesia y el monasterio, que se unía a la de los monjes por un pasillo. Se construyeron, además, dependencias para los novicios.

El ideal de pobreza se reflejó en la arquitectura cisterciense en la austeridad de las construcciones y en la carencia de ornamentación. San Bernardo insistía en esto con tanto rigor que estaban prohibidos los retablos, las colgaduras y tapicerías que engalanaban otros templos y, como único objeto litúrgico, usaban un crucifijo de madera. En los monasterios cistercienses se introdujeron los sistemas constructivos góticos muy pronto, ya a finales del siglo XII, aunque algunas partes del edificio se hubieran iniciado con estructuras románicas. Las iglesias no tienen portadas ni triforio. Predomina la planta de cruz latina, con bóvedas de crucería simple o de cañón apuntado, transepto y ábside poco profundo. Las fachadas son discretas y severas, sin torres ni ornato; las arquivoltas de la entrada a la iglesia suelen ostentar, a lo sumo, un severo motivo en zigzag o vegetal. Tampoco se permiten las vidrieras, que se sustituyen por placas de alabastro o vidrios transparentes. Los capiteles son meras formas cúbicas, y si aparece algún tipo de decoración, se trata de una sencilla esquematización vegetal o de motivos geométricos.

Dormitorio del monasterio de Poblet (Tarragona), siglos XII y XIII. De este gran espacio destacan la amplitud y la desornamentación.

LAS DEPENDENCIAS PRINCIPALES DEL MONASTERIO CISTERCIENSE

La iglesia, el claustro y la sala capitular son los espacios más significativos del monasterio cisterciense. En ellos no se observa sólo el ideal de austeridad de la reforma de san Bernardo, sino también la voluntad de llevar el esfuerzo ascético a todos los ámbitos de la vida del monje, así como el empeño por realizarlo en comunidad.

La **iglesia del monasterio cisterciense de Alcobaça**, en Portugal (1178-1252), tiene una nave central diáfana, con bóvedas de crucería sencillas con sólo dos nervios. Éstos transmiten el peso a pilares macizos con columnillas adosadas. Aquellas columnillas que dan a la nave central reposan, a media altura, sobre ménsulas. Los capiteles tienen una sencilla decoración vegetal o geométrica. Al fondo se observa la cabecera, más iluminada que la nave gracias a una hilera de ventanales, en la que los pilares son cilíndricos. La piedra desnuda, desde las losas del pavimento a las bóvedas, confiere a esta iglesia un carácter severo y monumental y es un magnífico ejemplo del ideal de belleza de la orden cisterciense.

Interior de la iglesia de Alcobaça (Portugal), siglos XII y XIII.

El claustro era esencial en la vida de la comunidad, porque es el lugar donde se prolonga y completa la liturgia sagrada que se realizaba en el interior de la iglesia. **El claustro de la abadía francesa de Fontenay**, fundada en 1119 por san Bernardo, está adosado a la pared meridional de la iglesia, según la disposición tradicional de los monasterios cistercienses. Es uno de los primeros ejemplos de este estilo y las arquerías mantienen todavía el lenguaje románico: un gran arco que abarca otros dos, que se apoyan en dos columnas pareadas con capitel individual y cimacio y basa comunes. Ha desaparecido toda ornamentación, tanto de las arquivoltas como de los capiteles, según el espíritu cisterciense más ascético.

Claustro de la abadía de Fontenay (Francia), siglo XII.

La sala capitular es donde diariamente se reúnen los monjes con al abad y donde tenía lugar la confesión de las faltas, que era pública. Como se observa, **la sala capitular del monasterio de Santes Creus de Tarragona** (comenzada a finales del siglo XII) es un espacio desornamentado y cuadrangular. La sala no es alta, pero se logra una gran amplitud con las bóvedas de crucería, que al apoyarse en finas columnas forman un espacio diáfano. No hay decoración con temas simbólicos, sino absoluta desornamentación. Para san Bernardo esos símbolos sólo servían para que el monje se entretuviera, y el auténtico examen de conciencia debía tener lugar en comunidad, para que aquellos que tuvieran menos voluntad fueran enmendados por los demás monjes.

Sala capitular de Santes Creus, Tarragona, finales del siglo XII.

La arquitectura de la catedral

La catedral es la iglesia principal de una diócesis, donde reside el cabildo catedralicio presidido por el obispo. En la segunda mitad del siglo XII se configuró un modelo de catedral gótica que se fue implantando por muchos lugares de Europa.

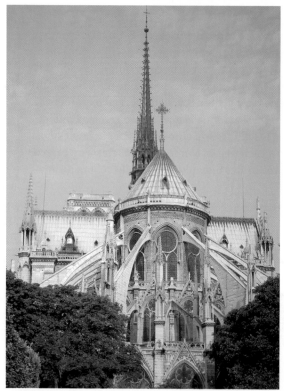

El origen del nuevo sistema constructivo es bastante incierto, pero muchos autores admiten que apareció en Normandía y Borgoña a causa de la evolución de las bóvedas de crucería románicas. En cualquier caso, las primeras catedrales góticas (Sens, Saint-Denis y Chartres) aparecieron hacia la mitad del siglo XII en la llamada isla de Francia, territorio en torno a París donde los reyes de Francia tenían sus feudos. El abad Suger de Saint-Denis promovió la construcción de una nueva iglesia en su abadía que ya recogía las innovaciones góticas, quizá con la intención de mostrar el poder emergente de la monarquía francesa y el deseo de ruptura con Cluny.

El modelo clásico de catedral gótica tiene planta de cruz latina, bóvedas de crucería, amplio ábside con capillas radiales, pilares con columnillas adosadas, muros articulados y un complejo sistema de equilibrio de tensiones a base de arbotantes y contrafuertes. Todo ello da una gran sensación de verticalidad e interiores espaciosos y claros. El esquema general de la fachada deriva del románico: suele estar flanqueada por dos torres, hay una puerta por cada una de las naves, generalmente tres, con abocinamiento o derrame, tímpano y, en ocasiones, parteluz. El arco es, sin embargo, apuntado, como también lo son los de las ventanas que se abren en todos los muros. Sobre la puerta hay un rosetón, un vano circular que suele estar calado y decorado con vidrieras.

Exterior del ábside de Notre Dame de París, finales del siglo XII. Se aprecian los arbotantes, elementos que trasladan el empuje de la bóveda lejos del muro.

El simbolismo de la catedral gótica

Pero la catedral gótica es además un edificio simbólico. La planta de cruz, como ya vimos en el románico, alude a la Pasión de Cristo y a la redención. El número tres (que se refleja en la estructura tripartita de la puerta, en las tres naves, etc.) tiene un significado simbólico que alude a la Trinidad, misterio central del dogma cristiano; el rosetón que corona la portada simboliza la perfección y eternidad de Dios, señor del tiempo; y las portadas con sus esculturas son anticipo de la gloria celestial, pórticos con santos gloriosos que aguardan a los que observan la Ley. El eje que forma la nave principal, dirigiéndose hacia el altar mayor, es en sí simbólico: significa el peregrinar del hombre sobre la tierra (metáfora muy utilizada en la literatura de la época), y el camino místico que conduce al hombre hacia Dios. A través de lo visible, el edificio, producto de la razón y del trabajo manual, se asciende al mundo supraterreno de la fe.

Además, la luz coloreada que gracias a las vidrieras penetraba en el interior de los templos góticos creaba un espacio simbólico y muy espiritual. La arquitectura, ya de por sí aligerada por los nuevos sistemas de descarga, parecía disolverse por efecto de esa luz irreal, verdadera protagonista del templo gótico. La Sainte Chapelle de París, terminada a mediados del siglo XIII, es un ejemplo insuperable, en el que el muro prácticamente ha desaparecido. Pero las vidrieras no servían sólo para crear un espacio con una luz no natural, que evocaba lo trascendente, sino que servían también como soporte para incluir los grandes ciclos iconográficos que adoctrinaban a los fieles y que en el románico habían sido pintados en los muros.

Interior de Saint-Denis, París, finales del siglo XII. Éste fue uno de los primeros templos góticos, y fue promovido por el abad Suger, en cuyos escritos elogia el valor simbólico de la arquitectura como lugar sagrado.

TRES CATEDRALES FRANCESAS

Las catedrales de Chartres, Reims y Amiens fueron consagradas en el siglo XIII, si bien las obras de Chartres se iniciaron en el siglo XII. Junto a Notre Dame de París, son quizá las más importantes del momento clásico del gótico francés.

La **fachada de la catedral de Reims** es una de las más características del siglo XIII en Francia. Tiene un esquema tripartito formado por dos torres que enmarcan un cuerpo central.También se distinguen tres cuerpos si se contempla la fachada en sentido horizontal, por pisos: el de las tres portadas, el del rosetón y una arquería alta con esculturas de santos. Como los programas iconográficos son complejos, necesitan ocupar también las fachadas del transepto, donde se repite el esquema tripartito como en la fachada principal.

La verticalidad del edificio está acentuada por algunos elementos específicos, como los pináculos y las agujas de las torres. Algunas catedrales tienen también una flecha en el crucero, que en realidad es otro pináculo de gran altura. Desde el exterior se aprecia la estructura general del templo y es visible el brazo del transepto.

Catedral de Reims, siglo XIII.

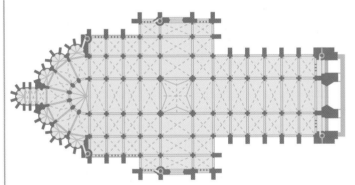

Planta de la catedral de Amiens, siglo XIII.

En la **planta de la catedral de Amiens** podemos observar cómo las grandes catedrales góticas del siglo XIII tienen plantas que derivan de las iglesias románicas de peregrinación, en las que la girola o deambulatorio era muy importante porque permitía que los fieles transitaran detrás del altar sin interrumpir el oficio religioso. Como consecuencia, la cabecera de la catedral gótica es muy amplia y se concebía como un espacio accesible a los fieles. En este sentido, el transepto ya no tiene una función separadora y sobresale menos de los muros laterales.

El modelo prototípico de planta, como se ve en la de Amiens, tiene tres naves, la central más ancha, con bóvedas de crucería simple o sexpartitas. El transepto está también dividido en tres naves, armonizando así con el ritmo de la nave mayor.

En este **interior de la catedral de Chartres** se aprecian claramente los elementos de la arquitectura gótica. Las bóvedas son todas de crucería simple (si bien en otras catedrales de la misma época aparecen ya bóvedas sexpartitas). Las naves de las primeras catedrales góticas estaban separadas por grandes pilares cilíndricos. En este ejemplo de Chartres todavía se pueden distinguir esos elementos, pero a ellos se han adosado unas columnillas que prolongan los nervios de la bóveda. En los siglos posteriores, el número de columnillas se multiplicará hasta ocultar prácticamente el pilar. Sobre las naves laterales aparece el triforio, menos profundo que en el románico.

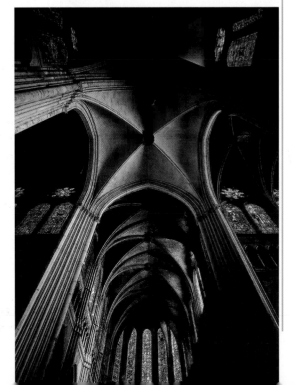

Interior de la catedral de Chartres, siglos XII y XIII.

4. ARQUITECTURA GÓTICA EN INGLATERRA, ALEMANIA E ITALIA

Inglaterra: el "decorated style" y el estilo perpendicular

La influencia de las catedrales góticas se fundió en Inglaterra con pervivencias de la arquitectura normanda y produjo un estilo con personalidad propia. En general, las plantas de las iglesias tienen una gran extensión longitudinal, dos transeptos y cabeceras planas.

Las fachadas son peculiares: se extienden en sentido horizontal con varios frisos de arcos en los que se insertan esculturas, así se crea una compartimentación geométrica; es lo que se llama *fachada-pantalla*.

A pesar de estas características comunes, en el gótico inglés se distinguen varias *etapas*:

– El *gótico temprano*, hasta 1250, aún tiene características románicas y un importante triforio. Destacan las catedrales de Salisbury, Lincoln, Wells y Exeter, y la abadía de Westminster.

– Desde 1250 y durante los primeros años del siglo XIV aparece el *gótico adornado* (*decorated style*), que muestra un gran alarde de fantasía y creatividad plástica, tanto en nervios como en tracerías, e incluso un cierto horror al vacío.

– A partir de 1335 surge el llamado *gótico perpendicular*, que reacciona frente a la exuberancia del período anterior y que se caracteriza por la aparición de las bóvedas de abanico, en las que los nervios se extienden a partir del pilar en sentido radial. Las catedrales de Canterbury y Winchester responden a este modelo.

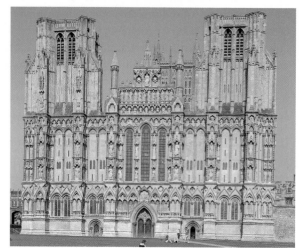

Catedral de Wells, siglo XIII. Se aprecia muy bien la horizontalidad de las fachadas del gótico inglés, que no permiten adivinar la estructura interior del edificio, por lo que se denominan fachadas-pantalla.

Catedral de Estrasburgo, siglo XIII.

Alemania

El románico estaba muy arraigado en Alemania, y las nuevas formas del gótico fueron penetrando en el siglo XIII. Los primeros ejemplos de arquitectura gótica alemana están ligados a las órdenes mendicantes (franciscanos y dominicos), y son construcciones sencillas, esbeltas, de amplia nave central y con techos planos.

A mediados del siglo XIII se inicia la construcción de las catedrales más importantes, siguiendo influencias francesas: Colonia, Friburgo y Estrasburgo son los ejemplos más sobresalientes. Una característica notable en estas construcciones es el virtuosismo en el tallado de la piedra, que se convierte en una filigrana, y las finas y elevadas torres. En el norte de Alemania se utiliza el ladrillo, como en la iglesia de Santa María de Lúbeck. Pero quizás es en la arquitectura civil donde el arte gótico dejó una huella notable en Alemania: ayuntamientos, casas gremiales, palacios, barrios y ciudades enteras se construyeron en este estilo, del que quedan muchos ejemplos en ciudades como Núremberg o Colonia.

Italia, una nueva visión arquitectónica

El gótico no se implantó completamente en la península italiana, donde predominó siempre la herencia clásica. Las órdenes mendicantes introdujeron el nuevo estilo, pero con características propias: predominan las líneas horizontales, el muro sigue recogiendo el empuje de la cubierta y no se emplean arbotantes. Los edificios no son muy elevados ni tienen los vanos y vidrieras del gótico francés o alemán. En el exterior se utiliza revestimiento de mármol, como se había hecho en el románico (por ejemplo, en la catedral de Siena), y a veces la techumbre es un artesonado de madera, como en la iglesia de Santa Croce de Florencia. La famosa catedral de Milán, fundada a finales del siglo XIV, rivaliza con los modelos franceses y alemanes.

Catedral de Milán, siglos XIV y XV. Esta obra se aleja de la tradición italiana y se asemeja a las construcciones del gótico centroeuropeo.

TRES EJEMPLOS DEL GÓTICO EUROPEO

La **capilla del King's College** (iniciada en 1446) es uno de los espacios más ricos de la Universidad de Cambridge, en Inglaterra, y uno de los ejemplos más sobresalientes del gótico final inglés. Está formada por una nave rectangular muy alargada a la que se abren unas pequeñas capillas laterales; en ella destaca el sistema de cubierta, formado por amplias bóvedas de abanico, cuyos nervios se extienden a partir de los pilares. En los muros laterales quedan grandes espacios entre los pilares que se aprovechan para abrir amplios vanos. Se logra así una estructura muy ligera y un espacio único muy diáfano. El diseño de los ventanales se articula en líneas horizontales y verticales que crean una retícula y proporcionan al muro una continuidad y un ritmo que aúna los distintos tramos. El efecto de conjunto es un espacio muy decorado en el que, sin embargo, predomina una clara organización espacial.

Capilla del King's College,
Cambridge, siglos XV y XVI.

Catedral de Siena, siglos XIII y XIV.

La **Catedral de Siena**, construida entre los siglos XIII y XIV, es una de las más características del gótico italiano. Si bien utiliza la bóveda de crucería, difundida en esta zona por los monjes cistercienses, en algunos elementos sigue apegada a la tradición románica: el muro continúa soportando el peso de la cubierta, y los contrafuertes están adosados a él. La fachada no tiene el esquema francés con dos torres que flanquean un cuerpo central, sino que una sola torre, el *campanile*, se eleva exenta junto a la cabecera de la iglesia. La herencia clásica, que ya apreciamos en el románico, aún se observa en el gótico italiano en el uso del mármol, aunque éste se combina formando aquí un efecto de bicromía mucho más contrastado.

La **catedral de Colonia** (1248-1322) está inspirada en líneas generales en la catedral de Amiens. Para dar mayor unidad al conjunto, se adoptó un pilar fasciculado de núcleo cilíndrico, que da la sensación de ascender desde el suelo hasta las bóvedas. Las finas columnillas que lo componen tienen capiteles individuales con hojas de cardina. El ábside es diáfano, con grandes vidrieras que iluminan también el triforio. Los arcos tienen un perfil muy agudo, de tipo alanceado. La catedral tiene planta de cruz latina, girola, tres naves en el transepto y cinco en el eje principal.

Catedral de Colonia, siglos XIII y XIV.

Características generales

La ubicación y los materiales en los que se realizan las imágenes góticas son similares a los del románico. La escultura de piedra se centra en el gótico sobre todo en las portadas y, en menor medida, en el interior de las iglesias. Además, las vidrieras desplazaron a las pinturas y fueron adquiriendo importancia los retablos de madera, en los que se recogían los temas que antes solían pintarse en la cabecera de la iglesia románica. En el gótico proliferaron las tallas de madera, apropiadas a una devoción cada vez más centrada en los santos y la Virgen.

En cuanto a la iconografía, aunque se mantienen las escenas del Antiguo y del Nuevo Testamento y otros temas de tradición románica, lo más característico del gótico es la importancia que adquieren los temas marianos (relativos a la Virgen María), que desplazan al Pantocrátor, que rara vez aparece ya. En general, los asuntos representados son más humanos y sensibles y buscan conmover a los fieles, y no tanto sobrecogerlos con imágenes poderosas y solemnes, como ocurría en el románico.

La novedad más acusada en el aspecto formal es el naturalismo: las figuras tienen movimiento, los pliegues de sus túnicas caen y se rizan como paños reales, los personajes expresan sentimientos y emociones; todo el mundo que les rodea está fielmente representado: vestidos, joyas, muebles, enseres. Hasta la vegetación deja de ser abstracta y representa especies precisas: roble, haya, etc.

Virgen de la bella vidriera *de la catedral de Chartres, siglo XIII. La devoción mariana irrumpió con fuerza en la Europa del siglo XIII.*

La escultura gótica en Francia, Italia y Alemania

Francia creó algunas obras que sirvieron de modelo en otros territorios. Destacan las esculturas de la catedral de Amiens, en cuyas portadas trabajaron varios maestros. La característica más acusada de la escultura en esta catedral es la tendencia a la belleza idealizada que se observa en unas figuras revestidas de solemnidad y dignidad, como el Buen Dios del parteluz. Otros ejemplos destacados se encuentran en la portada de la catedral de Reims, que se analiza en la página siguiente.

En **Italia**, siempre marcada por el clasicismo, trabajó la familia de los Pisano. Estos maestros se especializaron en la talla de púlpitos (como los de Pisa y Siena), en los que describen episodios de la vida de Cristo con gran minuciosidad narrativa. Tienen influencia de la plástica romana, exquisito primor en la ejecución de detalles y tendencia a rellenar íntegramente el espacio.

Alemania también ha dejado una escultura gótica riquísima, con *dos tendencias*. La primera se centra en la belleza y en una gracia esbelta y elegante. A esta escuela pertenecen las esculturas de las catedrales de Estrasburgo y Bamberg, y las llamadas "Vírgenes Bellas", que surgen hacia el 1400 suelen tener el Niño a la izquierda, arquean el cuerpo hacia un lado y expresan delicados sentimientos. La otra tendencia es trágica y está representada por las Piedades: la Virgen dolorosa sostiene en brazos a Cristo muerto. Son obras en las que la muerte está representada con gran realismo. Casi todas ellas pertenecen a los siglos XIV y XV.

El estilo gótico internacional

En el siglo XV se difunde por Europa un estilo pictórico que aparece en miniaturas, en tapices y pinturas sobre tabla, y cuyos rasgos más representativos son: alargamiento y elegancia de las figuras; colorido brillante; gusto por el arabesco, por el detalle en el paisaje y por la riqueza en vestidos, joyas y peinados; la línea de horizonte alta; y un fuerte carácter simbólico y alegórico. Destacan las ilustraciones del libro *Las muy ricas horas del duque de Berry*, realizadas por los hermanos Limbourg, y la colección de tapices de la *Dama del Unicornio*. Muchos pintores europeos recibieron el influjo del estilo internacional.

Ilustración de una de las páginas de Las muy ricas horas del duque de Berry, *de los hermanos Limbourg. Las figuras aparecen estilizadas y con un refinamiento muy cortesano característico del gótico internacional.*

TRES TEMPERAMENTOS DE LA ESCULTURA GÓTICA: DRAMATISMO, GRACIA Y CLASICISMO

El ducado de Borgoña fue en los siglos XIV y XV un territorio independiente de Francia y tenía bajo su poder los Países Bajos. Tras el desastre de la peste negra de 1348 se desarrolla en esta zona un estilo muy peculiar de escultura del que esta obra, el llamado **Pozo de Moisés**, realizada por Claus Sluter, es quizá el mejor ejemplo. Esta escultura es en realidad la base de un Calvario con la forma del brocal de un pozo y fue esculpida el año 1389. Es un rasgo característico de este autor el volumen de sus figuras, que se acentúa con mantos muy amplios de pliegues angulosos; el canon es más bien corto y las cabezas, con rasgos muy realistas, suelen tener expresiones intensas y también mucho volumen en el pelo y la barba. Todos estos recursos consiguen efectos muy dramáticos que se observan también en autores de esta misma escuela que tuvieron mucha influencia en la escultura española del siglo XV.

SLUTER, Claus: *Pozo de Moisés* (1389).

Jambas de la portada principal de la catedral de Reims, siglo XIII.

En la fachada de la catedral de Reims trabajaron varios maestros con distintos estilos. En la jamba derecha de la fachada principal aparecen las escenas de la **Anunciación** y la **Visitación** (ejecutadas entre los años 1245 y 1255). Se ve en estos dos grupos la intervención de tres maestros diferentes. Dos de ellos tallaron el grupo de la Anunciación: uno es el autor del famoso ángel risueño, una imagen amable y refinada que sentó un modelo muy admirado en la Edad Media y que contrasta con la Virgen, cuya imagen es más rígida e inexpresiva y que se debe a la mano de otro maestro. Junto a esta escena de la Anunciación aparecen la Virgen y santa Isabel en el episodio de la Visitación, cuya talla se debe a otro autor diferente de los dos anteriores. En estas figuras se aprecia, en cambio, una marcada influencia de la escultura clásica: están dotadas de movimiento, los pliegues caen con naturalidad, la anatomía se adivina por debajo del manto y comienzan a independizarse del marco arquitectónico, es decir, ya no tienen la forma de estatuas-columna.

Nicolás Pisano realizó el **púlpito para el baptisterio de Pisa** el año 1259. La estructura reposa sobre seis columnas, tres de las cuales se apoyan en leones y quedan rematadas por un arco trilobulado. La parte de arriba es hexagonal y cuenta con cinco paneles, dejando el sexto abierto para permitir el acceso del predicador. Los franciscanos y dominicos solían acompañar la homilía con constantes referencias a pasajes de las Escrituras, algunos de los cuales fueron recogidos por Pisano en los paneles esculpidos de este púlpito. Narran escenas de la infancia y Pasión de Cristo, abigarradas de personajes, muy detalladas y de gran vigor narrativo. El tratamiento de los paños y algunos personajes recuerdan a la estatuaria clásica; esto es especialmente notable en la figura de la Virgen que aparece recostada en la escena del Nacimiento.

PISANO, Nicola: *Púlpito del baptisterio de Pisa* (1259).

6. LA PINTURA DEL SIGLO XV EN LOS PAÍSES BAJOS

Los talleres de pintura

Durante el siglo XV, en los Países Bajos y el ducado de Borgoña se formó una escuela de pintura apoyada por los duques, que protegieron a los artistas. A inspiración de los gremios de las distintas profesiones, los pintores se organizaban en talleres, donde los más jóvenes ejercían como aprendices de los artistas consagrados. Roberto Campin, conocido como **Maestro de Flémalle** (1375-1444) y cuya pintura fue decisiva en la génesis de la escuela flamenca, tuvo un taller muy próspero en Tournai. En él estudió, entre otros, **Roger van der Weyden**, que a su vez fue maestro de **Hugo van der Goes**.

El rasgo técnico más destacado de la pintura del siglo XV en los Países Bajos es el uso de la pintura al óleo, en la que los pigmentos se diluyen con aceite. El cuadro tarda más en secar, pero los colores quedan mucho más brillantes y permiten efectos de transparencia y de perspectiva aérea, es decir, de matización gradual del colorido para lograr la sensación de lejanía o volumen sin recurrir a líneas. La tradición atribuye a los hermanos Van Eyck esta técnica, que era conocida por los estofadores (pintores de estatuas de madera) pero que no se había incorporado a la pintura.

MAESTRO DE LA FLÉMALLE:
Santa Bárbara (1438). Este autor representa con maestría las calidades de los materiales (telas, metales, etc.).

VAN EYCK, Jan: *El matrimonio Arnolfini (1434). Esta obra viene a ser una alegoría del amor y el matrimonio gracias a los símbolos que el cuadro encierra: las manos enlazadas, el perro como símbolo de la fidelidad, etc.*

Lo religioso y lo cotidiano

La idea tomista de que Dios está presente en todo lo creado se manifiesta en la convicción de que lo sagrado se puede hallar también en los objetos cotidianos de la vida burguesa. Por ese motivo, los objetos más comunes que aparecen en la pintura flamenca suelen tener un significado simbólico: así, por ejemplo, la virginidad se indica mediante lirios y la presencia divina, mediante una vela encendida. Incluso la arquitectura adquiere connotaciones simbólicas, como cuando una triple ventana (la Trinidad) ilumina la escena. Es como si cada cosa que rodea al hombre tuviese una dimensión divina.

Una innovación que se debe a los **Van Eyck** es que el donante (la persona que encarga el cuadro y que se incluye como devoto en la escena religiosa) aparece en sus cuadros con el mismo tamaño y dignidad que los personajes sagrados. Cuando estos pintores abordan la ejecución de retratos reproducen de forma muy realista los rasgos que individualizan a cada personaje. Por influencia de una religiosidad intimista y muy personal, los autores flamencos pretenden así plasmar al hombre interior que se enfrenta a Dios. Los Van Eyck también realizaron retratos, como *El matrimonio Arnolfini* (1434).

La observación y el detalle

El problema pictórico de plasmar la luz se fue desarrollando durante siglos en los Países Bajos. Cuando la escena ocurre en un interior, suele haber una ventana por la que entra la luz que ilumina la estancia. El reflejo de esa luz sobre los objetos es otro de los temas que interesan a estos artistas. Con una visión que podría llamarse microscópica, los pintores flamencos describen joyas, flores, bordados, usando para ello pinceles finísimos, con un dibujo de alta precisión.

En relación con el estudio de la luz está el de la perspectiva aérea, que pretende crear la ilusión de profundidad en un espacio abierto. Los pintores flamencos fueron auténticos maestros en esta técnica que perfeccionaron utilizando su experiencia y no según cálculos matemáticos como más tarde se hará en el Renacimiento. Siguiendo la tradición miniaturista medieval, representan en el fondo de los cuadros minúsculos detalles de personas, animales o ciudades. Es lo que podría llamarse visión telescópica. A veces, los maestros de esta escuela pintan algún edificio concreto, pero por lo general son villas y paisajes imaginarios.

TRES OBRAS RELIGIOSAS DE LA PINTURA FLAMENCA

La obra cumbre de Hugo van der Goes (1440?-1482) es el **Tríptico Portinari**. Se trata de una obra de gran tamaño, muy insólito en aquella época. En la composición llama la atención el contraste entre los espacios llenos y vacíos, que crean una cierta tensión, y entre la elegancia de la Virgen y los ángeles frente a la tosquedad de los pastores. La obra tiene un marcado carácter espiritual que se consigue a través de recursos iconográficos propios de un arte conservador, como los ángeles, que aparecen a distinta escala que los seres humanos. Se reconocen algunos objetos simbólicos como el trigo, que evoca la eucaristía, y las flores, que simbolizan la Pasión. Todo esto hace que la escena tenga unas connotaciones dramáticas, ya que estos objetos anuncian la muerte de Cristo en una escena que, en realidad, representa su nacimiento.

VAN DER GOES, Hugo: *Tríptico Portinari (hacia 1476).*

VAN DER WEYDEN, Roger: *Descendimiento de Cristo (hacia 1438).*

Considerado uno de los fundadores de la gran pintura flamenca del siglo XV, Roger van der Weyden (1399-1464) introdujo el movimiento y el sentido dramático en sus composiciones religiosas, llenas de sentimiento humano, como se observa en este **Descendimiento de Cristo** pintado hacia 1438. La escena está concebida como si reprodujera un conjunto escultórico policromado del que el pintor copiara incluso las tracerías y el fondo dorado del espacio en el que estuviera incluido. La composición se desarrolla en primer plano y, cara al espectador, con todo el aire de ser un auto o representación sacramental. Los cuerpos de María Magdalena, a la derecha, y de san Juan Bautista, a la izquierda, cierran la escena y centran la atención en el cuerpo de Cristo, en el que se refleja crudamente y de forma realista la Pasión. El cuerpo de la Virgen repite la misma postura que el de su Hijo y recuerda a los fieles el dolor de la Madre de Dios, uno de los temas devotos de la época.

Hans Memling (1440-1494) posee una extraordinaria maestría técnica que se aprecia en su estilo brillante, el lujo cromático, el dominio de los problemas espaciales y la perfección de sus composiciones. Entre sus grandes obras figuran trípticos como el de **Los desposorios de santa Catalina**, pintado hacia 1489. En el panel central, que es el que aquí se reproduce, la Virgen aparece rodeada de santos, en una iconografía que se conoce como *Sacra Conversación*. En su regazo, el Niño coloca el anillo en el dedo de la santa como símbolo de su desposorio místico. Toda la escena es suave, elegante, con un exquisito colorido y un tratamiento suntuoso de las telas.

MEMLING, Hans: *Los desposorios de Santa Catalina (hacia 1489).*

Florencia

Al hablar de arte italiano es habitual emplear los términos *Duecento* para referirse al siglo XIII y *Trecento* para el XIV. Cuando empieza el *Duecento*, Italia estaba bajo la influencia bizantina, lo que se llamaba *maniera greca*, con fondos de oro, personajes planos y espirituales, y rígida simetría. La pintura se fue librando de estos esquemas arquetípicos gracias a artistas como Cimabue y, sobre todo, a Giotto.

Cimabue, activo a finales del siglo XIII, fue en su época un renombrado pintor. Evolucionó desde pinturas que seguían la *maniera greca* hacia formas más voluminosas y rostros más expresivos e intensos. La trayectoria de su pintura puede ser estudiada a través de los cucifijos que pintó para Arezzo, Santa Croce y San Francisco de Asís, en los que progresivamente se va liberando de los convencionalismos de origen bizantino y adquiriendo fuerza y sensibilidad expresiva.

Giotto (1267-1337) fue alumno de Cimabue, a quien pronto eclipsó. Al romper con los arquetipos de la *maniera greca*, fue el gran innovador. Se planteó problemas de perspectiva lineal, de los que no siempre salió airoso, pero empezó ya a considerar el cuadro como un espacio tridimensional en el que se desenvuelven los personajes. Esta concepción de la perspectiva y del espacio sienta los cimientos de la pintura europea de los siglos siguientes. Giotto concibe las figuras y arquitecturas como masas, con volumen escultórico, en una concepción muy distinta del estilo plano que imperaba entonces en otras escuelas pictóricas. Los personajes tienen, además, una severa dignidad y son expresivos, pero siempre contenidos, como en las obras clásicas. Casi toda su obra está pintada al fresco y destacan la serie sobre la vida de Cristo en la capilla Scrovegni de Padua y las pinturas sobre la vida de san Francisco en la basílica de Asís.

CIMABUE: *Virgen en majestad rodeada de ángeles, finales del siglo XIII. De influencia bizantina son el uso del fondo dorado, la composición simétrica y el hieratismo de las figuras.*

Siena: la pintura del "Trecento"

La ciudad de Siena, vecina y rival de Florencia, fue muy importante por su comercio y su industria textil. En ella se mantuvo durante un tiempo la huella de la *maniera greca* y del gótico internacional. El oro, el arabesco, la elegancia y la línea fluida fueron persistentes hasta que la influencia de la escuela de Giotto desplazó este lenguaje artístico. Así, a lo largo del siglo XIV se fue evolucionando hacia un estilo más vigoroso. Entre sus representantes se halla **Duccio di Buoninsegna** (1255-1318?).

Simone Martini (1284-1344) fue discípulo de Duccio y probablemente conoció la obra de Giotto. Su arte es refinado, elegante y rico en arabescos; al mismo tiempo, este pintor muestra también interés por el volumen y la representación del espacio, e intenta reflejar en sus obras los sentimientos humanos con verosimilitud. Martini fue artista cortesano y se estableció en Aviñón para trabajar en la corte papal.

Los hermanos **Lorenzetti**, Ambroggio y Pietro, activos a mediados del siglo XIV, marcan otro hito en la pintura sienesa. Ambos pintores acusan influencia de las enseñanzas de Giotto, notables entre otros detalles en la célebre vista de la ciudad de Siena, donde los volúmenes cúbicos de las casas y las calles en perspectiva oblicua anticipan la gran pintura del *Quattrocento*.

DUCCIO: *Maestà (1308-1311). La tabla principal representa a la Virgen como reina y patrona de la ciudad, entronizada entre ángeles y santos, y tiene muchos convencionalismos bizantinos, como el uso del oro como elemento decorativo.*

DOS PINTORES ITALIANOS: GIOTTO Y SIMONE MARTINI

La Capilla Scrovegni (1303-1305), también llamada capilla de la Arena, fue erigida por Enrico Scrovegni, hijo de un conocido usurero de Padua. Se trata de uno de los pocos espacios pensados desde su concepción para albergar pinturas. Los frescos de Giotto representan un amplio programa iconográfico con la vida de Jesús, que comienza con la Anunciación. Las escenas se encierran en recuadros. Giotto pintó primero los de la parte alta, que se leen de izquierda a derecha y siguen un orden cronológico. Los personajes de Giotto están vivos, vibrantes de emociones. Para sus contemporáneos, esta representación de las pasiones del alma humana resultó algo innovador.

GIOTTO: *Llanto sobre el Cristo muerto,* *fresco de la capilla Scrovegni,* *Padua (1303-1305).*

En el **Llanto sobre el Cristo muerto**, la escena está dividida en dos registros: en el superior se desarrolla el lamento de los ángeles, que expresan la tragedia de la muerte del Hijo de Dios.

En la parte inferior, los personajes se agrupan alrededor del cuerpo sin vida, que constituye la única línea horizontal de la composición. Toda la escena gira en torno a la cabeza de Cristo, unida a la de su madre en un grupo de gran dramatismo. Alrededor se agrupan las santas mujeres, dos de ellas de espaldas, formando unos bloques que crean un espacio tridimensional. Alguna figura tiene inspiración clásica, como el san Juan que echa los brazos hacia atrás. Destaca cómo Giotto utiliza el paisaje para reforzar el significado de la escena: la línea del horizonte desciende en pendiente y acaba a la altura de la cabeza de Cristo.

Este cuadro con la **Anunciación** es una tabla de altar pintada en 1333 por Simone Martini para la capilla de San Ansano de la catedral de Florencia. A la izquierda de la composición se encuentra el ángel, que es una figura etérea. Su vestidura se funde con el fondo, también de oro. El color más acusado está en las alas y en la capa, que se arremolina flotando en el aire, con unos arabescos que lo emparentan con el estilo del gótico internacional. Con la mano derecha señala el cielo y nos recuerda que su mensaje es sobrenatural.

Ante el ángel, separándolo de la Virgen, hay un jarrón de oro con azucenas, símbolo de la pureza virginal. María se encuentra en un trono que anuncia su futura condición de reina del cielo. Ante la presencia del ángel se muestra turbada y se recoge con un gesto amanerado. No parece una escena bíblica, pero tampoco de la vida corriente: ambos personajes, tan bellos y elegantes, exhalan espiritualidad y gracia. El espacio en el que se encuentran es impreciso: sólo vemos un rico suelo de mármol jaspeado y un fondo de oro. Martini, que en otras obras demuestra conocer los recursos de la representación espacial, aquí ha prescindido deliberadamente de ella, quizá porque al ser un encargo para un cuadro de altar prefirió modelos más convencionales, o tal vez para subrayar la espiritualidad de la escena y su alto contenido religioso.

MARTINI, Simone: *Anunciación* (1333).

La obra

La alegoría del buen y del mal gobierno fue pintada al fresco entre 1338 y 1339 por Ambroggio Lorenzetti en la llamada Sala de la Paz del Palacio Público de Siena, sede del gobierno municipal.

Se pueden distinguir tres zonas en esta gran pintura: la que representa como personajes simbólicos las características del buen y del mal gobierno, y otras dos en las que se ven las consecuencias buenas o malas de esas formas de gobierno en la vida cotidiana de la ciudad.

Análisis formal

Vamos a centrar el estudio en el fresco que se refiere a los efectos del buen gobierno sobre la ciudad. En un primer plano, varios personajes representan en distintas situaciones la prosperidad de la ciudad; abundan los detalles costumbristas acerca de los oficios y el comercio. En el fresco se distingue una zona, la de la derecha, en la que aparecen los grupos sociales más humildes, y otra, la de la izquierda, en la que una dama con su séquito representa a los más acomodados. En el centro, un grupo de muchachas danza en corro e imprime movimiento a la escena a la vez que enlaza los dos extremos del conjunto. Como telón de fondo, aparece la arquitectura de la ciudad, en la que el pintor se ha esforzado en conseguir un efecto de profundidad. Los diferentes volúmenes de la arquitectura quedan claramente modulados gracias a los juegos de color que separan unos edificios de otros. Al fondo, a la izquierda, aparece representado el *campanile* de la catedral de Siena, aludiendo claramente al gobierno de esta ciudad. La obra se ha de observar pormenorizadamente, pasando de una escena a otra como en un relato.

Significado

Ambroggio Lorenzetti consiguió en esta obra una síntesis entre el estilo sienés y el florentino, concretamente el de Giotto. Por un lado es una pintura elegante, refinada y detallista, en la que, como vimos en Simone Martini, se utiliza el arabesco. Por otro, siguiendo los pasos de Giotto, Lorenzetti introduce la arquitectura como forma de crear profundidad y de integrar los distintos detalles en una sola composición. El carácter narrativo en el que se yuxtaponen distintas escenas es propio de finales del gótico, pero en el esfuerzo por incluirlas todas en un solo espacio se anuncia ya el Renacimiento.

• ¿Qué información sobre la vida de la época nos proporciona este fresco?

• ¿Qué recursos emplea el pintor para conseguir dar a la pintura una sensación de profundidad?

• Relaciona el tema de esta pintura con la recuperación de la vida urbana característica de la época.

POLÍPTICO DEL CORDERO MÍSTICO, DE JAN VAN EYCK

La obra

El *Políptico del Cordero Místico* que se conserva en la catedral de San Bavón de Gante (Bélgica) es la obra más importante de Jan van Eyck, que lo pintó entre los años 1426 y 1432. Fue un encargo de un rico burgués de la ciudad para la capilla privada que tenía en la catedral. Está formado por un conjunto de tablas para colocar sobre el altar, y también está pintado en la parte exterior, que quedaba a la vista cuando el políptico se cerraba.

Análisis formal

Comentaremos la parte central del retablo. La tabla inferior representa la adoración del Cordero Místico según el texto litúrgico a su vez inspirado en el *Apocalipsis*. En ella describe cómo los bienaventurados van a adorar al Cordero, símbolo de Cristo.

En un paisaje muy profundo, aparece el Cordero rodeado de un coro de ángeles y hacia el que se dirigen distintos grupos de santos y santas.

En el eje de la composición están los tres símbolos de la redención: la paloma o Espíritu Santo, que dispensa la Gracia, el Cordero o Cristo, que murió por la salvación de los hombres, y la propia fuente de la Gracia.

El paisaje tiene una línea de horizonte alta y la perspectiva es muy profunda; a pesar de esta profundidad se distinguen con nitidez todos los detalles, que están pintados con precisión de miniaturista. El artista ha copiado especies vegetales naturales, pero el paisaje es simbólico (representa el reino de los bienaventurados).

Sobre esta escena aparece una iconografía poco habitual: Dios Padre entronizado entre la Virgen y san Juan Bautista. Extraña sobre todo la representación iconográfica del primero y, en general, la representación minuciosa de detalles que, en cierto modo, humanizan a las tres figuras; pero el uso del dorado y la actitud hierática confieren a este grupo un marcado carácter sagrado. La factura de las calidades (joyas, tejidos, cabello) es impecable.

Significado

Ésta es la obra más importante de Van Eyck y una pintura muy representativa del arte religioso flamenco, intelectual y lleno de símbolos. Las tablas que completan el conjunto hacen del políptico un auténtico tratado de la redención humana: Adán y Eva (representados en el interior de las tablas que cierran el políptico) asisten al misterio que salvará a la humanidad del pecado original que ellos cometieron, y en la parte exterior del políptico, la Anunciación señala que Cristo será el origen de esa salvación. Desde el punto de vista estilístico destacan el dominio de la perspectiva aérea y la primorosa ejecución de los detalles y las texturas (gracias a la utilización del óleo), que no están puestos al servicio de una mera representación de la realidad, sino encaminados a descubrir en todas las cosas su carácter trascendente.

- ¿Qué origen tiene el símbolo de Cristo como cordero?
- ¿Qué aportó el uso del óleo a la pintura del siglo xv?
- ¿Qué diferencias encuentras entre la representación del paisaje que hay en las dos obras que se reproducen en estas páginas?

SÍNTESIS

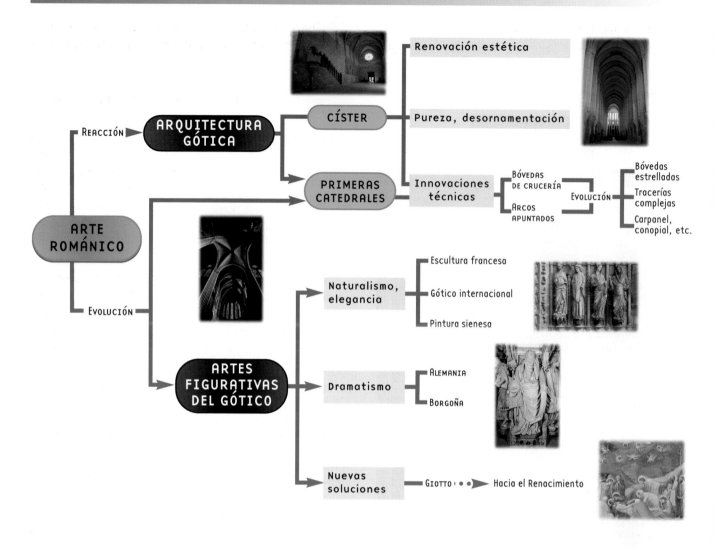

ARTE ROMÁNICO

Reacción ▶ **ARQUITECTURA GÓTICA**
- **CÍSTER**
  - Renovación estética
  - Pureza, desornamentación
- **PRIMERAS CATEDRALES**
  - Innovaciones técnicas
    - Bóvedas de crucería
    - Arcos apuntados
    - Evolución
      - Bóvedas estrelladas
      - Tracerías complejas
      - Carpanel, conopial, etc.

Evolución ▶ **ARTES FIGURATIVAS DEL GÓTICO**
- Naturalismo, elegancia
  - Escultura francesa
  - Gótico internacional
  - Pintura sienesa
- Dramatismo
  - Alemania
  - Borgoña
- Nuevas soluciones
  - Giotto ·••▶ Hacia el Renacimiento

SIGLOS	ARQUITECTURA	ESCULTURA	PINTURA
XII-XIII	• Nace en Cîteaux (Francia) la reforma cisterciense. • Bóvedas y tracería sencillas. • Se consagran las catedrales de París, Chartres, Reims y Amiens, aunque se añaden elementos en siglos posteriores. • En Alemania se inicia la construcción de las catedrales de Colonia, Friburgo y Estrasburgo. • Esplendor de las vidrieras.	• Evolución hacia el naturalismo. • Se tallan grandes conjuntos escultóricos en las portadas: ciclos de Reims y Amiens. • Nicola PISANO talla el púlpito del baptisterio de Pisa (1259).	• La pintura continúa la tradición anterior: predominio de la línea, fondos simbólicos, falta de perspectiva, hieratismo. • A finales de siglo, tablas pintadas por CIMABUE. En Italia se difunde la *maniera greca* o influencia bizantina.
XIV	• Se inicia una complicación de formas en bóvedas y tracerías. • Inglaterra: aparición del *decorated style*. En la segunda mitad del siglo XIV surge el estilo perpendicular. • Auge de la arquitectura civil y burguesa, sobre todo en las ciudades de la Hansa y en Italia. • Italia: iglesia de Santa Croce (Florencia), catedrales de Siena y Milán.	• Escultura en Borgoña caracterizada por el dramatismo, los volúmenes amplios y el realismo en caras y gestos: Claus SLUTER. • En Alemania, difusión del tipo de la "Virgen Bella" a final del siglo.	• Pintura del *Trecento* en Italia: Siena (DUCCIO, Simone MARTINI, hermanos LORENZETTI) y Florencia (CIMABUE, GIOTTO). • Giotto rompe con la tradición anterior e inicia el estudio de la representación del espacio.
XV	• Formas flamígeras, bóvedas estrelladas. • En Inglaterra, desarrollo del estilo perpendicular. • Influencia europea en el norte de Italia: catedral de Milán. • Importancia de la arquitectura civil: Palacio Ducal de Venecia.	• En Alemania se distinguen dos escuelas: una elegante e idealista y otra realista y dramática.	• Difusión del estilo gótico internacional en pintura: hermanos LIMBOURG. • Países Bajos: grandes pintores flamencos: MAESTRO DE LA FLÉMALLE, VAN EYCK, VAN DER WEYDEN, HANS MEMLING, HUGO VAN DER GOES. Aparición de la pintura al óleo.

HACIA LA UNIVERSIDAD

1. Desarrolla uno de estos dos temas:

a) *La escultura gótica. Temas, iconografía y obras principales.*

b) *La pintura del siglo xv en los Países Bajos.*

2. Analiza y comenta estas imágenes:

3. Define o caracteriza brevemente los siguientes conceptos: *arbotante, tracería, óleo, Císter, pináculo, estilo internacional.*

4. Lee el siguiente documento y contesta a las preguntas:

En el claustro, ante los ojos de los hermanos que allí leen, ¿para qué tanto monstruo ridículo, tanta belleza sorprendente y deformada, tanta famosa deformidad? ¿Para qué fin hay todos esos inmundos simios, fieros leones, monstruosos centauros, semi-hombres, tigres rayados, caballeros luchando, cazadores tocando trompas? Se ven muchos cuerpos con sólo una cabeza, o muchas cabezas con un solo cuerpo. Hay bestias cuadrúpedas con cola de serpiente, peces con cabeza de bestias. Allá hay medio caballo cuya grupa es de cabra, acullá un animal con cuernos y grupa equina. En resumen, hay tan maravillosas y tantas variedades de criaturas de toda suerte, que más nos tienta contemplar el mármol que leer nuestros libros, y pasar el día maravillándonos ante tales cosas más que meditando sobre la ley de Dios. Por amor de Dios, si los hombres no se avergüenzan de tales locuras, ¿por qué al menos no refrenan tanto gasto?

San Bernardo: Carta al abad Guillermo de Saint-Thierry. Recogido en Shapiro, M.: *Romanesque Art*. Nueva York, Braziller, 1977, p. 6

— Resume brevemente el texto.

— Indica cuál es la actitud de san Bernardo ante la decoración románica. ¿Por qué la censura? ¿Qué nueva mentalidad se refleja en este documento?

— Cita alguna obra románica que pueda corresponder a la descripción que hace aquí san Bernardo, analizando su estilo y temática. Compárala con una obra cisterciense y di en qué se diferencian.

PASADO Y PRESENTE EN EL ARTE

Durante muchos siglos la restauración de obras de arte estuvo en manos de artesanos y pintores preocupados sólo por la apariencia estética. Hoy los restauradores son especialistas que se apoyan en las nuevas tecnologías para detener el deterioro de las obras. Algunas de las técnicas usadas son: la iluminación ultravioleta (diferencia las zonas repintadas de las originales), la fotografía de rayos X (detecta rectificaciones) y la estratigrafía (analiza los componentes químicos de los materiales).

— ¿Cómo pueden influir estas técnicas en la datación y atribución de obras del pasado de las que se desconoce su autor y fecha?

— ¿Crees que es muy importante para la valoración de una obra de arte la aplicación de estas técnicas?

Aspecto de un cuadro de principios del siglo XVI que ha sufrido un repinte para que figure el rey Felipe IV (siglo XVII) y fotografía de rayos X que muestra el personaje original.

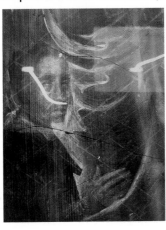

11. EL GÓTICO EN ESPAÑA

El arte gótico se desarrolló en España desde finales del siglo XII hasta ya entrado el XVI. Durante este tiempo tuvieron lugar grandes acontecimientos históricos: finaliza la Reconquista, los reinos peninsulares se abren al exterior y, al final del período, el matrimonio entre Fernando de Aragón e Isabel de Castilla inicia el camino hacia la unidad política de los reinos peninsulares. Éste es también uno de los momentos más fecundos de la cultura española: el rey Alfonso X el Sabio protegió la Escuela de Traductores de Toledo; Pedro IV de Aragón fundó el Archivo de la corona de Aragón y la Universidad de Huesca en el siglo XIV; la fama de la Universidad de Salamanca rebasaba las fronteras de Castilla; y bajo los últimos monarcas de la dinastía Trastámara, el arte y la literatura vivieron un momento de esplendor. De estos siglos se han conservado numerosas obras artísticas que atestiguan la pujanza de la época y en las que se aprecia un lenguaje peculiar que funde las tradiciones autóctonas con influencias venidas del exterior, sobre todo francesas, italianas y flamencas.

VITALIDAD Y TRIUNFALISMO DE LA ESPAÑA CRISTIANA

Los reinos españoles llegaron a una tan grande concordia que se reunieron unánimes para perseguir a los árabes. Qué felices tiempos aquellos: se exalta la fe católica, se aniquila la herejía y las ciudades y fortalezas de los sarracenos son devastadas por las espadas de los fieles. Los soberanos españoles combaten por la fe y en todas partes vencen. Los obispos, abades y clérigos construyen iglesias y monasterios, mientras los campesinos cultivan sin temor sus tierras, crían su ganado y gozan de la paz sin que nadie los amenace. Es en esta época cuando el muy reverendo padre Rodrigo, arzobispo toledano, edifica la iglesia de Toledo con obra admirable. El prudente Mauricio, obispo de Burgos, construye la catedral de Burgos llena de fuerza y belleza. Y el sabio Juan, canciller del rey Fernando, funda la iglesia de Valladolid y la dota de numerosas posesiones.

LUCAS DE TUY, en *Hispaniae ilustratae*. 1608. Citado en LAMBERT, E.: *El arte gótico en España*, Madrid, Cátedra, 1977, pág. 24

Bóveda de la nave central de la catedral de Toledo, siglo XIII.

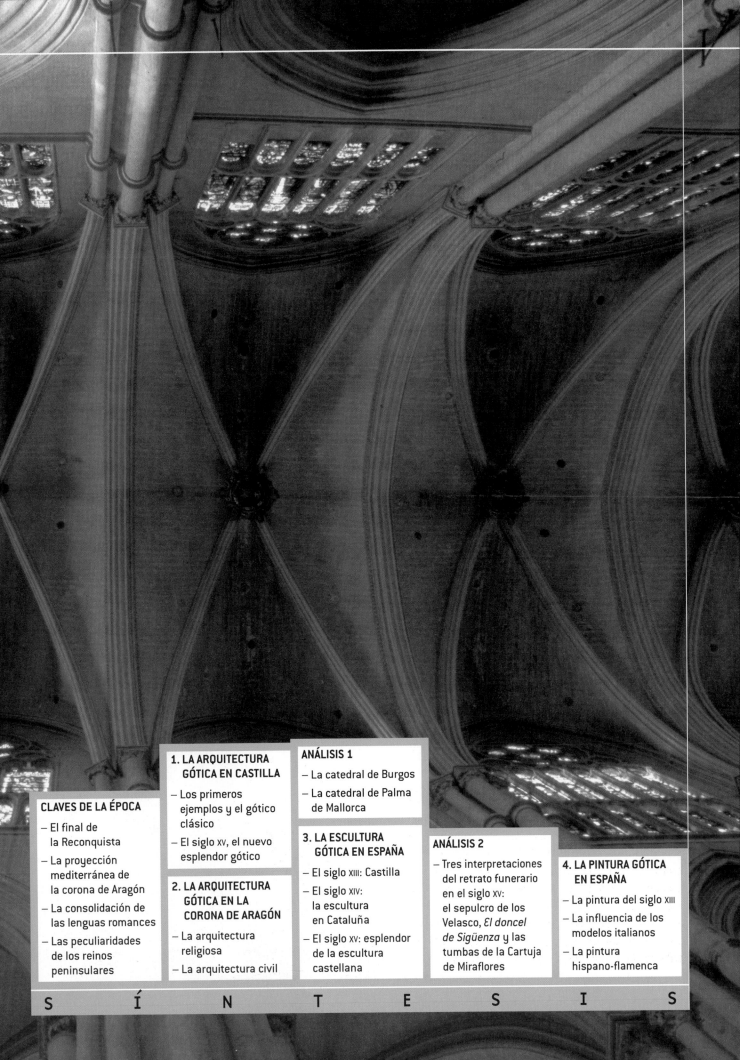

S Í N T E S I S

CLAVES DE LA ÉPOCA

El final de la Reconquista

El siglo XIII se abre con una de las batallas más importantes de la Reconquista, la de las Navas de Tolosa (1212), ganada por una coalición cristiana encabezada por Alfonso VIII de Castilla, que pulverizó el poder almohade. Años más tarde Fernando III el Santo conquistaba Córdoba y Sevilla. En el espacio de pocos años se había agrandado enormemente el territorio de Castilla, y tanto Fernando III como su hijo Alfonso X el Sabio procedieron al reparto y organización de los nuevos territorios. Así se consolidó el poder de la nobleza castellana, que en sus dominios territoriales manifestaba su rivalidad. Son los tiempos del auge de las órdenes militares españolas, Calatrava, Santiago, Alcántara y Montesa, fundadas a imitación de Templarios y Hospitalarios. Los reinos hispánicos no participaron en las cruzadas a Tierra Santa, pues se consideraba como tal la guerra contra los musulmanes dentro de la Península. Ésa era una ocasión de ganar botín, tierras y cautivos, de prestar un servicio a la corona que podía ser recompensado con rentas y prebendas, y era también un medio infalible de alcanzar honra y, según decían, de agradar a Dios. Esta nobleza guerrera y orgullosa va a ser uno de los clientes de los artistas.

El castillo de Coca fue construido en el siglo XV por el obispo don Alonso de Fonseca. Como otras fortificaciones de esta época, este edificio estaba ya alejado de la frontera con al-Ándalus y servía como residencia nobiliaria y no como edificio militar.

De todo el territorio de al-Ándalus, a partir del siglo XIII sólo queda en la Península el reino nazarí de Granada, que se mantuvo independiente gracias a las parias o impuestos que pagaba a los cristianos y a las guerras civiles que enturbiaron la vida castellana en los siglos XIV y XV. Cuando cayó Granada el 1492, los Reyes Católicos terminaron un proceso histórico y tuvieron que integrar en su reino a una población numerosa de musulmanes cuya religión debía ser respetada, lo que produjo innumerables problemas. No desapareció, sin embargo, la mentalidad guerrera y conquistadora, que había de proyectarse en el siglo siguiente en la conquista y colonización del Nuevo Mundo.

La proyección mediterránea de la corona de Aragón

En la Baja Edad Media se desarrolló también una ambiciosa política expansionista de la corona de Aragón, que empezó en el siglo XIII, bajo el reinado de Jaime I el Conquistador, con la toma de Mallorca y Valencia, y culminó en una serie de brillantes operaciones que llevaron la presencia catalana hasta el imperio bizantino. Todo ello favoreció la expansión comercial y cultural de la Corona, que aglutinaba a Aragón, Cataluña, Valencia y Mallorca. Nápoles se integró a mediados del siglo XV, hasta el siglo XVIII, y sirvió de vía de penetración de la influencia italiana en la Península. La corte de Alfonso V el Magnánimo en Nápoles fue uno de los principales focos culturales del siglo XV.

La consolidación de las lenguas romances

A partir del siglo XIII se generalizó el uso de las lenguas romances tanto en obras literarias como jurídicas. Fue en este momento cuando las leyes, los documentos y las obras literarias se comenzaron a escribir en castellano, gallego o catalán. Es el caso del *Código de las Partidas*, los poemas de Berceo, el *Tirant lo Blanc* o las *Cantigas* de Alfonso X el Sabio. A lo largo del siglo XV, el castellano se consolidó como lengua de transmisión de cultura, como muestra la obra de Jorge Manrique o del marqués de Santillana

INGLÉS, Jorge: *Retrato del marqués de Santillana (1455).*
Forma parte del retablo que el marqués encargó para el hospital de Buitrago; el retratado aparece como donante, enmarcado por un tapiz, como era habitual en la pintura flamenca.

Las peculiaridades de los reinos peninsulares

Entre los siglos XIII y XV, la península Ibérica estuvo dividida en cinco grandes unidades políticas: el reino de Portugal, la corona de Castilla, el reino de Navarra, la corona de Aragón y el reino nazarí de Granada. Navarra permaneció hasta los primeros años del siglo XVI casi completamente ajena a las corrientes culturales y a los sucesos políticos de los demás reinos, y estuvo más bien vinculada a Francia. El reino de Portugal tenía estrechas relaciones con Castilla, de la que se había desgajado en el siglo XII, y fue objetivo de los Reyes Católicos, ya a finales del siglo XV, su unión con Aragón y Castilla. Estos dos últimos territorios tenían características que los diferenciaban: Castilla se orientaba aún a la Reconquista, tenía una monarquía autoritaria y una nobleza muy rica y poderosa; mientras, Aragón emprendía la conquista de ultramar, sus reyes se veían obligados a escuchar a nobles y burgueses en las Cortes y eran estos últimos los que formaban el sector más activo de la sociedad.

Castillo de Bellver, Palma de Mallorca, siglo XIV. Este edificio fue construido por orden del rey Jaime II de Aragón en 1306.

La península Ibérica entre los siglos XIII y XV

☐ Principales ciudades

■ Principales ciudades con obras góticas destacadas

━━━ Frontera con al-Ándalus al comienzo del siglo XIII

━━━ Frontera con al-Ándalus en 1252

SIGLOS	HISTORIA Y CULTURA	ARTE
XIII	• Batalla de las Navas de Tolosa (1212). • Fundación de la Universidad de Salamanca (1215). • *Cantar de Mio Cid* (1221). • Fernando III conquista Córdoba (1236). • Jaime I toma Valencia (1238). • Toma de Sevilla por Fernando III (1248). • Berceo escribe los *Milagros de Nuestra Señora* (1256). • Pedro III de Aragón toma Sicilia (1282).	• Inicio de la catedral de Burgos (1207). • Inicio de la catedral de Toledo (1226). • Se talla la puerta del Sarmental de la catedral de Burgos (hacia 1240). • Se empieza la catedral de León (1254). • Se talla la puerta principal de la catedral de León (hacia 1270).
XIV	• Reinado de Alfonso XI de Castilla (1312-1350). • La corona de Aragón conquista Cerdeña (1323). • El Arcipreste de Hita escribe el *Libro del Buen Amor* (hacia 1340). • Peste negra (1348). • Muerte de Pedro I de Castilla e inicio de la dinastía Trastámara (1369).	• Catedrales de Barcelona, Gerona, Huesca, Palma de Mallorca (hacia 1320). • Se talla la *Virgen Blanca* de Toledo (hacia 1340). • Bartomeu esculpe la Virgen de la catedral de Tarragona (hacia 1340).
XV	• Empieza el reinado de Juan II de Castilla (1406). • Compromiso de Caspe: dinastía Trastámara en Aragón (1412). • Alfonso V toma Nápoles (1442). • Sube al trono Enrique IV de Castilla (1454). • Matrimonio de los Reyes Católicos (1469). • Se establece la Inquisición en Castilla (1480). • Toma de Granada, descubrimiento de América, expulsión de los judíos (1492).	• Se inicia la catedral de Sevilla (1402). • La sinagoga de Santa María la Blanca convertida en iglesia (1405). • Juan De Colonia empieza a trabajar en la catedral de Burgos (1442). • Luis Dalmau pinta la *Virgen de los Consejeros* (1445). • *Retablo de los santos Abdón y Senén*, por Jaime Huguet (1460). • Se termina *El doncel de Sigüenza* (1491). • Gil de Siloé termina las tumbas de Juan II e Isabel de Portugal (1493).

1. La arquitectura gótica en Castilla

Los primeros ejemplos y el gótico clásico

La arquitectura gótica castellana está basada en modelos franceses, que penetraron en fechas tempranas (siglo XII) gracias a la llegada de monjes cistercienses que vinieron a repoblar las tierras conquistadas y que fundaron numerosos monasterios. Los primeros ejemplos, muy influidos por el Císter, son aún edificios desornamentados, en los que quedan elementos románicos aislados como los arcos de medio punto.

De este momento son las catedrales de Sigüenza, Ávila y Cuenca. En la catedral de Sigüenza se combinan el aire austero de influencia cisterciense, el aspecto de fortaleza (la portada de la iglesia está flanqueada por dos grandes torres de planta cuadrada) y la influencia francesa, que se advierte en el uso de bóvedas de crucería simple y sexpartitas, y el gran tamaño de la nave central frente a las laterales. También es muy singular la catedral de Cuenca, edificada poco después de que fuera reconquistada la ciudad (1177) sobre el emplazamiento de la mezquita árabe. Fue supervisada por la reina Leonor de Plantagenet (esposa de Alfonso VII) y por sus consejeros anglonormandos, lo que se refleja en el empleo de la bóveda sexpartita, que permitía abrir más vanos y aportar a la iglesia mayor luminosidad. Es peculiar de este edificio el empleo de una decoración dentellada, muy sencilla, en el intradós de los arcos, que es de origen cisterciense.

Interior de la catedral de Ávila. Fue iniciada el año 1172 bajo la dirección de un arquitecto francés, el maestro Fruchel.

A partir del primer cuarto del siglo XIII, el estilo arquitectónico se va homogeneizando según el modelo francés, y es cuando se construyen las grandes catedrales castellanas del llamado *gótico clásico*: León, Burgos y Toledo. Estas catedrales se caracterizan por las bóvedas sencillas o sexpartitas, tracerías simples con uno o tres elementos calados, pilares con pocas columnillas adosadas, planta de cruz con tres naves, transepto y capillas absidiales.

El siglo xv, el nuevo esplendor gótico

Durante el siglo XIV, Castilla vivió una época de conflictos civiles y enfrentamientos entre la monarquía y la nobleza que supusieron una interrupción de la producción artística. En el siglo XV, durante el reinado de Juan II de Castilla (1406-1454) se inició la recuperación: se reforzaron los intercambios comerciales con Flandes, y la corte y la nobleza se orientaron hacia modelos flamencos y procuraron atraer a artistas de estas tierras.

Con el reinado de los Reyes Católicos cesaron las guerras civiles y los levantamientos nobiliarios, se consolidó la monarquía autoritaria y una fiebre constructora se apoderó de Castilla. El estilo de esta época, denominado *flamígero isabelino*, se caracteriza por la profusión de elementos decorativos: arcos conopiales, rebajados y mixtilíneos; talla primorosa de la piedra en filigrana; empleo de bóvedas estrelladas; e inclusión de tracerías con decoraciones cada vez más complicadas. Se distinguen *tres focos* principales:

- Burgos: aquí destacan las obras que completaron la catedral del siglo XIII, a cargo de la familia Colonia, y la construcción de la Cartuja de Miraflores. Además, bajo la influencia de este foco burgalés, se levantaron las iglesias vallisoletanas de San Gregorio y San Pablo y el monasterio del Parral en Segovia.

- Toledo: en esta ciudad se edificó el monasterio de San Juan de los Reyes, del arquitecto Juan Guas.

- Sevilla: la obra más destacada del momento fue la catedral, iniciada el año 1401 sobre el emplazamiento de la mezquita almohade.

Claustro del convento franciscano de San Juan de los Reyes, fundado por los Reyes Católicos en 1476. Cada piso tiene diferentes tipos de arcos: apuntados con tracería flamígera en el inferior y mixtilíneos en el superior.

TRES CATEDRALES CASTELLANAS: LEÓN, TOLEDO Y SEVILLA

La **catedral de León** fue construida en el siglo XIII sobre el emplazamiento de una obra anterior, reinando Alfonso X el Sabio. El arquitecto que la trazó, conocido como maestro Enrique, fue quizá el mismo que dirigió la de Burgos y que trabajó en ambas catedrales hasta su muerte en 1277. Está inspirada en la catedral francesa de Reims, pero reducido en un tercio su tamaño. Aunque es una catedral pequeña comparada con los modelos franceses, es muy esbelta, llegando en la nave central a la altura de dos veces y media su anchura. El transepto es ancho y espacioso, casi tanto como la nave longitudinal. En el exterior, la fachada principal está flanqueada por torres, y tiene triple portada, rosetón y un alto gablete triangular coronando el cuerpo central. El interior, de gran pureza estilística, está iluminado por las vidrieras, en las que trabajaron grandes maestros.

Exterior de la catedral de León, siglo XIII.

Interior de la catedral de León, siglo XIII.

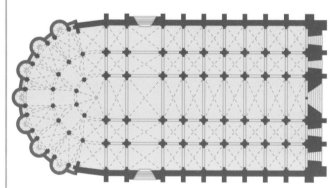

Planta de la catedral de Toledo, siglo XIII.

En 1226 se inició la construcción de la **catedral de Toledo**. El edificio se levantó sobre el solar de la antigua mezquita mayor, lo que pudo condicionar en gran medida la forma de su planta, que es basilical sin brazos. Se distinguen cinco naves y un transepto que sólo se advierte en anchura y altura, ya que no sobresale en los laterales de la iglesia. La catedral tiene doble girola, y el trazado curvo de esta zona se resolvió alternando bóvedas de planta rectangular con otras triangulares. Así se evitaron los problemas de las bóvedas de planta trapezoidal, frágiles y poco armoniosas. Destacan en el interior elementos constructivos de influencia islámica, como los arcos lobulados.

También se construyó sobre el emplazamiento de la antigua mezquita la **catedral de Sevilla** (1402-1515); el alminar almohade (la Giralda) fue respetado y convertido en campanario. El cabildo decidió hacer un edificio único, plasmado en la frase "hagamos una iglesia tal que nos tomen por locos". Como en Toledo, la planta está condicionada por la traza de la antigua mezquita. Tiene cinco naves, de las cuales la central se eleva por encima de las laterales, y carece de un ábside visible en el exterior. Las bóvedas son estrelladas sólo en los tramos adyacentes al crucero y se hicieron en el siglo XVI, después de que se derrumbaran las originales. El exterior muestra una construcción escalonada y revestida de un complejo bosque de arbotantes, pináculos y contrafuertes. Entre los arquitectos que intervinieron están Hanequin de Bruselas y Juan Gil de Hontañón. Después, se fueron añadiendo capillas y salas adyacentes.

Exterior de la catedral de Sevilla, siglos XV y XVI.

La arquitectura religiosa

La presencia cisterciense fue muy importante en la corona de Aragón, donde encontramos importantes monasterios como el de Poblet, que fundó el propio rey Ramón Berenguer IV, o Santes Creus, ambos en Tarragona. En esta zona, sin embargo, no hallamos a lo largo del siglo XIII una evolución continuada que lleve a la recepción de formas francesas, ni tampoco a la generalización del modelo de catedral clásica que acabamos de estudiar en Castilla. El gran momento de la arquitectura gótica es, en la corona de Aragón, el siglo XIV, y tuvo un desarrollo especialmente importante en Cataluña. *Dos factores* pudieron influir en este esplendor:

– Por un lado, la prosperidad económica y comercial que se produjo como consecuencia de las expediciones mediterráneas y que permitió costear las obras.

– Por otro, la herejía albigense, contra la cual lucharon los reyes aragoneses y que animó a éstos a dar prioridad a la predicación como defensa contra los herejes y a construir nuevos templos; de ahí también la preferencia por unas determinadas formas arquitectónicas, pensadas para que los feligreses pudieran oír y ver al predicador.

Además hay que tener en cuenta que en Cataluña, el territorio más dinámico del territorio de Aragón, el románico había tenido un importante desarrollo, de modo que las características de su arquitectura gótica derivan tanto de la necesidad de crear espacios adecuados a la predicación, como del apego a aquellas antiguas formas.

La arquitectura civil

Mientras que en Castilla era la monarquía la institución que promovía o protegía la construcción de edificios, que solían ser de carácter religioso, en la corona de Aragón, donde había una burguesía próspera y una animada vida urbana, proliferaron los edificios laicos y civiles del tipo de los que hemos estudiado en el gótico europeo. Sin embargo, los reyes aragoneses colaboraron con la burguesía en la defensa de sus intereses comerciales y, por ejemplo, el rey Pedro III promovió en el siglo XIII la construcción de las atarazanas o astilleros de Barcelona. Este edificio eminentemente funcional adoptó el sistema de cubiertas de madera sobre arcos que todavía se empleaba en algunas iglesias.

Salón del Tinell o Sala del Consejo del Palacio Real de Barcelona, siglo XIV. El modelo de construcción con amplios arcos y cubiertas de madera también se utilizó en refectorios y atarazanas.

Ya en el siglo XIV, el rey Pedro IV decidió mostrar en un palacio el poder de la monarquía sobre la nobleza, siempre levantisca. Así, mandó edificar el Salón del Tinell o Sala del Consejo del Palacio Real de Barcelona, un enorme espacio con nave única y cubierta de madera sustentada por seis arcos muy amplios cuyo peso contrarrestan los contrafuertes exteriores. Esta solución constructiva pudo inspirarse en los refectorios cistercienses como el del monasterio de Poblet.

También adoptó una solución novedosa otro tipo de edificio, la *lonja*, del que tenemos ejemplos en Palma de Mallorca y Valencia. El primero fue edificado en los siglos XIV y XV, y el segundo, a lo largo de este último siglo. La lonja es un espacio cuadrangular donde se realizaban las contratas de las empresas comerciales. Para cubrir este espacio, también funcional, se utilizó en los casos mencionados un sistema de bóvedas cuyos nervios se expanden en sentido radial desde finas columnas helicoidales. En el exterior tienen decoración de estilo flamígero con características comunes a la de los palacios y residencias burguesas de esta misma época.

Lonja de Valencia, siglo XV. Destacan los fustes helicoidales, que también se utilizaron en los palacios de las viviendas privadas, y que proporcionan un gran efecto decorativo al espacio interior.

LA PECULIARIDAD DEL GÓTICO EN LA CORONA DE ARAGÓN

Las iglesias castellanas del siglo XIII que seguían el modelo francés tenían gran desarrollo de la cabecera y la girola; en cambio, en las iglesias de la corona de Aragón el espacio más relevante está en las naves, donde se reúnen los fieles y desde donde éstos tienen que ver claramente al predicador, que se sitúa en el púlpito y no en el presbiterio. Como consecuencia, las columnas son más delgadas y, en general, el espacio se hace más diáfano. Este modelo se fue adoptando progresivamente.

La **catedral de Barcelona** (siglos XIII-XIV) marca la transición entre las iglesias clásicas y este nuevo tipo de templo característico de la corona de Aragón. Se inició el año 1298 y sus obras se prolongaron durante el siglo XIV. La novedad de esta construcción reside en la ausencia de brazos (el transepto se advierte sólo en altura y anchura) y en la llamada "planta de salón", que consiste en que la altura de la nave central y de las dos laterales se aproximan formando un espacio unitario que contribuye a crear sensación de diafanidad y amplitud, y no tanto de verticalidad.

Catedral de Barcelona, siglos XIII y XIV.

Sobre el emplazamiento de la antigua catedral románica se inició la construcción de la nueva **catedral de Gerona** el año 1312. Continúa la misma tendencia que la de Barcelona e, incluso, se quiso copiar su trazado, pero como las naves laterales eran más bajas, se temió que resultase un edificio oscuro, por lo que se optó por interrumpir las naves laterales y continuar la iglesia hasta los pies con una gran nave única. En los muros laterales tiene capillas ubicadas entre los contrafuertes. Es un edificio austero, cuya belleza reside en la amplitud y armonía del espacio interior.

Catedral de Gerona, siglo XIV.

La tendencia a la creación de espacios diáfanos culmina con la iglesia de **Santa María del Mar** (1329-1384) de Barcelona, que pronto superó en importancia a la catedral de esa ciudad. Los navegantes y comerciantes de la ciudad sufragaron la construcción del edificio. El exterior es muy sencillo y no da idea de las magníficas dimensiones del interior. Éste es imponente, de amplias y equilibradas proporciones y gran sobriedad. No hay apenas decoración, los pilares son octogonales y la planta sigue el esquema sencillo de las iglesias catalanas, basilical con tres naves, girola y capillas absidiales que están embebidas en el muro del ábside. La anchura de su nave central (14 m) es excepcional, y sólo sería superada por la de la catedral de Gerona.

Santa María del Mar, siglo XIV.

La obra

La catedral de Burgos fue iniciada en 1221 bajo la protección del rey Fernando III y, sobre todo, del obispo Mauricio, y sustituyó a la vieja catedral románica, cuyos cimientos se aprovecharon en una parte de la cabecera. En el siglo XIV se terminó la fachada principal y en el siglo XV se construyeron las torres, el cimborrio y la capilla del Condestable.

Análisis formal

– **La planta.** Cuando se comenzó a construir la catedral de Burgos aún había en Castilla cierta influencia cisterciense, y esta iglesia fue concebida con un diseño muy semejante a la de Cuenca, con tres naves, un transepto bastante acusado al exterior y capillas en la cabecera. Las bóvedas del siglo XIII son de crucería simple. En el siglo XV el arquitecto alemán Juan de Colonia hizo el cimborrio del crucero, hasta entonces cubierto con techo de madera. Algunas de las capillas, como la del Condestable, se deben a su hijo Simón, y se puede distinguir en ellas la complicación de sus bóvedas, también estrelladas.

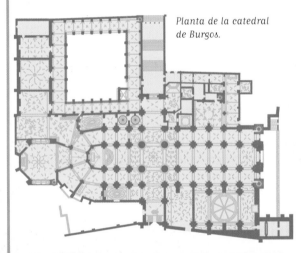

Planta de la catedral de Burgos.

– **El exterior.** La fachada fue concluida en el siglo XIV, si bien se mantuvo en la línea de la catedral del siglo XIII. De esta época es la triple portada, el rosetón y el cuerpo superior con dos arcos y decoración escultórica. Las torres son del siglo XV y las levantó Juan de Colonia ya con decoración flamígera, que se advierte sobre todo en el calado de las agujas. En el exterior destaca el cimborrio, coronado por pináculos y con decoración flamígera, y que fue levantado también por Juan de Colonia y su hijo Simón.

– **El interior.** En el interior se distinguen los dos momentos más importantes de la construcción de esta catedral: son propios del siglo XIII los motivos de las tracerías del triforio; y la plementería del crucero, ya del siglo XV, tiene una labra calada en la que se funden la influencia islámica y la flamígera. Este cimborrio fue construido por Juan de Colonia, pero pronto se derrumbó y hubo de levantarlo de nuevo su hijo Simón, según la misma concepción que el primero. Destaca también por su decoración flamígera la capilla del Condestable.

Significado

La catedral de Burgos sintetiza la evolución de la arquitectura gótica castellana, desde el trazado, aún cisterciense, de la planta, hasta la incorporación del repertorio decorativo del siglo XV, que aúna la influencia europea y la raíz hispánica. Los maestros que trabajaron en ella a lo largo de las distintas épocas de su construcción crearon además un foco de influencia artística que irradió a toda el área en torno a Burgos: es el caso del maestro Enrique, que trabajó en parte del programa iconográfico del siglo XIII, y, sobre todo, de la familia Colonia, cuyos miembros definieron el estilo de ciudades como Valladolid o Segovia.

Interior del cimborrio de la catedral de Burgos, construido por Juan y Simón de Colonia en el siglo XV.

La obra

Jaime I, el rey aragonés que había conquistado Mallorca el año 1229, decidió que sobre el emplazamiento de la mezquita mayor se construyese la nueva catedral, que se consagró el año 1269. Ya a comienzos del siglo XIV, el rey Jaime II decidió construir en este templo su capilla funeraria, que quedó tras el presbiterio y más elevada que el resto de la iglesia. Las obras se prolongaron durante los siglos XV y XVI.

Análisis formal

– **La planta.** Es basilical sin brazos, de tres naves y con la cabecera plana. A las naves laterales, más estrechas que la central, se abren capillas.

Como es habitual en las iglesias de la corona de Aragón, todas las bóvedas son de crucería sencilla. La capilla real está situada tras la cabecera y es accesible desde ésta.

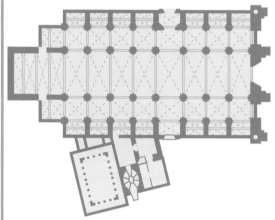

– **El interior.** El espacio interior es amplio y austero. La iluminación se recibe desde las ventanas situadas en los muros de la nave central y desde un rosetón calado que está situado sobre la cabecera. La diferencia de altura entre las naves no permite hablar de "planta de salón", pero no es tanta que produzca una diferencia notable entre ambos espacios y la impresión es de gran unidad. El interior es, por otra parte, muy sobrio: las bóvedas de crucería simple, los pilares poligonales sin columnillas y la casi total ausencia de decoración contribuyen a esa austeridad.

– **El exterior.** El exterior de la catedral de Palma quizá sea lo más característico de este edificio. Los contrafuertes son muy profundos, porque son una prolongación en altura de los mismos muros que forman las capillas laterales.

Entre estos grandes contrafuertes se colocan otros menores en la parte baja, y todas estas estructuras verticales aportan al edificio una gran esbeltez, sin que la construcción pierda por ello su carácter sólido y austero. Unas molduras horizontales dividen a su vez el exterior en distintos niveles, cruzándose con el sentido vertical de los contrafuertes y creando una compartimentación geométrica.

Significado

Conservar el carácter sagrado de un espacio es una tendencia que se observa en muchas culturas y que hemos visto ya repetidas veces en las unidades anteriores. Muchas mezquitas fueron convertidas en templos cristianos una vez que el territorio en el que se situaban fue reconquistado. En el caso de Palma de Mallorca, se decidió levantar un edficio de nueva planta, sin conservar la estructura del anterior. Así se adoptó una tipología característica de la corona de Aragón, que en este templo tiene uno de sus ejemplos más claros.

- La construcción de las catedrales de Palma y Burgos ocupó un espacio de tiempo muy dilatado. ¿Afectó esto a la concepción general los dos templos? ¿Cuál de los dos edificios es más unitario?
- Los elementos característicos de la arquitectura flamígera ¿son estructurales o sólo decorativos? Justifica tu respuesta.
- La catedral de Palma es un edificio estilizado y elegante. Para lograr ese efecto, ¿se recurre a la decoración o a la estructura?

El siglo XIII: Castilla

Los grandes centros que impulsaron e inspiraron la escultura del XIII fueron las catedrales de Burgos y León. En la catedral de Burgos trabajó un maestro francés de Amiens, cuya obra se caracteriza por figuras solemnes e idealizadas y temas algo arcaizantes como el Pantocrátor con el Tetramorfos, que había sido muy común en el románico y que ocupa la portada del Sarmental. La portada septentrional o de la Coronería, muy destrozada, representa a Cristo entre la Virgen y san Juan, ángeles que llevan instrumentos de la Pasión y un dintel con el Juicio Final. La catedral posee otros programas escultóricos importantes en la puerta del claustro, obra de un maestro que denota más influencia de Reims y que es más naturalista y expresivo, como se aprecia en la escena de la Anunciación. En el claustro pueden verse también estatuas de tamaño natural de reyes y obispos que se caracterizan por su realismo: algunos son auténticos retratos.

La catedral de León tiene asimismo influencia de Reims en su naturalismo y elegancia. Su triple portada es un auténtico poema escultórico, realizado por varios autores. La Virgen del parteluz tiene semejanzas con la de la puerta del claustro de Burgos. El célebre dintel del Juicio Final, en el que los bienaventurados se encaminan a la puerta del paraíso al son de un órgano, fue realizada por un maestro de asombrosa gracia y vitalidad. Las portadas laterales son quizá obra de discípulos y representan escenas de la infancia de Jesús y la dormición de María. Los talleres burgaleses y leoneses irradiaron a otras zonas, como Toro, en cuya colegiata románica un escultor local labró la portada occidental.

Portada principal de la catedral de León, llamada de la Virgen Blanca, esculpida hacia 1250. Cristo aparece enseñando las llagas, en un gesto conmovedor diferente de la grandiosa majestad del Pantocrátor románico.

El siglo XIV: la escultura en Cataluña

La influencia francesa no llegó a Cataluña y Aragón hasta finales del siglo XIII. Ya en el XIV, crece el número de encargos para grupos escultóricos, sobre todo para la liturgia y monumentos funerarios. Entre los escultores que trabajan está el maestro Bartomeu, activo en las primeras décadas del siglo, que realiza la portada occidental de la catedral de Tarragona, en la que destaca la Virgen del parteluz, suave, esbelta y risueña, representada como una reina. También labró el sepulcro de Pedro III el Grande en el monasterio de Santes Creus, que reposa sobre una pila romana de pórfido rojo. Para trabajar en las esculturas del panteón real de Poblet, vino de Flandes Aloi de Montbrai, que compartió la tarea con un autor local, Jaume Cascalls. Las tumbas presentan a los reyes yacentes, en retrato de aparato, con vestiduras de pliegues verticales y observación detenida de sus joyas.

El siglo XV: esplendor de la escultura castellana

A partir del reinado de Juan II, en Toledo y Burgos se establecen maestros venidos del norte de Europa, que introdujeron en la escultura las formas del *gótico flamígero*, en parte enriquecidas por elementos árabes.

En Toledo trabajó **Juan Guas**, maestro procedente de Lyón, que labró las esculturas del claustro de San Juan de los Reyes intercaladas con los escudos de los Reyes Católicos, y su emblema del yugo y las flechas. El estilo de los pliegues y rostros realistas puede recordar la influencia de los talleres de Borgoña. En la nave de la iglesia repite el motivo del águila, emblema del evangelista san Juan, como portadora del escudo de los reyes.

En Burgos sobresale **Gil de Siloé**, procedente del Bajo Rin o de Flandes, aunque su origen no está totalmente claro. Su primer protector y cliente fue el obispo de Burgos Luis de Acuña, que le hizo su primer encargo importante, el retablo de Santa Ana en la catedral de Burgos. Posteriormente trabajó por encargo de Isabel la Católica en la Cartuja de Miraflores, donde realizó las tumbas de los padres de la reina, Juan II de Castilla e Isabel de Portugal, y la de su hermano el infante Don Alfonso, así como el retablo.

LA ESCULTURA GÓTICA CASTELLANA: TRES OBRAS

En la **Portada del Sarmental** de la catedral de Burgos (mediados del siglo XIII) trabajaron maestros franceses. En el tímpano aparece una representación del Pantocrátor, iconografía típicamente románica y que será poco frecuente en el gótico. Junto a él aparecen los evangelistas representados según los símbolos tradicionales (león, águila, buey y ángel) y además como copistas medievales. Los otros temas representados en la portada son reyes y profetas en las jambas, apóstoles en el dintel, los ancianos del Apocalipsis en las arquivoltas, junto a algunas imágenes de las artes liberales que se enseñaban entonces en la Universidad, y ángeles. En el parteluz aparece la figura del obispo Mauricio, que inició las obras de la catedral, y sobre él se encuentra el Cordero. El estilo, lleno de dignidad y majestuoso, recuerda a las figuras de la catedral de Amiens, y por eso esta portada está atribuida a un maestro anónimo de esta ciudad francesa. El autor demuestra un cierto apego a la iconografía arcaica al tomar como tema principal el Pantocrátor, pero también una capacidad de observación propia del talante gótico.

*Portada del Sarmental
de la catedral de Burgos,
mediados del siglo XIII.*

La imagen de **Nuestra Señora la Blanca**, de la catedral de Toledo (mediados del siglo XIV), es obra de un taller francés, y pertenece a la tipología de las llamadas "Vírgenes Bellas", que se difundió por Europa. Está hecha en alabastro con toques de policromía. El canon es muy esbelto, y el cuerpo de la Virgen está arqueado hacia un lado, según un modelo que se había hecho popular en la talla de marfil y que luego se extendió a otros materiales. El rostro idealizado y risueño de la Madre, el gesto tierno del Niño, los ricos vestidos, el movimiento y la gentileza son características de estas Vírgenes góticas.

El retablo de madera policromada de la **Cartuja de Miraflores** es obra de Gil de Siloé (1486-1499). Carece de la estructura habitual en secuencias de imágenes narrativas, aunque sí se inscribe en un gran rectángulo. Su original disposición en enmarques circulares alude a la Eucaristía.

Una Piedad en la que destaca el Cristo crucificado está situada en el círculo principal, y a su alrededor, en otros cuatro círculos, aparecen los evangelistas. El resto de las figuras no respetan una proporción uniforme, sino que varían de tamaño en función de su emplazamiento e importancia.

*Nuestra Señora la Blanca,
de la catedral de Toledo,
mediados del siglo XIV.*

En la parte inferior se representan la Anunciación y el Nacimiento, también en círculos, y en los laterales las estatuas orantes y los escudos de armas de los reyes enterrados en la capilla, Juan II e Isabel de Portugal. El conjunto es de una riqueza ornamental extrema, que dificulta incluso la comprensión de las imágenes que se inscriben en él.

SILOÉ, Gil de: *Retablo de la Cartuja de Miraflores (1486-1499)*.

ANÁLISIS

La obra

En 1467, Egas Cueman recibió el encargo de labrar un monumento funerario para don Alonso de Velasco y su esposa, enterrados en el monasterio de Guadalupe (Cáceres). La familia Velasco fue una de las más distinguidas de España, y fue firme apoyo de los reyes en sus luchas contra la nobleza.

Análisis formal

En un nicho de la pared se encuentran arrodillados don Alonso y su esposa. Egas ha esculpido dos figuras exentas, que están representadas en actitud orante, lo que constituye una novedad frente a la yerta rigidez de las esculturas yacentes que habían sido habituales desde el siglo XIII. Rostros y actitudes denotan piedad y recogimiento. Al fondo, dos pajes esperan a que sus amos terminen de orar, junto a una puerta rematada por un arco conopial. El sepulcro estaba en su origen ricamente policromado.

Significado

El monasterio de los Jerónimos de Guadalupe fue protegido por los reyes y la nobleza castellana. Don Alonso y su familia gozaban del privilegio, poco común, de habitar dentro del convento y resulta comprensible que lo eligieran como lugar de último reposo. Al quedar fijado para la posteridad en actitud de orar, su sepulcro se asocia a las plegarias de los monjes por la eterna salvación de su alma, en una oración perpetua al Creador. Su tumba se puede considerar, además, una versión escultórica de las imágenes de los orantes que, arrodillados y devotos, se mandaban pintar en los cuadros.

EL DONCEL DE SIGÜENZA

La obra

Es la sepultura de un joven, don Martín Vázquez de Arce, muerto durante la guerra de Granada en 1486. Desconocemos su autor, aunque se ha atribuido, entre otros, a Juan Guas; y también la fecha de su ejecución, si bien debió de ser encargada por el padre, don Fernando de Arce, poco después de morir el joven. Se encuentra en una capilla de la catedral de Sigüenza, en Guadalajara.

Análisis formal

El doncel está tumbado indolentemente y lee. Su condición de caballero es patente por la cruz de la orden de Santiago, y por la cota de malla y la armadura. Pero es un hombre amigo de las letras, como corresponde al ideal de caballero humanista de finales del XV. Un montón de heno segado, bajo su codo, nos recuerda que la vida es efímera como el verdor de los prados. El león da fe de su bravura y gallardía, y simboliza su resurrección en la otra vida.

Significado

Morir combatiendo el islam y ser caballero de una orden militar eran dos motivos de gran honor en la Castilla medieval. Martín Vázquez de Arce era, en cierto modo, un mártir de la fe, un héroe. No hacía falta insistir en su valor, sobradamente demostrado con su muerte. Quizá por ello la familia aprobó un retrato más sosegado, más melancólico también. Tampoco era necesario representarlo rezando, en perpetua expiación de sus pecados: su muerte gloriosa era garantía del paraíso.

La obra

Las tumbas de la Cartuja de Miraflores, en Burgos, pertenecen a Juan II y la reina Isabel, y al infante don Alfonso de Castilla. Gil de Siloé realizó los bocetos previos hacia 1486 y, aprobados éstos, comenzó su ejecución hacia 1489. En 1493 estaban terminadas. El artista recibió una suma exorbitante de dinero por la labra de estas obras. Fue un encargo de Isabel la Católica, que quiso dar cumplida sepultura a sus padres y su hermano, fallecido a los catorce años de edad.

Análisis formal

Los reyes aparecen yacentes sobre una tumba de forma estrellada. Siloé no los ha representado con la rigidez de la muerte: el rey sostiene en la mano derecha, algo levantada, el cetro, y la reina lee un devocionario. Los ropajes son suntuosos y las paredes de la tumba, así como las puntas de la estrella, tienen multitud de pequeñas figuras que representan a personajes de la historia sagrada y figuras alegóricas de las virtudes que se atribuían a estos príncipes.

El infante está en un nicho con un arco rebajado sobre el que hay otro arco ciego, conopial, en cuyo vértice san Miguel mata al dragón. El joven príncipe reza, colocado ante un reclinatorio sobre el que reposa su devocionario. El rostro ha sido estudiado con realismo, y quizá Siloé se basó en algún retrato hoy perdido.

Es un retrato de aparato, pues todo subraya la dignidad del personaje: el rico ropón bordado, las joyas, el paño suntuoso que recubre el reclinatorio, el almohadón sobre el que se apoya el príncipe, etc. El arco, embellecido con una filigrana vegetal con pájaros y niños, acentúa el carácter regio de esta tumba. Al igual que en la tumba de los reyes, Gil de Siloé trabaja el alabastro con sumo virtuosismo, estudiando hasta el mínimo detalle la representación de los bordados, pedrerías y encajes de las ropas y joyas del príncipe.

Significado

Las tumbas de la Cartuja de Miraflores siguen tipologías de enterramiento propias del gótico: el sepulcro sobre catafalco, en el que el difunto aparece yacente, y el sepulcro embutido en un nicho. La escultura funeraria fue evolucionando en el siglo XV hacia la representación de actitudes que huían de la rigidez y de la muerte; por el contrario, las figuras de los difuntos aparecen en actitudes vitales: leyendo, orando, y retratados con el aspecto que tendrían en la plenitud de la vida. En este caso, además, los sepulcros se enriquecen con figuras alegóricas y motivos tomados de la decoración arquitectónica, y alcanzan un boato que refleja la importancia de los personajes enterrados. Este lujo no sólo es un tributo que la reina Isabel la Católica rinde a la memoria de sus padres y su hermano, sino también una demostración de la legitimidad e importancia de su estirpe frente a los enemigos que encontró en su ascenso al trono. Siloé talla el alabastro como si fuera una filigrana, con un lujo y una suntuosidad de detalles que son exponente del gran refinamiento de la corte de los Reyes Católicos. Su estilo es comparable al gótico flamígero de moda en el resto de Europa.

- Desde el punto de vista iconográfico, ¿qué innovación aportó la tumba de los Velasco?
- ¿Qué símbolos hay en el sepulcro del doncel de Sigüenza y cómo los explicarías?
- En los sepulcros de la Cartuja de Miraflores, describe los elementos que pertenecen al retrato de aparato y los que son realistas.

La pintura del siglo XIII

En la pintura del siglo XIII se mantienen algunas convenciones propias del románico (hieratismo, esquematismo, perspectiva jerárquica, etc.), pero el trazo se hace más flexible y aparecen rasgos naturalistas como la expresión, el movimiento y los detalles realistas. Las escenas carecen de profundidad y todos los personajes, apenas individualizados, están en primer plano.

Miniaturas de las Cantigas de Santa María *de Alfonso X el Sabio, siglo XIII. La ilustración de los relatos acerca de los milagros de la Virgen recoge detalles costumbristas, de acuerdo con el talante observador de la época.*

En Cataluña siguió siendo muy importante la ejecución de frontales de altar, que conservaron la distribución y convencionalismos característicos del románico pero con un aire cada vez más naturalista. Sin embargo, en todos los reinos hispánicos, durante el siglo XIII estos frontales se fueron sustituyendo por retablos, que se convirtieron en uno de los elementos característicos del mobiliario sagrado. El retablo se colocaba tras el altar con escenas de la vida de los santos o del Evangelio y se componía de varias tablas agrupadas en calles y de un banco o predela, tabla horizontal situada en la parte inferior y que ocupa toda la anchura del retablo. En la parte superior del retablo hay una ancha moldura, denominada guardapolvo, que lo protege.

En Castilla, durante este siglo destacan las miniaturas que ilustran las *Cantigas de Santa María* de Alfonso X, en las que la página se divide en compartimentos, la composición es sencilla y los detalles realistas están mucho más cuidados que la representación del espacio y el paisaje.

La influencia de los modelos italianos

La influencia italiana es patente en la pintura gótica de los reinos de la corona de Aragón; recordemos que Cataluña, a través del comercio, tuvo contactos muy activos con Italia en el siglo XIV. Durante este siglo, en la pintura de estos reinos se acusó la tendencia a la idealización, el arabesco y ciertos elementos bizantinos (fondos de oro, canon más bien largo) característicos de la escuela sienesa. Entre los pintores más destacados se encuentran los hermanos Jaime y Pedro Serra, cuyo estilo estuvo muy influido por esta escuela italiana: son hábiles y delicados narradores, utilizan la línea ondulante y sus personajes son elegantes.

A partir del siglo XV llegaron a la corona de Aragón los modelos florentinos y se observa una preocupación mayor por el volumen y la perspectiva.

La pintura hispano-flamenca

En Castilla, sobre todo durante el reinado de los Reyes Católicos, predominó el llamado estilo flamenco, con sus características propias: minuciosidad, colorido suntuoso, pliegues en ángulo y retratos realistas. Las familias de la nobleza fueron los principales clientes y protectores de los artistas. Uno de sus miembros más destacados, el marqués de Santillana, famoso poeta, guerrero y ambicioso político, encargó un retablo a un pintor del que sólo conocemos el nombre: Jorge Inglés. La tabla más célebre representa al marqués y a su esposa rezando, acompañados de un paje y una dueña.

Bartolomé Bermejo es el discípulo más notable, aunque no directo, de los Van Eyck y de Van der Weyden en Castilla. Nacido en Córdoba hacia 1440, era ya un maestro acreditado en 1474. Probablemente residió en Borgoña, donde trabó conocimiento con los grandes pintores de Flandes, y se estableció posteriormente en Barcelona. Una de sus obras más conocidas es la tabla que representa a santo Domingo de Silos (1474).

También la influencia flamenca tuvo importancia en la corona de Aragón en el siglo XV, y prueba de ello es la obra de Luis Dalmau y Jaime Huguet.

BERMEJO, Bartolomé: *Tabla central del Retablo de santo Domingo de Silos (1474). En este pintor destacan los efectos luminosos y el realismo minucioso de los detalles.*

LA PINTURA SOBRE TABLA EN VALENCIA Y CATALUÑA

El **Retablo de Sijena**, de Francisco Serra (muerto en 1362), pintado hacia 1360, es uno de los mejores ejemplos de la influencia italiana sobre la pintura gótica de la corona de Aragón. En el centro aparece la Virgen entronizada con el Niño, acompañada de dos santas. En las calles laterales aparecen escenas de la vida de la Virgen y de Cristo, y los momentos culminantes de la Pasión están bajo la tabla central (la Última Cena) y sobre esta misma (Crucifixión). El estilo de este autor se caracteriza por la delicada elegancia de las figuras, que tienen rasgos finos, como los de la escuela sienesa, y canon alargado. Aparecen efectos de perspectiva en distintas arquitecturas que sirven de marco a algunas escenas, como la Anunciación o la Presentación en el templo, y que, como en los maestros italianos, son pequeñas en proporción a las figuras que contienen. Este autor tiene características muy semejantes a las de sus hermanos Jaime y Pedro, y contribuyó con ellos a difundir temas marianos y de la infancia de Cristo, a veces inspirados en los evangelios apócrifos.

SERRA, Francisco: *Retablo de Sijena (hacia 1360)*.

Jaime Huguet (1415-1492) es el mejor pintor catalán de su generación. Pertenecía a una familia de artistas, y su obra se caracteriza por un estilo elegante y sobrio que es una síntesis de la línea ondulada y canon esbelto del gótico internacional junto con un realismo en los rostros que procede más bien de la escuela flamenca. Sus personajes expresan siempre gran tensión y vida interior. En Tarrasa se conserva una de sus obras más célebres, el **Retablo de los santos Abdón y Senén** (1460). Las reliquias de estos santos, patronos de los agricultores, eran muy veneradas en Cataluña. Huguet ejecutó la tabla central y dirigió la realización de las laterales, obra de sus discípulos. Ambos santos están representados como elegantes burgueses, cuya indumentaria está minuciosamente descrita. Destaca el canon alargado de las figuras, de proporciones esbeltas. En los paneles secundarios se narran escenas de la vida y martirio de los santos.

HUGUET, Jaime: *Retablo de los santos Abdón y Senén (1460)*.

DALMAU, Luis: *Virgen de los Consejeros (1445)*.

Valencia tuvo carácter cosmopolita gracias a su activo comercio, y recibió influencias tanto de Italia como de Flandes. Esta última corriente es la que definió el estilo de Luis Dalmau, pintor levantino protegido por el rey Alfonso V, que vivió algún tiempo en Brujas. La **Virgen de los Consejeros** (1445) la pintó por encargo del Consejo Municipal de Barcelona, y sólo se conserva la tabla central. A pesar de la gran influencia de Van Eyck, el color es más mortecino porque utilizó pintura al temple en vez de óleo. Los retratos de los personajes están observados con gran realismo y agudeza. Algunos arcaísmos denotan la dificultad del tratamiento del espacio y la perspectiva; por ejemplo, la base del trono de la Virgen tiene una distorsión espacial, y lo mismo indica el abigarramiento de figuras a su alrededor.

SÍNTESIS

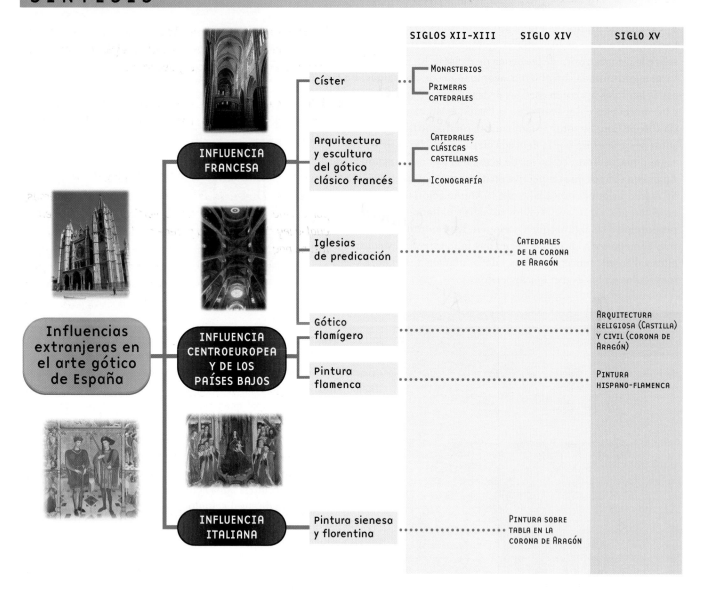

	SIGLOS XII-XIII	SIGLO XIV	SIGLO XV

INFLUENCIA FRANCESA
- Císter → Monasterios / Primeras catedrales
- Arquitectura y escultura del gótico clásico francés → Catedrales clásicas castellanas / Iconografía
- Iglesias de predicación → Catedrales de la corona de Aragón

INFLUENCIA CENTROEUROPEA Y DE LOS PAÍSES BAJOS
- Gótico flamígero → Arquitectura religiosa (Castilla) y civil (Corona de Aragón)
- Pintura flamenca → Pintura hispano-flamenca

INFLUENCIA ITALIANA
- Pintura sienesa y florentina → Pintura sobre tabla en la corona de Aragón

Influencias extranjeras en el arte gótico de España

SIGLOS	CARACTERÍSTICAS	OBRAS PRINCIPALES
XII-XIII	• Bóvedas y tracerías simples. • Císter: monasterios, desornamentación, sencillez. • Primeras catedrales contemporáneas del Císter. • Grandes catedrales de inspiración francesa. • Escultura monumental en las portadas. • Esplendor de las vidrieras.	• Monasterios de Las Huelgas (Burgos), Poblet (Tarragona) y Santa María de Huerta (Soria). • Catedrales de Ávila, Cuenca y Sigüenza. • Catedrales de Burgos, Toledo y León. • Puerta del Sarmental y puerta de la Coronería, de la catedral de Burgos. • Puerta principal de la catedral de León. • Vidrieras de la catedral de León.
XIV	• Bóvedas y tracerías más complejas. • Gran desarrollo de la arquitectura en la corona de Aragón: templos de una nave, arquitectura en función de la predicación. Importancia de la arquitectura civil. • Escultura funeraria. • Introducción de influencias italianizantes en la pintura.	• Catedrales de Barcelona, Gerona y Palma de Mallorca e iglesia de Santa María del Mar (Barcelona). Salón del Tinell, lonja de Palma de Mallorca. • Sepulcros del monasterio de Poblet. • Francisco SERRA: *Retablo de Sijena*.
XV	• Bóvedas estrelladas, tracerías flamígeras, nuevos arcos. • Gran escultura funeraria. • Escultura incorporada a la arquitectura. • Pintura de tabla: Aragón y Castilla. Influencia flamenca e italiana.	• Burgos: se acaba la catedral. Capilla funeraria de los Condestables. • Toledo: monasterio de San Juan de los Reyes. • Sepulcros de la Cartuja de Miraflores y de Guadalupe. *Doncel de Sigüenza*. • San Juan de los Reyes. • Luis DALMAU: *Virgen de los Consejeros*. • Bartolomé BERMEJO: *Retablo de santo Domingo de Silos*. • Jaime HUGUET: *Retablo de los santos Abdón y Senén*.

HACIA LA UNIVERSIDAD

1. Analiza y comenta estas imágenes:

2. Desarrolla el siguiente tema: *La arquitectura religiosa en el gótico español. Su desarrollo desde el siglo XIII al XV: evolución de elementos, plantas y decoración.*

3. Define o caracteriza brevemente los términos siguientes: *arbotante, retablo, bóveda estrellada, gótico flamígero, vidriera.*

4. Lee el siguiente texto y contesta a las preguntas:

Lancemos una mirada sobre una catedral gótica. Veremos, por decirlo así, un movimiento vertical petrificado, en el cual la ley de la gravedad parece anulada [...]. No hay muros; no hay masas que nos den la impresión de realidad firme y material [...]. En vano buscamos una indicación (necesaria para nuestro sentimiento) que aluda a la relación entre carga y fuerza. Dijérase que aquí no hay carga. Sólo percibimos fuerzas, fuerzas libres, irreprimidas, fuerzas que se lanzan a lo alto con indecible aliento. Es bien claro que aquí la piedra ha quedado despojada de su peso material [...], que aquí la piedra está como desmaterializada.

WORRINGER, W: *La esencia del estilo gótico*. Buenos Aires, 1973

— Resume brevemente el contenido del texto.

— Explica las siguiente frases del documento:

En vano buscamos una indicación (necesaria para nuestro sentimiento) que aluda a la relación entre carga y fuerza.

Es bien claro que aquí la piedra ha quedado despojada de su peso material [...], que aquí la piedra está como desmaterializada.

— Comenta algunos ejemplos de catedrales españolas que puedan ilustrar el contenido del texto.

PASADO Y PRESENTE EN EL ARTE

A lo largo de la Edad Media, la iconografía de Cristo crucificado fue evolucionando y al final del período se llegó a modelos muy diferentes de los iniciales. Observa estos dos ejemplos. Uno es románico, del siglo XII, y el otro es gótico, del retablo de la Cartuja de Miraflores (siglo XV).

— Haz un análisis formal de las dos esculturas fijándote en *el tipo de talla, la representación de la anatomía, los rasgos de la cara, el tratamiento del volumen, la expresión de sentimientos.*

— ¿Cuál de los dos se ajusta más a un esquema geométrico? ¿Por qué?

— ¿Qué diferencias encuentras en cuanto al tratamiento del tema?

— ¿Qué imagen representa más fielmente la agonía y el dolor? ¿Por qué esta representación se generaliza en esa época? ¿Por qué no aparece en la otra imagen?

El arte contra la materia

La espiritualidad que impuso el cristianismo fue, en buena medida, una reacción contra el hedonismo corporal del paganismo grecorromano. Aquella nueva religión monoteísta asumió algunas ideas de las sectas mistéricas, y muy en especial las que concebían el universo como algo lastrado por una parte baja, material, que el ser humano debía superar para ascender a otra dimensión más elevada, la espiritual. El cuerpo era ahora reprimido y denostado.

Lo trascendente y lo sensible

La extraordinaria propagación del cristianismo y su conversión final en la religión oficial del Imperio trajo como consecuencia la ruina de muchos talleres artísticos: ya no se necesitaban imágenes de los dioses, y tampoco estaba bien visto halagar a los sentidos con creaciones hermosas que pudieran estimular el deleite por las cosas terrenales.

Y sin embargo también los cristianos quisieron representar sus creencias y contar la "historia sagrada". Había en su religión una vocación universal, lo cual implicaba la necesidad de llevar a todos los hombres y mujeres del mundo el mensaje del Salvador: si el pueblo no sabía leer era legítimo e incluso necesario enseñarle la verdad mediante imágenes clarificadoras.

De aquí arranca una contradicción fundamental que ha condicionado (y vivificado) mucho el desarrollo del arte medieval: cómo aludir a lo trascendental recurriendo a las representaciones sensibles; o dicho de otra manera, cómo hacer imágenes seductoras de los santos, de las personas divinas y de los relatos religiosos sin que eso significase complacencia en los "placeres mundanos". La solución parece haber sido estilizar las representaciones, geometrizarlas, eliminando las gradaciones sutiles de color y claroscuro. El arte no sería, pues, una copia mimética del mundo sino un medio para sugerirnos la existencia del más allá.

De los iconoclastas a los "beatos" mozárabes

La radicalización de estas ideas condujo a los iconoclastas a rechazar todas las imágenes: en el siglo VIII el arte llegó a desaparecer casi por completo del mundo cristiano oriental, y se hizo exclusivamente abstracto en el islam, una religión que prohibió siempre la figuración.

Las antiguas provincias occidentales del imperio romano, despobladas y empobrecidas, vivieron la etapa más oscura de su historia: el largo período comprendido entre los siglos VI y X fue también el menos productivo de la historia del arte europeo. Muchas técnicas artísticas se perdieron o degradaron, y apenas hubo clientes para una producción estética de calidad; las representaciones religiosas fueron toscas, como si quisieran pedir disculpas por el hecho mismo de existir.

Pero en aquel panorama desolador aparecieron, como insólitas luminarias, algunos episodios de una calidad sorprendente: pensamos en las creaciones de Justiniano, por supuesto, y en las de algunas cortes occidentales, pero nada de todo aquello nos parece hoy superior a las altísimas cualidades visionarias que alcanzaron las

El arte mozárabe, visionario y fantástico: representación de la victoria del Cordero y el desnudamiento de la prostituta, según el Beato de Burgo de Osma (1086).

obras mozárabes. Se trata de empresas cristianas realizadas en los territorios de la península Ibérica, fuertemente impregnados por la cultura islámica. Aunque son muy interesantes sus restos arquitectónicos, lo mejor fueron las miniaturas con las que se ilustraron los comentarios al *Apocalipsis* de san Juan, escritos en los años 776-784 por un monje llamado Beato. Ya es significativo que hubiera en aquella época (siglos X-XII) tanto entusiasmo por ese último libro de la Biblia, en el cual se relata el final de los tiempos y la llegada del Reino Celestial, pero más interesante aún es que las ilustraciones muestren un lenguaje pictórico tan radicalmente fantástico: los planos están trasmutados, y todos los seres parecen de pesadilla; el colorido estridente no desmerece nada frente a las tintas planas de los nabis decimonónicos o de los diseñadores gráficos del siglo XX. Es como un delirio de irrealidad donde nada, en fin, parece "corpóreo".

El románico y la geometría

Aquel arte tan conceptual no tuvo un desarrollo lógico y fue sustituido a partir del siglo XI por otros lenguajes visuales. Pero tampoco puede decirse que fueran tan diferentes los supuestos técnicos e intelectuales del nuevo arte internacional: con el románico se incrementó el primado de la geometría; el marco condicionaba la apariencia de las figuras y éstas se subordinaron, con mucha frecuencia, al lugar del edificio en el que se habían de colocar; las cabezas eran muy grandes con relación al tamaño de los cuerpos, destacando mucho los ojos, habitualmente gigantescos, como si expresaran un impulso "visionario". Se trataba siempre de sugerir un mundo interior, una entidad inmaterial.

La luz del gótico

Sabemos que hubo a lo largo de la Edad Media una interesante evolución que habría de culminar con el realismo flamenco del siglo XV, pero no debemos malinterpretar la verdadera significación de aquel proceso.

El arte gótico está plagado de seres irreales y de ensoñaciones delirantes: por todas partes hubo sirenas, grifos, híbridos demoniacos, hombres salvajes, unicornios y una prodigiosa flora inventada. Nunca se ha conocido, además, un sistema arquitectónico tan "desmaterializador" como el que se inventó en los alrededores de París a principios del siglo XIII (extendido en seguida por toda Europa): el muro de las iglesias desaparecía para ser sustituido por los ventanales multicolores. Como todas las presiones se llevaron a los "nervios", el templo gótico ideal se concebía como una especie de jaula abierta a ese mensaje ultraterreno que llegaba, literalmente, con la luz. Nada parecía tener peso. Gracias al sofisticadísimo artificio de la técnica constructiva, combinado con el arte de la vidriera, parecía lograrse el milagro de la ingravidez.

Podría pensarse que era diferente el caso de la pintura en el gótico final, con su gusto por lo cotidiano y la minuciosidad extremada en la representación de los detalles. Pero no hay sombras en las tablas de los primitivos flamencos, y eso delata sutilmente lo ilusorio de su "realismo", el apego de aquellos creadores, en fin, a una visión trascendente. La mística de Kempis se esconde tras las obras de Van Eyck, el Maestro de la Flemalle, Memling o El Bosco.
No fue en Flandes sino en la Italia coetánea donde los artistas intentaron recuperar el peso material del mundo, la entidad física de los hombres y las cosas.

La naturaleza medieval está poblada de monstruos y seres imaginarios como puede verse en esta página del "Buch der Natur" (1478), de Conrad von Megenberg.

La arquitectura gótica, aniquilada por la luz: interior de la fachada oeste de la catedral de Laon (Francia).

"El carro de heno", de El Bosco. Hacia 1500.

12. EL RENACIMIENTO: ARQUITECTURA

Durante el siglo XV las ciudades italianas experimentan un notable desarrollo urbano y comercial. A la vez, se va afianzando el pensamiento humanista, que ensalza a la persona por encima de las doctrinas teocéntricas imperantes en la Edad Media.

La fuerte huella del pasado clásico, presente en las ruinas de edificios y en los restos escultóricos, constituye una referencia continua para los artistas, que salen de su anonimato y ven en este pasado glorioso un modelo para seguir reinterpretando su forma de expresión.

Se produce el renacer del clasicismo, basado en la proporción y la geometría que muestra la armonía universal. La arquitectura recupera el vocabulario de los órdenes clásicos y elabora teorías que tienen como base los principios de la arquitectura romana. Todo esto se aplicará en la construcción de edificios civiles y religiosos, dentro de unas ciudades que comienzan entonces a ordenarse de acuerdo a unas pautas concretas.

El Renacimiento, iniciado en el siglo XV y consolidado a comienzos del XVI, dará paso a un nuevo movimiento en el que esos elementos establecidos dejan de obedecer a unas reglas para ser vistos desde la óptica personal de los grandes maestros. A este movimiento lo denominamos *manierismo*.

LA CATEDRAL DE FLORENCIA

Ocurrió que, hallándose él [Brunelleschi] en Florencia en 1417 y habiéndose construido hasta los óculos del tambor, y acercándose el momento de tener que cubrir con la cúpula, los administradores se enteraron y le mandaron llamar, y se alegraron mucho de poder discurrir con él, junto con los contramaestres y otros oficiales que quisieron, sobre todo porque a los contramaestres empezaban ya a preocuparles los problemas de tener que construir una bóveda tan enorme y tan alta; estimaban, por esos dos aspectos de la altura y la anchura, que los apuntalamientos y soportes de las cimbras [...] resultaban en su opinión [...] absolutamente imposibles.

MANETTI, Antonio di: *Vida de Filippo Brunelleschi* (hacia 1480)

Vista de la cúpula de la catedral de Florencia y de la propia ciudad.

CLAVES DE LA ÉPOCA

– A la medida
del hombre

– Las fuentes
del Renacimiento

– Una península de
ciudades y mecenas

– El Renacimiento
en Europa

**1. ARQUITECTURA CIVIL
DEL "QUATTROCENTO"**

– La base teórica
de la arquitectura

– La teoría urbana

– Los nuevos tipos
constructivos

**2. ARQUITECTURA
RELIGIOSA DEL
"QUATTROCENTO"**

– Las ideas
y las plantas

– Obras y arquitectos

ANÁLISIS 1

– San Lorenzo,
de Brunelleschi

– Capilla Pazzi,
de Brunelleschi

– Palacio Rucellai,
de Alberti

**3. ARQUITECTURA CIVIL
DEL "CINQUECENTO"**

– La evolución teórica
hacia el manierismo

– El urbanismo

– Los tipos
constructivos

**4. ARQUITECTURA
RELIGIOSA DEL
"CINQUECENTO"**

– Las ideas

– Obras y arquitectos

ANÁLISIS 2

– San Pietro
in Montorio,
de Bramante

– Villa Rotonda,
de Palladio

S   Í   N   T   E   S   I   S

CLAVES DE LA ÉPOCA

A la medida del hombre

A lo largo del período medieval el concepto religioso había dominado toda la evolución de la sociedad. Desde el siglo XIV se desarrolla lo que conocemos como pensamiento humanista, que tiene como fundamento el antropocentrismo (el hombre como centro de todas las cosas).

Al servicio de esa nueva mentalidad, es necesaria la formación de un lenguaje artístico que responda a la dimensión del hombre como protagonista de la historia.

En el contexto urbano de Italia, con muchas ciudades estado de próspera economía, tiene lugar la consolidación de un pensamiento individualista, alejado del teocentrismo de etapas anteriores.

Los horizontes geográficos y comerciales se amplían debido a los descubrimientos marítimos; la sociedad se abre dejando atrás la rigidez medieval.

En este ambiente, el artista comienza a trabajar con más libertad creativa. Goza de una mayor consideración social y deja progresivamente de ser visto como un artesano que cumple con un trabajo manual. Esta nueva situación permite el desarrollo de la teoría artística y el nacimiento de la historia del arte como disciplina.

DA VINCI, Leonardo: *Hombre vitruviano (hacia 1490).*

Las fuentes del Renacimiento

La época greco-romana, por tratarse de un período en el que también el hombre vivía en las ciudades y era la medida de todas las cosas, se estudiará como referencia ideal. Esto hizo posible elaborar no una repetición, sino una reinterpretación de los principios artísticos, lo que llamamos Renacimiento, que rompía con la tradición medieval de la etapa gótica.

La herencia del mundo clásico era muy visible en Italia. Las abundantes ruinas del mundo antiguo, y los edificios que habían permanecido en pie a lo largo de los siglos, como el Panteón o el Coliseo en Roma, eran constantes fuentes de inspiración. Durante toda la Edad Media, siempre se habían utilizado los recursos que ofrecían estos restos, diferenciándose de la evolución artística de otras regiones europeas. Estas razones, unidas a los particulares condicionantes sociopolíticos y al desarrollo del pensamiento humanista, hicieron que Italia se convirtiera en el lugar donde se puso en marcha el nuevo movimiento.

La arquitectura, que no necesitará los espacios grandiosos y espirituales del gótico, recupera el vocabulario constructivo clasicista. Los elementos sustentantes son de nuevo pilastras y columnas de acuerdo con los órdenes clásicos (dórico, jónico y corintio), con ligeras variantes.

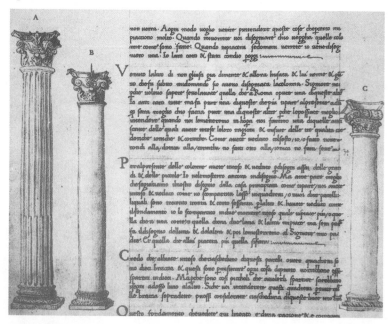

El arco empleado será el de medio punto, el más utilizado por la arquitectura romana.

Los diseños arquitectónicos se realizan de acuerdo con un profundo estudio matemático, guardando los principios de simetría y armonía. Para ello se usan módulos geométricos, como el cuadrado, que se repiten con medidas exactas para obtener una visión final armónica. El resultado es lo que se valora como belleza, producto de la correcta proporción que se encuentra en la propia naturaleza.

La recuperación del vocabulario clásico marcará definitivamente toda la arquitectura occidental hasta nuestros días.

FILARETE, Antonio Averlino: *Tratado de arquitectura (hacia 1465). En este estudio, el autor explica las columnas de acuerdo con los órdenes clásicos.*

Una península de ciudades y mecenas

El desarrollo urbano, en el mosaico de estados italianos, está en la base de la nueva mentalidad. La vida en la ciudad permitió la extensión del pensamiento humanista, liberado de los condicionantes religiosos de épocas anteriores. Las ciudades rivalizan por organizarse de acuerdo con los nuevos principios estéticos, con proyectos de renovación urbanística y con edificios emblemáticos que prestigian a sus ciudadanos.

Florencia es una de las capitales italianas donde primero surge el pensamiento humanista. La corte de la familia Médicis, gobernantes de la ciudad, es un vivero de intelectuales y artistas. Es aquí donde se forman las primeras academias, que, a la manera clásica, agrupan y forman a los artistas dentro del neoplatonismo, la filosofía conciliadora que plantea una nueva mirada al mundo clásico hermanada con el pensamiento cristiano.

BRONZINO: *Cosme de Médicis (hacia 1550).*

Los Médicis, influyente familia florentina vinculada al comercio y la banca, se distinguieron desde el siglo XV por su protección a los artistas. Lorenzo de Médicis (1449-1492) y Cosme de Médicis (1519-1574) fueron los mecenas de los artistas del Renacimiento en Florencia. Un hijo de Lorenzo, Giovanni de Médicis, papa desde 1513 a 1521 con el nombre de León X, fue el impulsor de las grandes obras de Roma y mecenas de artistas como Rafael y Miguel Ángel. Posteriormente, Giulio, otro Médicis, fue papa desde 1523 a 1534 con el nombre de Clemente VII y siguió el mecenazgo de su tío, el papa León X.

Italia a comienzos del siglo XVI.

El Renacimiento en Europa

Los principios artísticos del Renacimiento y las ideas de los humanistas se expandieron con fuerza desde las principales ciudades italianas al resto de Europa. Desde Florencia, Roma, Venecia o Milán muchos artistas italianos viajaron a la Europa occidental y central llevando consigo las nuevas tendencias artísticas. A la vez, muchos artistas europeos acudieron a las ciudades italianas a aprender de los grandes maestros.

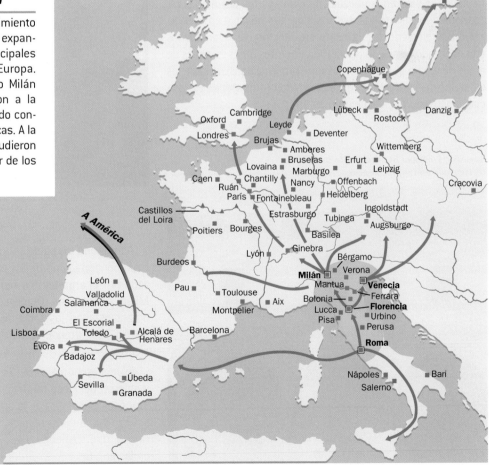

- ▨ Renacimiento italiano
- ▣ Principales focos de difusión
- ▪ Principales centros del Renacimiento y el humanismo
- ▪ Principales centros de arquitectura renacentista
- → Dirección de la expansión

1. ARQUITECTURA CIVIL DEL "QUATTROCENTO"

La base teórica de la arquitectura

El siglo XV (*Quattrocento* en italiano por referirse a la decimocuarta centuria) supone una etapa de formación y consolidación de las teorías arquitectónicas que alcanzan su apogeo en el siglo siguiente. El respeto a la proporción y a la armonía se complementa con la constante mirada hacia el pasado clásico. El texto de Vitruvio *De Architectura*, escrito en tiempos de Augusto, no había dejado de ser conocido a lo largo de la Edad Media, pero va a ser en el Renacimiento cuando se convierta en fuente de autoridad. La primera edición fue la de Giovanni Sulpicio da Veroli, en Roma, en 1486.

La teoría urbana

Las dificultades para remodelar la ciudad medieval, de acuerdo a los nuevos principios, sólo permitían modificaciones parciales. Frente a la intrincada red urbana, que jugaba con el efecto sorpresa, el urbanismo renacentista busca espacios racionales y organizados que respondan a unas reglas. Los teóricos plantean ciudades utópicas de nueva planta con un diseño regular, según se habían diseñado las ciudades campamentales romanas. Los modelos urbanísticos deben responder a una distribución organizada de los espacios públicos, las áreas residenciales y los centros comerciales.

Hasta nosotros ha llegado alguna actuación urbanística integral, como sucede con el centro histórico de Pienza, en Toscana. La villa natal del papa humanista Pío II (1458-1464) se vio embellecida por el mecenazgo del pontífice. Además de cambiar su anterior nombre de Corsignano por otro alusivo a su nuevo creador, se proyectó una catedral, que responde a los modelos de templos clásicos, y un palacio urbano relacionado directamente con el ámbito natural, con vistas sobre el campo cercano.

Los nuevos tipos constructivos

En el nuevo contexto urbano era necesario perfeccionar o crear nuevos tipos de arquitectura civil. Los *palacios* dejan de ser concebidos como fortalezas y son la imagen del nuevo poder ciudadano, residencia de nobles y comerciantes enriquecidos. Tienen una estructura cúbica en torno a un patio porticado central, que actúa como distribuidor. La decoración de las fachadas se basa en la utilización de un aparejo peculiar, el *almohadillado* (sillares con las aristas rehundidas), y en la utilización de elementos puramente arquitectónicos relacionados con el mundo clásico (pilastras de diferentes órdenes, series de arcos de medio punto, cornisas muy pronunciadas). Uno de los ejemplos más notables es el Palacio Medici-Riccardi de Florencia, construido por Michelozzo en 1444.

MICHELOZZO: *Palacio Medici-Riccardi (1444). Florencia.*

BRUNELLESCHI, Filippo: *Hospital de los Inocentes (comenzado en 1419), Florencia.*

Además de los palacios, los *hospitales* fijan ahora una tipología concreta. Uno de los proyectos más célebres es el realizado por el arquitecto y teórico Antonio Averlino Filarete, en Milán. Adopta una disposición en cruz, en cada uno de cuyos brazos estaban las salas de enfermos, con una iglesia en el centro para atender las necesidades espirituales de los pacientes.

Brunelleschi realiza en Florencia la *loggia* (galería cubierta y abierta) del Hospital de los Inocentes, iniciada en 1419, con todos los elementos de la arquitectura renacentista. La galería se abre a una plaza pública, sobre columnas con capiteles corintios, que sostienen arcos de medio punto con medallones en las enjutas.

LA CIUDAD IDEAL

Los teóricos del Renacimiento identificaban el orden urbano con la propia moralidad de sus habitantes, de manera que en una ciudad perfecta habría menos conflictos sociales. Los proyectos urbanísticos responden a una mezcla de teoría y práctica, llena de símbolos a partir del juego de la geometría y reflejando el centralismo político del momento.

La ciudad de Urbino

Federico Montefeltro, mecenas de artistas, además de señor y duque de Urbino, hizo de la ciudad un importante foco artístico. *La Pala de Urbino* recoge un proyecto de lo que pretendía ser una ciudad ideal. Se trata de un auténtico ejercicio de perspectiva, un sistema de representación que permite ordenar con proporción, sobre un plano, los espacios y las figuras de la naturaleza. En este caso la vista permite contemplar un espacio urbano organizado de acuerdo con un proyecto previo: en el centro, un edificio de planta central que preside la composición; en los laterales, unos espacios porticados. En el conjunto están presentes los órdenes clásicos y los arcos de medio punto.

El proyecto de Filarete

Admirador del mundo clásico, al que exalta apasionadamente, Filarete (hacia 1400-1469) es un gran arquitecto que escribió un tratado sobre esta materia. Al servicio de la familia gobernante de Milán, los Sforza, proyecta una ciudad ideal que dedica a sus protectores y que llamará en su honor *Sforzinda*. La ciudad se halla dentro de una estrella inscrita en un círculo, que actúa como fortificación. En el centro, una plaza rectangular albergaría enfrentados a los dos poderes públicos, representados en el palacio real y la catedral. Una red viaria radial comunica todas las partes de la ciudad.

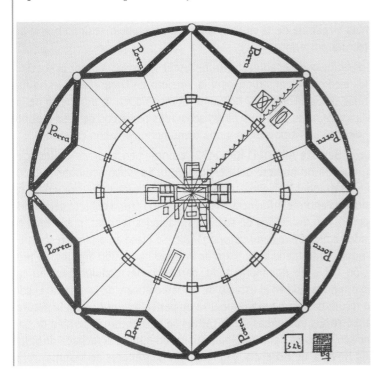

"La distribución de la ciudad es así: tal como aquí puede entenderse y como se ve, la plaza está en el centro de la ciudad y, como dije antes, tiene ciento cincuenta brazas de ancho y trescientas de longitud, dispuesta de oriente a occidente [...]. En la cabecera oriental coloco la iglesia mayor y en la de occidente el palacio real. En la parte de la plaza hacia septentrión ubico la plaza de los comerciantes [...] y en la parte meridional de la plaza hago otra plaza, donde habrá lo que es un mercado, para vender cosas de comida, como aves, frutas, verduras y otros productos similares para las necesidades de la vida del hombre [...]. Junto a ella en la cabecera coloco el palacio del capitán, en la esquina al lado de la corte, separado de ella sólo por la calle [...]. En la parte septentrional hago la prisión común [...]. En la parte oriental, en esquina con la plaza, hago el erario, o sea donde se fabrica y conserva la moneda, y junto a él la aduana [...]. Las calles: saldrá una de cada puerta de la ciudad hacia la plaza, e incluso de cada ángulo recto partirá también una calle principal".

FILARETE, A. A: *Proyecto de Sforzinda*

229

Las ideas y las plantas

La necesidad de construir edificios a la medida del hombre tuvo una especial relevancia en los templos. Por un lado se continúa utilizando la *planta basilical*, herencia del mundo romano, que se había mantenido durante la Edad Media, aplicando el lenguaje clásico en su construcción (arcos de medio punto, órdenes clásicos).

Por otro lado se desarrolla con fuerza la idea de la *planta central*. El círculo es considerado como imagen de la perfección, de lo que no tiene principio ni fin, de manera que se convertía en lo más oportuno para expresar a la divinidad. La planta centralizada, de acuerdo con el correcto sistema de proporciones, reflejaba la armonía universal y la belleza ideal.

En muchas ocasiones se intentarán combinar ambas opciones, desarrollando el *crucero* para lograr espacios diáfanos y amplios, sin los juegos lumínicos del arte gótico. Esta idea proporcionó un gran interés a la cúpula, una bóveda semiesférica que sirve para cubrir un espacio cuadrangular que pasa a una planta circular. Las cúpulas son a su vez símbolo del universo y presencia constante en la arquitectura religiosa del Renacimiento.

RAFAEL: *Los desposorios de la Virgen (1504)*. La idea de que el templo de Salomón había sido circular fue una de las teorías que tuvieron su reflejo en la arquitectura.

Obras y arquitectos

Filippo Brunelleschi (1377-1446) es considerado como el primer arquitecto renacentista. Su aportación consiste en la utilización de un lenguaje tomado directamente de la arquitectura clásica, rompiendo con la tradición gótica anterior.

BRUNELLESCHI, F.: *Iglesia del Santo Spirito (1434-1444)*. Florencia.

La cúpula de la catedral de Florencia, Santa María de las Flores, iniciada en 1418, es su obra más representativa. La iglesia se había construido en estilo gótico italiano, pero faltaba por cubrir el amplio espacio del crucero. Brunelleschi, inspirándose en la cúpula del Panteón de Roma, idea un sistema que arranca de un tambor octogonal, en el que se abren grandes óculos. Combinó dos cúpulas superpuestas, la interior semiesférica y la exterior apuntada, de manera que los empujes ejercidos por cada una de ellas se contrarrestan. La realización de esta cúpula, que domina el paisaje de la ciudad, inauguró un modelo seguido por la arquitectura posterior.

Los edificios diseñados por Brunelleschi se distinguen por la sencillez de los elementos constructivos y la limpieza de líneas. Las iglesias florentinas de San Lorenzo y del Santo Spirito siguen la propuesta de las basílicas romanas, con tres naves separadas por arcos de medio punto que marcan un ritmo sereno y una techumbre plana con casetones.

Leon Battista Alberti (1404-1472), escritor, pensador y arquitecto, es una muestra de hombre del Renacimiento. Su elaboración de tratados sobre las grandes disciplinas artísticas (arquitectura, escultura y pintura) tendrá una enorme influencia en la historia y la teoría del arte del mundo moderno. Los resultados de sus investigaciones teóricas, publicados en tratados como *De re aedificatoria* (1452), se plasman a la perfección en sus obras. La influencia del texto de Vitruvio había sido enorme. La proporción había de dominarlo todo, partiendo de módulos geométricos cuyo origen estaba en el estudio de la matemática y de la música. El edificio resultaba así un organismo vivo en perfecta armonía con la naturaleza. Entre sus obras más significativas se encuentran el templo de San Francisco, también llamado Malatestiano, en Rímini; la fachada de Santa María Novella, de Florencia, y la iglesia de San Andrés de Mantua.

ALBERTI Y SUS OBRAS

Alberti, además de ser el primer gran teórico del Renacimiento, fue un arquitecto con obras en las que puso en práctica el resultado de sus investigaciones. Una de las más tempranas fue la fachada de Santa María Novella, de Florencia, que comienzó en 1458 y donde mediante dos grandes volutas enlaza el cuerpo central con los laterales unificando todo el conjunto. Otras obras significativas suyas, en arquitectura religiosa, son San Andrés de Mantua y el templo de San Francisco, en Rímini.

San Andrés de Mantua

En la obra *De re aedificatoria*, Alberti dice que el templo debe provocar una especie de escalofrío de admiración que lleve a gritar: "¡Este lugar es digno de Dios!". Esto parece conseguirlo en la iglesia de San Andrés.

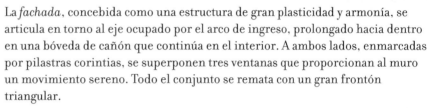

ALBERTI, L. B.: *Interior de la iglesia de San Andrés (hacia 1470), Mantua.*

ALBERTI, L. B.: *Fachada de la iglesia de San Andrés (hacia 1470), Mantua.*

La *fachada*, concebida como una estructura de gran plasticidad y armonía, se articula en torno al eje ocupado por el arco de ingreso, prolongado hacia dentro en una bóveda de cañón que continúa en el interior. A ambos lados, enmarcadas por pilastras corintias, se superponen tres ventanas que proporcionan al muro un movimiento sereno. Todo el conjunto se remata con un gran frontón triangular.

El *interior* de la iglesia de San Andrés, aunque con decoraciones de épocas posteriores, conserva la organización original. La nave central se cubre con bóveda de cañón decorada con casetones, y las paredes se articulan en tramos rítmicos. Las naves laterales han sido sustituidas por pequeñas capillas enmarcadas por pilastras corintias y cubiertas a su vez con bóveda de cañón y casetones, de forma que siempre se repite el mismo esquema.

Templo de San Francisco

El templo de San Francisco de Rímini, también llamado Templo Malatestiano, fue un encargo de Segismundo Malatesta. Tenía una finalidad plural: servir como iglesia, ser un monumento dedicado a la memoria de la amante de Malatesta y convertirse en el panteón de los hombres ilustres de Rímini.

El templo, no acabado, lo concibió Alberti como un conjunto rectangular, cuyas medidas se atienen a la proporción áurea, con una nave central a la que se abren capillas rectangulares. Su tratamiento es el de un templo clásico, elevado sobre un podio.

En la fachada se emplearon series rítmicas donde se combinan arcos y dinteles, buscando el claroscuro en los volúmenes. Fue concebida como un gran arco de triunfo de tres vanos, de los que sólo está abierto el central. Sobre éste se abre un segundo cuerpo que debería estar unido por volutas, dando así unidad a toda la fachada. Esto lo realizó Alberti, años después, en la iglesia de Santa María Novella.

ALBERTI, L. B.: *Fachada del Templo Malatestiano (iniciado hacia 1450). Rímini. La distribución de los elementos arquitectónicos sigue módulos geométricos previamente fijados.*

SAN LORENZO, DE BRUNELLESCHI

La obra

San Lorenzo es la primera de las iglesias realizadas por Brunelleschi. Se inició en 1422, con el mecenazgo de varias familias florentinas, especialmente de los Médicis.

Análisis formal

La **planta** es de cruz latina, con tres naves, capillas laterales y una cúpula en el crucero. Presenta novedades respecto a los modelos anteriores. La más importante es la búsqueda de la proporción. La unidad básica es el cuadrado del crucero, que se usa en el coro y en los brazos del transepto.

En el **interior** se ve el uso que hace Brunelleschi de elementos de la antigua Roma: columnas corintias, pilastras acanaladas, arcos de medio punto, entablamentos y techo plano con casetones. Estos elementos, en piedra gris, contrastan con el color blanco de los muros y subrayan la distribución geométrica del espacio. Esta bicromía es muy característica de sus obras. Todos los detalles están cuidadosamente calculados para contribuir a la armonía del conjunto. El resultado es un espacio ordenado.

BRUNELLESCHI, F.: *San Lorenzo (iniciada en 1422), Florencia.*

Significado

Con esta obra Brunelleschi crea una iglesia que combina la tradición medieval de la planta de cruz latina con la basílica romana. Fue el primero en manejar un repertorio de formas clásicas, con el que desarrolla su propio lenguaje arquitectónico, basado en la proporción matemática. Crea, así, un nuevo estilo que toma elementos del arte clásico y responde al planteamiento humanista.

CAPILLA PAZZI, DE BRUNELLESCHI

La obra

La capilla Pazzi se construyó en el claustro del convento franciscano de Santa Croce. Se inició en 1430 y fue financiada por la familia Pazzi, banqueros rivales de los Médicis, que la donaron a los frailes como sala capitular.

Análisis formal

La capilla presenta una planta centralizada, basada en un cuadrado cubierto por una cúpula sobre pechinas. La fachada presenta una combinación de arco y dintel que se repite en el interior. En el interior se ve el virtuosismo del arquitecto en el uso del bicolor, blanco y gris. La piedra marca las líneas maestras del edificio y destaca la pureza del diseño. Las pilastras dividen los muros con un esquema rítmico y la decoración se sitúa en los medallones esculpidos, perfectamente integrados en el conjunto del edificio.

Significado

En esta capilla, Brunelleschi elabora una variación sobre el esquema de planta cuadrada cubierta con cúpula que ya había usado en la Sacristía Vieja de San Lorenzo. Este tipo de planta tendrá gran influencia en la arquitectura renacentista y barroca.

La capilla es una muestra de la flexibilidad de las formas y el vocabulario clásico, adecuados para crear espacios muy distintos. Como en todas las obras de Brunelleschi, hay una búsqueda de la armonía a través del cálculo preciso de las proporciones.

BRUNELLESCHI, F.: *Interior de la capilla Pazzi (iniciada en 1430), Florencia.*

- ¿Qué funciones tenían las basílicas romanas? ¿Qué elementos toma Brunelleschi de ellas? Señala en las ilustraciones los elementos de la arquitectura clásica que usa.
- ¿Qué otras obras realizó Brunelleschi?

La obra

La familia Rucellai encargó la construcción de su palacio florentino a Alberti, arquitecto que ya había trabajado para esta familia. Se levantó a mediados del siglo y es una obra de la primera etapa de su carrera.

El artista

Aunque la mayor parte de las obras que conservamos de Alberti son edificios de carácter religioso, el diseño del Palacio Rucellai tiene mucho interés dentro de su producción. Alberti pretendió con la articulación de la fachada y su decoración proponer un nuevo sistema decorativo diferente al del Palacio Medici-Riccardi, durante muchos años modelo a seguir por la enriquecida burguesía florentina.

Análisis formal

En la fachada, Alberti mantiene las características esenciales de los palacios florentinos: almohadillado, organización en tres pisos, planta baja con funciones comerciales... Sin embargo, la organización de la fachada es nueva y mucho más elaborada. No sólo subraya la división horizontal, como era habitual, sino que también crea divisiones verticales, formando una retícula de entablamentos y pilastras que ordena y organiza la superficie sin caer en la monotonía.

Aplica en esta obra los principios expuestos en sus tratados teóricos, y así superpone los diferentes órdenes y estudia cuidadosamente la proporción.

El piso bajo tiene los techos altos y, para mantener el tamaño de las pilastras, Alberti diseña un banco corrido que cierra la fachada por la parte inferior, de la misma manera que la cornisa lo hace por arriba.

Las texturas de la fachada (muro almohadillado, pilastras lisas, entablamentos con molduras y relieves, banco tallado en rombos) crean suaves contrastes lumínicos que dan variedad a la fachada plana.

Significado

Alberti aplica el vocabulario clásico al palacio urbano de la gran burguesía florentina, y crea una fachada llena de ritmo y proporción.

La obra tiene una función representativa y señala el poder y la importancia de la familia, no por el tamaño o la riqueza de los materiales, sino a través del prestigio de la belleza, como era frecuente en el Renacimiento.

En el palacio se unen los principios de proporción, simetría y armonía que caracterizan la obra de Alberti. Todo resulta medido hasta el extremo, de modo que resulta difícil hacer modificaciones sin trastornar la concepción original programada por el artista para el edificio.

ALBERTI, L. B.: *Palacio Rucellai (hacia 1459). Florencia.*

- Observa la fachada del palacio y enumera los elementos arquitectónicos usados por Alberti.
- Compara esta fachada con la del Palacio Medici-Riccardi, de Michelozzo, y señala las semejanzas y las diferencias.
- Busca información sobre Alberti y explica por qué se le considera un perfecto humanista. Resume cuáles son, según él, las bases de la arquitectura.
- Explica qué cambios se produjeron en esta época en la posición del arquitecto dentro de la sociedad.

3. ARQUITECTURA CIVIL DEL "CINQUECENTO"

La evolución teórica hacia el manierismo

El *Cinquecento* será una etapa de consolidación de las innovaciones del siglo anterior. El lenguaje clásico es asimilado por todos los artistas. Aparecen figuras geniales, muchas de ellas a caballo entre ambas centurias (como Bramante o Leonardo), que practican todas las artes con gran dominio técnico. Alcanzado ese equilibrio, los grandes artistas, a partir de los principios del mundo clásico, evolucionan hacia formas particulares de interpretar el mismo lenguaje. De este modo se continúa la manera (*maniera* en italiano) de trabajar de estos grandes genios, dando lugar a lo que denominamos manierismo, la fase previa al barroco.

Los tratados arquitectónicos se prodigan, de forma que los avances científicos se unen a la creación artística. Los comentarios al texto de Vitruvio son muy abundantes, añadiendo ilustraciones y difundiéndose por toda Europa como manual de los arquitectos. Muchos de ellos escriben trabajos que contribuyen a afianzar estos principios. Serlio estudia los edificios de la Antigüedad y fija modelos de tipos constructivos. Vignola profundiza en la clasificación de los órdenes clásicos. Palladio propone diseños de arquitectura civil, como palacios y villas de recreo.

El urbanismo

Los planteamientos de reformas urbanísticas del siglo XVI suponen una consolidación de los avances teóricos del siglo anterior. Renovaciones parciales, como la emprendida por Miguel Ángel en la plaza romana del Capitolio, son un resumen de los anteriores ejercicios de perspectiva y proporciones. En su diseño intervienen no sólo las fachadas de los edificios, sino los pavimentos y las esculturas, que se incorporan para que el ciudadano las contemple como una herencia del pasado romano.

El descubrimiento y la colonización de América, con la construcción de ciudades de nueva planta, permitirá poner en práctica muchas de las teorías urbanísticas elaboradas en Europa.

Los tipos constructivos

El modelo de palacio del siglo XV se reforma ahora siguiendo el diseño de la fachada del Palacio Farnesio de Roma, iniciado en 1540 por Antonio de Sangallo y finalizado por Miguel Ángel. La superficie es sobria y el aparejo almohadillado se reduce a la portada. En el piso principal las ventanas son adinteladas y se cubren por frontones alternos (curvos y triangulares), en un esquema que tendrá gran éxito. El edificio se remata con una pronunciada cornisa.

La decoración de las fachadas de los palacios se realiza con elementos arquitectónicos como único adorno. Uno de los esquemas decorativos más repetidos será la utilización de los diferentes órdenes clásicos en cada uno de los pisos, de los considerados más consistentes a los más aéreos. Así, el orden dórico se empleaba en el piso bajo, continuando en los superiores con el jónico y el corintio. A este esquema lo denominamos superposición de órdenes.

SANGALLO EL JOVEN: *Palacio Farnesio (iniciado hacia 1540). Roma.*

Además se desarrollan las *villas de recreo*, situadas en las proximidades de las ciudades como lugares de descanso. En estos espacios serán importantes los jardines, con fuentes, esculturas y pequeñas construcciones incorporadas al paisaje natural. Palladio, en los alrededores de Vicenza, proyectará muchas villas pensadas como centros residenciales de explotaciones agrícolas, pero también con funciones de recreo, como sucede con La Rotonda. En su diseño utiliza los espacios porticados y los frontones triangulares que recuerdan a los templos clásicos. Su influencia será muy larga en el tiempo, como podemos ver en las mansiones inglesas y norteamericanas del siglo XVIII.

Otros tipos de arquitectura civil de este momento son los *teatros*, que reproducen en lugares cubiertos los espacios grecorromanos, y las *bibliotecas*.

MIGUEL ÁNGEL, UNA FIGURA GENIAL

Sin abandonar los principios que caracterizan el lenguaje de su tiempo, Miguel Ángel (1475-1564), arquitecto, pintor y escultor, crea un estilo personal adaptando a su fuerza creadora las reglas de la tradición clásica. El fruto es una lectura particular de la norma, llena de vigor, que será seguida por muchos artistas, dando lugar al manierismo. Sus formas superan progresivamente la proporción y el sentido de la medida renacentista para expresar la capacidad cósmica y universal del hombre.

El proyecto de la plaza del Capitolio

Un ejemplo de la variada actividad del Miguel Ángel es el proyecto urbanístico de la plaza del Capitolio. Su intervención afectó a todo el conjunto, desde el pavimento estrellado a los elementos arquitectónicos de los edificios, donde aplicó el orden gigante. Consistía en aumentar la proporción de los órdenes clásicos, dando un aspecto colosal a la arquitectura. El espacio tiene forma trapezoidal, centrado en la escultura ecuestre de Marco Aurelio, de época romana, integrada con el resto de los elementos urbanos.

"Cuando Miguel Ángel asumió la responsabilidad de las obras, la plaza de la colina del Capitolio carecía de unidad artística y no guardaba ninguna conexión arquitectónica con la ciudad que se extendía a sus pies [...]. La idea de Miguel Ángel consistió en transformar esta diversidad en un conjunto de tres edificios absolutamente simétricos dispuestos en torno a una plaza de planta central y estructura sumamente uniforme [...]. La composición de Miguel Ángel se basa en la oposición existente entre el óvalo que ocupa el centro de la plaza y el espacio trapezoidal formado por los tres edificios y la balaustrada [...]. La idea que expresa esta composición no es puramente arquitectónica; Miguel Ángel deseaba que encarnase la esencia misma del Capitolio, que significa caput mundi (cabeza del mundo)".

DE TOLNAY, Charles: *Miguel Ángel, escultor, pintor y arquitecto.* Madrid, 1992

MIGUEL ÁNGEL: *Proyecto de la plaza del Capitolio (1546), Roma.*

La Biblioteca Laurenciana

En 1524, la familia Médicis decide crear una biblioteca pública. El proyecto se lo encargan a Miguel Ángel, prototipo del genio renacentista en todas las ramas del arte, que acometerá otras empresas por encargo de la familia.

El espacio de acceso a la sala de lectura es un vestíbulo rodeado por elementos arquitectónicos (columnas, frontones, modillones) que no poseen ninguna función constructiva sino sólo decorativa. Es un ámbito de reducidas dimensiones en el que Miguel Ángel juega con la arquitectura para impactar al visitante antes de su acceso a la sala de lectura.

La escalera de acceso, exenta y con todo el protagonismo, resulta de un medido juego óptico en la distribución de los volúmenes en un espacio pequeño.

MIGUEL ÁNGEL: *Vestíbulo de la Biblioteca Laurenciana (1524-1527), Florencia.*

4. Arquitectura religiosa del "Cinquecento"

Las ideas

Al igual que sucedía en la arquitectura civil, el siglo XVI representa la eclosión de las formas clásicas en lo que respecta a la arquitectura religiosa. Prosigue la discusión entre los dos tipos de planta, la basilical y la centralizada, como se demuestra en la renovación de la iglesia de San Pedro del Vaticano. La reafirmación religiosa está presente en la renovación del templo más destacado del mundo cristiano y de la propia residencia papal. Roma es en este período la capital de la cultura, y los papas son los grandes protectores o mecenas de los artistas, quienes les encargan las obras más notables.

El surgimiento de la Reforma protestante hizo necesaria una revisión del mundo católico dentro de lo que se llamó *Contrarreforma*, a partir del Concilio de Trento, iniciado en 1545. La arquitectura debe convertirse en expresión de la fe renovada, de la austeridad de los nuevos tiempos. Al mismo tiempo nacerán órdenes religiosas como la Compañía de Jesús (jesuitas), que se encargan de velar por la pureza de los principios del catolicismo y plantean una reforma de los templos.

Obras y arquitectos

Los primeros años del siglo XVI son la etapa de mayor apogeo de la arquitectura renacentista, especialmente a través de la figura de **Bramante** (1444-1514). Éste recoge los avances teóricos y prácticos anteriores logrando un estilo armónico, equilibrado, con sentido del ritmo y la proporción. En la renovación del Vaticano, se le encomienda la construcción en 1505 del Jardín del Belvedere, en los palacios del papa. Es una construcción rectangular, con galerías laterales en las que se suceden dobles pilastras corintias, con un ritmo regular. En el centro del eje de simetría se colocó un gran ábside abierto, con terrazas, rampas y espacios ajardinados.

La obra clave de Bramante, a pesar de su pequeño tamaño, es el templete de San Pietro in Montorio (ver en páginas siguientes).

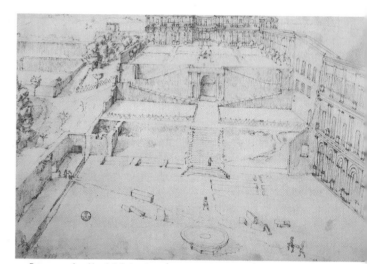

BRAMANTE: *Jardín del Belvedere (proyectado en 1505). Roma. Vaticano.*

Dentro del nuevo espíritu contrarreformista, la iglesia romana del Gesù, encargada por la orden de los jesuitas en 1568, se convertirá en un modelo de iglesia que perdurará largo tiempo en Europa. La iglesia es obra de Vignola y la fachada (1573), de Giacomo della Porta. El interior busca un tamaño que responda a los intereses de una iglesia dedicada a la predicación, con una buena perspectiva del altar mayor y capillas laterales independientes, comunicadas por un pasillo que no interrumpe la actividad de la nave central. Este espacio interior se modifica y decora en el barroco con espectaculares pinturas murales. La distribución de la fachada se hace en dos cuerpos. El bajo, de mayor tamaño y con decoración arquitectónica (columnas, frontones), unido al superior por dos enormes aletones, y rematado todo con un frontón triangular.

DELLA PORTA, Giacomo: *Fachada del Gesù (iniciada en 1573).*

VIGNOLA: *Interior del Gesù (iniciada en 1568), Roma.*

SAN PEDRO DEL VATICANO

La necesidad de la renovación del centro de la cristiandad fue rápidamente comprendido por el papado, en un período en que las innovaciones arquitectónicas estaban dando importantes resultados. Julio II (1503-1512) decidió acometer las obras, encargando el proyecto a Bramante. Las enormes dimensiones del nuevo complejo y lo costoso de su realización obligaron a que fueran varios arquitectos, en períodos distintos y con conceptos diferentes en la plasmación de sus principios, los que intervinieran en su ejecución.

La historia del proyecto

El proyecto de Bramante estaba lleno de símbolos. La planta era de cruz griega inscrita en un espacio cuadrangular, que representaba los cuatro puntos cardinales. El punto de encuentro de los cuatro brazos, bajo el que se encuentra la tumba del apóstol Pedro, se cubría con una enorme cúpula que representaba el firmamento. De este modo el templo era la imagen de la Jerusalén celeste y se hermanaban los elementos de la arquitectura clásica con los principios del cristianismo.

Tras la muerte de Bramante en 1514, las obras fueron continuadas por Rafael Sanzio, el famoso pintor de Urbino, quien se limitó a seguir los planos dejados por Bramante.

Antonio de Sangallo propuso después la modificación de la idea bramantina, optando por un proyecto de basílica longitudinal con un gran desarrollo de la cabecera y un pórtico a los pies.

Después de su muerte, el encargado de continuar la obra será Miguel Ángel, quien vuelve a la idea de planta central en forma de cruz griega, cuyos brazos se remataban en grandes ábsides. Todo estaba dominado por la enorme cúpula sobre un tambor con columnas pareadas y ventanas, en una escala gigante para resaltar el simbolismo de la construcción.

Tras la intervención de otros arquitectos como Vignola o Giacomo della Porta, el edificio se concluyó a comienzos del siglo XVII, prolongando uno de los brazos de la cruz griega inicial hacia la fachada de acceso.

La cúpula

Proyectada por Miguel Ángel, su construcción terminó a finales del siglo XVI. Las columnas pareadas del tambor sirven de contrafuertes, en los que descansan los nervios. Su estructura es doble, como la de la catedral de Florencia.

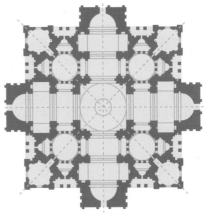

BRAMANTE: *Planta para la basílica de San Pedro (1506).*

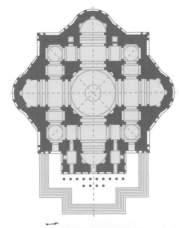

MIGUEL ÁNGEL: *Planta para la basílica de San Pedro (después de 1547).*

MIGUEL ÁNGEL: *Cúpula de San Pedro (exterior), Roma.*

MIGUEL ÁNGEL: *Cúpula de San Pedro (interior), Roma.*

La obra

Los Reyes Católicos encargaron a Bramante la realización de esta obra, destinada a conmemorar y señalar el lugar en el que, según la tradición, había sido crucificado san Pedro. El templete está situado en el claustro de un convento franciscano que se levanta sobre la colina del Gianicolo, en Roma, y su construcción se inició en 1502.

El artista

La formación de Bramante aunaba las influencias tanto de Brunelleschi como de la arquitectura del norte de Italia. Sus trabajos en Milán al servicio de los Sforza fueron definiendo su estilo hasta su traslado a Roma en 1499, cuando entra en contacto directo con las grandes construcciones de la Antigüedad.

Análisis formal

La **planta** del edificio es centralizada, y todo el diseño repite la forma circular. Los distintos espacios (escalinata, pórtico, muro de cierre, cúpula...) se disponen en círculos concéntricos. El proyecto original incluía un claustro circular alrededor, que envolvía el templete en un último círculo. Es una planta innovadora, que remite a la herencia romana, y concilia los ideales humanistas de paganos y cristianos.

El edificio es períptero, rodeado de un pórtico dórico coronado por una balaustrada. El cuerpo superior, formado por una cúpula sobre tambor rematada por una linterna, está concebido como un cilindro dentro de otro cilindro, que es el pórtico.

BRAMANTE, Donato: *Templete de San Pietro in Montorio (comenzado en 1502), Roma.*

Significado

El templete despertó una enorme admiración ya en el momento de su construcción, y los tratadistas lo incluyeron en sus estudios sobre obras de la Antigüedad, concediéndole la misma importancia que al Panteón. Es uno de los momentos más brillantes de la arquitectura renacentista, y muestra la maduración del lenguaje arquitectónico y el dominio de los conceptos de ritmo, proporción y armonía. Bramante volverá a trabajar sobre la planta centralizada en su proyecto para San Pedro del Vaticano.

Planta de San Pietro in Montorio.

San Pietro in Montorio no es un edificio práctico, funcional: su única misión es conmemorativa. Tiene una enorme riqueza simbólica: el círculo y la cúpula simbolizan el mundo y expresan visualmente la idea de la perfección y lo sagrado. Por otra parte, esta obra enlaza la figura de san Pedro, pontífice romano, con los papas, sus continuadores, concretando la imagen de Roma como centro del imperio y a la vez como sede del papado, centro político y religioso de valor universal.

"Es la conclusión y la síntesis, extremadamente representativa y cargada de significados, de una elaboración cultural, o más en general, de una visión del mundo que, actualizando la Antigüedad y hundiendo sus raíces en el medioevo cristiano, estaba lista para madurar en aquellos años".

BRUSCHI, Arnaldo: *Bramante y España.* Madrid, Xarait, 1987

- ¿Es adecuada la forma del edificio para la función que tiene? ¿Por qué?
- Enumera las obras construidas por Bramante. ¿En qué ciudades trabajó?
- Compara el estilo de Bramante con el de Brunelleschi. ¿Qué elementos diferenciadores podrías señalar?

La obra

La Rotonda es una residencia situada en las afueras de la ciudad de Vicenza, cerca de Venecia. Su autor, Palladio, construyó muchas villas para las familias poderosas del Véneto, que en este momento basan su riqueza en la posesión de tierras. La construcción se llevó a cabo a partir de 1567.

El artista

Palladio se especializa en un tipo de arquitectura de uso, por encima de cualquier significado simbólico, para proporcionar esquemas de gran repercusión. Él mismo señalaba en sus escritos que las villas eran lugares para descansar de las agitaciones de la ciudad y dedicarse al estudio y a la contemplación.

Análisis formal

La **planta** se organiza alrededor de la habitación circular central, cubierta por una cúpula. En los espacios que quedan entre la cúpula y el cuadrado en el que está inserta, se sitúan las escaleras, combinando así formas simbólicas y sentido práctico. Esta disposición simétrica de la planta se refleja en los cuatro pórticos, uno en cada fachada, a los que se accede por escalinatas. La fachada expresa así el interior del edificio.

Palladio rechaza las decoraciones recargadas y desarrolla un estilo cúbico sencillo, que huye del amontonamiento de motivos clásicos y reduce la ornamentación. Los entablamentos, que reflejan en el exterior la división en plantas, y el ritmo de los vanos son los únicos elementos que hay en los muros.

La villa está situada en la cima de una colina, y se abre a la naturaleza a través de sus cuatro fachadas, estableciendo así una relación con la naturaleza, a la que parece dominar.

PALLADIO, Andrea: *La Rotonda* (1567-1569). Vicenza.

Significado

No es una villa agrícola sino una residencia situada cerca de la ciudad y destinada a las fiestas. Es en realidad un belvedere, un mirador, para ver y ser visto. Palladio tenía muy en cuenta el aspecto práctico: materiales baratos, distribuciones funcionales..., sin olvidar la grandeza y solemnidad que deseaban en sus mansiones las poderosas familias que fueron sus principales clientes. En sus obras supo sintetizar funcionalidad y simbolismo, elegancia y comodidad, lo ideal y lo práctico.

Son características de su estilo el libre uso de la tradición clásica, el reflejo del interior en la fachada y la relación entre el edificio y la naturaleza que lo rodea. Esta libertad creativa es uno de los rasgos del manierismo. Palladio, con sus tratados, influyó en la arquitectura posterior. Sus villas fueron copiadas e imitadas en cientos de residencias campestres y edificios civiles.

- • ¿Por qué decimos que Palladio usa con toda libertad el lenguaje clásico?
- • Investiga y cita otras obras construidas por Palladio.
- • ¿Qué otros arquitectos renacentistas escribieron tratados de arquitectura? ¿Por qué crees que esto fue tan frecuente?

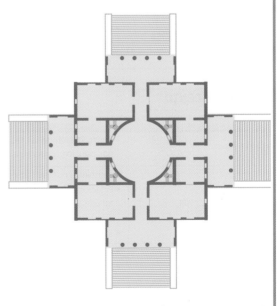

Planta de La Rotonda.

SÍNTESIS

EL RENACIMIENTO

Reinterpretación de los principios artísticos de la Antigüedad

"QUATTROCENTO"

- URBANISMO
  Búsqueda de espacios racionales
- ARQUITECTURA CIVIL
  Nuevos tipos constructivos: palacios y hospitales
- ARQUITECTURA RELIGIOSA
  Planta basilical y uso de la cúpula

"CINQUECENTO"

- URBANISMO
  Consolidación de las teorías urbanísticas
- ARQUITECTURA CIVIL
  Nuevas tipologías: palacios, villas, teatros, bibliotecas
- ARQUITECTURA RELIGIOSA
  Planta basilical y centralizada. Roma, capital del arte

Evolución hacia interpretaciones particulares

EL MANIERISMO

BARROCO

EL "QUATTROCENTO"

	RASGOS GENERALES	OBRAS Y ARQUITECTOS
URBANISMO	• Desarrollo de teorías urbanísticas. • Búsqueda de espacios racionales y organizados. • Distribución regular de los distintos sectores (residencial, comercial, religioso, etc.).	• Proyecto de la ciudad ideal de Urbino. • El proyecto de Sforzinda, de FILARETE. • La intervención en Pienza, bajo la protección del papa Pío II.
ARQUITECTURA CIVIL	• Diseño de nuevos tipos constructivos. • Palacios: estructura cúbica con patio porticado, fachada decorada con elementos arquitectónicos (órdenes superpuestos, almohadillado). • Hospitales.	• Palacio Medici-Riccardi; Palacio Pitti, de AMMANATI. • Palacio Rucellai, de L. B. ALBERTI. • Hospital de los Inocentes, de BRUNELLESCHI.
ARQUITECTURA RELIGIOSA	• Se mantiene la planta basilical. • Importancia de la planta central (expresión de la totalidad y la perfección). • Uso de la cúpula (imagen simbólica del universo).	• Cúpula de Santa María de las Flores; iglesias de San Lorenzo y del Santo Spirito; capilla Pazzi, de BRUNELLESCHI. • Fachada de Santa María Novella; San Francisco o Templo Malatestiano; iglesia de San Andrés, de L. B. ALBERTI.

EL "CINQUECENTO"

	RASGOS GENERALES	OBRAS Y ARQUITECTOS
URBANISMO	• Consolidación de las teorías urbanísticas del siglo anterior, para lograr espacios racionales.	• La plaza del Capitolio en Roma, de MIGUEL ÁNGEL. • Los proyectos de nuevas ciudades americanas.
ARQUITECTURA CIVIL	• Cambios y nuevas tipologías. • Palacios: sobriedad en la fachada con alternancia de frontones sobre los vanos. • Villas: agrícolas y de recreo. • Teatros y bibliotecas.	• Palacio Farnesio, de SANGALLO EL JOVEN. • Villa Rotonda, de Andrea PALLADIO. • Villa Médici, de SANGALLO. • Biblioteca Laurenciana, de MIGUEL ÁNGEL.
ARQUITECTURA RELIGIOSA	• Roma, capital de la cultura y el arte. • Discusión entre los dos tipos de planta: basilical y centralizada. • La Contrarreforma y las nuevas necesidades de la Iglesia católica.	• San Pedro del Vaticano, de BRAMANTE, Antonio de SANGALLO y MIGUEL ÁNGEL, entre otros. • Jardín del Belvedere, de BRAMANTE. • San Pietro in Montorio, de BRAMANTE. • Il Gesù, de VIGNOLA y Giacomo DELLA PORTA.

HACIA LA UNIVERSIDAD

1. Analiza las siguientes obras:

BRUNELLESCHI:
*Cúpula de
la catedral
(1417-1420),
Florencia.*

AMMANATI:
*Palacio Pitti
(1457),
Florencia.*

2. Define estos conceptos: *mecenas, casetón, villa, loggia, almohadillado, orden gigante, óculo.*

3. Lee el siguiente texto y resume su contenido:

Las partes de que se componen los edificios sagrados han de tener exacta correspondencia de dimensiones entre cada una de ellas y su total magnitud. Asimismo el centro natural del cuerpo es el ombligo, de tal modo que el hombre tendido boca arriba con las manos y los pies extendidos, si se tomase como centro el ombligo y se trazara con el compás un círculo, éste tocaría los dedos de ambas manos y de los pies. Y lo mismo que se adapta el cuerpo a la figura redonda, se adapta también a la cuadrada [...]. La simetría o proporción es una concordancia entre la obra entera y sus miembros, y una correspondencia de cada una de las partes separadamente con la otra.

VITRUVIO, Marco: *De Architectura*

— ¿Quién fue Vitruvio?

— ¿Qué aportó a la historia de la arquitectura?

— Analiza los conceptos que se muestran en este texto y explica su relación con los principios fundamentales de la arquitectura del Renacimiento.

4. Desarrolla el siguiente tema: *Arquitectura civil y religiosa del Renacimiento. Relación con el concepto de arquitectura de épocas anteriores.*

PASADO Y PRESENTE EN EL ARTE

La existencia de villas de recreo campestres, alejadas del ritmo urbano, puede parecer un invento de nuestros días. Sin embargo, desde la Antigüedad es un tipo de residencia muy utilizado.

— El sistema de vida urbano es el que genera este modelo de vivienda. ¿Qué supone esta afirmación en el período renacentista? ¿Fueron importantes las ciudades en esta época, hasta el punto de buscar el descanso en el campo?

— ¿Crees que las villas renacentistas tenían diseños funcionales?

SANGALLO, Giuliano: *Palacio-villa
de Poggio a Caiano, conocida como
Villa Medici (1480-1485), Florencia.*

13. LA PINTURA DEL RENACIMIENTO

El dominio del nuevo sistema de representación visual, conocido como *perspectiva*, permitía reflejar con fidelidad las tres dimensiones de la naturaleza sobre el plano, y fue la gran innovación de la pintura renacentista italiana. El conocimiento de la geometría y de las proporciones para lograr composiciones armónicas convirtieron al pintor en un estudioso. Su condición de creador y la protección de los grandes señores servirían para que el artista adquiriera una mayor consideración social.

Al período de ensayos del siglo XV le sucede, en los primeros años de la centuria siguiente, la consolidación de los principios del nuevo lenguaje pictórico. En Italia, los grandes genios como Leonardo, Rafael y Miguel Ángel llevan la pintura a sus más fulgurantes logros, dando paso a la interpretación personal de sus seguidores, dentro del manierismo. En el resto de Europa, la tradición medieval perdura a lo largo del siglo XV, uniendo finalmente su expresión a las formas que se difundían desde Italia.

DE CÓMO QUIEN LA PINTURA MENOSPRECIA, FILOSOFÍA Y NATURALEZA NO AMA

Si tú menospreciares la pintura, sola imitadora de todas las obras visibles en la naturaleza, de cierto que despreciarías una sutil invención que, con filosofía y sutil especulación, considera las cualidades todas de las formas: mares, parajes, plantas, animales, árboles y flores que de sombra y luz se ciñen. Ésta es, sin duda, cierta y legítima hija de la naturaleza, que la parió, o, por decirlo en buena ley, su nieta, pues todas las cosas visibles han sido paridas por la naturaleza y de ellas nació la pintura. Conque habremos de llamarla cabalmente nieta de la naturaleza y tenerla entre la divina parentela...

DA VINCI, Leonardo: *Tratado de Pintura.* Madrid, Akal, 1985

RAFAEL: *Escuela de Atenas (1510-1511), Roma.*

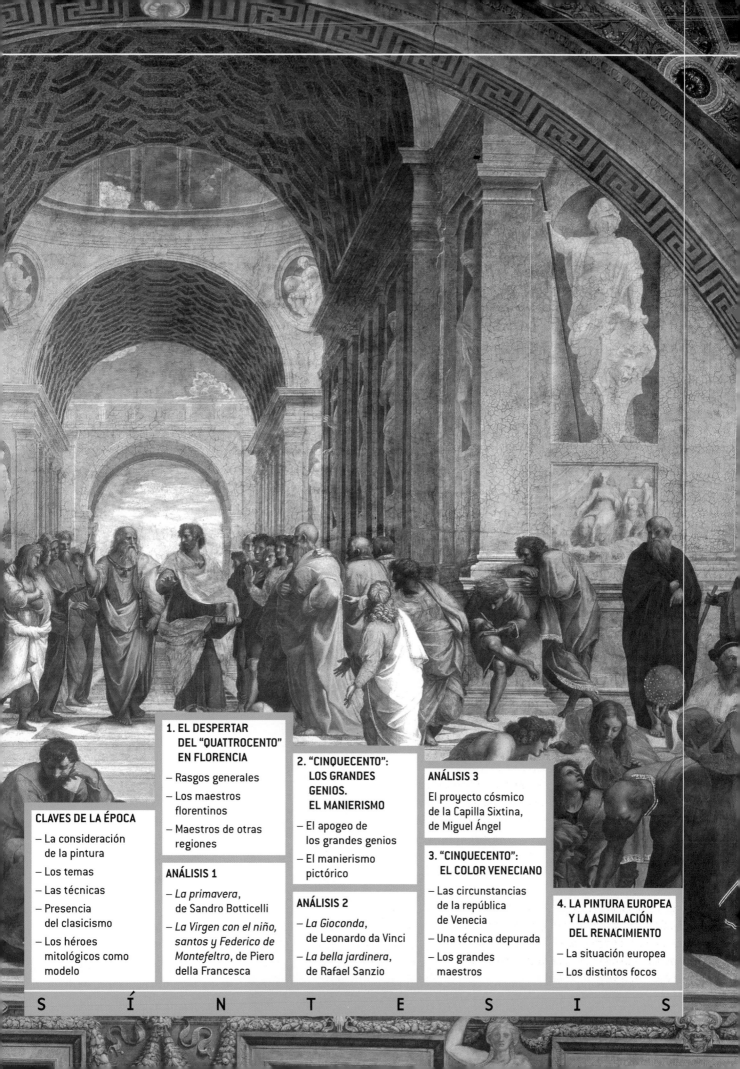

CLAVES DE LA ÉPOCA

– La consideración
de la pintura

– Los temas

– Las técnicas

– Presencia
del clasicismo

– Los héroes
mitológicos como
modelo

1. EL DESPERTAR DEL "QUATTROCENTO" EN FLORENCIA

– Rasgos generales

– Los maestros
florentinos

– Maestros de otras
regiones

ANÁLISIS 1

– *La primavera*,
de Sandro Botticelli

– *La Virgen con el niño,
santos y Federico de
Montefeltro*, de Piero
della Francesca

2. "CINQUECENTO": LOS GRANDES GENIOS. EL MANIERISMO

– El apogeo de
los grandes genios

– El manierismo
pictórico

ANÁLISIS 2

– *La Gioconda*,
de Leonardo da Vinci

– *La bella jardinera*,
de Rafael Sanzio

ANÁLISIS 3

El proyecto cósmico
de la Capilla Sixtina,
de Miguel Ángel

3. "CINQUECENTO": EL COLOR VENECIANO

– Las circunstancias
de la república
de Venecia

– Una técnica depurada

– Los grandes
maestros

4. LA PINTURA EUROPEA Y LA ASIMILACIÓN DEL RENACIMIENTO

– La situación europea

– Los distintos focos

S Í N T E S I S

CLAVES DE LA ÉPOCA

La consideración de la pintura

La pintura renacentista contribuye a expresar el papel del hombre como protagonista de la sociedad. La nueva dimensión del ser humano permitía el estudio de su anatomía y la representación de la realidad que le rodeaba. La filosofía humanista y la evocación del mundo clásico, donde los artistas eran muy valorados, proporcionarán a éstos una mayor consideración social. La pintura, especialmente, será reivindicada muy pronto como una auténtica ciencia. Su práctica obligaba a un conocimiento de las proporciones, la luz, el movimiento y la profundidad, de acuerdo con el sistema visual de representación que ahora se descubre: la perspectiva.

El mecenazgo de los poderosos, que colocaban bajo su protección a los artistas, sirvió para que muchos de ellos intentaran liberarse del rígido sistema gremial. Los gremios imponían unas reglas mercantiles que limitaban la libertad creativa, regulando el aprendizaje o la comercialización de las obras. La valoración del arte iba unida al aumento del coleccionismo y a la acumulación de obras de arte como un signo de prestigio social. Este hecho ayudó a que el pintor fuera visto cada vez más como un intelectual y menos como un artesano. Florencia, con el gobierno de los Médicis, fue el centro precursor de esta nueva mentalidad, seguida por las diferentes cortes italianas y por el papado.

Los temas

La pintura religiosa es la más abundante, distinguiéndose por la humanidad de los temas, cada vez más cercanos a los fieles que los contemplan.

En Italia son frecuentes las escenas de la Sagrada Familia o de la Virgen con el Niño (*Madonna* en italiano) concebidas como motivos dulces y amables.

Las *Sacras Conversaciones* muestran a personajes sagrados en sencilla actitud de diálogo y son muy habituales en la pintura renacentista. Además, se mantienen los grandes ciclos con representaciones de acontecimientos bíblicos o de la vida de los santos.

MASACCIO: *El tributo del César* (hacia 1425). *La representación de personajes en actitud de diálogo fue muy habitual en la pintura del Renacimiento*

El retrato se independiza definitivamente de los cuadros religiosos medievales, donde aparecía la figura del donante. La dignidad del hombre es determinante en el nacimiento de este género artístico, producto del individualismo del momento. La inspiración llegará por mediación de los retratos romanos, a través de las medallas encontradas en las excavaciones o de los relieves escultóricos.

Las técnicas

El soporte más utilizado, dentro de la pintura de caballete, sigue siendo la tabla. Progresivamente se incorporará el lienzo, que desplazará por completo al soporte anterior.

La técnica tradicional del temple (pigmentos aglutinados con huevo) será sustituida por el óleo, con mayores posibilidades plásticas, que ya se empleaba en los Países Bajos.

En las pinturas murales se usa, especialmente en Italia, la técnica del fresco. Requiere rapidez en su ejecución y permite pocas modificaciones, de ahí su dificultad. El color se aplica, mezclado con agua de cal, sobre el revoco de un muro todavía húmedo. Esto hace posible que la pintura penetre en el soporte, de forma que resiste mejor los rigores de la intemperie, al tiempo que dificulta los retoques cuando seca. El resultado es luminoso y duradero.

PERUGINO: *Entrega de las llaves a san Pedro* (1481). *Los cuadros de temática religiosa se ven influenciados por modelos del pasado. En este caso se observa un edificio de planta central y dos característicos arcos de triunfo formando parte del paisaje urbano en el que se desarrolla la escena.*

Presencia del clasicismo

Aunque durante la Edad Media se habían mantenido algunos temas de la mitología clásica, es en el Renacimiento cuando vuelven a tener un destacado protagonismo los temas mitológicos. El estudio de los clásicos grecolatinos estaba de actualidad y la pintura reflejaba el interés por las historias de los hombres de la Antigüedad, con escenas como las contenidas en la *Metamorfosis*, de Ovidio. La idealización de la pintura clásica, alabada por su representación de la realidad, hacía que los pintores mostraran interés por la arqueología y buscaran su inspiración tanto en los textos escritos como en los restos que frecuentemente aparecían en Italia. La pintura mitológica, como parte de la recuperación del espíritu clásico, tendrá un papel fundamental. La conciliación neoplatónica entre las culturas grecorromana y cristiana hace que los temas paganos tengan un carácter moralizante y convivan con los religiosos. En relación con la temática mitológica, muy frecuente en Italia y adecuada para los espacios civiles, estará la decoración ornamental de los palacios renacentistas.

BOTTICELLI, Sandro: *La calumnia de Apeles (hacia 1485).*
Luciano, un poeta clásico, describía una composición muy célebre pintada por el griego Apeles, titulada La calumnia. Botticelli dio forma al texto, interpretando el modo en que el cuadro habría sido concebido por su autor, con arquitecturas clásicas y desnudos.

Los héroes mitológicos como modelo

Producto de la concordia existente con el humanismo cristiano, hombres ilustres de la Antigüedad servían como modelos de virtudes que encajaban con la moral cristiana. Además se generalizaron las alegorías, por las que ideas, sentimientos o fuerzas de la naturaleza (como el amor o el viento) se personificaban en figuras humanas con todo un lenguaje de atributos particulares.

El cuadro de Botticelli hace referencia al nacimiento mítico de la diosa del amor. Según la mitología clásica, los dioses del cielo y de la tierra (Urano y Gea) habían tenido varios hijos. Uno de un ellos era Cronos o Saturno, dios del Tiempo. Con la intención de destronar a su padre, Cronos le castró y arrojó sus genitales al mar. En ese instante surgió Venus, identificada por la filosofía neoplatónica como imagen de la humanidad.

BOTTICELLI, Sandro: *El nacimiento de Venus (hacia 1478). Botticelli recogió en este cuadro, cargado de símbolos, uno de los temas mitológicos más queridos de la Antigüedad.*

ÉPOCA	HISTORIA Y CULTURA	ARTE
Segunda mitad del siglo XV	· Invención de la imprenta (hacia 1450). · Caída de Constantinopla (1453). · Lorenzo de Médicis sucede a Cosme (1469). · Descubrimiento de América (1492).	· Frescos de la capilla de Santiago (1454), de MANTEGNA. · *La batalla de San Romano* (1456), de Paolo UCCELLO. · *La primavera* (1478), de Sandro BOTTICELLI. · *La Última Cena* (1497), de LEONARDO.
Primera mitad del siglo XVI	· León X, papa (1513). · Carlos V, emperador (1519). · Comienza la Reforma protestante (1519). · Comienza el Concilio de Trento (1545). · Victoria de Carlos V en Mühlberg (1547).	· *La Gioconda* (1503), de LEONARDO. · *La bella jardinera* (1507), de RAFAEL. · *Madonna del cuello largo* (1534), de PARMIGIANINO. · MIGUEL ÁNGEL pinta en la Sixtina el *Juicio Final* (1541). · *Carlos V en la batalla de Mühlberg* (1548), de TIZIANO.

Rasgos generales

La pintura florentina del *Quattrocento* rompe con la tradición del llamado gótico internacional. Al igual que sucedía en otras ramas del arte, los pintores se sienten inspirados por el lenguaje del clasicismo, buscan la representación de la naturaleza y dejan a un lado el carácter simbólico y distante de la pintura medieval. La carencia de modelos procedentes de la pintura clásica, salvo algunas excepciones en obras murales, hizo que la pintura se fijara en los restos arqueológicos arquitectónicos y escultóricos. Se buscaba plasmar con fidelidad la naturaleza y su tridimensionalidad, a través del estudio geométrico y matemático.

El hallazgo de la perspectiva se manifiesta en todas las creaciones, que aplican el nuevo sistema para obtener una mayor sensación de realidad. A ello se une el estudio del cuerpo humano, del movimiento, de la luz en un período de ensayos que cristaliza en el siglo XVI. Florencia se convierte en el núcleo fundamental de la nueva corriente, aunque pronto surgen otros centros (Roma, Padua, Perugia) con distintas peculiaridades.

Los maestros florentinos

Fra Angélico (1400-1455). Su pintura representa el nexo con el período gótico. Sus composiciones se caracterizan por la dulzura de los modelos, de belleza idealizada y actitudes serenas. Recuerdos de la pintura goticista son el dorado en los nimbos de las figuras sagradas y la minuciosidad en los paisajes. En las arquitecturas incorpora el uso de la perspectiva, como se puede ver en algunos de sus populares cuadros sobre el tema de la *Anunciación*.

Masaccio (1401-1428) protagoniza la ruptura con el período anterior y su personalidad en la pintura equivale a la de Brunelleschi en arquitectura. Su forma de pintar adopta todas las novedades de su época. Las formas emplean el color por encima del dibujo y el resultado son cuerpos muy definidos en cuanto al volumen, casi escultóricos, con desarrollo del plegado de los ropajes. Los escenarios tienen una lograda profundidad y captación del ambiente atmosférico (*El tributo del César*). La búsqueda de la realidad le permite mostrar el dramatismo y el dolor en las actitudes llenas de emoción de Adán y Eva expulsados del Paraíso, pintados al fresco.

FRA ANGÉLICO: *Anunciación (1430-1435)*.

Piero della Francesca (1420-1492) investiga en el campo de la perspectiva y escribe un tratado sobre el tema. El rasgo más notable de su pintura es el dominio de la luz y de la sombra, que utiliza con fines simbólicos.

Botticelli (1445-1510) estará muy influenciado por el espíritu neoplatónico, que traspasa a su forma de pintar. Sus composiciones son dinámicas y con gran dominio del dibujo. Trata a menudo temas mitológicos, con una suave sensualidad.

Maestros de otras regiones

En la segunda mitad del siglo XV, aparecen otras escuelas con realizaciones muy interesantes.

Perugino (1445-1523), originario de Perugia, en Umbría, y maestro de Rafael Sanzio. Su pintura usa espacios abiertos y arquitecturas clásicas, con orden y claridad en la composición, en la que se mueven figuras delicadas, empleando con rigor el principio de la simetría.

Mantegna (1431-1506), en Padua, en el norte, maneja con maestría el dibujo, delimitando los contornos de las figuras. Composiciones como *El tránsito de la Virgen* emplean el punto de vista bajo, lo que proporciona más solemnidad a las representaciones que se elevan ante el espectador. El uso de la perspectiva dirige la mirada hacia el cuerpo yacente de la Virgen.

MANTEGNA, Andrea: *El tránsito de la Virgen (hacia 1462)*.

LA PERSPECTIVA

La búsqueda de un sistema de representación que permitiera reflejar sobre el plano la profundidad de las tres dimensiones de la naturaleza produjo la técnica de la perspectiva. El sistema al que se llegó, tras investigaciones geométricas y matemáticas, ha sido la gran aportación de los artistas italianos. Sobre él sienta sus bases la pintura moderna y los movimientos artísticos contemporáneos.

¡Cosa bella es la perspectiva!

La tradición literaria relata que Paolo Uccello (1397-1475), pintor obsesionado por el tema de la perspectiva, se negaba a bajar del andamio donde pintaba, exclamando constantemente: "*¡Cosa bella es la perspectiva!*".

La pintura de Uccello revela una profunda obsesión por resolver los problemas del espacio. Las tres escenas de *La batalla de San Romano*, que pintó para el Palacio Medici-Ricardi por encargo de Cosme de Médicis, son un buen ejemplo de ello.

Las líneas de las lanzas rotas en el suelo y las actitudes de los animales intentan reforzar los efectos de perspectiva. Las diferentes líneas confluyen en el lugar que ocupa el centro del punto de vista.

UCCELLO, Paolo: *La batalla de San Romano (hacia 1456)*.

MASACCIO, *La Trinidad con la Virgen, san Juan y donantes (hacia 1427)*.

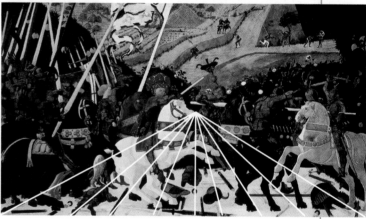

Masaccio pintó este fresco de *La Trinidad* para la iglesia de Santa María Novella de Florencia en 1427. Se trata de una recreación ilusoria de un espacio arquitectónico característico del Renacimiento, como un auténtico ejercicio de perspectiva.

Sobre la pared del templo se creaba una pretendida capilla en profundidad, con fines funerarios. Los elementos arquitectónicos responden al lenguaje característico de su tiempo: pilastras corintias, columnas jónicas y bóveda de cañón con casetones. Los personajes sagrados y los donantes aparecen en un plano de igualdad compartiendo la escena fingida.

MANTEGNA, Andrea: *Cristo muerto (1480)*.

El escorzo

Consecuencia de la aplicación de los principios de la perspectiva, el escorzo es una forma de representar una figura o un objeto, dando la impresión de que se encuentra colocado de modo perpendicular al plano. Su utilización sirve para reforzar la idea de profundidad en la composición. En ocasiones su uso resulta demasiado forzado.

El **Cristo muerto** de Mantegna es uno de los ejemplos más evidentes del uso del escorzo. En la composición se lleva la perspectiva a sus últimas consecuencias.

LA PRIMAVERA, DE SANDRO BOTTICELLI

La obra

Se trata de una pintura de tema mitológico, que fue realizada por Botticelli entre los años 1480 y 1481. Este tipo de temática comienza a generalizarse en el Renacimiento italiano, tomando temas del mundo clásico a los que se da una interpretación moralizante.

El artista

Botticelli está muy influenciado por los círculos filosóficos florentinos que actuaban en el entorno de la familia Médicis, a la que sirvió como artista.

El cuadro está pintado en uno de los momentos álgidos de estas teorías, que empleaban el lenguaje de los dioses de la Antigüedad, perfectamente asimilado por la pintura de Botticelli.

Análisis formal

La composición muestra una disposición simétrica, con una figura central (Venus) que parte en dos mitades la historia y marca el eje. Las figuras, que tienen un canon alargado, están muy dibujadas, con unas líneas limpias que marcan los perfiles. Las actitudes son serenas y ensimismadas, intentando captar una belleza idealizada. Los colores empleados en los vestidos son muy pálidos, con transparencias, a través de las cuales se puede observar la anatomía del desnudo, que dan más volumen a las representaciones. La luz impregna uniformemente la escena, sin contrastes violentos. El tratamiento naturalista del paisaje, como telón de fondo, sirve para situar la escena.

Significado

En las teorías neoplatónicas, que buscaban la conciliación entre el mundo pagano y el mundo cristiano, Venus es la imagen de la pureza y la armonía entre la naturaleza y el espíritu, por eso se sitúa en el centro de este espacio ideal. Simboliza en este caso algo más que el amor y el placer de los sentidos, como muestran los diferentes episodios que se desarrollan en la narración. La diosa preside este espacio ideal en el que siempre es primavera. Sobre ella, Cupido dispara flechas de amor a ciegas.

A la izquierda del espectador, las Tres Gracias ejecutan una danza mientras que en el extremo de la composición el dios Mercurio aparta las nubes para que resplandezca el sol.

A la derecha se explica una escena en dos pasajes correlativos: el viento Céfiro persigue a la hermosa ninfa Cloris, que entra en el escenario huyendo. Cloris pedirá ayuda a Venus, quien la transforma en Flora, la figura que, con unas ropas llenas de motivos alusivos, aparece a su lado triunfante.

- ¿Dónde se pudo inspirar Botticelli para realizar esta composición? ¿De qué modo los pintores del Renacimiento interpretan el pasado clásico?
- Investiga sobre las Tres Gracias en la mitología clásica, lo que representan y su relación con los dioses grecolatinos.
- Compara la pintura de Botticelli con la de Masaccio, señalando similitudes y diferencias.

LA VIRGEN CON EL NIÑO, SANTOS Y FEDERICO DE MONTEFELTRO, DE PIERO DELLA FRANCESCA

La obra

Esta obra de tema religioso fue pintada entre 1472 y 1474 por encargo de Federico de Montefeltro, duque de Urbino, personaje característico del Renacimiento, que a su papel de soldado unía el de protector de los artistas, como un auténtico mecenas.

El artista

Los historiadores del arte piensan que esta obra es una de las últimas pintadas por el artista. Piero había conocido a Alberti en Rímini y se hallaba muy influenciado por sus esquemas arquitectónicos, que intenta transmitir en el fondo de la composición.

Se ha supuesto que en el cuadro trabajarían algunos colaboradores del pintor, que debió de padecer una grave miopía en los últimos años de su vida. Esto explica que la última etapa la dedique a redactar tratados en los que explica la trascendencia de la perspectiva y los cálculos matemáticos aplicados a la pintura.

Análisis formal

La composición aparece marcada por un eje de simetría formado por el grupo de la Virgen y el Niño dormido sobre sus rodillas. Se produce una diferenciación de planos en profundidad, fruto de los estudios previos de perspectiva: el duque, arrodillado y de perfil, figura en primer término, seguido por la Virgen, elevada sobre un pequeño estrado. La figura central está flanqueada por dos grupos de tres santos, caracterizados de un modo muy naturalista. Un grupo de ángeles se coloca al fondo, con expresiones más idealizadas. La luz lateral tiene mucha influencia en la construcción del cuadro y acentúa el volumen. La escena transcurre en el interior de un edificio que expresa los nuevos postulados renacentistas en todos sus elementos constructivos.

Significado

El tipo de cuadro tiene sus raíces en el mundo tardomedieval, donde el donante comenzó a retratarse frecuentemente en los cuadros religiosos. En este caso el donante se sitúa en el mismo plano físico que la Virgen y los santos, formando parte de una escena de la que es espectador privilegiado. Las figuras sagradas cobran vida y se relacionan a pesar de su pertenencia a épocas cronológicas distintas, dentro de lo que se denomina *sacra conversación*. Es un tipo de composición que se hace muy frecuente en el arte italiano y muestra el acercamiento humanista de los santos.

El cuadro es además un ejercicio de perspectiva, que se pretende acentuar con esa forma oval que cuelga de una cadena en el extremo de la venera. Su disposición ayuda a lograr una impresión de mayor profundidad en la escena. No hay que olvidar que Piero della Francesca escribió un importante tratado sobre la perspectiva.

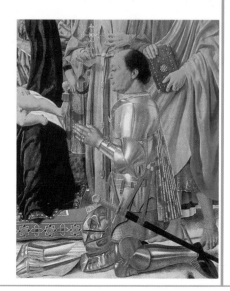

- Describe los elementos arquitectónicos que se observan y que permiten hablar de Renacimiento.
- Sabiendo las fechas en las que se realiza el cuadro, ¿qué arquitectura de su tiempo podía conocer Piero della Francesca?
- Busca algún escorzo en la composición. ¿Qué se logra con el uso de este modo de representación?
- Relaciona la composición con alguna otra similar en la pintura flamenca, donde también aparezcan donantes. Intenta ver similitudes y diferencias.

El apogeo de los grandes genios

Al igual que sucedía en la arquitectura, el siglo XVI supone el apogeo de la pintura renacentista, con un gran dominio de la técnica y de las formas. En este instante aparecen grandes maestros que, en los primeros años del siglo, fijan las reglas del proceso pictórico, culminando el período de experimentación de los años anteriores.

Leonardo da Vinci (1452-1519), ingeniero, pensador y artista, es el ejemplo de hombre universal del Renacimiento. Su pintura consigue dominar la profundidad de un modo natural, sin los ejercicios forzados de los pintores del *Quattrocento*. Por medio de la composición triangular busca el auténtico equilibrio formal. A través de lo que denominó *sfumato*, consigue captar el ambiente, envolviendo todo el espacio en una especie de neblina y abandonando la definición pictórica de los contornos.

DA VINCI, Leonardo: *La Última Cena (1495-1497)*.

Rafael Sanzio (1483-1520) sintetiza en sus creaciones el orden, la simetría y los personajes delicados de su maestro Perugino, las innovaciones de Leonardo y la grandiosidad de la pintura de Miguel Ángel. Trata los temas con una gran sensibilidad. La dulzura de las Madonnas, de las que creó diferentes tipos, han sido un referente permanente en el arte hasta nuestros días. Además de retratos, compuso escenas históricas, clásicas y cristianas, como las pintadas al fresco en las Estancias Vaticanas, con composiciones de gran complejidad y estudios profundos del desnudo y de las actitudes.

MIGUEL ÁNGEL: *Tondo Doni (1504)*.

Miguel Ángel Buonarroti (1475-1564) es la figura más genial del período. Su obra personal evoluciona desde el sentido de la medida y la claridad clásica renacentista hacia el dramatismo de una interpretación particular, paralela a sus realizaciones en arquitectura y escultura. Se consideraba a sí mismo como escultor y dibujaba con mucho volumen sus figuras pictóricas. El movimiento se hizo cada vez más complejo y alcanzó su culmen en las pinturas de la Capilla Sixtina, con un inmenso repertorio de actitudes, donde aprenderán a pintar muchos artistas. El concepto del desnudo y de la exageración anatómica se incrementaron en su pintura con el paso del tiempo.

El manierismo pictórico

La crisis de la sociedad (saco de Roma en 1527, continuas guerras de religión, tensiones entre los estados) y la reacción de la Contrarreforma, desde mediados de siglo, contribuyeron a un cambio de mentalidad. El equilibrio y la claridad logrados se rompen, alterados por la interpretación personal de los esquemas clásicos, liderada por las grandes figuras como Miguel Ángel. Se produce un juego con el lenguaje establecido, que da un modo peculiar de ver la pintura, seguido por muchos pintores dentro del movimiento llamado manierismo.

La pintura complica sus manifestaciones con un carácter más intelectual y cerrado, destinada por lo general a círculos exquisitos que valoran su originalidad. Es una pintura elegante y refinada que se recrea en las actitudes extravagantes y caprichosas, llenas de curvas y posiciones forzadas con colores irreales.

Francesco Parmigianino (1503-1540) es uno de los pintores más representativos de este movimiento. Sus formas están llenas de un artificio increíble, alargadas hasta el extremo de la deformidad anatómica, y de colores suaves e irreales. Así ocurre en su célebre *Madonna del cuello largo*.

LA COMPOSICIÓN

En la búsqueda por lograr la perfección en el diseño de las pinturas, además del efecto de la profundidad a través de la perspectiva, era necesario disponer sobre el plano, de una forma armónica y equilibrada, las diferentes piezas que formaran la escena. A esto se denomina composición, y afecta tanto a los volúmenes como a los colores. El dominio de la composición correcta, de acuerdo con proporciones geométricas, fue otro de los logros de la pintura renacentista, por el que la naturaleza se sometía al orden matemático.

La composición triangular o piramidal

La composición triangular o piramidal era considerada por los teóricos como la más aproximada a la perfección. G. P. Lomazzo afirmará en su *Tratado de la Pintura* (1584):
"En la figura hay que exhibir por abajo amplitud y anchura, como en las piernas o ropajes, y por arriba hay que utilizarla a guisa de pirámide, mostrando un flanco y haciendo fugar y escorzar el otro [...]. La figura que se pinta puede estar también a guisa de una pirámide que tenga la base y la zona más amplia orientada hacia arriba, y el cono hacia abajo: y así la figura aparecerá ancha en la parte superior, o enseñando ambos hombros, o extendiendo los brazos o mostrando una pierna y ocultando la otra, o de otro modo similar, según el avisado pintor juzgue que le quedará mejor".

DA VINCI, Leonardo: *Madonna de las Rocas* (hacia 1483).

RAFAEL: *Expulsión de Heliodoro* (1512).

En las obras representadas aquí vemos con claridad este tipo de composición piramidal.

En la obra de Leonardo, *Madonna de las Rocas*, la composición piramidal del grupo central contribuye a la exaltación del mensaje, lleno de belleza ideal. El equilibrio conseguido se complementa con la distribución de luces y colores, las actitudes serenas y la atmósfera que lo envuelve todo, en un paisaje soñado.

En la obra de Parmigianino, *Madonna del cuello largo*, a pesar de la distorsión manierista, que se muestra en el alargamiento de las proporciones anatómicas, en la disposición afectada de los cuerpos y en los movimientos violentos, se mantienen los rasgos tradicionales de la composición clasicista. La disposición de la Virgen responde al esquema piramidal considerado como el más efectivo. El resultado es vertical y elegante.

PARMIGIANINO: *Madonna del cuello largo* (1534).

La composición en los espacios secundarios: los grutescos

Los espacios secundarios, las pilastras o los enmarques de las pinturas se decoran con composiciones imaginarias de gran simetría, con motivos dispuestos en torno a un eje central. El descubrimiento de las ruinas de la *Domus Aurea* de Nerón, con decoración mural de figuras caprichosas mitad humanas y mitad vegetales, llamadas grutescos, estuvo en su origen.

Rafael y sus discípulos utilizan este repertorio en la decoración secundaria de las Estancias Vaticanas (1509-1511), desde donde se difundirá por medio de grabados al resto del continente. Este repertorio de figuras monstruosas será rápidamente asimilado por el manierismo.

La obra

La pintura sobre tabla con el retrato de Mona Lisa es una de las obras más célebres de Leonardo. Se trata de la esposa de Francesco del Giocondo, un banquero florentino.

El artista

Cuando Leonardo inicia en Florencia la pintura de este retrato, en 1503, es ya un maestro consagrado, que conoce en profundidad los secretos del arte y ha experimentado con diferentes técnicas. En esta época está estudiando las posibilidades de la representación del paisaje, como se observa en la parte posterior. La belleza y las calidades de la composición se convierten en un punto de referencia obligado para los pintores de su tiempo.

Análisis formal

Como gran estudioso de la proporción, Leonardo muestra en este retrato una composición piramidal perfecta.

La búsqueda de profundidad hace que disponga la figura en lo que se denomina *contrapposto*, ligeramente vuelta para evitar la frontalidad. El retrato, de medio cuerpo, ofrece la imagen de la retratada sentada en una silla, dentro de un balcón que permite la vista del paisaje. La luz entra por la izquierda y deja espacios en sombra que ayudan a diferenciar los volúmenes, iluminando el rostro y las manos.

Los contornos del dibujo están muy difuminados y pasan sin violencia de la figura a los elementos del fondo. Esa concepción borrosa de la imagen permite dar una sensación de atmósfera y de mayor calor a la composición. El paisaje inquietante e irreal del fondo, donde se plasma un movimiento contenido, colabora en la concepción final del cuadro.

Significado

El dominio de la técnica pictórica es una característica de la obra de Leonardo. Conoce las leyes de la proporción y de la perspectiva para lograr resultados perfectos en cuanto a la composición y al volumen. A partir de ahí hará una pintura muy particular, para captar la atmósfera.

En el retrato como género independiente, manifiesta la consideración humanista de la persona, que se independiza de los cuadros de temática religiosa en los que aparecía como una figura secundaria.

Leonardo utilizará los recursos técnicos para estudiar el interior de la retratada. La naturalidad de la disposición, la sonrisa amable, la expresión de las manos y la serenidad del ambiente se oponen a las formas de los retratos de tipo oficial y cortesano. El fruto es la expresión de su concepto de la belleza ideal.

- Observa el cuadro y explica los conceptos de composición y simetría en relación con las teorías del Renacimiento.
- ¿En qué consiste la técnica leonardesca del *sfumato*? Explícala sobre el cuadro o sobre otras obras del artista.
- Leonardo tiene una personalidad apasionante, no sólo como artista sino como inventor y estudioso. Investiga sobre su figura y señala los aspectos principales de sus aportaciones en diversos campos.

LA BELLA JARDINERA, DE RAFAEL SANZIO

La obra

Pintada sobre tabla en Florencia y fechada en 1507, perteneció a la colección del rey Francisco I de Francia, gran mecenas de las artes en el siglo XVI.

El artista

La obra, firmada y fechada por el autor, es una de las primeras Madonnas que pinta Rafael. En la composición se reúnen la sencillez de la escena y el refinamiento, heredados de su fase de aprendizaje, con el rigor en la distribución de los volúmenes. Su pintura se hace más elaborada en trabajos posteriores, en torno a la corte papal de Roma.

Análisis formal

Con una composición piramidal estricta, en cuyo vértice se coloca la cabeza de la Virgen, el grupo de figuras guarda una disposición armónica. María sobresale de la línea del horizonte y se coloca en posición de tres cuartos.

En la parte inferior Jesús niño está de pie, mientras que san Juan Bautista se arrodilla ante él.

La influencia de su maestro, Perugino, se percibe en la delicadeza de las figuras y en la suavidad del tratamiento, en los rostros y en los desnudos infantiles.

Rafael recoge en su estancia en Florencia las aportaciones de los grandes maestros Miguel Ángel y Leonardo, especialmente visible en el dominio de la composición. Las figuras están detenidas e iluminadas con una luz cálida. El paisaje es sereno y tratado con detalle.

Significado

El tema de la Virgen con el Niño, la célebre Madonna italiana, es interpretado por Rafael con una gran fortuna.

En su obra encontramos varios cuadros que son variaciones sobre el mismo tema, incluyendo más o menos personajes relacionados con la Sagrada Familia (Jesús, María y José). Este tipo de pinturas representa el culmen de la pintura renacentista en los principios que perseguía desde el siglo XV: equilibrio, proporción, simetría, profundidad y belleza idealizada.

El uso de temas amables y el éxito de las composiciones, difundidas a través de los grabados, ha llegado incluso hasta nuestros días. Rafael evoluciona progresivamente en sus composiciones hacia el manierismo.

- Compara esta obra con el retrato de *La Gioconda*, buscando los elementos comunes.
- ¿Qué otras obras pictóricas o arquitectónicas conoces de Rafael?
- ¿Qué son los grutescos y cuál es la relación de Rafael con esta decoración?

EL PROYECTO CÓSMICO DE LA CAPILLA SIXTINA

La decoración de la Capilla Sixtina es una de las obras cumbres de la pintura de todos los tiempos. Miguel Ángel refleja en ella un tratado sobre las formas, la luz y el color. Construye figuras escultóricas y realiza una interpretación personal de todos los logros alcanzados durante el Renacimiento. La exaltación de la anatomía y el desnudo expresaban el papel que se le daba al hombre dentro de las teorías humanistas. En los temas pintados existe un mensaje universalista e integrador. El proceso de trabajo se inició a partir de cartones (dibujos preparatorios de gran tamaño), que permitían al maestro corregir sus estudios antes de plasmarlos al fresco sobre los muros. La obra necesitó de colaboradores, aunque la intervención de Miguel Ángel fue directa y en gran parte única. El resultado final sirvió de guía para muchos artistas posteriores, que estudiarán continuamente las innovaciones que aporta este conjunto.

La bóveda

El papa Julio II, uno de los grandes mecenas del Renacimiento, quiso que Miguel Ángel decorara al fresco la bóveda de la capilla que había mandado construir el papa Sixto, y que era un espacio desnudo y desornamentado. Los trabajos transcurrirán entre 1508 y 1512.

Análisis formal

La bóveda se compartimenta de una manera fingida, con elementos arquitectónicos interpretados libremente. Resultan así una serie de espacios en los que se distribuyen escenas y personajes sueltos. Las figuras se conciben como auténticas esculturas, marcando el dibujo en toda su expresión.

El artista emplea la incidencia de la luz y los contrastes, con escorzos violentos y con actitudes rebuscadas que proporcionan un considerable volumen a las representaciones.

La fuerza anatómica destaca en los desnudos, llenos de energía y masa corpórea, inspirados en la escultura grecorromana. Los esquemas clásicos de composición, simetría, proporción o perspectiva se interpretan con absoluta libertad, sin sujetarse a ninguna regla.

Significado

Los episodios del Génesis, desde la Creación hasta Moisés, sirven para consagrar el papel del hombre como centro de todas las cosas. Junto a estas escenas aparecen asociados las sibilas y los profetas. De esta manera el mensaje de la venida de Cristo se proclamaba con toda su universalidad.

Las figuras de los *ignudi* (desnudos masculinos), que escoltan las diferentes escenas, son creaciones con una función puramente estética, que se disponen en actitudes diversas al lado de medallones con episodios del Antiguo Testamento. Todo el espacio sirve para exaltar la hechura del hombre a imagen y semejanza de Dios, lo que lo convierte en un ser de una energía y una fuerza espiritual enormes.

El Juicio Final

En el testero de la Capilla Sixtina, el papa Pablo III encargó a Miguel Ángel la pintura al fresco de un gran *Juicio Final*. De este modo la decoración de la bóveda tenía su continuidad con el trabajo del mismo maestro. Los dibujos preparatorios se iniciaron en 1535, concluyéndose la obra en 1541.

Análisis formal

La composición tiene importantes precedentes en la escultura y en la pintura medieval (especialmente en las portadas góticas). Se utiliza una distribución en dos planos superpuestos, terrestre y celeste. Toda la escena se agita en un movimiento continuo centrado en la figura de Cristo, como un dios clásico. La profundidad ha desaparecido y todas las figuras están en primer término, acercándose más al espectador. La luz es intensa y frontal. El poder de la anatomía y del desnudo es muy destacado a la hora de conseguir volumen y expresa la evolución alcanzada por Miguel Ángel en su proceso creativo.

Significado

El concepto del *Juicio* se expresa de un modo fácilmente comprensible en cuanto al mensaje. En el plano terrestre se combina la resurrección de los muertos y el ascenso de los bienaventurados hacia el cielo, mientras que los condenados pasan al infierno en la barca de Caronte. Apóstoles y santos rodean la figura poderosa de Cristo juez, que dictamina el destino de los hombres.

El resultado lleva a sus últimas consecuencias el tratamiento del desnudo y la interpretación personal del clasicismo con una extraordinaria maestría. No existe la serenidad y el orden de las composiciones renacentistas. La alteración de las normas y el movimiento dramático anuncian el barroco. El atrevimiento de la desnudez de las figuras sagradas fue ferozmente criticado, lo que ocasionó el encargo a Daniel de Volterra de la pintura de paños que ocultaran algunos cuerpos. El repertorio de formas inspira a los artistas del manierismo, que tienen en las figuras del *Juicio Final* un álbum de modelos en el que inspirarse.

- Explica en qué consiste la técnica del fresco y reflexiona sobre su dificultad en la pintura de la bóveda de la Capilla Sixtina.
- Compara la pintura de Miguel Ángel con la de los grandes pintores del *Cinquecento*, con Rafael y Leonardo, especificando las diferencias que se distinguen entre ellos.
- ¿Por qué las sibilas y los profetas significan el anuncio universal de la venida de Cristo? Averigua cuál es el papel de estos personajes en el mundo pagano y en el mundo cristiano.
- ¿En qué proyecto arquitectónico trabajó Miguel Ángel para Julio II? ¿Cuál es la importancia del papado en el mecenazgo artístico del Renacimiento?

Las circunstancias de la república de Venecia

La república independiente de Venecia, a causa de su prosperidad, mantenía sus propios rasgos de identidad en el conjunto de Italia. Su floreciente situación económica y su poder marítimo relevante le proporcionaban una clientela de ricos comerciantes. Éstos demandan obras artísticas para satisfacer sus necesidades de lujo y adorno. Sus pintores asimilaron las innovaciones de los grandes maestros y formaron una escuela donde lo importante era la percepción visual y el deleite estético a través del color. Su pintura, más fácil de comprender que otras expresiones artísticas, se extendió con éxito por Europa.

Una técnica depurada

Los *rasgos* de la pintura veneciana están claramente definidos. En primer lugar, el *color*, en oposición al dibujo, está en la base de las composiciones. Preferentemente se pinta con una gama de colores cálidos. Las figuras se construyen con pinceladas sueltas, de un cromatismo muy rico, que proporcionan más dinamismo a las escenas. El *detallismo y la riqueza exquisita de las telas o los objetos* que acompañan a los motivos principales de los cuadros son otro de los principios de esta pintura.

La pintura veneciana integra el *paisaje* en sus cuadros y le da mucho protagonismo. Se trata de un paisaje idílico, que responde a los espacios ideales descritos en la literatura, del que forman parte los personajes. Los interiores se realizan como escenarios teatrales de gran profundidad, cargados de motivos ornamentales. A todas estas características hay que unir el papel que se concede a la anécdota y a la temática secundaria, que, en muchas ocasiones, aparece en primer plano, restando protagonismo al motivo central de la escena que se pretende narrar, como ocurre en el *Lavatorio de los pies*, de Tintoretto.

Los grandes maestros

Tiziano (1487-1576) es la principal personalidad artística veneciana del siglo XVI. Su longevidad le permitió una evolución muy interesante dentro del arte de la pintura, recogiendo las diferentes aportaciones e influyendo en los artistas de su entorno. Su pincelada gana en soltura, hasta hacerse muy pastosa.

Veronés (1528-1588) destaca en sus cuadros por recrear escenografías teatrales que se anticipan a las composiciones del barroco, como se observa en *Las bodas de Caná*.

Tintoretto (1518-1594) domina la concepción del espacio diseñando composiciones atrevidas y actitudes que se pueden calificar de manieristas, siguiendo modelos de Miguel Ángel. La luz y los efectos nocturnos se unen a una gama colorista de gran brillantez.

VERONÉS, Paolo: *Las bodas de Caná* (1562-1563). *La arquitectura preside escenarios recargados de objetos decorativos y coloristas. El episodio bíblico se transforma en un banquete suntuoso.*

TINTORETTO: *Lavatorio de los pies* (1547). *El pintor compone el cuadro en perspectiva, con una disposición de las arquitecturas que se prolongan hacia el fondo. Los grupos se distribuyen horizontalmente, para acentuar la sensación de profundidad. La figura de Cristo aparece desplazada del centro por la imagen de un perro recostado y una pareja de apóstoles que se quitan las botas.*

DOS OBRAS MAESTRAS DE TIZIANO

Tiziano trató todos los temas: el religioso, con composiciones llenas de fuerza expresiva, donde combina los principios clásicos con la finalidad devocional; el mitológico, con sensualidad y color en la representación de los desnudos; el retrato, con significativas innovaciones en este género. Su condición de retratista real le proporcionará además una fama notoria.

La Bacanal, un tema mitológico

Esta pintura de tema mitológico narra la llegada de Baco (dios del vino) a la isla de Andros. Sus habitantes lo reciben con una fiesta que Tiziano transforma en campesina y popular.

La mitología sirve en este caso para mostrar el concepto festivo y lujoso de la pintura veneciana. Todo es una exaltación de color, movimiento y luz, otorgando mucha importancia a los pasajes anecdóticos sin buscar un mensaje simbólico elaborado.

Con una gran libertad, Tiziano interpreta una composición aparentemente caótica, que tiene como centro la jarra de cristal elevada por encima de los componentes de la escena, como una referencia simbólica. Se busca el contraste entre las actitudes, unas en reposo, como el desnudo del primer término, y otras en agitado movimiento. Como es habitual en la escuela veneciana, el color y la pincelada pastosa están por encima del dibujo. El paisaje se trata con una tonalidad muy luminosa, que destaca en los brillos de las telas y los objetos secundarios.

TIZIANO: *La Bacanal* (1520).

Retratista de la Casa Real española

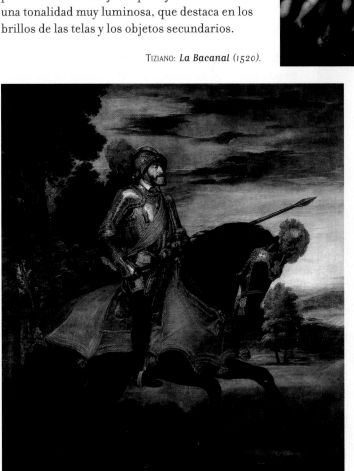

Protegido por el emperador Carlos V y por su hijo Felipe II, Tiziano se convierte en retratista oficial de la Casa Real española. Su maestría con el color y su capacidad para captar la personalidad de los personajes retratados le permitieron sentar las bases de un tipo de retrato cortesano de gran solemnidad, que será imitado por muchos artistas en Europa. La relación con la corte española, ya no sólo como retratista, sino como pintor de temas mitológicos y de cuadros religiosos de fuerte simbolismo para la monarquía, ha permitido que muchos de sus cuadros se exhiban hoy en el Museo del Prado.

Tras una victoria contra los protestantes, Carlos V encarga en 1548 este retrato ecuestre al artista. Siguiendo una composición clásica, que rememora los antiguos retratos romanos, Tiziano estudia al personaje en toda su profundidad psicológica, como general del ejército vencedor. Trata la armadura con detallismo y la serenidad del paisaje se complementa con la luz rojiza del ambiente que presagia la batalla.

TIZIANO: *Carlos V en la batalla de Mühlberg* (1548).

4. LA PINTURA EUROPEA Y LA ASIMILACIÓN DEL RENACIMIENTO

La situación europea

A lo largo del siglo XV, a diferencia de lo que sucedía en Italia, pervive en Europa el espíritu del último período gótico. En Alemania, y en las demás regiones centroeuropeas, los restos clásicos no eran tan abundantes como en los países mediterráneos. En el caso de la pintura, las aportaciones flamencas (uso del óleo, realismo, detallismo de las representaciones) tendrán una larga pervivencia.

Será en el siglo XVI cuando las novedades que se habían gestado en Italia se propaguen por los distintos territorios europeos. La aparición del Renacimiento, muchas veces ya del manierismo, fue asimilada de forma diferente en cada lugar. Las formas del nuevo lenguaje se integraban con la tradición medieval anterior. La transformación no respondió, por tanto, a unos planteamientos teóricos previos, como había sucedido en Italia.

A partir de la Reforma protestante se inicia un período de luchas religiosas en Europa que tendrá consecuencias en el arte. En el centro de Europa, donde la Reforma tiene mayor influencia, se produce un fuerte movimiento iconoclasta, que rechaza las representaciones religiosas. Esto permite el desarrollo de una pintura de temas populares, en donde el paisaje adquiere cada vez más presencia.

Los distintos focos

En *Alemania*, Alberto Durero (1471-1528) es la personalidad más significativa. Humanista y pensador, ensalza en sus autorretratos la figura del artista como un intelectual de su tiempo. Conoce las innovaciones de la perspectiva y la proporción de la pintura italiana, viajando a Italia en dos ocasiones. Su pintura se caracteriza por el dominio del dibujo, la anatomía (*Adán* y *Eva*) y el detallismo en las representaciones vegetales y animales, uniendo los logros de la pintura flamenca a la proporción renacentista.

DURERO, Alberto: *San Jerónimo en su celda* (1514). Además de pintor, Durero era grabador. En esta composición plasma la sencillez del estudio del santo, llena de pequeños detalles, con dominio de la luz y la perspectiva.

En los *Países Bajos*, la pintura flamenca continuará teniendo una enorme influencia y el lenguaje se ofrece con gran variedad de matices.

El Bosco (1450-1516) refleja en su obra la inquietud espiritual del momento en los temas de sus cuadros, con la influencia de los escritos de Erasmo, que anunciaban la Reforma luterana.

Brueghel (1525-1569) está muy influenciado por esta corriente de pensamiento. Su pintura muestra escenas cotidianas, en las que tiene mucha importancia el paisaje, protagonizadas por campesinos. Los temas se tratan desde un punto de vista satírico para que sirvan de reflexión.

En *Francia*, durante el período manierista, se reúnen una serie de pintores de procedencia italiana que se caracterizan por la sensualidad de los temas y la afición a los motivos ornamentales, conocidos como Escuela de Fontainebleau.

En la corte del emperador Rodolfo II, el pintor Arcimboldo (1527-1593) plantea unos originales retratos, propios de la exageración y la extravagancia manierista, asociando materiales de forma antinatural y sorprendente.

ARCIMBOLDO: *El otoño* (1573). Utilizando los productos del campo de la estación que representa, el pintor realiza unos llamativos y sorprendentes retratos.

FANTASÍA, MORAL Y SÁTIRA EN EL BOSCO Y BRUEGHEL

Frente a las composiciones clásicas de Italia, en el norte se busca la representación de seres fantásticos o comunes, dominados por el paisaje que los rodea. La pintura tiene una finalidad moralizante, y las diferentes escenas simbolizan actitudes, defectos o vicios del ser humano.

La fantasía de El Bosco

Por su estilo personal e inclasificable, El Bosco es uno de los pintores más atractivos del panorama artístico europeo, con un estilo independiente respecto a las novedades aportadas por el Renacimiento italiano. En cuanto al detallismo en la representación de los motivos, es heredero de los maestros flamencos. Su temática, soñadora y moralizante, está en el contexto del período convulso previo a la Reforma protestante y antecede con modernidad a los esquemas contemporáneos de la pintura surrealista.

EL BOSCO: *El jardín de las delicias* (hacia 1520).

La obra más popular de El Bosco es *El jardín de las delicias*. Su contenido ha dado lugar a una serie de interpretaciones variadas, llenas de símbolos y mensajes en clave. La tabla de la izquierda representa la *creación del hombre*; la central muestra el *placer y el pecado*; la colocada en el lado derecho manifiesta el *castigo en el infierno*. Creación, Paraíso e infierno, son las escenas que componen este tríptico lleno de detalles fantásticos, de figuras irreales y monstruosas en una naturaleza igualmente irreal. El mensaje se complica para el espectador, que necesita conocer un código para interpretar su contenido, todavía no desvelado.

"Resultaría difícil describir las sorprendentes, las extrañas imágenes caprichosas de espectros y de monstruos infernales que Hieronymus Bosch ha concebido en su cerebro y plasmado con el pincel, a menudo tan desagradables como horribles. Su manera era franca, viva y suelta, y llegaba a pintar varios cuadros simultáneamente".

VAN MANDER, Karel: *El Libro de la Pintura* (1604).

La sátira de Brueghel

La obra de Brueghel el Viejo tiene, aparentemente, una cierta similitud con la de El Bosco: interés moralizante, ironía, imaginación, gusto por el detalle en la descripción, descripciones costumbristas, etc. Sin embargo, aunque sus obras llevan un alto componente moralista, se distancia de El Bosco en el tratamiento de los temas. Debido en parte a que estuvo más en relación con la pintura italiana, su obra es estilísticamente más evolucionada que la de El Bosco.

Respondiendo a esa idea de pintura con fines moralizantes, *La parábola de los ciegos* representa, con un profundo sentido del humor, el pasaje bíblico en el que se critica la confianza de los hombres en los falsos guías: *"Si un ciego guía a otro ciego, caerán ambos en el hoyo "* (Mt 15, 14). El mensaje es en este caso fácilmente comprensible y accesible para el gran público. En un escenario campestre, con una vista urbana al fondo, transcurre el episodio con naturalidad, expresando la idea a través de un acontecimiento cotidiano y de gran simplicidad.

BRUEGHEL EL VIEJO: *La parábola de los ciegos* (1568).

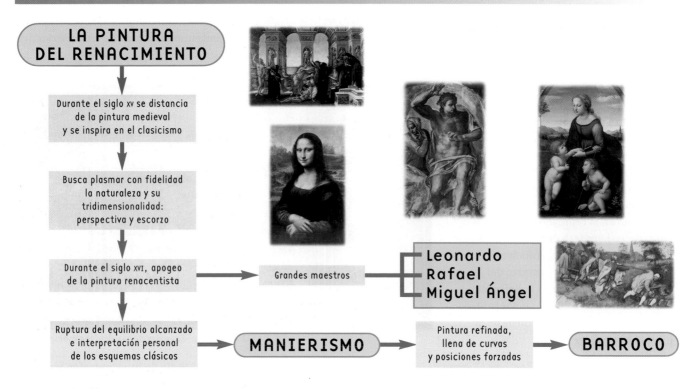

LA PINTURA DEL RENACIMIENTO

Durante el siglo XV se distancia de la pintura medieval y se inspira en el clasicismo

↓

Busca plasmar con fidelidad la naturaleza y su tridimensionalidad: perspectiva y escorzo

↓

Durante el siglo XVI, apogeo de la pintura renacentista → Grandes maestros → **Leonardo Rafael Miguel Ángel**

↓

Ruptura del equilibrio alcanzado e interpretación personal de los esquemas clásicos → **MANIERISMO** → Pintura refinada, llena de curvas y posiciones forzadas → **BARROCO**

LA PINTURA DEL RENACIMIENTO ITALIANO

	CARACTERÍSTICAS	PINTORES Y OBRAS
"QUATTROCENTO"	• Ruptura con el gótico internacional. • Inspiración en el mundo clásico. • Plasmación fiel de la naturaleza y su tridimensionalidad. • Empleo de la perspectiva. • Estudio de la luz y del movimiento.	• FRA ANGÉLICO: *Anunciación* (1430-1435). • MASACCIO: *El tributo del César* (hacia 1425); *La Trinidad* (hacia 1427). • Piero DELLA FRANCESCA: *La Virgen con el Niño, santos y Federico de Montefeltro* (1472-1474). • Sandro BOTTICELLI: *La calumnia de Apeles* (hacia 1485); *El nacimiento de Venus* (hacia 1478); *La primavera* (1480-1481). • Pietro PERUGINO: *Entrega de las llaves a san Pedro* (1481). • Andrea MANTEGNA: *Muerte de la Virgen* (1462); *Cristo muerto* (1480).
"CINQUECENTO"	• Dominio de la técnica, a partir de los estudios iniciados en el siglo anterior. • Apogeo de la pintura renacentista con la aparición de los grandes maestros. • Proceso de interpretación personal de las formas, dando lugar al manierismo.	• LEONARDO DA VINCI: *La Última Cena* (1495-1497); *Madonna de las Rocas* (1483); *La Gioconda* (1503); *Santa Ana, la Virgen y el Niño* (1509). • RAFAEL: *La bella jardinera* (1507), *Escuela de Atenas* (1510-1513). • MIGUEL ÁNGEL: *Tondo Doni* (1504); Frescos de la Capilla Sixtina (1508-1541).
EL MANIERISMO	• Ruptura del equilibrio alcanzado en favor de la interpretación personal de las reglas que hacían los grandes pintores. • Complicación formal: actitudes extravagantes, curvas y posiciones forzadas. • Colores suaves e irreales.	• PARMIGIANINO: *Madonna del cuello largo* (1534).
PINTURA VENECIANA	• Desarrollo en un ambiente de florecimiento económico. • Asimilación de las creaciones de los grandes maestros. • Importancia del color por encima del dibujo, detallismo y lujo. • Integración del paisaje. • Anécdota y temática secundaria.	• TIZIANO: *La Bacanal*; *Carlos V en la batalla de Mühlberg* (1548). • TINTORETTO: *El lavatorio de los pies* (1549). • VERONÉS: *Las bodas de Caná* (1562-1563); *Moisés salvado de las aguas* (1575).

LA ASIMILACIÓN EUROPEA DEL RENACIMIENTO

CARACTERÍSTICAS GENERALES	PINTORES Y OBRAS
• Pervivencia del gótico y de la pintura flamenca. • Difusión de los principios renacentistas italianos en el siglo XVI. • Integración de las nuevas formas con las aportaciones del pasado. • El surgimiento de la Reforma protestante: rechazo de las representaciones religiosas en favor de la pintura de paisaje.	• Alberto DURERO: *San Jerónimo en su celda*, grabado (1514). • EL BOSCO: *El jardín de las delicias* (1520). • BRUEGHEL: *La parábola de los ciegos* (1568). • ARCIMBOLDO: *El otoño* (1573).

HACIA LA UNIVERSIDAD

1. Analiza y comenta los siguientes cuadros:

LEONARDO: *Santa Ana, la Virgen y el Niño* (hacia 1509).

VERONÉS: *Moisés salvado de las aguas* (hacia 1575).

2. Define los siguientes términos: *sfumato, grutesco, Madonna, alegoría, fresco.*

3. Desarrolla uno de estos dos temas:

    a) *Características de la pintura de los grandes genios del Cinquecento italiano: Leonardo, Miguel Ángel, Rafael.*

    b) *La escuela veneciana del Cinquecento italiano.*

4. Comenta el siguiente texto:

> *Quiero, dijo entonces el conde [...] hablar de otra cosa [...], cumple que nuestro Cortesano la sepa, y es saber dibujar o trazar y tener conocimiento de la propia arte del pintar. Y no os maravilléis que yo le desee esta arte, la cual hoy en día quizás es tenida por mecánica, y por ventura no parece que convenga a caballero, que yo me acuerdo haber leído en los antiguos, en especial en toda Grecia, querían que los mancebos generosos estudiasen dentro de las escuelas y se ejercitasen en la pintura como en cosa virtuosa y necesaria [...]. Verdaderamente quien no aprecia esta arte paréceme hombre fuera de toda razón; que si bien lo contemplamos, toda la fábrica de este mundo que vemos [...], podemos decir que no es otra cosa sino una milagrosa y gran pintura por las manos de la natura y de Dios compuesta, la cual quien fuere para imitarla merecerá ser alabado de todo el mundo.*

> CASTIGLIONE, Baltasar: *El cortesano*, Venecia, 1528

    — Investiga sobre Castiglione y su obra *El cortesano*.

    — Explica el texto incidiendo en: *la consideración de la pintura; la influencia del mundo clásico; la síntesis con el cristianismo.*

PASADO Y PRESENTE EN EL ARTE

En 1980 se comenzó la restauración de la pintura de la Capilla Sixtina. El proceso y el resultado de la limpieza han sido polémicos. La restauración podía ser excesiva. También, la imagen de la pintura y el tono anteriores ya estaban consolidados entre el público.

— Observa las dos imágenes. ¿Cuál es tu opinión? La suavidad de los colores originales que han reaparecido ¿son propios de la pintura del primer Renacimiento o del manierismo? Razona ambas respuestas.

MIGUEL ÁNGEL: *La creación del hombre (antes de la restauración).*

La creación del hombre (después de la restauración).

El punto de vista

Fue el gran arquitecto Filippo Brunelleschi quien descubrió los principios técnicos de la perspectiva experimentando con dos tablas pintadas; había representado en ellas el baptisterio de la catedral y la plaza de la Signoria, es decir, que eran dos vistas arquitectónicas, y se contemplaban, reflejadas en un espejo, mirando desde atrás por un agujerito practicado en el centro de ambas pinturas. Aunque puede haber alguna duda al interpretar los pormenores de ese curioso dispositivo, sí parece claro que Brunelleschi hizo una especie de caja con una imagen a la que se miraba desde un punto fijo: su semejanza con la cámara oscura era muy grande. Podemos deducir de ello que la llamada perspectiva central (o monofocal) renacentista surgió de la confluencia de algunos experimentos ópticos, corregidos por el sistema matemático de las proyecciones.

Confluencia de las líneas en el "punto de fuga", que coincide con el ojo del espectador. Imagen de la "Perspectiva" de Vredeman de Vries (1605).

El ojo, mediador de todas las cosas

En efecto, las imágenes luminosas del mundo exterior, proyectadas a través de un agujero en el fondo de una habitación a oscuras, habrían dado una pauta inicial, la cual fue racionalizada en seguida por teóricos como Leon Battista Alberti, que describió la representación en perspectiva como la sección matemática de la "pirámide visual" (se suponía que una especie de cono conectaba cada punto del asunto a representar con su lugar de confluencia en el ojo del espectador).

No es éste ni mucho menos el modo natural de la visión humana. Tenemos dos ojos que se mueven constantemente (al igual que nuestros cuerpos, o muchos asuntos de la representación), y sabemos que la percepción está muy ligada a los mecanismos intelectuales del reconocimiento, es decir, que depende de lo que sabemos. La representación renacentista ideal hacía caso omiso de esto y concebía al ser humano como una especie de cíclope con un ojo único e inmóvil, situado a media altura, controlando desde un centro, el llamado "punto de fuga", todos los elementos del campo perceptivo. No era exactamente el hombre sino su ojo lo que se erigía en "medida de todas las cosas".

Por eso adquirieron las artes visuales a partir del Renacimiento una gran importancia social, muy superior, sin duda, a la que habían tenido en el largo período medieval. El orden del mundo, tal como se suponía que éste era de verdad, fue presentado por los pintores de un modo riguroso. No había, pues, conflicto entre el arte y la ciencia. Los artistas, expertos ahora en una actividad de notable dignidad intelectual, podían aspirar a un estatus social más elevado. No es aventurado, en cualquier caso, vincular las luchas por su dignificación profesional con el descubrimiento y desarrollo de la perspectiva.

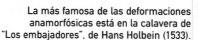

La más famosa de las deformaciones anamorfósicas está en la calavera de "Los embajadores", de Hans Holbein (1533).

Primacía del orden matemático

Una vez descubierto y dominado este sistema de representación, surgieron sus desviaciones y reelaboraciones virtuosas. Encontramos, en efecto, obras paradigmáticas en las cuales las leyes de la perspectiva se aplicaron de un modo ortodoxo (como *La entrega de las llaves a san Pedro*, de Perugino, o *La escuela de Atenas*, de Rafael), pero Leonardo da Vinci hizo, mediante un artificio sutil (como demostró en su día Leo Steinberg), que el espacio arquitectónico de su *Última Cena* fuera trapezoidal, y no rectangular como parece sugerir la convergencia perspectívica de los casetones del techo. No es el único caso de este tipo.

En realidad, la perspectiva sólo se podía aplicar con exactitud cuando había ingredientes geométricos, a ser posible ortogonales, y ésa es otra explicación de por qué encontramos tantas arquitecturas, pavimentos y techos regulares en la pintura de la Edad Moderna. Para los paisajes y las figuras los pintores se sirvieron normalmente de métodos empíricos, encajando tales cosas, por aproximación, en un esquema matemático subyacente. Observemos como ejemplo *La batalla de San Romano*, pintada en 1456 por Paolo Uccello (véase página 247), cuyo entusiasmo por el nuevo método de representación fue transmitido por Vasari al contarnos cómo hacía caso omiso de los requerimientos de su esposa para acudir al lecho conyugal, enfrascado como estaba en los problemas de la "dulce perspectiva". El tema que comentamos no permitía la inclusión de arquitecturas pues la batalla se había desarrollado en el campo; por eso Uccello dispuso las lanzas rotas en el suelo formando una especie de pavimento ortogonal; las figuras y los atuendos tienen una apariencia geométrica y abstracta como si hubiera pretendido exhibir resoluciones prácticas de arduos problemas matemáticos.

Anamorfosis y trampantojos

También las *anamorfosis* fueron resultado del ingenio perspectívico. Son imágenes deformadas que adquieren su apariencia correcta al ser contempladas desde un punto de vista determinado. Si tales cosas se insertaban como "detalles" en una representación ordinaria, podían entenderse al modo de mensajes escondidos que era necesario descifrar.

Es el caso de *Los embajadores*, de Hans Holbein (1533), en cuyo centro se percibe, flotando sobre la alfombra, una calavera anamorfósica, la cual nos permite interpretar la pintura como un especie de "vanitas". Era importante para reconocer representaciones así situar al ojo en otro lugar, elegido previamente por el pintor. Esto da una buena medida del progresivo "endiosamiento" del artista, con su control creciente sobre nosotros, los mirones.

Pensemos en las grandes creaciones del llamado "barroco decorativo", con sus prodigiosos efectos de *trampantojo*: las apoteósicas apariciones reales, o las alegorías divinas, en inmensos edificios que se abren al cielo infinito (como en la bóveda de la iglesia de San Ignacio de Roma, pintada en 1691-1694 por Andrea Pozzo), requieren la adopción de una posición física correcta desde la que mirar. Estaba implícita una interesante traslación metafórica: entender el mundo exige la perspectiva (el punto de vista) de la Revelación, y lo mismo sucede, físicamente, con su exaltada representación.

En los siglos XIX y XX se ha acentuado la importancia de esta cuestión, pues la fotografía, y luego el cine, han obligado a pensar mucho sobre el campo de la visión. Los picados y contrapicados, las vistas microscópicas y las aéreas multiplicaron prodigiosamente nuestro conocimiento óptico del mundo. Podría decirse que el montaje cinematográfico es el arte de crear significados mediante el ensamblaje de tomas sucesivas, con "puntos de vista" diferentes. Del ojo único, propio de la visión renacentista, hemos pasado a su infinita proliferación.

Un punto de vista insólito fue adoptado por Nadar, amigo de los impresionistas y autor de las primeras fotografías aéreas de la historia. Aquí aparece en una caricatura hecha en 1863 por su contemporáneo Honoré Daumier.

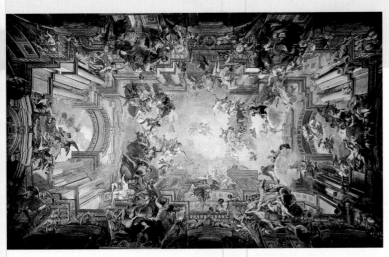

El control del punto de vista era esencial para el efecto de las grandes pinturas del "barroco decorativo". Bóveda de la iglesia de San Ignacio de Roma, de Andrea Pozzo (1691-1694).

14. EL RENACIMIENTO: ESCULTURA

La escultura renacentista muestra el absoluto dominio del hombre sobre la naturaleza. A través del volumen se expresa perfectamente la influencia de las teorías humanistas, y tanto el relieve como la escultura de bulto redondo sirven para exaltar la anatomía humana y la presencia del hombre en la nueva sociedad. La escultura funeraria o los monumentos públicos cumplen este papel con ejemplos muy significativos.

El período de formación del siglo xv, con grandes maestros inspirados en el abundante pasado clásico conservado en Italia, tiene su punto culminante en la obra de un artista genial, Miguel Ángel. Su obra, que experimenta una rica evolución hacia formas de expresión intensa, representa el punto más elevado de la escultura de todos los tiempos. Su visión tan personal y llena de matices pone las bases de la lectura libre de la escultura manierista y prepara las novedades del barroco.

MIGUEL ÁNGEL:
Sepulcro de Giuliano de Médicis.

MIGUEL ÁNGEL BUONARROTI

Pero el que tanto entre los muertos como entre los vivos se lleva la palma, y les sobrepasa y domina a todos, es el divino Miguel Ángel Buonarroti, que tiene la primacía no sólo en una de estas artes sino en las tres juntas (...). Y con los esfuerzos de tan bella y fructífera planta se han extendido ya tantas y tan honrosas ramas que (...) bien puede decirse con toda seguridad de sus estatuas que, en cualquiera de sus partes, son mucho más bellas que las antiguas; se reconoce al comparar cabellos, manos, brazos y pies, realizados por uno y por los otros, que permanecen en las de él un cierto fundamento más sólido, una gracia más completamente graciosa y una perfección mucho más absoluta, ejecutada con una dificultad tan fácil en su manera que es imposible ya ver nunca algo mejor.

VASARI, Giorgio: *Vidas de los más excelentes arquitectos, pintores y escultores* (1550)

CLAVES DE LA ÉPOCA

- Rasgos generales
  de la escultura
  del Renacimiento
- Materiales, técnicas
  y tipos
- Los temas
- Retrato e imagen
  pública
- La perduración
  después de la muerte

**1. ESCULTURA DEL
"QUATTROCENTO"**

- Los inicios de
  la escultura
  renacentista
- Donatello, el gran
  escultor del
  "Quattrocento"
- Otros escultores

ANÁLISIS 1

- Las puertas
  del baptisterio de la
  catedral de Florencia
- *Encuentro de
  Salomón y la reina
  de Saba*, de Ghiberti

**2. ESCULTURA DEL
"CINQUECENTO"**

- La perfección
  renacentista
- Miguel Ángel, el genio
- La escultura
  del manierismo

ANÁLISIS 2

- *David*, de Miguel Ángel
- *Perseo*, de Benvenuto
  Cellini

ANÁLISIS 3

- El mausoleo de Julio II,
  de Miguel Ángel
- Las tumbas de los
  Médicis, de Miguel
  Ángel

S   Í   N   T   E   S   I   S

CLAVES DE LA ÉPOCA

Rasgos generales de la escultura del Renacimiento

Lo mismo que sucedió con la arquitectura, la abundancia de restos arqueológicos del pasado clásico permitió la reinterpretación de la escultura de acuerdo con los valores propios del Renacimiento. La presencia de esos restos hizo que en Italia no se perdiera, incluso durante la Edad Media, la influencia de la escultura grecolatina; fragmentos de esculturas clásicas decoraban los palacios y eran fuente de inspiración para los artistas.

La escultura sirvió para distinguir la propia condición humana y reflejar la grandeza del hombre dentro de la nueva sociedad. Para alcanzar la perfección se desarrolló el estudio de las proporciones y del canon clásico. Para ello era necesario aproximarse a la anatomía y reflexionar sobre la plasmación del desnudo de acuerdo con la idea de la perfección del hombre dentro de la Creación. Se pretendía obtener una sensación de realidad, que se incrementaba cuando se consiguió transmitir la idea de ritmo y movimiento.

Laocoonte.
La aparición en 1506 de esta escultura helenística supuso un cambio en la concepción de la escultura. que abandona la sobriedad anterior y presagia los rasgos del manierismo.

Materiales, técnicas y tipos

La escultura se practica o con obras de bulto redondo (talla completa, que permite la visión desde todos los puntos de vista), o en relieve. Además de la madera, en Italia se usarán los mismos materiales que se habían empleado en la Antigüedad, especialmente el mármol y el bronce. La talla directa y el fundido, en el caso del metal, son técnicas en las que se alcanza una gran perfección. La práctica del modelado se aplica en el barro, posteriormente cocido y en ocasiones vidriado, con el que también se realizan obras plásticas. La orfebrería adquiere a veces un carácter escultórico, con piezas de gran finura en las que se aplica el fundido y el cincelado (golpeando con un cincel para obtener el relieve).

Los temas

La escultura religiosa sigue siendo la más reclamada. Los personajes sagrados adquieren la dignidad de los dioses clásicos y se representan con rasgos físicos totalmente humanizados.

El tema mitológico, inspirado en los modelos clásicos y en el uso del desnudo, empieza a ser muy frecuente. Su significado se relaciona con principios morales o con determinados ideales (Hércules = la fuerza de la virtud).

En este período tienen un gran auge el retrato y los monumentos públicos (fuentes o estatuas). Su éxito es la prueba del lugar destacado que ocupa la persona en el nuevo orden social y del elevado concepto que se tenía del urbanismo y de la vida en la ciudad. Los tipos de retrato más característicos son el busto y el retrato ecuestre.

Además del retrato, destaca la escultura funeraria como imagen de la inmortalidad de la persona, con representaciones alegóricas en las que se exaltan las virtudes del fallecido, personificadas en figuras con símbolos peculiares (fortaleza: la columna; justicia: la espada y la balanza).

DONATELLO: *Profeta Habacuc (1423-1426).*
La humanización de los personajes sagrados se lleva a sus últimas consecuencias. Donatello retrata la vejez y la emoción religiosa en figuras tan impactantes como este profeta calvo. La escultura es popularmente conocida como Il Zuccone (El pepino).

Retrato e imagen pública

La importancia y la consideración de la persona como ser individual tienen su reflejo en la valoración del retrato renacentista. Frente al segundo plano que ocupaba la persona en la teocéntrica sociedad medieval, ahora se persigue su protagonismo.

El monumento urbano, al igual que en la época romana, servía para exaltar las glorias de un personaje, de una familia o de una idea que se quisiera transmitir a los ciudadanos. Leonardo da Vinci le dice al duque de Milán en una carta de 1482: "Además, podrá llevarse a cabo el caballo de bronce, que será gloria inmortal y honor eterno para la feliz memoria de vuestro señor padre y de la ínclita casa de los Sforza".

DONATELLO: *Condottiero Gattamelatta* (1447-1453).

El monumento al soldado adquiere un gran protagonismo. El *condottiero* era un mercenario al frente de un ejército que, al servicio de los poderosos, limitaba las libertades ciudadanas imponiendo un gobierno dictatorial. Los monumentos públicos consagraban su papel de héroe militar y recordaban su poder. Las dos estatuas ecuestres de Donatello y de Verrochio, respectivamente, representan a dos de ellos. El modelo es el retrato romano de Marco Aurelio situado en la plaza romana del Capitolio. En su tratamiento se produce un cambio de actitudes, de la serenidad y equilibrio del retrato de Gattamelatta al movimiento arrogante de Colleoni.

La perduración después de la muerte

Las esculturas sepulcrales contribuyen a consolidar la imagen pública al servicio de la fama póstuma. Es un modo de perdurar en la memoria, a pesar de la muerte, con una imagen realista del difunto. La costumbre, que ya había existido en la Edad Media, llega ahora a su punto más elevado. El sepulcro que vemos en la imagen fue esculpido por Jacopo della Quercia. La representación realista de la yacente aparece custodiada sólo por figuras de angelitos desnudos que sostienen la guirnalda, símbolo de la recompensa de la fama, sin ninguna referencia de tipo religioso.

DELLA QUERCIA, Jacopo:
Sepulcro de Hilaria del Carretto (hacia 1406).

SIGLOS	HISTORIA Y CULTURA	ARTE
XV	• Victoria de los venecianos sobre los turcos (1415). • Primeras impresiones xilográficas (1419). • Aparición de la imprenta (hacia 1450). • Fin del imperio turco (1453). • Descubrimiento de América (1492).	• *Segundas puertas del Baptisterio*, de GHIBERTI (1404-1424). • *Terceras puertas del Baptisterio*, de GHIBERTI (1425-1452). • *Condottiero Gattamelatta*, de DONATELLO (1453). • *Condotiero Colleoni*, de Andrea VERROCHIO (1496). • *Pietà del Vaticano*, de MIGUEL ÁNGEL (1495).
XVI	• Julio II, papa (1503-1513). • León X, papa (1513-1521). • Inicio de la Reforma (1519). • Saco de Roma (1527). • Concilio de Trento (1545-1563).	• *David*, de MIGUEL ÁNGEL (1506). • *Pietà de Florencia*, de MIGUEL ÁNGEL (1550). • *Perseo*, de Benvenuto CELLINI (1554). • *Pietà Rondanini*, de MIGUEL ÁNGEL (1564). • *El rapto de las Sabinas*, de Juan de BOLONIA (1583).

1. ESCULTURA DEL "QUATTROCENTO"

Los inicios de la escultura renacentista

La escultura gótica italiana contó siempre con la influencia del pasado clásico, por lo que la evolución hacia las formas renacentistas se hizo en el siglo XV dentro de un proceso natural, sin cortes traumáticos. La escultura consigue unas proporciones esbeltas, valorando la línea curva, a partir de una depuración de los modelos del gótico internacional. La búsqueda del realismo y la valoración de la figura humana en sus diferentes actitudes evolucionan para cristalizar en los primeros años del siglo XVI, y será llevada a su punto más elevado por Miguel Ángel.

Lorenzo Ghiberti (1378-1455), escultor y orfebre, es una de las primeras figuras que plasma en sus obras las inquietudes plásticas del nuevo estilo. Su intervención en las puertas del baptisterio de San Juan, de Florencia, muestra el dominio de la anatomía y la complejidad de la composición en los relieves. Su concepto del relieve es un reflejo de los logros de la pintura en la escultura (la perspectiva, la valoración de la luz y la sombra o el principio de simetría).

Jacopo della Quercia (1374-1438) manifiesta esa misma atención anatómica inspirada en la escultura clásica, con figuras heroicas y temas mitológicos, en sepulcros donde recupera los motivos romanos, como el de Hilaria del Carreto, o en monumentos públicos como en la Fuente Gaia, de Siena.

Donatello, el gran escultor del "Quattrocento"

Donato di Betto Bardi, llamado Donatello (1386-1466), es el escultor que rompe con la tradición goticista, volviendo la mirada al pasado grecorromano, para reinterpretar con gran acierto los modelos. Emplea el bronce, el mármol y la madera con igual maestría. Sus esculturas tienen una gran energía y muestran dignidad en el retrato. Conoce a la perfección la anatomía y domina el contraste de luces y sombras a través del trabajo de los volúmenes. Estudia las proporciones del cuerpo humano y está muy influenciado por la escultura clásica, aunque no esculpe ningún tema mitológico. Las esculturas de Donatello muestran serenidad y simplicidad en las composiciones, dando como resultado formas elegantes y sencillas.

Busca la individualidad y aporta a las figuras sagradas unos caracteres personales que interpreta como retratos (*David* o *San Jorge*). Le interesa captar la evolución de la edad del hombre. Estudia desde las representaciones de niños (*cantoría de la catedral de Florencia*) hasta la ancianidad, en esculturas realistas como la del *Profeta Habacuc*. Ese estudio de la realidad le permite tratar incluso el tema de la fealdad, buscando el contenido expresivo y dramático, como se puede ver en su *Magdalena penitente*.

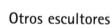

DONATELLO: *San Jorge (hacia 1417).*
"En su cabeza se reconoce la belleza de la juventud, el ánimo y el valor con las armas, una vivacidad de gallardía terrible y un maravilloso gesto de movimiento dentro de la piedra"
(Giorgio Vasari).

Otros escultores

Lucca della Robbia (1400-1482). Estuvo al frente de un taller en el que, además del mármol, se trabajaba el barro cocido (*terracotta*). Este material se vidriaba para producir placas cerámicas de tema religioso, con figuras en blanco y fondos en azul o verde, que tendrán una gran difusión y alcanzarán mucha popularidad.

Andrea Verrochio (1435-1488). Sus esculturas son muy expresivas y manifiestan una gran fuerza interior, como se puede observar en su célebre *Condottiero Colleoni*.

DELLA ROBBIA, Lucca: *Tondo representando a la Virgen con el Niño.*
El tondo es un medallón con decoración artística, pintada o esculpida. Fue muy empleado en el arte italiano.

DOS OBRAS MAESTRAS DE LA ESCULTURA ITALIANA

Entre las esculturas que durante el Renacimiento se realizaron en bronce para ser emplazadas en lugares públicos y que influyeron en la imaginería posterior se encuentran el David, de Donatello, uno de los primeros desnudos de gran tamaño de la época; y la estatua ecuestre del Condottiero Colleoni, de Verrochio, precedente de un género que tendrá mucho éxito en la historia posterior.

La representación de **David**, de Donatello, colocada en origen en el patio del palacio florentino de los Médicis y desde 1495 en la plaza de la Signoria, está concebida como una imagen pública. Fundida en bronce entre 1435 y 1445, es uno de los primeros desnudos escultóricos de gran tamaño del Renacimiento.

La escultura tiene su propia personalidad a partir de la inspiración en el mundo clásico, con una interpretación libre de los modelos romanos. El joven rey se eleva, desnudo y tocado con sombrero, sobre la cabeza del gigante Goliat. Su postura describe una ligera curva para compensar la actitud de ambos brazos, uno formando un triángulo apoyado en la cintura y el otro sosteniendo la espada, para lograr un equilibrio final. El retrato se elabora con realismo, y la actitud del personaje muestra serenidad y reposo después de la victoria. Las líneas suaves que forma la postura del cuerpo permiten lograr un efecto de claroscuro y de volumen.

La figura de *David* victorioso es la imagen simbólica de la juventud y la pureza que triunfa sobre la tiranía. La escultura de Donatello inicia una serie de representaciones renacentistas del rey de Israel (Verrochio, Miguel Ángel), que expresan a la perfección los sentimientos políticos de los estados italianos. La condición del rey es interpretada como la del joven pastor que dirige a su pueblo a la victoria sobre el enemigo, con sentimientos puros. La desproporción de la figura con el tamaño de la espada y de la propia cabeza de Goliat pone de manifiesto la inspiración divina de su victoria.

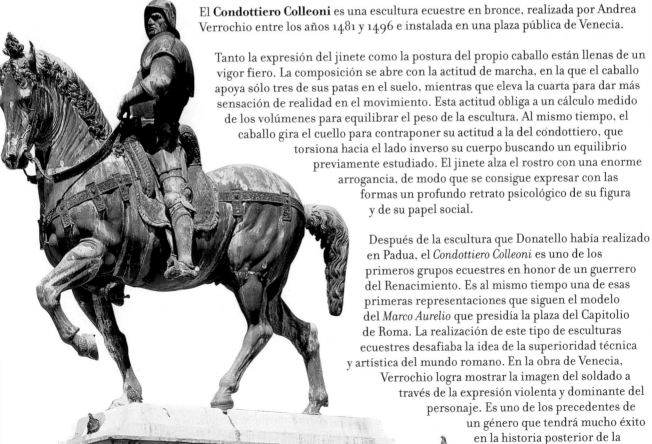

El **Condottiero Colleoni** es una escultura ecuestre en bronce, realizada por Andrea Verrochio entre los años 1481 y 1496 e instalada en una plaza pública de Venecia.

Tanto la expresión del jinete como la postura del propio caballo están llenas de un vigor fiero. La composición se abre con la actitud de marcha, en la que el caballo apoya sólo tres de sus patas en el suelo, mientras que eleva la cuarta para dar más sensación de realidad en el movimiento. Esta actitud obliga a un cálculo medido de los volúmenes para equilibrar el peso de la escultura. Al mismo tiempo, el caballo gira el cuello para contraponer su actitud a la del condottiero, que torsiona hacia el lado inverso su cuerpo buscando un equilibrio previamente estudiado. El jinete alza el rostro con una enorme arrogancia, de modo que se consigue expresar con las formas un profundo retrato psicológico de su figura y de su papel social.

Después de la escultura que Donatello había realizado en Padua, el *Condottiero Colleoni* es uno de los primeros grupos ecuestres en honor de un guerrero del Renacimiento. Es al mismo tiempo una de esas primeras representaciones que siguen el modelo del *Marco Aurelio* que presidía la plaza del Capitolio de Roma. La realización de este tipo de esculturas ecuestres desafiaba la idea de la superioridad técnica y artística del mundo romano. En la obra de Venecia, Verrochio logra mostrar la imagen del soldado a través de la expresión violenta y dominante del personaje. Es uno de los precedentes de un género que tendrá mucho éxito en la historia posterior de la escultura pública.

Los baptisterios

Los baptisterios eran edificios exentos, próximos a los templos y habitualmente dedicados a San Juan Bautista. La celebración de la ceremonia del bautismo en estos edificios se pensaba para que a los templos sólo accedieran los bautizados.

La competencia entre diferentes artistas, el uso del bronce y el dominio de la técnica del relieve con un carácter pictórico han convertido las puertas del baptisterio de Florencia en un referente permanente de la escultura renacentista.

Las segundas puertas del baptisterio

En 1330 Andrea Pisano había hecho en bronce los relieves para una de las puertas del baptisterio de San Juan de Florencia. En 1402 se decide encargar las segundas puertas, para lo que se convocó un concurso entre los artistas, en el que también participó Brunelleschi, de manera que se establecía una pugna por conocer cuál era el más valorado. Se pidió que los participantes realizaran como prueba una representación del Sacrificio de Isaac. El vencedor fue Ghiberti, que, adaptándose a la forma polilobulada de los medallones empleados por Pisano, y con muchos recuerdos de la escultura gótica, introduce novedades como el uso del paisaje, el desnudo y los motivos clásicos.

GHIBERTI: *Las segundas puertas (1404-1424).*

BRUNELLESCHI: *El sacrificio de Isaac (1402).*

GHIBERTI: *El sacrificio de Isaac (1402).*

Las terceras puertas: las Puertas del Paraíso

En 1425 se encargan a Ghiberti las últimas puertas del baptisterio, donde cambia el marco anterior en favor de la forma cuadrada. El tratamiento del relieve tiene aquí todas las características del nuevo estilo, interpretado como una técnica pictórica. El trabajo del relieve en el siglo XV adquiere unas características realmente pictóricas, de modo que recupera la tradición del arte romano. La suavidad con que se trata y el estudio de la perspectiva en las composiciones que se realizan lo convierten en una pintura, en razón de la gradación de volumen con que se lleva a cabo.

A la forma de trabajar se la denomina *schiacciato*. Es una técnica característica del Renacimiento italiano. Consiste en rebajar el volumen en los distintos planos de la composición desde prácticamente el bulto redondo, o un relieve muy alto, hasta la ejecución de marcas casi imperceptibles en los planos más alejados. Con ello se consigue una mayor sensación de realidad y de espacio, al tiempo que se proporciona más luz con el juego de claroscuro que producen las diferentes alturas del relieve. El resultado del trabajo en estas últimas puertas fue de una gran perfección, y el propio Miguel Ángel las llamó las *Puertas del Paraíso*.

Ghiberti comentaba de esta manera sus impresiones sobre su trabajo:

"Plantee su elaboración en recuadros (...) eran historias del Antiguo Testamento muy copiosas en figuras, y en ellas me las ingenié con todo cálculo para no apartarme de la búsqueda de la imitación de la naturaleza hasta donde me resultara posible, y para incluir en ellas todos los rasgos que pudiera y unas composiciones magníficas y repletas de muchísimas figuras [...]".

La obra

En 1425 Ghiberti da comienzo a las terceras puertas del baptisterio de San Juan de Florencia. El escultor ya había realizado las anteriores, después de un reñido concurso. Ahora le encargarán las últimas con escenas del Antiguo Testamento, como la que nos ocupa. En ellas muestra un absoluto dominio de la técnica del relieve sobre el bronce.

El artista

Ghiberti es una de las personalidades artísticas más interesantes del panorama renacentista. Su dominio técnico en lo que se refiere a la fundición y el trabajo de los metales, se une a las novedades en el estudio de los volúmenes y la perspectiva.

GHIBERTI: *Detalle del Encuentro de Salomón y la reina de Saba.*

Las terceras puertas o Puertas del Paraíso (1425-1452).
Los protagonistas de las escenas son (de izquierda a derecha y de arriba abajo): Adán y Eva; Caín y Abel; Noé; Abrahán; Esaú y Jacob; José; Moisés; Josué; David; Salomón y la reina de Saba.

Análisis formal

El relieve del *Encuentro de Salomón y la reina de Saba* es un ejemplo del trabajo de Ghiberti. En un enmarque cuadrado, el desarrollo compositivo recibe el mismo tratamiento que una pintura de su tiempo. Los dos personajes principales se sitúan en el eje de simetría. Los grupos humanos se dividen en bloques a ambos lados.

La escena se concibe como un espacio teatral en perspectiva. En primer plano, las figuras humanas adquieren mayor volumen y se representan en actitudes diversas. Según se avanza hacia la parte posterior, disminuye la escala humana y el grosor del relieve hasta hacerse imperceptible, de forma que con la diferencia de volumen se representa la profundidad. El fondo aparece ocupado por una construcción arquitectónica que sirve de telón y se representa de acuerdo con las leyes de la perspectiva.

Significado

El tratamiento del relieve en estas puertas supone una auténtica novedad con respecto a la tradición anterior, ya que retoma los principios empleados en el relieve clásico. Las composiciones responden a la idea del equilibrio renacentista y se conciben con un extraordinario dominio técnico en la complejidad de las escenas y los grupos humanos. Se capta además el movimiento y se interpreta el juego de luces y sombras con un sentido pictórico. Las novedades de Ghiberti culminan en los trabajos en relieve realizados por Donatello y sus seguidores.

- ¿Qué es un baptisterio? ¿Recuerdas alguno realizado en otro período artístico?
- ¿En qué consiste la técnica del *schiacciato*?
- ¿Quién había realizado las primeras puertas? ¿Encuentras diferencias entre los relieves de Brunelleschi y de Ghiberti para el concurso de las segundas puertas? ¿Cuál es la novedad del marco empleado por Ghiberti en las Puertas del Paraíso frente a las anteriores?
- Repara en las arquitecturas del relieve que has estudiado y descríbelas. ¿Son góticas o renacentistas?

2. ESCULTURA DEL "CINQUECENTO"

La perfección renacentista

Como sucede en las otras ramas del arte, en los primeros años del siglo XVI tiene lugar la consolidación de los modelos y el máximo auge de la escultura, de acuerdo con los tradicionales postulados renacentistas. El período de experimentación del siglo XV concluye con el dominio de la técnica, de las formas y de los materiales. Aumenta el interés por lo monumental, y es el momento de las grandes esculturas de bulto redondo, frente al relieve y el estudio de la profundidad de los volúmenes sobre el plano del siglo anterior.

Miguel Ángel, el genio

Miguel Ángel Buonarroti (1475-1564) destacó en todos los ámbitos artísticos, pero él se consideraba sobre todo escultor. Su obra representa la perfección de la escultura. Aunque empleó otros materiales, trabajó fundamentalmente el mármol blanco de Carrara, para crear obras caracterizadas por la grandiosidad, el estudio perfecto de la anatomía y la fuerza interior de los personajes. Sus inicios como escultor tienen lugar en Florencia, su lugar de nacimiento, al amparo de los Médicis. Su obra está influenciada por la escultura clásica y las formas equilibradas de Donatello, como se puede ver en su relieve denominado *Madonna de la escalera*, esculpido en 1495.

Su estancia en Roma, en los últimos años del siglo XV y comienzos del XVI, le pone en contacto con las grandes creaciones del pasado romano y forma su estilo (*Piedad del Vaticano*). El *David*, que esculpe entre 1501 y 1506 para la plaza de la Signoria de Florencia, tiene todos los componentes de su estilo: uso de dimensiones superiores al natural; transmisión de la fuerza espiritual del personaje, lo que se ha llamado *terribilità*; fuerte anatomía del desnudo.

Los encargos recibidos para realizar el sepulcro del papa Julio II en Roma, y de la familia Médicis en Florencia, son compartidos con sus importantes obras de pintura (como la Capilla Sixtina) o de arquitectura. El logro de la belleza ideal y de la expresión del movimiento interior le conducen a una interpretación personal de las reglas clásicas, como hiciera en pintura. En los últimos años de su vida su estilo evoluciona hacia formas que anuncian el drama y la tensión de la escultura barroca, abandonando los modelos heroicos anteriores. Su espiritualidad se hace más intensa y se plasma en su interpretación del tema de la Pietà.

MIGUEL ÁNGEL: *Madonna de la escalera* (1495). *Esta obra de juventud de Miguel Ángel, influenciado por la obra de Donatello y por las formas de la Antigüedad, presenta a la Virgen como una dama romana.*

La escultura del manierismo

La grandeza de Miguel Ángel eclipsa a la mayor parte de los escultores, que intentan seguir sus logros sin conseguir su fuerza. Se desarrolla un tipo de escultura que rompe la armonía del período anterior, como había sucedido en la pintura, con composiciones abiertas y formas en tensión. Se consigue una gran esbeltez y refinamiento con la elegancia de líneas que se cruzan y el empleo de ejes helicoidales.

Benvenuto Cellini (1500-1574), escultor y orfebre, es uno de los artistas más notables, como se puede observar en su escultura de *Perseo*. Sus obras se distinguen por la perfección técnica, incluso en piezas de pequeño tamaño (*salero del rey Francisco I*). Toda su producción manifiesta el artificio elegante del manierismo.

Juan de Bolonia (1529-1608) representa los principios del manierismo empleando en sus esculturas un esquema que ya había utilizado Miguel Ángel: la línea *serpentinata*, que consiste en el movimiento giratorio del cuerpo sobre un imaginario eje interior. El resultado produce un contrabalanceo de la figura y una sensación de inestabilidad y movimiento permanente.

BOLONIA, Juan de: *El rapto de las Sabinas* (1583). *El artista consigue en esta obra un análisis de cuerpos humanos entrelazados y en movimiento, empleando la* serpentinata.

Hacia la distorsión manierista: las "Pietà" de Miguel Ángel

La obra de Miguel Ángel es la imagen perfecta de la evolución de la escultura renacentista, desde la búsqueda del equilibrio y la proporción hasta la atención exclusiva al contenido expresivo de la imagen. El escultor desafía todas las reglas y las interpreta de un modo personalista, después de haber alcanzado el lugar más destacado en lo que se refiere a serenidad y equilibrio. Una vez obtenido su punto más elevado, la escultura inicia una nueva lectura de sus principios que, a través del manierismo, desembocará en el desgarro expresivo del barroco.

Piedad del Vaticano (1495)

En el tema de la Pietà (la Piedad), en el que María recoge en su regazo el cuerpo muerto de Cristo, se explica esta evolución formal de la escultura de Miguel Ángel hacia la complejidad compositiva y la asimetría. El contenido es de los más dolorosos en el conjunto de los episodios de la Pasión de Cristo. La soledad de la Madre ante la muerte cruel de su Hijo se manifiesta de acuerdo con el estado espiritual y con la propia evolución formal del mismo escultor.

La popular *Piedad del Vaticano* es uno de los conjuntos escultóricos con más éxito dentro de la producción de Miguel Ángel. Se trata de un grupo esperanzado y triunfante. La Virgen es una niña envuelta en un plegado abundante y soporta con serenidad y dulzura la situación sosteniendo a Cristo, tratado con gran corrección anatómica. La composición es piramidal, equilibrada y representa uno de los capítulos más notables de la escultura de todos los tiempos.

Piedad de Florencia (1550)

El escultor ya ha evolucionado cuando acomete el trabajo de este bloque de mármol. Pensaba colocar esta obra en su propio sepulcro, pero no la terminó por problemas en la calidad del mármol.

La composición se ha hecho más compleja, aunque se mantiene la disposición piramidal. La Virgen pasa a un segundo plano y el cuerpo de Cristo se contrae con violencia para impactar a la hora de su contemplación por los fieles. La figura superior, que representaría a Nicodemo, es un retrato del propio Miguel Ángel, que de este modo se aparecía como el donante.

Piedad Rondanini (1564)

Aunque se trata de una obra inconclusa, el concepto ha evolucionado sustancialmente desde el modelo inicial. La Virgen sostiene de pie a Cristo muerto en una postura de total inestabilidad.

La ruptura con los moldes clásicos se realiza en favor de unas formas muy personales.

Al final de su vida Miguel Ángel sólo busca la belleza interior. Atraviesa por un momento de honda espiritualidad, muy preocupado por la cuestión religiosa, lo que se traduce en la visión expresiva y violenta de este grupo inacabado. En 1554 decía en unos versos:

*Ni pintar, ni esculpir podrán ya nunca calmar
mi alma, vuelta hacia aquel amor divino
que, para acogernos, abrió los brazos en cruz.*

La obra

Esculpida en mármol de Carrara, la escultura fue comenzada por Miguel Ángel en 1501 y concluida en 1506. A su terminación, la estatua se colocó en la plaza florentina de la Signoria. Desde finales del siglo pasado se expone en su lugar una copia, mientras que la obra original se encuentra en la Galería de la Academia de Florencia.

El artista

Miguel Ángel estaba familiarizado con los objetos procedentes del pasado clásico (esculturas, medallas), a través de las colecciones florentinas de los Médicis, y antes de esculpir su *David* entra en contacto directo con los restos conservados en Roma. Sin duda, en la concepción final de esta escultura tuvo mucho que ver su estancia en Roma y el estudio de las obras con las que allí entró en contacto.

Análisis formal

El tratamiento escultórico de esta obra resume los rasgos principales de la producción de Miguel Ángel. El escultor reutilizó un bloque de mármol excesivamente plano. Este hecho condicionó el resultado final y le impidió darle más profundidad.

La escultura tiene unas dimensiones grandiosas, rompiendo con la imagen tradicional de David como la de un niño de pequeño tamaño.

El trabajo de la anatomía y el desnudo transmiten la fuerza espiritual del personaje, que tiene un gesto sereno pero a la vez profundo y dramático. Es lo que conocemos como *terribilità*.

La figura, antes de lanzar su honda contra el gigante, se representa con unas extremidades poderosas pero en una composición cerrada, con los brazos replegados hacia el tronco.

Todo el cuerpo está en tensión y los detalles anatómicos están llenos de vida.

Significado

Concebida para convertirse en un monumento público, la escultura manifiesta la integración de las artes en el diseño urbano del Renacimiento.

El *David* representa la imagen de la victoria del pueblo sobre la tiranía y su colocación en la plaza de la Signoria coincide con un momentáneo exilio de los Médicis, cuando Florencia era gobernada por una república ciudadana.

La obra es la mejor muestra del triunfo de la condición humana renacentista, como expresión del valor del hombre en la nueva sociedad, de la belleza de su anatomía y de los sentimientos nobles.

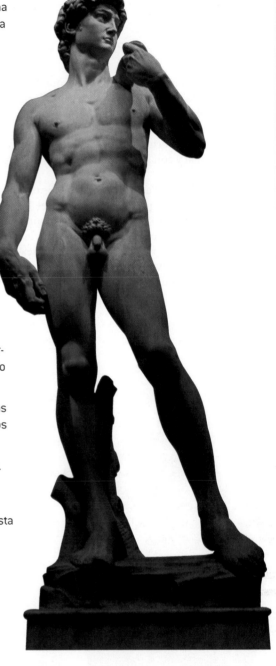

- Compara la escultura de Miguel Ángel con el *David* de Donatello. Busca similitudes y diferencias y haz una valoración personal sobre la evolución del tema.
- Investiga sobre el trabajo del *David* y la utilización del bloque de mármol que reaprovechó Miguel Ángel.
- ¿Qué esculturas destacadas había realizado Miguel Ángel antes de esculpir el *David* y cuáles son las características principales de las mismas?
- ¿Qué opinas sobre la instalación de una copia en el exterior y la exhibición del original en un museo? Apunta posibles razones y valora opciones a favor y en contra.

La obra

La escultura, en bronce y de bulto redondo, fue inaugurada públicamente en la plaza de la Signoria de Florencia en 1554. Representa a un personaje mitológico, Perseo, que sostiene en sus manos la cabeza degollada de Medusa, un ser maligno que tenía serpientes en vez de cabellos. La escultura se apoya sobre un pedestal de mármol con relieves y pequeñas esculturas de bronce en la base.

El artista

Cellini, en una existencia azarosa y novelesca que le llevó de servir al papa a tener que marcharse fuera de Italia, había estado trabajando al servicio del rey Francisco I de Francia.

En 1545 regresa a Florencia y se pone al servicio del duque Cosme de Médicis, para quien acometió esta obra como un auténtico alarde técnico.

Análisis formal

La composición de la escultura supone un atrevimiento técnico, ya que la fundición en un solo bloque de la pieza presenta una enorme dificultad.

Perseo se apoya sobre el cuerpo decapitado de Medusa, que se retuerce en una exagerada complicación. Los brazos aparecen separados del tronco y uno de ellos sostiene a gran distancia la cabeza de su víctima, de cuyo cuello chorrea la sangre.

La disposición del héroe es elegante, con atención a los detalles anatómicos; las extremidades se flexionan con la expresión de la línea curva tan propia del manierismo.

En el pedestal, Cellini colocó pequeñas esculturas de bronce, elaboradas con el mismo cuidado que la figura principal. Su menor tamaño le permitió emplear recursos como actitudes forzadas, inestabilidad o torsiones violentas.

La técnica de fundición empleada, al igual que con las demás esculturas en bronce de la época, era la de la cera perdida: primero se trabajaba con toda perfección la figura en cera y después se la recubría con una capa de yeso o barro. A continuación se practicaba un orificio en la parte superior, por donde se vertía el bronce derretido, y otro en la parte inferior, por donde salía la cera. Al terminar la operación se rompía el molde exterior, siendo necesario repasar la escultura con un cincel. La operación se complicaba cuando aumentaban las dimensiones de la escultura.

Significado

Cellini escribió una de las autobiografías más destacadas de toda la historia del arte. En ella cuenta el proceso de trabajo de esta escultura, lo que sirve para conocer con detalle y de primera mano las dificultades para la fundición en bronce del *Perseo*.

En primer lugar, el artista presentó un pequeño modelo en barro para que su mecenas aprobara la realización, pasando después a fabricar los hornos donde llevaría acabo el fundido.

Tanto en la escultura de *Perseo* como en las pequeñas imágenes que se colocan en el pedestal, Cellini puso de manifiesto su categoría como artista y como técnico, con un gran dominio del arte de la orfebrería.

- La autobiografía de Cellini es un libro de aventuras, donde relata una vida llena de acontecimientos que refleja perfectamente la vida de su época. ¿Qué significa esto en el contexto del Renacimiento?
- Explica en qué consiste la técnica de fundición denominada de la cera perdida.
- Señala los aspectos más notables sobre la importancia del monumento público en el Renacimiento.

La obra

El sepulcro del papa Julio II fue el gran proyecto escultórico de Miguel Ángel. Lo inició en 1505 y, con ayuda de colaboradores, lo terminó en 1545 de un modo muy diferente a como había pensado en sus inicios. Diferentes acontecimientos de tipo económico y familiar impidieron su terminación. Miguel Ángel sólo llegó a esculpir algunas de las esculturas de bulto redondo que formaban en origen el conjunto, que se colocará definitivamente en la iglesia de San Pedro ad Vincola de Roma.

El artista

Debido a los problemas surgidos a la hora de materializar el proyecto, Miguel Ángel sufrió una progresiva evolución tanto en el concepto compositivo del conjunto como en la plasmación concreta de cada una de las esculturas. El artista se vio obligado a modificar su idea original, aunque mantuvo toda la fuerza inicial en las esculturas que lo forman.

Análisis formal

El proyecto original consistía en el diseño de una tumba exenta, colocada bajo la cúpula de San Pedro del Vaticano, compuesta por más de cuarenta esculturas de mármol de dimensiones colosales. La primera interrupción se produjo cuando el propio papa decidió detenerlo para construir el nuevo San Pedro. A partir de ese instante, y ya muerto el pontífice, Miguel Ángel diseñó al menos cinco proyectos diferentes. Para ellos esculpió distintas esculturas, de las que sólo algunas se encuentran en el sepulcro definitivo.

Con destino al sepulcro estaban pensados los *Esclavos*, esculturas de figuras desnudas de fuerte anatomía y en diferentes posturas, y la escultura denominada *Victoria*, esculpida hacia 1532-1534, cuya composición sigue la llamada línea *serpentinata*.

En el proyecto final, Miguel Ángel dispondrá en la parte baja las esculturas de *Lía* y *Raquel*, presididas por la figura majestuosa y heroica de *Moisés*. Es una estatua sedente que representa la figura dentro de una composición cerrada, con una atención especial a la anatomía de brazos y piernas. La postura del personaje, ligeramente girado, proporciona una mayor sensación de realismo y emoción contenida. La plasmación de fuerza interior a través del rostro, la mirada y la barba es lo que se conoce con el término *terribilità*, que caracteriza la escultura de Miguel Ángel.

Significado

El diseño inicial del sepulcro de Julio II está directamente ligado a la exaltación personal de la figura del papa, e imita los grandes mausoleos de la Antigüedad. El primer proyecto tenía como centro indiscutible al papa, rodeado de figuras alegóricas. Su grandiosidad fue disminuyendo hasta transformarse en un sepulcro adosado a la pared, para el que se aprovechó la escultura de *Moisés*, que Miguel Ángel había esculpido para el segundo de los proyectos. *Lía* y *Raquel* representan en el Antiguo Testamento la vida activa y la vida contemplativa, en cuyo equilibrio debe transcurrir la existencia humana. Moisés es el gran legislador del pueblo judío, en quien se dan cita las virtudes del guerrero y del líder espiritual, lo que servía para representar la personalidad del pontífice.

- Investiga sobre la personalidad del papa Julio II. ¿Crees que la elección de Moisés para figurar en su sepulcro es acertada? Razona la respuesta.
- Compara el tratamiento escultórico de *Moisés* con las pinturas de Miguel Ángel en la Capilla Sixtina, señalando los rasgos similares. ¿Hay *terribilità* en las figuras de la Sixtina?
- ¿Qué son las figuras alegóricas y qué es lo que expresaban en la decoración de los sepulcros?

LAS TUMBAS DE LOS MÉDICIS, DE MIGUEL ÁNGEL

La obra

En 1520 Miguel Ángel comienza a realizar el proyecto de las tumbas de Lorenzo y Giuliano de Médicis en la Sacristía Nueva de San Lorenzo, en Florencia. Las tareas escultóricas las inició en 1524. El encargo lo hizo el papa León X, de la misma familia Médicis, dentro de un programa que incluía la propia arquitectura de la capilla.

El artista

El mecenazgo del papado fue fundamental en la trayectoria de Miguel Ángel. El afán constructivo y ornamental de los diferentes papas hizo que el artista estuviera permanentemente ocupado, por una parte, en Roma, pero también en empresas familiares fuera de la capital, como estos sepulcros en los que se ensalzaba a la familia del pontífice.

Análisis formal

Los dos sepulcros se conciben como tumbas adosadas a la pared, donde la arquitectura se integra con la escultura. Las esculturas de bulto redondo de los dos hermanos se colocan dentro de unos nichos enmarcados por dobles pilastras corintias, abiertos directamente sobre los sepulcros. Las figuras sedentes aparecen vestidas al modo clásico y constituyen una novedad en las representaciones funerarias, que, hasta el momento, siempre se habían concebido en otras posturas. Se trata de cuerpos atléticos, trabajados con enorme perfección anatómica, y muestran al espectador la fuerza interior de los personajes.

Los sarcófagos adquieren una forma totalmente novedosa, con dos representaciones alegóricas recostadas en su parte superior. En ellas se trata el desnudo con maestría, disponiéndolas en posturas opuestas que ofrecen torsiones violentas, directamente inspiradas en esculturas clásicas.

Tumba de Lorenzo de Médicis.

Significado

La concepción de las tumbas intenta manifestar la glorificación de la familia Médicis a través de las figuras de los dos hermanos allí enterrados. Ambos son tratados como dos héroes de la Antigüedad y aparecen sentados triunfantes. Como sucedía en el proyecto final del sepulcro de Julio II, la vida activa y la vida contemplativa aparecen representadas por los caracteres de cada uno de ellos. La primera es expresada por Giuliano, mientras que la segunda la representa Lorenzo, también llamado el Pensador.

Miguel Ángel intentó mostrar en el espacio el transcurrir del tiempo y de la vida humana, en un orden permanente y continuo. Así, las figuras alegóricas dispuestas sobre los sepulcros son la imagen del *Día* y la *Noche* (en la de Giuliano) y de la *Aurora* y el *Crepúsculo* (en la de Lorenzo).

Las referencias religiosas se centran en la escultura de la *Virgen* que preside el conjunto de la capilla y a la que dirigen ambos hermanos la mirada. La *Virgen* es una obra de bulto redondo inacabada, en la que los cuerpos de la Madre y el Hijo giran sobre sí mismos en un movimiento muy habitual en las esculturas de Miguel Ángel.

Las tumbas mediceas fueron una auténtica novedad desde el punto de vista de la escultura funeraria que venía practicándose en Italia. Artistas e intelectuales admiraron las creaciones de Miguel Ángel y alabaron la fuerza de su escultura y el realismo de sus formas.

Tumba de Guliano de Médicis.

- Señala todos los rasgos que te parezcan nuevos en el diseño de las tumbas de los Médicis, respecto a otros modelos de sepulcros anteriores a Miguel Ángel.
- Diferencia los distintos modelos de esculturas funerarias: *orantes*, *yacentes* o *sedentes*. Menciona algún ejemplo de cada una de ellas en etapas anteriores.
- ¿Qué se quiere expresar con las figuras alegóricas de estos sepulcros? Razona tu respuesta.

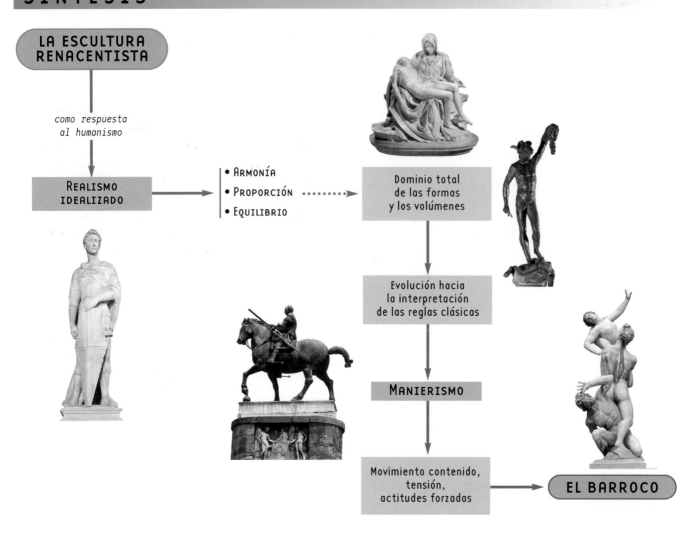

LA ESCULTURA RENACENTISTA

como respuesta al humanismo

REALISMO IDEALIZADO

- ARMONÍA
- PROPORCIÓN
- EQUILIBRIO

Dominio total de las formas y los volúmenes

Evolución hacia la interpretación de las reglas clásicas

MANIERISMO

Movimiento contenido, tensión, actitudes forzadas

EL BARROCO

LA ESCULTURA DEL "QUATTROCENTO"

CARACTERÍSTICAS GENERALES	ESCULTORES Y OBRAS
• Influencia de la escultura clásica. • Reinterpretación con gran acierto de los modelos grecorromanos. • Evolución sin cortes desde el llamado *gótico internacional* hacia las formas renacentistas. • Búsqueda del realismo. • Valoración de la figura humana. • Empleo de diversos materiales: además de la madera, el mármol y el bronce. • Auge del retrato (busto) y de los monumentos públicos (retrato ecuestre). • Temas religiosos de gran popularidad. • Esculturas de gran expresividad, fuerza interior y movimiento.	• GHIBERTI: *Segundas puertas del baptisterio de San Juan*, de Florencia (1404-1424); *Puertas del Paraíso* (1425-1452). • Jacopo DELLA QUERCIA: *Sepulcro de Hilaria del Carreto* (1406). • DONATELLO: *Cantoría de la catedral de Florencia* (1408-1415); *San Jorge* (1417); *Profeta Habacuc* (1426); *David* (1445); *Condotiero Gattamelatta* (1453); *María Magdalena* (1455). • Lucca DELLA ROBBIA: *Tondos y placas cerámicas*; *Cantoría de la catedral de Florencia* (1432-1438). • Andrea VERROCHIO: *Condottiero Colleoni* (1496).

LA ESCULTURA DEL "CINQUECENTO"

CARACTERÍSTICAS GENERALES	ESCULTORES Y OBRAS
• Auge de la escultura. • Consolidación de los modelos de acuerdo con los postulados renacentistas. • Dominio de la técnica, de las formas y de los materiales. • Interés por lo monumental: grandes esculturas de bulto redondo. • Estudio de la anatomía y el desnudo. • Estudio del movimiento. • Empleo del esquema de la línea *serpentinata*.	• Miguel Ángel BUONARROTI: *Madonna de la escalera* (1495); *Pietà del Vaticano* (1495); *David* (1506); *Mausoleo del papa Julio II* (1505-1545); *Tumbas de la familia Médicis* (1524); *Pietà de Florencia* (1550); *Pietà Rondanini* (1564). • Benvenuto CELLINII: *Perseo* (1554). • Juan DE BOLONIA : *Mercurio* (1580); *El rapto de las Sabinas* (1583).

HACIA LA UNIVERSIDAD

1. Analiza y comenta las siguientes obras:

GHIBERTI: *Escenas de la vida de José.*

MIGUEL ÁNGEL: *Esclavo.*

2. Desarrolla uno de estos dos temas:

a) *Los proyectos funerarios de Miguel Ángel.*

b) *La escultura pública en el Renacimiento italiano.*

3. Define los siguientes términos: *serpentinata, schiacciato, terracotta, Pietà, tondo.*

4. Comenta el siguiente texto:

Otros artistas de ese extraño período, a la sombra de los gigantes del arte, desesperaron menos de sobrepasarles, ateniéndose a un criterio normal de destreza y virtuosismo [...]. Un ejemplo típico es la estatua de Mercurio, el mensajero de los dioses, de un escultor flamenco, Jean de Boulogne, al que los italianos llamaron Giovanni da Bologna, quien se propuso conseguir lo imposible: una estatua que superase la gravedad de la materia inerte y creara la sensación de un rápido vuelo por el aire. Y hasta cierto punto lo consiguió [...]. Toda la estatua está equilibrada con tanto tino que parece realmente flotar en la atmósfera, y deslizarse por ella graciosa y velozmente. Tal vez un escultor clásico, o incluso Miguel Ángel, hubiera juzgado un efecto semejante impropio de una estatua que debía recordar un pesado bloque de la materia con que se formó, pero Bologna [...] prefirió desafiar esas normas establecidas, y mostrar los sorprendentes efectos que era capaz de conseguir.

GOMBRICH, Ernst: *Historia del arte.* Madrid, 1979.

— ¿A qué período se refiere el autor? Manifiesta tu opinión sobre los juicios que se emiten en este fragmento.

— Gombrich plantea que tal vez Miguel Ángel hubiera pensado que la escultura era una obra atrevida. ¿Qué opinas al respecto? ¿Puedes resumir en unas pocas líneas cómo evoluciona la escultura en Italia durante los siglos XV y XVI?

PASADO Y PRESENTE EN EL ARTE

La escultura ecuestre, siguiendo el modelo de la escultura de Marco Aurelio que se encontraba en Roma, tuvo un notable auge durante el Renacimiento. Con ella se pretendía resaltar las glorias de un personaje y perpetuar su memoria.

— Observa estas dos esculturas (la de Verrochio es del siglo XV y la de Gargallo del siglo XX) y describe qué tienen en común y en qué se diferencian.

— ¿Cuál es el significado de la escultura ecuestre en el Renacimiento?

— ¿Puede tener algún significado especial una escultura ecuestre en la cultura contemporánea?

VERROCHIO: *Condottiero Colleoni.*

GARGALLO: *Estatua ecuestre.*

15. EL RENACIMIENTO EN ESPAÑA

En España se produce una fusión entre los principios del gótico, que se prolonga durante el siglo XV, y las novedades del Renacimiento italiano. La fase renacentista del arte español se ciñe al siglo XVI, época en que recoge las influencias de unas innovaciones que ya estaban dentro del manierismo. Las formas artísticas aúnan influencias diversas en un planteamiento original y diferente.

La arquitectura mantiene, en principio, la estructura medieval y adopta la decoración del mundo clásico. Después, evoluciona hacia una fase que profundiza en la sencillez y en la ausencia de ornamentación. La escultura, en madera policromada, prolonga una tradición que termina de conformarse en el barroco. Algo similar ocurre con la pintura, que cuenta con figuras como las de El Greco.

El largo reinado de Felipe II, que abarca la segunda mitad del siglo XVI, caracteriza una época donde triunfa un gusto impuesto desde la monarquía en todas las disciplinas artísticas. La temática religiosa impregna toda la producción artística. Arquitectura, pintura y escultura se realizan en unas claves de comprensión muy sencilla que anteceden a la espiritualidad y a las peculiaridades de la España barroca.

ARTE Y RELIGIÓN

Y tuvo por bien la Santa Madre Iglesia que tuviésemos las historias del Testamento Viejo y las del Nuevo pintadas y esculpidas, y todas las otras memorias santas para nuestra contemplación y doctrina; y no solamente tuvo por cosa muy santa que se pintasen las cosas santas más las mesmas fábulas y transformaciones de los gentiles poetas [...] para nuestra enseñanza e para ejemplo e declaración de la verdad y de la mentira, y para que supiésemos elegir e conocer la verdadera sabiduría de la fe [...] y nosotros en las obras que en la pintura ejercitamos y hacemos en el artificio de nuestros ingenios, ninguna otra cosa procuramos, sino la verdadera y entera gloria y honra no nuestra, sino del soberano Dios, que es maestro y enseñador nuestro.

HOLANDA, Francisco de: *Diálogos de la pintura antigua* (1548)

Monasterio de San Lorenzo, de El Escorial

CLAVES DE LA ÉPOCA

− Pervivencias
y singularidad

− El arte al servicio
de la sociedad

− La consideración
de los artistas

− La relación con Italia

− El Renacimiento en
otros materiales

1. ARQUITECTURA

− La convivencia
del gótico con la
decoración
renacentista:
el plateresco

− La fase clásica

ANÁLISIS 1

− El monasterio
de San Lorenzo
de El Escorial

− La capilla mayor
de la iglesia
de San Lorenzo
de El Escorial

2. PINTURA

− La pervivencia
flamenca y los temas

− Las diferentes fases
de la influencia italiana

− Los años finales
del siglo XVI

ANÁLISIS 2

− *Anunciación
de la Virgen*,
de Pedro Berruguete

− *Entierro del conde
de Orgaz*, de El Greco

3. ESCULTURA

− Temas y materiales

− Artistas italianos
y españoles

ANÁLISIS 3

− *Sagrada Familia*,
de Diego de Siloé

− *Asunción de la Virgen*,
de Gaspar Becerra

− *Sacrificio de Isaac*,
de Alonso Berruguete

S Í N T E S I S

CLAVES DE LA ÉPOCA

Pervivencias y singularidad

Al igual que sucedía en el resto de Europa, España siguió durante el siglo XV los principios característicos del estilo gótico. La fuerte relación histórica con los Países Bajos, donde se desarrollaba un arte de gran calidad técnica, favorecía la circulación de artistas procedentes de estas zonas y la importación de sus gustos artísticos. A finales de siglo comenzó a despertarse un notable interés hacia lo que estaba sucediendo en Italia.

Los límites de la monarquía española, a partir de los Reyes Católicos, se extendieron tanto por el centro de Europa como por Italia. A ello hay que unir el descubrimiento de América y la permanente influencia del arte islámico, que se dilata en el tiempo. Todo ello da lugar a una síntesis de aportaciones diversas.

Los rasgos esenciales del Renacimiento llegan a España cuando ya están plenamente consolidados en Italia. Desde los últimos años del siglo XV, los artistas se sienten atraídos por las novedades y viajan a Italia; allí entran en contacto con el gusto por la recuperación de la Antigüedad y su reinterpretación. El resultado es una asimilación singular y muy personal donde se dan cita componentes muy diferentes. A la expresividad gótica se incorpora el nuevo lenguaje decorativo del Renacimiento en una fase muy avanzada, dentro ya del manierismo.

SILOÉ, Diego de: *Escalera Dorada de la catedral de Burgos (1519-1523).* Siguiendo los diseños de Bramante, Diego de Siloé realiza este proyecto de escalera con unas formas en las que se conjugan equilibrio y movimiento como en las mejores creaciones italianas.

El arte al servicio de la sociedad

La unión de las coronas de Castilla y Aragón en 1479 y la conquista del reino musulmán de Granada en 1492 supusieron la consolidación de un Estado moderno. Muchas creaciones artísticas que responden a una intención propagandística en favor de la monarquía estaban realizadas de tal manera que el pueblo las pudiera comprender con facilidad. La unificación religiosa, después de la expulsión de los judíos, dotaba de una enorme influencia a la Iglesia. Ésta se convierte en la mayor demandante, tanto de construcciones como de objetos artísticos para servicio del culto.

Frente a la sociedad urbana que lideró en Italia las teorías humanistas, la sociedad española tiene un esquema diferente en el que las ciudades no juegan un papel tan destacado. No existe una burguesía importante que ejerza el control sobre los núcleos urbanos y reclame un arte especial. La nobleza, fundamentalmente cortesana y terrateniente, está influenciada por el gusto de los monarcas y favorece, a excepción de ciertos grupos refinados, un arte religioso.

El inicio de la Reforma protestante en 1519 y la defensa a ultranza del catolicismo que protagoniza España hace que desde mediados del siglo XVI los principios de la Contrarreforma adquieran una especial importancia. La llegada tardía del Renacimiento y la defensa de la pureza de la religión sirven para caracterizar aún más los rasgos del arte español del momento.

GIL DE HONTAÑÓN, Rodrigo: *Palacio de Monterrey, Salamanca (1539).* El esquema de palacio creado por Gil de Hontañón, con torres en los extremos, galería de arcos en el último piso y crestería, tendrá una gran difusión.

La consideración de los artistas

El trabajo artístico sigue teniendo en España una consideración arte-sanal. El artista no es visto como un intelectual o un científico; los lími-tes de su trabajo están marcados por las leyes del gremio, lo mismo que otros grupos de trabajadores manuales (como los herreros o los tejedores). No obstante, algunos de ellos logran a través de su presti-gio subir puestos en la escala social y recibir un tratamiento especial. Un buen ejemplo lo constituyen los pintores de la corte, como Sánchez Coello o Pantoja de la Cruz. Su trabajo pone las bases de los grandes retratos españoles del siglo XVII que realizará Velázquez.

El artista está muy influenciado por lo que reclama la clientela. La libertad creativa tiene que adaptarse a la expresión de un mensaje claro, por lo general de contenido religioso.

La relación con Italia

En 1548 el pintor y teórico portugués Francisco de Holanda escribe sus *Diálogos de la pintura antigua*. Al referirse a los grandes creadores utiliza la palabra *águila*, para expresar la amplitud de mira de sus obras y la influencia que ejercen sobre sus contemporáneos. El térmi-no fue aplicado a un grupo de artistas españoles (Bartolomé Ordóñez, Diego de Siloé, Pedro Machuca y Alonso Berruguete) que, formados en Italia a comienzos del siglo XVI, introdujeron en España los nuevos logros hermanándolos con la tradición existente.

SÁNCHEZ COELLO, Alonso: *El príncipe Carlos (hacia 1557)*. *Los artistas españoles, influenciados por la tradición y la calidad de los realistas retratos flamencos, incorporan a su rigidez las novedades de penetración psicológica del retrato italiano.*

ARFE, Juan de: *Custodia de Ávila (hacia 1580)*. *Las custodias de Juan de Arfe tienen una gran calidad formal. En ellas se reúne la escultura y la arquitectura. Su materia prima es la plata.*

El Renacimiento en otros materiales

Además de los arquitectos, escultores y pintores, otros artistas reclaman cada vez más una mayor consideración. Éste es el caso de rejeros y plateros. Para cerrar capillas o espacios reservados dentro de una iglesia, se construyen enor-mes rejas de hierro forjado que emplean motivos arquitectónicos (balaustres, cor-nisas), heráldicos y esculturas. El trabajo resulta de una altísima calidad técnica.

Lo mismo sucede con la platería. Utilizando el fundido y el cincelado se hacen obras espectaculares como las custodias procesionales, en forma de templetes arquitectónicos decorados con esculturas, para las celebraciones del Corpus Christi.

ÉPOCA	HISTORIA Y CULTURA	ARTE
Desde finales del siglo XV a finales del siglo XVI	• Unión de los reinos de Castilla y Aragón (1479). • Descubrimiento de América (1492). • Unión religiosa en 1492 (expulsión de los judíos y victoria sobre el reino musulmán de Granada). • Antonio de Nebrija publica su *Gramática* (1492). • Se imprime en Alcalá la Biblia Políglota (1512-1522). • Carlos V, emperador (1517-1556). • Extensión de los territorios por los Países Bajos e Italia. • Felipe II, rey (1556-1598). • Exaltación del sentimiento religioso y defensa a ultranza del catolicismo frente a la Reforma protestante. • Carencia de una fuerte sociedad urbana.	• Pervivencia del gótico durante todo el siglo XV. • En el siglo XVI se produce una síntesis de las aportaciones flamencas e italianas, éstas ya en la fase del manierismo. • Importancia del contenido religioso: el mecenazgo de la Iglesia. • Retablo de la Basílica de El Pilar (1509-1515). • Fachadas de las universidades de Salamanca y Alcalá de Henares (1541-1553). • Monasterio de El Escorial (1563-1583). • El Greco se instala en Toledo (1575): *El expolio* (1577-1579); *Entierro del conde de Orgaz* (1586).

La convivencia del gótico con la decoración renacentista: el plateresco

La arquitectura gótica sufre en los últimos años del siglo XV un proceso de enriquecimiento decorativo. El trabajo de talla de la piedra se hace muy minucioso y, respetando la estructura sustentante tradicional, se incrementa la decoración que cubre todas las superficies. En las mismas fechas, algunos edificios vinculados al patrocinio de la familia Mendoza empiezan a introducir, hacia 1490, elementos propios de la arquitectura italiana del *Quattrocento* –Palacio de Cogolludo (1492-1495), en Guadalajara, o Colegio de Santa Cruz (1487-1491), en Valladolid–. A comienzos del siglo XVI, otro miembro de esta poderosa familia manda construir el Palacio de la Calahorra en Granada, importando directamente de Italia el patio y la escalera de la residencia.

La influencia de las novedades italianas y el conocimiento de los nuevos motivos decorativos (almohadillado, decoración con grutescos, medallones, veneras, etc.) hace que este nuevo lenguaje comience a recubrir los edificios, que no abandonan su organización gótica (arcos apuntados, bóvedas con nervaduras, naves con contrafuertes y pináculos). La sobrecarga de ornamentación, que hacía que los edificios parecieran obras labradas por el cincel de un platero, sirvió para acuñar el término *plateresco*, con que se venía conociendo este período.

En la arquitectura civil destacan los centros del saber, como la Universidad de Salamanca, con su fachada decorada con motivos del lenguaje renacentista; hospitales como los de Santiago y el de Afuera de Toledo; o palacios como la Casa de las Conchas en Salamanca. En arquitectura religiosa es necesario señalar la fachada del convento de San Esteban, también en Salamanca, obra del arquitecto Juan de Álava.

GIL DE HONTAÑÓN, Rodrigo: *Fachada de la Universidad de Salamanca (hacia 1541-1553). La decoración de esta fachada responde a un modelo de concentración decorativa más propio del último período gótico. Sin embargo, los motivos empleados son plenamente renacentistas.*

La fase clásica

La publicación de los primeros tratados arquitectónicos, como el de Diego de Sagredo en 1526, provocaron una reacción en contra del exceso decorativo. Se busca ahora la proporción, el equilibrio y la solución a los problemas estructurales que los recursos góticos no solventaban, con plantas regulares, organizadas y simétricas. Se recupera definitivamente el uso del arco de medio punto y las cubiertas con bóvedas de cañón decoradas con casetones. Los elementos decorativos son de procedencia arquitectónica: frontones curvos y triangulares, balaustres y columnillas. El resultado final permite contemplar edificios monumentales, sobrios y equilibrados.

GIL DE HONTAÑÓN, Rodrigo: *Fachada de la Universidad de Alcalá (1543-1553). Con una gran elegancia ornamental, Gil de Hontañón estudia en el edificio la composición general, la distribución de los vanos y la armonía del conjunto.*

En cuanto a arquitectura civil, destaca el palacio salmantino de Monterrey, obra de Rodrigo Gil de Hontañón (muerto en 1577), también autor de la fachada de la Universidad de Alcalá, donde emplea el recurso de la galería superior y desarrolla la decoración en el eje de la fachada. En Toledo, Alonso de Covarrubias (1488-1570) inicia en 1543 el Hospital de Afuera o del Cardenal Tavera, con un patio de gran clasicismo. Con los maestros de formación italiana como Machuca o Siloé se producirán en Granada grandes innovaciones.

Durante el reinado de Felipe II (1556-1598), la construcción del Real Sitio de El Escorial, iniciado en 1563, supone una muestra de las formas austeras y depuradas que imponía el espíritu religioso de la Contrarreforma. A partir de su construcción se difundirían sus esquemas constructivos y decorativos por toda España durante un largo período de tiempo.

PALACIOS, RESIDENCIAS Y CAPILLAS FUNERARIAS

Durante la Edad Media la corte española era itinerante, por lo que no tenía un lugar fijo de residencia. Los monarcas utilizaban los palacios, castillos y monasterios de diferentes ciudades (Toledo, Valladolid, Medina del Campo o Segovia); así, hasta que Felipe II, a mediados del siglo XVI, fijó la capital en Madrid.

Palacio de Carlos V, en Granada

Carlos I de España y V de Alemania encargó en 1527 la construcción de un palacio en Granada, en el mismo recinto de los palacios musulmanes de la Alhambra. El proyecto, inacabado, fue realizado por Pedro Machuca, arquitecto y pintor de formación italiana.

El Palacio de Carlos V expresa la idea del poder imperial como centro universal. En su planta se dan cita la forma cuadrada, en el exterior, y la forma circular en el patio interior. El diseño supone una gran novedad en la arquitectura palaciega, produciendo un edificio sobrio y equilibrado. La decoración es muy sencilla: en el piso bajo de las fachadas se usa el almohadillado; en el resto del edificio se emplea la superposición de órdenes (dórico y jónico) y motivos alegóricos alusivos a la figura del monarca, al que se compara con Hércules.

MACHUCA, Pedro: *Palacio de Carlos V, Granada (iniciado hacia 1527).*

Catedral y Capilla Real de Granada

Granada fue el lugar elegido por los Reyes Católicos para su enterramiento, a causa del simbolismo que suponía la conquista del último reino musulmán de la Península. La Capilla Real está colocada junto a la catedral y en ella se encuentra el sepulcro yacente de Isabel y Fernando, esculpido en mármol en 1517 por el escultor Domenico Fancelli. Se trata de un sepulcro exento decorado con medallones con representación de alegorías de las virtudes y decoración de grutescos.

La propia catedral de Granada fue inicialmente pensada por Carlos V como lugar de enterramiento de la familia imperial, por lo que decidió realizar un proyecto de amplias dimensiones que llevará a cabo Diego de Siloé desde 1528, reformando los planos de Enrique Egas. La cabecera del templo se construye con una gran rotonda de la que parten cinco naves. Se busca lograr una gran altura con pedestales sobre los que se disponen columnas adosadas y varios entablamentos superpuestos. El uso de elementos clásicos se adapta a las dimensiones necesarias en una catedral y sirvió de modelo para otras catedrales andaluzas como las de Jaén o Málaga.

Capilla Real de Granada.

Las construcciones de la nobleza

La aristocracia intenta emular a la monarquía y renueva sus residencias, para lo cual abandona el castillo fortificado en favor del palacio urbano. Entre las diferentes familias que colaboran en la introducción del nuevo estilo destaca la de los Mendoza. Los edificios que se construyen gracias a su mecenazgo en los últimos años del siglo XV y comienzos del XVI muestran el gusto y la aceptación de las novedades italianas. Uno de los ejemplos más tempranos es el Palacio de Cogolludo (Guadalajara), construido por Lorenzo Vázquez. Emplea el almohadillado en la fachada, aunque mantiene las ventanas de tracería gótica.

VÁZQUEZ, Lorenzo: *Palacio de Cogolludo, Guadalajara (1492-1495).*

ANÁLISIS

La obra

La construcción del monasterio de San Lorenzo, en El Escorial, es la empresa artística más destacada del reinado de Felipe II. El rey proyectó un edificio que sirviera no sólo como iglesia y lugar de residencia de una comunidad de monjes, sino también como palacio desde donde gobernar los destinos de la monarquía más poderosa de Europa. Además, el lugar sería usado como panteón real y tendría una biblioteca donde se reuniera todo el saber de su tiempo.

La tarea constructiva, el amueblamiento y la decoración del edificio estuvieron directamente supervisados por el rey. Felipe II fue un gran conocedor de las artes, y El Escorial se convirtió en un foco donde se dieron cita los mejores artistas del momento. Las características de su arquitectura y la participación de un gran número de personas en el proyecto permitió que las innovaciones de El Escorial se difundieran por España.

Iniciado en 1563 y concluido en 1583, el conjunto de El Escorial fue encargado al arquitecto Juan Bautista de Toledo. Este maestro había trabajado en Roma y conocía la arquitectura renacentista. Su temprana muerte en 1567 hizo que las obras fueran dirigidas por el arquitecto Juan de Herrera, que simplificó el proyecto inicial y dio carácter al edificio. Con él se iniciaría todo un movimiento arquitectónico que se denomina *escurialense* o *herreriano*.

Vista general del monasterio de San Lorenzo de El Escorial.

Patio de los Reyes.

Análisis formal

La estructura de la *planta* se inspira en los trazados de hospitales italianos del Renacimiento, a partir de un esquema en forma de cruz. La multiplicidad de funciones del edificio obligaba a complicar esta estructura, abriendo patios centrales. La iglesia preside la construcción y su crucero se cubre con una enorme cúpula que recuerda los modelos italianos. El resto de las cubiertas tienen las vertientes muy inclinadas y están fabricadas en pizarra, con chapiteles en las torres. Es un reflejo flamenco que se hará muy popular en la arquitectura española. La *ornamentación* se reduce al máximo y se basa en la sencillez y en la limpieza decorativa. Las fachadas son lisas con hileras de ventanas rectangulares. Las entradas principales se resaltan con el uso del orden gigante y la decoración de pirámides coronadas por bolas.

Significado

La construcción de El Escorial está pensada con un ajustado sistema de proporciones y estudios de geometría. Felipe II pretende construir un nuevo templo de Salomón, donde se reúna todo el saber conocido y se defienda la pureza de la religión. El edificio aúna influencias italianas y flamencas, lugares donde se situaban las posesiones españolas. Los rasgos generales de la construcción (austeridad, simplicidad o decoración con elementos arquitectónicos) son la expresión del arte depurado de la Contrarreforma.

- Compara la disposición de El Escorial con el palacio que mandó construir Carlos V en Granada. Busca similitudes y diferencias.
- Señala los rasgos fundamentales de El Escorial en lo que se refiere a los principios seguidos en su construcción y en su decoración. ¿Qué es un chapitel?
- ¿Cuáles son las diferencias que encuentras entre el estilo *plateresco* y el *herreriano*? ¿Cuál es la razón de esos nombres?

La obra

Está formada por el retablo mayor y los enterramientos reales.

El retablo mayor diseñado por Juan de Herrera, el mismo arquitecto del edificio, se realiza entre los años 1579 y 1589. En la obra se mezcla la escultura, fundida en bronce por los escultores milaneses León y Pompeyo Leoni, con la pintura, obra de los italianos Zuccaro y Tibaldi, que habían venido a España para trabajar en la decoración del edificio.

A ambos lados de la capilla mayor están los **enterramientos reales**. El rey quiso que los escultores León y Pompeyo Leoni fundieran en bronce las esculturas de los grupos familiares tanto de su padre, el emperador Carlos, como de sí mismo. Las figuras se representaron de forma orante, dirigiendo sus rezos hacia el altar mayor.

Retablo mayor del monasterio de El Escorial.

Análisis formal

La estructura del retablo aparece dividida en tres cuerpos separados por entablamentos y un ático, utilizando la superposición de órdenes. Los dos cuerpos inferiores presentan tres calles principales decoradas con pinturas, a excepción de la central del cuerpo bajo, reservada para el tabernáculo. Dos calles secundarias se disponen en los extremos, donde se colocan hornacinas con esculturas. El tercer cuerpo suprime las calles secundarias laterales para estrecharse más y dar una mayor sensación de esbeltez, aunque en los salientes laterales también se colocan esculturas de bulto redondo. El ático está presidido por un Calvario instalado dentro de un nicho y cerrado por un frontón triangular.

Significado

El retablo preside el centro del eje visual en la iglesia y se coloca en el espacio situado sobre la cripta donde se halla el panteón de los reyes. La simbología del lugar hizo que el retablo se llevara cabo con todo cuidado, sin romper la unidad con el resto del edificio. En las diferentes pinturas se narran, con toda claridad y sin dar lugar a confusiones, escenas de la vida de Cristo y de la Virgen. El lugar central se reserva para mostrar el martirio del santo a quien se dedicaba el monasterio. Las esculturas del Calvario en el ático van acompañadas de figuras de santos en los diferentes cuerpos.

Con los enterramientos reales Felipe II exaltaba la memoria de la dinastía y daba a la iglesia el carácter de enterramiento real que pretendía con su fundación.

Estatuas orantes de Felipe II y su familia.

- Enumera las partes de un retablo. ¿Cuál es la función del tabernáculo? ¿A qué nos referimos cuando hablamos de superposición de órdenes?
- Identifica los temas tratados en las pinturas del retablo mayor de El Escorial. ¿Qué se representa en la pintura central y cuál es la razón?
- ¿Dónde destaca la técnica del fundido del bronce en el Renacimiento y quién es uno de los más afamados escultores que lo practican en Italia?

2. PINTURA

La pervivencia flamenca y los temas

La influencia de la pintura flamenca se extiende en España hasta bien entrado el siglo XVI. El realismo de las composiciones, su claridad y el cuidado en los detalles eran muy apreciados puesto que servían para transmitir un mensaje de contenido religioso. Cuando lleguen las innovaciones italianas (debido sobre todo a los viajes de los artistas o a la importación), la temática seguirá siendo fundamentalmente religiosa. La Iglesia acapara la mayor parte de la clientela y las donaciones de pinturas a los templos imponen que los temas tratados respondan a un contenido sagrado.

La pintura mitológica se reduce a círculos muy concretos relacionados con la familia real y la alta nobleza. Se trata de obras de maestros italianos pintadas en España o traídas directamente de Italia, que se guardaban en lugares reservados. El retrato aparece también muy vinculado a los sectores más influyentes, mostrando sobre todo la imagen del monarca y su familia o de los poderosos.

Las diferentes fases de la influencia italiana

En los últimos años del siglo XV y comienzos del XVI, se empieza a recibir en España las influencias del *Quattrocento* italiano. En Valencia, por la proximidad de comunicación marítima, se detectan las primeras obras que acusan el sello italiano en el uso de arquitecturas renacentistas, los grutescos, el gusto por la representación de anatomías, la captación de la atmósfera y las composiciones equilibradas. Pintores como **Fernando de los Llanos** o **Yáñez de la Almedina**, seguidores de maestros como Leonardo da Vinci, son buena muestra de esta asimilación. En Castilla, **Pedro Berruguete** (hacia 1450-1503) aúna las formas hispanoflamencas (nimbos dorados, alfombras y techumbres de tradición islámica, detallismo en las composiciones) con la manifestación de aspectos tan destacados de la pintura italiana como la perspectiva y los fondos arquitectónicos.

La difusión de las composiciones clasicistas de Rafael y la fuerza de la pintura de Miguel Ángel marcan la obra que se produce en España conforme avanza el siglo XVI. En Valencia, **Juan de Juanes** toma los modelos dulces de Rafael para hacer una pintura sentimental que mueva a la devoción de los fieles (*Santa Cena*).

YÁÑEZ DE LA ALMEDINA: *Santa Catalina* (*hacia 1510*). *En esta obra el artista demuestra conocer la pintura de Leonardo da Vinci a través de la concepción de la figura y de la captación del ambiente.*

En Castilla, **Alonso Berruguete** (hacia 1486-1561) sigue la huella de Miguel Ángel y de la pintura manierista. A su vuelta de Italia pintará figuras alargadas y en actitudes típicamente manieristas, dando mucha importancia a la luz fría que baña las escenas. Similar en el uso de estos principios es la producción de **Pedro Machuca** (*Descendimiento*). **Luis de Morales** (1510-1576) funde en su pintura unos rasgos que le proporcionan una enorme popularidad. Su obra muestra una expresividad profunda, con formas dolientes y escenas de gran ternura donde se observa la captación atmosférica de Leonardo con la desproporción y la luz del manierismo (*Virgen con el Niño*).

Los años finales del siglo XVI

Durante el reinado de Felipe II se impone el gusto del monarca orientado hacia obras de procedencia flamenca e italiana. **Gaspar Becerra** (1520-1568) se forma en Italia con los discípulos de Miguel Ángel y a su regreso dirige pinturas al fresco en los palacios reales, utilizando el desnudo, la pintura mitológica y la decoración característica de la pintura italiana. Desde Italia llegan también otros pintores que participarán en la decoración de El Escorial. Entre ellos, El Greco, una figura interesante y original.

MORALES, Luis de: *La Virgen con el Niño* (*mediados del siglo XVI*).
La obra de Morales se caracteriza por su expresividad, la influencia de Leonardo y el uso de la luz y de la desproporción propia del manierismo.

El Greco, un gran maestro extranjero

Doménikos Theotokópoulos, llamado el Greco (1541-1614), había nacido en Creta. Después de aprender en su tierra la técnica de la pintura, en relación con el arte bizantino de los iconos, viaja a Venecia y posteriormente a Roma para terminar por asentarse en España. Su obra, de gran personalidad, se compone de las aportaciones de los lugares por los que pasa. De la pintura tradicional griega toma la profundidad religiosa y simbólica de sus composiciones. De Venecia, el gusto por el color, la pincelada pastosa, los fondos escenográficos y la anécdota. De Roma, el estudio del desnudo y las formas helicoidales, nerviosas y hasta deformes del manierismo. Su pintura se hace cada vez más abstracta, interpretando el color y las formas con libertad absoluta, lo que le acerca a las corrientes pictóricas de la Europa contemporánea.

El expolio (1577-1579)

La llegada de El Greco a España está relacionada con la necesidad de artistas para la decoración de El Escorial. Sin embargo, su forma de pintar no fue del agrado de Felipe II. El monarca consideró que el cuadro *Martirio de san Mauricio*, al no mostrar con claridad el hecho mismo de la muerte del santo, no ayudaba a la devoción y al culto. Después de este rechazo, el pintor se instaló definitivamente en Toledo, donde tuvo una destacada clientela.

Al poco tiempo de instalarse en Toledo, el cabildo encargó al artista un cuadro para la sacristía de la catedral que representase el instante en que Cristo es despojado de sus vestiduras antes de la Crucifixión. De este modo se convertía en un símbolo para los propios sacerdotes antes de vestir las ropas litúrgicas.

El Greco hace una visión nueva del tema, colocando a Cristo en el centro de la composición y en posición frontal, acentuando su papel con el vivo color rojo de su túnica. El efecto lumínico y la distribución apiñada de las distintas figuras aportan un notable dramatismo a la historia. El artista, para concentrar toda la atención del espectador en la imagen central, reduce la visión del fondo y elimina el paisaje.

La muerte de Laocoonte y sus hijos (1610-1614)

Además de la pintura de carácter religioso, que era la más demandada, El Greco pintó retratos, paisajes y alguna composición de tema mitológico. El cuadro recoge la leyenda según la cual Laocoonte, un sacerdote de la ciudad de Troya, fue atacado mientras celebraba un rito religioso por dos grandes serpientes enviadas por el dios Apolo para castigar a Laocoonte por sus pecados.

Cuando muere el artista, había en su taller tres cuadros con este mismo tema, aunque sólo se conserva éste, que está inconcluso como lo demuestran las figuras de la parte derecha del cuadro. El Greco pinta una versión muy particular de la escena mitológica. El retorcimiento de las figuras atacadas por las serpientes le permite plasmar la anatomía del desnudo de un modo muy personal. La situación se ha trasladado a Toledo, que se contempla al fondo de la pintura en un paisaje de tormenta.

La obra

Aunque no conocemos la fecha concreta de su ejecución, Pedro Berruguete pinta este cuadro en los últimos años del siglo XV, aplicando la técnica del óleo sobre lienzo. La obra se conserva en la iglesia de la Cartuja de Miraflores, en Burgos.

El artista

Las relaciones comerciales entre el mundo flamenco y Castilla eran muy intensas y de ahí derivó una gran circulación de artistas y de obras. Pedro Berruguete representa uno de los puntos álgidos en la asimilación hispana de la pintura flamenca, a la que incorpora las novedades italianas en una producción de gran cuidado técnico.

Análisis formal

Con un sentido simbólico, la escena tiene lugar en un interior. La Virgen, orando, se vuelve sorprendida por la irrupción del ángel. Al fondo un foco de luz centra la mirada del espectador e ilumina el ámbito. Esto produce una sensación de movimiento detenido, dentro de un escenario teatral enmarcado por las pilastras del primer término.

En la concepción general se advierte el uso de un ejercicio de perspectiva, centrada en el ventanal del fondo, que manifiesta el conocimiento de los avances que estaban teniendo lugar fuera de España. A crear sensación de profundidad contribuyen otros detalles como los octógonos de la alfombra en primer plano, la situación del jarrón de vidrio transparente a medio camino de la composición, el enlosado y el techo del cuarto que se dispone al fondo.

Otros elementos recuerdan rasgos de la pintura medieval, como los nimbos dorados y las filacterias, junto a ropajes de plegado acartonado.

Significado

El cuadro hace referencia al pasaje evangélico, narrado por Lucas, según el cual el ángel Gabriel, enviado por Dios, anuncia con estas palabras a la joven María que va a ser madre: "Concebirás y darás a luz un hijo, al que pondrás por nombre Jesús". A lo que María contestó: "Aquí está la esclava del Señor, que me suceda según dices".

La pintura de Pedro Berruguete está entre las formas flamencas y las primeras innovaciones italianas, especialmente en lo que se refiere al empleo de la perspectiva, y es buena muestra de esa síntesis. No todos los estudiosos están de acuerdo en que viajara a Italia, pero no cabe duda de que de algún modo tuvo que conocer lo que allí estaban experimentando los pintores. El detallismo en las representaciones, de procedencia flamenca, nos permite conocer la ambientación de una vivienda en lo que respecta al mobiliario de uso. A ello hay que añadir todos los elementos simbólicos que caracterizaban a la pintura religiosa medieval y que contribuyen a aclarar el mensaje (el jarrón con la flor blanca o la paloma), además de la propia luz que invade el cuadro.

- Diferencia los elementos arquitectónicos característicos del gótico y los que ya manifiestan un conocimiento del lenguaje del Renacimiento.
- ¿Se utiliza el eje de simetría en la composición? ¿Es muy empleado este principio en la pintura medieval?
- ¿Cuál es el significado simbólico del jarrón y de la paloma? ¿Recuerdas lo que es una filacteria y un nimbo?
- Pedro Berruguete es la figura más notable de la pintura en Castilla en los últimos años del siglo XV. ¿Cuál es la situación del resto de España en ese mismo período?

La obra

Es una pintura sobre lienzo de gran tamaño, realizada en 1586 por el pintor Doménikos Theotokópoulos, llamado en España El Greco. La obra fue un encargo de la parroquia de Santo Tomé de Toledo, donde se halla hoy, para conmemorar la muerte del conde de Orgaz, benefactor del templo, que había muerto doscientos cincuenta años antes. Según la tradición, san Esteban y san Agustín habían bajado del cielo para darle sepultura.

El artista

En Toledo, El Greco controla el mercado artístico a pesar de su interpretación personal de los temas. Los encargos recibidos por la poderosa iglesia local y por los mecenas privados le permiten mantener un taller con una variada y fecunda producción.

Análisis formal

El cuadro se adapta a una composición clásica, presidida por las leyes de la proporción y la simetría. La escena se divide en *dos partes:* la *inferior* o *terrenal*, donde se desarrolla el suceso; y la *superior* o *celestial*, rematada en arco de medio punto, desde donde los personajes sagrados presiden el acontecimiento. La parte inferior se distribuye en torno al grupo central en el que san Esteban y san Agustín, vistiendo ricas ropas litúrgicas, sostienen el cadáver del conde. La composición se cierra por la parte posterior con unos personajes que asisten al entierro, cuyas cabezas se hallan a la misma altura y posibilitan una línea clara de separación con el cielo.

Frente a la sencillez terrenal, el plano celeste se ejecuta con mucho movimiento, color y luz, presidido por la figura de Cristo, rodeado de ángeles y santos. Las figuras se construyen con una paleta de colores muy pastosa y vibrante.

Significado

El Greco consigue expresar a la perfección, a través del lenguaje pictórico, el contraste entre lo terreno y lo celestial.

La parte inferior es mucho más concreta y el dibujo tiene más importancia. Los personajes representados responden a caracteres reales y son una muestra de su habilidad como retratista. El detalle en los ropajes o en la propia armadura del conde es la prueba de su habilidad como pintor.

Lo mismo sucede en la parte superior, donde juega con la distribución del color en una atmósfera de sueños, con figuras desdibujadas y luces fantásticas llenas de intensidad y sentimiento. En el centro de la composición un ángel lleva en sus manos el alma del conde, en figura de niño, estableciendo la comunicación entre los dos planos.

- ¿Cuáles son las influencias más destacadas en la pintura de El Greco que terminan por conformar su estilo?
- Recuerda algunos de los principios fundamentales de la pintura del Renacimiento italiano y relaciónalos con esta pintura. ¿Hay escorzos o utilización de la perspectiva en el cuadro?
- ¿Puede relacionarse la parte superior del *Entierro del conde de Orgaz* con el *Juicio Final* de Miguel Ángel en la Capilla Sixtina? ¿Por qué?
- ¿Por qué crees que El Greco ha sido un pintor muy apreciado por los artistas modernos, diferenciándose de otros pintores de su tiempo?

3. ESCULTURA

Temas y materiales

La escultura del Renacimiento español surge de la rica fusión entre la tradición gótica y las novedades italianas. Frente a la elegancia y la sensualidad de las formas manieristas europeas y de la temática mitológica, la escultura religiosa es aquí la más demandada. Por su plasmación del volumen y de la realidad, es el mejor vehículo de una espiritualidad que lo invade todo.

La *madera*, empleada desde la etapa medieval por su bajo coste y por la calidad plástica, será el material por excelencia. Se podía policromar, lo que proporcionaba color a la escultura y una mayor sensación de realidad. Algunos artistas, generalmente de procedencia extranjera, utilizaron el barro a su vez *policromado*, con resultados similares a los de la madera. En los monumentos funerarios, donde se buscaba la perduración de las obras, se trabajó el *bronce* y la *piedra*, esta última también formando parte de la decoración arquitectónica. Paredes y bóvedas se recubren con motivos ornamentales y escenas moldeadas en yeso, especialmente en Castilla. La escultura tiene pocas veces un carácter público o monumental y se centra en lo religioso.

El tamaño considerable del retablo, el sepulcro o la sillería de coro requería la participación de compañías de artistas que trabajaban de acuerdo con los principios gremiales. La estructura arquitectónica, que enmarca relieves y esculturas en estos conjuntos, reproduce la arquitectura del momento y evoluciona de las formas que muestran una gran concentración de motivos decorativos (propia del plateresco), hacia la simplificación ornamental.

Artistas italianos y españoles

A comienzos del siglo XVI, trabajan en España algunos escultores italianos que trasladan directamente las formas del clasicismo renacentista. Éste es el caso de Domenico Fancelli o de Pietro Torrigiano. **Felipe Bigarny** (muerto en 1542), borgoñón asentado en Burgos, evoluciona de las formas góticas a las renacentistas. Ese tránsito se produce en los escultores de la corona de Aragón, como **Damián Forment** (1480-1540), que sigue los recursos góticos en la estructura de sus retablos, pero concibe sus esculturas con un carácter clasicista.

TORRIGIANO, Pietro: *San Jerónimo (hacia 1525).*
Torrigiano consigue con este San Jerónimo,
modelado en barro, una obra expresiva,
realista en el tratamiento de la anatomía
y de hondo patetismo.

Bartolomé Ordóñez (muerto en 1520) y **Diego de Siloé** (1495-1563) añaden a su formación española la influencia italiana adquirida en la estancia en aquel país. El fruto es una escultura plenamente renacentista, elegante, delicada y llena de la fuerza de los grandes maestros.

Alonso Berruguete también viaja a Italia y a su regreso se instala en Valladolid, desde donde atiende encargos de los más diversos lugares. Su escultura se caracteriza por un acusado sentido de la expresividad a través de figuras alargadas que se contorsionan con violencia sobre un eje, dentro del más puro manierismo, buscando la asimetría y el movimiento.

Juan de Juni (1507-1577), originario de Francia, también residirá en Valladolid. Sus formas son amplias, monumentales y de plegados abundantes, con rostros naturalistas y grupos muy teatrales que anuncian el barroco.

Gaspar Becerra importa las formas de Miguel Ángel y sus discípulos, como se puede observar en el retablo de la catedral de Astorga. Desde una lectura puramente contrarreformista, exalta la anatomía, con rigidez en las composiciones y arquitecturas propias del manierismo romano, e inicia la corriente llamada romanista.

BECERRA, Gaspar: *Retablo de la catedral de Astorga (1558-1562). Becerra lleva*
a cabo una enorme construcción fundamentalmente arquitectónica,
donde la escultura sirve para narrar la vida de la Virgen.

RETABLOS Y SEPULCROS EN EL RENACIMIENTO ESPAÑOL

Los grandes conjuntos escultóricos medievales transforman también su estructura y su ornamentación en el Renacimiento. Los retablos adquieren grandes dimensiones, combinan la escultura y la pintura y tienen un sentido narrativo, buscando únicamente contar historias evangélicas o acontecimientos de la vida de los santos. Los sepulcros perpetúan la memoria y la imagen de los enterrados, a través de las representaciones de los difuntos, exaltando sus virtudes.

Los retablos

En la zona geográfica correspondiente a la corona de Aragón tienen mucho éxito los retablos esculpidos en alabastro. Este es el caso del retablo de la basílica del Pilar, de Forment. De estructura gótica (recuerda los trípticos flamencos), y con arquitecturas y motivos característicos de ese período, muestra escenas y figuras tratadas como esculturas clásicas, serenas y con plegados voluminosos.

En Castilla es la madera el material que más se trabaja. Los elementos arquitectónicos corresponden a los empleados por el Renacimiento, cada vez interpretados con mayor libertad. Los ejemplos más notables los tenemos en los retablos de Alonso Berruguete o Juan de Juni. Ambos artistas interpretan las diferentes partes del retablo (arquitectura y escultura) con su particular estilo expresivo, su concepto del movimiento y de la expresión con mucho dramatismo.

FORMENT, Damián: *Retablo de la basílica del Pilar de Zaragoza (1509-1515). Detalle de la Circuncisión.*

El sepulcro monumental

A la exaltación de la persona, característica del humanismo renacentista, se une en los sepulcros españoles la perduración del difunto después de la muerte, dentro de un fuerte sentido religioso. Además de la representación del fallecido, abundan los motivos referidos a los santos por los que el difunto tenía una especial devoción o alegorías de las virtudes por las que quería ser recordado.

Este sepulcro se encuentra en la Capilla Real de Granada. Usando el modelo de sepulcro exento, Ordóñez trata el mármol con un gran dominio técnico y con la serenidad propia de un conocedor de la escultura del *Cinquecento* italiano. El sepulcro de tipo cama mostraba a los enterrados yacentes, durmiendo y en actitud apacible.

ORDÓÑEZ, Bartolomé: *Sepulcro de los reyes Felipe el Hermoso y Juana la Loca (1519).*

En otros casos los difuntos ordenaban la construcción de un grupo escultórico o de un retablo para colocar en su capilla funeraria, sobre el lugar en el que se enterraban. Para ese motivo sirvió el *Santo Entierro* encargado a Juan de Juni por el obispo de Mondoñedo, fray Antonio de Guevara, actualmente en el Museo Nacional de Escultura.

El grupo está compuesto en torno a la figura de Cristo. Todos los personajes están colocados de acuerdo con un claro principio de simetría, con un movimiento medido y concentrado en el yacente.

JUNI, Juan de: *Santo Entierro (hacia 1540).*

SAGRADA FAMILIA, DE DIEGO DE SILOÉ

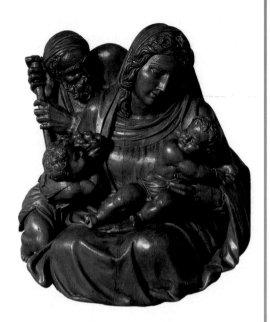

La obra

Es una representación en relieve de la Sagrada Familia (san José, la Virgen y el Niño) acompañada de san Juanito. Se trata de un trabajo en madera sin policromar, algo que no fue muy habitual en la escultura española. La obra pudo formar parte de un retablo y se puede fechar hacia 1530.

Análisis formal

El grupo se desarrolla dentro de una composición triangular que podemos relacionar con los modelos originados en Italia. La figura de la Virgen, de medio cuerpo, es la que organiza el conjunto, de forma que san José se dispone en un segundo plano, como si presenciara la escena asomándose a ella. El movimiento está muy logrado, y existe una evolución circular de los personajes que permitiría su colocación dentro de un medallón. Los dos niños juegan, en posturas en las que se manifiesta equilibrio y armonía, dominando la representación de la anatomía y el desnudo. El rostro de la Virgen responde al tipo de belleza derivado de la escultura clásica. La participación de san Juanito recuerda las composiciones de las Sagradas Conversaciones italianas.

Significado

La influencia de la fase más clásica de la escultura italiana se manifiesta en esta escultura tallada en un relieve muy alto, que ofrece la impresión de tratarse de una escultura de bulto redondo. La trayectoria de Diego de Siloé es representativa de la historia del arte español del siglo XVI, evolucionando de las formas góticas aprendidas en los talleres de Burgos hacia el más puro Renacimiento. El gusto por la plasmación de los temas religiosos, con un carácter amable y un tratamiento dulce y cercano, es una prueba de la asimilación del humanismo por los artistas, frente al dramatismo medieval.

ASUNCIÓN DE LA VIRGEN, DE GASPAR BECERRA

La obra

Es una escultura de bulto redondo que preside el retablo mayor de la catedral de Astorga, iniciado en 1558 y concluido en 1562.

Análisis formal

La escultura sigue los diseños llevados a cabo por Miguel Ángel tanto en pintura como en escultura. Se trata de una representación en la que se valora mucho el volumen, a través del plegado de los paños y la sensación de movimiento. La figura se gira sobre un eje central y ofrece una actitud característica de contraposición para obtener un equilibrio final. Los brazos se dirigen hacia un lado mientras que la cabeza se eleva en sentido contrario, lo mismo que sucede en la imagen de la Virgen colocada al lado de Cristo juez en la Capilla Sixtina. A sus pies revolotea una nube de niños desnudos que la impulsan hacia el cielo y colaboran a proporcionar una impresión de movimiento. El tratamiento del desnudo y la corrección en la anatomía son otro recuerdo de la obra de Miguel Ángel.

Significado

La exaltación de la figura de la Virgen es una característica de la Contrarreforma frente al mundo protestante. El modelo de retablo creado por Becerra, con una estructura arquitectónica muy marcada y una narración fácilmente comprensible, tendrá una extraordinaria difusión por todo el norte de España.

- ¿Cuáles son los materiales utilizados en la escultura española?
- En la escultura del Renacimiento español, ¿cuál es la importancia de la temática religiosa y cuáles las razones de su éxito?
- Además de los retablos, ¿qué otros conjuntos escultóricos tienen un desarrollo especial en el Renacimiento? Señala la evolución de tipos de retablos en España.

La obra

Es uno de los grupos escultóricos que se encontraban en la parte inferior o banco del retablo de San Benito el Real, de Valladolid. El retablo responde a una estructura de madera de grandes dimensiones con esculturas de bulto redondo, en relieve y pinturas sobre tabla. Fue desmontado con motivo de la Desamortización en el siglo XIX y se encuentra expuesto en el Museo Nacional de Escultura de Valladolid.

El artista

Berruguete recibió el encargo de tallar y policromar el retablo de San Benito en 1526. Llegado de Italia, el escultor se instala en Valladolid, donde la clientela podía ser más abundante. El desarrollo del trabajo para una clientela de prestigio y la consideración de su arte le permitieron adquirir la consideración de hidalgo y comprar incluso un señorío.

Análisis formal

La escena es la mejor imagen de la distorsión manierista en la escultura. Aunque la composición siga un planteamiento general triangular, muchas actitudes rompen el orden establecido: el giro de la cabeza de Abrahán elevada hacia el cielo, la pierna que se separa del grupo sin apoyarse en ninguna parte o la figura retorcida de Isaac. Los rostros se descomponen por el dolor, las bocas aparecen entreabiertas como si quisieran gritar y las miradas se muestran suplicantes. Todas las actitudes están pensadas con una enorme carga dramática. En la talla hay una búsqueda consciente de la asimetría y de la inestabilidad, dejando a un lado el equilibrio en favor de la transmisión del mensaje, como sucedía en la época medieval.

La policromía, realizada por el taller del mismo Berruguete, contribuye a aportar la expresión final de la escultura. El proceso era muy laborioso. Cuando la talla estaba finalizada, comenzaba la policromía. Sobre la madera se daban varias manos de yeso fino para terminar con una capa de arcilla rojiza denominada *bol*. A continuación se aplicaban finas láminas de oro (panes de oro). Sobre él se pintaba para después rascar la pintura formando diferentes dibujos. El resultado se conoce con el nombre de *estofado*, por imitar la decoración de las telas que formaban los vestidos (*stoffe* en italiano). Los rostros y las partes del cuerpo visibles se pintaban directamente imitando el color de la piel (encarnado). La policromía aportaba una sensación de realidad a la escultura.

Significado

Este grupo escultórico recoge el instante en que Abrahán se dispone a cumplir con el mandato divino de sacrificar a su hijo, por lo que el planteamiento dramático se acentúa por el contenido de la propia escena. Las formas sirven para exteriorizar, a través de actitudes violentas y expresivas, el sentimiento de dolor y desesperación. La concepción de la escena se diferencia de lo que podían hacer otros artistas del momento, mostrando el estilo personal y original de Berruguete. Su obra está influenciada por los logros de los grandes maestros italianos como Donatello, después de pasar por las interpretaciones personales características del manierismo. Las esculturas del retablo de San Benito supusieron una innovación en el panorama de la plástica española.

- Investiga brevemente sobre el tema de la Desamortización y sus consecuencias, relaciónalo y da tu opinión sobre las circunstancias que se dan cuando un retablo se desmonta de una iglesia y se expone en un museo.
- ¿En qué consiste la técnica de la policromía de la madera? Haz una valoración sobre la singularidad de la madera policromada y su uso en España.
- ¿Cuál es la historia bíblica de Abrahán e Isaac?
- Apunta todas las características que te permitan hablar de escultura manierista partiendo de este grupo escultórico.

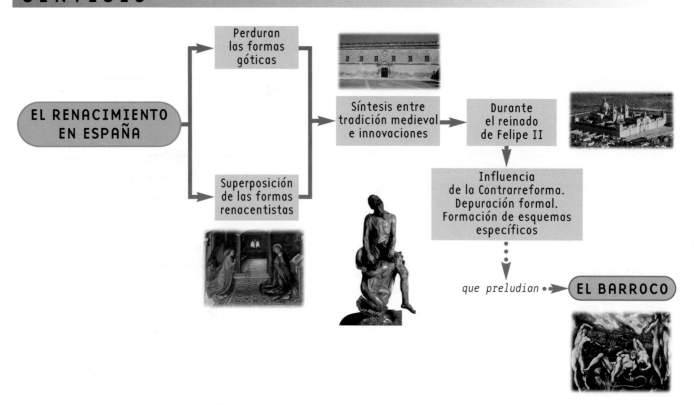

EL RENACIMIENTO EN ESPAÑA

Perduran las formas góticas

Superposición de las formas renacentistas

Síntesis entre tradición medieval e innovaciones

Durante el reinado de Felipe II

Influencia de la Contrarreforma. Depuración formal. Formación de esquemas específicos

que preludian ·· EL BARROCO

Época	Arquitectura	Pintura	Escultura
Finales del siglo XV y comienzos del siglo XVI	**Fase plateresca** • Estructura gótica (naves con contrafuertes y pináculos, bóvedas con nervaduras, arcos apuntados). • Decoración renacentista (almohadillado, decoración con grutescos, medallones, veneras). • Ejemplos de arquitectura civil: fachada de la Universidad y Casa de las Conchas de Salamanca; hospitales de Santiago y de Toledo. • Ejemplos de arquitectura religiosa: fachada de San Esteban, en Salamanca.	• Influencia de la pintura flamenca (realismo de las composiciones, claridad y cuidado en los detalles). • Llegada de influencias italianas. • **Valencia**: uso de arquitecturas renacentistas, grutescos, gusto por la representación de anatomías, captación de la atmósfera y composiciones equilibradas, siguiendo a Leonardo. Fernando de los Llanos o YÁÑEZ DE LA ALMEDINA. • **Castilla**: unidad de lo hispanoflamenco con lo italiano. Pedro BERRUGUETE.	• Escultores italianos que trabajan en España: Domenico FANCELLI y Pietro TORRIGIANO. • Escultores formados en la tradición gótica que asimilan las novedades italianas: Felipe BIGARNY, en Burgos; Damián FORMENT, en Aragón.
Primera mitad del siglo XVI	**Fase clásica** • La estructura arquitectónica refleja las novedades italianas. • La decoración se reduce a motivos arquitectónicos. • Ejemplos de arquitectura civil: Palacio de Carlos V en Granada; Universidad de Alcalá de Henares, Palacio de Monterrey de Salamanca. • Ejemplos de arquitectura religiosa: catedral de Granada.	• Difusión de las composiciones clasicistas de Rafael y de la fuerza de la pintura de Miguel Ángel. • **Valencia**: Juan de JUANES, modelos dulces y sentimentales para mover a devoción. • **Castilla**: Alonso BERRUGUETE, influencia de Miguel Ángel y de la pintura manierista, con proporciones alargadas y actitudes forzadas. • **Andalucía**: Pedro MACHUCA. • **Extremadura**: Luis de MORALES: expresividad, ternura, figuras dolientes.	• Escultores que se forman en Italia: Bartolomé ORDÓÑEZ y Diego de SILOÉ. Su trabajo es plenamente renacentista, elegante y delicado. • Alonso BERRUGUETE: escultura con mucha fuerza que busca la asimetría y el movimiento forzado, producto de la unión entre la expresión gótica y el manierismo. • Juan de JUNI: formas monumentales, de plegados abundantes; rostros naturalistas y composiciones teatrales.
Segunda mitad del siglo XVI	**El Escorial y lo escurialense** • **El edificio**: funciones como templo, panteón, palacio y monasterio. La estructura aúna influencias italianas y flamencas. Depuración y sencillez en el diseño. Imagen simbólica de la monarquía de Felipe II. • **La decoración**: sobriedad en la ornamentación tanto de la arquitectura como del amueblamiento del edificio, al servicio de la defensa del catolicismo. • **Las consecuencias**: da origen a un estilo que se prolonga hasta el siglo XVII.	• Imposición de los gustos de Felipe II. • Gaspar BECERRA: influencia del tratamiento anatómico de Miguel Ángel. Temática mitológica para decorar los palacios reales. • Pintores italianos para la decoración de El Escorial: corrección, claridad a la hora de transmitir el mensaje religioso. • Grandes retratistas: SÁNCHEZ COELLO. • Una figura singular: EL GRECO. En su pintura se unen influencias diversas. El resultado es original en la composición, la luz y el movimiento.	• Gaspar BECERRA: importa las formas romanas del último Miguel Ángel, dentro de un lenguaje adaptado al espíritu de la Contrarreforma. Da inicio al romanismo. • Escultores italianos al servicio de Felipe II: los LEONI.

HACIA LA UNIVERSIDAD

1. Analiza y comenta estas imágenes:

MACHUCA, Pedro:
Descendimiento
(hacia 1521).

JUNI, Juan de:
*Retablo de Santa
María de la
Antigua
(terminado
en 1562).*

2. Define o caracteriza los términos siguientes: *plateresco, policromía, custodia, chapitel, retablo, romanista, estofado.*

3. Lee el siguiente documento y contesta a las cuestiones planteadas:

A pesar de todos los pesares, en España se dio en el siglo XVI un arte renacentista, cristiano, sin Antigüedad o emblemático. No intentaremos redefinirlo en una sola fórmula, siempre falsa; pero fue un Renacimiento porque, a pesar de cortapisas, inercias y contracorrientes, algunos descubrieron Italia, quisieron imitarla y convencieron finalmente al resto de sus contemporáneos de su validez y dignidad; y un Renacimiento que tenía que ser forzosamente distinto al italiano, o al flamenco, o al alemán [...]. España pertenecía, por historia y vocación, al mundo cultural y artístico europeo, no opuesto a él pero distinto, matizando y dando respuestas particulares a propuestas y problemas comunes a un lugar y a una época.

MARÍAS, Fernando: *El largo siglo XVI. Los usos artísticos del Renacimiento español*. Madrid, Taurus, 1989

— Resume los conceptos fundamentales que se expresan en este texto.

— Apunta todos los rasgos que te parezcan distintivos del Renacimiento español respecto al italiano en las distintas disciplinas artísticas: arquitectura, escultura y pintura.

4. Desarrolla uno de estos dos temas:

a) *La consideración del artista en el Renacimiento español.*

b) *El proyecto de San Lorenzo de El Escorial.*

PASADO Y PRESENTE EN EL ARTE

Observa estos edificios, distantes en el tiempo pero cercanos geográficamente, y responde a los temas que se plantean:

— El Ministerio del Aire fue construido en Madrid entre 1943 y 1951, proyectado por Luis Gutiérrez Soto. Señala todas las similitudes que encuentras con El Escorial.

— Explica cuál es tu opinión sobre esta repetición de modelos. ¿A qué puede deberse esta larga influencia de lo escurialense?

Monasterio de San Lorenzo de El Escorial.

Ministerio del Aire, Madrid.

16. BARROCO Y ROCOCÓ: ARQUITECTURA

El barroco representa la máxima exaltación del poder político y religioso de una nueva Europa. Las monarquías absolutas encuentran en el arte un medio de propaganda por el que transmitir a sus súbditos el poder del soberano. También el catolicismo se sirve del arte para transmitir sus doctrinas en oposición a las doctrinas protestantes.

Italia sigue siendo el centro donde tienen lugar las principales innovaciones. Desde allí se extienden por Europa. La renovación urbanística es una respuesta a las ideas de poder. La arquitectura, sin modificar los elementos tradicionales del Renacimiento, busca el movimiento, la monumentalidad y los efectos escénicos. Escultura y pintura se subordinan a la arquitectura, que persigue como objetivo la síntesis de las artes.

Francia destaca en el siglo XVII y crea un modelo palaciego en el que la arquitectura se une de forma admirable a la naturaleza organizada de los jardines. En la centuria siguiente se abandona la solemnidad barroca en favor de una concepción intimista y despreocupada del arte que conocemos con el nombre de rococó.

En España, la arquitectura barroca se mira en El Escorial, símbolo de la unión entre el poder monárquico y la religión, hasta que el cambio de dinastía a comienzos del siglo XVIII traiga las novedades europeas.

Interior de la basílica de San Pedro Vaticano, con el baldaquino de Bern y la cátedra de San Pedro al fon

BERNINI

Es idea común que Bernini ha sido el primero que ha intentado unir la arquitectura con la escultura y con la pintura de tal modo que resulte una bella síntesis, lo que hace a partir de suprimir odiosas actitudes uniformes, de alterar sin violencia las buenas reglas, y sin obligarse a cumplir reglas fijas. Por eso decía a este propósito que quien no sale de la regla no la supera. Advertía también que quien no fuera pintor y escultor no debía experimentar esto, sino limitarse a los preceptos del arte.

BALDINUCCI, Filippo: *Vida del caballero Gian Lorenzo Bernini* (1682)

S Í N T E S I S

CLAVES DE LA ÉPOCA

Una sociedad cambiante

A lo largo del siglo XVII se produce en el sur de Europa una consolidación de las monarquías absolutas, al tiempo que se refuerzan las distintas nacionalidades. Este poder creciente de la autoridad monárquica hará que el arte actúe como un sistema eficaz de propaganda al servicio del Estado.

Al mismo tiempo, en el norte, el desarrollo del capitalismo y de ciertas formas de participación ciudadana en el gobierno (repúblicas) crea unas inquietudes sociales distintas. La ciudad y su ámbito son la expresión de esas novedades, donde se deben integrar los más diversos factores dentro de una idea común. En otro sentido, la Reforma protestante y la posterior Contrarreforma católica habían dividido a Europa en dos partes, con sensibilidades diferentes: la Europa protestante del norte rechaza las representaciones religiosas; la Europa católica del sur potencia las manifestaciones externas de piedad a través del arte religioso, en especial de la escultura y la pintura.

Barroco y rococó

La evolución del Renacimiento hacia el manierismo desembocará, a finales del siglo XVI, en un lenguaje artístico que responde a la situación de la sociedad europea del momento. El período barroco se caracteriza por una complejidad de las formas establecidas en el Renacimiento, que se hacen más dinámicas, con juegos teatrales de contrastes y sensaciones que rompen con la búsqueda del equilibrio y la armonía. El término barroco se identifica con las ideas de movimiento, decoración y complicación de las formas. En portugués la palabra servía para definir un tipo de perla irregular, y quizá sea éste el origen del término.

Cuando a finales del siglo XVIII se implante el neoclasicismo, una vuelta a la pureza de los elementos clásicos, la palabra barroco tomará un sentido peyorativo para definir el estilo artístico recargado del período anterior.

MADERNO, BORROMINI y BERNINI: *Fachada del Palacio Barberini (1625-1633). Mandado erigir por el papa Urbano VII, fue iniciado por Maderno con la colaboración de Borromini y finalizado por Bernini.*

La etapa barroca se alarga durante todo el siglo XVII hasta los primeros años del siglo XVIII. En este momento nace en Francia, y en relación con la corte, un movimiento artístico denominado rococó. Este estilo es el producto de una sociedad opulenta y se distingue por la construcción de espacios íntimos, de trazado curvilíneo y decorados profusamente recargados con motivos delicados y sensuales. La palabra rococó procede del término francés *rocaille* (rocalla), que definía un motivo ornamental en el que se mezclan motivos vegetales y de conchas con líneas muy curvas. Fue una forma decorativa muy empleada en el siglo XVIII. Sirvió para identificar un estilo que afecta en esencia a la decoración y en el que se complican aún más las formas del barroco.

El lenguaje del barroco

El lenguaje del barroco no supone una innovación creadora, como sucedió con el gótico o el Renacimiento, que crearon un nuevo código. El barroco propone una lectura libre de los elementos anteriores donde predomine la sensación. En arquitectura, incumpliendo todas las reglas tradicionales, se realiza una mezcla caprichosa de los órdenes clásicos. Las plantas y los alzados de los edificios expresan un movimiento extraordinario, con formas abiertas, líneas dinámicas y muros que se curvan. La cúpula adquiere un papel muy notable, tanto en su parte exterior como en la interior, y se decora con pinturas al fresco para obtener espacios ilusionistas.

El principal objetivo del arte barroco es lo que podemos llamar el arte total. La arquitectura será la disciplina fundamental a la que se condicionan todas las demás (escultura, pintura, jardinería, artes decorativas) para conseguir un espacio de síntesis dentro de un contexto urbano.

BORROMINI, Francesco: *Cúpula de la iglesia de San Carlos de las Cuatro Fuentes (1638-1641). El uso de la cúpula fue muy significativo en el barroco. Se dignificaba el espacio religioso con un símbolo del universo y, en definitiva, del poder divino.*

El arte al servicio del poder

El arte del barroco expresa hacia el exterior la imagen del poder. Por un lado, el refuerzo de las nacionalidades y la consolidación de las grandes monarquías absolutas (Francia o España) favorecen el concepto del arte como propaganda de la autoridad. Las construcciones de la realeza, los centros de gobierno y los espacios públicos pretenden impresionar a los ciudadanos para que acaten los mandatos de la monarquía.

Por otro lado, la situación religiosa heredada del siglo anterior (Reforma-Contrarreforma) planteaba un enfrentamiento permanente entre la Europa protestante del norte y la católica del sur. La intención de reafirmar sus posiciones también se ve reflejada en sus realizaciones artísticas. Tanto la monarquía como la Iglesia ejercen un control sobre las obras para que se ajusten a los principios que se persiguen.

Rizzi, Francisco: *Auto de fe en la plaza Mayor de Madrid* (1683). *La plaza Mayor es un espacio urbano en el que tienen lugar importantes acontecimientos. Este cuadro es un testimonio del uso de este espacio al servicio de la Inquisición y de la monarquía.*

Manifestaciones arquitectónicas

La arquitectura es la expresión artística que más interesa al poder político y religioso. La ciudad y los edificios que la componen son los centros que reciben una atención especial. La ciudad, especialmente la capital del Estado, alcanza una marcada simbología como centro donde reside el poder. Se hacen grandes reformas en el trazado de las ciudades, se organiza la distribución de las vías de comunicación, se buscan ejes y perspectivas que confluyan en puntos de interés (templos, palacios o plazas), etc.

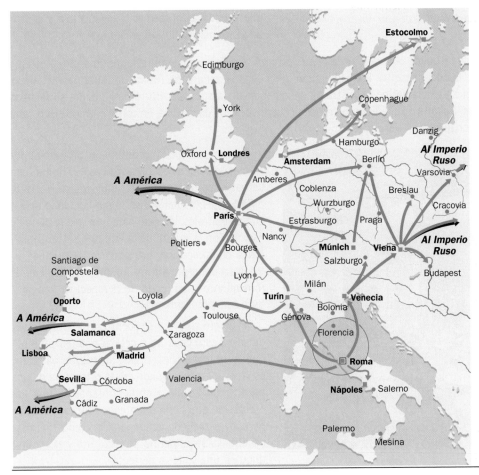

Los palacios reales intentan diferenciarse del resto de las construcciones y se rodean de espacios ajardinados que señalen su dignidad. Los palacios de la nobleza y de la alta burguesía emulan la riqueza de los sitios reales para integrarse en el entorno urbano. Además de los jardines privados, a los que se dedica una especial atención, comienzan a tenerse en cuenta los espacios públicos de expansión, que hacen a las ciudades más habitables y les proporcionan un aspecto mucho más agradable. El templo se hace más visible en el escenario urbano. Las iglesias, con su trazado exterior y con la decoración exuberante de sus interiores, se convierten en espacios para causar admiración y conmover a los fieles. Frente al esplendor de los templos católicos, los templos protestantes se caracterizan por su sobriedad y la desnudez de sus interiores.

EL BARROCO EN EUROPA

- ▣ Foco originario
- ▪ Principales focos de difusión
- ● Principales centros de arquitectura barroca
- → Dirección de la expansión

El simbolismo de la Roma barroca

La ciudad es el escenario perfecto para el sistema de propaganda que supone la arquitectura y, en general, el arte barroco. En el diseño de la ciudad, en la estructura exterior de sus edificios y de sus espacios públicos se encuentra el ámbito donde transcurre el espectáculo que expresa el poder de sus gobernantes. Este objetivo de convertir la ciudad en imagen del poder se observa en las reformas urbanísticas protagonizadas por el papado que tienen lugar en Roma desde los últimos años del siglo XVI.

Roma es la capital del catolicismo de la Contrarreforma y tiene que ofrecer una imagen impactante a los miles de peregrinos que acuden a visitar las basílicas y la tumba de san Pedro. Esto hizo que fuera necesario regular un sistema de ordenación urbana a través de vías principales que desembocaran en plazas espaciosas. Las fachadas de los edificios religiosos y la decoración de los ámbitos públicos (con la colocación de fuentes y obeliscos) adquirieron un gran protagonismo. Especialmente simbólico es el espacio de la plaza que se abre delante de la misma basílica de San Pedro del Vaticano.

Piazza Navona, donde se encuentran la iglesia de Santa Inés, de Borromini, y la fuente de los Cuatro Ríos, de Bernini.

El sistema de comunicación y los espacios

El papa Sixto V desarrolló entre 1585 y 1590 unas reformas urbanas que, ordenando el trazado medieval de la ciudad, regularizaban el plano de Roma. Buscaba lograr un sistema de comunicación, con calles anchas y espacios abiertos delante de los edificios religiosos, que permitiera la concentración de personas. La forma de unir unos lugares con otros se hace a partir de ejes longitudinales, de los que resulta un perfecto ejemplo el tridente de calles que parte de la Piazza del Popolo. Los extremos de estas tres calles se remataron en la plaza con la construcción de dos iglesias simétricas y cubiertas con cúpula, que ayudan a conformar la perspectiva y el sentido organizado del urbanismo.

Otra actuación en este mismo sentido se puede observar en la Piazza Navona. La plaza se disponía sobre un antiguo estadio de la época romana con forma elíptica, la cual conserva. Fue el corazón de la vida ciudadana de Roma, un lugar de encuentro, de paseo y de actividad comercial. La iglesia de Santa Inés, construida en el centro de la plaza por Borromini, integra su fachada con los edificios civiles que la flanquean. Delante de ella Bernini colocó la fuente de los Cuatro Ríos, en torno a un obelisco, para obtener un contraste entre las líneas horizontales y verticales.

SALVI, Nicola: Fontana de Trevi (1732-1751).

Durante el siglo XVIII continúa el proceso de reformas y soluciones urbanísticas en Roma, con actuaciones que persiguen conseguir un efecto óptico espectacular y que llenan la ciudad de recursos teatrales. La escalinata que une la plaza de España con la iglesia de la Trinità dei Monti facilita la comunicación entre dos zonas urbanas situadas a diferente altura, con un sistema lleno de movimiento y un juego de perspectiva imaginativo, ágil y monumental.

El efecto sorpresa se acentúa cuando, a través de calles estrechas, se accede a una plaza de pequeñas dimensiones, donde la mayor parte del espacio aparece ocupado por la estructura de una fuente, como sucede en la Fontana de Trevi. Las esculturas que componen este conjunto forman parte de la fachada de un palacio, como en un escenario. La arquitectura, la escultura y el agua se unen en una síntesis perfecta.

Plaza y basílica de San Pedro del Vaticano

La basílica de San Pedro del Vaticano, que se proyectó durante el siglo XV y sufrió diversas modificaciones a lo largo del siglo XVI, se remató con la construcción por parte de Maderno de la fachada. La realización de un gran plaza en el exterior y la ornamentación interior de la basílica serán los pasos siguientes.

La plaza de San Pedro

Terminado el edificio, se planteó la urbanización del entorno. Con el diseño de la plaza delantera se intentaban cumplir varias funciones: enlazar la basílica con la ciudad a través de una comunicación digna; proporcionar un espacio suficiente a la concentración de peregrinos que acudían al Vaticano, especialmente para la bendición papal del Domingo de Resurrección; y dotar a la zona del simbolismo necesario, como antesala del primer templo de la cristiandad. Se encargó la obra a Gian Lorenzo Bernini, un artista polifacético, que la abordará durante el pontificado del papa Alejandro VII, entre 1656 y 1667.

Vista general de la plaza de San Pedro.

La colocación del obelisco en 1585 condicionará la forma final de la plaza de San Pedro. Bernini, después de varios proyectos, terminó por hacer rectos los dos tramos más próximos al templo, para desarrollar después una forma oval en torno al obelisco como eje espacial. La plaza adquiría forma con la construcción de una columnata, adintelada y formada por cuatro columnas en fondo, en la que se empleaba el orden gigante y que se coronaba con esculturas.

El efecto final, a partir de la colocación de las columnas, juega con el contraste de espacio abierto y espacio cerrado. La combinación de perspectivas aumenta las posibilidades visuales de la plaza. Además, Bernini pensó en un tercer brazo que obligara a acceder de forma oblicua al recinto, lo que serviría para incrementar el efecto sorpresa cuando el visitante se encontrara de pronto con la monumentalidad de la fachada y de la cúpula al fondo. Este brazo no se llegó a construir nunca. La plaza adquiere la sensación final de unos enormes brazos que acogen a los fieles, como imagen simbólica de la Iglesia que abraza a sus hijos.

Detalle de la columnata.

La decoración interior

También en el siglo XVII se da un gran impulso a la decoración interior de la basílica en una tarea en la que colabora el mismo Bernini. Él es quien realiza en 1624 un baldaquino de bronce que colocó sobre el sepulcro de san Pedro para distinguir el lugar y aumentar el protagonismo de la cúpula de Miguel Ángel. Su obra fue una de las creaciones con más impacto de todos los tiempos. El uso de las columnas denominadas salomónicas (de fuste helicoidal), la imitación de telas colgantes y el concepto decorativo de la estructura hacen del baldaquino una construcción movida y diferente a todo lo que se había encargado hasta entonces.

El baldaquino (1624).

Dos maestros romanos: Bernini y Borromini

En el contexto urbano de la Roma barroca tienen mucho que ver dos personalidades artísticas enfrentadas, que expresan a la perfección las inquietudes del momento. Se trata de Bernini y Borromini. Procedentes del sur y del norte de Italia, respectivamente, ambos se instalan en Roma, donde protagonizan la creación arquitectónica de un dilatado período y con su influencia marcan la arquitectura italiana hasta los primeros años del siglo XVIII.

Gian Lorenzo Bernini (1598-1680) es un artista total que destaca no sólo en su faceta de arquitecto sino también como escultor y decorador. Su arquitectura se caracteriza por la síntesis, la sencillez de las formas, el concepto teatral del espacio y el mensaje triunfal de sus construcciones.

Bajo el mecenazgo del papa Urbano VIII lleva a cabo el mencionado baldaquino de San Pedro, que es toda una propuesta del nuevo estilo.

Para la familia Barberini construye un palacio en Roma que transforma la idea tradicional del palacio urbano. Suprime el patio interior, que sitúa ahora ante el cuerpo central de la construcción, y lo abre hacia la calle con galerías de ventanas para insertarlo más en la vida de la ciudad.

En la fachada de San Andrés del Quirinal, iniciada en 1658, logra provocar la sorpresa en el espectador al combinar diferentes elementos arquitectónicos procedentes del lenguaje clásico.

En la Scala Regia del Vaticano (1663-1666) conjugó el uso de la arquitectura y la escultura para conseguir un espacio teatral, con gran importancia de la perspectiva y la luz.

BERNINI: *San Andrés del Quirinal (1658-1670). La fachada es una prueba de la combinación y el juego de elementos arquitectónicos: formas triangulares y semicirculares, pilastras y columnas, pórtico con un entablamento semicircular y colocación inestable del escudo de los mecenas en la parte superior.*

Francesco Borromini (1599-1667) es exclusivamente arquitecto y su obra rompe con los moldes anteriores aplicando un gran derroche de imaginación. Se caracteriza por la construcción de edificios de pequeñas dimensiones, uso de plantas centrales que responden a una idea simbólica, preocupación por la luz y relación del espacio construido con su entorno urbano. Sus obras muestran un juego de líneas curvas tanto en las plantas como en los alzados, con gran dinamismo y movilidad frente al equilibrio y la serenidad de las construcciones renacentistas. El ejemplo perfecto está en su primera obra, la iglesia de San Carlos en Roma, donde aplica todos los principios arquitectónicos que le caracterizan. Las formas dinámicas, cóncavas y convexas, se observan en la iglesia de la universidad romana de San Ivo o en la de Santa Inés de la plaza Navona. En este caso inserta la iglesia en la estructura de la plaza, acercando la enorme cúpula a la fachada, que adopta una forma cóncava para ampliar el espacio urbano.

Arquitectos del norte de Italia

Guarino Guarini (1624-1683) destaca por su dominio técnico de las bóvedas elevadas y nervadas, posiblemente por influencia de las que pudo observar en la mezquita de Córdoba, después de viajar a Lisboa. La fuerza de sus edificios se dirige siempre hacia la cúpula, que actúa como fuente de luz (Capilla de la Sábana Santa de Turín).

Filippo Juvara (1678-1736), con gran influencia de la arquitectura francesa, realiza algunos de los edificios más notables del barroco civil europeo. Sus palacios muestran el sello de esas construcciones donde se ofrece el valor teatral del poder, y la relación con la naturaleza en unos jardines organizados, como sucede en el Palacio Stupinigi de Turín.

BORROMINI: *Campanario de la iglesia de San Ivo (1640 y 1660).*

DOS OBRAS DE BERNINI Y BORROMINI

La tradición y también la historia real nos dicen que Bernini y Borromini vivieron en una permanente rivalidad. Sin embargo, su personalidad tenía muchas cosas en común, aunque su concepto espacial de la arquitectura se plasmara de modo diferente. Ambos daban mucha importancia al sentimiento religioso, y su obra es un reflejo del arte de la Contrarreforma. Pero, mientras que Borromini lo expresaba todo con la arquitectura y sus elementos, Bernini concebía el proceso creador como una obra total y de síntesis de las artes, que es lo que caracteriza al mundo del barroco.

San Andrés del Quirinal, de Bernini

Iniciada en 1658, la iglesia de San Andrés del Quirinal expresa la facilidad de recursos arquitectónicos de Bernini. Los condicionantes espaciales, como el pequeño tamaño del solar donde se debía construir, son hábilmente transformados para obtener un efecto engañoso de mayores dimensiones. El uso de la planta central, que adquiere en este caso la forma ovalada, expresa el movimiento y la tensión del nuevo estilo, al tiempo que sirve para transmitir un mensaje teológico.

Flanqueando la fachada, dos muros curvos arropan al visitante a modo de brazos y le dirigen hacia la puerta de acceso. Al entrar, la proximidad del altar mayor es muy grande, ya que la puerta y el altar se encuentran dispuestos en los lados menores del óvalo. Esta distancia tan corta sólo se ve contrarrestada por la apertura de capillas laterales y por la enorme cúpula, que proporciona monumentalidad y amplitud al conjunto. Podemos afirmar que el arquitecto manipula el espacio para crear un ambiente ilusorio, a lo que contribuye el contraste lumínico entre la oscuridad de la parte inferior del templo y la luz que ilumina la cúpula a través de las ventanas.

La arquitectura se ve completada con la escultura, la pintura y la ornamentación. Al fondo del altar mayor un cuadro narra el martirio de san Andrés, mientras que en la parte superior un grupo escultórico lo representa en su ascenso al cielo, para reforzar el sentido simbólico de su martirio. La iglesia era una de las obras de su producción más apreciadas por Bernini.

Fachada de la iglesia de San Carlos, de Borromini

Borromini recibe el encargo de construir en Roma el convento y la iglesia de los Trinitarios, dedicados a san Carlos, en 1634. El solar en el que había de elevarse la construcción era pequeño e irregular, colocado en la intersección de dos calles. Las obras se iniciaron por el convento y el interior de la iglesia. La fachada no se comienza hasta 1665 y fue acabada después de la muerte del arquitecto.

Se trata de una fachada en la que predomina la línea curva, tanto en la planta como en el alzado. Se divide en dos tramos, separados por un entablamento. En ambos se combinan dos tamaños diferentes de columnas, lo que proporciona un mayor sentido de dinamismo, y dos tipos de vanos diferentes (rectangulares y ovalados). El tramo superior refuerza su eje central con la colocación de un pequeño templete sobre el que se coloca un medallón ovalado sostenido por dos ángeles, ligeramente inclinado hacia el suelo para crear una sensación de inestabilidad. La construcción se remata con una balaustrada que, en su parte central, se adapta a la forma del citado medallón. La escultura se incorpora a la arquitectura no sólo en los nichos de la propia fachada, sino al integrar la fuente pública que se encontraba en el chaflán de la calle como parte de la misma estructura decorativa del edificio.

El conjunto de San Carlos, y sobre todo su fachada, se sitúan en el contexto de su entorno urbano, al tiempo que suponen una llamada de atención a pesar de su pequeño tamaño. Borromini estudia en profundidad sus recursos para acometer esta obra, en la que se manifiestan muchas de sus innovaciones en el campo de la arquitectura. Con el uso de los mismos elementos renacentistas (columnas, entablamentos, balaustres), el sentido final es muy diferente. El movimiento a través del uso de la línea curva anuncia al espectador lo que se va a encontrar en el interior del templo. San Carlino (denominado así por su pequeño tamaño) es una de las obras más significativas del barroco europeo.

Barroco y monarquía en Francia

La arquitectura del barroco francés expresa la imagen de la monarquía absoluta y centralista. El carácter todopoderoso del Estado deja a un lado la arquitectura religiosa en favor de las construcciones palaciegas. Además, en 1675 se funda la Academia de Arquitectura, que marca un control sobre los proyectos, supervisados por la institución, de forma que se impone un gusto regular y al servicio del poder. Arquitectos como Hardouin Mansart o Louis Le Vau controlarán los encargos más importantes.

Los espacios públicos cumplen un papel fundamental y el trazado urbano, sobre todo en París, se hace cada vez más regular. Se desarrollan plazas públicas de gran tamaño con edificaciones uniformes, como lugares para la celebración de festejos y otros acontecimientos populares.

Los palacios son el mayor logro de la arquitectura barroca en Francia. El exterior mantiene una estructura basada en los principios clásicos (órdenes tradicionales, alternancia de frontones curvos y triangulares), buscando la solemnidad y la monumentalidad. Los interiores se recargan desde el punto de vista decorativo con mármoles multicolores, espejos o molduras doradas que acentúan la impresión de riqueza y opulencia. En estos conjuntos son muy importantes los espacios ajardinados, con gran protagonismo del agua y las fuentes. El Palacio de Versalles servirá de modelo a la arquitectura palaciega de toda Europa.

MANSART, Hardouin: *Fachada de la iglesia de los Inválidos de París (1678-1691). El protagonismo de la cúpula, la sencillez exterior de la arquitectura y el uso de elementos constructivos de carácter clásico son características del barroco francés.*

HÉRÉ, Emmanuel: *Plaza Stanislas de Nancy (1752).*

El capricho del rococó

El rococó es un estilo relacionado especialmente con lo decorativo. Su nacimiento tiene lugar en Francia durante el siglo XVIII, vinculado al disfrute de la alta sociedad, a la sensualidad y a la superación de las reglas. Se centra en la ornamentación de espacios íntimos y delicados, frente a la grandiosidad solemne de los palacios anteriores. Muestra de esta idea es el Petit Trianón, obra del arquitecto Jacques Gabriel, así como la decoración de muchos salones de todos los palacios europeos con porcelanas, sedas, motivos chinescos o bronces de inspiración oriental.

El concepto de complicación formal se observa también en diseños urbanísticos, en los que se usan la forja dorada y las fuentes en conexión con la naturaleza, como sucede en la plaza Stanislas de Nancy, realizada en 1752 por Emmanuel Héré. El rococó se exportará desde Francia hacia Europa, teniendo un gran éxito sobre todo en las pequeñas cortes de los principados alemanes.

El barroco en Inglaterra

La llegada tardía del Renacimiento a Inglaterra condiciona la asimilación del estilo barroco. A ello se une el incendio que asoló Londres en 1666, que permitió organizar de nuevo el urbanismo de la ciudad. Las formas arquitectónicas del italiano Palladio, en lo que se refiere a la arquitectura civil, serán reinterpretadas por los arquitectos ingleses con gran éxito y durante un largo período de tiempo. Las construcciones adquieren una notable impresión de clasicismo y de armonía, visible en la catedral de San Pablo de Londres, construida por Christopher Wren a partir de 1675. En su proyecto influyó mucho el modelo de San Pedro del Vaticano, tanto en la planta, que tiende hacia el esquema centralizado, como en la majestuosa cúpula.

EL PALACIO DE VERSALLES

Versalles es el símbolo perfecto de la monarquía absolutista de Luis XIV y la expresión del poder y la voluntad del monarca. Es una ciudad palaciega donde habitan la corte, los ministros y un número enorme de funcionarios y servidores que rodean al rey. El edificio tiene unas proporciones considerables y está rodeado de hermosos jardines, donde transcurre la vida controlada por la etiqueta, un código de conducta que imponía un rígido ceremonial. Todas las acciones del monarca, desde su propio despertar hasta sus comidas, estaban rodeadas de ceremonias reguladas previamente que convertían al palacio en el escenario de una representación teatral.

El edificio

Versalles era un pequeño palacio de caza que Luis XIV decide transformar en el centro de su poder. Las primeras modificaciones las lleva a cabo el arquitecto Le Vau y las continúa Hardouin Mansart, que será quien dé forma a los gustos del rey, justo antes de que se instale en el palacio en 1685. El propio Luis XIV supervisará todos los trabajos, tanto constructivos como decorativos, rodeado de un elevado número de artistas, de forma que el edificio sea la imagen de su propia voluntad.

El edificio responde a un plan simétrico y organizado, en cuyo centro se encuentran las habitaciones personales del rey. Un gran espacio representativo, la Galería de los Espejos, sirve para mostrar la opulencia de la monarquía y para lograr el juego favorable de la perspectiva con la vista hacia los jardines y la apertura del muro con grandes ventanales que inundan de luz el interior.

Vista aérea del Palacio de Versalles.

Los jardines

El diseñador Le Nôtre, a las órdenes del rey, programa unos jardines fastuosos, de acuerdo con una organización geométrica, que no son más que una prolongación vegetal del propio palacio. En los jardines abundan las fuentes, las esculturas y los canales, que sirven de diversión a la corte en sus paseos diarios. Más allá de los jardines, se extendían bosques en los que abundaba la caza.

Luis XIV había elegido el sol como símbolo personal. La elección del rey permite hacernos una idea del elevado concepto que tenía de sí mismo y de sus tareas de gobierno. Su imagen, en forma de estatua, de retrato pintado o de motivos alusivos a su persona, aparece distribuida por todo el palacio.

Sin embargo, el Rey Sol tuvo sus detractores, como el duque de Saint Simon, que criticaba de esta manera sus actuaciones en Versalles:

Vista del palacio con los jardines.

"Luis XIV fue un príncipe al que no podemos negar muchas cosas buenas e incluso grandes, pero reconocemos aún más lo que tenía de mezquino y malo [...]. Se complació en tiranizar a la naturaleza, en subyugarla por la fuerza del artificio y el dinero. Levantó en Versalles edificio tras edificio sin plan determinado, y mezclando y amontonando lo hermoso y lo chabacano, lo grandioso y lo exiguo. Sus habitaciones y las de la reina son de lo más incómodo, con vistas a la parte trasera, a las letrinas y otros sitios oscuros, mal ventilados y malolientes. Los jardines, cuya magnificencia asombra, pero cuyo disfrute resulta insoportable, son del peor gusto".

4. ARQUITECTURA BARROCA EN ESPAÑA

Del Siglo de Oro a la llegada de los Borbones

El siglo XVII español es conocido desde el punto de vista creativo como el Siglo de Oro, en el que florecieron grandes escritores y artistas plásticos. La sociedad está fuertemente influenciada por la religiosidad de la Contrarreforma, lo que se transmite en las distintas disciplinas artísticas. La escasez de medios económicos será sin embargo cada vez más acuciante. Los materiales constructivos de este período son por lo general pobres (ladrillo). La piedra mantiene su uso para reforzar las esquinas o los zócalos. Sin embargo, en algunos lugares continuará utilizándose a causa de su abundancia y bajo precio, como sucede con el granito en Galicia.

La arquitectura sigue la huella marcada por el modelo herreriano de El Escorial, sobrio y sencillo. Se diferencian distintos centros entre los que destaca Madrid, como capital del reino y expresión del poder real. Progresivamente se evoluciona hacia formas que otorgan más protagonismo a lo decorativo, complicando los esquemas iniciales y sin grandes innovaciones en las estructuras de los edificios.

GÓMEZ DE MORA Y CRESCENZI: *Panteón de El Escorial (1617). La organización arquitectónica, de planta central, corrió a cargo de Gómez de Mora. La decoración, con mármoles, bronces y fondos dorados que contrastan con la sobriedad del edificio, fue diseñada por el italiano Crescenzi.*

Muy importante en el cambio de mentalidad será la llegada de la dinastía francesa de los Borbones en el año 1700, que coincide con un periodo de resurgir económico. Ahora se importan ideas nuevas y se proporcionará un giro a la tradición artística inspirado en modelos europeos.

Urbanismo. Arquitectura civil y religiosa en la primera mitad del siglo XVII

Al contrario de lo que sucedía en Italia, en España no tiene lugar una renovación urbanística que cambie la fisonomía de las ciudades. Las grandes urbes españolas mantienen su estructura medieval, aunque ahora se consolida un espacio muy singular: la *plaza mayor*. Ésta es un ámbito cerrado y uniforme que sirve como escenario de los distintos acontecimientos de la vida ciudadana: fiestas, corridas de toros, ceremonias religiosas. La parte baja se organiza con galerías porticadas, donde transcurren intercambios comerciales y negocios. La más representativa, a pesar de las sucesivas remodelaciones que ha sufrido, es la plaza Mayor de Madrid, obra de Gómez de Mora finalizada en 1620.

Los edificios oficiales (ayuntamientos, cárceles) y los palacios que se construyen en el siglo XVII siguen el tipo escurialense. El madrileño Palacio del Buen Retiro, diseñado por Alonso Carbonell, utiliza el ladrillo y tejados de pizarra, e incorpora a su estructura extensos jardines. Habrá que esperar a la llegada de los Borbones para que se produzca una transformación radical en la arquitectura palaciega. Es entonces cuando se produce una remodelación de acuerdo con los esquemas de Francia, país de origen de la nueva dinastía.

La arquitectura religiosa adopta modelos tradicionales en su distribución y una gran simplicidad en la planta y en los alzados. Exteriormente la sencillez es muy notable, con fachadas lisas y torres cubiertas con chapiteles de pizarra. La sobriedad destaca frente a los proyectos dinámicos de Italia o del resto de Europa. En el interior la ornamentación se suple con retablos de madera dorada y estructura arquitectónica. Uno de los ejemplos más claros lo tenemos en la fachada del convento de la Encarnación de Madrid, obra de Juan Gómez de Mora, iniciada en 1612.

JUAN GÓMEZ DE MORA: *Iglesia del convento de la Encarnación, Madrid (1612). Esta obra es un ejemplo de la sobriedad elegante del primer período del barroco español.*

LA ARQUITECTURA PALACIEGA EN EL BARROCO ESPAÑOL

La huella de El Escorial y su influencia había hecho que las residencias reales españolas, y también las de la nobleza que se levanta-ron después, siguieran su esquema. Éste es el caso del Palacio del Buen Retiro, de Madrid. La muerte sin descendencia directa de Carlos II el Hechizado hizo que el trono de España fuera ocupado en 1700 por Felipe V, nieto de Luis XIV de Francia. La nueva dinastía protagoniza una renovación en los palacios reales, que se adaptan a unos principios que no tienen nada que ver con la austeridad del período anterior.

El Palacio del Buen Retiro

Construido por orden del conde-duque de Olivares y regalado a Felipe IV, el palacio madrileño del Buen Retiro fue un lugar pensado para el esparcimiento de la corte, con todos los condicionantes de la tradición palaciega hispana. El edificio, levantado rápidamente con materiales poco costosos bajo la dirección del arquitecto Alonso Carbonell, atesoraba un gran número de pinturas y obras de arte, emulando también en este aspecto a El Escorial. Sobriedad y sencillez al exterior son los rasgos más evidentes de la arquitectura palaciega de los Austrias.

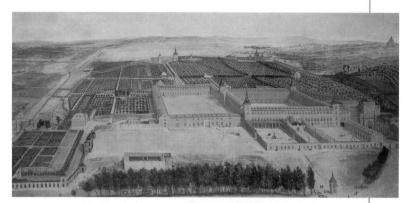

LEONARDO, Jusepe : *Palacio del Buen Retiro (hacia 1636-1637).*

Diferentes avatares históricos han hecho que del palacio hayan llegado tan sólo algunos restos hasta nuestros días. Este lienzo atribuido al pintor Jusepe Leonardo permite reconstruir el espacio urbano en el que se encontraba, en las afueras de la ciudad y asociado, como fue frecuente en los palacios reales medievales, a un convento, el de los Jerónimos. La transformación sufrida por el entorno es muy evidente en la vista del primer término. Aquí vemos una hilera de árboles en lo que actualmente es el paseo del Prado. Detrás del palacio, unos jardines sencillos pero extensos son el origen del parque del Retiro.

El Palacio de La Granja de San Ildefonso

En las proximidades de la sierra de Madrid, el rey Felipe V ordena la construcción de un palacio que sirviera como casa de caza y descanso, dentro de la tradición de los sitios reales que rodeaban a la capital de España. El edificio es comenzado por Ardemans y continuado por Sacchetti, quien seguirá en su trabajo diseños de Juvara. El palacio se amplía en varias ocasiones entre 1727 y 1736. Arquitectos franceses proyectaron y decoraron los jardines y sus fuentes.

El palacio responde a una estructura tradicional palaciega española. Pero en la fachada que da a los jardines la transformación se produce de un modo radical. En su diseño se usa el orden gigante, que abarca toda la altura del muro. El estilo empleado es el corintio, con grandes pilastras en las zonas laterales y columnas en el cuerpo central. Así se logran dos niveles diferentes en la fachada, lo que produce un ritmo de luces y sombras. En los espacios comprendidos entre columnas y pilastras se logran dos pisos de ventanas, las superiores rematadas por frontones alternos (triangulares y curvos). Este esquema permite conseguir un muro muy aéreo, abierto por completo hacia el exterior. El remate se realiza con una balaustrada, más desarrollada en la parte central, para marcar el eje. Aquí se pone decoración escultórica en relieve, con motivos mitológicos y heráldicos, que dan un componente ornamental a las fachadas. El edificio se cubre con tejados de pizarra y chapiteles en las torres.

Especialmente en la fachada que da a los jardines se muestra con claridad el concepto de simetría, equilibrio y clasicismo, derivado del barroco solemne de Francia, que tenía su máxima expresión en Versalles. El diseño de los palacios borbónicos transforma el esquema residencial de la monarquía española. Se abandona la severidad constructiva que había marcado el período anterior, abriéndose a las influencias de la arquitectura europea.La transparencia del muro permite que la luz se valore de otro modo en el interior, al tiempo que se integran las vistas ajardinadas, de manera que la organización de la naturaleza supone una prolongación de la propia arquitectura.La decoración interior, con porcelanas, lámparas de cristal, cuadros y tapices, seguirá en muchos casos los principios del arte rococó.

El barroco tardío. El churrigueresco

Desde mediados del siglo XVII, se inicia con fuerza en España un movimiento artístico que favorece el sentido decorativo con un incremento de adornos que rompen la sencillez de la etapa anterior. Se aumenta la ornamentación en el exterior (con esculturas de bulto redondo y relieves, motivos vegetales, columnas y otros temas arquitectónicos) y se llega al punto álgido del barroco arquitectónico español, diferente al resto de Europa. El efecto teatral y escenográfico se logra al ocultar las estructuras con un derroche decorativo. Es entonces cuando se acuña el término *churrigueresco* (por la familia de arquitectos y escultores apellidados Churriguera), con el que se califica a este barroco decorativo y recargado, que tendrá además un enorme éxito en la arquitectura hispanoamericana.

Los talleres familiares de arquitectos y artistas, que controlan la producción y difunden un modo concreto de trabajar, adquieren en esta época gran protagonismo. Se diferencian distintos focos regionales, relacionados con la actividad de estos talleres, que manifiestan peculiaridades en cuanto al desarrollo de la decoración.

RIBERA, Pedro: *Portada del Hospicio de San Fernando, en Madrid (1722). Entre los elementos decorativos se hallan un tipo de soportes con forma de tronco de pirámide invertido llamados* estípites. *Son usados en la época barroca y especialmente en América.*

FIGUEROA, Leonardo de: *Portada del Colegio de San Telmo, Sevilla (1724-1734). La participación de la escultura de bulto redondo en la decoración arquitectónica servía para dar a los edificios mayor aire monumental, como un auténtico retablo hacia la calle.*

Principales centros

En *Madrid*, el arquitecto **Pedro Ribera** (1683-1742), en su papel de arquitecto municipal, proyecta las principales construcciones civiles del siglo XVIII, como el Puente de Toledo o el Hospicio de San Fernando. Su obra incide en la decoración exterior, que es dinámica, original y utiliza frontones partidos y estípites.

En *Castilla* destaca Salamanca, donde se emplean unas formas exuberantes que conducen hacia el barroco total. **José Benito Churriguera** (1655-1725) desarrolla su actividad fundamentalmente como escultor de grandes estructuras de retablos (como el de San Esteban). En 1709 recibe el encargo del proyecto urbanístico de Nuevo Baztán, lugar próximo a Madrid. **Alberto Churriguera** inicia en 1729 la plaza Mayor salmantina, que responde al tipo tradicional de plaza española, pero más ornamentado.

En *Andalucía* los focos principales están en Granada y Sevilla. En *Granada*, el polifacético **Alonso Cano** (1601-1667) proyecta en 1667 la fachada de la catedral con una triple arcada a modo de arco de triunfo, decorada con elementos arquitectónicos y vegetales. En *Sevilla*, donde se halla el foco más brillante del barroco, **Leonardo de Figueroa** (1650-1730) emprende la construcción de algunos edificios, como el Colegio de San Telmo y la iglesia de San Luis de los Franceses, donde se ve la influencia de los modelos italianos en cuanto a la estructura (plantas centralizadas, cúpulas decoradas). A ello añade un lenguaje decorativo exuberante (columnas salomónicas, estípites, cerámica y ladrillo de color).

Galicia tiene uno de sus períodos artísticos más notables con el uso del granito en grandes construcciones decoradas con balaustres y con el popular *estilo de placas*. El barroco tiene aquí un enorme auge, sobrecargado de motivos ornamentales con un sentido muy geométrico a modo de piezas de un puzzle. A este sistema se le conoce como estilo de placas. Casas y Novoa, con la fachada del Obradoiro de la catedral compostelana, es la figura más significativa.

En otros lugares de España se erigen otras obras que ponen de manifiesto un derroche decorativo. *Levante*, con las fachadas de las catedrales de Murcia y de Valencia, presenta un estilo movido, lleno de líneas curvas, frontones partidos y decoración escultórica.

CASAS Y NOVOA: *Fachada del Obradoiro de la catedral de Santiago de Compostela (1738 y 1750). Esta impresionante fachada oculta la portada románica del maestro Mateo.*

LA ARQUITECTURA HISPANOAMERICANA

La arquitectura hispanoamericana aúna las aportaciones europeas con la tradición local. El resultado es una arquitectura que asimila y hace suyos los principios del arte barroco. La exuberancia ornamental, el color, el horror al vacío y la síntesis de lenguajes diferentes caracterizan las construcciones, que alcanzan su momento álgido en el siglo XVIII. Las plantas y la distribución de las estructuras no será innovadora. El esfuerzo se concentra en la decoración tanto exterior (fachadas monumentales, escultura y relieve, perfiles curvos, estípites) como interior (retablos dorados, pintura mural, decoración en yeso).

La arquitectura del norte

En el norte, el país con una mayor variedad arquitectónica es México. La arquitectura se distingue por dos tipos: fachadas de trazados poligonales y curvos, conocidas como *fachadas biombo*, donde se combinan materiales de diferentes tonalidades y *fachadas retablo*, con gran desarrollo del estípite, un soporte derivado de los tratados manieristas que en España se usó también, pero que en América será más frecuente. Es ejemplo claro de la libertad creativa, y de la complicación de las formas con un interés decorativo.

La estructura externa de la **basílica de Guadalupe** destaca por el trazado complejo en el que se combinan líneas rectas y curvas, tanto en la planta como en el alzado. Se juega con la alternancia cromática de los materiales constructivos, de modo que contribuyan al efecto visual final. Las puertas, de remate poligonal, expresan el gusto por el geometrismo de la arquitectura hispanoamericana. La portada central acentúa su papel con la disposición de dos cuerpos superpuestos de orden clásico, que dejan espacios para albergar hornacinas con esculturas. La parte superior ofrece un perfil mixtilíneo y se cierra en las esquinas con dos torrecillas de abigarrada decoración arquitectónica.

ARRIETA, Pedro; DURÁN, José; DE LOS SANTOS, Diego: *Basílica de Guadalupe (1694-1709).*

La composición de la **fachada del Sagrario de la catedral de México** se distingue de las obras que se hacían en la península Ibérica. La organización de la triple portada de acceso se hace dentro de un diseño triangular muy atrevido para la arquitectura europea del momento. El uso de distintos materiales se alternan con ritmo y producen un efecto visual de movimiento y cromatismo. La puerta principal se diferencia al delimitar el espacio decorativo entre dos contrafuertes lisos, con un profuso abigarramiento en el espacio interior con motivos arquitectónicos, entre los que destaca el estípite, y escultóricos.

RODRÍGUEZ, Lorenzo: *Fachada del Sagrario de la catedral de México (1749).*

DEUBLER, Leonardo: *Iglesia de la Compañía de Jesús, en Quito (1722-1765).*

La arquitectura del sur

En el sur, los actuales países de Perú y Ecuador albergan las construcciones más notables de la etapa barroca. Distinguen su arquitectura el uso de la columna salomónica, las techumbres de madera, que siguen la tradición española, y los balcones y celosías de madera en la arquitectura civil. La **iglesia de la Compañía de Jesús de Quito**, construida entre 1722 y 1765, es un ejemplo de la perduración de los modelos europeos. La estructura responde al modelo de iglesia jesuítica fijada por el Gesù de Roma. El templo se organiza en tres naves amplias destinadas a albergar un elevado número de fieles. En la distribución de la fachada se respeta el esquema de la iglesia romana, enriquecido con la decoración exuberante del lenguaje ornamental hispanoamericano.

DE OBRAS

LA PLAZA MAYOR DE MADRID, DE GÓMEZ DE MORA

La obra

Iniciada en 1617, la plaza Mayor de Madrid se construyó siguiendo un proyecto del arquitecto Gómez de Mora. La plaza se inauguró en 1620, coincidiendo con las festividades de la canonización de san Isidro, patrono de Madrid. Posteriormente ha sido reformada en distintas ocasiones. Tras el último incendio en 1790, Juan de Villanueva le dio su aspecto actual.

El artista

Juan Gómez de Mora (1586-1648) era desde 1611 el arquitecto oficial de Madrid. Heredero de los postulados herrerianos, sus diseños marcan la arquitectura española del siglo XVII. Él es quien adapta la capital a las necesidades que imponía la instalación definitiva de la corte, con la construcción y la reforma de edificios emblemáticos. Su obra se caracteriza por la sencillez, el clasicismo y la elegancia.

Análisis formal

Actualmente la plaza es un recinto porticado, cerrado y uniforme en los edificios que la componen. Los soportales tienen una estructura adintelada y sobre ellos se disponen hasta tres pisos con hileras de vanos rectangulares abiertos sobre sencillos balcones corridos. Los edificios se cubren con inclinados tejados de pizarra. En las esquinas, grandes arcos permiten el paso hacia las calles que desembocan en la plaza.

En uno de sus lados se distingue una construcción que ya existía previamente. Es la Casa de la Panadería, un edificio municipal que Juan de Villanueva integró en el nuevo diseño de la plaza. La Casa está flanqueada por dos torres rematadas por agudos chapiteles de pizarra, de acuerdo con los modelos arquitectónicos imperantes. Al tratarse de un edificio oficial era el lugar desde el que el rey y la corte presenciaban los acontecimiento públicos que se celebraban en este ámbito.

Vista general de la plaza Mayor de Madrid.

Casa de la Panadería (1672).

Significado

Las plazas mayores, como centros comerciales y sociales, habían tenido un importante papel en España. Su esquema se fijó con el diseño que para Valladolid, y después de un incendio que asoló el centro de la ciudad, fijaría Francisco de Salamanca en 1561. La antigua plaza madrileña, muy influenciada por los diseños de Juan de Herrera, fue una muestra de la arquitectura que se hizo en España en el siglo XVII, directamente derivada de El Escorial.

La plaza mayor es la gran innovación urbanística del barroco español, creando espacios públicos abiertos, donde se pudieran celebrar intercambios comerciales y festividades públicas. Se convertirá en un elemento imprescindible en cualquier diseño urbano, con gran fortuna en el siglo XVIII tanto en la Península como en Hispanoamérica.

- ¿Cuál es la función de las plazas mayores en la sociedad del barroco?
- Explica qué relación tiene esta plaza con otros edificios como El Escorial.
- Valora la trascendencia de esta transformación urbanística española. ¿Tiene algo que ver con lo que se está haciendo en Italia? Apunta los aspectos más destacados del urbanismo barroco italiano.
- Indica el nombre de otra importante plaza mayor española que esté relacionada con la familia Churriguera y define el término *churrigueresco*.

EL PALACIO REAL DE MADRID, DE JUVARA Y SACCHETTI

La obra

El incendio del antiguo alcázar de los Austrias en 1734 permitió que el rey Felipe V afrontara la construcción de un nuevo palacio que fuera la expresión de la monarquía española de los nuevos tiempos. Se abandonaba definitivamente el modelo palaciego inspirado en El Escorial, con un carácter marcadamente religioso, que había regido la arquitectura civil en España durante más de un siglo.

Los artistas

El proyecto fue encargado a Juvara, quien se inspira en el Palacio de Versalles y en construcciones italianas. A su muerte en 1736, las obras son dirigidas por su discípulo Sacchetti, que aprovecha gran parte de las ideas de su maestro. En el diseño de los jardines y en el amueblamiento y la decoración interior pictórica y escultórica participarán un largo número de artistas españoles e italianos.

Análisis formal

El edificio presenta una planta cerrada con cuatro cuerpos reforzados en las esquinas y abiertos hacia un patio interior. En la organización de las fachadas se usa el orden gigante, con dos pisos de ventanas. La situación del palacio en un desnivel del terreno proporcionaba un mayor juego de volúmenes y unas espléndidas vistas sobre espacios ajardinados, de acuerdo con la característica distribución de los palacios barrocos que se había consolidado en Francia.

Fachada a los jardines de Sabatini.

Inspirándose en el recurso popularizado por Bernini en la plaza de San Pedro del Vaticano, enormes esculturas coronarían la fachada para formar parte del mismo edificio, aunque no llegaron a instalarse. La escultura se unía a la arquitectura al servicio de un mensaje y como muestra del poder real.

Vista del Palacio Real desde el Campo del Moro.

Significado

La organización de la planta respeta la tradición de los palacios fortificados españoles en lo que se refiere a la disposición general, al reforzamiento de las esquinas y al patio interior.

Sin embargo, tanto el sistema ornamental como la distribución interior y los mismos espacios ajardinados se encuentran en consonancia con los nuevos postulados europeos. Lo francés y lo italiano se dan cita en esta construcción que encabezaba una serie de residencias reales, reformadas o construidas por la nueva dinastía.

- Señala otras obras arquitectónicas realizadas por Juvara. ¿Cuál era su procedencia y sus rasgos más significativos?
- ¿En qué aspectos evoluciona la arquitectura palaciega española desde los Austrias a los Borbones?
- Además del Palacio Real de Madrid, ¿qué otras residencias reales se reforman o se construyen de nuevo en la época borbónica?
- Además del Palacio Real en Madrid existía otra residencia frecuentada por la monarquía, especialmente en la época de los Austrias. Hablamos del Palacio del Buen Retiro. Investiga más aspectos sobre este conjunto, tanto en lo que se refiere a su disposición urbana como a los restos arquitectónicos que hoy se conservan. ¿Para qué se utilizan?

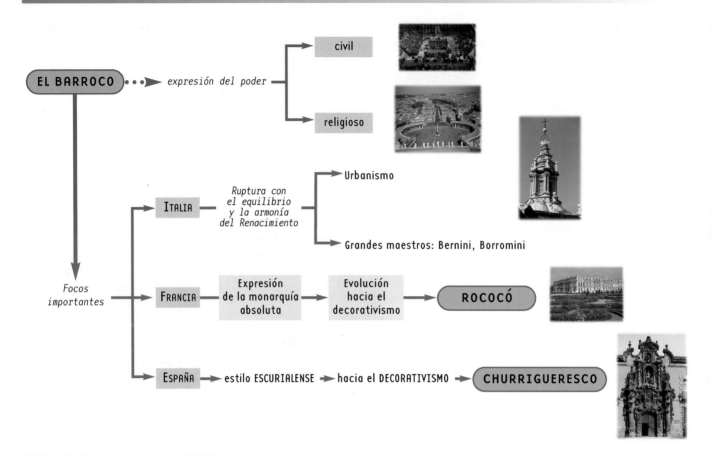

LA ARQUITECTURA DEL BARROCO

Países	Características generales	Arquitectos y obras
Italia	• Reformas urbanísticas. • Síntesis de las artes. • Concepto escénico del espacio. • Dinamismo y movilidad.	• Bernini: Plaza de San Pedro (1656-1667); Baldaquino (1624); Palacio Barberini (1625-1653); San Andrés del Quirinal (1658-1670). • Borromini: Iglesia de San Carlos (1638-1641); Santa Inés (1653-1666); San Ivo (1642-1650).
España	• El concepto de plaza mayor. • La arquitectura palaciega: de lo escurialense a lo decorativo. • Evolución en la arquitectura religiosa hacia lo churrigueresco. • Desarrollo de focos locales.	• Juan Gómez de Mora: Fachada de la iglesia de la Encarnación (1612). • Gómez de Mora: Plaza Mayor de Madrid (1671-1620). • Alonso Cano: Fachada de la catedral de Granada (1667). • Pedro Ribera: Hospicio de San Fernando, Madrid (1722). • Leonardo de Figueroa: Portada del Colegio de San Telmo, Sevilla (1724-1734). • Casas y Novoa: Fachada del Obradoiro de la catedral de Santiago de Compostela (1738-1750). • Alberto Churriguera: Plaza Mayor de Salamanca (1729-1750).
Hispanoamérica	• Sentido decorativo. • Exuberancia ornamental. • Color y horror al vacío. • Síntesis de lenguajes.	• Pedro Arrieta, José Durán y Diego de los Santos: Basílica de Guadalupe, México (1749). • Lorenzo Rodríguez: Fachada del Sagrario de la catedral de México (1749). • Leonardo Deubler: Iglesia de la Compañía de Jesús de Quito (1722-1765).
Francia	• Control oficial de las artes; clasicismo; solemnidad y decoración; espacios ajardinados.	• Luis Le Vau y Hardouin Mansart: Palacio de Versalles (1669-1685). • Hardouin Mansart: Iglesia de los Inválidos, París (1678-1691).
Inglaterra	• Llegada tardía del Renacimiento. • Influencia de Palladio.	• Christofer Wren: Catedral de San Pablo, Londres (1675-1710).

EL ROCOCÓ

Características generales	Autores y obras
• Estilo ornamental; sensualidad; superación de las reglas; decoración de espacios íntimos y delicados.	• Emmanuel Héré: Plaza Stanislas de Nancy (1752).

HACIA LA UNIVERSIDAD

1. Analiza y comenta las siguientes obras:

BORROMINI: *Iglesia de Santa Inés (1653-1666).*

ARDEMANS y SACCHETTI: *Palacio de La Granja (1729-1755).*

CHURRIGUERA, Alberto: *Plaza Mayor de Salamanca (1729-1755).*

2. Define o caracteriza los siguientes términos: *churrigueresco, columna salomónica, fachada biombo, estípite.*

3. Desarrolla uno de los siguientes temas:

a) *Principales aspectos del urbanismo barroco en Italia y en España.*

b) *El arte barroco como expresión de poder.*

4. Comenta el siguiente texto:

Sólo Borromini amó realmente los edificios de Miguel Ángel y comprendió los principios que los inspiraban: la inventiva en el trazado de plantas, el tratamiento plástico del muro, las originalidades en el detalle, cuidadosamente pensadas, y todo ello combinado con un profundo conocimiento de la mecánica y una gran destreza en la técnica de la construcción, de tal modo que lo que a primera vista parece ser una demostración deliberada de ingenio resulta ser muchas veces la solución de algún problema práctico. Todos estos rasgos pueden encontrarse en los edificios de Borromini como en los de ninguno de los demás arquitectos romanos del Seicento .

BLUNT, Anthony: *Borromini,* 1982

— Resume y explica este texto en relación con las obras arquitectónicas que conoces de Borromini.

— Intenta mostrar las diferencias que consideres más evidentes con la forma de construir de Bernini.

PASADO Y PRESENTE EN EL ARTE

Investiga en torno a estos dos conceptos urbanísticos de espacios públicos. Observa cuál es la utilidad de los edificios que los rodean y si se tratan de centros de representatividad. Ten en cuenta el sentido de simetría, el juego espacial y los materiales.

Plaza de San Pedro, Vaticano.

Explanada de los Ministerios, en Brasilia, con la catedral en primer término.

17. BARROCO: PINTURA Y ESCULTURA EN EUROPA

Al igual que sucedía con la arquitectura, la pintura y la escultura son instrumentos al servicio del poder. Su finalidad es transmitir un mensaje fácil de comprender por el espectador. La temática religiosa, que sigue siendo la más abundante, ha de cumplir a ultranza ese objetivo, por lo que se mantiene la vigilancia para evitar errores de interpretación. A su lado las mitologías y el retrato desempeñan un importante papel.

En la pintura, y a partir de Italia, conviven dos tendencias en el siglo XVII. La naturalista persigue el realismo a través de fuertes efectos lumínicos. La clasicista prolonga la tradición renacentista en una búsqueda constante de la belleza ideal. Estas líneas generales discurren con matices en los distintos lugares. En Flandes, la personalidad de Rubens tiene unas características peculiares, que rompen cualquier clasificación; igual sucede en Holanda con Rembrandt. Será en este pequeño país, recién independizado, donde la pintura siga un camino original y diferente a todo lo que se había hecho en Europa.

En cuanto a la escultura, Italia continúa ocupando el lugar primordial con los efectos dramáticos, la captación del instante y el dinamismo palpable de la obra de Bernini.

Bóveda de la iglesia de San Igna_ de Roma, del padre Poz_

REQUISITO DE LA BELLEZA

El decreto del sagrado Concilio de Trento ordenó que se evitaran en las pinturas sagradas la falsedad y todos los errores a fin de que las imágenes devotas no presenten nada capaz de escandalizar a las almas sencillas [...].

Un requisito necesario de la belleza es el evitar cualquier desnudo [...] que pueda disminuir la devoción de los observadores [...].

¡Ya ha pasado la edad en que se tenían como divinidades a Marte, a Júpiter y a Venus! Si hoy viviese Apeles no pintaría a los santos y a las santas con los vestidos con los que solía representar a esas falsas divinidades, sino que tendría cuidado del decoro y de la dignidad [...].

BORROMEO, Federico (cardenal de la Iglesia): *Tratado de la pintura sagrada* (1625)

CLAVES DE LA ÉPOCA

- La transmisión
  del mensaje
- La pintura
- La escultura
- La producción religiosa
- La importancia
  de los paisajes

1. PINTURA: ITALIA

- Caravaggio
  y el naturalismo
- El clasicismo
  de los Carracci
- El barroco decorativo

**2. PINTURA: FRANCIA
   E INGLATERRA**

- Francia: la influencia
  italiana
- Del clasicismo
  al rococó
- Inglaterra y el retrato

3. ESCULTURA

- La maestría
  de Bernini
- Otros escultores
  italianos
- La escultura en
  la corte francesa
  de Luis XIV

ANÁLISIS 1

- *Apolo y Dafne*,
  de Bernini
- *David*, de Bernini
- *Apolo servido por
  ninfas*, de Girardon

**4. RUBENS Y LA
   PINTURA FLAMENCA**

- Una fractura política
  y espiritual
- Pedro Pablo Rubens
- La escuela de Rubens

**5. LA ESCUELA
   HOLANDESA:
   RETRATO E INTIMIDAD**

- Una sociedad
  burguesa
- Rembrandt
- Otros artistas
  holandeses

ANÁLISIS 2

- *Las Tres Gracias*,
  de Rubens
- *La ronda de noche*,
  de Rembrandt

S   Í   N   T   E   S   I   S

CLAVES DE LA ÉPOCA

La transmisión del mensaje

La pintura y la escultura en el barroco responden a los mismos intereses que movían a la arquitectura: están *al servicio del poder político y religioso*. La integración y la síntesis de las artes hace que todo sirva a un objetivo común. A través de la pintura y la escultura se expresan el triunfo y el esplendor tanto del dominio de la Iglesia contrarreformista como de las monarquías absolutas con el empleo de recursos teatrales y escenográficos. Al mismo tiempo, el gusto por el realismo y por la transmisión del mensaje con absoluta fidelidad llevan a mostrar con toda su crudeza aspectos desagradables como los relacionados con la muerte o el martirio de los santos.

A pesar de que se consoliden importantes escuelas nacionales y locales, sigue existiendo una notoria preeminencia de Italia, desde donde se marca la pauta. En esta época se produce además un considerable incremento del coleccionismo y del mercado artístico que sirve para aumentar la variedad de las formas.

La pintura

La pintura barroca tiene una finalidad narrativa. Sus rasgos generales, con todas las variantes propias de cada escuela, son la complejidad compositiva, la importancia del color sobre el dibujo, el movimiento y el juego lumínico. En cuanto a los soportes, se abandona la tabla y permanece el *lienzo*, incorporándose ahora el cobre. El *fresco* tendrá un enorme éxito al servicio de la decoración total de los edificios, a través de efectos ilusorios y perspectivas fingidas.

La *temática religiosa* se extiende tanto en iglesias como en palacios de la órbita católica. La devoción y su manifestación pública son fundamentales en este momento. La pintura cuenta la vida de Cristo y de los santos, y presenta modelos de conducta que deben seguir los católicos. La pintura *mitológica* tendrá una gran difusión, por una parte con una finalidad decorativa y, por otra, con la intención de representar valores morales.

POUSSIN, Nicolas: *El sueño de Narciso* (hacia 1627). *Los temas mitológicos, siguiendo la tradición renacentista, tuvieron gran difusión durante el barroco.*

El *retrato*, como exaltación del poderoso y del gobernante, tendrá mucho éxito. Es ahora cuando nace lo que llamamos retrato oficial o de aparato, en el que la figura principal aparece en un rico escenario rodeado de telas y elementos simbólicos. A su lado, el retrato burgués de características más sencillas comienza a ser reclamado.

La *pintura de género* surge al independizarse de otros tipos de pintura. Se trata de mostrar escenas de interior donde se narran acontecimientos cotidianos y sencillos. Será muy utilizada en los países del área protestante. En relación con la pintura de género, el bodegón o la naturaleza muerta, así como el paisaje, comienzan a aparecer dentro de los tipos pictóricos.

La escultura

La escultura del barroco se caracteriza por el uso de formas abiertas, la búsqueda del movimiento, el contraste de superficies para lograr efectos lumínicos y la integración con la arquitectura con una finalidad dramática. Los materiales siguen siendo el bronce y el mármol, aunque en España o en Alemania la madera policromada ocupa el primer puesto.

La escultura religiosa es la más abundante y está al servicio de la devoción, por lo que debe expresar sentimientos reales y creíbles que influyan sobre los fieles. La escultura mitológica adorna los palacios y los jardines, así como los espacios públicos en las fuentes o en los grupos que se disponen en calles y plazas, de acuerdo con el nuevo concepto urbano.

El retrato, muchas veces integrado en la escultura funeraria, adquiere un papel preponderante.

BERNINI: *Busto de Luis XIV (1665).*
El retrato sirve para dejar la huella del poder arrogante y despótico de los monarcas absolutos, especialmente cuando el estudio psicológico es tan profundo como el logrado por Bernini.

La producción religiosa

Pintura y escultura serán en el mundo católico instrumentos para reforzar las creencias de los fieles, por encima de cualquier pretensión artística. Las imágenes, pintadas o esculpidas, deben ser reales y transmitir sentimientos porque están cumpliendo un papel muy concreto. La Contrarreforma aclaraba estos principios, y a partir del Concilio de Trento se escribieron muchos tratados donde los teólogos desarrollaban la función de las imágenes sagradas. De esta forma se evitaban los errores o las distracciones que alejaban a los fieles de la correcta doctrina. Los sermones encontraban su apoyo en las representaciones figuradas de las iglesias, de manera que la palabra y la imagen discurrían de forma paralela.

La producción religiosa del área católica se corresponde con la tímida aparición de otros géneros con una finalidad a veces decorativa y otras de experimentación en lo que a la luz y a la composición se refiere. Rubens, frente a las novedades temáticas que introducirán escuelas como la holandesa, representa el capítulo más exaltado de la pintura religiosa.

La Compañía de Arcabuceros de Amberes encargó a Rubens un lienzo para la capilla que poseían en la catedral. En vez de considerar la posibilidad de un retrato colectivo, como sucede tantas veces en Holanda, se elige un tema religioso.

El pintor plasma en el lienzo, en una composición diagonal, la ligazón entre los distintos personajes que se afanan juntos en la misma tarea. La luz ilumina a Cristo en la parte central con un carácter simbólico, pero la idea de grupo y de corporación queda patente en el concepto general de la representación.

RUBENS, Pedro Pablo: *Descendimiento de la cruz (1609-1612)*.
El pintor plasma en el lienzo, en una composición diagonal, la unión entre los distintos personajes que colaboran en un objetivo común.

La importancia de los paisajes

En Holanda, muchos maestros se especializan en la representación de paisajes, un género definitivamente independizado y con un prometedor futuro. Ya no será necesaria la disculpa de mostrar una escena histórica o religiosa para poder pintar un escenario natural por sí mismo. La visión del paisaje permite experimentar con la luz (día y noche), con la plasmación de los accidentes geográficos (montañas, llanuras, costa, mar) o con los fenómenos atmosféricos (tormentas, viento). Esta pintura prepara lo que será la escuela europea de los siglos posteriores.

HOBBEMA, M.: *Avenida de Middelharnis (hacia 1689)*.
El artista pinta con una luz nítida este paisaje donde todo se encuentra organizado y medido en torno al eje simétrico marcado por los árboles que flanquean la avenida.

ÉPOCA	HISTORIA Y CULTURA	ARTE
Primera mitad del siglo XVII	· Muerte de Cervantes y de Shakespeare (1616). · Kepler formula las leyes sobre el movimiento de los planetas (1619). · Guerra de los Treinta Años (1618-1648). · Pascal inventa la máquina calculadora (1642). · Paz de Wesfalia (1648). · Ejecución de Carlos I de Inglaterra y abolición de la monarquía (1649).	· CARAVAGGIO termina el cuadro La vocación de san Mateo (1601). · BERNINI esculpe Apolo y Dafne (1620) y David (1623). · Se crea la Academia Francesa para el fomento del arte y de las ciencias (1635). · Pedro Pablo RUBENS pinta Las Tres Gracias (1639). · REMBRANDT concluye la obra Ronda de noche (1642). · TENIERS pinta La galería del archiduque Leopoldo Guillermo (1647).
Segunda mitad del siglo XVII	· Paz de los Pirineos (1659). Hegemonía francesa en Europa. · Luis XIV, el Rey Sol, reina en Francia (1661-1715). · Newton formula la teoría de la gravitación universal (1687).	· VERMEER pinta La encajera (1665) y Señora escribiendo una carta (1671). · GIRARDON termina de esculpir Apolo servido por ninfas (1673). · El holandés HOBBEMA pinta Avenida de Middelharnis (1689).

Caravaggio y el naturalismo

La pintura manierista, excesivamente elaborada e intelectual, es abandonada en Italia en favor de unos movimientos que proponen actuaciones diferentes y que señalan las líneas para toda Europa. Por un lado se encuentra el naturalismo, cuyo representante más notable es Michelangelo Merisi (1571-1610), conocido por el nombre de Caravaggio. Este artista experimenta con el realismo por encima de todo, haciendo especial hincapié en los modelos que le ofrece la vida cotidiana y la naturaleza, sin importarle estudiar la fealdad y las deformaciones. Sus composiciones están basadas en líneas violentas, sin ceñirse a ningún esquema clásico. En sus cuadros se observa un fuerte contraste entre la luz y la sombra, lo que provoca un juego de luces y un efecto muy teatral, que sirvió para calificar a la escuela con el término de *tenebrista* y para diferenciarla de otras corrientes.

CARAVAGGIO: *Joven con cesta de frutas (1593-1594).*
Retrato desenfadado y naturaleza muerta comparten el mismo
espacio pictórico recortados por una luz estudiada.

CARRACCI, Annibale: *Los amores de los dioses (1597), en la bóveda del Palacio Farnese. Con un claro afán decorativo, la arquitectura se une a la pintura en una narración mitológica y alegórica en la que se exalta la anatomía y el movimiento.*

El clasicismo de los Carracci

La otra gran corriente pictórica será el clasicismo, una escuela que hereda muchos principios de la pintura del Renacimiento sin ahondar en la realidad con tanta crudeza como hace el naturalismo. La realidad aparece definida en términos de belleza ideal, de equilibrio y de serenidad. El clasicismo se explica como una continuación del concepto pictórico del Renacimiento (en lo que se refiere a composición, color o exaltación anatómica), al que se incorporan rasgos propios del nuevo período (dinamismo, luz o fondos de paisaje).

La familia Carracci (los hermanos Agostino y Annibale y su primo Lodovico) es la iniciadora de esta corriente. Ellos son los creadores de una Academia donde se formarán los artistas dentro de unos principios establecidos previamente. En su pintura se detecta la influencia de las composiciones de los grandes maestros, como Rafael o Miguel Ángel, a las que ellos aportan todo el sentimiento teatral del barroco.

Las pinturas realizadas por Anibale Carracci en el Palacio Farnese de Roma recuerdan a las que llevó a cabo Miguel Ángel para la Capilla Sixtina (utiliza enmarques arquitectónicos, da gran importancia al desnudo). Con ellas creará un modelo decorativo de gran trascendencia en los palacios barrocos italianos, en donde la temática mitológica se recrea con intenciones alegóricas y moralizantes.

El barroco decorativo

El uso de la pintura al fresco de las bóvedas y grandes superficies refuerza la idea del arte total del barroco, uniendo y prolongando de forma ficticia la propia arquitectura. El triunfalismo, el esplendor y la apoteosis de la grandeza tienen su reflejo en la ornamentación ilusoria y escénica de grandes espacios. Se crean arquitecturas falsas y perspectivas fingidas que producen una sensación espacial de extraordinaria amplitud, cuando las dimensiones son en realidad más reducidas. Su elaboración exigía un gran conocimiento de la perspectiva y era muy laboriosa. Destacan las obras de **Pietro da Cortona** en las bóvedas del Palacio Barberini de Roma (1639) o las del padre **Andrea Pozzo** en la bóveda de la iglesia de San Ignacio de Roma. Luca Giordano, conocido en España como **Lucas Jordán**, será otro gran decorador de los palacios reales, lo mismo que sucede más tarde, ya en pleno siglo XVIII, con **Juan Bautista Tiépolo**, que también desarrolla gran parte de su obra en los palacios españoles.

CARAVAGGIO Y EL EXCESIVO REALISMO

Caravaggio, en su interpretación pictórica de las escenas sagradas, practica un realismo llevado hasta el extremo. Estas escenas, por retratar los acontecimientos con enorme crudeza o por reducir un tema sagrado a un simple episodio cotidiano, resultaban demasiado llamativas. Caravaggio sobrepasa los límites permitidos en su tiempo en favor de la espontaneidad y el expresionismo.

Caravaggio recibe el encargo de decorar con tres pinturas la capilla del cardenal Mateo Contarelli en la iglesia romana de San Luis de los Franceses. Las pinturas estaban dedicadas a la vida y martirio de san Mateo. La más popular es **La vocación de san Mateo**. La composición está alterada con respecto a los esquemas tradicionales. Hay una clara división en dos grupos. Por una parte, san Mateo y sus compañeros, sentados a una mesa y vestidos con ropas del momento, dan a la escena un tono de actualidad. Por otro lado, Cristo y san Pedro acceden al recinto vestidos al modo bíblico tradicional, con túnica y manto, de forma que no se respeta la coherencia temporal. Los personajes adoptan un repertorio de gestos y posiciones diversas para hacer más comprensible el mensaje.

La luz organiza la composición, con fuertes contrastes que iluminan parcialmente las figuras. Aunque al fondo vemos una ventana, el foco lumínico entra de forma lateral hacia el centro de la acción. La intención de Caravaggio es mostrar la elección divina de Mateo para incorporarse al grupo de los discípulos de Jesús. La transmisión de esta idea se hace con el realismo de las representaciones y la sencillez de los modelos. El propio Cristo se halla en un segundo plano alargando el brazo para llamar al apóstol.

El dolor y la crudeza representados en **La muerte de la Virgen** (1605) supuso un auténtico escándalo en aquella época. Caravaggio no se plegó a ninguno de los esquemas anteriores e intentó mostrar el lado cruel de la muerte, usando como modelo de la Virgen el cadáver de una mujer ahogada en el río Tíber. A este respecto, Giulio Mancini decía:

"Algunos modernos yerran cuando para representar a la Virgen Nuestra Señora pintan cualquier meretriz soez, como hizo Caravaggio […] que por esa razón fue repudiado por los buenos padres, y por eso el pobre pintor sufrió tantos trabajos en su vida".

Este mismo rechazo es el que manifiesta el pintor italiano Vicente Carducho, que critica el estilo de Caravaggio y sus seguidores acusándolo de vacío y afectado.

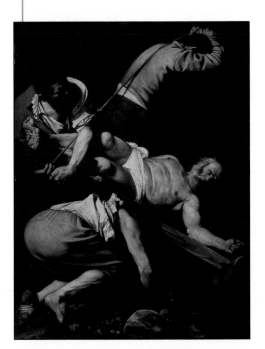

La exaltación del martirio, uno de los principios de la Contrarreforma, queda patente en la obra **El martirio de san Pedro** (1601). El tema de los martirios se hará ahora más abundante que nunca para mostrar con crudeza los tormentos que han sufrido los santos al dar testimonio de su fe. Caravaggio pone en marcha todos los recursos lumínicos para potenciar el drama. Los verdugos y el propio santo son de nuevo personas comunes en las que no se busca ninguna idealización. Esta pintura es un ejemplo de cómo ese realismo se funde con lo que reclama el arte de la Contrarreforma. Caravaggio da a la escena un sentido monumental y al mismo tiempo dramático. La presentación de los santos, con esa apariencia de realidad, entraba dentro de los principios contrarreformistas. De este modo se presentaba la santidad como algo cercano y perfectamente alcanzable.

Francia: la influencia italiana

Al igual que el resto de los países de Europa, Francia recibe una fuerte influencia de las corrientes italianas. La mayor parte de los pintores están en contacto con Italia o incluso se forman allí para terminar elaborando un estilo personal. Relacionados con Caravaggio y con el naturalismo están Georges La Tour y los hermanos Le Nain.

Georges La Tour (1593-1652) se distingue por las composiciones simétricas y equilibradas en las que la luz tiene todo el protagonismo. Los recursos lumínicos hacen que las figuras se recorten con formas geométricas y angulosas dentro de unos fuertes contrastes. La luz no procede de una fuente externa al cuadro (como sucedía con las pinturas de Caravaggio y los tenebristas italianos), sino que se localiza en su interior, con una vela o un farol, lo que contribuye a aumentar los efectos teatrales.

Los tres hermanos **Le Nain**, entre los que destaca Louis (1593-1648), pintan cuadros en los que se reflejan escenas campesinas, utilizando a menudo el paisaje. Su pintura se encuadra dentro de la idea del realismo y de los modelos procedentes de la vida cotidiana.

LA TOUR, Georges: *La Magdalena penitente* (hacia 1640). *La claridad inquietante en el modelado y el cromatismo recortado se consiguen en ese ambiente nocturno en el que se experimenta con la luz y las sombras más contrastadas.*

Del clasicismo al rococó

La otra gran corriente pictórica del siglo XVII, el clasicismo, está representada en Francia por dos grandes pintores, Nicolas Poussin y Claudio de Lorena. Los dos pasan gran parte de su vida en Italia, donde estudian la pintura de los grandes maestros, aunque mantienen relación con su país de origen a través del envío de buena parte de su obra.

Poussin (1594-1665) transmite en su pintura la idea clara de un mundo feliz situado en la Antigüedad clásica. Sus escenas se desarrollan en paisajes naturales agradables, donde todo se encuentra organizado y equilibrado, buscando la belleza ideal. En su producción tienen mucho interés los temas mitológicos.

LORENA, Claudio de: *Embarco en Ostia de santa Paula Romana* (hacia 1639). *El acontecimiento religioso es un pretexto para que el artista estudie la arquitectura o la naturaleza y el momento en el que transcurre el suceso.*

Claudio de Lorena (1600-1682) trata el paisaje envuelto en una atmósfera de luces muy estudiadas en las diferentes horas del día, con referencias a las arquitecturas clásicas. Los personajes de sus composiciones mitológicas o religiosas ocupan un papel secundario, reducidos de tamaño y como mera anécdota de los paisajes. Precisamente su idea del paisaje es muy importante para la posterior evolución de este género artístico, sobre todo con los impresionistas franceses del siglo XIX.

En los círculos cortesanos se practica un tipo de pintura oficial, de acuerdo con unas reglas estables y controladas por la Academia. Artistas como Le Brun o Mignard se encargan de decorar los sitios reales con una pintura rígida y fría que tiene como objetivo la exaltación de la persona del rey y la dinastía. Al servicio de esta glorificación de la personalidad tendrá un notable interés la práctica del retrato. La imagen del monarca se difunde por los centros oficiales, en escenarios cada vez más elaborados, con vistas de paisajes o interiores ricos, con telas y símbolos de su autoridad.

Será alrededor de la refinada corte de Luis XV, durante la primera mitad del siglo XVIII, cuando tenga lugar en Francia la formación de lo que llamamos arte rococó.

Inglaterra y el retrato

En Inglaterra la pintura del siglo XVII está protagonizada por maestros extranjeros, especialmente flamencos, sin que se forme una escuela nacional con personalidad propia. En el siglo XVIII aparece una pintura con rasgos particulares, orientada hacia el paisajismo y el retrato, con pintores como Reynolds o Gainsborough, relacionados ya con el espíritu romántico.

ROCOCÓ Y PINTURA GALANTE

El arte rococó, como hemos visto, nace y se difunde a comienzos del siglo XVIII desde la corte francesa. Supone una evolución del barroco, que abandona el carácter monumental y triunfalista en favor de un refinamiento más íntimo y con un sentido decorativo.

La pintura galante es la expresión de la sociedad del momento, donde se refleja la despreocupación por temas trascendentes y la importancia de la relación social, de la fiesta y la frivolidad. Esta pintura muestra unas composiciones complicadas y elegantes, referidas a temas mitológicos y profanos. Por lo general son temas intrascendentes y amables, llenos de motivos anecdóticos y en los que juega un destacado papel la naturaleza.

El **Embarque para la isla de Citerea** (1717), de Watteau (1684-1721), es una representación de una fiesta galante. El tema alude a la isla griega consagrada a Venus, diosa del amor, adonde viajan distintas parejas. A pesar de que el tema tiene una vinculación con el mundo clásico, las personas visten a la moda de su tiempo. Hay un deseo de revivir las ocasiones gloriosas del pasado y de establecer una relación con esa etapa idealizada. El paisaje se trata con tonalidades suaves para captar una atmósfera cálida por donde deambulan figuras de pequeño tamaño. El color vivo y vibrante recuerda la gama de los artistas venecianos, que influyeron en Watteau. La representación alude a una escena de placer y diversión, característica de la sociedad rococó.

WATTEAU: *Embarque para la isla de Citerea* (1717).

Protegido de la marquesa de Pompadour, amante del rey, Boucher (1703-1770) fue uno de los pintores más notables de la corte francesa, convirtiéndose en un artista de moda. En **Louise Murphy** (1752) emplea el desnudo con una intención claramente provocativa, con delicadeza y erotismo. El tratamiento del desnudo y la propia disposición de la modelo son la mejor expresión de las pretensiones pictóricas de su tiempo. Con la representación de la joven, Boucher no quiere inmortalizar a un personaje influyente ni plasmar un episodio mitológico. La intrascendencia del tema tiene un objetivo meramente estético.

BOUCHER: *Louise Murphy* (1752).

Con un gran dominio técnico y una pincelada suelta, Fragonard (1732-1806) crea composiciones como **El columpio** (1766). Con una elegancia elaborada, la representación tiene lugar en un entorno natural en el que se busca el contraste entre la libertad de la naturaleza y el artificio de la moda. Su pintura se caracteriza por la plasmación de temas amables e intrascendentes, donde se valora la combinación cromática, la gracia y un cuidado erotismo. En *El columpio*, el artista hace gala de su habilidad con el color a través de la pincelada pastosa y de la espontaneidad con la que aborda la representación. El gusto por el juego, la naturaleza o la afectividad intimista estuvo en el origen de la protección que le dispensó la corte francesa del instante previo a la Revolución. Con Fragonard se pone fin a la pintura galante en Francia para dar paso al neoclasicismo.

FRAGONARD: *El columpio* (1766).

3. ESCULTURA

La maestría de Bernini

Aunque el estudio expresivo de la escultura y la captación del instante eran una constante en la escuela italiana de comienzos del siglo XVII, con figuras como Maderno, fue Bernini, a quien ya estudiamos como arquitecto, el auténtico eje de la escultura europea del barroco. Su búsqueda de la síntesis de las artes y su dominio técnico, en perfecta conexión con la mentalidad del barroco, lo convierten en un artista característico de su tiempo. Su escultura se distingue por la habilidad en el trabajo de los materiales (bronce o mármol) y de la técnicas de trabajo.

La obra de Bernini está llena de realismo, teatralidad y monumentalidad en las composiciones, movimiento y variedad de puntos de vista. *Apolo y Dafne* es uno de sus primeros y más afortunados grupos, realizados como consecuencia del estudio de la escultura clásica. A ello añade los rasgos del nuevo estilo, en lo que se refiere al movimiento y a la plasmación del suceso de la metamorfosis (por la que Dafne se transforma en árbol) como si se tratara de una instantánea fotográfica. En la representación de *David* a punto de lanzar la honda se observa movimiento, tensión contenida y fuerza.

MADERNO: *Santa Cecilia muerta (1600)*. *El escultor intentó reproducir la postura en la que apareció el cuerpo incorrupto de la santa. La expresión cruda del martirio y el efecto dramático de la ocultación del rostro convierten a la escultura en una obra totalmente barroca.*

BERNINI: *La muerte de la beata Ludovica Albertoni (1674)*. *En 1674 Bernini realizará esta escultura que representa la muerte de Ludovica Albertoni, beatificada en 1671. La figura muestra la agitación y el dolor en el mismo trance de la muerte.*

Otras composiciones escultóricas, dentro de una rica escenografía, marcan su obra: la *tumba del papa Urbano VIII* será un modelo para la escultura de tipo funerario, tanto por su disposición como por la utilización de bronce y mármol; en la parte superior aparece la imagen del pontífice sedente; en la inferior, alegorías de las virtudes y una directa alusión a la muerte en la figura central de un esqueleto. Con un carácter de auténtica escenografía y síntesis de las artes, la *cátedra de san Pedro* en el Vaticano supone, junto al célebre *baldaquino*, una de las creaciones más señeras del barroco. En este mismo sentido de conjunto podemos explicar *El éxtasis de santa Teresa*, en la Capilla Cornaro, o *La muerte de la beata Ludivica Albertoni*.

Un buen número de fuentes romanas realizadas por Bernini, como la *Fuente de los Cuatro Ríos* o *El Tritón*, contribuyen a la incorporación de la escultura al ornato urbano. Se trata de creaciones donde el mármol y el agua juegan un activo papel de efectos visuales y teatrales.

Los retratos de busto, como el de *Luis XIV* de Francia, transmiten sensación de poder y distanciamiento, creando un tipo con mucho éxito en Europa. En otros casos sus retratos ahondan en la penetración psicológica y en el realismo fiel de la imagen de los retratados.

Otros escultores italianos

Aunque la mayor parte de los escultores italianos se ven influenciados por Bernini, podemos señalar a algún maestro representativo con rasgos particulares. Éste es el caso de **Duquesnoy**, escultor flamenco asentado en Italia, o del italiano **Algardi**. Sus obras expresan un sentido más clásico, con mayor serenidad y equilibrio, sin renunciar a una concepción monumental y escénica, como puede verse en el *San Andrés*, de Duquesnoy, o en *La decapitación de san Pablo*, de Algardi.

La escultura en la corte francesa de Luis XIV

Al igual que sucedía en la pintura, los modelos italianos se siguen en escultura. Esta influencia se vio reforzada con un viaje que el propio Bernini realizó a la corte francesa. La escultura del barroco francés tiene un tono oficial y decorativo al servicio de la glorificación de la monarquía. Es muy abundante la escultura mitológica en ligazón con el pasado imperial y con la visión del rey y de los grandes cortesanos como personajes casi divinos. La escultura debía adaptarse, como el resto de las artes, a los dictados de la Academia, a las reglas clásicas y a la claridad en la interpretación. **Girardon** o **Coysevaux** son los escultores más notables de esta escultura oficial.

EL ARTE TOTAL: LA CAPILLA CORNARO Y "EL ÉXTASIS DE SANTA TERESA"

En la Capilla Cornaro, Bernini consigue la síntesis de las artes y rompe las barreras entre unos géneros y otros al servicio de la idea final. Todo tipo de recursos, desde la creación de un marco apropiado al propio uso de la luz natural, contribuyen a acercar a los fieles un acontecimiento espiritual.

La Capilla Cornaro

El cardenal Federico Cornaro encargó a Bernini la decoración de su capilla funeraria, situada en la iglesia romana de Santa María de la Victoria. La capilla, que se comenzó en 1647, estaría dedicada a Teresa de Jesús (1515-1582), la santa española que había sido canonizada en 1622. Se trataba, por tanto, de un modelo próximo que demostraba que la santidad no era algo de otra época sino de la más absoluta actualidad, de acuerdo con los principios que remarcaba la Contrarreforma. El diseño interior de la capilla y su grupo escultórico se han convertido en el conjunto barroco por excelencia.

El proyecto de Bernini dispuso en el fondo de la capilla una construcción con elementos arquitectónicos clásicos (columnas, arquitrabes, frontones) que combinan líneas curvas y rectas. Esta estructura dejaba libre una parte central, de planta oval, que recibe la luz desde arriba. En ese lugar, aprovechando el efecto de la iluminación, se colocó el grupo escultórico de *El éxtasis de santa Teresa*, al que se dirige la vista de forma obligada. La parte superior de la capilla se decora con pinturas murales que muestran la gloria celestial, con nubes y ángeles que colaboran en la creación del ambiente.

En los dos laterales de la capilla, y como si se encontraran en un palco de teatro, el cardenal Federico Cornaro, su padre y todos sus parientes eclesiásticos contemplan y comentan la escena. Son relieves de medio cuerpo sobre fondos arquitectónicos, auténticos retratos que ayudan a crear una sensación de mayor verismo.

El éxtasis de santa Teresa

El grupo central, apoyado en todos los condicionantes que lo envuelven (arquitectura, luz), está tratado con la fuerza del instante culminante de la visión de la santa. Reclinada sobre una nube de mármol, el plegado de su hábito se mueve con gran dominio técnico. El escultor capta el momento concreto que la propia santa describe en su *Vida*, con una fidelidad que sirve para valorar más su trabajo:

"Aunque muchas veces se me representan ángeles, es sin verlos [...]. En esta visión quiso el Señor le viese ansí: no era grande sino pequeño, hermoso mucho, el rostro tan encendido, que parecía de los ángeles muy subidos, que parece todos se abrasan [...]. Veíale en las manos un dardo de oro largo, y al fin del hierro me parecía tener un poco de fuego. Éste me parecía meter con el corazón algunas veces, y que me llegaba a las entrañas: al sacarle me parecía las llevaba consigo, y me dejaba toda abrasada en amor grande de Dios. Es tan grande el dolor que me hacía dar aquellos quejidos, y tan excesiva la suavidad que me pone este grandísimo dolor, que no hay desear que se quite, ni se contenta el alma con menos que Dios".

APOLO Y DAFNE, DE BERNINI

La obra

El cardenal Borghese encargó a Bernini, hacia 1620, esculpir una escultura de bulto redondo que representara a Apolo y Dafne, tema de la mitología clásica y narrado por Ovidio en las *Metamorfosis*. Dafne, huyendo de la persecución de Apolo, es transformada en un laurel. Frecuente en la pintura, este tema apenas había sido tratado en la escultura.

Análisis formal

El grupo resume los rasgos de Bernini como artista barroco por excelencia. El movimiento es el que organiza el conjunto. Ambas figuras corren, no sólo por la posición de sus piernas, sino por la agitación que se advierte en los paños y en los cabellos. Las actitudes, sin embargo, están equilibradas de acuerdo con una línea diagonal que organiza la composición, marcada por la inclinación de los personajes y la colocación de sus brazos. El dominio técnico del escultor le permite, con el mármol como único material, diferenciar con gran detalle las calidades de la piel de Dafne en el proceso mismo de transformación en árbol, tanto en el tronco como en las ramas que le surgen de los dedos. Los contrastes en el trabajo de las superficies producen un fuerte claroscuro.

Significado

La elección de este tema ofrecía dificultades. Se trataba de expresar, además del movimiento, la transformación de un ser humano en árbol. El artista lo logra con absoluta claridad. La captación del instante mismo de ese proceso es una de las señas fundamentales de la escultura de Bernini. El resultado es muy teatral y responde fielmente a la narración clásica.

DAVID, DE BERNINI

La obra

De nuevo la obra fue encargada por el cardenal Borghese en 1623. Es una escultura de bulto redondo esculpida en mármol que representa a David. El planteamiento escultórico de Bernini supone una gran novedad respecto a las interpretaciones de este personaje que se habían hecho anteriormente.

Análisis formal

La representación del *David*, en el momento mismo de lanzar la honda contra el gigante Goliath, se caracteriza por la expresión exteriorizada de la tensión. El cuerpo del héroe se torsiona con violencia, abre sus piernas y se inclina bruscamente para obtener más fuerza. Otra vez podemos definir la figura dentro de una línea diagonal que va desde el pie izquierdo hasta la cabeza del personaje. Esta composición transmite una sensación de movimiento, de tensión y nerviosismo. El dramatismo de lo que está a punto de suceder eleva al máximo la expectación del momento, que se traduce en el propio rostro del *David*. Todos los músculos de la cara abandonan el reposo. El ceño fruncido y los labios apretados transmiten una energía vibrante. Los rasgos de belleza ideal se deforman. Todos estos aspectos proporcionan a la escultura un sentido dinámico y ágil.

Significado

Movimiento y captación del instante son las características de esta escultura. Bernini logra además que la actitud del *David* condicione el espacio. Su disposición a punto de atacar a un enemigo que no vemos genera un espacio vivo en torno a ella. Tanto el propio enemigo como el espectador se incluirían en la composición. Esto tendrá una gran trascendencia en la escultura urbana.

- Dentro de la escultura manierista estudiábamos una obra titulada *El rapto de las Sabinas*. ¿Encuentras alguna relación con estas esculturas de Bernini? Razona la respuesta.
- Busca similitudes y diferencias entre el *David* de Bernini y el de Miguel Ángel.
- La composición a partir de una línea diagonal, ¿era la utilizada también en el Renacimiento?
- Enumera los rasgos más significativos de la escultura de Bernini.

La obra

Este grupo de esculturas en mármol fue esculpido por François Girardon, uno de los escultores oficiales de Versalles, para ser colocado dentro de una gruta dispuesta en el jardín del palacio. La obra se realizó entre 1666 y 1673. El lugar para el que fue pensada se transformó posteriormente y hoy está instalada en otro espacio dentro de los mismos jardines.

El artista

Girardon se inspira en las esculturas clásicas que se conservaban en Roma para ser reproducidas con fidelidad. La posibilidad de esculpir escenas mitológicas en la decoración de espacios palaciegos era una oportunidad para utilizar los repertorios de la Antigüedad. Girardon se especializó en la decoración de los jardines reales, aunque llevaría a cabo obras tan representativas como el monumento funerario del cardenal Richelieu o la escultura ecuestre de Luis XIV.

Análisis formal

Equilibrio y simetría son los rasgos más señalados de esta composición, que reproduce con gran exactitud los principios de la escultura clásica. La figura de Apolo, sentado en el centro, se concibe como el eje en torno al cual se disponen las ninfas, perfectamente organizadas. Dos en primer plano, arrodilladas a ambos lados, y el resto atendiendo al aseo del dios a su alrededor. Todas las miradas se concentran en la figura central, hacia la que se disponen también todos los brazos, de forma que el grupo está pensado para tener un punto de vista frontal, dirigido hacia la figura poderosa del dios. En las esculturas se estudia la anatomía del desnudo y los rostros, dentro de unos cánones de belleza idealizada y distante. Los modelos están tomados del mundo clásico, tanto en lo que se refiere a los personajes como a los propios objetos que manejan.

Significado

El análisis de este grupo permite comprender la perduración de lo que llamamos clasicismo a lo largo del barroco. Frente al movimiento y la agitación de la escuela de Bernini, en los círculos cortesanos franceses se cultiva una escultura solemne, fría y monumental bajo las directrices marcadas por la Academia. Luis XIV se consideraba a sí mismo como el astro en torno al cual todo giraba, por lo que adoptó el sobrenombre de *Rey Sol*. El dios Apolo representa al Sol en la mitología clásica, de manera que este grupo es una transposición del propio monarca. Su propio aseo, en sus habitaciones privadas y con una enorme cantidad de servidores, no sería muy diferente al que muestra esta composición. El poder del rey, el control absoluto sobre todo lo que sucedía a su alrededor, queda aquí inmortalizado. El lenguaje de la escultura clásica, que representaba a dioses y emperadores, era el más apropiado para ensalzar la imagen del soberano como una figura divina. Los grupos escultóricos destinados a la decoración de jardines formaban parte de programas ornamentales en los que las fuentes, la escultura y la naturaleza se unían de un modo armónico.

- Intenta buscar diferencias claras entre esta escultura y la representación de *Apolo y Dafne*.
- Recuerda y menciona las principales características del Palacio de Versalles.
- En la decoración del Palacio de Versalles trabajan pintores que responden a las reglas oficiales del gusto impuesto por la monarquía. ¿Qué otras escuelas pictóricas se desarrollan en Francia durante el siglo XVII?
- ¿Cuáles son las diferencias entre el barroco solemne de la corte francesa del siglo XVII y el rococó?

Una fractura política y espiritual

Los antiguos Países Bajos se encontraban divididos no sólo desde el punto de vista político, sino también religioso. Holanda, al norte, se independizará de España, y se singulariza por tener una mayoría protestante, con una sociedad compuesta sobre todo de comerciantes y burgueses. Al sur, Flandes depende de España y está dentro de la órbita del catolicismo. En esta región la pintura religiosa intentará deslumbrar a sus vecinos del norte con grandes cuadros de altar. De este modo proclamaba con más resonancia el triunfo del catolicismo frente a la desnudez de los templos protestantes. También tendrá mucha fuerza la pintura mitológica, el retrato, las naturalezas muertas y la pintura de género. Esta última será no obstante más variada en Holanda.

RUBENS, Pedro Pablo: *Adoración de los Reyes Magos* (1609). *La pintura religiosa de Rubens sirvió de inspiración a numerosos artistas.*

Pedro Pablo Rubens

Formado en Amberes, Pedro Pablo Rubens (1577-1640) viajará pronto a Italia para residir algún tiempo en la corte del duque de Mantua. Allí estudiará la obra de los grandes maestros italianos, desde los genios del siglo XVI hasta Caravaggio o Carracci. Su influyente personalidad le llevó a ocupar puestos relevantes en la sociedad de su tiempo, relacionándose con monarcas y grandes señores y desempeñando misiones diplomáticas que le llevaron por Europa (Francia, Inglaterra o España). Estos viajes le permitieron entrar en contacto con las distintas escuelas pictóricas, al tiempo que le sirvieron para difundir su particular estilo.

Su pintura es muy creativa y se distingue por el dinamismo, la luminosidad y la vitalidad del color, con una pincelada suelta y pastosa. Emplea formas anatómicas rotundas, con gran sensualidad en el desnudo. Sus composiciones son clásicas y se basan en la línea diagonal, que aporta más movilidad al cuadro, con abundantes personajes. Practicó la temática religiosa con grandes composiciones monumentales que sirvieron de inspiración a muchos artistas posteriores (*Descendimiento de la cruz, Adoración de los Reyes Magos*). La pintura mitológica con destino a la decoración de los grandes palacios le servía para estudiar la representación del desnudo. Los retratos fueron otro de sus temas más afortunados (*Duque de Lerma, Elena Fourment*).

La escuela de Rubens

El sistema de trabajo de Rubens hizo posible la producción de numerosas obras. Se rodeaba de un elevado número de discípulos que daban forma a sus bocetos y seguían con detalle sus instrucciones. Estos artistas se especializaban en aspectos puntuales (paisajes, animales) que después eran retocados por el maestro. Este sistema hizo que muchos artistas se formaran con él y que la escuela flamenca de pintura del siglo XVII esté directamente influenciada por sus formas.

Van Dyck (1599-1641) colabora con Rubens en Amberes, pero pronto se traslada a Londres, donde se instalará. La falta de tradición pictórica en Inglaterra hace que las formas de Van Dyck triunfen y tengan una larga duración, influyendo en todos los artistas posteriores hasta el siglo XIX. Su modelo de retrato, elegante y luminoso, generalmente en posición de tres cuartos y con gran detallismo en los ropajes, tendrá mucho éxito.

Otros seguidores de Rubens, como **David Teniers** o **Jean Brueghel**, practicarán en Flandes la pintura de género.

VAN DYCK, Anton: *Van Dyck y Sir Endimion Porter* (1630). *La distinción en el retrato, de acuerdo con unos arquetipos y con una gran habilidad técnica, está en el origen de la escuela pictórica inglesa.*

GABINETES Y ALEGORÍAS

A comienzos del siglo XVII se fomenta en Flandes una auténtica afición por el coleccionismo artístico. En torno a esta afición nace un tipo de pintura que denominamos de gabinete. En estos cuadros se hace ostentación de la variedad de objetos artísticos que se guardaban en estas cámaras, antecedentes de nuestros actuales museos, aunque con un carácter privado y restringido.

La galería del archiduque Leopoldo Guillermo en Bruselas (hacia 1647), de David Teniers, nos permite acceder a uno de esos gabinetes, quizá el más representativo. Las diferentes pinturas que aparecen formaban la colección particular del archiduque, de modo que el cuadro sirve como documento para registrar las piezas de su propiedad.

Este tipo de pinturas acerca al gusto de la época, a la variedad de temas que se coleccionaban y a la intención de clasificar y registrar todas las obras. El carácter documental de estas pinturas se intensifica al hacer que los personajes retratados pasen a un segundo plano respecto a los objetos artísticos que se pintan. Teniers recibió el encargo del archiduque de redactar un catálogo con todas sus pinturas, donde se publicaría la colección por medio de grabados.

TENIERS, David: *La galería del archiduque Leopoldo Guillermo en Bruselas* (hacia 1647).

BRUEGHEL DE VELOURS, Jean: *Alegoría de la vista* (1617).

La pintura alegórica se lleva ahora a sus últimas consecuencias. Pintores como Jean Brueghel de Velours realizan series dedicadas a los cinco sentidos o a los cuatro elementos (fuego, tierra, aire y agua), a manera de gabinetes de coleccionistas. En cada obra representan los objetos que aluden al sentido que se describe. En este caso la **Alegoría de la vista** (1617) se explica con los cuadros y las esculturas, que sólo se disfrutan con los ojos, añadiendo además flores de colores o estampas. Hay también anteojos y catalejos. El abigarramiento de los objetos no impide que el pintor se recree en fragmentos de paisaje, que se observan a través de la ventana, o en la propia luz que invade la estancia con tonalidades frías. En el centro de la sala, Venus y el Amor contemplan un pequeño cuadro de tema religioso: *La curación del ciego.*

Con destino a la decoración de palacios y a la formación de galerías artísticas, Rubens pintará muchos cuadros de temas mitológicos. En ellos manifiesta una gran sensualidad en el tratamiento de la anatomía del desnudo, una gran libertad creativa y un estudio de la luz característico de sus obras.

El juicio de Paris (1639) recoge un tema mitológico. El joven Paris debe valorar quién es la más hermosa de las tres diosas. Esto provoca que las actividades de las tres protagonistas se llenen de sensualidad e insinuación para inclinar a su favor la elección del juez. Rubens domina la representación del desnudo femenino con un alarde de anatomía y luminosidad. El grupo aumenta el sentido del realismo y la cercanía de los personajes al retratar en la figura de Venus (la del centro) a su propia esposa.

RUBENS, Pedro Pablo: *El juicio de Paris* (1639).

Una sociedad burguesa

La pintura holandesa representa el espíritu de su sociedad: burguesa y de confesión protestante. La pintura religiosa de gran formato, destinada a los templos, desaparece por completo, aunque se sigue reclamando en pequeños tamaños. Los temas relacionados con la Pasión de Cristo y muchas de las historias del Antiguo Testamento se pintan para ser colocados en las casas y servir de motivo de reflexión.

El *retrato*, caracterizado por la sencillez y el realismo, va a cultivarse con mucho éxito. Se consolida un tipo de retrato colectivo o profesional, donde se agrupan miembros pertenecientes a una misma corporación (comerciantes de paños, etc.), expresión de la sociedad burguesa y democrática que se consolidaba.

De todos modos lo que identifica a la pintura holandesa del barroco es la *pintura de género*. Se trata de composiciones de formato pequeño, con intención de decorar las casas de la burguesía, que tratan temas intrascendentes y cotidianos, vistas de interiores, paisajes y naturalezas muertas interpretadas con una gran sobriedad. Es un tipo de pintura intimista y sencillo.

REMBRANDT: *El buey desollado* (1655). El naturalismo es llevado a sus cotas más altas en cuadros como éste, donde el desarrollo de lo cotidiano se eleva hasta la condición artística.

REMBRANDT: *Autorretrato a la edad de 63 años* (1669). Preocupado por el paso del tiempo y por su situación anímica, Rembrandt usa el autorretrato como medio de expresión.

Rembrandt

La personalidad de Rembrandt (1606-1669) se distingue de todo lo que acontecía en la pintura holandesa de su tiempo. Es un artista genial, de una gran independencia y cuya obra tiene rasgos muy específicos. Influenciado por la pintura de Caravaggio, tanto en lo que se refiere al tenebrismo como en el uso de personas comunes como modelos, la luz adquiere en sus cuadros un carácter misterioso y simbólico. La fuente de iluminación procede de los propios personajes y construye el escenario en el que se desarrolla el cuadro.

La temática religiosa tiene en su obra un carácter muy personal. Los temas son tratados con mucha sensibilidad y desde la más absoluta intimidad. Los personajes sagrados se acercan con sencillez al espectador y sin el sentimiento teatral y solemne que podíamos observar en las composiciones religiosas de Rubens. Las escenas del Antiguo Testamento son muy frecuentes en su producción, debido a su buena relación con la comunidad judía que vivía en Holanda.

El retrato es uno de los géneros que mejor domina: por un lado, reflexiona con naturalidad sobre la propia evolución de la edad, elaborando un considerable número de autorretratos; por otro lado, en el retrato colectivo consigue composiciones llenas de intriga y de sorpresa, rompiendo la monotonía de los grupos. Algunos de sus bodegones, como *El buey desollado*, han pasado a la historia de la pintura por su habilidad para obtener una gran expresividad de las cosas sencillas.

Otros artistas holandeses

Frans Hals (h. 1582-1666), junto con Rembrandt, es una de las figuras más destacadas del panorama pictórico holandés. Sus retratos muestran un gran dominio de la pincelada, de la luz y de la composición en diagonal. Los retratos colectivos y las escenas de taberna tienen la intención realista de reflejar su entorno inmediato.

Vermeer de Delft (1632-1675) es el otro gran maestro holandés. Su pintura se caracteriza por la sencillez de los interiores iluminados con una luz cálida, por el detallismo de las escenas, la intimidad y la captación del espacio real.

VERMEER Y LOS INTERIORES

La intimidad de los interiores y la sencillez de la vida cotidiana, lejos de la solemnidad y del boato palaciego, alcanzan en la pintura holandesa una consideración muy elevada. La existencia apacible de la sociedad burguesa, próspera y agradable, se refleja en un tipo de pintura pensada para decorar pequeños salones donde transcurre una vida sin sobresaltos. Vermeer es el artista que mejor plasmará esta forma de vida.

En **La encajera** (1665), la actividad casera y atenta de esta joven es elevada por la pintura de Vermeer, en una imagen con una espléndida valoración de la luz y el detalle. De pronto una actividad diaria e intrascendente se eleva a la categoría de objeto artístico, con un carácter muy contemporáneo que anuncia la pintura de siglos posteriores.

Destaca en la pintura de Vermeer su atención a la mujer como protagonista exclusiva de sus composiciones. En ningún caso hablamos de una santa o de una heroína mitológica. Sus mujeres son seres corrientes que realizan actividades cotidianas. La dignificación del trabajo desempeñado por la mujer es la prueba del triunfo de la nueva mentalidad holandesa.

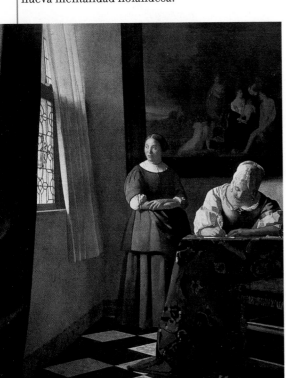

Algo similar sucede en **Señora escribiendo una carta** (1671), obra aprovechada por el artista para hacer un alarde técnico. La proximidad a la ventana, para facilitar la escritura, permite crear un foco de luz. La figura femenina queda centrada en la escena.

En esta ocasión la mujer escribe en un interior que irradia serenidad. De nuevo, la protagonista de esta escena desarrolla una actividad que anuncia novedades y que no era nada habitual en la pintura anterior. La concentración en una tarea le confiere un sentido de atemporalidad propiciado por una atmósfera cálida, como si el tiempo se hubiera detenido.

En **El pintor en su estudio** (1669), más simbólico que en los casos anteriores, Vermeer se pintaría a sí mismo trabajando en su estudio mientras retrata a una joven caracterizada como Clío, la musa de la Historia. Los efectos lumínicos se perciben a partir de la entrada de luz lateral, que inunda la sala y ofrece una variedad de contrastes y tonalidades de gran riqueza. Al fondo, un mapa con un pliegue central señala la diferencia entre Flandes y Holanda, recién independizada del dominio español.

Los diferentes elementos que conforman el cuadro ayudan a expresar la profundidad y a conducir la mirada hacia la figura iluminada del fondo. La gradación de tonos y el juego de sombras y luces colabora a construir el cuadro desprovisto de intenciones solemnes. El taller es un lugar sencillo y acogedor con un aparente desorden, pero con un profundo estudio de la luz, la perspectiva y el volumen.

La obra

El cuadro es una pintura al óleo sobre lienzo [tabla] que pertenecía a la colección privada del artista. Rubens lo pintó poco antes de 1640, fecha de su fallecimiento. En la venta pública de sus bienes, después de su muerte, el cuadro fue adquirido por el rey Felipe IV de España con destino a sus colecciones. Hoy está expuesto en el Museo del Prado.

El artista

Cuando Rubens pinta *Las Tres Gracias* es el pintor más destacado de Europa. Sus labores diplomáticas le han llevado a distintos lugares del continente y su pintura se ha empapado de aportaciones diversas y enriquecedoras. La fuerza compositiva de sus obras reside en ese cúmulo de aportaciones a las que se une su capacidad para crear, amparado en los principios que proclamaba la Contrarreforma, sin renunciar al bagaje de la cultura clásica.

Análisis formal

La armonía del grupo de las tres mujeres entrelazadas es perfectamente simétrica y adaptada a los modelos clásicos, en cuanto a la composición. La escena transcurre en un exterior, con la gran luminosidad que caracteriza a toda la obra del artista. El tratamiento del desnudo tiene toda la sensualidad que impregna sus cuadros, con cuerpos voluminosos y sonrosados que manifiestan el canon de belleza de su tiempo. En la escena se advierte un movimiento contenido, como si las tres figuras estuvieran en el momento de ejecutar una danza. De esta forma todas mueven hacia atrás una pierna, lo que aporta más dinamismo al conjunto.

La representación del paisaje es muy delicada, con una pincelada muy libre en la que el color está por encima del dibujo. Lo mismo sucede con la guirnalda de rosas que corona a las tres ninfas, tratada como una naturaleza muerta incorporada al cuadro.

Significado

El cuadro sirve para expresar la relación de Rubens con las fuentes clásicas y con los grandes maestros italianos del Renacimiento. La composición de este cuadro sigue con fidelidad esquemas que habían sido estudiados por Rafael a partir de esculturas antiguas. Lo que hace Rubens es interpretarlo con el lenguaje del barroco. Las tres Gracias eran las protectoras de la alegría y de la fiesta, en el lenguaje de la mitología grecolatina. Rubens empleó el tema como pretexto para realizar este estudio del desnudo en el que retrató como modelo a su segunda esposa, Elena Fourment.

La mitología proporcionó una temática muy rica y variada a lo largo de todo el período barroco. Los temas mitológicos adquirían una explicación simbólica y moralizante comprensible para un sector cultivado de la sociedad que podía acceder a este género de información.

- ¿Cuál era el sistema de trabajo de Rubens? ¿Podemos afirmar que muchas de las obras de Rubens podían ser consideradas como trabajos en equipo? ¿De qué forma crees que debería influir este hecho en la cotización de la obra del pintor?
- Enumera las características más importantes de la pintura de Rubens y los temas que practica.
- Valora la relevancia de Rubens en el panorama pictórico europeo del siglo XVII. ¿Cuáles son las razones de su influencia?

La obra

La pintura es un retrato colectivo encargado a Rembrandt en 1642 por la Corporación de Arcabuceros de Amsterdam, para instalarlo en el gran salón del cuartel de la Guardia Cívica. El lienzo, titulado realmente *La compañía del capitán Cocq y el teniente Ruytenburch*, fue recortado en el siglo XVIII, lo que modifica su visión original. El cuadro recoge el momento en que la Guardia se disponía a salir para realizar su ronda habitual.

El artista

En la cima de su carrera, Rembrandt recibe el encargo de la Corporación cuando ha pintado un extenso número de retratos y cuadros de temática bíblica de gran éxito. Rembrandt, al igual que Rubens, llevará una vida de gran señor durante un largo período de su existencia. El control sobre un taller del que salía una considerable producción pictórica le proporcionó una notable consideración en el conjunto de la sociedad holandesa de su tiempo.

Análisis formal

Los dos personajes principales son los que se disponen en el centro de la composición, aparentemente desordenada y sin elementos que permitan hablar de una distribución organizada en esta escena de exterior. La pretensión del artista es registrar el instante concreto de la puesta en marcha, de forma que su objetivo es captar ese movimiento previo que nos ofrece detenido, congelado.

El eje central está ocupado por la propia orden de partida, que hace moverse a todos los componentes de la compañía. La luz está en el interior de cada una de las figuras, logrando un ambiente un tanto irreal, inquietante y casi fantasmagórico al no poder contemplar la fuente de luz.

El movimiento se consigue a través de la variedad de actitudes que asumen los distintos soldados, del juego de miradas y de los fuertes contrastes de luz. La pincelada, como sucede en toda la obra de Rembrandt, es suelta y pastosa.

Significado

El modelo de retrato colectivo que tanto éxito tendrá en Holanda se interpreta en este caso con una notable originalidad. Los personajes retratados no están posando para el artista, que refleja con naturalidad la actividad que éstos emprendían a diario.

Rembrandt busca captar el instante concreto, registrar el mismo momento en que deciden ponerse en marcha para fijarlo como si se tratara de una fotografía.

La valoración general de la composición fue criticada por sus propios clientes, que no se sentían identificados con claridad en el cuadro al no tratarse de un retrato colectivo habitual. El ambiente nocturno, tan magistralmente plasmado, fue el que determinó que conozcamos este lienzo con el título de *La ronda de noche*.

- Intenta señalar diferencias entre la obra de Rembrandt y la de Rubens.
- ¿Cuál es la importancia del retrato en el barroco?
- Últimamente se ha revisado la obra de Rembrandt, llegándose a la conclusión de que muchos de los cuadros que se le atribuían no son suyos. Esto ha incidido en el mercado del arte. Investiga sobre este tema.
- Recuerda cuál ha sido la gran aportación de la escuela holandesa a la pintura. ¿En qué consiste la pintura de género?

SÍNTESIS

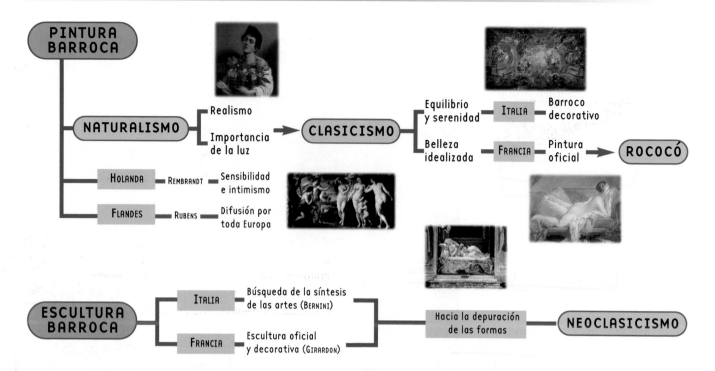

PINTURA BARROCA

Foco	Características generales	Autores y obras
Italia	**Naturalismo:** Modelos tomados de la vida cotidiana. Composiciones complejas. Fuertes contrastes lumínicos y efectos teatrales (tenebrismo). **Clasicismo:** Belleza idealizada. Equilibrio y serenidad. Inspiración en los grandes maestros italianos. **Barroco decorativo:** Prolongación de la arquitectura en la decoración al fresco. Perspectivas aéreas. Triunfalismo y apoteosis ornamental. Sensaciones espaciales de amplitud.	CARAVAGGIO: *Joven con cesta de frutas* (1594); *La vocación de san Mateo* (1601); *Muerte de la Virgen* (1605). LOS CARRACCI: *Los amores de los dioses* (1597). Andrea POZZO: *Bóveda de la iglesia de San Ignacio* (1691-1694).
Francia	**Naturalismo:** Composiciones simétricas. Importancia de la luz, generada por un foco interior. Figuras recortadas y volúmenes geométricos. Cotidianeidad. Realismo. Paisaje. **Clasicismo:** Organización, equilibrio, belleza ideal. Paisajes agradables. Escenas mitológicas. Paisaje y estudio lumínico. Arquitecturas clásicas. Personajes con un papel secundario. **Pintura oficial:** Rigidez, frialdad, solemnidad. Exaltación y glorificación del rey. Retrato. **Pintura rococó:** Intimismo. Refinamiento y frivolidad. Erotismo. Composiciones elegantes. Atmósferas suaves.	LA TOUR: *La Magdalena penitente* (hacia 1604). POUSSIN: *El sueño de Narciso* (hacia 1627). LORENA: *Embarco en Ostia de santa Paula Romana* (hacia 1639). BOUCHER: *Louise Murphy* (1752). FRAGONARD: *El columpio* (1766).
Países Bajos	**Flandes:** Población católica. Dependencia de la Corona española. Temática: pintura religiosa de gran formato; pintura mitológica decorativa; retrato; pintura de género.	RUBENS: *Adoración de los Reyes Magos* (1609); *Descendimiento de la cruz* (1612); *El juicio de Paris* (1639); *Las Tres Gracias* (1640). VAN DYCK: *Van Dyck y Sir Endimion Porter* (1660).
	Holanda: Población protestante. Independencia política. Sociedad burguesa. Temática: pintura religiosa de pequeño tamaño; retrato individual y colectivo; pintura de género, paisajes y bodegones.	REMBRANDT: *La ronda de noche* (1644); *El buey desollado* (1665); *Autorretrato* (1669). VERMEER: *La encajera* (1665); *El pintor en su estudio* (1665); *Señora escribiendo una carta* (1671). HOBBEMA: *Avenida de Middelharnis* (1689).

ESCULTURA BARROCA

Foco	Características generales	Autores y obras
Italia	Búsqueda de la síntesis de las artes. Dominio técnico de los materiales. Realismo, teatralidad, movimiento. Composiciones monumentales. Captación del instante. Escultura religiosa, en relación con su entorno arquitectónico. Sepulcros. Escultura mitológica.	BERNINI: *Apolo y Dafne* (1620); *David* (1623); *El éxtasis de santa Teresa* (1645-1652).
Francia	Escultura oficial y decorativa. Claridad en la interpretación. Control de la Academia. Exaltación de la monarquía: visión del rey como un personaje divinizado. Escultura mitológica.	GIRARDON: *Apolo servido por ninfas* (1673).

HACIA LA UNIVERSIDAD

1. Analiza y comenta las siguientes obras:

RUBENS: *El duque de Lerma* (1603).

VERMEER: *Criada entregando una carta a su señora* (1665).

2. Explica el significado de los siguientes términos: *bodegón, retrato de aparato, paisaje, tenebrismo.*

3. Desarrolla el siguiente tema: *Naturalismo y clasicismo en la pintura barroca europea.*

4. Comenta el siguiente texto:

En la cuestión de la nobleza o jerarquía de las artes Bernini tenía hermosas sentencias. Decía que la pintura es superior a la escultura, pues la escultura muestra lo que es con más dimensiones, mientras que la pintura muestra lo que no es, o sea que muestra el relieve donde no hay relieve, y da apariencia de lejanía a lo que no es lejano. Existe en la cuestión de la semejanza en la escultura una mayor dificultad que no existe en la pintura. La experiencia nos enseña que el hombre que se pinta de blanco el rostro pierde su parecido, y sin embargo la escultura con el mármol blanco llega a obtener parecido.

BALDINUCCI, Filippo: *Vida del caballero Gian Lorenzo Bernini* (1682)

— En la apertura del tema anterior utilizábamos otro fragmento de esta misma biografía de Bernini. Léela de nuevo junto a este texto y organiza los principales conceptos que se derivan de la personalidad artística de Bernini.

— Valora la trascendencia de Bernini en el panorama artístico europeo en todas las ramas del arte.

PASADO Y PRESENTE EN EL ARTE

1. Observa estos paisajes pertenecientes a épocas distintas. Busca en ellos elementos comunes que expliquen la sociedad y el tiempo en que fueron pintados.

2. Recuerda en la historia de la pintura cuál ha sido el papel del paisaje dentro de los géneros artísticos. ¿Por qué en los últimos siglos ha tenido tanto éxito frente a otros temas? Razona la respuesta.

HOBBEMA, Meindert: *El molino del tejado rojo* (hacia 1660).

FRIEDRICH, Caspar David: *La abadía* (1809).

18. EL BARROCO EN ESPAÑA: PINTURA Y ESCULTURA

La carga religiosa de la sociedad hispana del barroco es una constante en la escultura y la pintura del período. El abastecimiento de las necesidades religiosas y de la clientela que reclamaba objetos para el adorno de los templos y la devoción pública será el motor de la creación artística. Círculos muy cerrados, vinculados a la familia real y a la nobleza, sostienen un coleccionismo de altura con importación de obras de alta calidad y de temática muy diversa.

En este contexto la pintura, muy influenciada por las innovaciones italianas, manifiesta un gusto especial por el naturalismo, el realismo y los efectos lumínicos, con varios focos importantes como Valencia y Sevilla. Diego Velázquez, procedente de Sevilla e instalado en Madrid al amparo de la corte, alcanza una de las cimas más altas del arte pictórico de todos los tiempos.

La escultura, por su condición tridimensional, cumple un papel clave en el mensaje religioso. Los principales episodios de la Pasión de Cristo, a través de los pasos procesionales, o las imágenes de la Virgen o de los santos que se colocaban en los templos para la devoción de los fieles, son el mejor instrumento al servicio de los ideales contrarreformistas. Castilla, Levante y Andalucía, con un modo de trabajar singular, concentran las principales escuelas.

LAS MENINAS, TEOLOGÍA DE LA PINTURA

Colocóse en el cuarto bajo de Su Majestad, en la pieza del despacho, entre otras obras excelentes; y habiendo venido en estos tiempos Lucas Jordán, llegando a verla, preguntóle el señor Carlos Segundo, viéndole como atónito: "Qué os parece". Y dijo: "Señor, ésta es la Teología de la Pintura", queriendo dar a entender que, así como la Teología es la superior de las ciencias, así aquel cuadro era lo superior de la pintura.

PALOMINO, Antonio: "Vida de Diego Velázquez", en *Museo pictórico y escala óptica*. Madrid, Aguilar, 1988

VELÁZQUEZ: *Las meninas.*

S Í N T E S I S

CLAVES DE LA ÉPOCA

La sociedad y el arte del barroco

El papel de España como defensora del catolicismo define las creaciones artísticas del barroco. La escultura y la pintura destacan por la temática mayoritariamente religiosa al servicio de una clientela que reclama este género de producción.

El arte es instrumento del poder religioso e incide, por encima de cualquier otro objetivo, en la captación de los fieles y en la devoción pública. En este ambiente se produce un incremento espectacular en las escuelas pictóricas y escultóricas para abastecer la demanda de los centros religiosos, de las órdenes monásticas y de las cofradías. La nobleza invierte fortunas en la decoración de sus capillas funerarias.

Al mismo tiempo, el coleccionismo artístico de la realeza, que había sido tan trascendental en el siglo XVI, se potencia durante el siglo XVII. Las colecciones pictóricas del rey Felipe IV y de algunos nobles de la época incluyen piezas de gran calidad pertenecientes a las diferentes escuelas europeas, y serán el germen del actual Museo del Prado.

VELÁZQUEZ, Diego: *Retrato ecuestre del conde duque de Olivares* (hacia 1634). *La nobleza del retrato ecuestre, desde el mundo clásico, es estudiada por Velázquez en imágenes como ésta. El poder soberbio del primer ministro se ensalza al volverse el jinete hacia el espectador.*

La pintura barroca

La pintura del barroco se basa en el realismo tangible. El *lienzo* es, como en el resto de Europa, el soporte más utilizado. Las composiciones destacan por su sencillez y persiguen el reflejo fiel de la naturaleza. La temática es sobre todo religiosa. La pintura mitológica, reservada a círculos cortesanos muy cerrados, es escasa. La pintura de paisaje no es abundante, aunque hay algunos ejemplos magistrales, como determinadas obras de Ribera o de Velázquez. Las naturalezas muertas o bodegones se conciben como estudios del natural de objetos, alimentos o animales, compuestos con sobriedad, equilibrio y un cuidado análisis de la luz. El *retrato*, especialmente de los miembros de la familia real o de la nobleza, tiene mucho éxito. A su lado, los retratos de personajes deformes, enanos o bufones son otra ocasión más para estudiar el entorno con realismo.

Los focos más destacados se sitúan en la corte real, en Madrid, donde trabajó Veláquez, uno de los artistas más geniales de todos los tiempos; y en las ciudades de Valencia y Sevilla, lugares con una considerable actividad económica que permitía el desarrollo próspero de la pintura.

La escultura

La escultura del barroco se centra en lo religioso (escultura de devoción, pasos procesionales, grandes retablos). El material más empleado, siguiendo la tradición, es la madera. La expresividad del material, la policromía y el uso de postizos (cabello natural, dientes de marfil, ojos de cristal) aumentaban la sensación de realidad. La talla contribuye al dramatismo de las escenas, y la policromía reduce su decoración en favor de tonos planos más realistas.

Con el paso del tiempo se generalizan las esculturas vestideras (aquellas que tienen talladas únicamente la cara y las manos, y el resto, vestido con telas), lo que constituye un paso más en la búsqueda desesperada de la reproducción fiel de la realidad.

La escultura encaja con la mentalidad de la época y acerca al público los acontecimientos de la Pasión de Cristo y la vida de los santos. Castilla y Andalucía, seguidas de Murcia, concentrarán a los maestros más creativos del momento.

La decoración palaciega y urbana (fuentes, esculturas públicas) tiene poca relevancia. Estará protagonizada por escultores extranjeros. En ella se emplea el bronce y el mármol, también usado en la escasa escultura funeraria del período.

SALZILLO, Francisco: *Oración del huerto* (1754). *La escultura procesional en España evoluciona desde la sobriedad realista de los grupos castellanos a las composiciones recargadas de Salzillo.*

Los mecenas del barroco español

Coincidiendo con el período barroco, el ornato de las iglesias se multiplica por la acción de las comunidades religiosas, así como por las donaciones de particulares. A pesar de ello, el rey y la alta nobleza, que tienen acceso a lo que acontecía fuera de España, permiten cultivar otro tipo de temas para decorar sus salones o enriquecer sus galerías artísticas.

El mecenazgo de los poderosos

El afán coleccionista de Felipe IV le lleva a fomentar las colecciones reales con compras en el extranjero de cuadros de diversos temas (batallas, naturalezas muertas, pintura mitológica). El rey y la corte apreciaban el arte de la pintura, como señala Palomino cuando habla de *Las meninas*: "Esta pintura fue de Su Majestad muy estimada, y en tanto que se hacía, asistió frecuentemente a verla pintar; y asimismo la Reina nuestra señora, Doña María Ana de Austria, bajaba muchas veces, y las señoras infantas, y damas, estimándolo por agradable deleite y entretenimiento".

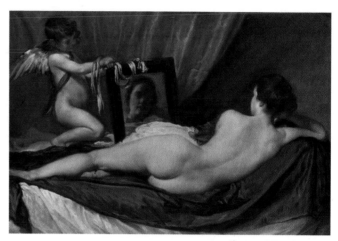

VELÁZQUEZ: ***Venus del espejo*** *(hacia 1650). En este cuadro Velázquez estudia el desnudo siguiendo el modelo de los artistas venecianos, con gran dominio del color y del poder de la sugerencia.*

Las galerías de retratos son parte fundamental de esta colección. La representación de los diferentes miembros de la familia tenía un valor simbólico de exaltación de la propia dinastía. En este sentido, Velázquez, como pintor de la corte, cumplió un interesante papel. Además de su faceta como retratista, aportó a la colección real y a la de los principales nobles cortesanos temas mitológicos, nada frecuentes en el panorama español.

Fundaciones de la nobleza y de las órdenes religiosas

Sacristía del monasterio de Guadalupe. En ella, figuras de la Orden de los Jerónimos quedan inmortalizadas en los cuadros de Zurbarán.

Los grandes nobles, imitando el gusto real, también forman sus propias galerías, donde reúnen retratos familiares y cuadros de temas variados. Además, en muchas ocasiones se encargan de decorar centros religiosos; unas veces, porque desean ser enterrados en esos lugares; otras, porque algún familiar cercano entraba a formar parte de la comunidad de religiosos o religiosas. Éste es el caso del conde de Monterrey, virrey de Nápoles y fundador del Convento de las Agustinas, en Salamanca, quien, cuando su hija ingresa en el convento, encarga a Ribera y a otros artistas que residían en Italia la realización de pinturas para decorar la nueva iglesia.

Las órdenes religiosas con gran poder económico emprenden en este período brillantes empresas artísticas: además de los retablos, encargan retratos de santos o de personajes célebres de la orden para dar prestigio a la comunidad. Eran la expresión de su poder y de su influencia a lo largo de los tiempos. Algunos pintores, como Zurbarán, se especializan en pintar estas series, que cumplían un papel similar a los retratos reales o de la nobleza.

ÉPOCA	HISTORIA Y CULTURA	ARTE
Primera mitad del siglo XVII	• Felipe III, rey (1598-1621). • Cervantes publica la primera parte del *Quijote* (1605). • Expulsión de los moriscos de España (1609). • Felipe IV, rey (1621-1665). • Toma de Breda (1625). • Caída del conde duque de Olivares (1645).	• Gregorio FERNÁNDEZ esculpe el *Cristo yacente*, de El Pardo (1614). • VELÁZQUEZ pinta el *Retrato ecuestre del conde duque de Olivares* (hacia 1634); *La rendición de Breda* (1635); la *Venus del espejo* (hacia 1648). • RIBERA pinta el *Martirio de san Felipe* (1639).
Segunda mitad del siglo XVII	• Baltasar Gracián publica *El Criticón* (1651-1657). • Paz de los Pirineos (1659). • Muere Velázquez (1660). • Calderón de la Barca escribe *Deposición a favor de los profesores de pintura* (1664). • Carlos II, rey (1665-1700).	• Alonso CANO esculpe *La Inmaculada* (1655). • VELÁZQUEZ pinta *Las meninas* (1656) y *Las hilanderas* (1657). • PEDRO DE MENA esculpe la *Magdalena penitente* (1664). • CHURRIGUERA termina el retablo mayor de San Esteban, en Salamanca (1692).

1. PINTURA BARROCA

Valencia y sus pintores

En Valencia, la influencia de las novedades italianas será definitiva; entre otras razones, por la proximidad geográfica en la comunicación marítima, lo mismo que había sucedido en el Renacimiento.

Francisco Ribalta (1565-1628) es una de las figuras artísticas más destacada. Formado en El Escorial, dentro de la corrección en las composiciones, el equilibrio y la claridad, se terminará por establecer en Valencia. Su pintura se caracteriza por el expresionismo en los rostros de sus personajes, el uso del color y naturalmente la influencia de Caravaggio en el tratamiento de la luz.

José de Ribera (1591-1652) es el gran admirador de Caravaggio y quien crea un estilo propio a partir de su obra. Aunque valenciano, toda su obra la produce en Italia, donde era conocido con el sobrenombre de "El Españoleto". Con una gran facilidad creativa, como pintor y como grabador, sus composiciones ejercen durante muchos años una fuerte influencia en los artistas. Su pintura está marcada por el naturalismo a ultranza, el uso de personas comunes como modelos y el estudio anatómico y lumínico llevado hasta sus últimas consecuencias.

RIBERA, José de: *El patizambo* (1642).
Un tema muy frecuente en la pintura española es el retrato de bufones y personajes deformes para buscar el contraste y la crudeza del realismo.

La escuela andaluza

Con una notable tradición de pintura renacentista, Sevilla es el lugar en el que se forma un grupo de pintores que cumplirá un extraordinario papel en el panorama artístico español.

Francisco de Zurbarán (1598-1664) es extremeño, pero se formó en Sevilla. Su pintura es la de la sencillez, persiguiendo la reproducción fiel de la realidad que le rodea. Incluso esa sencillez intentará transmitirla en los personajes sagrados y en las escenas sobrenaturales que pinta. Las composiciones y los personajes se tratan con simplicidad, de forma que los volúmenes adquieren un carácter casi geométrico, visible en sus bodegones, por medio de fuertes contrastes lumínicos. Las series de retratos monásticos (jerónimos, cartujos, mercedarios), desprovistos de cualquier adorno que pudiera distraer su objetivo, serán su producción más conseguida. Para el Palacio del Buen Retiro pinta *Los trabajos de Hércules*, una de las escasas series mitológicas de la pintura española de la época.

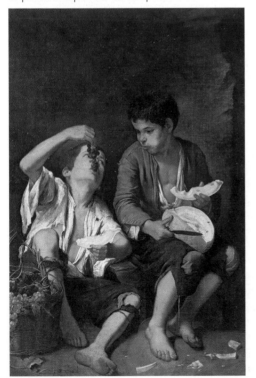

Alonso Cano (1601-1667), arquitecto, escultor y pintor, representa otro modo de ver la pintura que huye del realismo en favor de la belleza idealizada. Se forma en Sevilla y en Madrid, donde conoce las obras que se conservaban en las colecciones reales. Sus pinturas, como las encargadas para la capilla mayor de la catedral de Granada, reflejan composiciones clásicas, con gran delicadeza, colores suaves y pincelada suelta, influenciadas por la pintura veneciana del siglo XVI.

En la segunda mitad del siglo XVII, destacan en Sevilla dos maestros cuya pintura coincide con lo que podemos llamar barroco pleno: Murillo y Valdés Leal.

Bartolomé Esteban Murillo (1617-1682) es el pintor de la religiosidad sencilla y doméstica en composiciones como *La Sagrada Familia del pajarito*. Los retratos de niños o las escenas de pícaros son naturales y coloristas.

Juan de Valdés Leal (1622-1690) practica un tipo de pintura de significado más profundo, con una pincelada vibrante que juega con los contrastes lumínicos. Las pinturas del Hospital de la Caridad acusan un dramatismo profundo propio de la religiosidad de su tiempo.

MURILLO, Bartolomé Esteban: *Niños comiendo fruta* (hacia 1645-1655).
El estudio de la realidad cotidiana, muy alejada del concepto de belleza ideal renacentista, justifica la existencia de estas escenas sencillas e intrascendentes.

BODEGONES Y VÁNITAS

La imitación de la naturaleza, el reflejo de la sencillez y los objetos cotidianos está en el origen de la fortuna de estos temas en la pintura española. Esa visión realista de la naturaleza tiene dos caras: por una parte, el lado amable de los sencillos bodegones; por otra, la crudeza de las Vánitas, que retratan sin ningún reparo la podredumbre, la descomposición y la muerte de la propia naturaleza.

Los bodegones

El género de los bodegones era muy apreciado en su tiempo y merecía "estimación grandísima", tal y como afirma el teórico del arte Francisco Pacheco. En el siglo XVII se valora al máximo la habilidad técnica para conseguir la copia de la realidad a través de la pintura.

Según una narración clásica, el pintor griego Zeuxis alcanzó la máxima perfección en la representación de la realidad. Se contaba de la obra de este pintor una historia según la cual los propios pájaros, engañados por su efecto realista, se acercaban a comer las uvas que veían en sus cuadros. Este tema se repite en los bodegones barrocos en una pugna por conseguir los mayores efectos de realismo y fidelidad.

Como sucedía en los Países Bajos, los bodegones nacen por la intención decorativa de los espacios domésticos, sin mayores pretensiones. No obstante, el bodegón español se diferencia del concepto holandés y flamenco: la abundancia de objetos se reduce y toda la composición es mucho más sobria. La intención es mostrar una perfecta organización del espacio, con virtuosismo técnico y detalles.

Se estudia la simetría, la luz y las calidades de los diferentes objetos y sus materiales. Frutas y objetos comestibles, floreros, animales muertos o alegorías de las estaciones se reflejan en los lienzos, por lo general de pequeño formato. Zurbarán representa en estas composiciones la esencia de la austeridad. En algunas de ellas la representación se ocupa de piezas de cerámica o de plata alineadas, sobre las que se proyecta una luz suave que le permite construir unos volúmenes ordenados, en un ambiente silencioso.

ZURBARÁN: *Bodegón de cacharros* (hacia 1630).

Las Vánitas

Ejemplo de Vánitas desgarradas son los lienzos que en 1672 pintó Valdés Leal para el Hospital de la Caridad. Las pinturas eran un encargo de Miguel de Mañana, un rico noble sevillano que a la muerte de su esposa lo abandona todo para dedicarse a tareas de caridad y a escribir textos piadosos. En ellos reflexiona sobre la brevedad de la vida y sobre lo innecesario de las glorias terrenas y de las riquezas.

Sus escritos manifiestan una obsesión por la muerte que el pintor refleja a la perfección en sus lienzos, llenos de simbología mortuoria en una atmósfera oscura y lúgubre:

"Si tuviéramos delante [...] la mortaja que hemos de llevar, viéndola todos los días [...] con facilidad olvidarías las honras y estados de este siglo; y si consideraras los viles gusanos que han de comer ese cuerpo, y cuán feo y abominable ha de estar en la sepultura, y cómo esos ojos que están leyendo estas letras han de ser comidos de la tierra [...]".

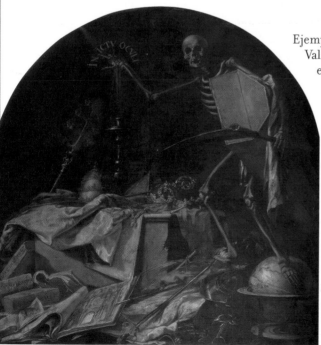

VALDÉS LEAL, Juan de: *Triunfo de la muerte sobre la vanidad* (hacia 1672).

APARICIÓN DEL APÓSTOL SAN PEDRO A SAN PEDRO NOLASCO, DE ZURBARÁN

La obra

El cuadro forma parte de una serie encargada por el Convento de la Merced Calzada, de Sevilla, en el año 1628, y está pintado al óleo sobre lienzo. San Pedro Nolasco (hacia 1189-1256), fundador de la orden, acababa de ser canonizado. Para conmemorar ese acontecimiento, Zurbarán recibe el encargo de pintar este cuadro, que, junto a otros veintiún lienzos, decorarían un claustro del convento.

Análisis formal

Zurbarán renuncia a la composición tradicional, que separaba claramente el mundo celestial y el terrenal. Los dos santos se hallan en el mismo plano. Esto se acentúa con la ausencia de fondo, que hace más uniforme el ambiente. El cuadro se construye a través de la luz rojiza que parte de la figura de san Pedro crucificado, de modo que el manto blanco de san Pedro Nolasco actúa de pantalla. El artista busca el juego de efectos contrarios, no sólo en la postura de los dos personajes, sino en la desnudez de san Pedro y en las pesadas ropas del mercedario.

Significado

San Pedro Nolasco deseaba ir en peregrinación a Roma para visitar la tumba del apóstol Pedro. Antes de partir se le aparece el propio apóstol para decirle cuál es su misión y disuadirle de su viaje a Roma. El cuadro refleja el instante de esta aparición. La orden de los mercedarios recogía limosnas para liberar a los cristianos que estaban cautivos en poder de los musulmanes.

MARTIRIO DE SAN FELIPE, DE RIBERA

La obra

Durante mucho tiempo se ha considerado que este cuadro representaba el martirio del apóstol san Bartolomé. La ausencia del cuchillo con el que el santo fue despellejado y que suele acompañar a sus representaciones induce a pensar que se trata de otro santo. Además, a san Bartolomé se le representa en edad avanzada, con el pelo canoso y barba. Estas razones han llevado a considerar que el santo es San Felipe, martirizado en una cruz. Ribera pintó este cuadro en 1639.

Análisis formal

Construido con líneas diagonales, el cuadro centra toda su atención en el cuerpo flexionado del apóstol, al que elevan con esfuerzo los verdugos. Las sogas contribuyen a crear un espacio triangular, contrapuesto a los propios brazos de san Felipe, que crean otro triángulo invertido, produciendo así un juego de contrastes. La situación de la escena en un exterior permite al pintor bañar todo el ámbito con una luz uniforme, sin renunciar a las sombras que identifican su obra.

Significado

Aunque el cuadro pertenece a un período avanzado del artista, en el que su estilo se ha suavizado, sin embargo existe en él preocupación por los fuertes contrastes de luz para la diferenciación de los volúmenes, que había tomado de Caravaggio. La sencillez de los modelos, la naturalidad de las actitudes de los personajes que se encuentran en segundo término y la suavidad del color facilitan la transmisión del mensaje. El realismo cruel del martirio, la actitud resignada del apóstol y el dolor de su rostro acercan al espectador el testimonio del mártir.

- La composición del cuadro de Zurbarán no diferencia entre la esfera celestial y la terrena. ¿Era esto lo habitual anteriormente? ¿Cuál era el objetivo de estas series de santos que encargaban las órdenes religiosas?
- La pintura de Ribera ¿se encuadra dentro del naturalismo o del clasicismo? Razona la respuesta. Señala en qué consiste la composición de este lienzo, a partir de la cual el pintor organiza la colocación de las figuras. Represéntala con un esquema.
- Resume los rasgos esenciales de la pintura de Zurbarán y de Ribera.

LA SAGRADA FAMILIA DEL PAJARITO, DE MURILLO

La obra

La Sagrada Familia del pajarito, pintada hacia 1650, es una de las primeras obras de Murillo. La popularidad de este lienzo le sirvió al artista para asentar su fama y su clientela en Sevilla, donde trabajaba. Actualmente el cuadro se expone en el Museo del Prado.

El artista

Murillo es uno de los pintores más populares del panorama artístico español. Aunque siempre residió en Sevilla, su taller tenía una considerable actividad, lo que permitió una difusión considerable de sus composiciones. La tradición de la escuela pictórica sevillana y la accesibilidad de sus cuadros fueron factores que contribuyeron a su popularidad.

Análisis formal

La escena transcurre en un interior, con la sencillez y el realismo de un entorno humilde. La composición deja en el centro de la escena al Niño, hacia el que confluyen las miradas tiernas de san José y la Virgen. El ambiente se encuentra en penumbra y se acentúan los efectos de luz en la figura central, para conseguir contrastes que permitan modelar los volúmenes de las figuras y de los objetos.

El episodio sucede sin tener en cuenta al espectador, que se asoma al interior de una vivienda, donde tiene lugar una escena cotidiana. Los personajes sagrados adquieren un carácter plenamente humano: san José tiene a su lado el banco de carpintero en el que trabajaba habitualmente; la Virgen está ocupada con sus ovillos de lana, y Jesús se entretiene divertido con un pajarito y un perro, alejado de cualquier alusión a los temas crueles de la Pasión.

Significado

La cotidianeidad, la anécdota y la sensibilidad son los rasgos más evidentes de este cuadro. Murillo pretende acercar la escena a los fieles, anulando cualquier referencia celestial o sobrehumana, y reproduce el interior de una vivienda de la época. La belleza dulce del Niño y su alegría en la sencillez del juego inocente transmiten un sentimiento de serenidad a los fieles.

El papel de san José, manifestando su orgullo paternal, cobra una especial relevancia. Frente a lo que había sucedido desde la Edad Media, san José adquiere una importancia notable a partir de la Contrarreforma para resaltar la agrupación de la Sagrada Familia.

La ternura de las composiciones de Murillo han tenido un gran éxito en la piedad popular y muchos de sus modelos se difundieron por todo el mundo. Su fácil comprensión y la sensación realista de sus personajes es una referencia constante en el arte religioso español.

- Menciona los pintores más destacados de Sevilla en el siglo XVII y explica las posibles razones del éxito de esta escuela.
- ¿Cuáles son las características que definen la pintura de Murillo?
- ¿A qué piensas que se debe el que Murillo sea uno de los pintores más conocidos del panorama pictórico español?
- En la segunda mitad del siglo XVII, Sevilla cuenta con otro pintor excepcional. Menciona alguno de los temas más singulares que trata.

2. VELÁZQUEZ

Formación y primeros años

Diego Rodríguez de Silva y Velázquez (1599-1660) inicia su andadura como pintor en el taller sevillano de Francisco Pacheco, con cuya hija se casará. En origen, su pintura estará muy marcada por el naturalismo y por el tratamiento de la luz derivado de la escuela tenebrista. A esta etapa pertenecen algunas de sus escenas de género más conocidas (*Vieja friendo huevos*), donde manifiesta gran habilidad como pintor realista. Las calidades tonales de los objetos (copas de cristal, vasijas de barro) están muy logradas.

En 1623 viaja a Madrid, donde logra introducirse en el círculo de la corte. Su éxito como retratista lo convierte en una figura de gran prestigio y alcanza el puesto de retratista del rey y la familia real. Su residencia en Madrid le posibilita conocer y estudiar en profundidad la espléndida colección real, formada por cuadros de las mejores escuelas europeas. A ello se debe añadir el viaje que Rubens hace a Madrid en 1628. El cromatismo vivo y luminoso de la pintura del artista flamenco se detecta en algunos de los cuadros mitológicos que Velázquez compone en esta época (*El triunfo de Baco* o *Los borrachos*). Estos contactos le facilitaron tratar esta temática, poco abundante en la pintura española del siglo XVII.

VELÁZQUEZ: *Vieja friendo huevos* (1618).
La realidad más común a través de la pericia para representar los objetos o las actitudes cotidianas son ejercicios que anticipan la habilidad pictórica de Velázquez.

Los viajes a Italia y la consolidación de su estilo

En 1629 viaja a Italia, donde entra en contacto por un lado con la pintura veneciana, que ya había estudiado en la colección real, y además con la pintura clasicista. Esta relación se advierte en obras suyas como *La fragua de Vulcano*, con un estudio compositivo y anatómico riguroso y correcto. A su regreso a Madrid desarrolla una enorme actividad pintando un gran número de retratos, no sólo de la familia real sino también de los bufones y personajes deformes que servían de entretenimiento a los cortesanos. Es ahora cuando compone algunos de sus cuadros más famosos sobre temas de historia, como *La rendición de Breda* o *Las lanzas*, que narra un episodio de las guerras de los Países Bajos.

Por orden del rey Felipe IV, Velázquez viaja de nuevo a Italia en 1649. El objetivo de su viaje era la adquisición de pinturas, esculturas y muebles para la decoración del Alcázar de Madrid. El artista conoce las principales ciudades italianas y reside por algún tiempo en Roma. Profundiza en el conocimiento de la pintura italiana. Su técnica del retrato se perfecciona, como muestran los que realiza al papa *Inocencio X* o a su propio criado, *Juan de Pareja*. Durante su estancia en Italia pinta dos paisajes de la *Villa Médicis* con una gran soltura en la pincelada y en la captación de la luz al exterior. Al volver a Madrid su pintura está ya formada y en sus cuadros se concentra todo el conocimiento adquirido que contribuye a su estilo. *Las meninas*, *Las hilanderas* y la *Venus del espejo* corresponden a este momento.

La obra de Velázquez se distingue por la plasmación fiel de la realidad. Sus retratos de reyes y de bufones penetran en la psicología de los personajes por encima de su categoría social. En su pintura combina con soltura el uso del dibujo y el color. El dominio de la perspectiva aérea (que capta la atmósfera en la que se encuentran los objetos de una escena), por medio de una pincelada pastosa y deshecha, es perfecto.

VELÁZQUEZ: *Paisaje de la Villa Médicis* (hacia 1651). *Sobresale la soltura en la pincelada, la captación del ambiente exterior, la habilidad en la representación de la luz solar y de las sombras de los árboles.*

LA TEMÁTICA DE LA PINTURA VELAZQUEÑA

Vimos cómo la pintura española del barroco se centraba en la temática religiosa. El papel que España desempeñó en la Contrarreforma y la demanda de obras de tema religioso así lo exigían. La condición de retratista real de Velázquez y su libertad como miembro de la corte iban a favorecer que su obra se saliera de las imposiciones marcadas por la clientela. Así, además de los retratos, los temas históricos, la pintura mitológica y los paisajes son la principal aportación de este artista genial al panorama español de su tiempo.

En **El príncipe Baltasar Carlos a caballo** (1635), el retrato oficial se adapta a los esquemas tradicionales en cuanto a la composición. La gran innovación se encuentra en la penetración psicológica del retratado, en el realismo y en el tratamiento de la iluminación al experimentar con los fondos neutros que resaltan aún más su personalidad.

Velázquez utiliza con frecuencia el modelo de retrato ecuestre, que produce una sensación mayor de poder y autoridad. En este caso los exteriores ofrecen un absoluto dominio de la luz y de la representación del paisaje. La fama de Velázquez como retratista tuvo lugar incluso en vida del pintor. El poeta Luis Vélez de Guevara, ante la contemplación de uno de sus cuadros regios, le dedicó estos versos en los que halaga sus efectos realistas:

> *Pincel, que a lo apacible y a lo fuerte*
> *les robas la verdad, también fingida,*
> *que la ferocidad en ti es temida,*
> *y el agrado parece que divierte.*
> *Di, ¿retratas o animas?, pues de suerte*
> *esa copia Real está excedida*
> *que juzgara que el lienzo tiene vida,*
> *como cupiera en la insensible muerte.*

Velázquez es un gran pintor de acontecimientos históricos, como demuestra en **La rendición de Breda** o **Las lanzas** (1635). Las victorias del ejército español, que decoraban los salones más representativos de los palacios reales, servían de imagen del poder de la monarquía.

En este lienzo se plasma el instante en el que el general holandés entrega al español las llaves de la ciudad de Breda. La generosidad del vencedor se expresa en el gesto amable del acontecimiento, al tiempo que con un lenguaje sutil se manifiesta la superioridad española en la verticalidad de sus armas y en los rostros de los triunfadores. El tratamiento de la atmósfera en el campo de batalla es magistral.

Las escenas mitológicas son concebidas por Velázquez como escenas de género. Los dioses se rebajan al carácter de los hombres. Los modelos son muy sencillos, por lo general tipos populares que permiten un mayor acercamiento a lo que ocurre. Este tipo de escenas son de nuevo una disculpa para sus experiencias con la luz y el color, para el estudio de la anatomía y la composición, como ocurre en **El triunfo de Baco** o **Los borrachos** (1629). Baco, el dios del vino, aparece como un joven coronado de hojas de vid acompañado de campesinos borrachos que le rinden homenaje. La figura de Baco y las de los campesinos recuerdan el naturalismo de artistas como Caravaggio que también ejercen su influencia sobre Velázquez.

LAS MENINAS, DE VELÁZQUEZ

La obra

El lienzo, fechado en 1656, es una de las grandes obras de la pintura de todos los tiempos. Formaba parte de la colección real y en los inventarios antiguos aparece mencionado con el título *La familia*.

La infanta Margarita, hija del rey Felipe IV, es la que aparece en el centro, al lado de distintos personajes de la corte, incluso del propio pintor dispuesto delante de un lienzo. En el siglo XIX se cambió su título por el de *Las meninas*, como alusión a las dos damas de honor o muchachitas (*meninas* en portugués) que asisten a la infanta y que recibían este nombre en la corte española.

El artista

Después de su viaje a Italia, Velázquez es nombrado aposentador mayor de Palacio y se le permite instalarse dentro del Alcázar de los Austrias. Velázquez es uno de los pintores que más contribuye en España a la valoración de la condición del artista. A través de su relación de amistad con el rey, la pintura da un paso hacia adelante para dejar de ser vista como una ocupación meramente artesanal. Es el propio monarca Felipe IV quien influye para que Velázquez sea nombrado caballero de la Orden de Santiago. Este nombramiento suponía un reconocimiento de nobleza, al que no podían acceder aquellos que realizaran trabajos artesanales. La pintura responde a una actividad de tipo intelectual y se aparta de las tareas manuales que la relegaban a un segundo término. En *Las meninas*, Velázquez luce orgulloso en el pecho la Cruz de Santiago.

Análisis formal

La escena tiene lugar en una estancia del palacio, iluminada por la derecha y con cuadros que forran las paredes. Al fondo se abre una puerta por donde entra la luz, a la que siguen unas escaleras donde se encuentra parado un cortesano. Al lado de esta puerta, un espejo refleja la imagen de los reyes Felipe IV y Mariana de Austria. En el centro de la sala, la infanta Margarita recibe las atenciones de sus dos meninas, una de las cuales le ofrece agua en un jarrito de barro. Otros personajes se colocan en distintos planos, desde el propio pintor hasta los enanos Maribárbola y Nicolás Pertusato, que molesta al perro adormilado del primer término.

La disposición de los personajes recuerda una escena de interior como las que se pintaban en los Países Bajos, articulada en sucesivos planos. Velázquez domina con perfección la perspectiva aérea, de manera que con la pincelada suelta y con el tratamiento abocetado de las figuras proporciona una mayor sensación de captación de la atmósfera y el ambiente.

Significado

Aunque son muchas las interpretaciones que se han hecho sobre este cuadro, lo cierto es que la distribución del espacio, el realismo en los retratos y la luz son magistrales. Posiblemente Velázquez estuviera retratando a los reyes, que se encontrarían en el lugar del espectador. Al taller llegaría la infanta con su séquito para presenciar los trabajos del artista, apreciados por la corte.

De todos modos el cuadro refleja la trascendencia de la pintura en la corte española, con la representación del artista al mismo nivel que los personajes de la familia real, en un juego de significados y de experiencias con la luz y el color.

- Este cuadro ha sido uno de los que más literatura artística ha producido. Investiga sobre él. ¿Cuál crees que es la interpretación más adecuada a su significado?

- Velázquez lleva la cruz de la Orden de Santiago en el pecho. ¿Qué significa este símbolo?

- El pintor italiano Lucas Jordán dijo al contemplar el cuadro que era la "Teología de la pintura", es decir, lo más elevado que se podía hacer con pinceles. Intenta dar una explicación a esta afirmación.

- Busca similitudes con las escenas de interior de la pintura holandesa, especialmente con los cuadros de Vermeer, y compáralas con esta obra.

EL NIÑO DE VALLECAS, DE VELÁZQUEZ

La obra

El nombre con el que hoy conocemos este cuadro, pintado hacia 1636, no tiene nada que ver con el personaje al que representa. Se trata de Francisco Lezcano, apodado el Vizcaíno, uno de los bufones del príncipe Baltasar Carlos.

Análisis formal

El artista representa a Lezcano sentado en un abrigo rocoso, sobre un fondo oscuro y con una vista de paisaje a la derecha. La postura del enano muestra su deformidad física a través del tratamiento de sus extremidades. La pierna izquierda se presenta con un violento escorzo, mientras que la derecha se descuelga como un objeto inanimado y falto de vida. Su cabeza, de gran tamaño, está ligeramente inclinada con una expresión perdida. Viste unas desaliñadas ropas de cacería y sostiene en sus manos un objeto que se ha identificado con un juego de naipes. Una luz cálida ilumina su rostro y sus manos, siempre con la particular pincelada de Velázquez.

Significado

A pesar de todos los rasgos que muestran la deformidad física del personaje, la figura recibe un tratamiento digno, sereno y equilibrado. Para Velázquez, los bufones suponen una ocasión más de acercarse a la fidelidad del realismo, por muy crudo que éste pueda parecer. La serenidad que el artista proporciona a la visión de estos seres deformes está rodeada de sentimiento y ternura.

LAS HILANDERAS, DE VELÁZQUEZ

La obra

Este lienzo, pintado hacia 1657, parece representar la fábula de Aracne, una de las historias mitológicas narradas por Ovidio. Así, lo que parecía ser una escena de género se convierte en un tema mitológico.

Análisis formal

En primer plano, y dentro de un taller textil, aparece un grupo de mujeres tejiendo lana. A la izquierda del espectador, dos de ellas conversan mientras una maneja la rueca y el torno de hilar, cuya rueda da vueltas sin que se vean los radios, aunque se transmita su sensación de movimiento. A la derecha, otras tres se encargan de hacer ovillos y cardar la lana. Las diferentes posturas de las figuras permiten estudiar actitudes y posiciones distintas. Al fondo, en un espacio iluminado, tres damas contemplan un tapiz colgado sobre la pared. El artista recrea dos ambientes dentro del mismo cuadro. En primer término, la realización manual y la sencillez de la actividad artesanal. En un segundo plano, la contemplación estética de la obra finalizada.

Significado

Para algunos autores el cuadro representa un cuarto de la Fábrica de Tapices de Santa Isabel. A esa fábrica haría una visita alguna mujer de la familia real (que sería alguna de las damas del fondo), de forma que el cuadro no tendría ninguna función simbólica. Existe una interpretación mitológica más sugerente: la joven Aracne presumía de ser la mejor tejedora del mundo y de haber representado a Júpiter en sus tapices. La diosa Minerva, hija de Júpiter, castigó a la tejedora convirtiéndola en araña. El primer plano del cuadro mostraría la disputa entre las dos mujeres, mientras que en el tapiz del fondo se materializa el castigo de Aracne, señalado por el brazo de la diosa Minerva.

- ¿Por qué es tan habitual la pintura de seres deformes en el mundo del barroco? Busca más bufones retratados por Velázquez y repara en sus principales rasgos pictóricos, en la luz y el color a través de la pincelada.
- En el ambiente español del siglo XVII, ¿por qué Velázquez pinta cuadros de tema mitológico? Busca algún otro cuadro de tema mitológico pintado por Velázquez e indaga sobre las historias que narra en él.

La escultura en Valladolid: Gregorio Fernández

La escultura castellana evoluciona desde los modelos de la escultura manierista, sin un corte brusco con la tradición anterior. En el último Renacimiento español había ejemplos en la escultura que anticipaban el barroco, como los de Juan de Juni. La tradición del trabajo de la madera en Castilla y la instalación temporal de la corte en Valladolid entre 1601 y 1606 favorecerían la consideración de esta ciudad como lugar de producción escultórica.

Gregorio Fernández (1576-1636), nacido en Sarria (Lugo), se establece en Valladolid, desde donde atiende su demanda artística. Su papel como creador de tipos (Cristos yacentes, Dolorosas, Inmaculadas), lo convierten en referencia inevitable en la escultura de todo el centro y norte de España, con una larga estela de seguidores hasta finalizar el siglo XVII. Evolucionando desde el idealismo y la elegancia de la escultura manierista, desemboca en unas formas naturalistas y dolientes. Su escultura se caracteriza por el detalle en el tratamiento anatómico, los aspectos veristas con la utilización de postizos (ojos de cristal, uñas de asta), el plegado acartonado o el relieve muy alto con una sensación volumétrica de contrastes lumínicos y de claroscuro. Los pasos procesionales que talla junto a sus discípulos son un ejemplo del sentido escenográfico de la escultura barroca española.

TOMÉ, Narciso: *Detalle del **Transparente** (1732), catedral de Toledo. Conjunto profusamente ornamental donde la luz adquiere un marcado protagonismo.*

Los grandes conjuntos

La culminación del proceso barroco tuvo lugar a finales del siglo XVII y comienzos del XVIII. La factura de grandes retablos tiene mucho que ver en este proceso. Los retablos aportan tonos dorados a los interiores e impresionan a los fieles por su tamaño y la combinación de formas y colores. Es otro modo de incidir, a través de la escultura, en la mentalidad de la época.

José Benito Churriguera (1[665-17825), el mayor de los hermanos, realiza en 1692 el retablo de San Esteban, en Salamanca, con una escala gigante, columnas salomónicas y decoración vegetal dorada que contribuye mucho a la consolidación del propio término churrigueresco.

Los hermanos Tomé (Diego y Narciso) finalizan en 1732, en Toledo, el *Transparente* de la catedral, un escenario de síntesis de las artes en el que la luz cobra un especial protagonismo al reflejarse sobre el mármol y el bronce. Los efectos de luces y sombras están dentro de un proyecto ornamental triunfante y plenamente barroco, de exaltación de la Eucaristía.

La escultura en Madrid

Madrid, capital de la corte, luce durante el siglo XVII la influencia tanto de la escultura castellana como de la andaluza, al tiempo que recibe un buen número de obras de importación. En Madrid se asienta el portugués Manuel Pereira (1588-1683), que se distingue por una escultura sobria y de realismo intenso, como demuestran sus representaciones de *San Bruno*.

La mayor parte de los grupos que adornaban los jardines de los palacios y las fuentes públicas eran obras de importación o labradas por artistas extranjeros. Las esculturas ecuestres y fundidas en bronce de los reyes Felipe III y Felipe IV fueron hechas en Italia por Juan de Bolonia y Pietro Tacca, respectivamente.

En el siglo XVIII, el expresionismo y la realidad más cruda siguen siendo tema fundamental de la escultura religiosa española, como observamos en la obra de Villabrille y Ron. Por otra parte, la producción de Luisa Roldán (1654-1703), La Roldana, se acerca a los temas amables de las escenas religiosas (*Sagrada Familia*), en grupos pequeños e intimistas. Su figura, reconocida en la sociedad de la época y distinguida con el título de Escultora de Cámara, destaca aún más por su condición de mujer artista.

TACCA, Pietro: *Estatua ecuestre de Felipe IV (1634-1640). Diseñada por Velázquez, es uno de los grandes logros de la estatuaria en bronce del siglo XVII. La posición del caballo en corveta (levantado sobre las patas traseras), exigió un cálculo muy medido del peso de los materiales para conseguir el equilibrio de la figura.*

LA ESCULTURA PROCESIONAL DE GREGORIO FERNÁNDEZ

Las procesiones públicas durante la Semana Santa son una de las manifestaciones de devoción más características de nuestro país. Las cofradías penitenciales encargarán la talla de grandes grupos escultóricos y procesionales conocidos como pasos, en los que se narraban episodios de la Pasión. Estas composiciones teatrales y dinámicas están formadas por figuras de tamaño natural, cuyos rasgos físicos ofrecen actitudes contrapuestas. Las esculturas que representan a Cristo o a la Virgen adquieren un tono de serenidad muy diferente al que muestran los sayones o judíos, que protagonizan el lado malo de la narración. El bien se contrapone al mal con un lenguaje sencillo y fácilmente comprensible.

Valladolid será el centro de la escultura procesional con las composiciones de Gregorio Fernández. Sus modelos serán difundidos por sus seguidores y estarán en el origen de gran parte de los pasos procesionales de toda Castilla.

Esto sucede con grupos como el de **La Piedad** (1616), que, junto a las imágenes de los dos ladrones y otras figuras, formaba un monumental paso encargado por la Cofradía de las Angustias. La Virgen, envuelta en telas de plegado anguloso, se lamenta mientras sostiene en su regazo el cuerpo desplomado y lineal de Cristo muerto.

En **El descendimiento** (1623) Gregorio Fernández colabora en la renovación de la escultura procesional. Anteriormente las piezas que formaban los pasos en Valladolid estaban hechas con cartón y telas encoladas, y será desde comienzos del siglo XVII cuando se tallen en madera.

Fernández se comprometía de este modo con la cofradía vallisoletana de la Vera Cruz, en 1623, para tallar este paso:

"Daré echo y acabado en toda perfezión de madera un paso [...] de la historia del deszendimyento de Cristo Nuestro Señor de la Santa Cruz, con siete figuras que an de ser la de Cristo quando le descendieron y Nicodemos y Josefz y Nuestra Señora, san Juan y la Magdalena".

El grupo expresa una enorme complejidad técnica, al diseñarse con piezas de tamaño natural. Es un concepto teatral, dentro del gusto por la escenografía y la conjunción de las artes del mundo barroco, traspasado a la escultura.

Gregorio Fernández establece con su **Cristo yacente** de El Pardo (1614) un tipo de Cristo muerto que será muy reclamado por comunidades religiosas, parroquias o cofradías, como objeto de culto y procesión. La obra fue un encargo hecho por el propio rey Felipe III.

Otros ejemplos de *yacentes* salidos de sus manos se han conservado hasta nuestros días dispersos por la geografía española, como el que vemos en la imagen, que se exhibe en el Museo Nacional de Escultura de Valladolid. Es una escultura de talla completa, resultado de un profundo estudio anatómico. Fernández logra reflejar con gran perfección la circunstancia de un cuerpo muerto. El giro de la cabeza y la disposición de las piernas colaboran en la intención naturalista, de manera que la influencia en el ánimo devocional del fiel espectador sea mayor.

La obra

Hacia 1615 Gregorio Fernández talla una serie de esculturas de bulto redondo, destinadas a formar parte de un paso procesional dedicado a la Flagelación de Cristo.

De las esculturas que formaban este grupo sólo se ha conservado la imagen principal por tratarse de una imagen de devoción a la que se le daba culto no sólo durante la Semana Santa, sino también el resto del año. Los sayones que aparecían en la composición como flageladores de Cristo se montaban para salir en procesión.

El artista

Gregorio Fernández se forma en la tradición de la escultura manierista vallisoletana. Sus primeras composiciones son de una frialdad elegante y están concebidas con una cierta afectación y un gusto por la línea curva. Progresivamente su estilo se hace más personal, para conseguir una comunicación más directa con el espectador.

Análisis formal

La escultura muestra la imagen de Cristo en el momento en que recibe los azotes. La cabeza se encuentra inclinada, mientras dirige la mirada al espectador.

El cuerpo se dispone en un giro que manifiesta un cierto balanceo, con movimiento interior muy medido, de forma que las piernas y los brazos se sitúan en direcciones contrarias. El cuidado en el tratamiento anatómico es muy notable.

La policromía, de carácter muy realista, contribuye a lograr una mayor sensación dramática. Además, se marcan distintas heridas de las que mana sangre y se utilizan los elementos postizos (ojos de cristal) para causar una mayor sensación de realismo que impacte en los fieles que contemplan la escena.

El paño de pureza está tallado en madera, con la apariencia acartonada y angulosa con la que Fernández imita las telas.

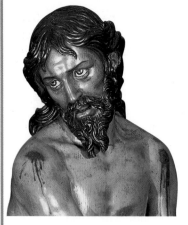

Significado

La visión de las escenas de la Pasión, reproducidas en esculturas de tamaño natural, ofrecía una oportunidad de revivir los acontecimientos y mostrar a los fieles una lección fácil de comprender.

En el concepto de los pasos se mezclan la escultura y el teatro, al valorar la disposición general de los grupos y los efectos escénicos finales al servicio de los intereses de la difusión de la fe.

En esta obra de Gregorio Fernández se observan las características de su estilo equilibrado y naturalista. El cuidado en el desarrollo anatómico lo presenta como un conocedor, a través de estampas y repertorios de grabados, de la escultura clásica. Su gran aportación es la de transformar el mensaje de manera que cumpla los objetivos de servir al catolicismo de la Contrarreforma y a la piedad popular. El acierto de sus logros ha hecho que los grupos escultóricos que salieron de su taller mantengan la fuerza y el patetismo contenido con que fueron creados.

- Menciona los principales rasgos que diferencian la obra de Gregorio Fernández a partir de esta escultura.
- ¿Por qué decimos que Fernández fue un creador de tipos? Pon ejemplos con algunas de sus esculturas más populares.
- ¿Cuál es el papel de Gregorio Fernández en la escultura procesional castellana?
- ¿Por qué razones piensas que la escultura de temática religiosa es la más abundante en el barroco español?

La obra

En 1692 se realizaba el retablo mayor de San Esteban de Salamanca. La iglesia pertenecía al convento de la orden de los dominicos.

La gran tarea del retablo de San Esteban es lo que se denomina ensamblaje. Nos referimos a la estructura del conjunto, que no es más que una gran arquitectura en madera. La escultura de bulto redondo se reduce en favor de la decoración menuda de todos los elementos arquitectónicos con motivos vegetales. El efecto es muy espectacular.

El artista

La obra era el proyecto de un artista que destacó como arquitecto, José Benito Churriguera, perteneciente a la familia que dio origen al término churrigueresco, para definir al pleno barroco español. El lienzo que se encuentra en la parte superior es del pintor madrileño Claudio Coello.

Análisis formal

La estructura del retablo se concibe con una división en dos cuerpos. El inferior, con columnas salomónicas de orden gigante, deja en la parte central un inmenso y decorado tabernáculo, y a ambos lados hornacinas para dos esculturas de bulto redondo. El superior o ático presenta la forma semicircular adaptada a la propia bóveda, con una gran lienzo en el eje central.

El retablo responde a un claro principio de simetría, dentro de un concepto en el que prima el dinamismo y el horror al vacío en lo que se refiere a la decoración. Las columnas se cubren con hojas de parra y racimos de uvas y en todos los espacios libres se recurre a ornamentación con motivos vegetales, de manera que las esculturas de bulto quedan confundidas entre la decoración. El trabajo de talla produce una sensación de mayor complejidad por la policromía dorada que cubre todas las superficies.

Significado

El retablo de San Esteban entra dentro de la idea de síntesis del arte del barroco. Se trata de una construcción plenamente teatral y escenográfica, que juega con los efectos del volumen, la luz y los reflejos dorados. El objetivo es la exaltación triunfante de la Eucaristía.

Las columnas salomónicas recibían este nombre por identificarse con las que se encontraban en el templo del rey Salomón en Jerusalén, de manera que se planteaba una unión con el Antiguo Testamento. La razón es enmarcar el tabernáculo central, como un templo dentro del templo, donde se guarda la Eucaristía.

En la parte superior, el lienzo con el martirio de san Esteban recuerda al titular de la iglesia a través de la entrega de su vida por Cristo.

- ¿En qué consiste la idea de síntesis del barroco y de qué manera la explicas en esta obra?
- Recuerda el significado del término *churrigueresco* y valora su uso en la escultura.
- ¿Qué célebre construcción del barroco italiano empleaba las columnas salomónicas en la basílica de San Pedro?
- Apunta algún otro gran retablo del barroco español donde se observe con claridad la idea de síntesis de las artes.

La escuela sevillana

Las relaciones comerciales con las colonias americanas tienen en Sevilla el centro más sobresaliente. El volumen de los negocios convirtió a la ciudad en un lugar de gran prosperidad en el que la escuela de escultura adquiere unas características notables de expresividad y verismo.

Juan Martínez Montañés (1568-1649) es la figura más destacada de la escuela sevillana. Su trabajo evoluciona de las formas manieristas hacia el barroco, como sucedió con Gregorio Fernández en Castilla. Su escultura, de temática religiosa en su mayor parte, valora de forma minuciosa la anatomía. Logra captar una belleza real y serena, que transmite tensión y fuerza interior sin hacer manifestaciones de un dramatismo desgarrado. El enorme éxito de su producción hará que la escultura andaluza esté muy influenciada por su obra en los años posteriores a su muerte.

Juan de Mesa (1583-1627) es uno de los discípulos y seguidores de Montañés. Su escultura, pensada con una finalidad procesional, es más expresiva y llena de detalles realistas que mueven a la devoción en el espectador. El *Jesús del Gran Poder* (1620) es el mejor ejemplo de su estilo.

MARTÍNEZ MONTAÑÉS, Juan: *Jesús Niño (1606-1607)*. *Las representaciones de Jesús niño alcanzan gran popularidad en el barroco. La imagen infantil incide en la piedad de la época a través de la ternura y los episodios amables.*

MESA, Juan de: *Jesús del Gran Poder (1620)*. *La escultura procesional en Andalucía mantiene hasta nuestros días su papel devocional, principalmente en el contexto de la Semana Santa.*

La escuela granadina

Junto a la monumentalidad y la fuerza de la escultura sevillana, en Granada se consolida durante el siglo XVII una escuela particular. La escultura granadina se caracteriza por su pequeño tamaño. Hablamos de tallas delicadas y exquisitas pensadas para espacios íntimos en oratorios privados o capillas de conventos de clausura.

Alonso Cano (1601-1667), a quien ya hemos visto ocupado en tareas pictóricas y arquitectónicas, es uno de los representantes de esta escuela. Sus estancias en Sevilla, donde entra en contacto con Montañés, y en Madrid terminan por conformar su estilo: naturalista, sereno y en búsqueda permanente de la belleza ideal. Sus esculturas rebosan gracia, vibración interior y un cuidado exquisito en la talla a través del plegado menudo.

Pedro de Mena (1628-1688), seguidor de Alonso Cano, realiza esculturas delicadas que provocan una sensación de hondo misticismo. Con una gran habilidad en el trabajo de la madera, reproduce la textura de las telas y los distintos materiales con gran realismo. Sus bustos de la *Dolorosa* y el *Ecce Homo*, y sus imágenes de santos ascetas, transmiten dolor contenido.

Murcia: Salzillo

La pertenencia de Nápoles y Sicilia a la Corona española, y por tanto la fluidez en la comunicación de formas artísticas desde la Italia barroca, tiene mucha influencia en las zonas levantinas.

Francisco Salzillo (1707-1783), hijo de un escultor napolitano, practica un tipo de escultura dinámica, elaborada y sentimental. Sus formas coinciden con la complejidad compositiva y el exceso de adorno que caracterizan al rococó, dentro de la escultura de temática religiosa. Son célebres sus pasos procesionales (*Santa Cena*, *Prendimiento*, *Oración en el huerto*) y la sencillez anecdótica de sus figuras de belén.

LA ESCULTURA ANDALUZA DE DEVOCIÓN

La escultura barroca andaluza, de honda tradición medieval, era un instrumento importante que contribuía, de una forma cercana y fácilmente creíble por los fieles, a la devoción pública y a la exaltación de la religiosidad. La escultura andaluza se caracteriza por la facilidad para transmitir sentimientos, tal y como lo demuestran algunas de sus obras más señeras. La variedad de devociones o de temas tratados generó una gran diversidad de formas.

Policromado por Francisco Pacheco, el **Cristo de la Clemencia** (1605), de Martínez Montañés, es uno de los Crucificados más expresivos del barroco español. La talla resultó del encargo de un particular, con destino a su capilla funeraria. La serenidad de su composición y la amabilidad de la dolorosa circunstancia en la que se presenta al espectador se corresponden con los términos a los que se había comprometido el escultor en la firma del contrato. En el documento se especificaba que la figura de Cristo:

"Ha de estar vivo antes de haber expirado, con la cabeza inclinada sobre el brazo derecho mirando a cualquier persona que estuviese orando al pie como que le está el mismo Cristo hablando y como quejándose que aquello que padece es por el que está orando".

La anatomía de la figura se modela con una extraordinaria dulzura que recuerda los cuerpos atléticos de la escultura clásica. La complejidad del paño de pureza, con un plegado menudo y múltiple, expresa la habilidad del escultor como tallista.

MARTÍNEZ MONTAÑÉS, Juan: *Cristo de la Clemencia* (1605).

De pequeño tamaño, la escultura de **La Inmaculada** (1655), de Alonso Cano, se apoya sobre la habitual nube de querubines. Muestra a la Virgen niña con una enorme dulzura. El rostro aparece concentrado con un tono de espiritualidad y sencillez. El trabajo de las manos se hace con finura y delicadeza en el estudio anatómico. Tiene mucho interés la cuidada policromía, que se explica en un escultor que conoce con perfección las técnicas pictóricas.

La escultura se pensó para colocarse sobre el facistol, el atril central de gran tamaño que se disponía en el centro del coro. La obra, así, podía ser contemplada desde todos los puntos de vista. El artista se esmeró al máximo al calcular esa variedad de la observación.

CANO, Alonso: *La Inmaculada* (1655).

El misticismo y el sentido ascético de la penitencia se reflejan en la imagen patética de la **Magdalena penitente** (1664), santa esculpida por Pedro de Mena. La madera imita con absoluta fidelidad el trenzado vegetal de la túnica que viste, así como la anatomía o el cabello. La visión de la penitencia y el arrepentimiento fue clave en el espíritu católico del barroco, frente a la negación que de este sacramento hacían los protestantes.

La simplicidad en el concepto de la escultura es absoluta. Cualquier alarde de representación del desnudo desaparece al cubrir a la representada con su tosca túnica. El rostro doliente y sentido se convierte en el instrumento del lenguaje religioso, al lado de los cabellos lacios y las manos expresivas.

MENA, Pedro de: *Magdalena penitente* (1664).

DE OBRAS

SAN JERÓNIMO, DE MARTÍNEZ MONTAÑÉS

La obra

La talla de bulto redondo de *San Jerónimo* penitente es la imagen principal o titular del retablo de la iglesia monástica de San Isidoro del Campo, en Santiponce (Sevilla). El monasterio pertenecía a la orden jerónima, que encargó en 1611 a Martínez Montañés la talla del retablo. La escultura debía ser de bulto redondo ya que, además de colocarse en el retablo, debía estar disponible para salir en procesión.

El artista

Nacido en 1568, Martínez Montañés se forma en una ciudad que, como Sevilla, era un interesante centro cultural y artístico. Su asimilación de la cultura renacentista y su maestría técnica lo ponen en disposición de producir un avance en la historia de las formas hacia la sensibilidad del barroco. Con este *San Jerónimo* alcanza uno de los puntos álgidos en la escultura española, el cual ha merecido todo tipo de elogios desde la fecha de su creación.

Análisis formal

El retablo mayor de Santiponce es una de las grandes realizaciones de Martínez Montañés. Su estructura monumental, dividida en varios cuerpos y con imágenes de bulto redondo y relieves, lo coloca a la cabeza de los diseños impulsados por el maestro.

La figura de san Jerónimo muestra a un hombre de edad avanzada y de evidente fuerza física, en actitud de arrepentimiento y con gran serenidad y concentración en su expresión. El santo medita ante la contemplación del crucifijo que sostiene en las manos. El escultor consigue en su trabajo una elaborada exaltación anatómica, con la tensión en la musculatura y la marca pronunciada de las venas de las extremidades. La calidad técnica es notable en la talla, especialmente cuidada en el rostro, la barba y la cabellera. En el resultado final se transmite dolor contenido, pero no una sensación excesiva de patetismo y drama. El plegado de la túnica es menudo, realista y de gran vivacidad. A través de la policromía de tonalidad mate, se diferencian las distintas texturas, desde la piedra en la que se apoya arrodillado hasta la tela de la túnica o la madera de la cruz que sostiene en sus manos.

Significado

San Jerónimo (hacia 347-420) es uno de los Padres de la Iglesia y su labor tuvo mucha trascendencia como traductor y estudioso de la Biblia, para lo que se retiró a la soledad de una cueva, en Belén. Es autor de varias obras entre las que se encuentra la *Biblia Vulgata*, traducción oficial al latín de los textos sagrados. Por eso, con mucha frecuencia se le ha representado trabajando en un estudio, rodeado de libros como un intelectual.

Este otro modo de presentarlo tiene una intención diferente. Arrodillado sobre una piedra, medita ante una cruz mientras golpea su pecho con una piedra. El torso está desnudo y la túnica se sujeta en la cintura, sugiriendo el resto de la anatomía. El santo descubría su espalda con la intención de flagelarse y castigarse por sus culpas. Así, san Jerónimo ofrece al espectador el arrepentimiento y el dolor de sus pecados.

La imagen sufriente del penitente refleja, en contraposición a la doctrina protestante, la trascendencia que la Contrarreforma y la religiosidad del barroco otorgan al sacramento de la penitencia.

- En Andalucía, la escultura granadina tiene unas señas específicas. ¿En qué consiste su peculiaridad?
- Busca noticias sobre la vida de san Jerónimo y localiza concretamente el episodio que reproduce esta escultura.
- ¿De qué modo contribuye este tipo de esculturas a afianzar la doctrina del catolicismo? Recuerda la *Magdalena penitente* de Pedro de Mena y busca relaciones con este *San Jerónimo* de Martínez Montañés.
- Compara las características de la escultura de Montañés con las de Fernández. Observa las diferencias que pueden existir entre la escuela andaluza y la castellana.

BELÉN, DE FRANCISCO SALZILLO

La obra

Se trata de un numeroso grupo de figuras modeladas en barro y posteriormente policromadas que representan escenas cotidianas y populares. Su destino era formar un completo belén, de acuerdo con la moda napolitana del momento. El conjunto fue encargo de una familia murciana, los Riquelme, que ya había solicitado otros trabajos a Salzillo. El escultor, que realizó alguno de estos conjuntos para completar un belén napolitano que poseían las agustinas de la localidad, comenzó la tarea hacia 1776. En el trabajo colaborarían algunos de sus discípulos, como el escultor Roque López, quien añade algunos grupos al conjunto.

El artista

Salzillo era hijo de un escultor italiano que había instalado su taller en Murcia. Su obra, de una gran calidad, recoge las influencias de la escultura italiana del siglo XVIII, a las que une las aportaciones propias de las escuelas españolas. El resultado es la mejor síntesis del ambiente artístico mediterráneo con una obra cargada de sentimiento. Su inclusión dentro del movimiento rococó se matiza por el propio ambiente que le rodea. Salzillo huye del excesivo y distante refinamiento de otros escultores europeos para conseguir elevar lo cotidiano a la categoría de lo artístico, como ejemplifica a la perfección su recreación del belén.

Análisis formal

El realismo y la espontaneidad sencilla son los rasgos fundamentales de los diferentes conjuntos que forman el belén. Además de los tradicionales episodios relacionados con la Natividad de Cristo (el anuncio a los pastores o los Reyes Magos), Salzillo recrea estampas de sabor popular. En ellas aparecen tipos característicos, desde pastores, mendigos o músicos a escenas de género, como la del hombre que está desollando a un animal o la del viejo que ordeña a una cabra.

El tratamiento de las figuras está impregnado de naturalidad y frescura. Las figuras acusan la expresividad natural de unas actitudes que pretenden reflejar la realidad sin maquillajes. La imitación de los ropajes vulgares y de los objetos caseros, y la representación de animales y de trabajos del entorno rural, son una visión perfecta de la realidad de la época, a la que Salzillo nos acerca con una habilidad vivaz y ágil.

Significado

La tradición del los belenes napolitanos, que alcanzaron en el siglo XVIII su punto más elevado de calidad escultórica y de variedad en lo que a composición se refiere, está en el origen del belén de Salzillo. En Italia, y especialmente en Nápoles, las diferentes familias nobles rivalizaban por montar en sus salones el belén más rico. Escenas de la vida cotidiana, tanto urbana como rural, tenían lugar en un montaje que representaba a escala reducida el acontecer diario de la vida.

Salzillo reinterpreta esa tradición y le aporta un carácter personal. Las escenas y los personajes se revisten de naturalidad. El reflejo espontáneo del mundo que le rodea proporciona al belén un tono sencillo de cercanía y de expresión realista alejada de cualquier artificio.

- Investiga sobre la costumbre de instalar belenes en las iglesias o en las casas. ¿Quién fue el promotor de los mismos? ¿En qué época se inició esa costumbre?
- Averigua cuál es la relación entre España y el reino de Nápoles en el siglo XVIII, para que se pudiera favorecer el intercambio artístico. ¿Pudo ser en torno al rey Carlos III cuando la moda de los belenes alcanzara un mayor auge?
- ¿Cuáles son las características esenciales del belén de Salzillo? Recuerda alguna otra obra salida de su taller.
- Además de este escultor murciano, ¿puedes señalar algún artista que podamos calificar dentro de la órbita rococó? ¿En qué consistía este movimiento?

SÍNTESIS

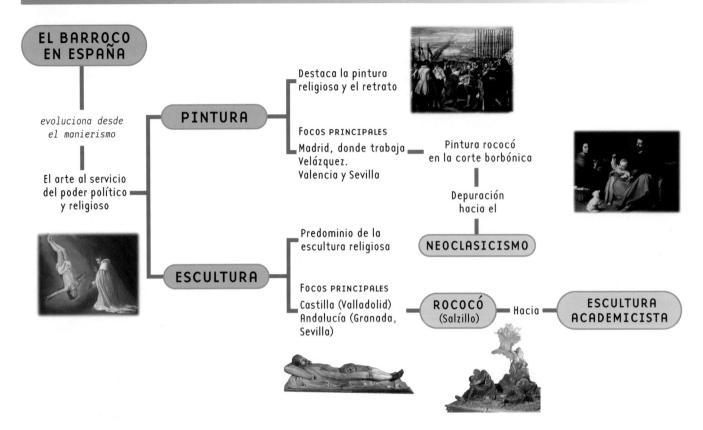

EL BARROCO EN ESPAÑA

evoluciona desde el manierismo

El arte al servicio del poder político y religioso

PINTURA
- Destaca la pintura religiosa y el retrato
- Focos PRINCIPALES
  Madrid, donde trabaja Velázquez.
  Valencia y Sevilla

Pintura rococó en la corte borbónica

Depuración hacia el

NEOCLASICISMO

ESCULTURA
- Predominio de la escultura religiosa
- Focos PRINCIPALES
  Castilla (Valladolid)
  Andalucía (Granada, Sevilla)

ROCOCÓ (Salzillo) — Hacia — **ESCULTURA ACADEMICISTA**

LA PINTURA DEL BARROCO EN ESPAÑA

Principales focos	Características	Autores y obras
Valencia	• Luz tenebrista. • Anatomía. • Naturalismo.	• RIBALTA: *Última Cena* (1605); *San Bruno* (1627). • RIBERA: *Martirio de san Felipe* (1639); *El patizambo* (1642).
Sevilla (1.ª mitad siglo XVII) Sevilla (2.ª mitad siglo XVII)	• Realismo. • Delicadeza. • Contrastes lumínicos. • Sencillez. • Naturalismo. • Tonos brillantes.	• ZURBARÁN: *Aparición del apóstol san Pedro a san Pedro Nolasco* (1628); *Bodegón de cacharros* (h. 1630). • ALONSO CANO: *Sagrada Familia* (h. 1660). • MURILLO: *La Sagrada Familia del pajarito* (1650); *Niños comiendo fruta* (1655). • VALDÉS LEAL: *Triunfo de la muerte sobre la vanidad* (h. 1672).
Madrid	• Pincelada pastosa y deshecha. • Perspectiva aérea. • Dominio de la luz y el dibujo.	• VELÁZQUEZ: *Vieja friendo huevos* (1618); *El triunfo de Baco* (1629); *Retrato ecuestre del conde duque de Olivares* (h.1634); *El príncipe Baltasar Carlos a caballo* (1635); *La rendición de Breda* (1635); *El niño de Vallecas* (1636); *El bufón don Sebastián de Morra* (1644); *Venus del espejo* (h. 1648); *Paisaje de la Villa Médicis* (h.1651); *Las meninas* (1656); *Las hilanderas* (1657).

LA ESCULTURA DEL BARROCO EN ESPAÑA

Principales focos		Características	Autores y obras
Castilla		• Creación de tipos. • Naturalismo y dramatismo. • Anatomías y postizos. • Realismo; expresionismo. • Grandes conjuntos escultóricos.	• Gregorio FERNÁNDEZ: *Cristo yacente* (1614); *Cristo atado a la columna* (1615); *La Piedad* (1616); *El descendimiento* (1623). • VILLABRILLE; PEREIRA; Luisa ROLDÁN. • Los CHURRIGUERA: *Retablo* (1692), Convento de San Esteban, en Salamanca. • Los TOMÉ: *Transparente* (1732), Catedral de Toledo.
Andalucía	Sevilla	• Tensión y fuerza interior. • Belleza ideal.	• MARTÍNEZ MONTAÑÉS: *Jesús Niño* (1607); *Cristo de la clemencia* (1605); *San Jerónimo* (1611).
	Granada	• Serenidad, gracia, misticismo.	• Alonso CANO: *La Inmaculada* (1655). • Pedro DE MENA: *Magdalena penitente* (1664).
Murcia		• Dinamismo, sentimentalismo.	• SALZILLO: *Oración del huerto* (1754); *Belén* (1776).

HACIA LA UNIVERSIDAD

1. Analiza las siguientes obras:

VELÁZQUEZ: *El bufón don Sebastián de Morra.*

FERNÁNDEZ, Gregorio: *La Inmaculada.*

2. Define o caracteriza estos términos: *escultura procesional, perspectiva aérea, escultura de vestir, postizo, Vánitas.*

3. Desarrolla uno de los siguientes temas:

a) *Velázquez en el contexto de la pintura de su tiempo.*

b) *La escultura procesional en España.*

4. Comenta el siguiente texto:

Doña Luisa Roldán, natural de la ciudad de Sevilla, fue hija y discípula de Pedro Roldán, escultor eminente [...]. Tuvo singular gracia para modelar de barro en pequeño, del que hizo cosas admirables que yo he visto en esta Corte [...]. Murió esta eminente escultora, dejando inmortal su nombre, por los años de 1704 en esta Corte, apenas a los cincuenta de su edad. Yo la conocí y visité muchas veces; y era su modestia suma, su habilidad superior, y su virtud extremada. Y aseguran, que cuando hacía imágenes de Cristo, o de su madre Santísima, además de prepararse con cristianas diligencias, se revestía tanto de aquel afecto compasivo, que no las podía ejecutar sin lágrimas.

PALOMINO, Antonio: "Vida de Luisa Roldana", en *Museo pictórico y escala óptica*. Madrid, Aguilar, 1988

— Expresa tu opinión sobre la condición femenina de esta escultora y de qué modo trata su habilidad el biógrafo.

— Comenta el papel de la formación de la artista.

PASADO Y PRESENTE EN EL ARTE

Durante el siglo XIX se desarrolla un movimiento pictórico denominado *impresionismo*. Busca cuáles son sus señas de identidad: la temática que representa o el tratamiento de la luz y el espacio. Compara el cuadro de Monet con los paisajes de Velázquez. ¿En qué se basa la modernidad de este último? Razona la respuesta.

MONET: *Vista de Zaandam* (1871).

VELÁZQUEZ: *Villa Médicis* (hacia 1651).

Luces y sombras

"David con la cabeza de Goliat", de Caravaggio (h. 1609-1610). El artista puso sus propios rasgos faciales, en un ambiente de tinieblas, a la cabeza cortada del gigante.

La perspectiva renacentista, concebida muchas veces como mera demostración geométrica, había puesto el énfasis en los aspectos lineales del arte. Pero ya hemos dicho que la cámara oscura, un artilugio "luminoso", sirvió como instrumento auxiliar para la elaboración de las leyes de aquel sistema de representación. Estaba claro, desde luego, que todos los intentos de imitar la "realidad exterior" debían tener presente la cantidad y calidad de la luz, su origen y dirección. Este asunto se hizo acuciante a principios del barroco. Lo apreciamos en todas las artes visuales, aunque con una curiosa falta de sincronía, ya que obsesionó primero a los pintores, y sólo una generación más tarde condicionó seriamente el desarrollo de la escultura y la arquitectura.

El tenebrismo y el ocasionalismo

Consideremos el caso del tenebrismo, que causó un impacto considerable en Roma y en el sur de Italia en los primeros años del siglo XVII. Cuando examinamos las obras de Caravaggio nos damos cuenta de que fue muy radical al suprimir el escenario, sustituyéndolo por oscuros interiores en los que emergían algunos fragmentos de sus personajes. No había ya ninguna base matemática (puntos de fuga o línea del horizonte) sino una supresión total de la ventana ilusoria abierta a un espacio infinito. Se diría que los cuerpos pintados existían gracias a un combate heroico, fugazmente victorioso, de la luz contra la sombra. Imposible soslayar las implicaciones morales de semejante actitud, ni la posibilidad de establecer paralelismos con tendencias filosóficas de la época, como el ocasionalismo. Los adeptos a esta corriente sostenían que Dios intervenía sobre el mundo material en cada ocasión en que se producía un movimiento del alma, lo cual no deja de asemejarse a esa aparición (¿ocasional?) de los seres entre las tinieblas.

Debemos aclarar que tales teorías fueron desarrolladas bastante después de los hallazgos de Caravaggio, lo cual sería otra prueba de que el arte puede elaborar "pensamientos" propios susceptibles de reflejarse y reelaborarse luego en otros dominios de la cultura. El mundo visible es en el barroco como un frágil parpadeo, tímida esperanza en un cosmos presidido por el reinado de la noche.

Caravaggio tuvo una existencia difícil: mató a un hombre y anduvo huyendo de la justicia los últimos años de su vida. Se creó así la leyenda de una concordancia entre la biografía dramática y los violentos claroscuros de sus pinturas. Pero es una coincidencia casual: el tenebrismo fue una corriente artística muy sofisticada, plagada de convenciones, que aspiraba a dotar a las cosas pintadas de una fuerte sensación táctil. Aquellos seres están cerca del espectador, habitando su mismo espacio, y buscan su implicación emocional. Se diría que Caravaggio aplicó a las figuras humanas los procedimientos peculiares de la

El foco de luz dentro de la representación aparece en esta versión de San José carpintero, de Georges de La Tour (h. 1640).

naturaleza muerta, logrando así que los dramas representados fueran más íntimos. La presencia de lo pintado parecía tan física que llegaba a hacerse casi insoportable.

La luz dirigida

Se comprende su éxito, y la enorme cantidad de imitadores que surgieron en todos los países de Europa. Algunos (como el francés Georges de La Tour) se decidieron a incluir dentro del cuadro el foco de luz. Era una pulsión realista: si es una escena nocturna resulta lógico servirse de una iluminación artificial, pero ¿resulta acaso verosímil que san José, ayudado por Jesús, trabaje a semejantes horas en su taller de carpintero? Hablamos de un ejemplo muy conocido de La Tour, pero podríamos formular preguntas similares ante otros muchos cuadros tenebristas.

En realidad, parece que se buscaban pretextos para afirmar que el asunto central de la visión (y por ende el gran problema de la pintura) es esa oposición dialéctica entre la luz y su negación. La contrapartida aparente estuvo en la luminosidad extremada de Claudio de Lorena, con esos soles de atardecer o amanecer que disuelven los límites del cielo y el mar, de las arquitecturas y de la vegetación.

Esta problemática fue recogida en los tratados teóricos desde mediados del siglo XVII. Jean Dubreuil, por ejemplo,

ofrecía en su obra *La perspective practique* (1642-1649) algunos métodos para representar la sombra correcta de las cosas teniendo en cuenta la posición del foco luminoso. Por las mismas fechas estaba elaborando Bernini su Capilla Cornaro, con un chorro de luz dirigida desde lo alto para intensificar los valores dramáticos del *Éxtasis de santa Teresa*.

De tales preocupaciones se nutrirá la arquitectura del barroco, cuyos mejores edificios fueron entendidos al modo de teatros de luces y sombras. Su (con)fusión con la escultura permitió la aparición de obras insólitas, como el *Transparente* de la catedral de Toledo (1732), que implicó la apertura de un gran vano en el techo de la girola para enviar un potente foco luminoso al Sagrario del altar mayor. El rococó (sobre todo en Europa central) hizo de las iglesias y palacios resplandecientes recintos en los que la luz intensísima, multiplicada por los dorados y los espejos, desmaterializaba unas superficies con rocallas y colores pastel.

Un mundo de sombras

No es extraño que la Ilustración reaccionara, a fines del siglo XVIII, con la idea de una "arquitectura de sombras": las *Cárceles* de Piranesi, o algunos proyectos revolucionarios de Boullée o de Ledoux, estremecen al espectador por el contraste dramático de la luz y la oscuridad. El romanticismo privilegió el mundo de la noche y resucitó otro nuevo tenebrismo pictórico. Pero no hay duda de que fueron los impresionistas, hacia los años setenta del siglo XIX, quienes sacaron las mejores lecciones artísticas de toda esta cues-

tión: para ellos no había líneas ni formas, sino sólo impresiones retinianas, colores en la luz.

La fotografía, mientras tanto, parecía actualizar con asepsia científica la "batalla" detectada en las pinturas de Caravaggio. ¿No es acaso cada placa una victoria de la impresión luminosa sobre la negrura absoluta de la camara oscura? La utilización estética que el cine y la televisión han hecho de todo ello ha sido impresionante: muchas grandes películas se han realizado en la oscuridad de los estudios, y la "iluminación" se ha considerado siempre un ingrediente esencial del éxito dramático. La fugacidad de la luz nos indica, en fin, que el arte habita y perdura en la conciencia del espectador.

Esta lámina de las "Cárceles" de G. B. Piranesi (1760) muestra bien el "tenebrismo" de sus caprichosas visiones arquitectónicas.

La luz funde a todas las artes plásticas en el "Transparente" de la catedral de Toledo (Narciso Tomé, 1732).

El cine fantástico ha privilegiado los violentos claroscuros. Fotograma de la película "The Black Cat" (1934), dirigida para los estudios Universal por Edgar G. Ulmer.

19. NEOCLASICISMO Y ROMANTICISMO. ARQUITECTURA Y ESCULTURA

Entre 1750 y el último tercio del siglo XIX el mundo occidental se transforma radicalmente: se produce la Revolución francesa y el Antiguo Régimen da paso a una sociedad burguesa, esencialmente urbana, en la que la industrialización es un rasgo definitorio. Con respecto al arte, ese período se abre con el neoclasicismo, movimiento estrechamente ligado a la Ilustración, y que con su amplio apoyo teórico inaugura la Historia del Arte como disciplina y contribuye a desarrollar conceptos como la autonomía del arte y la independencia de los artistas.

Además, a lo largo del siglo XIX se abren nuevas vías de expresión artística ligadas al movimiento romántico. En arquitectura, el historicismo recupera y explora los estilos del pasado, reflexiona sobre su significado y trata de encontrar en ellos respuestas a las nuevas tipologías arquitectónicas surgidas de las demandas de la sociedad decimonónica.

ARQUITECTURA NEOCLÁSICA

La concepción barroca de la composición arquitectónica como proceso de fusión y entrelazamiento de las partes, de manera que cada una confluya casi imperceptiblemente en la contigua, las alas en el cuerpo del edificio, la planta principal en la de arriba y en la de abajo, fue rechazada de plano junto con la trama decorativa que hacía posible tal unificación orgánica. Por el contrario, la arquitectura neoclásica subrayaba los cortantes contrastes entre las diversas masas de un edificio o grupo de edificios [...]. Los contornos no se interrumpen ni quiebran, las líneas son nítidas, los ángulos cortantes, los huecos se abren en los muros sin marcos que suavicen el impacto, y los volúmenes interiores se expresan claramente en el exterior. Como es lógico, para los huecos se prefieren las formas más simples, basadas en el cuadrado y el círculo, y a menudo son éstos los únicos elementos que se utilizan para articular la fachada.

HONOUR, H.: *El neoclasicismo.* Xarait, 1982, p. 165

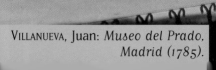

VILLANUEVA, Juan: *Museo del Prado.*
Madrid (1785).

CLAVES DE LA ÉPOCA

Un tiempo de grandes cambios

Entre 1750 y el último tercio del siglo XIX Europa sufre un proceso de transformaciones radicales que sentarán las bases de la sociedad contemporánea. Con la Revolución francesa se abre un período complejo, lleno de convulsiones, en el que la burguesía, la clase emergente, lucha por participar del poder político frente al absolutismo y a una nobleza en decadencia. La consolidación del Estado burgués decimonónico se alcanzará tras sucesivas oleadas revolucionarias. Es también el tiempo del nacionalismo, tanto en su vertiente unificadora (Alemania e Italia) como independentista (Grecia).

Además, la revolución industrial se extiende lentamente desde Inglaterra, y con ella el aumento de la población y nuevos y graves problemas sociales. Las ciudades se industrializan, el número de sus habitantes crece rápidamente, se desarrollan los medios de transporte y comunicación y surge una nueva clase social, el proletariado. Por último, y muy en relación con la industrialización, los países europeos inician una frenética lucha por el control de los territorios y recursos de otros continentes: es el período de formación de los grandes imperios coloniales.

Historia del arte y estética

El arte no fue ajeno a estos cambios. La Ilustración, con su gran interés por todas las ramas del saber, favoreció el desarrollo de aspectos teóricos como la crítica y la estética. En 1764 Winckelmann publica su *Historia del arte de la Antigüedad* e inicia así la moderna historia del arte. En su obra analiza las causas de la variedad artística, e introduce interesantes reflexiones sobre la esencia del arte y el concepto de belleza. Centra su atención, fundamentalmente, en el arte griego. La estética, como rama de la filosofía dedicada al estudio de la belleza y su percepción, nace también en este momento, y tendrá un gran desarrollo posterior.

Es también la época en la que surgen instituciones que tendrán una relevancia fundamental para el arte: los museos y las Reales Academias de Bellas Artes, que también eran escuelas.

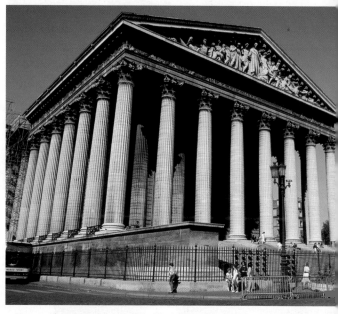

VIGNON, Alexandre: *Iglesia de la Madelaine, París. Iniciada en 1806. El interés por el arte clásico crea obras como la Madelaine, una fría versión de un templo antiguo para la que se planearon las más diversas funciones (teatro, salón de banquetes, templo napoleónico, banco) antes de ser finalmente consagrada como iglesia en 1842.*

Arte autónomo y artistas independientes

El arte es considerado autónomo, independiente de cualquier contingencia: puesto que es capaz de producir placer estético por sí mismo, es un medio de elevación espiritual y moral. El criterio esencial para valorar una obra de arte debe ser entonces su belleza, al margen de sus posibles funciones propagandísticas, en muchos casos debilitadas por el tiempo.

En un proceso paralelo, el artista se ve a sí mismo como un profesional autónomo. Es interesante en este sentido la actitud del escultor Canova, que trató siempre de evitar la dependencia directa de un patrono, pese a las presiones de personajes tan poderosos como Napoleón. En su taller preparaba modelos en yeso, disponibles para ser realizados en mármol para cualquier cliente que lo encargara. Son esculturas exentas, sin otra función previa que la puramente estética: es el concepto del arte por el arte.

En otros casos el artista utilizará su recién conquistada independencia para intervenir conscientemente en la sociedad y valorará su producción artística como un agente de transformaciones ideológicas y sociales. Esto es especialmente evidente en arquitectura, donde algunos de los modelos artísticos que se proponen corresponden explícitamente a modelos sociales y económicos, tanto si son utopías igualitarias como si se trata de propuestas conservadoras. Así, Pugin y Ruskin, que viven en plena era industrial y conocen los devastadores efectos sociales que está produciendo, proponen la arquitectura neogótica como un camino para recuperar la pureza moral y la armonía social, que creen encontrar en una idealizada Edad Media.

CANOVA, Antonio: *Las Tres Gracias (1815-1817). En esta escultura, obra de madurez de Canova, se encarna el tradicional arquetipo de belleza neoclásica, llena de serenidad y armonía y agradable a los sentidos.*

Las nuevas ciudades

Durante la revolución industrial la población, en constante aumento, se concentró en las ciudades industriales, que aumentaron vertiginosamente de tamaño. Este proceso tuvo lugar inicialmente sin ninguna intervención ni regulación por parte del poder público, en una época de feroz liberalismo, y sus consecuencias fueron muy graves: la mayor parte de la creciente población urbana estaba formada por los obreros que trabajaban en la industria y vivían cerca de las fábricas en condiciones durísimas, hacinados en viviendas diminutas de barrios insalubres, sin pavimentación ni alcantarillado. Los *ensanches* llevados a cabo por la Administración en la segunda mitad del siglo no resolvieron estos problemas.

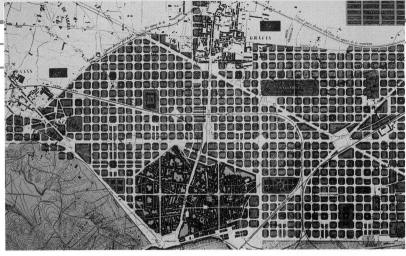

Uno de los mejores ensanches del siglo XIX fue el diseñado por Ildefonso Cerdá para Barcelona en 1859.

La degradación urbanística es sólo una expresión de la degradación social, y las propuestas urbanísticas que surgen como respuesta son, ante todo, utopías sociales, basadas en el colectivismo, que intentan extender a todo el proletariado los beneficios de la revolución industrial. Para construir una nueva sociedad era necesaria una nueva ciudad, y por esta razón las propuestas utópicas plantean ciudades de nueva planta, y no reformas o intervenciones en las ciudades existentes:

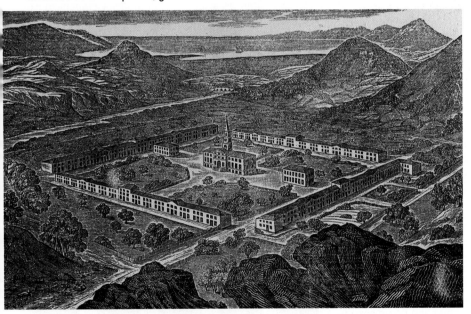

Owen: *Proyecto para una ciudad ideal (1817).*

– **Charles Fourier** (1771-1837), socialista utópico, valora el urbanismo como un medio de transformación social, y concibe el *falansterio* como un gran edificio en el que una comunidad de 1.600 personas vive y trabaja. Tipológicamente es un gran palacio, con zonas de servicios comunes (bibliotecas, comedores comunales, templos), zonas de trabajo (talleres y escuelas) y zonas de vivienda conectadas por patios y calles cubiertas. Los intentos de hacer realidad este modelo fracasaron.

– **Etienne Cabet** (1788-1856) desarrolla un modelo social colectivista en una ciudad de plano geométrico, en la que las fábricas se localizan en la periferia, y diseña pasajes cubiertos para los peatones y vías reservadas a los vehículos, otorgando por primera vez importancia al transporte en el diseño urbano.

– En Inglaterra, **Robert Owen** (1771-1858), dueño de una empresa textil que había mejorado las condiciones de sus trabajadores, publica sus escritos proponiendo la fundación de pequeñas ciudades comunitarias de 1.200 habitantes. En torno a una plaza central se sitúa un edificio que alberga los servicios públicos; otros estarían dedicados a viviendas familiares y uno más para dormitorios infantiles (niños de más de tres años o que superen el número de dos por familia). Las actividades productivas se localizarían en construcciones especiales, separadas del área central por jardines. Owen fundó en Indiana, Estados Unidos, la ciudad de New Harmony, pero el proyecto fracasó.

AÑOS	HISTORIA	ARTE
1755-1808	• Independencia de Estados Unidos (1776). • Revolución francesa (1789). • Guerra de Independencia (1808).	• Estudios de Winckelmann y desarrollo de la teoría neoclásica (1755). • Pervivencia de los modelos barrocos. • Auge del neoclasicismo: arquitectos utópicos, Canova, Thorwaldsen. • El neoclasicismo se convierte en el estilo oficial del imperio napoleónico.
1815-1870	• Congreso de Viena y Restauración (1815). • Revoluciones liberales (1830). • Levantamientos en Francia, Italia y Alemania (1848). • *Manifiesto Comunista* (1848). • Unificación de Italia (1870). • Unificación de Alemania (1870) • La Comuna de París (1870).	• Desarrollo de los historicismos. • Crecimiento urbano, utopías urbanísticas, nuevas necesidades arquitectónicas. • Inicio del realismo escultórico: Meunier. • Arquitectura ecléctica, mezcla de estilos y lenguajes.

1. EL NEOCLASICISMO

La estética neoclásica

La teoría neoclásica se desarrolla en torno a 1750. En su creación y difusión tuvieron importancia varios factores. A los trabajos arqueológicos en Pompeya y Herculano y el estudio de la arquitectura griega, que aumentaron el conocimiento y el interés por la Antigüedad, se sumaron los escritos de Winckelmann (1717-1768). En sus obras propone una vuelta al arte griego, considerado paradigma de la belleza y la perfección, y propugna el desarrollo del "verdadero estilo", que debe aspirar a la "noble sencillez y serena grandeza".

Los neoclásicos no buscan sólo imitar el arte clásico, sino tomarlo como modelo para crear obras perfectas, universales y eternas. En su planteamiento hay reflexiones estéticas y morales: aspiran a la renovación de la sociedad y a lograr la perfección artística y social que hallan en la Grecia clásica, considerado un mundo idílico y paradisíaco, regido por la belleza y la rectitud moral.

SOUFFLOT: *El Panteón, París (1758-1789). La cúpula de tradición barroca se une al frontón de origen griego, en una fórmula característica del neoclasicismo.*

El neoclasicismo es un estilo con un fuerte componente intelectual, que comparte con el pensamiento ilustrado el carácter racional, las aspiraciones morales, la búsqueda de valores universales y eternos, comunes a todos los hombres, y el rechazo explícito del rococó, al que consideran decadente y propio de nobles ociosos.

Fue el estilo de la Revolución francesa, que le dio un claro contenido ideológico. Sin embargo, también fue asimilado y apoyado por la nobleza, por el imperio napoleónico, que lo utilizó con fines propagandísticos, y, por último, por la sociedad burguesa del siglo XIX. Es un estilo sin adscripción ideológica propia, disponible para distintas demandas sociales.

La arquitectura neoclásica

Algunos arquitectos aplicaron de manera rigurosa los principios más racionales del neoclasicismo, en un proceso de simplificación formal y supresión de la decoración que conduce a una arquitectura muy innovadora, de geometrías puras. Esta arquitectura racional fue mal aceptada por los clientes privados, y la mayoría de las obras proyectadas no llegaron a realizarse.

En cambio fue frecuente que la arquitectura mantuviera el lenguaje de tradición renacentista y barroca, aunque con criterios de mayor sencillez, predominio de las formas rotundas y uso moderado de la decoración. A este lenguaje se incorporan ahora elementos tomados de la arquitectura griega, especialmente el uso del frontón.

Esta fórmula tuvo un gran éxito y se mantuvo en vigor durante buena parte del siglo XIX. En él se levantan iglesias, palacios y también edificios que respondían a las nuevas demandas, como bancos, bolsas, museos... Fue un estilo internacional que se extendió por toda Europa, aunque marcado por distintas tradiciones artísticas. Así, en Francia y en Italia es patente la herencia barroca, mientras que en Inglaterra y Estados Unidos la tradición palladiana resultará decisiva.

SCHINKEL: *Nuevo Palacio de la Guardia, Berlín (1816). En la sobria columnata dórica se puede encontrar el espíritu del neoclasicismo más puro.*

En España, el neoclasicismo de raíz italiana fue el estilo oficial de la Corte, y a su difusión contribuyó la recién creada Academia de San Fernando. Las figuras más destacadas son Ventura Rodríguez (1717-1785), el italiano F. Sabatini (1722-1797), arquitecto de Carlos III, y Juan de Villanueva (1739-1811).

SABATINI: *Puerta de Alcalá, Madrid (1769). Este arquitecto, director de las grandes reformas urbanas en el Madrid de Carlos III, seguía en sus obras modelos romanos.*

LA UTOPÍA DE LA RAZÓN

Los arquitectos más radicales, como Claude-Nicolas Ledoux (1736-1806) y Étienne Louis Boullée (1728-1799), llevaron el racionalismo ilustrado a sus últimas consecuencias. En sus escritos y proyectos plantearon una nueva concepción de la arquitectura, revolucionaria y utópica. Suprimieron la decoración, renunciaron al lenguaje arquitectónico tradicional y concibieron obras de volúmenes puros y desnudos: esferas, cubos, cilindros, pirámides, conos... Es un proceso de abstracción que conduce a la pura geometría y da mucha importancia al valor simbólico de las formas.

Una "barrière" de Ledoux

Entre 1785 y 1789 construyó Ledoux esta *barrière* a las afueras de París. Formaba parte de un conjunto de edificios situados en los límites de la ciudad que eran las aduanas. Se trata de una construcción de cruz griega en cuyo centro se inserta un cuerpo cilíndrico. Ledoux combina de una manera muy audaz dos formas geométricas muy simples: los cuadrados que forman los brazos contrastan con el cuerpo circular central. Se establece también un juego entre espacios vacíos y macizos y entre formas cuadradas (ventanas) y curvas (arcos). De este edificio ha dicho Hugh Honour:

LEDOUX, C.-N.: *Barrière de la Villette, París (1785-1789).*

"Las columnas y las pilastras toscanas sin basas y con sólo unos capiteles rudimentarios son enfáticas, casi voluntariosamente severas, tanto que uno tiende a olvidar que ellas, y de hecho la rotonda misma, no obedecen a función práctica alguna. Ni utilitario ni meramente convencional, ni anticlásico ni revivalista, este extraño edificio es un ensayo, muy típico del neoclasicismo, de forma arquitectónica pura."

HONOUR. H.: *EL Neoclasicismo.* Xarait, 1982, p. 80

Boullée: proyecto para la Biblioteca Real

Las propuestas radicales tuvieron una acogida fría y pocos de sus proyectos llegaron a realizarse. Los clientes privados querían construcciones más convencionales y la situación económica no favorecía la construcción de grandes edificios públicos. A medida que resultaba evidente que sus obras no se construirían, los planteamientos de estos arquitectos se fueron haciendo más visionarios y utópicos, y se acentuaron la austeridad, la claridad estructural y la nitidez de las líneas, como muestra esta biblioteca de E. L. Boullée (1785). La forma de la gran bóveda inundada de luz domina el enorme espacio, mientras que su función como depósito de libros queda en un segundo plano.

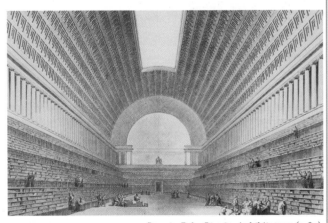

BOULLÉE, E. L.: *Diseño de biblioteca (1785).*

Monumento a Newton, otro proyecto de Boullée

"Oh, Newton, que gracias a la extensión de tu sabiduría y a tu genio sublime has determinado la forma de la Tierra; yo he concebido la idea de envolverte en tu propio descubrimiento."

Este texto de Boullée sobre su proyecto de monumento a Newton (1780-1790) evidencia la importancia que el valor simbólico de las formas tenía para los arquitectos neoclásicos, y también su interés por levantar monumentos a individuos considerados ejemplares y cuya figura era propuesta como ejemplo a imitar. La esfera, que simboliza la perfección, domina con su significado la función del edificio.

BOULLÉE, E. L.: *Diseños para un monumento a Newton (1780-1790).*

La nostalgia del pasado

Tras la caída del imperio napoleónico se desarrolla el convulso proceso de consolidación de la sociedad burguesa, durante el cual, siguiendo el ejemplo del neoclasicismo, se buscan en el pasado modelos artísticos. La etapa que despierta mayor interés es la Edad Media, que por primera vez es valorada como algo más que un oscuro paréntesis entre Roma y el brillante Renacimiento.

Las construcciones góticas son restauradas, estudiadas e imitadas en toda Europa. Esta vuelta al gótico tiene distinta importancia y significado en cada país. En Inglaterra, el neogótico fue impulsado por una corriente conservadora cuyos principales teóricos (Pugin y Ruskin) consideraban el gótico como el estilo auténticamente religioso, impregnado de virtudes morales y sociales. En Alemania, el romanticismo tiene un fuerte componente nacionalista, que busca en la Edad Media el origen de la nación alemana y halla en la catedral gótica la mejor expresión del "espíritu del pueblo". En Francia destaca Viollet-le-Duc (1814-1879), restaurador, arquitecto y escritor que defiende el gótico como el sistema constructivo más racional que ha existido, y propone recrear el estilo utilizando su estructura e incorporando innovaciones como el uso del hierro.

Junto a este historicismo neogótico pervive la tradición clásica, que ha abandonado el carácter sobrio y severo de la etapa inicial y se mantiene como sistema constructivo básico y como repertorio decorativo, incorporando ornamentaciones y elementos de diversas procedencias: es el llamado clasicismo romántico.

VIOLLET-LE-DUC: *Dibujo procedente de* Entretiens sur l'architecture *(1863). Propone utilizar las posibilidades técnicas y constructivas del hierro para crear un nuevo gótico, combinando así historicismo e innovación.*

ROGENT, Elías: *Universidad Literaria de Barcelona (1862). Éste es un claro ejemplo del historicismo medievalista catalán, que buscaba en el románico un estilo nacional.*

El romanticismo favoreció el refuerzo de las diferencias nacionales, frente al universalismo del arte neoclásico, y a esto se unió el gusto romántico por lo pintoresco, lo exótico o lo lejano. Los estilos *revival* se multiplican y junto al neogótico se desarrollan otros muchos, que responden a diferentes tradiciones y razones: así, la expedición napoleónica a Egipto favoreció el neoegipcio, que incluía pilonos y muros en talud; el colonialismo permitió que se desarrollaran, sobre todo en Inglaterra, estilos exóticos como el neoindio y el neochino; el neoárabe, inspirado en la Alhambra, tuvo especial importancia en España, con variantes locales como el neomudéjar madrileño; y en Cataluña se desarrolló un estilo inspirado en el arte medieval.

El eclecticismo

Estas tendencias crean un ambiente en el que la seña de identidad es el eclecticismo: no hay un estilo dominante y cada arquitecto es libre para escoger los elementos que más le interesen de las tradiciones que conoce. Este proceso refleja la libertad del artista romántico y su rechazo a los sistemas rígidos y hace que se vaya perdiendo el respeto a los estilos históricos, que dejan de ser considerados como sistemas constructivos para pasar a ser básicamente repertorios decorativos.

En estas obras se empieza a usar el hierro, y las plantas y alzados se trazan con criterios cada vez más racionales, en un deseo de unir lo útil a lo bello. Es una etapa de ensayos y titubeos en la que se prepara la llegada de la arquitectura contemporánea.

VON KLENZE, Leo: *Propíleos de Múnich (1847). El lenguaje clásico se prolongó durante todo el siglo XIX como uno más de los historicismos románticos característicos de la centuria.*

VARIEDAD DE ESTILOS, VARIEDAD DE FUNCIONES

La variedad de estilos arquitectónicos vigente en el siglo XIX se une a las nuevas necesidades arquitectónicas de la sociedad industrial y burguesa: estaciones de ferrocarril, mataderos, escuelas, mercados, etc. Muchos arquitectos usan en su obra estilos diferentes según la función de los edificios, y, de acuerdo con el eclecticismo dominante, los mezclan con frecuencia. Todo este proceso, unido al desarrollo de los nuevos materiales, como el hierro, favorece la reflexión acerca de la solución más adecuada para cada necesidad, y abre el debate sobre forma y función, que será decisivo en la arquitectura posterior.

Neogótico

Por razones tanto funcionales como simbólicas, el historicismo asocia cada estilo con un tipo de edificio. El romanticismo se interesa por la cultura de la Edad Media, y encuentra en el arte medieval la expresión de contenidos religiosos y nacionales tradicionales. Por lo tanto, el lenguaje que se consideraba más adecuado para la arquitectura religiosa era el gótico, y se construyeron muchas iglesias neogóticas a la vez que se restauraban las catedrales medievales. En la **Iglesia del Buen Pastor** (1888-1897), de San Sebastián, Manuel Echave simplifica el lenguaje gótico eliminando elementos y levanta una gran torre con flecha calada, uno de los elementos más apreciados por el historicismo goticista.

ECHAVE, Manuel: *Iglesia del Buen Pastor de San Sebastián (1888-1897).*

AGUADO, Miguel: *Real Academia Española (1891-1894).*

Estilos clasicistas

Los estilos clasicistas, especialmente el neogriego y el neorromano, fueron muy utilizados en bancos, museos e instituciones culturales como la **Real Academia Española**, de Miguel Aguado, construida entre 1891 y 1894. Este edificio muestra la evolución del neoclasicismo, que a lo largo del siglo XIX pierde su carácter innovador y racionalista y se convierte en un clasicismo romántico o historicista, en el que cumple el papel de estilo solemne y oficial que se consideraba adecuado a este tipo de instituciones.

Neomudéjar

Las **Escuelas Aguirre**, de Rodríguez Ayuso, construidas en Madrid en 1884, son una construcción característica del eclecticismo del fin de siglo. El planteamiento general del edificio une la funcionalidad y el historicismo, y en su construcción el hierro convive con los paramentos de ladrillo trabajados al modo mudéjar, un recurso barato y eficaz que se utilizó con frecuencia para levantar plazas de toros, conventos, hospitales, orfelinatos y otras obras que atendieran a las nuevas necesidades sociales con materiales poco costosos.

RODRÍGUEZ AYUSO: *Escuelas Aguirre, Madrid (1884).*

La obra

El museo fue un encargo de Carlos III a Juan de Villanueva. El edificio, cuyas obras se iniciaron en 1785, estaba destinado a ser museo y Academia de Ciencias, y en él se debían exponer colecciones, celebrar actos académicos y realizar tareas de estudio e investigación. Sólo a partir de 1819 se convierte en museo de pintura. Su localización en el paseo del Prado es importante: esta zona de Madrid se estaba urbanizando y en ella se levantan construcciones características del espíritu ilustrado, como el jardín botánico y el observatorio, obras también de Villanueva.

El artista

El encargo para construir el Museo del Prado, la más importante obra de su carrera, le llega a Villanueva tras una larga trayectoria profesional para diversos clientes, entre los que se encuentra la familia real, que unos años antes le había nombrado arquitecto titular de los infantes y para quien ya había construido las Casitas de Arriba y Abajo en El Escorial y la Casita del Príncipe en El Pardo.

Museo del Prado. Exterior.

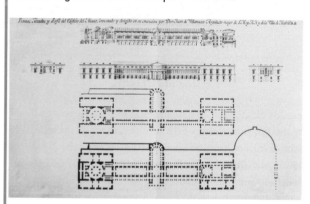

Planta original de Villanueva.

Análisis formal

– **La planta:** Se adapta a la forma del solar, muy alargado, y se dispone en paralelo al paseo del Prado, sobre el que se abre la entrada principal. Villanueva proyecta un cuerpo central, que corresponde a la fachada central porticada y en el cual debía encontrarse el salón de actos, y dos cuerpos en los extremos. Estos tres volúmenes están unidos por dos largos brazos que acogen las salas de exposición, a las que se abrían los gabinetes de estudio. Es una planta racional y ordenada, que ha sufrido luego algunas modificaciones que oscurecen el plan inicial.

– **El exterior:** Se utiliza la piedra y el ladrillo, una combinación que ya desde el barroco era habitual en la arquitectura madrileña. El exterior refleja el interior del edificio: los cuerpos avanzan y las alas retroceden. El cuerpo central corresponde a un gran pórtico dórico, que marca la entrada principal y debía dar paso a un gran salón de juntas. Las alas son galerías cerradas, formadas por una columnata jónica en el piso alto y un juego de arcos y hornacinas adinteladas en el bajo. La unidad del edificio queda subrayada por las líneas horizontales (cornisas y molduras) que recorren los distintos cuerpos.

– **El interior:** La estructura es muy racional y los elementos que aparecen tienen siempre una función constructiva y no solamente decorativa. Hay un fuerte sabor purista en salas como la Rotonda y la cripta que está bajo ella.

Museo del Prado. Rotonda.

Significado

Villanueva es el arquitecto español que aplica con más rigor y coherencia los principios neoclásicos. Su minucioso estudio de las proporciones, la sobriedad decorativa y la pureza de algunos espacios le acercan a la más vanguardista arquitectura del momento. Combinó estas características con las exigencias del encargo, y satisfizo las expectativas de sus clientes con un edificio majestuoso.

- ¿Qué elementos arquitectónicos usados en el Museo del Prado proceden de la tradición griega y romana? ¿Cuáles no?
- ¿Por qué los museos son instituciones características de esta época?
- ¿Qué otras obras construyó Villanueva?

EL PABELLÓN REAL DE BRIGHTON, DE NASH

La obra

John Nash (1752-1835) construyó en 1815 este Pabellón Real para el rey Jorge IV de Inglaterra. Está situado cerca de la playa dé Brighton y se concibió como un lugar informal de ocio y descanso.

Análisis formal

El pabellón está formado por varios cuerpos y coronado por cúpulas bulbosas, torres y minaretes, entre los que sobresale la cúpula central. En la obra se armonizan elementos chinos, islámicos e hindúes y se usa el color para realzar el aspecto decorativo y el aire exótico y oriental. En las zonas con una función más utilitaria, como la cocina, se introduce el uso del hierro, con columnas que simulan palmeras y otros elementos vegetales.

Nash: *Pabellón Real, Brighton (1815)*.

Significado

El Pabellón Real es la encarnación del gusto por lo pintoresco y exótico, característicos de la época. La búsqueda de nuevos repertorios decorativos en fuentes alejadas de la tradición clásica, la libertad creativa y el incipiente uso del hierro hacen de esta obra un reflejo fiel de las tendencias del momento. Este estilo oriental es especialmente significativo en una época en la que Gran Bretaña está extendiendo su dominio en la India y otras áreas de Asia y formando un gran imperio colonial. Nash es también un arquitecto que varía de estilo, a veces en función del tipo de obra: construyó edificios neoclásicos, hizo un urbanismo de clara raíz romántica y diseñó numerosas viviendas campestres "pintorescas".

EL PARLAMENTO DE LONDRES, DE BARRY Y PUGIN

La obra

La sede del Parlamento británico se levantó de 1840 a 1860, en el reinado de la reina Victoria. En su construcción colaboraron Charles Barry (1795-1860), responsable de la traza general, y Augustus Pugin (1812-1852), que hizo la decoración goticista.

Análisis formal

La planta del edificio es clásica y simétrica, organizada en un plan regular en torno a un espacio central octogonal. El exterior mantiene esta regularidad, y la fachada es un gran plano paralelo al río, dominada por las líneas horizontales. Estos rasgos clasicistas armonizan con la decoración goticista. Las torres, de distintas formas y alturas, evitan la monotonía y reflejan el sistema compositivo romántico, que acentúa la variedad y el gusto por lo pintoresco.

Barry y Pugin: *Parlamento, Londres (1840-1860)*.

Significado

La elección del neogótico para la construcción de un edificio tan claramente representativo muestra su asunción como estilo nacional inglés. Sus implicaciones religiosas y sociales habían sido explicitadas en los textos del propio Pugin, y a partir de esta obra se desarrolla el gótico victoriano. Sin embargo, el planteamiento general de la obra conserva rasgos clásicos, que muestran hasta qué punto el eclecticismo es el rasgo dominante en la arquitectura del siglo XIX.

- Además del estilo neoindio, ¿que otros estilos *revival* existen?
- Señala en estas obras los rasgos propios de la arquitectura del siglo XIX.
- ¿Cuáles crees que son las razones para elegir un estilo u otro en una determinada obra?
- Enumera las diferencias entre el neoclasicismo y el eclecticismo.

La escultura neoclásica

La escultura neoclásica aparece muy ligada a los planteamientos de Winckelmann en su búsqueda de la belleza ideal y perfecta y de un estilo universal, sereno pero expresivo. El centro artístico indiscutible es Roma, desde donde la influencia de los principales artistas irradia al resto del continente. Debido a la importancia y abundancia de los modelos antiguos, en escultura el neoclasicismo tuvo una especial fuerza, y se prolonga hasta mediados del siglo XIX.

De la estatuaria antigua se toman los temas (esencialmente mitológicos, pero también retratos, sobre todo bustos) y los materiales (mármol blanco, bronce), así como el repertorio de posturas y el estudio anatómico.

Los dos autores más importantes son el italiano **Antonio Canova** (1757-1822) y el danés **Bertel Thorwaldsen** (1770-1844). Ambos trabajaron en Roma y tuvieron seguidores en toda Europa. Canova desarrolló un depurado estilo clásico, en el que sin embargo se perciben las huellas de la gran tradición renacentista y barroca italiana. Aunque son la representación ideal de conceptos abstractos, sus obras tienen un componente sentimental y emotivo y encarnan el concepto de lo sublime, un aspecto emocional del neoclasicismo que enlaza con la sensibilidad romántica. Hizo estatuas mitológicas, retratos (entre ellos el retrato del *Napoleón desnudo*, con un cuerpo idealizado a la manera romana, y el de su hermana *Paulina Bonaparte* como Venus) y monumentos funerarios.

Thorwaldsen es un escultor más purista, que rechaza cualquier modelo que no pertenezca a la escultura griega más sobria. Su restauración de las esculturas del templo de Afaia en Egina le permitió estudiar a fondo las fuentes de su estilo. Su obra es muy extensa, y, aunque también hizo retratos y monumentos, los temas mitológicos son mayoría (*La cólera de Aquiles*, *Jasón*, *Venus*, etc.).

CANOVA: *Eros y Psique (1787-1793). La compleja disposición de las figuras en forma de gran X corresponde a la ambigüedad psicológica y erótica de la obra, cuyo tema tomó Canova de un texto clásico.*

La evolución de la escultura

El romanticismo no crea un lenguaje formal propio en escultura; su influencia en la plástica es básicamente literaria y afecta más a los temas que a la forma. Los modelos clásicos perviven, impregnados en ocasiones de un sentimentalismo cercano a la sensibilidad romántica. Sólo algunos autores, como **François Rude** (1774-1855), reflejan en sus obras las intensas emociones, llenas de sinceridad, del mejor romanticismo.

La tradición clásica, la emoción romántica y el realismo conviven en un estilo ecléctico. No hay grandes figuras que marquen la época y desarrollen nuevos lenguajes. En Francia, **Carpeaux** (1827-1875) desarrolla un estilo emotivo capaz de transmitir emociones variadas, como la alegría arrolladora de *La danza* (Ópera de París). En Alemania, **Schadow** (1764-1850) se mantiene en la tradición clásica sin caer en la rigidez.

El realismo, una más de las tendencias presentes en el eclecticismo reinante, se va desarrollando lentamente hasta tomar fuerza. Se alejará de las figuras alegóricas y del discurso heroico para buscar un estilo más intimista y cercano, fiel a la realidad, que enlazará con la renovación escultórica del siglo XX. **Constantin Meunier** (1831-1904) desarrolla el realismo social en obras rotundas y llenas de fuerza, que se alejan del detallismo anecdótico para representar a los trabajadores de la sociedad industrial como los nuevos héroes.

CARPEAUX: *La danza (1869). En esta escultura, destinada a la decoración de la Ópera de París, Carpeaux consigue una obra expresiva, llena de movimiento y alegría.*

TRES ESCULTURAS DEL SIGLO XIX

Jasón con el vellocino de oro es una de las primeras obras de Thorwaldsen (1803) y con ella alcanzó la fama. El tema mitológico, la postura tomada de la escultura griega (recordemos el *Doríforo*), la pureza de formas y el uso del mármol blanco son elementos que caracterizan la escultura del artista danés. Sus obras siguen rigurosamente los postulados neoclásicos, y se mantiene fiel a un modelo ideal de belleza tomado de la escultura griega, que conocía muy bien, usando con frecuencia, como en este caso, modelos iconográficos clasicistas y dando a sus esculturas una superficie tersa y pulida. Como Canova, fue un escultor de éxito en Europa y recibió multitud de encargos que dieron a conocer su estilo purista en Alemania, Suiza, Polonia o Inglaterra.

THORWALDSEN: *Jasón con el vellocino de oro (1803).*

BELLVER: *Monumento al ángel caído (1876).*

En el XIX la tipología del monumento público tiene un extraordinario desarrollo, hasta llegar a ser la más característica del siglo. Las ciudades se llenan de monumentos cuya misión es prestigiar la ciudad y dotarla de significados didácticos muy concretos: héroes patrióticos, figuras mitológicas y alegorías se sitúan en fuentes, plazas y parques. Son encargos públicos, necesariamente limitados por el gusto dominante. El **Monumento al ángel caído**, de Ricardo Bellver (1845-1924), situado en el parque del Retiro de Madrid, fue presentado en la Exposición Universal de 1876 y obtuvo una medalla. Es una escultura muy representativa del eclecticismo dominante, en la que conviven tendencias realistas con una gestualidad teatral y barroca.

MEUNIER: *El grisú (1890).*

Constantin Meunier es el mejor escultor realista de su tiempo. En un proceso paralelo al seguido por Courbet en la pintura, Meunier abandona los temas históricos y mitológicos y desarrolla el realismo social en figuras de trabajadores de los más variados oficios, como en *El estibador* o *El pudelador*. Son figuras monumentales, de volúmenes rotundos, de las que el artista ha eliminado cualquier detalle que las acerque al pintoresquismo o al individualismo, y cuya fuerza (física y moral) convierte a sus protagonistas en figuras heroicas, representantes de la nueva clase obrera. En **El grisú** (1890), Meunier desarrolla el aspecto más dramático de la condición obrera adoptando la tradicional iconografía religiosa, y eleva así un tema considerado menor (la muerte de un trabajador) al nivel más alto de la jerarquía temática tradicional.

ANÁLISIS

MONUMENTO FUNERARIO DE MARÍA CRISTINA DE AUSTRIA, DE CANOVA

La obra

El archiduque Alberto, viudo de la archiduquesa María Cristina de Austria, encargó a Canova este monumento funerario dedicado a su esposa. Se encuentra en la iglesia de los Agustinos de Viena y fue realizado entre 1798 y 1815.

El artista

En el momento en el que le encargan este sepulcro, Canova era ya un escultor prestigioso y había realizado, entre otras obras, varios monumentos funerarios, como los de los papas Clemente XIV y Clemente XIII.

Análisis formal

El monumento representa un cortejo fúnebre que lleva las cenizas de la archiduquesa a una pirámide. El conjunto tiene una interpretación alegórica, explicitada por el propio autor: la serpiente que rodea el medallón simboliza la Eternidad; la figura que lo sostiene es la Felicidad; el cortejo lo componen la Piedad (que guía al anciano) y la Verdad (que lleva las cenizas), el león es el símbolo de la casa de Austria y el genio alado que lo acompaña es el doliente esposo. Además de este significado alegórico, el conjunto puede ser interpretado simplemente como una acción, cuya intención, en palabras de Canova, es que *"el público [...] pueda ser persuadido y conmovido, sin fatiga ni reflexión"*.

La composición refuerza la línea horizontal y tiende a la disgregación, con grupos de figuras separadas en un ambiente general de tristeza sosegada y serena. Al contrario de lo que ocurre en el barroco, cada figura, o grupo de figuras, es autónoma, tiene significado por sí misma, y no se busca la fusión de los elementos en el conjunto de la obra. Como todas sus obras, Canova concibe el sepulcro como una escultura autónoma, con independencia de su entorno, y de hecho se desentiende totalmente de la iglesia gótica en la que está situada.

Significado

Ésta es una de las más famosas obras de Canova, que desarrolla su exquisita técnica escultórica en un monumento funerario que se aleja de los prototipos barrocos creados por Bernini. La serenidad, la plácida tristeza y las figuras alegóricas, que encarnan ideas abstractas, reflejan el concepto neoclásico de la muerte. No hay ningún símbolo religioso, ningún mensaje moral sobre la brevedad de la vida; sólo la serenidad de la muerte, concebida como un sueño eterno. La apelación a los sentimientos, característica de Canova, es uno de los aspectos del neoclasicismo que enlazan con el romanticismo posterior.

Al parecer, la idea general del monumento procede de un proyecto que el propio Canova había hecho para la tumba de Tiziano. El hecho de que el diseño fuera considerado idóneo para cualquier sepulcro, además de reforzar el concepto de la autonomía de la obra de arte, muestra la perfecta adecuación del lenguaje escultórico canoviano al ideal neoclásico: un arte basado en lo universal y eterno, en lo que es común a todos los hombres, que rechaza lo particular y lo individual.

- Compara este sepulcro con la escultura funeraria barroca. ¿Qué características, formales y temáticas, las diferencian?
- ¿Qué similitudes encuentras entre la escultura clásica y la obra de Canova? Consulta las unidades de arte clásico.
- Busca información sobre Canova y haz un estudio de sus obras más importantes.

LA MARSELLESA, DE RUDE

La obra

El relieve de Rude forma parte de una serie que decora el arco de triunfo de l'Étoile (París), construido por Jean-François Chalgrin (1739-1811) y que fue uno de los símbolos más emblemáticos del imperio. El monumento fue iniciado por orden de Napoleón en 1806 y terminado bajo el reinado de Luis Felipe, hacia 1835. Todos los relieves tienen temas de la reciente historia francesa, pero sólo éste, llamado *La Marsellesa*, fue realizado por Rude, hacia 1833.

El artista

Durante los primeros años de su carrera, Rude fue un neoclásico convencido, seguidor de David. Tras la caída de Napoleón, de quien era ardiente partidario, vivió varios años exiliado en Bruselas, y a su vuelta a Francia realizó varias obras destinadas a edificios y lugares públicos con un lenguaje más romántico, como se aprecia en esta obra.

CHALGRIN: *Arco de Triunfo. París (1806-1835)*.

Análisis formal

La escena representada es la partida de los voluntarios de 1792 y es conocida como *La Marsellesa*. En ella, el pueblo francés se apresta a defender a la República de sus enemigos, mientras el genio alado, que representa a la Patria, vuela sobre él. Rude utiliza el movimiento, el claroscuro, las líneas diagonales, los contrastes y la gestualidad extrema para expresar un sentimiento de exaltado patriotismo.

Significado

Es significativo que el arco de triunfo, tan simbólico del neoclasicismo imperial del período napoleónico, fuera luego asumido y terminado por la monarquía burguesa de Luis Felipe y completado con relieves tan claramente románticos como el de Rude. Es una muestra de espíritu ecléctico, así como de la adecuación del lenguaje romántico a los vibrantes mensajes patrióticos y nacionalistas característicos de este momento, y resulta fácil relacionar esta escena con los levantamientos populares que en 1830 habían provocado la llegada de Luis Felipe al poder.

A pesar de la iconografía clásica, con figuras desnudas o vestidas como antiguos romanos, el espíritu de la obra es absolutamente romántico: una fuerza irrefrenable arrastra a los personajes, y convierte así un hecho histórico en una escena épica. Los sentimientos sosegados del neoclasicismo se han convertido aquí en una pasión tempestuosa, que refleja lo más exaltado del espíritu romántico.

RUDE: *La Marsellesa (1833)*.

- Compara la obra de Canova y la de Rude analizando estos aspectos: tema, tratamiento anatómico, composición.
- ¿Qué sensación crees que intenta producir Rude sobre el espectador? ¿Lo consigue?
- Analiza el momento histórico en que fue realizada cada obra. ¿Qué relación puedes establecer entre el contexto histórico y cada una de estas obras?

SÍNTESIS

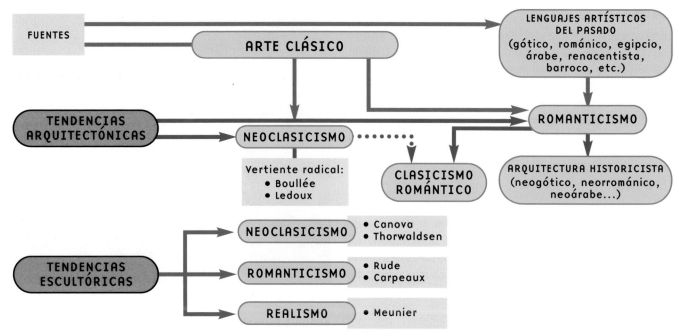

ARQUITECTURA

	CARACTERÍSTICAS	ARTISTAS Y OBRAS
NEOCLASICISMO	• Búsqueda de soluciones formales en la Antigüedad. • Creación de un arte nuevo y racional. • Fuerte rechazo teórico del barroco y el rococó. • Deseo de un arte universal y eterno. • Simplificación formal. • Formas rotundas y geométricas. • Escasa decoración. • Modelos grecorromanos. **Tendencias:** • Neoclasicismo radical: volúmenes puros, formas simbólicas. • Clasicismo romántico: lenguaje renacentista y barroco simplificado, con elementos neoclásicos.	• Soufflot: El Panteón de París (1758-1789). • Sabatini: Puerta de Alcalá, Madrid (1769). • Ledoux: Barrière (1785-1789). • Boullée: Proyecto de Biblioteca (1785), Proyecto de Monumento a Newton (1780-1790). • Villanueva: Museo del Prado, Madrid (1785). • Schinkel: Nuevo Palacio de la Guardia, Berlín (1816).
HISTORICISMO Y ECLECTICISMO	• Estilos muy decorativos, que toman de los lenguajes artísticos del pasado las formas más que las estructuras. • Mezcla de estilos, elementos y materiales. • Gusto por lo pintoresco. • Se prefiere un estilo para cada tipología: reflexión sobre forma y función. • Incorporación de nuevos materiales: el hierro. **Fuentes:** • Otras etapas históricas, como la Edad Media. • Otros países y culturas: exotismo. • Tradiciones nacionales revitalizadas por el romanticismo.	• Viollet-le-Duc: Reconstrucción de monumentos medievales franceses. • Nash: Pabellón Real, Brighton (1815). • Barrry y Pugin: Parlamento, Londres (1840-1860). • Von Klenze: Propíleos, Múnich (1847). • Rogent: Universidad Literaria, Barcelona (1862). • Rodríguez Ayuso: Escuelas Aguirre, Madrid (1884). • Echave: Iglesia del Buen Pastor, San Sebastián (1888-1897). • Aguado: Real Academia Española, Madrid (1891-1894).

ESCULTURA

	CARACTERÍSTICAS	ARTISTAS Y OBRAS
NEOCLASICISMO	**Fuentes:** • Modelos grecorromanos. • Teoría neoclásica. **Materiales y temas** • Estatuaria en mármol. • Temas mitológicos, desnudo, retratos, monumentos.	• Canova: Las Tres Gracias (1815-1817); Eros y Psique (1787-1793); Monumento funerario a María Cristina de Austria (1789-1815). • Thorwaldsen: Jasón con el vellocino de oro (1803).
EVOLUCIÓN DE LA ESCULTURA	• Conviven varias corrientes: romanticismo, clasicismo, realismo. • Estilo ecléctico. **Tipologías:** • Monumentos urbanos, fuentes, retratos ecuestres. • Retratos privados.	• Carpeaux: La danza (1869). • Rude: La Marsellesa (1833). • Meunier: El grisú (1890). • Bellver: Monumento al ángel caído (1876).

HACIA LA UNIVERSIDAD

1. Analiza y comenta estas imágenes de la manera más completa posible.

2. Desarrolla el siguiente tema: *El neoclasicismo. Concepto y características.*

3. Define o caracteriza brevemente los siguientes términos y nombres: *neogótico, eclecticismo, historicismo, Canova, Thorwaldsen, Villanueva.*

4. Lee detenidamente el texto y responde a las cuestiones indicadas a continuación:

A diferencia de lo que sucede en otras artes, la evolución hacia el romanticismo fue en la arquitectura notablemente lenta; sólo a duras penas se desprendió de los cánones neoclásicos que, entre otras cosas, parecían los más adecuados para el tipo de arquitectura civil que se estaba llevando a cabo, especialmente por la coherencia en el problema central de toda edificación: su estructura y distribución del espacio. Ello hace que la evolución sea más bien superficial y decorativa (tanto en interiores cuanto en fachadas) y que a nivel de la estructura arquitectónica la concepción neoclásica sólo se vea alterada con la introducción de nuevos materiales (especialmente el hierro) y por la aparición de necesidades urbanísticas inéditas.

BOZAL, Valeriano: *Historia del arte en España.*
Vol II. Istmo, 1973

— Resume las ideas expresadas en el texto.

— Explica qué estilos arquitectónicos se desarrollaron en el siglo XIX a continuación del neoclasicismo.

— Enumera las nuevas necesidades urbanísticas surgidas en esta época.

PASADO Y PRESENTE EN EL ARTE

En el siglo XIX surgió un gran interés por la arquitectura medieval. Algunos autores veían en las ruinas la verdadera nobleza de los edificios antiguos y deseaban dejarlas tal y como estaban.

Pero en la mayoría de los casos las iglesias góticas se restauraron siguiendo un abstracto ideal de estilo gótico y no criterios arqueológicos. Con este criterio Viollet-le-Duc renovó, entre otras, la catedral de Notre Dame de París.

— ¿Piensas que estas intervenciones pueden considerarse restauraciones tal como las concebimos hoy?

— ¿Crees que es más adecuado renovar los edificios, conservarlos o dejar visibles las huellas del paso del tiempo? Razona tu respuesta.

Notre Dame de París.

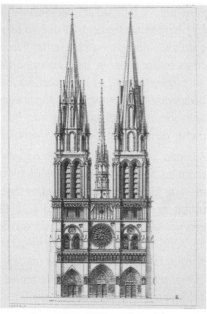

Propuesta de Viollet-le-Duc para la reconstrucción de Notre Dame de París.

20. DEL NEOCLASICISMO AL REALISMO. PINTURA

La pintura que se desarrolla entre 1750 y 1880 enlaza el arte barroco con el contemporáneo. Las tres grandes corrientes de este período son el neoclasicismo, el romanticismo y el realismo; en ellas la pintura forma parte de movimientos culturales amplios, que abarcan la literatura y el pensamiento. En España, la figura genial de Goya descuella sobre todas las demás; en su obra recoge las distintas corrientes artísticas del paso del siglo XVIII al XIX y con su lenguaje pictórico tan personal avanza nuevas vías para la expresión artística.

El papel del arte y del artista ante la realidad, su deseo de modificarla, de evadirse de ella o de reflejarla como es, son asuntos centrales en esta etapa. Los distintos movimientos exploran también el lenguaje formal, en un proceso en el que cada corriente no tiene una propuesta estilística cerrada y los estilos pictóricos se entrecruzan con frecuencia, dando lugar a multitud de fórmulas.

DELACROIX: *La muerte de Sardanápalo* (1827).

EL ROMANTICISMO

Pero, por lo general, las definiciones del romanticismo [...] son tan contradictorias que no es posible reducirlas a un sistema único y coherente. Y lo mismo puede decirse, evidentemente, de las obras artísticas y literarias más importantes [...]. Su característica más obvia es la diversidad y sin embargo en todas ellas se manifiestan opiniones sobre el arte y la vida que difieren radicalmente de las expresadas con anterioridad [...].

Además, en las artes visuales no existe un "estilo" romántico, si con esto se quiere aludir a un lenguaje común de formas visuales y medios de expresión comparables al barroco o al rococó [...]. Los ideales y las cosmovisiones románticas se comunicaban (tenían que ser comunicados así en razón de su naturaleza romántica) a través de una variedad tal de lenguajes visuales que el término romántico es aplicable a obras que, formalmente, no tienen nada en común.

HONOUR, H.: *El romanticismo*. Madrid, Alianza, 1981, pág 14

CLAVES DE LA ÉPOCA

– Contexto social

– El mercado del arte

– Del neoclasicismo
  al realismo

– Sueños y visiones

**1. LA EVOLUCIÓN
DEL NEOCLASICISMO**

– La pintura neoclásica

– Los seguidores
  de David: hacia
  el romanticismo

**2. GOYA, UNA FIGURA
EXCEPCIONAL**

– Un estilo en evolución

– Cartones y retratos

– Obras de madurez

ANÁLISIS 1

– *La familia
  de Carlos IV*, de Goya

– *El tres de mayo
  de 1808*, de Goya

**3. LA PINTURA
ROMÁNTICA**

– La sensibilidad
  romántica

– El romanticismo
  francés

**4. EL DESCUBRIMIENTO
DE LA REALIDAD**

– Nacimiento
  del realismo

– La pintura realista
  francesa

– Otro modo de ver
  la realidad

ANÁLISIS 2

– *La muerte
  de Sardanápalo*,
  de Delacroix

– *El entierro de Ornans*,
  de Courbet

**5. PINTURA ESPAÑOLA:
DEL NEOCLASICISMO
AL REALISMO**

– El neoclasicismo

– Del romanticismo
  al realismo

S   Í   N   T   E   S   I   S

CLAVES DE LA ÉPOCA

Contexto social

El período estudiado abarca desde mediados del siglo XVIII hasta el último tercio del siglo XIX; se inicia por tanto antes de la Revolución francesa y termina a las puertas del siglo XX. Como hemos visto, en este tiempo la sociedad se transforma radicalmente, pasando de la sociedad agraria y estamental propia del Antiguo Régimen a una sociedad urbana, burguesa e industrial, en la que el liberalismo y el nacionalismo son las ideologías dominantes, que triunfan en un proceso jalonado de levantamientos y convulsiones. El marxismo, con sus propuestas revolucionarias y su anhelo de trastocar definitivamente el orden establecido, tendrá una importancia creciente al final de este período.

Fotografía de los sucesos de la Comuna de París (1871). El desarrollo de la fotografía permitió recoger imágenes de los acontecimientos y conflictos históricos, como muestra esta ilustración.

El mercado del arte

En el siglo XVIII surgen las academias, que controlan la formación de los artistas y organizan los salones, exposiciones públicas en las que se fijan los criterios artísticos oficiales y se mantiene la jerarquía de los géneros pictóricos.

Los salones y los museos, estos últimos creados por la Ilustración, acercan el arte al público y favorecen el desarrollo de la crítica. Se desarrolla así el mercado del arte, en el que el artista es independiente, su obra es valorada por la crítica y comprada por un público en el que la burguesía tiene un peso creciente. También son grandes clientes el Estado y las instituciones: ayuntamientos, diputaciones, ministerios, etc. Es el fin del arte cortesano y de las relaciones de patronazgo tradicionales.

Del neoclasicismo al realismo

La teoría neoclásica, en su búsqueda de un arte universal y eterno, rechaza el espíritu hedonista del rococó y valora el dibujo como elemento esencial. Propone composiciones claras y reposadas, contención en la expresión, y una finalidad educativa y moralizante. En la práctica este programa sólo se llevó a cabo en algunas obras concretas.

Desde su nacimiento el clasicismo convive con el romanticismo; este último, más que un estilo pictórico, es un movimiento cultural que exalta la subjetividad y el individualismo y explora con una nueva mirada la naturaleza, la sociedad e, incluso, al propio individuo. El artista romántico tiene un espíritu rebelde y, en su búsqueda de un arte "auténtico" y original, se enfrenta a las convenciones establecidas con pasión y vehemencia. Rechaza los academicismos y busca lo sublime, lo pintoresco, lo exótico.

Sin embargo, la oposición entre estas dos grandes corrientes es más teórica que real: se mezclan en la obra de muchos pintores, y no existe una ruptura clara entre ellas.

DAVID: *Madame Récamier (1800). El neoclasicismo no sólo fue una corriente artística, sino también una moda que se extendió a la decoración, el mobiliario y el vestido, y que hizo fortuna en los años posteriores a la Revolución francesa, cuando David pintó este retrato.*

A mediados del siglo XIX la pintura vuelve la mirada a la realidad y, dejando de lado el subjetivismo romántico y su deseo de evasión, desarrolla un estilo más objetivo y menos literario: el realismo. Su desarrollo está muy ligado a la injusta realidad social, que los pintores se proponen reflejar en sus cuadros con el deseo de transformarla.

En la difusión del romanticismo y, posteriormente del realismo, tuvieron enorme importancia los nuevos sistemas de reproducción de imágenes. La aparición de la litografía y de las prensas mecánicas, junto al desarrollo de los periódicos y las revistas ilustradas, permitieron que las imágenes llegaran por primera vez a amplios sectores sociales.

DELACROIX: *Mujeres de Argel (1834). El deseo de evasión del romanticismo se manifiesta en el gusto por lo exótico que comparten muchos artistas, y que llevó a Delacroix a viajar por el norte de África y reflejar sus experiencias en obras como ésta.*

Sueños y visiones

En pleno apogeo neoclásico, cuando triunfa el espíritu racionalista de la Ilustración, numerosos pintores se interesan por la cara oculta de la realidad, por lo irracional, lo misterioso, lo inexplicable. Es una línea muy vinculada al romanticismo y, sin embargo, estos autores no consideraron que hubiera ninguna oposición romanticismo-neoclasicismo. El gusto por lo terrorífico y demoníaco, por el inconsciente, se une a la búsqueda de lo bello y lo sublime, características del siglo y del clasicismo. Autores tan diferentes como Piranesi, Füssli, Blake y Goya trabajaron en estos asuntos desde perspectivas y técnicas distintas.

Giovanni Battista Piranesi (1720-1778) fue autor de grabados y aguafuertes muy difundidos. Hizo una interpretación poco común de la ruinas romanas, en las que resalta amenazadoras masas arquitectónicas de escala sobrehumana. Su serie *Cárceles imaginarias* (1760) es una de las primeras obras que reflejan el gusto por lo terrorífico.

*En las **Cárceles imaginarias** (1760), Piranesi desarrolla un estilo expresivo, lleno de contrastes lumínicos, con el que crea laberintos de mazmorras y espacios inmensos de efectos tenebrosos.*

*Füssli creó en **El íncubo** o **La pesadilla** (1757-1827) una imagen emblemática del mundo visionario, en la que se unen la noche, el demonio, el sueño y el erotismo.*

El crítico y pintor suizo **Johann Heinrich Füssli** (1741-1825) trabajó sobre todo en Inglaterra. Armonizó su formación clásica con su interés por el manierismo y su cercanía al *Sturm und Drang* alemán, movimiento que explora el mundo de las emociones buscando originalidad y libertad en la expresión. Fue un pintor famoso, un intelectual de prestigio, bien considerado por la élite intelectual inglesa y por artistas como David y Canova. En sus obras prefirió el exceso a la contención, y trató de sacudir violentamente el ánimo con fantásticas escenas nocturnas en las que aparece todo un repertorio de imágenes románticas: brujas, demonios, monstruos...

William Blake (1757-1827) reflejó en su obra un mundo personal muy imaginativo, de un misticismo profético y heterodoxo. Fue un artista marginal, dedicado casi exclusivamente a la ilustración de libros, en muchos casos escritos por él mismo, con un método artesanal que combina el aguafuerte y la estampación. Empleó un lenguaje formal expresivo y estilizado, de espacios indefinidos y ritmos lineales, con el que creó imágenes impactantes.

AÑOS	HISTORIA	ARTE
1755-1807	• Revolución francesa (1789).	• Estudios de Winckelmann e inicio del neoclasicismo (1755). • *El juramento de los Horacios*, de DAVID (1785). • *Caprichos*, de GOYA (1799).
1808-1829	• Guerra de la Independencia (1808). • Congreso de Viena (1815).	• *Los desastres de la guerra*, de GOYA (1814). • Muerte de Géricault (1824). • *La muerte de Sardanápalo*, de DELACROIX (1827). • Muerte de Goya (1828).
1830-1870	• Revoluciones liberales. Se inicia la monarquía de Luis Felipe en Francia (1830). • Levantamientos en Francia, Italia y Alemania. • Marx y Engels publican el *Manifiesto Comunista* (1848). • Unificación de Alemania e Italia (1870). • La Comuna de París (1870).	• *Vapor, lluvia y velocidad*, de TURNER (1844). • *El entierro de Ornans*, de COURBET (1849).

1. LA EVOLUCIÓN DEL NEOCLASICISMO

La pintura neoclásica

La corriente neoclásica tiene un carácter moralizante, que se refleja en los temas elegidos. Se buscan en la Antigüedad héroes que encarnen virtudes como el patriotismo, la abnegación o la dignidad. El lenguaje formal que se considera adecuado es sobrio, con predominio de la línea sobre el color y desconfianza hacia las texturas y los efectos de luz. Se debe buscar la claridad, y concentrar la atención en lo esencial, eliminando escorzos, decoraciones y grandes perspectivas. El objetivo es conmover al espectador y despertar en él sentimientos virtuosos y moralmente elevados. Sin embargo, este ambicioso programa tuvo una expresión artística más bien endeble, con la importantísima excepción de **Jacques-Louis David** (1748-1824), cuya obra analizaremos en la página siguiente.

Un artista que intenta reflejar fielmente las propuestas teóricas del neoclasicismo fue **Mengs** (1728-1779), pintor muy vinculado a Winckelmann, cuya obra representa la búsqueda de la belleza ideal en un estilo poco vigoroso que tuvo muchos seguidores entre los pintores que acudían a Roma a formarse. En Inglaterra, el neoclasicismo está representado por **Flaxman** (1755-1826); sus ilustraciones de la *Odisea*, la *Ilíada* y la *Divina Comedia* se difundieron por toda Europa a través de los grabados. Son dibujos a línea muy puristas y que fueron estudiados por artistas tan diferentes como Blake, David e Ingres.

GÉRARD: *Cupido y Psique* (1797). Discípulo directo de David, Gérard sigue la vía más suave del clasicismo en cuadros de historia y mitológicos como éste, de técnica precisa y formas delicadas.

Los seguidores de David: hacia el romanticismo

Los numerosos seguidores de David abandonaron el neoclasicismo puro y se abrieron a nuevas tendencias. Con ellos se inició el romanticismo en Francia. El impulso ético y político de la Revolución se perdió y los temas ejemplares de la historia antigua fueron sustituidos por la mitología, en un estilo clásico suave y preciosista bien representado en *Cupido y Psique* (1797), de Gérard (1770-1837).

INGRES: *La gran odalisca* (1814). En algunas obras de Ingres, considerado en su momento un pintor puramente clasicista, encontramos hoy rasgos románticos, como la sensualidad y el gusto por lo oriental.

Girodet (1767-1824) hace un tratamiento lumínico basado en el claroscuro y el uso simbólico de la luz en temas extraídos de la literatura romántica de Chateaubriand, como en *Los funerales de Atala* (1808).

Gros (1771-1835) fue el pintor de Napoleón y sus hazañas; viajó con él en sus campañas militares y pintó obras propagandísticas. En *Napoleón en Eylau* (1808), el heroico emperador contrasta con la masa anónima de muertos y heridos que le rodea: la violencia, el caos y el ambiente opresivo enlazan claramente con el romanticismo.

La obra de **Prud'hon** (1758-1823), casi contemporáneo de David, está muy cercana al romanticismo pleno. En su alegoría *La justicia y la venganza persiguiendo al crimen* (1808) hay ya elementos románticos: asuntos como la noche o el crimen, empleo de recursos como el claroscuro, el movimiento, etc.

Ingres (1780-1867) ha sido considerado como el continuador del clasicismo de David a lo largo del siglo XIX, pero su obra en realidad es más compleja. Su encendida defensa del dibujo como base esencial de la pintura, su devoción por Rafael y el acabado perfecto de sus obras son características puramente clásicas, pero tiene también rasgos románticos como la sensualidad y el orientalismo de sus odaliscas y su interés por los temas históricos. El suyo es un estilo muy personal, que se basa en la línea sinuosa y estilizada, acompañada de delicados juegos de luces y sombras y un detallismo extremado. Creó una abundante obra, en la que los retratos y los desnudos destacan hoy sobre las grandes composiciones alegóricas o religiosas.

TRES OBRAS DE DAVID

David es una de las figuras clave en el paso del siglo XVIII al XIX para conocer no sólo la evolución de la pintura, sino también la posición del artista en la sociedad de su tiempo. Tras un período de formación en la escuela de Boucher, viajó a Roma y su pintura evolucionó hacia un estilo clasicista en el que trabajó durante varios años. En 1785 pinta **El juramento de los Horacios**, un tema de la historia de Roma que muestra el momento en que los hermanos Horacios, en presencia de su padre, juran entregar su vida en defensa de la patria. Las figuras, colocadas sobre un fondo sencillo, destacan con nitidez, enmarcadas y a la vez separadas por los arcos. El carácter heroico de los hombres contrasta con el dolor del grupo femenino: drama y heroísmo se unen así para convencer y a la vez conmover al espectador en una apasionada llamada al patriotismo y la virtud cívica. Con un estilo nuevo y depurado consigue una perfecta síntesis entre forma y contenido y una imagen llena de fuerza visual que causó un gran impacto en su época.

El juramento de los Horacios (1785).

David encarna la figura del artista políticamente comprometido: participó activamente en la Revolución francesa, y durante el período jacobino fue miembro de la Convención y asumió importantes cargos públicos, desde los que desarrolló un completo plan para organizar las artes en Francia. Concibió el arte como un elemento transformador de la realidad, capaz de cohesionar a la nueva sociedad revolucionaria y de transmitir sus valores. Una de sus obras clave durante este período es **Marat asesinado** (1793), en la que la absoluta sencillez y la sabia composición, dominada por un gran vacío en la parte superior, subrayan la grandeza moral y la dignidad del revolucionario asesinado.

Napoleón en su gabinete (1812).

Marat asesinado (1793).

Durante el período napoleónico, David se convierte en pintor oficial y forma en su taller a una importante generación de pintores. Continúa pintando escenas históricas, cargadas de significado en relación con la situación política, como en *Las Sabinas* (1799) (una llamada a la reconciliación nacional), escenas áulicas, como *La coronación de Napoleón* (1805-1807), y también retratos, como este **Napoleón en su gabinete** (1812), de acabado preciso y gran verosimilitud.

Tras la Restauración borbónica, David se exilia a Bruselas. Sigue trabajando pero sus obras no logran la intensidad anterior. Su lenguaje formal estaba unido a los mensajes políticos y éticos, y su estilo se fue apagando al alejarse del centro de los acontecimientos políticos y perder su influencia moral.

2. GOYA, UNA FIGURA EXCEPCIONAL

Un estilo en evolución

Francisco de Goya (1746-1828) domina el panorama del arte español en el paso del siglo XVIII al XIX. Vivió el absolutismo y la Ilustración, el profundo impacto de la Revolución francesa, la guerra de la Independencia y gran parte del reinado de Fernando VII. A lo largo de este tiempo la pintura de Goya evoluciona. Su estilo inicial, cercano al rococó, se va transformando en un lenguaje más personal, con el que el pintor muestra inquietudes y caminos que más tarde serán explorados por distintas corrientes de la pintura contemporánea: el impresionismo, el expresionismo o el surrealismo.

GOYA: *El quitasol* (1777). En esta obra, Goya recoge un tema galante frecuente en la pintura francesa que trata con más cotidianeidad y verosimilitud, y en el que destaca el juego de luces y sombras sobre el rostro de la muchacha.

Cartones y retratos

La primera etapa de la obra de Goya se inicia tras un período de formación en Roma, cuando el pintor se instala en Madrid, se integra en el ambiente de pintores de la Corte y pinta cartones para la Real Fábrica de Tapices (1775-1792). Es la época del rococó de Tiépolo y del neoclasicismo de Mengs. Los cartones son obras decorativas, de temas populares y costumbristas; su técnica adquiere cada vez mayor soltura en la composición y desarrolla escenas amables con un colorido rico y brillante.

Pero su gran triunfo social y profesional lo logra como pintor de retratos. Alcanza el cargo de pintor de cámara, es el retratista favorito de la aristocracia y se relaciona con los ambientes ilustrados. Los retratos de la *Condesa de Chinchón* (1800) y *Gaspar Melchor de Jovellanos* (1798) son muestras de su dominio de la figura, su técnica suelta y su penetración psicológica.

Obras de madurez

En los años noventa tiene una grave enfermedad, que coincide con el Terror en la Francia revolucionaria, y comienza a explorar en sus obras el mundo de lo irracional: los sueños, las alucinaciones, la locura. Sus preocupaciones ilustradas y este mundo de lo terrible dan lugar a los *Caprichos*, serie de grabados que presenta en 1789.

En esta etapa realiza los frescos de San Antonio de la Florida (1798) y el lienzo *La familia de Carlos IV* (1800). La ligereza rococó ya ha quedado atrás, pero Goya mantiene el interés por la luz y las texturas, los efectos atmosféricos y la pincelada ligera.

La guerra de la Independencia supone una conmoción que refleja en *Los desastres de la guerra* y en otras obras. Los años posteriores son también amargos: Fernando VII desata una persecución implacable que lleva al exilio a sus amigos. Anciano, Goya pinta en las paredes de su casa, la Quinta del Sordo, las *pinturas negras* (1820-1823), un repertorio de imágenes casi expresionistas creadas con una paleta muy oscura: seres monstruosos y masas anónimas que se mueven en espacios indefinidos.

Pasa sus últimos años exiliado en Burdeos, donde muere. En *La lechera de Burdeos* (1825-1827) se observa una pincelada totalmente suelta y una imprecisión de contornos que preludian lo que en el último cuarto del siglo harán los impresionistas.

GOYA: *El Coloso* (1812). El lienzo está pintado con el mismo espíritu que Goya reflejará, diez años después, en las "pinturas negras". Aquí, una multitud huye aterrorizada de un gigante que, se cree, es una representación de la guerra.

GOYA: *La lechera de Burdeos* (1825-1827). En esta obra, Goya parece haber recobrado el gusto por la luz, el color y la belleza de la pintura, en una escena de género poco frecuente en los últimos años de su vida.

CAPRICHOS, DESASTRES Y DISPARATES

Goya tuvo una intensa actividad como dibujante y grabador. A lo largo de su vida hizo varias series, generalmente trabajadas con la técnica del aguafuerte y el aguatinta: Caprichos, Los desastres de la guerra, Tauromaquia *y* Los disparates. *En sus últimos años aprendió la técnica de la litografía e hizo varias obras sueltas y cuatro estampas.*

En su obra gráfica, Goya disfrutaba de una total libertad creativa, ya que no respondían a ningún encargo, y el propio pintor podía decidir todos los elementos de la obra: asunto, recursos formales, técnica, forma de presentación al público, etc. El pintor también reflejó el mundo de sus grabados en otras obras, como La vejez *(1810-1812) o* El entierro de la sardina *(1812).*

Los **Caprichos** son su primera serie, puesta a la venta en 1799. En ellos trata gran parte de los temas comunes en el mundo ilustrado y literario de su época: la crítica a la superstición, a la ignorancia (como en este grabado, *Si sabrá más el discípulo*) y a la ociosidad. Sin embargo, el espíritu no es racionalista, sino sarcástico y burlón, y aparece claramente lo irracional, lo onírico y lo tenebroso, un mundo poblado de brujas y monstruos, y a menudo nocturno. Los títulos de las estampas añaden significados que hacen más ambiguas las imágenes. En el momento de su publicación tuvieron escaso éxito y el pintor las retiró pronto, temiendo los ataques de la Inquisición, que perseguía celosamente cualquier obra crítica.

Si sabrá más el discípulo,
de la serie Caprichos *(1799).*

Estampa de Los desastres de la guerra *(1814).*

Los desastres de la guerra, de 1814, son 82 estampas que muestran el horror total, la absoluta crueldad. Es una nueva mirada, lúcida y dolorosa, sobre la guerra, que pierde aquí su significado: no hay heroísmo ni piedad, sólo la acción, que parece la peor de las pesadillas. El lenguaje enfatiza este enfoque: desaparece el paisaje, la anécdota, el entorno; sólo aparecen las figuras y algún árbol seco. Son los contrastes luminosos los que crean la atmósfera. Los últimos grabados de la serie se han considerado de contenido claramente político, una dura crítica a la ideología absolutista y clerical.

Los disparates son una colección de dieciocho grabados que quedó inacabada a la muerte del pintor y se publicó por primera vez en 1864. Los temas son variados: costumbres populares (el manteo, el baile, el carnaval), alucinaciones e imágenes oníricas, como muestra esta ilustración. Lo siniestro y lo grotesco dominan estas obras llenas de fantasía en las que la luz y el espacio son elementos expresivos esenciales.

Grabado de la colección Los disparates,
publicada en 1864.

La obra

En 1800 el rey, Carlos IV, encarga a Goya un retrato colectivo, en el que desea que aparezca toda su familia. Goya es ya un pintor importante en la corte, y poco tiempo después será nombrado pintor de cámara, cargo que culmina su carrera profesional. Para realizar este retrato familiar, el pintor hace en Aranjuez apuntes de la mayoría de los personajes.

Análisis formal

La familia real aparece en traje de corte, con lujosos vestidos, como preparados para una ceremonia. Este lujo contrasta con la sencillez de la presentación y del escenario. Las figuras se disponen alineadas, como en un friso, en una composición clasicista ante una pared que cierra el fondo, evitando una perspectiva profunda. La luz crea el espacio, resaltando los personajes principales y dejando algunas áreas del cuadro en penumbra. En esa penumbra está el propio pintor ante el lienzo, en un recurso que recuerda a *Las meninas* de Velázquez, pintor al que Goya admiraba y del que incluso copió alguna obra. Pero no aparece aquí el carácter narrativo ni el barroco juego de espejos. En cuanto a técnica, Goya trabaja sobre todo con la luz y el color; sus pinceladas resaltan las texturas y transparencias de los materiales, y destacan los brillos.

Significado

Algunos han visto en este cuadro casi una caricatura de la familia real, una imagen crítica de los retratados.

Ellos, sin embargo, se mostraron satisfechos con el cuadro y la carrera cortesana de Goya se consolidó. En esta época él ya ha publicado sus *Caprichos* e iniciado sus pinturas más personales.

Es característico de Goya el rechazo de lo anecdótico, que en esta obra se refleja en su desinterés por el ambiente arquitectónico, la decoración y todo lo que suponía el retrato de aparato.

En sus mejores obras se concentra en las figuras, uno de los elementos que más le interesaban. Por encima del carácter cortesano y de la riqueza del ropaje, destaca la gran penetración psicológica de los personajes retratados, que Goya logra gracias a su excelente dominio técnico y a su conocimiento profundo del género.

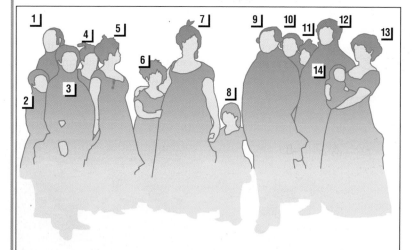

1 Goya
2 Carlos María Isidro (hijo de los reyes)
3 Fernando, Príncipe de Asturias (futuro Fernando VII)
4 María Josefa (hermana del rey)
5 Dama desconocida
6 María Isabel (hija de los reyes)
7 Reina María Luisa
8 Francisco de Paula (hijo de los reyes)
9 Carlos IV
10 Antonio Pascual (hermano del rey)
11 Carlota Joaquina (hija de los reyes)
12 D. Luis de Borbón (yerno de los reyes)
13 María Luisa (hija de los reyes y esposa de D. Luis)
14 Carlos Luis (hijo de María Luisa y D. Luis)

Esquema con la distribución de los personajes integrantes del cuadro La familia de Carlos IV.

ANÁLISIS

La obra

En 1814 Goya propone al regente, Luis de Borbón, "perpetuar por medio del pincel las más notables y heroicas acciones o escenas de nuestra gloriosa insurrección contra el tirano de Europa". El regente acepta y Goya pinta *El dos de mayo* (conocido como *La carga de los mamelucos*) y esta obra que vamos a analizar, *El tres de mayo de 1808*, llamada también *Los fusilamientos de La Moncloa*.

Análisis formal

Goya trabaja con pinceladas largas y fluidas una escena llena de dramatismo, que representa un hecho real: el fusilamiento de los protagonistas del levantamiento contra el ejército francés que había tenido lugar el día anterior en la Puerta del Sol de Madrid, acontecimiento que él mismo recoge en *El dos de mayo*.

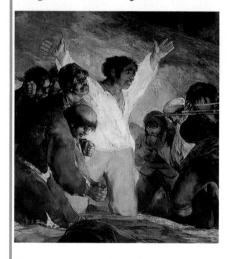

La composición y la luz concentran la atención del espectador sobre las figuras de los que van a ser fusilados, y especialmente sobre el hombre de la camisa blanca, que, con los brazos en alto, es una imagen de mártir secular. Los condenados están individualizados más por la acción que por la fisonomía y presentan distintas actitudes ante la muerte: desesperación, miedo, dolor. El farol situado en el suelo ilumina la escena y está parcialmente oculto por la masa de los soldados franceses, anónimos, idénticos, convertidos en una máquina de matar sin rostro que contrasta con el patetismo de los condenados.

Tras esta escena se recorta un paisaje sumario, simplificado, característico de Goya. Una parte importante de la superficie del cuadro es el cielo negro, que crea con el espacio iluminado un nuevo contraste.

Las contraposiciones de luz y oscuridad, y de individuo y masa anónima, refuerzan el dramatismo visual de la representación, con rasgos cercanos al romanticismo.

Significado

Los fusilamientos de La Moncloa formaban parte de la iconografía de la guerra de Independencia, popularizada a través de estampas. Goya elige el momento más dramático, anteponiendo la acción a la narración. Prescinde de héroes triunfadores y no representa la victoria, sino la derrota, presentando el personaje del luchador por la libertad que tanta fortuna tendrá en el romanticismo y, en general, en todo el siglo XIX.

Es interesante comparar la imagen de la guerra que Goya transmite en esta obra con la recogida en *Los desastres*, mucho más descarnada. Aquí se ha suavizado y expresado en un lenguaje más convencional y menos radical dictado por el carácter oficial y patriótico de la obra, que el propio autor anuncia en su propuesta. Con ella probablemente Goya trataba de afianzar su posición en una época difícil, y acallar las voces que le señalaban como un colaborador complaciente de los franceses.

- Compara las dos obras analizadas en los siguientes aspectos: tema, composición, técnica.
- ¿Cuáles son, en tu opinión, las características más importantes de la pintura de Goya?
- Busca información sobre el trabajo de Goya como retratista. ¿Qué importancia tuvo en su carrera? ¿Qué tipo de personajes retrata con más frecuencia?

3. LA PINTURA ROMÁNTICA

La sensibilidad romántica

El romanticismo no es un estilo pictórico, sino un movimiento cultural en el que participan la literatura, la música y las artes plásticas. Se inicia en el siglo XVIII y alcanza su plenitud en la primera mitad del siglo XIX.

La sensibilidad romántica subraya lo individual y lo subjetivo, valora la emoción, los sentimientos y la capacidad expresiva, y rechaza el sometimiento a las normas. Los románticos crean el mito del artista como un genio solitario, frecuentemente incomprendido y fracasado, creador de obras que sólo algunos pueden entender. Abundan temas como la locura, el suicidio, el amor, la muerte y los sueños, ya iniciados por los "visionarios" del siglo XVIII.

El triunfo del romanticismo es paralelo al asentamiento de la sociedad burguesa y al auge de los nacionalismos; se exaltan los sentimientos de rebeldía, de libertad artística y política y se siguen con pasión procesos como la lucha de Grecia por su independencia. Frente al ideal universal del neoclasicismo se prefiere ahora lo distinto, lo pintoresco: así se desarrollan el orientalismo, el costumbrismo, el interés por la Edad Media, los paisajes pintorescos, etc.

Esta sensibilidad romántica produce estilos pictóricos diferentes y se interesa por asuntos muy diversos. Una de las propuestas románticas fue la de *los nazarenos*, un grupo de pintores alemanes instalados en Roma que en 1810 decidieron vivir en comunidad y formar una hermandad al estilo medieval. Impregnados de sentimiento religioso, buscan un estilo alejado de la tradición académica y se inspiran en los *quattrocentistas* italianos y en Durero. **Overbeck** (1798-1869) y **Cornelius** (1783-1867), los más interesantes del grupo, realizaron obras de tema religioso con un estilo de pincelada compacta, línea nítida y colores puros. Esta escuela pronto perdió vigor y generó su propio academicismo, pero su influencia en el romanticismo alemán fue considerable.

DELACROIX: *Grecia expirando en las ruinas de Missolonghi (1827)*. La lucha de los griegos por su independencia interesó a muchos artistas románticos como Delacroix, que dedicó a este tema varias obras.

El romanticismo francés

La más brillante pintura romántica se creó en Francia, en la obra de Géricault y Delacroix. **Théodore Géricault** (1791-1824) tuvo una vida corta y trágica, que corresponde al prototipo de artista romántico. En *La balsa de la Medusa* (1820) representa a los supervivientes del naufragio de una fragata oficial. Es un asunto contemporáneo, con elementos de denuncia política y gran exaltación emocional. Con una composición basada en las líneas diagonales y un cromatismo muy contenido, combina energía y dramatismo con un interés por la realidad que reaparece en otras obras, como las litografías sobre la vida en Londres y los retratos de locos. Sentía pasión por los caballos, asunto que representó repetidas veces intentando captar su dinamismo y su fuerza.

Eugène Delacroix (1798-1863) realizó una obra extensa, con temas característicos del romanticismo: asuntos de la literatura –*Barca de Dante* (1822)–, lucha por la libertad –*La matanza de Quíos* (1824), *La libertad guiando al pueblo* (1830)– y escenas orientales –*Mujeres de Argel* (1834)–. Elige los momentos de máxima tensión y refuerza la expresión con un gran dominio del color. En su obra destaca su interés por los aspectos puramente plásticos y formales de la pintura, aunque nunca abandonó el carácter narrativo.

GÉRICAULT: *La balsa de la Medusa (1820)*. Géricault recoge en esta obra todo el dramatismo y la vehemencia del romanticismo más exaltado: desesperación, muerte, desastre. La escena del naufragio asume así un significado que trasciende el episodio concreto y revela, en un fragmento, una realidad atroz.

EL PAISAJE ROMÁNTICO

Durante el romanticismo aumenta el interés por la naturaleza, y esto se refleja en la pintura de paisajes, un género considerado secundario por el academicismo. Los artistas románticos hallan en los fenómenos naturales la expresión y el reflejo de sus arrebatos sentimentales: tormentas, tempestades, aludes en enormes montañas... En muchos paisajes aparecen ruinas medievales, símbolos de la nostalgia por el pasado característica del romanticismo. Hay también paisajes tranquilos, en los que se representa una naturaleza armónica. Los cambios generados por la revolución industrial llevan a algunos pintores a representar el mundo rural, convirtiéndolo en sus obras en una Arcadia feliz. En Inglaterra y Alemania surgieron las dos escuelas más importantes del paisajismo romántico.

CONSTABLE: *El carro de heno (1821).*

El mundo rural

John Constable (1776-1837) pintó los paisajes en los que transcurrió su infancia y que conocía muy bien. Hombre muy conservador, sus escenas se han interpretado como cantos a la vida en el campo que habrían contribuido a la formación de un sentimiento nacional inglés caracterizado por el amor al campo y a la vida rural. Son paisajes con escenas de trabajo agrícola, muy domésticas; en ellas la grandeza de la pintura ya no está en el tema, sino en la pintura misma. En sus obras los cielos y los cambios atmosfericos tienen una especial importancia; hizo muchos estudios de nubes y trata de reflejar la luminosidad del momento. Usa una técnica muy empastada, y frecuentemente aplica la pintura con la espátula; hay transiciones bruscas de color, con yuxtaposición de pinceladas en distintos tonos y colores. Consigue así el efecto centelleante de *El carro de heno* (1821).

Hacia la representación de lo fugaz

El estilo de William Turner fue evolucionando desde el verismo más absoluto en la representación del paisaje hasta una pintura cada vez más incorpórea, en la que la solidez de las formas se disuelve en una atmósfera hecha de luz y color. Los objetos no aparecen representados, sólo esbozados. Es un intento de representar lo efímero y transitorio: la niebla, el humo, el fuego, la puesta de sol. Crea transiciones suaves de color, en degradaciones y transparencias llenas de iridiscencias luminosas como se aprecia en *Vapor, lluvia y velocidad*, de 1844.

TURNER: *Vapor, lluvia y velocidad (1844).*

El paisaje como referente simbólico

Caspar David Friedrich (1774-1840) es el más valorado de los paisajistas alemanes. Sostenía que "un pintor no debe pintar lo que ve ante sí, sino también lo que ve en el interior de sí mismo", y en sus paisajes refleja su concepción simbólica y mística de la naturaleza, un sentimiento religioso que enlaza con el concepto de lo sublime. Este efecto se alcanza con contrastes dislocados entre el primer plano y el horizonte lejano. En *El caminante frente al mar de niebla* (1818), la figura solitaria, de perfiles muy definidos, se recorta contra el abismo y contrasta con la inmensidad del espacio, creando una imagen misteriosa muy característica de Friedrich.

FRIEDRICH: *El caminante frente al mar de niebla (1818).*

Nacimiento del realismo

A mediados de siglo la situación en Francia es agitada: Marx y Engels desarrollan las ideas socialistas, las organizaciones proletarias tienen más fuerza y los enfrentamientos sociales son agudos. Muchos artistas adoptan una actitud de compromiso ético con las clases trabajadoras y, rechazando el subjetivismo y el deseo de evasión del romanticismo, prestan atención a la realidad, con un evidente deseo de transformarla. Quieren una pintura que refleje la realidad de forma objetiva sin embellecerla. En este propósito influyó la aparición de la fotografía, que se hace pública en 1839 tras años de investigaciones de Niepce y Daguerre y se populariza rápidamente. La fotografía proporcionó una nueva mirada sobre la realidad, colaboró a encontrar nuevos encuadres y a eliminar los gestos artificiales y las composiciones estudiadas.

COROT: *El puente de Nantes* (1868-1870). *Los paisajes de Corot se acercan al realismo y destacan por el tratamiento de la luz y el volumen.*

En este contexto nace el realismo, que se caracteriza por una unidad de propósitos (reflejo de la realidad, ruptura con el academicismo, provocación, transformación social) más que por desarrollar un lenguaje formal homogéneo. La ruptura con la tradición es muy evidente en los temas. Se pinta la realidad desprovista de heroicidad: la vida cotidiana en la ciudad y en el campo, la intimidad, el paisaje, y sobre todo el mundo del trabajo.

La pintura realista francesa

En Francia el paisaje tuvo gran importancia en la aparición del realismo. Se evita lo pintoresco o grandioso del paisaje romántico para concentrarse en la observación minuciosa de la realidad y su plasmación "objetiva". En sus paisajes, **Camille Corot** (1796-1875) desarrolló un estilo próximo al realismo, luminoso y claro, con volúmenes limpios construidos con manchas de color.

En 1846 un grupo de pintores (Dupré, Díaz de la Peña, Daubigny), dirigido por **Théodore Rousseau** (1812-1867), se traslada a vivir al campo y crea la Escuela de Barbizon. Son decididamente realistas y pintan los bosques y prados del lugar en el que viven, observando atentamente la naturaleza y los cambios de luz y de atmósfera, como más tarde hará el impresionismo. Cercano y amigo de los pintores de Barbizon, **François Millet** (1814-1875) refleja en sus obras el trabajo de los campesinos.

El más destacado pintor realista es **Gustave Courbet** (1819-1877). Fue un socialista activo, participante en la Comuna, personaje polémico y apasionado, y su pintura es revolucionaria en los temas y en las formas. El interés por la realidad material, física, de lo representado y la falta de idealización y estilización causaron en su época tanto escándalo como los temas que eligió, alejados del repertorio tradicional: los picapedreros, el taller del artista, desnudos, escenas de caza, etc. Otro artista sobresaliente es **Honoré Daumier** (1808-1879), caricaturista político que publicó litografías con feroces críticas a los sucesivos gobiernos.

MILLAIS: *Ofelia* (1852). *Los prerrafaelistas, que usan con frecuencia temas literarios, tienen un tratamiento minucioso, detallista, que crea una atmósfera fantástica.*

Otro modo de ver la realidad

En Inglaterra un grupo de jóvenes pintores (W. Holman Hunt, Everett Millais, Dante Gabriel Rossetti, Ford Madox Brown) fundó en 1848 la Hermandad Prerrafaelista, que admiraba la pintura anterior a Rafael. Su reacción ante las consecuencias sociales de la industrialización es el rechazo del progreso técnico y el tratamiento de problemas sociales con un enfoque simbólico y moralizante que los aleja del realismo francés. Los prerrafaelistas tuvieron gran influencia en movimientos como el simbolismo y el modernismo.

TRES PINTURAS DEL SIGLO XIX FRANCÉS

El realismo de Millet reside en la elección del tema: pintó escenas de la vida campesina, de las que **El ángelus** (1857-1859) es una de las más populares. La composición es simple y basa su fuerza en la monumentalidad de las figuras inmóviles, su contraste con el gran espacio vacío y los efectos de luz, que añaden a la escena una atmósfera poética. Éstos son los recursos que caracterizan la mayoría de sus obras. La vida campesina había sido ya reflejada en la pintura (recordemos la escuela holandesa), pero Millet crea imágenes alejadas del pintoresquismo y la pintura de género en los que se encuadraban estos temas. Sus cuadros concitaron en su momento el rechazo de la sociedad más conservadora, que vio en ellos una amenazadora glorificación del trabajador.

MILLET: *El ángelus* (1857-1859).

DAUMIER: *El vagón de tercera clase* (hacia 1860-1864).

Honoré Daumier es un artista políticamente comprometido, que considera que el arte no es una representación sino un instrumento de lucha con el que intentar transformar la realidad social. A lo largo de su vida usó diversos medios de expresión (litografías, acuarelas, óleos, dibujos, esculturas), y fue encarcelado en varias ocasiones por sus caricaturas políticas, publicadas en periódicos y revistas satíricas. Sus obras recogen la vida cotidiana de las clases obreras y la pequeña burguesía parisina en trenes, calles o juzgados. **El vagón de tercera clase** (1860-1864) forma parte de una serie de obras sobre el mismo tema, en las que refleja una penetrante descripción, fruto de la observación directa de la realidad. Daumier trabaja con líneas fluidas y formas rotundas y muestra un dominio del claroscuro que proviene de su larga experiencia como litógrafo.

Buenos días, señor Courbet (1854) representa un hecho real, intrascendente: la llegada del pintor a Montpellier y su encuentro en el campo con su amigo y protector Bruyas, que está acompañado por un criado y un perro. Bruyas era un hombre acaudalado, apasionado coleccionista de las obras del pintor, de quien Courbet esperaba obtener fondos para organizar una exposición. El hecho de inmortalizar un encuentro trivial responde fielmente a los postulados de Courbet, para quien la fuerza de la pintura reside en la pintura misma y no en el tema, y rompe con el romanticismo, que atribuía una importancia máxima al significado del asunto representado. Las figuras se recortan nítidamente contra la llanura soleada, que refleja fielmente el paisaje real, y crea una imagen de gran unidad. Destaca también el empleo de una paleta excepcionalmente clara en relación con el resto de su obra.

COURBET: *Buenos días, señor Courbet* (1854).

DE OBRAS

LA MUERTE DE SARDANÁPALO, DE DELACROIX

La obra

Delacroix presentó esta obra en el Salón de 1827. El tema lo extrae del poema *Sardanápalo* de Byron, uno de los escritores que más admiraba y de cuya obra tomó muchos asuntos para su pintura. El pintor elige el momento en el que el sátrapa, asediado por sus enemigos, ordena reunir sus posesiones (eunucos, caballos, tesoros) y matar a sus mujeres antes de prender fuego a todo y autoinmolarse. El lienzo causó gran conmoción y tuvo un rechazo general, incluso de pintores como Gros.

El artista

Delacroix pinta este cuadro con 29 años. El pintor había tenido un largo período de formación, que compartió con su amigo Géricault, y había realizado ya obras como *La barca de Dante* (1822) y *La matanza de Quíos* (1824), pero aún no había alcanzado el éxito profesional que le acompañó tras 1830, con la subida al trono de Francia de Luis Felipe, quien le proporcionó múltiples encargos.

Análisis formal

La escena es abigarrada, llena de agitación, sensualidad y violencia. La composición está dominada por el plano oblicuo, que baja en diagonal desde el fondo, donde Sardanápalo está inmóvil, hacia el primer plano. Las figuras se derraman en una cascada cuyo vértice es la mirada del sátrapa, en una composición abierta que agranda el espacio y favorece el efecto de acumulación y abundancia. Esta línea descendente, que expresa la idea de muerte y destrucción, está reforzada por el horizonte, muy alto, que fuerza el campo visual.

El color rojo predomina en la zona central y se repite en algunos elementos periféricos. Alrededor de esta mancha roja, Delacroix dispone zonas verdosas, de modo que los dos colores complementarios se exalten el uno al otro. En cada área yuxtapone pinceladas de distintos tonos del mismo color para conseguir un efecto más vibrante, en una técnica que aprendió de Constable. Así, el color es un elemento esencial.

Significado

La muerte de Sardanápalo puede considerarse un manifiesto romántico de Delacroix. En ella se hallan rasgos significativos de su obra: imaginación, exotismo, asunto literario, atracción por la muerte y la crueldad, sensualidad exacerbada, etc., todo ello en un lenguaje formal expresivo donde el color está muy relacionado con el movimiento de las formas y su contenido. Su pintura cuestiona formal y conceptualmente la tradición plástica y significa una clara rebelión contra el clasicismo más académico.

- Investiga sobre la pintura romántica y cita otras obras de artistas que representen temas extraídos de la literatura.
- Delacroix admiraba a Rubens, y en sus obras se pueden apreciar influencias de este pintor. ¿Podrías señalar algunas?

La obra

Courbet pintó este cuadro en 1849 y lo presentó, junto con otras ocho obras, en el Salón del año siguiente con este título: *Cuadro de figuras humanas, histórico, de un entierro en Ornans*. El pintor localiza la escena en su localidad natal, un pequeño pueblo francés.

El artista

Courbet realizó este lienzo un año después de producirse la revolución de 1848, en la que él había participado activamente desde varios periódicos y revistas. Entonces el pintor asistía a una tertulia con Corot, Daumier, el filósofo anarquista Proudhon, Baudelaire y otros personajes que discutían sobre el realismo y el papel del arte en la sociedad. Era una época de esperanzas de cambio, que serían truncadas después por el golpe de Estado de Luis Napoleón, tras el que algunos de sus amigos se exiliaron y él tuvo que refugiarse en Ornans.

Análisis formal

Las figuras, de tamaño natural, aparecen en un gran friso compacto, sin que apenas haya relación entre ellas. Llevan a cabo un ritual, pero parecen ausentes, de hecho nadie mira la fosa abierta en primer término. Courbet muestra la sociedad de una pequeña ciudad de provincias en un retrato colectivo, sin ninguna retórica. Para este cuadro hizo posar a los habitantes de Ornans y reflejó el paisaje de los alrededores de la localidad, creando una imagen en la que destaca la importancia de la colectividad sobre el individuo.

Se aprecian aquí algunos rasgos esenciales de la pintura de Courbet: la composición yuxtapuesta, la falta de expresión, el modelado simple, la disminución de la profundidad espacial, que acerca los personajes al primer término, y la elección de temas reales, contemporáneos, sin ningún argumento o contenido literario evidente.

Significado

El entierro de Ornans es una de las obras capitales de Courbet y, de hecho, casi un manifiesto realista. El título del lienzo y su enorme tamaño (3 x 6 m), revelan la intención del pintor de llevar a la gran pintura un asunto que carecía de interés para los artistas tradicionales como es un entierro cualquiera. Cuando se expuso en el Salón causó escándalo, porque mostraba el aspecto material de la muerte en una actitud desapasionada, sin sentimientos elevados y sin emplear recursos que impliquen emocionalmente al espectador.

- ¿Cuáles son los rasgos del realismo que aprecias en *El entierro en Ornans*?
- Compara los temas de las obras analizadas en estas dos páginas y explica qué importancia tiene el tema en cada una.
- Busca información sobre Courbet y analiza otras obras de este pintor.

El neoclasicismo

El neoclasicismo español estuvo muy dominado por la corriente davidiana, que llegó de la mano de **José Aparicio** (1773-1838), **Juan Antonio Ribera** (1779-1860) y **José de Madrazo** (1781-1859), pintores que fueron discípulos del taller de David. Con un estilo frío, dominado por el dibujo y composiciones teatrales, estos artistas pintaron cuadros de gran formato con temas de la historia antigua o de contenido "patriótico", como *La muerte de Viriato* (1808), de Madrazo. Con ellos se inicia la pintura de historia, de gran importancia a lo largo del siglo.

Junto a ellos destaca **Vicente López** (1772-1850), autor de retratos de estilo clásico, más tradicionales, trabajados con una técnica muy minuciosa y detallista, llena de virtuosismo técnico.

Del romanticismo al realismo

La pintura romántica española abarca autores de estilos y temas muy diferentes. Por una parte hay dos pintores que siguen la línea crítica de Goya: Alenza y Lucas. **Leonardo Alenza** (1807-1845) pinta cuadros de pequeño formato, de temas costumbristas y escenas de la vida popular, algunas con tono satírico, y usa una técnica ligera, de pincelada suelta. **Eugenio Lucas** (1821-1845) es el más directo seguidor de Goya tanto en su forma de pintar como en los asuntos: procesiones, cárceles, corridas, romerías, obras críticas con la Iglesia y la superstición. Son dos pintores alejados del triunfo artístico, que representan una veta crítica y creativa, poco valorada en su tiempo.

MADRAZO, Federico: *La condesa de Vilches (1853). Madrazo fue un gran retratista romántico que nos dejó una galería de personajes de la aristocracia y la alta burguesía de mediados de siglo.*

El gusto oficial se inclina hacia obras más amables como las realizadas por **Federico de Madrazo** (1815-1894), que domina el panorama artístico durante años con retratos de técnica perfecta y cuadros de historia. Otros retratistas interesantes son **Antonio María Esquivel** (1806-1857), autor del célebre *Reunión de literatos en el estudio* del artista (1846), y **José Gutiérrez de la Vega** (1805-1865), que pintó también obras religiosas en las que la influencia de Murillo es patente.

El gusto por lo pintoresco y lo exótico, tan característico del romanticismo, se plasma en cuadros de temas orientales, como los realizados por **Francisco Lameyer** (1825-1877), los paisajes evocadores y sugestivos de **Genaro Pérez Villaamil** (1807-1854) y en la obra de **Valeriano Domínguez Bécquer** (1834-1870), que recoge las tradiciones populares de distintas regiones con un lenguaje colorista y lírico.

MARTÍ ALSINA: *La siesta (hacia 1870). Sigue el programa realista en el uso de temas intrascendentes y el reflejo de ambientes reales.*

En España la tardía industrialización y los lentos cambios sociales explican la pervivencia del romanticismo y el retraso del realismo, dando lugar a una situación de cierto eclecticismo. El paisaje realista, introducido por **Carlos de Haes** (1829-1898), convive así con el estilo minucioso de **Mariano Fortuny** (1838-1879). Este último pintor, que alcanzó un enorme éxito, usa un lenguaje detallista, de pinceladas pequeñas y luminosas. Sus obras recogen los temas románticos: orientalismo (*La odalisca*, de 1862) y costumbrismo (*Árabes corriendo la pólvora*, o *La vicaría*, de 1870). Es una pintura preciosista.

Ramón Martí Alsina (1826-1894) es el artista que más se acerca al aspecto crítico del realismo courbetiano. Seguidor de la revolución de 1868, reflejó en sus obras la situación de los trabajadores y los paisajes urbanos de Barcelona, junto con escenas domésticas y cotidianas.

LA PINTURA DE HISTORIA

La pintura de historia fue durante todo el siglo el género más apoyado por la Academia de Bellas Artes, que cada dos años celebraba exposiciones oficiales en las que otorgaba medallas y pensiones para estudiar en Roma. Este sistema explica el auge del género y su pervivencia a lo largo del siglo.

José de Madrazo (1781-1859) estudia con David durante la etapa más académica y fría del gran pintor francés. Será este neoclasicismo arqueologista y algo seco el que trae a España, y utilizará temas de la historia española (como **La muerte de Viriato**, de 1808) para desarrollar el programa neoclásico de mensajes morales e ideas nobles y elevadas: heroísmo, abnegación, patriotismo. Su pintura, sin embargo, carece de la pasión intelectual que anima las mejores pinturas de David, y las actitudes y gestos de los personajes se han convertido ya en fórmulas algo estereotipadas. Madrazo fue uno de los grandes personajes del mundo cultural, con multitud de cargos oficiales, y trató de abrir el cerrado ambiente artístico español a las corrientes europeas. Inaugura además una dinastía artística que se continuará con su hijo Federico.

MADRAZO, José: *La muerte de Viriato (1808).*

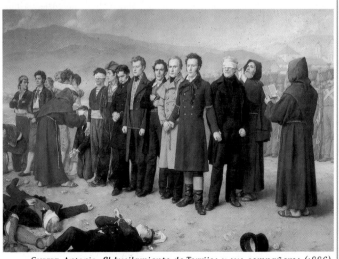

ROSALES, Eduardo: *El testamento de Isabel la Católica (1864).*

La pintura de historia evoluciona y bajo la influencia del romanticismo, con su acusado historicismo, se incorporan asuntos de tema medieval. La pervivencia del género y el aislamiento del mundo artístico español, que se mantiene relativamente ajeno a la evolución de la pintura francesa, explican que en fechas tan tardías como 1864, cuando ya Manet ha pintado su *Olimpia* y su *Desayuno sobre la hierba*, Eduardo Rosales (1836-1873) pinte uno de los mejores y más populares cuadros de historia, **El testamento de Isabel la Católica**, en el que muestra su conocimiento de la pintura velazqueña y sus excelentes cualidades técnicas, que hacían presagiar una evolución interesante, malograda por la temprana muerte del pintor.

El realismo llegó de lleno a la pintura de historia, y los pintores se esforzaron en crear imágenes de gran verosimilitud y reconstrucciones minuciosas de épocas pasadas, creando así una suerte de realismo historicista. En **El fusilamiento de Torrijos y sus compañeros**, pintado en 1886, Antonio Gisbert (1834-1902) recoge un hecho histórico ocurrido en 1830, cuando el levantamiento liberal fracasa y algunos de sus protagonistas son ejecutados en Málaga por orden de Fernando VII. La técnica es minuciosamente realista, y el pintor crea una imagen de gran veracidad. La exaltación del mártir de la libertad, tan frecuente en el romanticismo, resulta aquí más moderada en las formas, más contenida, tanto por el lenguaje realista como por el carácter oficial de la pintura de Gisbert, hombre de convicciones progresistas.

GISBERT, Antonio: *El fusilamiento de Torrijos y sus compañeros (1886).*

SÍNTESIS

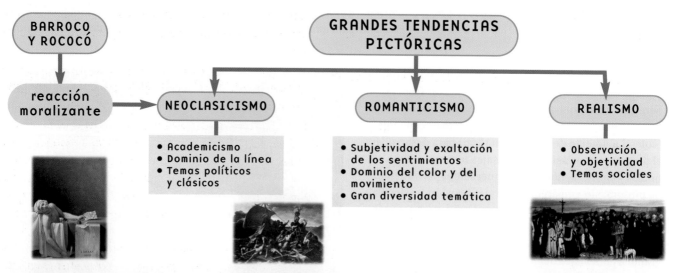

PINTURA DEL SIGLO XIX. EUROPA		
TENDENCIAS ARTÍSTICAS	**CARACTERÍSTICAS**	**ARTISTAS Y OBRAS**
NEOCLASICISMO	• Búsqueda del ideal de belleza. • Finalidad moralizante y educativa. • Lenguaje sobrio, predominio de la línea, composiciones reposadas. • Temas extraídos de la Antigüedad.	• DAVID: *Marat asesinado* (1793); *El juramento de los Horacios* (1785); *Madame Récamier* (1800); *Napoleón en su gabinete* (1812). Seguidores de David: • GÉRARD: *Cupido y Psique* (1797). • INGRES: *La gran odalisca* (1814).
ROMANTICISMO	• Exaltación de la subjetividad, la emoción y la capacidad expresiva. • Rechazo del clasicismo y de las normas. • Temas variados: lo inconsciente, la naturaleza, la historia, lo exótico... • Lenguajes formales muy variados, libertad creativa.	• GÉRICAULT: *La balsa de la Medusa* (1820). • DELACROIX: *Grecia expirando en las ruinas de Missolonghi* (1827); *La muerte de Sardanápalo* (1827); *Mujeres de Argel* (1834). • CONSTABLE: *El carro de heno* (1821). • TURNER: *Vapor, lluvia y velocidad* (1844). • FRIEDRICH: *El caminante frente al mar de niebla* (1818).
REALISMO	• Temas contemporáneos, extraídos de la realidad. Ruptura de la jerarquía temática. • Carácter crítico y antiacadémico. • Influencia de la fotografía.	• COROT: *El puente de Nantes* (1868-1870). • MILLET: *El ángelus* (1857-1859). • COURBET: *El entierro de Ornans* (1849); *Buenos días, señor Courbet* (1854). • DAUMIER: *El vagón de tercera clase* (1860-1864).

PINTURA DEL SIGLO XIX. ESPAÑA		
TENDENCIAS ARTÍSTICAS	**CARACTERÍSTICAS**	**OBRAS Y AUTORES**
GOYA	• Figura excepcional cuya obra tendrá repercusiones importantes para el arte posterior. • Su obra evoluciona de la proximidad inicial al rococó a un estilo muy personal difícilmente clasificable. • Primera etapa (hasta 1790) de afianzamiento y triunfo (es nombrado pintor de cámara). Colorido rico y brillante. • Obra de madurez (hasta su muerte) con importantes crisis personales que afectan a su obra: exploración de nuevos lenguajes, oscurecimiento de la paleta, temas oníricos, fantásticos, etc. Al mismo tiempo continúa su labor como pintor de cámara.	• Cartones para tapices (1775-1792). • *Gaspar Melchor de Jovellanos* (1798). • *La condesa de Chinchón* (1800). • *El Coloso* (1812). • *El tres de mayo* (1814). • Pinturas negras (1820-1823). • *La lechera de Burdeos* (1825-1827). • Obra gráfica: *Caprichos* (1799), *Los desastres de la guerra* (1814), *Tauromaquia* (1816), *Los disparates* (1864).
NEOCLASICISMO	• Influencia directa de David en los artistas españoles. • Inicio de la pintura de historia en España.	• José de MADRAZO: *La muerte de Viriato* (1808). • Vicente LÓPEZ.
ROMANTICISMO	• Estilo más académico en cuadros de historia y retratos.	• Federico de MADRAZO: *La condesa de Vilches* (1853).
	• Costumbrismo amable, pintoresquismo, cuadros de género y de la intimidad burguesa, retratos.	• Antonio María ESQUIVEL, José GUTIERREZ DE LA VEGA, Valeriano DOMÍNGUEZ BÉCQUER.
	• Costumbrismo crítico y amargo, en la línea iniciada por Goya.	• Leonardo ALENZA, Eugenio LUCAS.
	• Paisaje.	• Genaro PÉREZ VILLAAMIL.
REALISMO	• Corriente que entra en España con retraso con respecto al resto de Europa.	• MARTÍ ALSINA: *La siesta* (hacia 1870).

HACIA LA UNIVERSIDAD

1. Desarrolla uno de estos dos temas:

   a) *El neoclasicismo en pintura: principales artistas y características.*

   b) *La pintura romántica: aspectos técnicos, compositivos y temáticos.*

2. Analiza y comenta estas imágenes de la manera más completa posible:

3. Define o caracteriza brevemente los términos y nombres siguientes: *nazarenos, Corot, prerrafaelistas, Blake, pintura de historia.*

4. Lee con atención el siguiente texto y responde a las cuestiones que se plantean:

El arte de la pintura consiste en la representación de los objetos que el artista puede ver y tocar. Ninguna época debe ser reproducida si no es por sus propios artistas, quiero decir, los artistas que han vivido en ella. Afirmo y mantengo que los artistas de un siglo son incapaces de reproducir las cosas de un siglo precedente o futuro. Por esta razón rechazo la pintura histórica del pasado. La pintura histórica es fundamentalmente contemporánea [...]; asimismo, mantengo que la pintura es esencialmente un arte concreto que únicamente puede estar compuesto por la representación de las cosas reales y existentes. Es un lenguaje completamente físico, integrado no por palabras, sino por todos los objetos visibles. Un objeto abstracto, invisible e inexistente, no forma parte del dominio de la pintura.

COURBET en *Courrier du Dimanche*, 25-XI-1861.
Citado por NOVOTNY, Y. F.: *Pintura y escultura en Europa.*
1780-1880. Madrid, Cátedra, 1994

— ¿Cuál es la opinión de Courbet sobre los temas adecuados para la pintura?

— ¿Cuál era la postura de los románticos sobre este asunto?

— ¿Qué plasmación tuvo esta postura en la obra de los pintores realistas? ¿Qué temas eligieron para sus obras? ¿Cuáles rechazaron?

PASADO Y PRESENTE EN EL ARTE

Ingres fue un pintor de éxito que a lo largo de su carrera obtuvo honores y multitud de cargos oficiales. Además, era un gran melómano y músico aficionado que tocaba con asiduidad en conciertos de amigos. Opinaba que la mejor manera de relajar los dedos, rígidos tras muchas horas de trabajo ante el lienzo, era tocar el violín. En muchas de sus obras representa desnudos femeninos de espaldas, como en *La bañista de Valpinçon* (1808), reproducida a la izquierda.

En 1924, el fotógrafo y pintor estadounidense Man Ray, integrante del provocador movimiento dadaísta, realizó esta fotografía (imagen de la derecha), titulada *El violín de Ingres.*

—¿Qué ha hecho Man Ray? ¿Qué relación crees que tienen estas dos obras?

— ¿La obra de Man Ray te parece una muestra de admiración hacia Ingres, una burla, una crítica...? Razona tu respuesta.

— ¿Cuáles crees que eran sus propósitos al realizar esta obra? Consulta la unidad 23 y verifica si son ciertas las conclusiones a las que has llegado.

 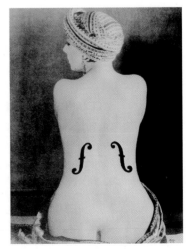

21. IMPRESIONISMO Y POSTIMPRESIONISMO

En el último tercio del siglo XIX apareció en Francia una tendencia pictórica que concedía la máxima importancia al efecto que la luz y los colores producen en la retina: el impresionismo. Sus adeptos propugnaron una pintura fresca, en contacto directo con la naturaleza y de ejecución rápida. El tratamiento abocetado acentuaba el aire espontáneo de aquellos cuadros, en radical oposición al acartonamiento de los temas y al acabado relamido propio de la pintura académica.

Poco después, a partir de 1880, surgió un grupo de pintores revolucionarios, los postimpresionistas (Cézanne, Seurat, Van Gogh y Gauguin, entre otros), que llevaron a sus consecuencias extremas algunas de las premisas de la generación anterior. Impresionismo y postimpresionismo fueron los últimos episodios artísticos de la tradición occidental, pero también abrieron la puerta que condujo a las transformaciones más radicales de las vanguardias del siglo XX.

JULES LAFORGUE: EL IMPRESIONISMO (1883)

El impresionismo ve y representa la naturaleza tal como es, es decir, únicamente en vibraciones coloreadas. Ni dibujo, ni luz, ni modelado, ni perspectiva, ni claroscuro, esas clasificaciones infantiles: todo se resuelve en realidad en vibraciones coloreadas.

CONSEJOS DEL PINTOR CLAUDE MONET A SU ALUMNA CABOT

Cuando salga a pintar, intente olvidar los objetos que tenga ante sus ojos, los árboles, las casas, los campos, etc. Piense simplemente: he aquí un pequeño cuadrado azul, un rectángulo rosa, una raya amarilla, y pinte lo que vea, el color y la forma exactos, hasta tener la sensación de que contempla por primera vez la escena que tiene ante sí.

CÉZANNE EN UNA CARTA A ÉMILE BERNARD (1905)

Ahora [que soy un] viejo de casi setenta años, las sensaciones colorantes que dan la luz son en mí causa de abstracciones que no me permiten cubrir mi tela, ni perseguir la delimitación de los objetos cuando los puntos de contacto son tenues, delicados; de donde resulta que mi imagen o cuadro es incompleto.

Recogido por SOLANA, Guillermo: *El inicio de las vanguardias: del impresionismo al fauvismo.* En RAMÍREZ, J. A. (director): *Historia del Arte, vol. 4. El mundo contemporáneo.* Madrid, Alianza, 1997, pp. 200, 169 y 174

MONET, Claude: *Impresión: sol naciente.*

S   Í   N   T   E   S   I   S

CLAVES DE LA ÉPOCA

Los progresos técnicos y el arte

La segunda mitad del siglo XIX conoció muchos adelantos técnicos y científicos que condujeron a una modificación importante de los modos de percepción visual. El *ferrocarril* se extendió de un modo vertiginoso y su uso frecuente impuso la idea de que las cosas podían (o debían) verse ya a una gran velocidad. Contó también la difusión de la *luz artificial*, gracias a la implantación de lámparas de queroseno o de gas y, ya a finales de siglo, la iluminación eléctrica (causó furor el "Palacio de la Electricidad" en la Exposición Universal de París de 1900). Mencionaremos también algunos progresos espectaculares en la *fotografía*, como los que permitieron fijar el movimiento de los seres vivos empleando placas que eran mucho más fotosensibles que las anteriores.

Palacio de la Electricidad en la Exposición Universal de París de 1900. La reflexión sobre la luz (natural y artificial) fue determinante para el impresionismo.

Factores del impresionismo

El mundo aparecía a finales del siglo XIX como algo móvil, inestable, cambiante. Los artistas que deseaban representarlo tal como se suponía que era no se preocupaban ya por su hipotética forma permanente sino por la apariencia fugaz de las cosas ante la mirada humana. Los temas que interesaban a los pintores sólo contaban considerados tal como se veían bajo unas condiciones luminosas determinadas. Y además había que representarlos deprisa, antes de que la luz, siempre cambiante, alterase la imagen que se había formado en la retina.

Éstos son algunos de los factores que dieron origen a los modos de trabajo y a las obsesiones de los *impresionistas*. Con este nombre se designa a un grupo de pintores que expusieron conjuntamente sus obras en París entre 1874 y 1886, y que causaron un gran escándalo en su época por la novedad de sus planteamientos artísticos. Los asuntos de aquellos cuadros no eran mitológicos o patrióticos, sino marinas, paisajes de las afueras de la capital o escenas anodinas de la vida cotidiana.

Lo más novedoso, sin embargo, era su técnica abocetada, con pinceladas cortas y muy visibles. Respecto al colorido, casi estridente, debemos señalar innovaciones tan radicales como la eliminación del color negro en la paleta y su sustitución por tonalidades azuladas o violáceas. Los impresionistas practicaron la pintura al aire libre, con el caballete colocado directamente ante el asunto que querían representar, lo cual fue posible debido a que la pintura al óleo se podía adquirir ya en tubos de estaño, fabricados por industriales que ofrecían colores de calidad estandarizada.

MONET, Claude: *Estación de Saint Lazare (1877). Entre 1876 y 1878, Monet pintó unos diez lienzos sobre esta estación de París. Las locomotoras, el vapor que despedían y el ambiente de estas construcciones de hierro le sirvieron al pintor como pretexto para representar el verdadero motivo del cuadro: la luz.*

Después del impresionismo

El impresionismo, en suma, privilegiaba la mirada "fotográfica" de la realidad, aparentemente desapasionada, neutral. Pero la inmediatez de la ejecución, el abocetamiento técnico y el empleo de colores "puros" (los de los tubos de fabricación industrial, con poca mezcla en la paleta) condujeron pronto a otras investigaciones artísticas. Hacia 1880 se notó un cierto cansancio o agotamiento del impresionismo. Los conflictos entre los miembros iniciales del grupo se hicieron manifiestos, y Durand-Ruel, el marchante que estaba logrando imponer las obras de estos revolucionarios en el mercado artístico, empezó a organizar exposiciones individuales de algunos de ellos.

Seurat, Georges: *Bañistas en Asnières* (1883-1884).

Aparecieron entonces nuevos artistas que, aunque partiendo de los logros del impresionismo, desarrollaron algunas de sus premisas en direcciones completamente novedosas. Su actitud fue más claramente rupturista, inaugurándose con ellos algunas de las líneas peculiares de las vanguardias artísticas del siglo xx. Son los *postimpresionistas*, una denominación genérica con la que se engloba en realidad a artistas y tendencias bastante diferentes entre sí, y cuyo denominador común fue el de aprovechar las lecciones de los impresionistas, continuando, entre 1880 y los primeros años del siglo xx, su tradición de ruptura con los valores artísticos establecidos: Cézanne geometrizó la representación anticipándose al cubismo; Seurat y Signac (los "neoimpresionistas") disolvieron el cuadro en una miríada de puntos discontinuos que la retina y la inteligencia del espectador debían recomponer; Van Gogh hizo del arte un vehículo de autoexpresión; Gauguin nos ofreció la imagen pictórica de un lejano paraíso perdido; los simbolistas, en fin, hicieron la primera exploración artística del inconsciente preanunciando lo que sería luego el surrealismo.

Escultura: el monumento y la impermanencia

De la escultura debe decirse que sólo en parte siguió una evolución paralela a la de la pintura. Las décadas finales del siglo xix y la primera del xx fueron especialmente fecundas para el monumento público. La misma evolución política que llevó a la extensión de la enseñanza primaria obligatoria (y del servicio militar) condujo a los Estados a preocuparse por la educación cívica de los ciudadanos mediante el arte. De ahí la proliferación, en todas partes, de estatuas de los grandes hombres y de alegorías que encarnaban los ideales colectivos que al poder le interesaba transmitir. El lenguaje plástico de estas obras era "realista" y la disposición normalmente muy teatral, pero también llegaron a este terreno los aires de renovación que se detectan en la pintura. Un escultor como Medardo Rosso, por ejemplo, ha podido ser calificado de "impresionista". Auguste Rodin es la figura más importante del momento: su obra está impregnada de todo el sentimentalismo de la época, pero muestra en su inacabamiento el mismo aire de fugacidad e impermanencia que percibimos en la pintura coetánea.

Querol, Agustín: *Monumento a los sitios* (Zaragoza, 1908). *Éste es un buen ejemplo de escultura pública finisecular, con la preeminencia que se concedía al movimiento y a la teatralidad de las figuras.*

AÑOS	HISTORIA Y CULTURA	ARTE
1860-1879	• Comuna de París (1871). • Invención de la lámpara eléctrica (1879).	• *Olympia*, de Manet (1865). • Primera exposición de los impresionistas (1874).
1880-1889	• Aparición del coche de gasolina (1885).	• *Bañistas en Asnières*, de Seurat (1883-1884). • Van Gogh en Arlés (1888).
1890-1899	• Primer proceso a Dreyfus (1894). • Engels edita *El Capital* de Karl Marx (1894).	• *La edad madura*, de Camille Claudel (1895-1903). • Serie de las catedrales, de Monet (1892-1894).
1900-1919	• Exposición Universal de 1900 y triunfo del *art nouveau*. • Revolución mexicana (1910). • Comienza la Primera Guerra Mundial (1914).	• Muerte de Gauguin (1903). • *Las grandes bañistas*, de Cézanne (1906). • Muerte de Rodin (1917).

Manet, el precursor

El precursor directo de los impresionistas fue Édouard Manet (1832-1883), un hombre de familia burguesa que empezó su carrera artística pintando cuadros realistas. Pero lo que más le separaba de artistas como Courbet eran los temas: Manet no se interesaba por las implicaciones sociales y políticas del arte, o por lo menos no adoptaba ante los asuntos la óptica izquierdista peculiar del realismo de mediados de siglo. A principios de los años sesenta acusó el impacto de la pintura española, sobre todo de Goya y Velázquez, cuyos valientes "borrones" y estridentes destellos luminosos fueron un gran estímulo para que Manet aclarase su paleta y liberase la pincelada.

MANET, Édouard: *El almuerzo sobre la hierba* (1863).

Así es como llegó a producir los primeros cuadros escandalosos de la pintura moderna, como *El almuerzo sobre la hierba* o la *Olympia* (ambos de 1863). El primero de esos cuadros mostraba a una mujer desnuda, junto a los restos de una merienda campestre esparcidos por el suelo, y acompañada por un par de jóvenes vestidos, aparentemente entregados a una amable conversación. El cuadro no fue admitido al Salón oficial de 1863 y hubo de figurar en el llamado "salón de los rechazados", provocando no pocos comentarios sarcásticos por parte del público y de la crítica. Se le reprochaba su crudeza técnica, la apariencia abocetada y el aire lechoso, casi plano, del desnudo. No se entendió entonces que Manet estaba abriendo la pintura hacia nuevos derroteros: afirmaba el plano del cuadro en tanto que tal y no su profundidad ilusoria. Esto también era obvio en *Olympia*.

Manet fue visto como un maestro y un guía por los impresionistas y de estos discípulos más jóvenes aprendió a su vez algunas cosas, como su pasión por el aire libre y su interés por los aspectos puramente luminosos del asunto a pintar, todo lo cual es palpable en las obras que ejecutó a partir de los años setenta.

Degas y Renoir

También procedía de una familia burguesa Edgar Degas (1834-1917). Sus gustos artísticos eran más conservadores que los de sus colegas impresionistas, y preparaba minuciosamente sus composiciones antes de la ejecución definitiva. Le gustaba que su obra pudiera enlazar con la gran tradición de la pintura occidental, lo cual no le impidió adoptar encuadres y reproducir movimientos que habrían sido impensables si no se hubiese inspirado en las imágenes fotográficas. Moderno y tradicional a la vez, Degas es, como Manet, una especie de gozne entre la pintura antigua y el arte moderno. Lo mejor fueron sus figuras de contenido social (como *La planchadora*, de 1869), las bailarinas y también las escenas hípicas como *El desfile (caballos de carreras ante las tribunas)*. Se nota siempre su preocupación por representar un segmento mínimo del movimiento humano y animal. Igual obsesión llevó al fotógrafo E. Muybridge, en 1872, a fijar en distintas tomas las varias fases del movimiento de las patas de un caballo.

DEGAS, Edgar: *El desfile (caballos de carreras ante las tribunas)* (hacia 1868).

Pierre-Auguste Renoir (1841-1919) fue un impresionista más típico que Manet y Degas. Su representación de *La Grenouillère* (1869), por ejemplo, es muy parecida a la que hizo el mismo año Claude Monet. En ambos casos vemos las mismas pinceladas cortas y vibrantes y una atención similar a los efectos cambiantes de la luz reflejándose sobre el agua. Pero lo más característico de Renoir son sus figuras humanas. En sus desnudos al aire libre mostró insólitos efectos luminosos, nunca hasta entonces representados en la pintura.

EL CUERPO HUMANO

Olympia es el título de esta obra de Manet, y ello debe entenderse como una parodia de aquellas escenas mitológicas con una gran idealización de la figura humana desnuda que eran habituales en la pintura que se exhibía en los "salones" parisinos. El cuerpo lechoso de la modelo reposa sobre un diván blanco y sobre un chal español, formando así un contraste intenso con el fondo y con la figura de la sirvienta negra que ofrece a su señora un ramo de flores. La joven recostada es una prostituta, sin duda, y su mirada intensa al espectador sugiere que éste (el que mira el cuadro) es el cliente hipotético que acaba de entregar las flores a la criada. Así se explica el escándalo que causó en su día este cuadro. También fue muy criticado lo que hoy nos parecen logros indiscutibles del artista: sus juegos pictóricos con colores afines (como las "armonías en blanco" de la mujer y del lecho en el que reposa), la planitud general de la escena, el vigor de la pincelada, etc.

Muy distinta es la imagen del cuerpo femenino que nos presenta Degas en **Bailarinas en la barra**. Las actitudes son insólitas, sin ninguna relación con las poses convencionales del arte académico. No nos miran, concentradas como están en sus ejercicios. El espectador del cuadro no está implicado de ningún modo: es como un ojo inerte que capta las cosas en su instantánea fugacidad, sin sentimientos especiales, como lo haría una máquina de fotos. También el encuadre parece casual, con ese inmenso suelo en diagonal y las figuras descentradas hacia la parte superior derecha. Degas mira el cuerpo humano y el escenario donde se sitúa como un impresionista típico: sin dar lecciones ni suscitar pasiones.

DEGAS, Edgar: *Bailarinas en la barra* (1876-1877).

MANET, Édouard: *Olympia* (1863).

Con este **Torso de mujer al sol** hizo Renoir una demostración de cómo el cuerpo desnudo podía representarse también directamente bajo la luz del sol, en un paisaje natural. Los rayos solares se filtran entre las hojas proyectando manchas discontinuas sobre la piel. Las sombras no se han obtenido oscureciendo los colores con negros o marrones (como hacían los pintores renacentistas), sino mediante pinceladas azuladas y violáceas. Ello llevó a un crítico coetáneo a atacar al artista diciendo que este torso femenino parecía "una masa de carne en descomposición". Nada más lejos de la verdad: Renoir nos enseñó a ver el cuerpo pintado como algo saludable, luminoso y alegre como una simple mañana primaveral.

RENOIR, Pierre-Auguste: *Torso de mujer al sol* (1875).

Pissarro y Sisley

El más veterano de los pintores del grupo que nos ocupa ahora fue **Camille Pissarro** (1830-1903). Tomó como punto de partida las lecciones de Corot y de Courbet, pero evolucionó rápidamente hacia esa factura suelta con colores claros que caracterizaba el trabajo de los impresionistas. Su ideología izquierdista le llevó a introducir ocasionalmente en sus cuadros algunas alusiones "sociales". A Millet recuerda un poco, por ejemplo, el personaje y el paisaje desolado de *Escarcha*, aunque nada tienen que ver con la técnica de los realistas esas pinceladas cortísimas con superposiciones abruptas de color que vemos aquí por todas partes. Tales "punteados" inspiraron de un modo especial a los neoimpresionistas. Además de un gran pintor, Pissarro fue también un hombre bondadoso cuya personalidad contribuyó bastante a limar asperezas en el seno del grupo impresionista.

PISSARRO, Camille: *Escarcha* (1873).

SISLEY, Alfred: *La inundación en Port Marly* (1876).

Otro gran paisajista fue **Alfred Sisley** (1839-1899). Si nos fijamos en el cuadro *La inundación en Port Marly* nos damos cuenta de que es un exponente equilibrado y muy fiel de la poética impresionista. Se ha representado una tragedia, sin duda, pero el ojo analítico y distanciado del artista nos muestra una escena desprovista de dramatismo. Las casas y los árboles se reflejan en las aguas con total indiferencia. Apenas se insinúan unas figuras humanas sobre una barca, en el centro del cuadro, pero sería difícil aventurar qué hacen o cuál es su estado de ánimo. Se trata, en suma, de un paisaje: lo que importa no es la anécdota "histórica", sino las nubes cambiantes y los parpadeos de color sobre el cauce desbordado y móvil del río. La paradoja del impresionismo es que pone el acento sobre lo eterno (la naturaleza) y no sobre lo efímero de la condición humana. Pero lo hace enfatizando la impermanencia, la mutabilidad de los datos luminosos y atmosféricos del paisaje.

Claude Monet

Ningún otro pintor encarna la representación del impresionismo de una manera tan completa como Claude Monet (1840-1926). Él fue, de alguna manera, el vertebrador del grupo y el que marcó su orientación estética así como la evolución que condujo desde la ortodoxia del "aire libre" hasta una especie de romanticismo simbolista. En efecto, fue un cuadro de Monet el que sirvió para denominar a los impresionistas: *Impresión: sol naciente* (1872). Pero ya había demostrado antes su interés por los elementos cambiantes de la atmósfera y del agua, como es evidente en su mencionada representación (tan similar a la de Renoir) de *La Grenouillère* (1869). A finales de la década de los años setenta empezó a interesarse por la disolución de las formas en el humo y el vapor (*Estación de St. Lazare*, de 1877). Diez años después su fama era ya considerable, sus obras se vendían bien, y pudo permitirse vivir en una espléndida casa con jardín "a la japonesa", en el cual se inspiró para algunas series de sus últimos años, como las *Ninfeas* (hacia 1920).

EVOLUCIÓN DEL PAISAJE IMPRESIONISTA EN TRES ÓLEOS DE MONET

Fue el crítico Louis Leroy el que acusó despectivamente de "impresionistas" a los pintores que expusieron sus obras por primera vez en un local prestado por el fotógrafo Nadar. Sucedió esto en 1874, y tal calificativo vino suscitado por un cuadro de Monet, **Impresión: sol naciente** (1872), que representa bien los ideales estéticos del grupo en el momento de su presentación pública. El disco rojo del amanecer proyecta sobre el agua unas intensas pinceladas de color naranja. Apenas se intuye el lugar del horizonte: el cielo y el agua se han fundido en una tonalidad única, violácea, interrumpida por las pinceladas con las que se trazan las siluetas más oscuras de las barcas y las grúas portuarias. Se diría que la imagen pintada es apenas el recuerdo de un parpadeo visual: es justo hablar aquí de una "impresión".

Impresión: sol naciente (1872).

Mucho más conscientemente elaborados parecen los cuadros que Monet hizo copiando la fachada de la **Catedral de Rouen** (1894), un edificio que pintó a distintas horas del día, utilizando en cada momento un tono predominante: desde el azulado por la mañana temprano hasta el dorado del atardecer. Demostraba así que el tema no tenía un color sino que éste era cambiante. Se trata de una serie muy elaborada en sus aspectos conceptuales, pero también muy laboriosa desde el punto de vista técnico. Las formas arquitectónicas, los detalles primorosos del gótico, se disuelven en la luz. La masa de piedra parece perder su gravidez, aunque aún reconocemos una similitud entre la forma visible en la pintura y la que el ojo encuentra en el supuesto modelo real.

No es ése ya el caso con las **Ninfeas** (h. 1918), el experimento más radical de Monet. Debe decirse que lo desarrolló en un momento en el que causaban furor las vanguardias artísticas radicales, incluyendo la abstracción. Parece que Monet soñaba con disponer los grandes lienzos de esta serie formando un círculo dentro del cual estaría el espectador, como en un prodigioso panorama pictórico. El Monet anciano seguía sin ser un pintor "abstracto", pues se inspiraba en lo que podía verse flotando en el agua de su jardín de Giverny (cerca de París), pero la disolución de las formas era casi total. Un magma luminoso y vibrante lo impregna todo. Más que a una "impresión" asistimos, en este estadio final del impresionismo, a un auténtico deslumbramiento.

Catedral de Rouen (1894).

Ninfeas (hacia 1918).

3. EL POSTIMPRESIONISMO: CÉZANNE

Un incomprendido

No todos los pintores que participaron en las exposiciones de los impresionistas fueron capaces de compartir los supuestos estéticos característicos del grupo. Algunos no asimilaron bien las innovaciones que se estaban gestando, y otros no pudieron entender nunca las lecciones de aquellos jóvenes maestros. Proliferaron entonces los *incomprendidos*, artistas que enlazaban (a veces sin querer) con la tradición romántica del creador puro que lucha contra la sociedad filistea, y que sólo muy tarde, o después de su muerte, logra el reconocimiento de su genio. A esta categoría pertenecieron casi todos los grandes creadores *postimpresionistas*. Se apartaron por igual de la tradición académica y de la ortodoxia impresionista, lo cual les situó en una especie de tierra de nadie. La evolución ulterior del arte contemporáneo ha permitido el reconocimiento tardío del genio de algunos de ellos considerándolos como creadores de primera magnitud y precursores de la vanguardia.

CÉZANNE, Paul: *Naturaleza muerta con cráneo* (1895-1900). *Este artista pintó mucho pero no solía firmar ni fechar sus obras, lo que puede deberse a su permanente inseguridad: no sabía bien en qué momento debía considerar terminada la obra y era frecuente que retocara una y otra vez sus cuadros anteriores.*

Paul Cézanne (1839-1906) es seguramente el más importante de todos ellos. Sus primeras obras, en los años sesenta, ilustraron temas románticos con una técnica que derivaba de artistas como Delacroix, Daumier y Courbet. La influencia de Manet le condujo hasta los impresionistas, con los cuales expuso en 1874 y 1877. Cézanne era entonces, tal vez a su pesar, un pintor inasimilable: sus paisajes y bodegones podían parecer torpes intentos de adaptarse a los procedimientos de los impresionistas, pues faltaba en ellos la frescura cromática y la sensación de inmediatez. Pero tampoco tenían nada que ver con las maquinaciones pictóricas de los académicos y de los realistas, con sus acabados "fotográficos" y con el culto que rendían todos ellos a las reglas del "oficio". En la década de los años ochenta Cézanne se quedó casi completamente aislado, abandonó París y se trasladó a su ciudad natal de Aix en Provence, donde residió hasta su muerte. No se preocupó mucho por agradar a hipotéticos compradores o marchantes, pero al mismo tiempo demostró una constancia en el trabajo y una obstinación dignas de un verdadero profesional.

Del ojo al intelecto

Pero la posteridad ha reivindicado a Cézanne y ha considerado como virtudes lo que a sus contemporáneos les parecían defectos. Observemos una obra típica del artista como la *Naturaleza muerta con cráneo*: los tonos azulados del paño recuerdan a los impresionistas, ciertamente, pero no por ello ha prescindido del negro para sombrear y delimitar los contornos de algunas figuras; renuncia al suave modelado de las frutas y de la calavera, que aparecen tratadas con pinceladas discontinuas que no crean puntos o destellos de luz, ni tampoco volúmenes suavemente degradados, sino manchas cromáticas relativamente uniformes y yuxtapuestas. La sensación táctil (y gustativa) que era habitual en los bodegones tradicionales es aquí sustituida por evocaciones exclusivamente visuales. Ninguna relación, sin embargo, con el hedonismo sensitivo de los impresionistas: este pintor se dirige al intelecto; el cuadro empieza a dejar de ser un asunto que afecta a la retina para convertirse en un estímulo para la reflexión.

Cézanne vivió lo suficiente como para ver recompensados su aislamiento y su excentricidad. Durante la última década de su existencia fue objeto de una admiración creciente por parte de una nueva generación de jóvenes pintores. Exposiciones ulteriores de Cézanne fueron vistas por los primeros vanguardistas propiamente dichos: los *fauves*, Braque y Picasso, fundamentalmente. A las lecciones que ellos extrajeron del maestro de Aix en Provence se deben las transformaciones más radicales de la historia de la pintura universal.

TRES OBRAS DE CÉZANNE

Una escena de género como la de estos **Jugadores de cartas** (1890-1895) ha sido abordada por Cézanne de un modo muy distinto al habitual. El ambiente tabernario ha desaparecido casi por completo, reduciéndose a la mesa en la que apoyan sus brazos los jugadores. También el color se ha eliminado: apenas una gama de tonos apagados (ocres, pardos y verdosos), en abierto contraste con el brillante despliegue del que hicieron gala otros pintores coetáneos como Van Gogh o Gauguin. Debe señalarse además la tendencia de Cézanne a representar las figuras sirviéndose de unas pocas figuras geométricas elementales: "Todo en la naturaleza –dijo en una ocasión– se modela según la esfera, el cono y el cilindro", y de ahí la nítida solidez de los brazos, el sombrero, o de todos los otros elementos de la composición.

Jugadores de cartas (1890-1895).

Nada mejor para apreciar lo que separaba a Cézanne de los impresionistas que examinar alguno de sus paisajes. Representó muchas veces **La montaña Sainte-Victoire**, como si quisiera emular las series de Monet, pero no tuvo nunca intención de fijar en el lienzo los efectos atmosféricos cambiantes, sino más bien todo lo contrario. El ejemplo que se reproduce aquí (h. 1885-1895) representa bien el estilo maduro del artista. La montaña del fondo tiene una nitidez similar a la de las granjas y los árboles del primer plano: todo parece estar cerca y lejos, a la misma distancia del ojo del espectador. No es ésta la imagen de algo efímero o impermanente, pues responde bien al deseo expresado por Cézanne de "rehacer a Poussin del natural", es decir, de reinterpretar la tradición del paisaje clásico desde la experiencia histórica del impresionismo.

La montaña Sainte-Victoire (hacia 1885-1895).

Las grandes bañistas fueron pintadas poco antes de su muerte, sólo un año antes de que Picasso realizase *Las señoritas de Aviñón* (1907). En este gran lienzo (2,5 x 2 metros), representó Cézanne a un grupo numeroso de mujeres desnudas en un espléndido paisaje natural. Agrupadas en dos mitades casi simétricas, forman una especie de pirámide con la prolongación de los árboles hacia la cúspide central. La técnica es muy ligera, con el óleo diluido, como si fuera acuarela, lo cual contribuye a acentuar la sensación de transparencia que tiene toda la composición. No hay nada sensual en una escena como ésta, que produce la sensación de una rara comunión entre las figuras y el entorno, entre los cuerpos y el aire. Sólo un paso separa este trabajo del cubismo analítico de Picasso y Braque.

Las grandes bañistas (1906).

4. Seurat y Van Gogh

El neoimpresionismo

El impresionismo estuvo animado, en parte, por algunas investigaciones científicas. Pero los descubrimientos de la óptica fueron explotados más sistemáticamente por un artista ulterior como Georges Seurat (1859-1891). El punto de partida de su trabajo está en el interés por el aire libre y por la captación de la luz de pintores inmediatamente anteriores, pero pronto intentó sistematizar la idea de la pincelada corta, llegando a concebir el cuadro como una superficie vibrante con elementos discontinuos de color. En una pintura grande como los *Bañistas en Asnières* (1883-84) ya está plenamente definido su procedimiento: muchos puntos de colores que se funden en la retina cuando la obra se contempla a una cierta distancia. El método era tan laborioso que resultaba impensable ejecutar este tipo de obras al aire libre. Se ha denominado a esta corriente *neoimpresionismo* y también (lo que parece más adecuado por razones técnicas) *puntillismo*.

SEURAT, Georges: *Tarde de domingo en la isla de la Grande Jatte (1884-1886)*. *Tras la aparente naturalidad de esta obra se esconde un gran artificio: esos domingueros parisinos pasean imperturbables, pero si nos fijamos bien percibimos multitud de detalles extravagantes, como el mono que lleva de paseo la señora de la derecha, la elegante mujer con caña de pescar a la izquierda, etc.*

La obra maestra de Seurat fue *Tarde de domingo en la isla de la Grande Jatte*, una composición de enormes dimensiones que requirió muchos estudios preliminares. Logró el artista una sensación de gran naturalidad para un cuadro que es, en realidad, sumamente artificioso. Todos los personajes tienden a estar de frente o de perfil, lo cual, añadido a la horizontal del río y a las líneas verticales de los árboles, contribuye a hacernos sentir que la pintura está organizada en una trama ortogonal. Más interesante aún es la superficie misma: el pincel no barre la tela sino que se posa en ella en forma de golpes nerviosos. La pintura ya no parece algo inerte: nuestro movimiento físico, o el del ojo al fijarse en alguna parte de la composición, provocan una intensa sensación de vibración.

Fiel seguidor de Seurat fue Paul Signac (1863-1935), un pintor prolífico y viajero que abandonó la idea ortodoxa de aplicar sólo puntos de colores puros (hay en sus cuadros numerosos punteados violetas, naranjas y verdosos, además de los de color azul, rojo o amarillo). Como escritor contribuyó mucho a divulgar el procedimiento y a justificarlo con una teoría estética.

Van Gogh, el incomprendido

Más todavía que Cézanne, el holandés Vincent van Gogh (1853-1890) encarna el prototipo del artista incomprendido en vida y reivindicado por la posteridad. A los veintisiete años decidió hacerse pintor e inició un lento y azaroso aprendizaje, tomando al principio como modelo a artistas como Millet, de cuyas composiciones admiraba sobre todo sus valores humanos. Pero no logró convertirse en un verdadero "profesional": Van Gogh no vendió en vida ningún cuadro, manteniéndose siempre de la modesta asignación que le pasaba su hermano Theo, con el cual mantuvo una de las más intensas correspondencias de la historia del arte.

En 1886 se trasladó a París y allí entró en contacto con la obra de los impresionistas y neoimpresionistas: su paleta se hizo más clara y brillante, adoptó el hábito de la ejecución rápida al aire libre, y también acortó la pincelada haciendo más espeso y denso el rastro del pincel sobre la tela. Pero no siguió las actitudes intelectuales predominantes entre los innovadores franceses. Van Gogh, por el contrario, concibió el cuadro como un lugar donde el artista proyectaba con inmediatez sus pasiones y sentimientos. Los temas solían tener para él un escondido valor simbólico, de raíz cristiana: el sembrador o el segador, los girasoles, muchos paisajes y vistas urbanas, casi todo, en fin, era explicado como si la pintura careciese de justificación prescindiendo de una escondida lección moral. En 1888 Van Gogh se trasladó a Arlés, muy afectado ya por la enfermedad mental que le llevaría al suicidio dos años después. Fue en esta ciudad donde creó sus cuadros más intensos, los que han ejercido una influencia mayor en el arte ulterior.

LA TORMENTA INTERIOR: TRES OBRAS DE VAN GOGH

En **El dormitorio** pintó Van Gogh una vista de su habitación, en el interior de la "casa amarilla" de Arlés, donde vivió, compartiéndola durante un breve período con Gauguin. La perspectiva está acelerada (como si se hubiera fotografiado con un objetivo de gran angular), y los colores, casi planos, se han dispuesto para que armonicen entre sí y transmitan emociones, sensaciones de reposo y estabilidad.

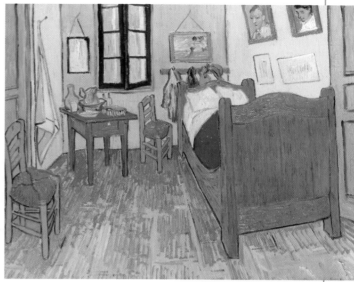

El dormitorio (1889).

No es eso lo que percibimos en este **Autorretrato**. El artista estaba recuperándose entonces de una crisis mental en el asilo de Saint-Rémy, y quiso seguramente que una pose equilibrada y el atuendo relativamente elegante sugiriesen la idea de su recuperación. Armonizó admirablemente la figura con el fondo empleando un tono uniforme de azules y malvas. Pero las pinceladas son espesas y forman remolinos inquietantes sin justificación alguna, como si fueran la expresión pictórica inconsciente de los tormentos mentales del creador.

Autorretrato (1889).

El mismo procedimiento aparece en un paisaje tan inquietante como **La noche estrellada**. Van Gogh parece haber pintado aquí una alegoría de la muerte y del destino del alma hacia los astros (según su creencia). Las estrellas y la luna son presa de una intensa agitación: se diría que sus remolinos violentos anuncian un inminente cataclismo cósmico. Los cipreses, en primer plano, se elevan al cielo como si se tratase de las llamas oscuras de una tierra que ha iniciado ya la ignición de una hecatombe apocalíptica. He aquí, en fin, una demostración de cómo la pintura era un vehículo privilegiado de autoexpresión. Por estas y otra razones Van Gogh es el precursor indudable de todas las corrientes expresionistas del arte del siglo XX, desde los *fauves* o los alemanes de los años diez, hasta el expresionismo abstracto de la segunda postguerra.

La noche estrellada (1889).

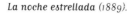

Paul Gauguin

Una manera de superar el impresionismo diferente de las examinadas hasta ahora es la representada por Paul Gauguin (1848-1903), que empleó con preferencia los colores planos en superficies homogéneas, y buscó en las sociedades primitivas un modo de regenerar el arte occidental.

Lo que Gauguin buscaba era un arte más abstracto, y de ahí la atracción que durante un tiempo ejerció sobre él Cézanne. En 1886 se instaló en Bretaña, una región atrasada que conservaba intactas muchas de sus formas ancestrales de vida, y allí hizo su primera inmersión en el primitivismo. Trabó entonces amistad con Émile Bernard, un pintor que practicaba el estilo llamado *cloisonné* o tabicado, es decir, que aplicaba el color en masas uniformes separadas por contornos más oscuros. Esta forma de simplificar la realidad visual es la base del estilo maduro de Gauguin. También se sintió fascinado por la religiosidad candorosa de Bernard y de los campesinos bretones. Con tales supuestos pintó sus primeras obras maestras, como *Visión después del sermón: Jacob luchando contra el ángel* (1888).

Persiguiendo su búsqueda de un mundo primitivo ideal, Gauguin se instaló en Tahití en 1891. Soñaba con abandonar del todo la civilización europea y con alcanzar la libertad para "amar, cantar y morir". Y aunque hubo de sufrir el decepcionante contacto con la corrupta administración colonial, percibiendo la destrucción que se estaba operando en el modo de vida de los nativos, captó también lo que pervivía todavía en aquellas islas del océano Pacífico del mítico paraíso perdido. Sus cuadros de aquellos años son excelentes precursores del primitivismo ulterior de algunos vanguardistas.

Simbolistas y pintores del "art nouveau"

Las dos décadas finales del siglo XIX conocieron un resurgir espiritualista y romántico, una especie de reacción contra el empirismo científico y el positivismo filosófico. El satanismo convivió con la nostalgia religiosa, y fueron muy abundantes en las artes los paraísos imaginarios. Esta actitud tuvo importantes repercusiones en pintores de muy distinta naturaleza y procedencia, algunos de los cuales, como hemos visto, encuadrables dentro del postimpresionismo. Podemos recordar, además de ellos, unos pocos nombres significativos.

MOREAU, Gustave: *La aparición* (1876). *En este cuadro se representa a Salomé, a quien se le aparece la cabeza cortada de San Juan Bautista. Ello sucede en un escenario indeterminado, con extravagancias orientales. Las figuras y las cosas emergen de la oscuridad como destellos o fogonazos, apenas entrevistos en su consciente abocetamiento, como si fueran apuntes para una obra de teatro o una ópera imaginaria.*

Pierre Puvis de Chabannes (1824-1898) renovó la pintura mural y fue autor de cuadros presididos por una audaz voluntad de simplificación formal. Gustave Moreau (1826-1898), mantuvo una línea decadentista, evocando con recargado barroquismo episodios mitológicos o pasajes evangélicos, tal como se aprecia en *La aparición*. A otra generación perteneció ya el austriaco Gustav Klimt (1862-1918), cuyo estilo, muy ornamental, estuvo casi siempre al servicio de temas cargados de simbolismo.

Pero entre todos los pintores calificables de "simbolistas" los más interesantes son los *nabis* ("profetas", en hebreo), un grupo que arrancó de una obra de Paul Serusier (1863-1927) titulada *El talismán* (1888). Había pintado este cuadro en Bretaña siguiendo el ejemplo y los consejos de Gauguin. El resultado es un paisaje casi completamente abstracto, ejecutado con los colores puros, tal como éstos salían de los tubos de fabricación industrial. El teórico principal del grupo fue Maurice Denis (1870-1943). Él enunció esta famosa declaración programática de casi toda la pintura moderna: "Un cuadro, antes de ser un caballo de batalla, una mujer desnuda o cualquier otra anécdota, es una superficie plana cubierta de colores en un cierto orden".

SERUSIER, Paul: *El talismán* (1888). *Cuando Serusier enseñó esta obra a sus amigos de París, éstos decidieron constituir una especie de asociación artística y fue entonces cuando adoptaron el nombre de nabis.*

La búsqueda del paraíso: tres obras de Gauguin

A la primera época de Gauguin pertenece **El Cristo amarillo** (1889). Se ve en este cuadro la tosca imagen de un Cristo crucificado que el artista copió de una iglesia rural de Bretaña; el inverosímil color amarillo uniforme de su cuerpo es como una emanación del paisaje otoñal, con esa cálida intensidad que acentúan los árboles y la cruz, cuyo color rojizo comparten. Tan real es la imagen como la naturaleza, y no sabemos, de hecho, si esas campesinas están adorando a un Cristo esculpido o han caído de hinojos ante una aparición. No es una visión óptica realista, ni tampoco está interesado Gauguin por la sistematización de la práctica pictórica, ni por la expresión de la conciencia subjetiva. Busca, por el contrario, lo primordial, lo mágico y lo maravilloso. Con la simplicidad técnica de los buenos carteles quiere transportar al espectador a una edad de oro alejada del espacio y del tiempo históricos. La pintura era entendida como una materialización de la utopía.

Matamúa es palabra tahitiana que significa "en otra época". El brillante colorido de la escena, tan irreal como armónico, sugiere la alegría y la felicidad de un remoto país donde la desnudez no es pecaminosa ni el trabajo necesario. El cuadro se relaciona con un viaje (imaginario, al parecer) del artista alrededor de Tahití, en el curso del cual halló un valle cuyos habitantes "quieren vivir aún como antaño". Es obvio que Gauguin fue un artista de gran personalidad, muy conectado con el universo ideológico de los simbolistas. Su búsqueda pictórica del paraíso preludia los logros en la misma línea de un artista como Matisse.

El Cristo amarillo (1889).

Matamúa (1892).

Manao Tupapau (1892).

No prescindió Gauguin tampoco de la expresión ambigua del terror y la inocencia, como se ve en **Manao Tupapau** (1892), que significa en tahitiano "pensamiento-aparecido". Se ha dicho, con razón, que este cuadro es como una inversión de la *Olympia* de Manet, y por eso debería interpretarse como un homenaje al amor no mercenario ni culpable. Semejante canto a la sexualidad inocente de los mares del Sur fue pintado por Gauguin conmemorando lo que le sucedió una noche cuando su joven amante nativa le confundió, durante un instante, con una aparición.

6. La escultura "fin de siglo"

Impermanencia y fugacidad

Aunque no puede hablarse en sentido estricto de una escultura impresionista, sí es posible detectar en este campo una preocupación por la fugacidad y lo efímero que enlaza con algunas inquietudes de los pintores del momento. Las audacias personales eran más difíciles en la escultura, un arte caro que no puede sobrevivir fácilmente al margen de los grandes encargos y de la protección oficial. No olvidemos que los trabajos más frecuentes seguían siendo los monumentos y las estatuas decorativas en los edificios públicos. Esto no impidió la experimentación con pequeños formatos y materiales poco costosos como la arcilla o la cera, y es muy significativo que algunos de esos trabajos escultóricos fueran ejecutados por pintores. Edgar Degas había dado a conocer una interesante bailarina esculpida en la exposición impresionista de 1881, pero ejecutó otras muchas obras del mismo tipo, siempre pequeñas. Común a todas ellas es la preocupación por detener un movimiento fugaz. También Gauguin hizo esculturas, practicando la talla directa en madera.

Degas, Edgar: *Mujer sorprendida* (1896-1911). Es obvio el desinterés absoluto de Degas por los "edificantes" temas patrióticos o alegorías morales que eran peculiares de la escultura oficial. Su objetivo, por el contrario, es representar lo fugaz, un instante de un movimiento.

Nada que ver, desde luego, con esa obsesión por lo impermanente que predominó en los años finales del siglo XIX, y que tanto se nota en **Medardo Rosso** (1858-1928). Fue éste el más cercano al impresionismo entre todos los escultores coetáneos. El pequeño formato de sus piezas le permitió experimentar con el inacabamiento y con la disolución de las formas. Todo parece a punto de fundirse y desaparecer. Refuerza mucho esta impresión el hecho de que sean piezas de cera, un material semitransparente que filtra y refleja la luz, pero también sumamente maleable mediante un leve aumento de la temperatura.

Rosso, Medardo: *La edad de oro (1886).* Con esta escultura Rosso aludió a la maternidad, a la fugacidad de la expresión facial, y también, por extensión, a lo transitorio de la infancia y de la juventud, a la brevedad misma de la vida.

Rodin y Camille Claudel

El más grande de los escultores del siglo XIX fue **Auguste Rodin** (1840-1917). Empezó siendo un realista radical y sufrió por ello las consecuencias: su *Hombre con la nariz rota* (1864) fue rechazado en el Salón oficial. Pero un viaje a Italia en 1876 le puso en contacto con los grandes escultores del Renacimiento, como Miguel Ángel, de cuyo "inacabamiento" sacaría importantes lecciones para el futuro. Rodin entró así con mayor facilidad en una línea de trabajo que podía ser aceptable para el gusto oficial. A partir de obras como *La edad de bronce* (1877) y *San Juan Bautista predicando* (1878) alcanzó una fama creciente. Le llovieron desde entonces los encargos, como el de su obra maestra indiscutible, *Las puertas del infierno* (1880-1900).

Merece una mención el caso de su discípula **Camille Claudel** (1864-1943), una de las pocas mujeres escultoras de la historia, olvidada injustamente hasta fechas muy recientes. Durante unos años mantuvo una tortuosa relación amorosa con Rodin, en cuyo taller trabajó. La mejor creación de Claudel es *La edad madura*, un tema típicamente simbolista que alude al paso del tiempo.

Claudel, Camille: *La edad madura.* (1895-1903). En este grupo se han visto alusiones autobiográficas: una mujer horripilante, representante de la vejez, arranca a un hombre maduro (Rodin) de los brazos de una implorante muchacha arrodillada (la propia artista). La anécdota no agradó a Rodin y contribuyó mucho a la ruptura definitiva con su discípula.

LAS PUERTAS DEL INFIERNO DE RODIN

En al año 1880 Rodin, famoso y admirado ya por todo el mundo, recibió el encargo de ejecutar una puerta monumental para lo que iba a ser un futuro museo de artes decorativas. El escultor se entusiasmó con el proyecto y puso en él todo su talento creativo, incorporando allí algunas de las mejores invenciones de toda su carrera. Tardó veinte años en concluir un modelo que no fue fundido en bronce, sin embargo, hasta después de la muerte del artista. Se había abandonado mientras tanto la idea del museo, y el trabajo de Rodin, sin destino aparente, quedó como una escultura "pura", una especie de retablo prodigioso dedicado a toda la humanidad.

Torrente figurativo

En éste y en sus otros trabajos quiso Rodin superar el mero realismo físico o sociológico de la generación anterior para incluir también las pasiones, los deseos insatisfechos, el sufrimiento y el goce. Las formas fluyen como una especie de torrente figurativo. La ausencia de compartimentos para las escenas, al estilo de su modelo renacentista (las *Puertas del Paraíso* de Ghiberti, en el baptisterio de la catedral de Florencia), sugiere el deseo de fundir los espacios y los tiempos de la representación. Parece evidente que el escultor consideraba inacabada la aventura de vivir: no era posible concebir en la época del simbolismo un "juicio final" como el que había pintado en la Capilla Sixtina Miguel Ángel, uno de los ídolos de Rodin.

Las puertas del infierno (1880).

El beso (1898).

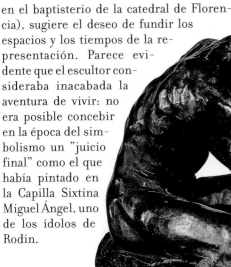

El pensador (1880).

Una meditación sobre el destino del ser humano

En efecto, las puertas representan a los innumerables descendientes de Adán y Eva, sufriendo y gozando tras la caída provocada por el pecado original. Modificó así Rodin su idea inicial de representar el infierno según la *Divina Comedia* de Dante, y de ahí que sustituyera la proyectada imagen del poeta, en el centro de la parte superior, por una de sus obras maestras: *El pensador* (1880). La puerta es, por lo tanto, una especie de colosal meditación sobre el destino apasionante y dudoso del ser humano. No rehúye la representación de ningún aspecto, desde la sensualidad extrema del grupo de Paolo y Francesca (que es el origen de *El beso*, 1898, otro célebre grupo del escultor), hasta las imágenes más patéticas de la decrepitud y el sufrimiento.

La obra

En 1876, dos años después de la primera exposición de los impresionistas, Auguste Renoir pintó este baile popular. El cuadro, relativamente grande (131 x 175 cm) y el más ambicioso que había pintado hasta entonces, se encuentra actualmente en el Museo de Orsay de París.

El artista

Auguste Renoir, uno de los miembros más importantes del impresionismo, se había caracterizado por sus paisajes al aire libre, con una pincelada suelta y vigorosa, atendiendo principalmente a los efectos luminosos.

Con esta obra empezó a prestar mayor atención a la representación de las figuras, orientándose hacia lo que podríamos llamar un "impresionismo costumbrista".

El tema

Sabemos quiénes son los principales personajes del cuadro: a la derecha, sentados, tres amigos íntimos de Renoir (dos pintores y un escritor). La pareja que baila, a la izquierda, está constituida por Margot (Marguérite Legrand), una de sus modelos, y por el pintor cubano Solares. Hay además una multitud de personajes desconocidos que contribuyen a transmitirnos esa sensación de animación propia de un baile domínguero, en una agradable tarde veraniega o primaveral. No estamos en un lugar imaginario: el baile de la Galette existía efectivamente, y se hacía en el patio los días de buen tiempo.

Análisis formal

Si trazamos dos diagonales desde las cuatro esquinas del cuadro nos damos cuenta de que se cruzan en el lugar aproximado donde se encuentran los rostros de dos jóvenes, las hermanas Estelle y Jeanne; esta última, una chica de dieciséis años, era otra de las modelos recientes de Renoir (figura en cuadros de aquel mismo año, como *El columpio*), y parece, dada su actitud, que está presentando a Estelle (de unos catorce o quince años) a la pandilla de artistas del ángulo inferior derecho. Es, pues, una obra muy "compuesta" y equilibrada que no pudo pintarse directamente al aire libre. La iluminación parece extraña: los jirones de luz y sombra indican que el sol se filtra entre las hojas de la acacias, pero las lámparas de gas están ya encendidas, como si estuviera anocheciendo.

Significado

Hay, por lo tanto, un realismo menor de lo que parece. El escenario y la luz se han idealizado. También es ficticia esa impresión de armonía social que produce una pintura como ésta donde todo es amable e inocente: las modistillas del barrio popular de Montmartre y los jóvenes artistas de clase media se relacionan sin problemas (una niña, en el ángulo inferior izquierdo, subraya la inocencia del ambiente). Renoir mostraba con los procedimientos de la pintura un mundo armónico, una alternativa imaginaria a la situación conflictiva de la vida real.

- Identifica en el cuadro los grupos de figuras y describe las relaciones que guardan los personajes entre sí.
- ¿Dónde se sitúa aquí la "línea del horizonte"? Calcula la proporción aproximada de lo que hay encima de ella con respecto a la totalidad vertical del cuadro.
- ¿En qué se diferencia esta pintura de la visión fotográfica?
- ¿Con qué colores ha obtenido Renoir las luces y las sombras?

MODELOS (POSEUSES), DE SEURAT

La obra

Es un lienzo muy grande (199,5 x 250,5 cm), pintado entre 1886 y 1888, que representa a tres modelos en el taller del artista. Se ve a la izquierda un fragmento del lienzo *Tarde de domingo en la isla de la Grande Jatte*, y otros cuadros más pequeños a la derecha.

Poseuses tenía un marco, pintado también por Georges Seurat, que desapareció posteriormente. Aunque es una de las obras más importantes de su época, ha sido poco valorada a causa de la relativa inaccesibilidad de la colección donde se encuentra, la Fundación Barnes de Merion (EE UU).

El artista

Era la segunda vez que Seurat empleaba su técnica "científica" de los puntos de color en una composición de gran tamaño, y la primera que intentaba aplicarla a un tema tradicional de la pintura como era el desnudo. Se trataba de probar, como dijo un contemporáneo, que la teoría de Seurat, "muy interesante para los temas del aire libre, era aplicable a grandes figuras colocadas en interiores". El trabajo fue enorme, pero aquel joven creador (tenía 28 años) quedó convencido de haber realizado una verdadera obra maestra.

Análisis formal

Las muchachas parecen componer las tres fases temporales de una sesión en el estudio: desnudamiento, pose propiamente dicha y el momento en que la modelo se vuelve a vestir. Cada una de ellas está representada desde un punto de vista diferente: de espaldas, de frente y de perfil. Esto da al cuadro una gran sensación de equilibrio y estabilidad, algo que viene reforzado por la disposición piramidal de las figuras principales. La mirada al espectador de la modelo central es una invitación a fijar nuestra posición, contrarrestando la orientación hacia la derecha de la que está sentada, y la dirección hacia la izquierda de la pareja, en la pintura del fondo. En contraste con ese estatismo destaca la intensa vibración superficial que producen los miles de puntos cromáticos con los que se ha elaborado el conjunto.

Significado

Seurat evocaba temas tradicionales como el de *Las tres gracias*, o *Las bañistas* de Ingres, y así desafiaba en su propio terreno al arte académico. Tampoco parece haber representado una especie de instantánea fotográfica, pues asistimos más bien a tres momentos diferentes en la acción de una misma modelo. "Poseuse" significa también en francés "presumida", y a ello podrían aludir los elegantes atuendos esparcidos por el suelo de la habitación; si observamos atentamente nos damos cuenta de que parecen los mismos que llevan las damas del cuadro reproducido al fondo. Ésta es, por lo tanto, una obra plagada de contraposiciones sutiles: desnudo-vestido, interior-exterior, instantáneo-duradero, inocencia-vanidad, etc. Seurat era muy consciente de que abordaba un gran asunto que testimoniaría su genio para la posteridad.

- Identifica los elementos de este cuadro y compáralos con los del cuadro pintado al fondo (mira también la página 406).
- Observa el detalle de la obra: ¿son "puros" todos los puntos de color?
- Compara la pincelada neoimpresionista o "puntillista" con la que es típica del impresionismo, y también con la de Van Gogh.
- ¿Podía una obra como ésta haber sido pintada al aire libre?

Regionalismo y "luminismo"

Nuestro mejor pintor "impresionista" fue quizá el puertorriqueño **Francisco Oller** (1833-1917), que viajó a París y conoció personalmente a los impresionistas y postimpresionistas. Su búsqueda consciente del "tipismo" nos permite considerar a Oller como un verdadero regionalista, en la misma onda que la mayoría de los pintores españoles de finales del siglo XIX y de principios del XX que mostraron alguna voluntad renovadora.

Darío de Regoyos (1857-1913) se mantuvo muy próximo al postimpresionismo internacional. Viajó a París en 1880 y adoptó con frecuencia algunos de los rasgos estilísticos del neoimpresionismo, como la pincelada corta. Sin embargo, nunca se mostró tan interesado en la ortodoxia técnica como en la transmisión correcta del color y de la luz de los lugares que representó.

Muchos artistas de la época trataron de cultivar un luminismo local que mostrara lo más impalpable y característico de la región o del país: la luz. Así se explica la estrecha asociación entre el país valenciano y la obra de **Joaquín Sorolla** (1863-1923), que alcanzó merecida fama en su época por ser uno de los pintores que mejor captaron la intensa luminosidad del Mediterráneo. En su primera etapa no escaseaban los temas sociales, pero pronto empezó a ser conocido por escenas de playa intrascendentes donde era esencial la presencia de los cuerpos y de las ropas, junto al agua, y bajo una intensa luz solar. Sorolla representaba las sombras mediante tonos azulados y violetas, como los impresionistas franceses, pero no adoptó la pincelada corta ni renunció a la mezcla de los colores en la paleta.

OLLER, Francisco: *Palma real* (1897). *La pincelada es breve y el colorido claro y brillante. Es difícil encontrar en la España de la últimas décadas del siglo XIX muchos ejemplos como éste de pintura al aire libre y de claro toque puntillista.*

Verdadera obsesión por la luz tuvo también **Antonio Muñoz Degrain** (1843-1924). Sus escenas legendarias y paisajes están bañados por una luminosidad tan intensa y cegadora que es imposible muchas veces reconocer las formas. Este postimpresionista español hace de los lugares que representa mágicos escenarios para sueños remotos, por eso está más próximo al simbolismo que al verismo fotográfico de los impresionistas.

Del simbolismo a la "España negra"

Simbolista tardío y regionalista a la vez, aunque sin adoptar ninguna de las técnicas impresionistas y postimpresionistas, es **Julio Romero de Torres** (1874-1930). Consagró sus mejores energías pictóricas a representar a la mujer andaluza, reinventando para sus cuadros todos los tópicos del amor trágico y fatalista. Esta temática nos lleva a considerar, en fin, otra visión pictórica del país, contrapuesta a la del optimismo luminoso de Sorolla: es la "España negra", trágica y desgarrada, cruel y miserable. Su inventor pictórico fue **José Gutiérrez Solana** (1886-1945), que con colores oscuros (es en realidad un artista muy próximo al expresionismo) representó escenas de burdel, corridas de toros, supersticiones religiosas, etc.

Algunos escultores

La escultura española de la época careció casi por completo de aliento experimental. Hubo, eso sí, excelentes autores de monumentos públicos, cuya competencia técnica fue equiparable a la de sus mejores colegas internacionales. Cabe destacar a Agustín Querol (1860-1909), Mariano Benlliure (1862-1947) y Josep Llimona (1864-1934). Todos ellos fueron habilísimos organizadores de grupos de figuras, disponiéndolas con gran eficacia teatral, adoptando con acierto las curvas sinuosas y esa tendencia a la fusión de las figuras, peculiar del *art nouveau* internacional.

ESPAÑA, FIN DE SIGLO: TRES OBRAS SIGNIFICATIVAS

Estos **Nadadores** dan una buena idea del estilo maduro de Joaquín Sorolla, con su preocupación por captar la incidencia de la luz del sol sobre el cuerpo humano. La transparencia y la movilidad del agua, velando en parte el cuerpo de los niños, han sido captados de modo admirable. Este aspecto emparenta al pintor valenciano con los vanguardistas finiseculares del otro lado de los Pirineos. El optimismo, la intensa alegría de vivir, es otro de los rasgos que definen el arte de Sorolla.

SOROLLA, Joaquín: *Nadadores* (1905).

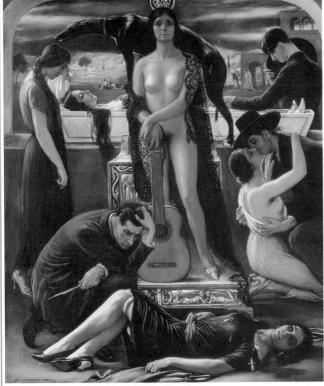

ROMERO DE TORRES, Julio: *Cante hondo* (1930).

La exaltación hasta el paroxismo de los tópicos andaluces llevó a Julio Romero de Torres a pintar cuadros tan delirantes como **Cante hondo**. Es una obra muy tardía que enlaza inconscientemente con el universo surrealista, pero sus raíces están en el simbolismo de principios de siglo, impregnado de regionalismo. La "mujer morena" (cantada luego por una copla popular), típica de sus cuadros, es presentada aquí como una diosa seductora, tan atractiva como demoníaca: ella es el origen de un amor amargo que conduce al crimen y a la desesperación.

GUTIÉRREZ SOLANA, José: *Plaza de toros de las Ventas* (1907-1918).

Esta **Plaza de toros de las Ventas**, de José Gutiérrez Solana, es un lugar sórdido y bárbaro. No percibimos brillantez ni alegría en una visión tan desesperanzada de la llamada "fiesta nacional". Frente al colorido intenso y brillante de un Sorolla, vemos tonos marrones y negros. No hay sol ni sombra sino sólo un universo plomizo, sin heroísmo ni exaltación emocional. Los rústicos campesinos del primer plano comen y beben con absoluta indiferencia respecto al espectáculo absurdo que tiene lugar a sus espaldas.

La visión pesimista de España que ofreció Gutiérrez Solana ejerció una notable influencia ulterior en los artistas informalistas que trabajaron durante el franquismo.

SÍNTESIS

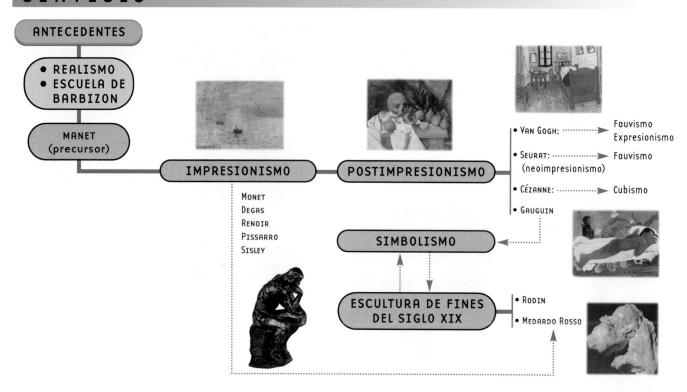

ANTECEDENTES

- **REALISMO**
- **ESCUELA DE BARBIZON**

MANET (precursor)

IMPRESIONISMO

MONET
DEGAS
RENOIR
PISSARRO
SISLEY

POSTIMPRESIONISMO

- VAN GOGH: ·········→ Fauvismo · Expresionismo
- SEURAT: ·········→ Fauvismo (neoimpresionismo)
- CÉZANNE: ·········→ Cubismo
- GAUGUIN

SIMBOLISMO

ESCULTURA DE FINES DEL SIGLO XIX

- RODIN
- MEDARDO ROSSO

	Características	Artistas	Obras
IMPRESIONISMO	• Movimiento pictórico surgido en Francia hacia mediados de los años setenta del siglo XIX. • El nombre del movimiento procede de un cuadro de Monet, *Impresión: sol naciente.* • Busca representar los efectos que la luz y el color producen en la retina. • Manet es el artista precursor. • Estos pintores representan en sus cuadros temas de la vida cotidiana contemporánea. Colores claros, pinceladas cortas, abocetamiento y rapidez en la ejecución. • Destacaron especialmente los paisajes al "aire libre".	• MANET (el precursor)	– *Olympia* (1863). – *El almuerzo sobre la hierba* (1863).
		• DEGAS	– *El desfile* (h. 1868). – *Bailarinas en la barra* (1876-1877).
		• RENOIR	– *Torso de mujer al sol* (1875). – *Baile en el Moulin de la Galette* (1876).
		• MONET	– *Estación de Saint Lazare* (1877). – *Catedral de Rouen* (1894). – *Ninfeas* (1918).
		• PISSARRO	– *Escarcha* (1873).
POSTIMPRESIO-NISMO	• En torno a 1880 surgen artistas que parten del impresionismo, pero abandonan muchas de sus premisas. • Es una pintura más consciente o/y más emocional. • Estos pintores se anticipan a las vanguardias del siglo XX. • Casi todos ellos fueron en vida unos "incomprendidos".	• CÉZANNE	– *La montaña de Sainte-Victoire* (1885-1895). – *Jugadores de cartas* (1890-1895). – *Las grandes bañistas* (1906).
		• SEURAT	– *Bañistas en Asnières* (1883-1884). – *Tarde de domingo en la Grande Jatte* (1884-1886). – *Poseuses* (1886-88).
		• VAN GOGH	– *El dormitorio* (1889). – *Autorretrato* (1889). – *La noche estrellada* (1889).
		• GAUGUIN	– *Visión después del sermón* (1888). – *El Cristo amarillo* (1889). – *Manao tupapau* (1892).
SIMBOLISMO	• Movimiento difuso (artístico y literario) que reivindica la imaginación, lo religioso, lo satánico. • Ni los temas ni las técnicas tienen mucho en común con el impresionismo, aunque sí con algunas figuras del postimpresionismo.	• MOREAU	– *La aparición* (1876).
		• SERUSIER (principal figura de los *nabis*)	– *El talismán* (1888).
LA ESCULTURA DE "FIN DE SIGLO"	• Se realizan grandiosos monumentos públicos con estilo enfático y teatral. • La renovación escultórica viene encarnada por algunas figuras que deshacen la forma y experimentan con nuevos materiales. • Son claros los contactos con el simbolismo.	• RODIN	– *Las puertas del infierno* (desde 1880). – *El pensador* (1880). – *El beso* (1898).
		• MEDARDO ROSSO	– *La edad de oro* (1886).

HACIA LA UNIVERSIDAD

1. Desarrolla uno de estos dos temas:

   a) *El postimpresionismo: concepto, temas y artistas.*

   b) *Características de la obra de Rodin. La importancia de su obra en el panorama de la escultura del siglo XIX y en relación a la evolución de la plástica contemporánea.*

2. Analiza y comenta estas imágenes:

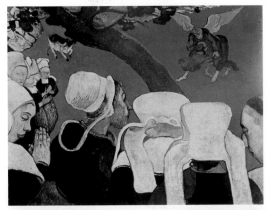

3. Define o caracteriza brevemente cuatro de los seis conceptos siguientes: *puntillismo, simbolismo, pintura al aire libre, colores puros, pincelada espesa, técnica abocetada.*

4. Lee el siguiente documento y contesta a las cuestiones planteadas:

Recientemente se ha abierto una exposición que pretende ser de pintura. El transeúnte entra y un espectáculo cruel se presenta a sus ojos espantados: cinco o seis alienados, una mujer entre ellos, un grupo de desgraciados tocados por la locura de la ambición, se han dado cita para exponer sus obras [...]. Esos supuestos artistas se denominan intransigentes, impresionistas; cogen telas, color y brochas, lanzan al azar algunos tonos y acaban firmando [...]. Espantoso espectáculo de vanidad humana que se extravía hasta la demencia. ¡A ver quién explica al señor Pisarro que los árboles no son violetas [...]! Que alguien le diga al señor Degas que en arte hay algunas cualidades que tienen un nombre: el dibujo, el color, la ejecución[...]. ¡Que intenten explicarle al señor Renoir que el torso de una mujer no es un amasijo de carnes en descomposición con manchas verdes, violáceas!

WOLF, Albert: *Le Figaro,* 3 de abril de 1876

— Explica las características del movimiento artístico al que se refiere el texto y sitúalo en su espacio histórico y cultural.

— Comenta brevemente las peculiaridades de cada uno de los artistas mencionados, citando además algunos otros de la misma tendencia.

— Realiza una valoración crítica de dicho movimiento y de sus consecuencias en el panorama artístico.

PASADO Y PRESENTE EN EL ARTE

Sobre estos dos cuadros de Monet y Renoir, ha escrito el profesor Solana:

La Grenouillère era un paraje cercano a París [...]. Allí pintaron varios cuadros Monet y Renoir en 1869, y allí cristalizó la visión impresionista. En estas obras, el principal elemento es la superficie del agua, en cuya ondulación todo (cielo, árboles, figuras) se descompone y recompone como en un rompecabezas. Los reflejos acuáticos no son sólo un motivo; se convierten en el principio mismo de la visión impresionista. Los objetos pierden su existencia independiente [...]; ya no subsisten aislados en su tono local. Los colores de cada superficie se reflejan en las demás, unos y otros reaccionan entre sí, y cada cuerpo queda bañado en la atmósfera, en la unidad de luz difundida por todo el cuadro.

SOLANA, G.: *El inicio de las vanguardias: del impresionismo al fauvismo.* En RAMÍREZ, J. A. obra citada, p. 168

MONET, Claude: *La Grenouillère.*

RENOIR, Pierre-Auguste: *La Grenouillère.*

— ¿Qué significa: *"Los objetos [...] ya no subsisten aislados en su tono local"*?

— ¿Con qué recursos técnicos logran estos pintores descomponer los objetos? ¿Cómo es la pincelada? ¿Qué adjetivos se utilizan para describir la sensación que dan estos cuadros?

22. ORÍGENES DE LA ARQUITECTURA Y DEL DISEÑO MODERNOS

La segunda mitad del siglo XIX recogió los frutos de la revolución industrial: se desarrolló mucho una nueva arquitectura basada en materiales como el hierro y el cristal que nada tenían que ver con la piedra y el ladrillo tradicionales. Se trataba de tipologías arquitectónicas peculiares del mundo contemporáneo, como grandes edificios de exposiciones, puentes, estaciones de ferrocarril, etc. Las novedades estilísticas que estas construcciones traían consigo se aceleraron a finales del siglo. Coincidiendo cronológicamente con las revoluciones pictóricas de los impresionistas y postimpresionistas, aparecieron los diferentes lenguajes del modernismo, en un intento claro de alejarse de todos los estilos arquitectónicos heredados del pasado. El paso siguiente, ya en los tres primeros lustros del siglo XX, consistió en geometrizar las formas eliminando todo tipo de decoración. Aquel nuevo modo de entender la arquitectura, llamado a veces protorracionalismo, es el verdadero cimiento en el que se apoya el movimiento moderno.

HACIA UN NUEVO ESTILO BASADO EN LA RAZÓN

Este nuevo estilo, lo moderno, tendrá que expresar con claridad, en todas nuestras obras, un cambio significativo en la sensibilidad hacia el arte, la casi completa decadencia del romanticismo y el surgimiento de la razón que acompaña a nuestros actos, y estar acompañado de la más perfecta satisfacción de las necesidades, para representar a nuestro tiempo y a nosotros mismos [...]. El sentido práctico que en la actualidad impregna a la humanidad no se puede hacer desaparecer del mundo, y todos los artistas tendrán que acabar aceptando la siguiente sentencia: "no puede ser bello aquello que no es práctico".

WAGNER, Otto: "Arquitectura moderna" (1896). Recogido por SAINZ, Jorge: *Arquitectura y urbanismo del siglo XX*. En RAMÍREZ, J. A. (director): *Historia del arte, vol. 4. El mundo contemporáneo.* Madrid, Alianza, 1997, p. 332

OLBRICH, Joseph Maria: *Sede de la Secession vienesa (1898).*

CLAVES DE LA ÉPOCA

– Imperialismo y
  desarrollo industrial

– Nuevos materiales,
  nuevas formas

– Ingenieros frente a
  arquitectos

**1. LA ARQUITECTURA
DE HIERRO
Y LA ESCUELA
DE CHICAGO**

– Arquitectura de hierro

– Aparición
  del rascacielos:
  la Escuela de Chicago

2. EL "ART NOUVEAU"

– Un estilo nuevo

– Bélgica y Francia.
  El diseño *art nouveau*

**3. EL MODERNISMO
EN ESPAÑA: GAUDÍ**

– La "originalidad"
  de un arquitecto

– Los dos períodos
  de la obra de Gaudí

**4. EL MODERNISMO
"GEOMÉTRICO"**

– El caso británico:
  Mackintosh

– La arquitectura en
  Austria

**5. EL PROTORRACIONA-
LISMO**

– El concepto

– Loos y el primer
  Wright

– Protorracionalismo
  en Alemania

ANÁLISIS

– Parque Güell,
  de Gaudí

– Edificio Larkin,
  de Frank Lloyd Wright

S   Í   N   T   E   S   I   S

CLAVES DE LA ÉPOCA
Imperialismo y desarrollo industrial

La *guerra franco-prusiana* de 1870 se saldó con una humillante derrota para Francia, y tuvo al menos dos consecuencias históricas importantes: marcó el inicio del apogeo alemán (con la unificación nacional y la creación del Segundo Imperio) y llevó a la constitución en París de la efímera Comuna (1871), el primer gobierno comunista de la historia contemporánea. Ambos hechos anuncian la tónica política y social del período comprendido entre esas fechas y la Primera Guerra Mundial.

Además de la lucha de clases, hay que considerar el auge del imperialismo: los grandes Estados europeos (Francia, Reino Unido, Holanda, Portugal y Alemania, principalmente) se reparten África y cuentan con importantes posesiones coloniales en Asia, Oceanía y América. También Estados Unidos emerge como un gran foco económico; tras la guerra hispano-norteamericana de 1898 se convierte además en una potencia política y militar de primer orden cuyo poder se acrecentará cada vez más a lo largo del siglo xx. La población mundial aumenta rápidamente, y se da un importantísimo crecimiento de las ciudades.

Los transatlánticos, auténticas ciudades artificiales, eran capaces de llevar a bordo a unas 3 000 personas.

Fue aquélla una época de progresos espectaculares en las comunicaciones. Además del ferrocarril, se construyen los grandes transatlánticos de vapor, auténticas ciudades artificiales (como muy bien lo sugería el título de una novela de Julio Verne: *La ciudad flotante*). Añadamos a ello el automóvil de motor de explosión: el primer "utilitario", el famoso Ford modelo T, lanzado en 1909, tuvo un gran éxito. Estamos lejos de la democratización definitiva de ese medio de transporte (sólo se va a producir en algunos países tras la Segunda Guerra Mundial), pero importa su aparición en este período por el impacto mental que causó la nueva experiencia de la velocidad.

Se vivieron entonces los primeros éxitos de la aviación: el primer vuelo con motor lo hizo Wilbur Wright en 1903. Nada parecía imposible para una humanidad cuyos exploradores conquistaban rincones recónditos de la Tierra, cuyos científicos desentrañaban los misterios de la naturaleza y cuyos inventores fabricaban máquinas que permitían transformaciones prodigiosas en la corteza del planeta. Los adelantos higiénicos y las vacunas hicieron disminuir mucho la mortalidad. También aumentó mucho la producción de alimentos mediante una creciente mecanización agraria.

El sueño ancestral de vencer las leyes de la gravedad pudo verse finalmente cumplido cuando Wilbur Wright realizó el primer vuelo con motor en 1903. Su biplano, con motor de gasolina y propulsión a hélice, logró volar 36 m a 3 m de altura en Kitty Hawk, Carolina del Norte (EE UU).

Nuevos materiales, nuevas formas

Estos cambios gigantescos tuvieron su correlato en la arquitectura y el diseño. El incremento en la producción de *hierro* y *acero* permitió su abaratamiento y su uso consiguiente en la construcción. Las ventajas estructurales eran evidentes: más resistente que la madera y prácticamente indestructible, el hierro permitía concebir enormes estructuras, impensables con los materiales tradicionales. A ello se añadió el *hormigón armado*, cuyo empleo empezó a ser frecuente a principios del siglo xx.

Surgió así un nuevo repertorio de edificaciones típicas de aquella época: estaciones de ferrocarril (cubiertas por estructuras de hierro), invernaderos (con metal uniendo innumerables paneles de cristal), puentes, salas de exposición, etc. Al principio fue frecuente el intento de disfrazar la naturaleza de ésos nuevos materiales mediante un ropaje arquitectónico de tipo tradicional: columnas clásicas, grecas u otros elementos históricos. Pero pronto hubo audaces constructores que decidieron exhibir las formas industriales en su escueta desnudez, y de esa pulsión nació la arquitectura moderna.

Ingenieros frente a arquitectos

Debe decirse, sin embargo, que la situación fue mucho más compleja de lo que puede parecer. La arquitectura y el diseño de aquel período estuvieron muy condicionados por la rivalidad entre los ingenieros (formados normalmente en las Escuelas Politécnicas) y los arquitectos (educados en las Escuelas de Bellas Artes). Lo paradójico es que ambos grupos de profesionales intentaron apropiarse de características que parecían típicas del otro sector: los ingenieros quisieron demostrar que eran capaces de diseñar cosas "bellas", y los arquitectos se esforzaron a veces en mostrarse como audaces constructores, poco apegados a la tradición. De la confluencia entre ambas actitudes surgió, en cualquier caso, un debate intelectual y profesional muy fructífero que perdura todavía en nuestros días.

Como consecuencia de todo ello quedó claro que era posible pensar en un nuevo tipo de belleza arquitectónica, muy alejada ya de la tradición. El *art nouveau* surgió del deseo de buscar directamente en la naturaleza otro repertorio de formas que sustituyera al del historicismo. No más columnas clásicas o arcos ojivales sino directamente tallos vegetales, montañas o pieles animales. Gaudí sería el arquitecto paradigmático de esta actitud.

A la "abstracción arquitectónica" se llegó por una vía múltiple. Contaba el deseo de hacer edificios limpios y eficaces como correspondía, supuestamente, a una época racionalista de gran desarrollo industrial. Existió también una argumentación moral de origen simbolista que identificaba la ausencia de decoración con la sinceridad, y ésta, a su vez, con la bondad intrínseca de la arquitectura. Añadiremos otra razón "figurativa", pues algunos arquitectos formados en el peculiar naturalismo del *art nouveau* se inspiraron en las maclas ortogonales de algunas formaciones cristalinas y trasladaron la perfección de esos prismas puros al diseño de los edificios. Y no olvidemos, finalmente, la influencia poderosa de la vanguardia artística (el cubismo y sus derivaciones), que no ha dejado de condicionar hasta nuestros días el desarrollo de todas las esferas del diseño.

En 1914, cuando estalló la Primera Guerra Mundial, ya se habían sentado las bases para la renovación arquitectónica más radical que ha conocido la humanidad.

GAUDÍ, Antoni: *Casa Batlló, Barcelona (1904).*

AÑOS	HISTORIA Y CULTURA	ARTE
1860-1879	La Comuna de París (1871). Incendio de Chicago (1871). Fin de la Primera Internacional (1876).	Puente de Brooklyn (1867-1883). Biblioteca Nacional de París (Labrouste, 1868-1878).
1880-1889	Invención del coche de gasolina (1885).	Sagrada Familia de Barcelona (Gaudí, desde 1883). Auditorium de Chicago (Sullivan y Adler, 1887-1889). Torre Eiffel de París (1889).
1890-1899	Engels edita *El Capital* de K. Marx (1894). Aparición del cine y de los cómics (h. 1896).	Casa del Pueblo de Bruselas (Horta, 1896-1899). La Secession de Viena (1898). Entradas del metro de París (Guimard, 1900).
1900-1918	Primer vuelo con motor (1903). Teoría de la relatividad de Einstein (1905). Primer manifiesto futurista (1909). Primera Guerra Mundial (1914-1918)	Edificio Larkin (Wright, 1904). Fundación del Deutsche Werkbund (1907). Fábrica de turbinas AEG (P. Behrens, 1908-1909). Casa Steiner (Loos, 1910). Faguswerk (Gropius, 1911-1912).

Arquitectura de hierro

En 1851, Joseph Paxton (1803-1865) construyó en Londres el *Palacio de Cristal*, una gran nave de hierro y vidrio para la exposición universal de ese año. Su diseño unía la máxima diafanidad con una ligereza inaudita. La forma arquitectónica tradicional cedía ante una nueva concepción del edificio, entendido ahora como un contenedor o un monumento penetrado por la luz, más que como algo sólido o macizo.

Es la misma idea que encontramos en muchas construcciones de la segunda mitad del siglo XIX como mercados o nuevas salas de exposición. También hubo iglesias y otros edificios públicos ejecutados con este nuevo material. Las salas de lectura de las bibliotecas de Sainte Geneviève (1843-1850) o de la Nacional de París (1868-1878) fueron ejecutadas por Henri Labrouste (1801-1875). Logró en ambos casos que la nobleza representativa de tales instituciones no se viera menoscabada por la funcionalidad que se obtenía incrementando todo lo posible la luminosidad.

ROEBLING, John A. y Washington: *Puente de Brooklyn (1867-1883). La transparencia de toda su estructura contrasta con la rústica austeridad de los pilares, perforados por dos inmensos arcos ojivales. Su estilo es híbrido, con evocaciones góticas y egipcias, como si los diseñadores quisieran sugerir las dos cualidades aparentemente contrapuestas del puente: ligereza y solidez.*

Esta época fue gloriosa para la construcción de puentes. Las estructuras metálicas permitieron tender paños de unas dimensiones impensables hasta entonces. El nuevo material, el tamaño desmesurado de los proyectos y algunas técnicas ingenieriles (como la idea de sostener el puente por cables o piezas de hierro agarrados a estructuras "colgantes") generaron formas distintas a las de los puentes tradicionales. Un buen ejemplo es el Puente de Brooklyn en Nueva York, construido entre 1867 y 1883 por los ingenieros John A. y Washington Roebling (padre e hijo). El tablero por donde van las vías de circulación se sostiene por cables de acero que se enganchan a dos grandiosas torres de granito; multitud de alambres de grueso calibre enlazan estos sostenes curvos con la horizontal del puente, formándose así una especie de tela de araña de una mágica belleza.

Aparición del rascacielos: la Escuela de Chicago

Estados Unidos era el país mejor preparado para aceptar las innovaciones arquitectónicas vinculadas a los adelantos ingenieriles, pues no había allí tantos prejuicios culturales ni el mismo respeto a la tradición que en la vieja Europa. Eso, unido a un gran dinamismo económico, explica la aparición en el aquel país del rascacielos.

SULLIVAN y ADLER: *Auditorium de Chicago (1887-1889). Su inteligente integración de formas de tradición románica en una caja metálica funcional demuestra cómo era posible, en los años finales del siglo XIX, conciliar los lenguajes del eclecticismo con las nuevas exigencias de la sociedad industrial.*

Esta tipología arquitectónica es el resultado de la confluencia de varios factores técnicos y económicos: 1) deseo de multiplicar el valor del suelo edificable tantas veces como se pueda; 2) estructuras metálicas (esqueletos) que permiten levantar muchos pisos; 3) perfeccionamiento del ascensor, que existía ya desde mediados de siglo. Pero para llegar a la aparición del rascacielos faltaban además una justificación estética (un lenguaje arquitectónico) y algún poderoso estímulo exterior.

Esto se produjo tras el incendio de Chicago del año 1871. El auge económico de la ciudad era por entonces imparable, y fue preciso reconstruirla a gran velocidad empleando técnicas constructivas novedosas que permitieran sacar el máximo partido del espacio urbano y que ofrecieran mayor seguridad frente a futuros incendios. Trabajó allí entonces William Le Baron Jenney (1832-1907), el iniciador de la llamada Escuela de Chicago, que aportó las soluciones que llegarían a ser canónicas: esqueleto metálico para todo el edificio, superposición en altura de muchos pisos idénticos y recubrición exterior con adornos más o menos clásicos. Otros arquitectos siguieron la fórmula, enriqueciéndola con refinamientos de diseño. Tal es el caso de Louis Sullivan (1856-1924) y Dankmar Adler (1844-1900), autores del excelente Auditorium de Chicago (1887-1889).

LA TORRE EIFFEL

La Exposición Universal de París de 1889, conmemorativa del primer centenario de la Revolución francesa, poseyó uno de los símbolos arquitectónicos más poderosos y populares de todos los tiempos: se trataba de la gran torre de Gustave Eiffel, la obra maestra indiscutible de la arquitectura metálica del siglo XIX. Este ingeniero había alcanzado ya mucha fama con numerosas estructuras metálicas (como los dos puentes sobre el Duero en la ciudad portuguesa de Oporto), pero nadie hasta entonces había emprendido una obra tan grande (más de trescientos metros de altura) sin una función precisa, como un mero monumento simbólico al progreso y a los logros de la civilización industrial.

La estructura es la forma

Los cálculos estructurales fueron establecidos por un amplio equipo de especialistas que hicieron más de veinte mil dibujos de todos los elementos. Las piezas, prefabricadas, se montaron *in situ* con una celeridad inusitada.

No se quiso ocultar aquí la naturaleza de la construcción, escondiendo el hierro tras una máscara arquitectónica, como se hacía en los rascacielos norteamericanos, pues se trataba de mostrar de un modo apoteósico las enormes posibilidades de la técnica moderna: la estructura es la forma, y viceversa.

Belleza insuperable

Pese a las protestas de los estetas conservadores de la época, esta obra demostró a la postre poseer una belleza difícil de superar: sobre cuatro grandes arcos inclinados se alza una aguja de suave perfil curvilíneo, como si un poderoso impulso ascendente aludiera a la expansión imparable de la técnica y de los valores republicanos que se conmemoraban entonces. Es además un edificio abierto al viento y traspasable por la luz del sol. Vemos que el material más duro de todos (el hierro) servía también, paradójicamente, para construir con la máxima ligereza. Obras como ésta evidencian que no existió a fines del siglo XIX tanta distancia entre la arquitectura supuestamente inútil (pero hermosa) de los arquitectos y la pretendidamente útil (pero fea) de los ingenieros.

2. EL "ART NOUVEAU"

HORTA, Victor: *Casa Tassel (1892)*.
La distribución interior de esta casa era completamente novedosa: los pasillos y las habitaciones se fundían produciendo la sensación de una absoluta fluidez espacial.

Un estilo nuevo

En la última década del siglo XIX y en la primera del XX se propagó un estilo arquitectónico y decorativo caracterizado por el empleo de ornamentaciones curvilíneas de inspiración naturalista. El diseño fue, en términos generales, muy refinado, y no se escatimó en la calidad y variedad de los materiales. Aquel estilo cuidó mucho los acabados artesanales y la apariencia artística de todos los elementos, pero se mostró también audaz en el empleo de nuevos materiales y en la adopción de estructuras industriales.

Los nombres otorgados en la época a este movimiento subrayan su voluntad de renovación: *art nouveau* (arte nuevo) en Bélgica y Francia, estilo *floreale* (floreado) en Italia, *Jugendstil* (estilo joven) en Alemania, *modern style* (estilo moderno) en Inglaterra, *modernismo* en España, o *secessionstil* (estilo de la escisión) en Austria. Común a todos fue el rechazo de los estilos históricos y la pretensión de imitar algunas formas y procesos de la naturaleza. Predominó (sobre todo en Francia y Bélgica) un tipo de arabesco denominado "golpe de látigo". Una abundante decoración "orgánica" invadió los edificios y también los muebles, las ropas y otros elementos decorativos. Los motivos fueron con preferencia vegetales y animales, de formas sinuosas y colores espectaculares.

Bélgica y Francia. El diseño "art nouveau"

El estilo como tal apareció en Bélgica y desde ahí se difundió luego a Francia y a otros países. En Bélgica destacó **Victor Horta** (1861-1947), uno de los primeros arquitectos en tomar conciencia de las posibilidades expresivas (y no sólo utilitarias) del hierro. Él hizo que algunas vigas y bandas de este material se curvaran como tallos vegetales o como "golpes de látigo". **Henri Van de Velde** (1863-1957) fue la otra gran personalidad del *art nouveau* belga. Pintor, arquitecto, diseñador de muebles y teórico de las artes, ejerció mucha influencia en la Europa de su época. En 1895 diseñó todos los elementos de su propia casa, desde el edificio hasta los muebles. Demostraba así una adhesión a la idea, típicamente finisecular, de la "obra de arte total".

MAJORELLE, Louis: *Despacho (hacia 1890-1900)*. Majorelle empleaba motivos naturalistas y elementos decorativos inspirados, en parte, en el estilo rococó.

El principal arquitecto del *art nouveau* francés fue **Hector Guimard** (1867-1942), autor de varios edificios particulares y de las estaciones del metro de París. Esta última creación de Guimard enlazaba bien con su actividad en tanto que diseñador de muebles de madera, labrados como auténticas esculturas (las entradas del metro son "mobiliario urbano"). Sus obras están muy próximas al trabajo tradicional del artista, aunque tengan una pretensión utilitaria. Debe decirse que el *art nouveau*, en general, se apasionó por los objetos de uso cotidiano en una medida hasta entonces desconocida: todo podía concebirse como obra de arte.

Émile Gallé (1846-1904) se especializó en la fabricación de piezas de vidrio. Esta actividad, que requiere el moldeado cuando el material está al rojo vivo, se avenía bien con el espíritu del *art nouveau*: era fácil obtener formas sinuosas, irregulares y asimétricas. También se podían recuperar como hallazgos positivos las imperfecciones azarosas en el proceso de fabricación. También destaca **Louis Majorelle** (1859-1926), autor de muebles y de piezas decorativas de hierro. La orfebrería tuvo mucho desarrollo con el *art nouveau*, como se ve claramente en las extraordinarias obras de **René Jules Lalique** (1860-1945).

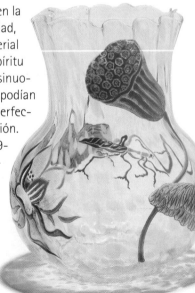

GALLÉ, Émile: *Jarrón (1884)*.
El mundo flotante, la transparencia y la fragilidad fueron admirablemente evocados en las piezas de vidrio.

Apogeo de la curva y de la fantasía: tres obras maestras del "Art Nouveau"

La obra maestra de Horta fue probablemente la **Casa del Pueblo de Bruselas** (1896-1899), que era un edificio de fachada cóncava, admirablemente adaptado al espacio urbano donde se situaba. El salón de actos (un lugar importante en un edificio "socialista" como era aquél) tenía unos atrevidos soportes inclinados y una insólita curvatura hacia abajo en la techumbre. La fachada, cóncava, se adaptaba perfectamente al espacio urbano circundante. Todo parecía amable y suave, al tiempo que se exhibía, con el hierro a la vista, un símbolo reconocible del universo proletario.

HORTA, Victor: *Casa del Pueblo, Bruselas (1896-1899)*.

GUIMARD, Hector: *Entrada del metro de París (1900)*.

El trabajo más conocido de Hector Guimard fue el diseño de las **entradas para el metro de París**, colocadas con ocasión de la Exposición Universal de 1900. El siglo XX empezó con aquella celebración, y fueron muchos los forasteros que viajaron a la capital de Francia para visitar la exposición y se sintieron fascinados por el trabajo de Guimard, omnipresente por toda la ciudad. Se trataba de farolas concebidas como flores encantadas en lo alto de tallos medio vegetales y animales; también había extraños arcos de herradura, escudos de apariencia cartilaginosa, hojas estilizadas en las barandillas, etc. Todos aquellos elementos sinuosos parecían blandos, pese a estar hechos con un material tan duro como el hierro colado. El refinamiento extremado, la rara concepción "escultórica" de la arquitectura, no estaba en contradicción, como vemos, con el empleo de productos novedosos ni con la repetición de motivos que se lograba con los moldes industriales.

La orfebrería se renovó mucho a fines de siglo, surgiendo una nueva manera de explotar las cualidades de los materiales preciosos. Un buen ejemplo es el **Broche de oro para corpiño** que hizo René Lalique en 1898. Esta joya fue usada por Sarah Bernhardt, la actriz más famosa de su época, y algo de su personalidad pública (el aura de "mujer fatal") parece haber en los motivos representados: el ser monstruoso creado por Lalique (entre libélula, felino y mujer) posee un encanto exótico, muy acorde con el decadentismo finisecular, que era desconocido por la joyería antigua.

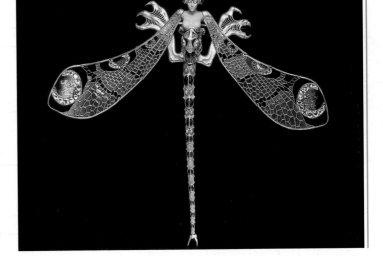

LALIQUE, René: *Broche de oro para corpiño (1898)*.

425

3. El modernismo en España: Gaudí

La "originalidad" de un arquitecto

El modernismo tuvo su máximo desarrollo en Barcelona, que era entonces la ciudad más dinámica y progresista de la Península. Los mejores arquitectos del momento estuvieron apegados todavía a reminiscencias historicistas, como Josep Puig i Cadafalch (1867-1956), que siguió la tradición neogótica, o Lluís Domènech i Montaner (1850-1923), que fue, sin embargo, más innovador.

Pero ningún arquitecto de su generación puede compararse a **Antoni Gaudí** (1852-1926). Máximo representante del modernismo, su rica personalidad así como la extensión e intensidad de su obra lo convierten en una de las figuras más importantes de la arquitectura universal. Su primer trabajo de cierta consideración fue realizado para la Cooperativa Obrera Mataronense, empleando por primera vez los arcos funiculares, un elemento distintivo de sus construcciones ulteriores. Parece que el origen real de este elemento procede de la observación de la "arquitectura natural" de las abejas, una influencia permanente en toda su carrera. No fue ésta su única fuente de inspiración naturalista: Gaudí observó la disposición de las células orgánicas, las ramificaciones de los árboles, los huesos y los tendones animales, las escamas de los peces y reptiles, las rocas, etc. Con todo ello supo hacer una amalgama arquitectónica sumamente original, en el sentido que le daba Gaudí de "vuelta al origen" y de colaboración con la obra divina, tal como ésta se refleja en la naturaleza.

Domènech i Montaner, Lluís: *Palau de la Música Catalana, Barcelona (1905-1908). Este arquitecto se sirvió de una malla estructural metálica muy avanzada para el diseño, ya algo tardío, del edificio.*

Los dos períodos de la obra de Gaudí

Hay dos etapas en su obra: durante la *primera*, muy influida aún por el historicismo contemporáneo, construye edificios con abundantes reminiscencias neomudéjares y neogóticas. La obra maestra de esta etapa es el Palacio Güell (1885-1889), notable por la cúpula central y por la terraza, poblada por un conjunto fantástico de formas geométricas y naturalistas.

Gaudí, Antoni: *Casa Milá, Barcelona (1906-1912). La fachada, formada por una gran masa de piedra ondulada en la que se abren los vanos de una forma casi escultórica, es uno de los elementos más destacados del edificio, llamado popularmente "La Pedrera". Su enorme potencia anticipa lo que unos años más tarde será el expresionismo arquitectónico.*

La *segunda* fase es mucho más personal, aunque acusa la influencia de las formas curvilíneas del *art nouveau* franco-belga. La obsesión de Gaudí por imitar las formas y los procesos de la naturaleza se nota especialmente en el Parque Güell (1900-1913), que se concibió como una urbanización de lujo en una finca con fuerte pendiente. La arquitectura y la escultura se funden en este parque con las formas naturales, como si se hubiera pretendido hacer difícil la distinción entre el trabajo humano y "la obra de Dios". Gaudí era ya por entonces un hombre muy religioso y su exasperación espiritual parece notarse en casi todas las obras de este último período. La Casa Batlló (1904-1906) fue cubierta con un tejado de escamas verdosas, como si fuera un dragón gigantesco a punto de ser abatido por la cruz de elementos florales que hay sobre un pequeño torreón. Esta escondida lección moral y religiosa es comparable a la de la vecina Casa Milá (1906-1912), en la que se evocó a Montserrat, la montaña sagrada de Cataluña.

Las obras más importantes de Gaudí son la Sagrada Familia y la capilla para la colonia obrera de los Güell, en Santa Coloma de Cervelló (1908-1915). La capilla habría tenido, si se hubiera terminado, varias torres ovaladas, como si constituyeran una cordillera sagrada. Pero, aunque quedara incompleto, éste es un edificio prodigioso: rústico pero muy refinado, con sutiles alusiones a la tradición gótica, se anticipa también al expresionismo de entreguerras.

La Sagrada Familia

La obra más importante del modernismo es un templo expiatorio de Barcelona cuya construcción fue promovida, a partir de 1882, por la Asociación Espiritual de Devotos de San José. Los primeros planos, de estilo neogótico, habían sido trazados por un arquitecto diocesano convencional. En 1883 asumió la dirección Antoni Gaudí, quien definió muy pronto las líneas maestras de un proyecto grandioso, muy diferente de los modestos planteamientos de su predecesor: se trataba ahora de una iglesia de cinco naves, con tres fachadas y dieciocho torres de intenso contenido simbólico. Gaudí creía que su diseño implicaría una armonización de la traza gótica inicial y de lo que él llamaba "estilo bizantino". Pero su concepción arquitectónica era tan personal que no se encuentra en ninguna parte nada comparable.

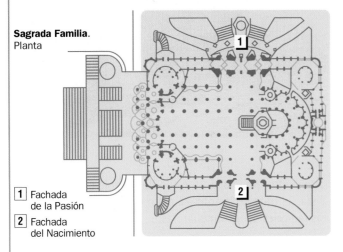

Sagrada Familia.
Planta

1 Fachada
de la Pasión

2 Fachada
del Nacimiento

La fachada del Nacimiento

Hacia 1901 su idea estaba ya muy elaborada, y parecía claro que algo tan ambicioso no podría llevarse a cabo en una sola generación. Decidió entonces concentrarse en la fachada del Nacimiento, en el flanco de levante, con la esperanza de que la terminación de esta parte serviría de estímulo a las generaciones ulteriores para continuar el templo. Su dedicación fue tan obsesiva que Gaudí no aceptó más encargos en los últimos años de su vida, dedicándose enteramente, desde 1912, a resolver los intrincados problemas estéticos, funcionales y económicos que se le planteaban con esta obra. Tres puertas ligeramente apuntadas y cuatro torres tiene esa fachada, cuya concepción es casi más escultórica que arquitectónica: las formas vegetales y las configuraciones geológicas se mezclan entre sí produciendo la impresión de que todo ello es una rara emanación de la tierra, una especie de maravilla "natural"; multitud de esculturas religiosas pueblan los intersticios, destacándose el grupo del Nacimiento de Jesús, en el tímpano de la portada central, y la representación de un ciprés, símbolo de la inmortalidad, en la prolongación vertical de ese vano central. La fachada estaba casi terminada cuando murió el arquitecto (1926), pero sus previsiones fueron correctas: las generaciones siguientes, animadas por su poderoso estímulo inicial, han acabado ya la fachada de la Pasión, y se trabaja en los últimos años del siglo XX en la cubrición de la nave central.

4. EL MODERNISMO "GEOMÉTRICO"

El caso británico: Mackintosh

En Gran Bretaña había existido un importante movimiento de reivindicación de la artesanía y de purificación del diseño conocido con el nombre de *Arts and Crafts*. Su impulsor, William Morris, fue un socialista utópico y un gran artista, muy influyente en toda la estética británica del fin de siglo.

Animada en parte por ese ejemplo, surgió en Escocia una vertiente del modernismo más racional, representada principalmente por **Charles Rennie Mackintosh** (1868-1928). Su obra maestra como arquitecto fue la Escuela de Arte de Glasgow (1898-1909): construida en el exterior con piedra y hierro, presenta una fachada con grandes ventanales en la que no hay decoración añadida sino simples volúmenes cúbicos. Esa misma pasión por las formas ortogonales se encuentra en el interior, con austeros pilares prismáticos. No vemos curvas sinuosas sino una concepción del espacio arquitectónico entendido como una entidad abstracta que no evoca a ninguna otra realidad supuestamente natural.

MACKINTOSH, CH. R.: *Escuela de Arte de Glasgow (1898-1909).*
La fachada, organizada con grandes ventanales, preludia
los muros-cortina de la arquitectura posterior.

La arquitectura en Austria

Algo parecido se dio también en Austria, donde un grupo de arquitectos desarrolló un estilo de notable coherencia, cuyo rigor permitirá su enlace natural con la arquitectura protorracionalista. Se trata de la antesala del movimiento moderno, el eslabón natural entre el espíritu refinado del fin de siglo y las rupturas radicales de las vanguardias.

El maestro de aquel grupo vienés fue **Otto Wagner** (1841-1918), un veterano academicista que decidió impulsar una renovación radical tras su nombramiento, en 1894, como profesor de la Academia de Viena. En su discurso de presentación ante los alumnos dijo: "El punto de partida de nuestra creación artística debe encontrarse sólo en la vida moderna". De ahí su interés por los nuevos materiales como el hierro y el cristal, por el urbanismo y por tipologías arquitectónicas vinculadas al mundo contemporáneo. Sus mejores obras fueron la Caja Postal de Ahorros (1904-1906) y la Iglesia de Steinhof (1906). En este último caso nos encontramos ante un intento muy afortunado de renovar la tradición de la arquitectura religiosa, tan importante en Austria. Pero no parece apoyarse mucho en los modelos locales: la planta de cruz griega y la cúpula sobreelevada en el centro hacen que el edifico adquiera un marcado aire oriental. Todo parece a la vez lógico (con la abstracta geometrización de los volúmenes) y exótico, racional y fantástico.

Éstos son los ingredientes que encontramos también en la arquitectura de sus discípulos.

- Joseph Maria Olbrich (1867-1908) fue un artista muy dotado, como se ve bien en su edificio para la Secession de Viena (1898).

- Joseph Hoffmann (1870-1956) enfatizó, en cambio, los aspectos racionales que estaban presentes en el trabajo de Otto Wagner. Su Sanatorio de Purkersdorf (1903) fue una obra muy radical para su época, totalmente desornamentada, blanca, con volúmenes prismáticos. Se diría que los ideales higiénicos del edificio estaban obligados a plasmarse en unas formas desprovistas de lirismo decorativo y de referencias históricas. En 1905-1911 construyó el Palacio Stoclet de Bruselas, una demostración palpable del gran prestigio internacional que habían logrando ya los arquitectos vieneses.

WAGNER, Otto: *Dibujo para la iglesia de Steinhof (1906).*

EL ESTILO GEOMÉTRICO DE LA SECESSION

La reacción contra los mortecinos dictados académicos llevó en Viena a la creación de la Secession (escisión), que era una asociación libre de artistas dispuestos a apostar por lo nuevo. La **sede de la Secession** fue encargada al joven arquitecto Joseph Maria Olbrich, el cual hizo en 1898 una especie de manifiesto del diseño austriaco del momento. La formas son prismáticas, pero no deja de haber una abundante decoración de plantas y animales, añadida en algunas zonas estratégicas, además de una interesante inscripción en la fachada: *"A cada época, su propio arte. Al arte, la libertad"*. La cúpula de metal dorado, simulando un seto vegetal, forma un lírico contraste naturalista con la geometría abstracta del resto del edificio.

OLBRICH, Joseph Maria: *Sede de la Secession (1898).*

WAGNER, Otto: *Caja Postal de Ahorros de Viena (1904-1906).*

Influido ya por sus propios discípulos, hizo Otto Wagner el edificio de la **Caja Postal de Ahorros de Viena** (1904-1906), con una combinación de elementos figurativos y abstractos similar a la que hemos visto en el edificio de la Secession. Todas las superficies exteriores fueron cubiertas con placas de piedra clavadas al muro por remaches de aluminio, lo cual le da ese aspecto de "caja fuerte" que alude a su función bancaria. Muy interesante es la sala de operaciones, con una cubierta de hierro y cristal de una absoluta diafanidad. Wagner diseñó también elementos accesorios, como los radiadores, en un estilo "mecánico" que habla con elocuencia de su adhesión decidida a las posibilidades del progreso industrial.

El arquitecto vienés Joseph Hoffmann diseñó el **Palacio Stoclet** de Bruselas (1905-1911) para un rico coleccionista de obras de arte. No era, pues, una simple mansión lujosa sino una especie de museo, un templo dedicado a la creación. En el interior hay muebles exquisitos y murales de Gustav Klimt, que fue el pintor más importante de la Secession. Hoffmann utilizó el mismo principio de las placas adheridas al muro propiamente dicho, pero ocultó cuidadosamente los pernos de enganche del mármol blanco empleado en esta ocasión. En todas las esquinas hay unos filetes de bronce que subrayan los contornos, como en un dibujo lineal. También dan a cada superficie el aspecto de cuadros vacíos, con sus propios marcos ornamentales. La belleza cúbica y limpia de los volúmenes anticipa las composiciones de los protorracionalistas.

HOFFMANN, Joseph: *Palacio Stoclet (1905-1911).*

El concepto

Los primeros años del siglo XX conocieron una transición decidida hacia un nuevo tipo de arquitectura, desornamentada, basada en los datos objetivos del mundo industrial y construida con formas geométricas elementales. La denominación genérica de *protorracionalismo* no significa que nos hallemos ante otro "estilo", pues alude sólo al deseo de construir sin sentimentalismos de origen romántico, teniendo en cuenta exclusivamente los datos racionales. Nos encontramos ante la exacerbación de una tendencia que se venía insinuando, como ya hemos visto antes, en distintos lugares del mundo occidental.

Loos y el primer Wright

En Austria, dentro del marco intelectual y estético de la Secession, va a trabajar **Adolf Loos** (1870-1933), uno de los más radicales promotores de lo nuevo. Entre 1893 y 1896 vivió en Estados Unidos, y de allí regresó a Viena entusiasmado con los adelantos promovidos por la Escuela de Chicago. Lo interesante es que no se dedicó sólo a construir, sino que desplegó una intensa actividad como publicista apasionado editando una revista titulada, muy significativamente, *Das Andere* (Lo Otro). En 1908 dio su conferencia "Ornamento y delito", que llegaría a ser considerada como uno de los manifiestos programáticos más importantes del siglo XX. Consecuente con sus ideas radicales, en oposición a la decoración encantadora aplicada por sus contemporáneos, los edificios de Loos carecen de ornatos. Es cierto que perviven a veces los referentes clásicos, pero se presentan sin aditamentos pictóricos o escultóricos.

Chicago había sido a finales del siglo XIX un gran centro renovador de la arquitectura. Fue allí, a la sombra de Sullivan, donde emergió **Frank Lloyd Wright** (1869-1959), uno de los arquitectos capitales de la modernidad. Según sus propias declaraciones, acusó la influencia del juego infantil de los bloques de madera de Frobenius. Pero también se sintió fascinado por la horizontalidad y la continuidad espacial de las viviendas tradicionales japonesas. Partiendo de esas premisas elaboró una doctrina para las "casas de la pradera" del Medio Oeste norteamericano, caracterizadas por una sutil combinación entre riqueza de diseño, utilización sincera de los materiales y un fuerte acento horizontal. El ejemplo más conocido es la Casa Robie (1908-1910), cuyos espacios interiores fluyen en torno a dos ejes paralelos. La libertad de construcciones como ésta anticipa el gran desarrollo que tendrá más tarde una concepción de la arquitectura, respetuosa con la naturaleza, que se conoce con el nombre de organicismo.

WRIGHT, Frank Lloyd: *Casa Robie (1908-1910).*
Construida con grandes planos en voladizo y paramentos lisos de ladrillo visto, es el mejor ejemplo de "casa de la pradera".

Protorracionalismo en Alemania

Alemania, gran potencia política e industrial, alumbró los experimentos más renovadores del momento. En 1907 se fundó la Deutsche Werkbund (asociación gremial alemana) con la finalidad de promover la mejora de la vivienda y de la arquitectura en general mediante una colaboración del arte, la artesanía, la industria y el comercio. Propugnaban la racionalización de los proyectos y su adaptación rigurosa a la función que debían cumplir, todo lo cual redundaría en un abaratamiento de los resultados. **Peter Behrens** (1868-1940) es el mejor representante de esa colaboración entre el arquitecto y la industria. No es extraño que los edificios más radicales fueran entonces algunas construcciones industriales, como la fábrica de turbinas de AEG, de Peter Behrens, o la Faguswerk, construida en 1911 por **Walter Gropius** (1883-1969), uno de los pilares indiscutibles del movimiento moderno.

GROPIUS, Walter: *Faguswerk (1911). Por primera vez se levantó una fachada completa de cristal apoyada en vigas metálicas, con esquinas transparentes.*

DOS OBRAS DEL PROTORRACIONALISMO

En 1907 Peter Behrens fue nombrado jefe de diseño de la poderosa empresa AEG y para ella construyó en Berlín la **Fábrica de turbinas** (1908-1909). En esta obra se emplean los elementos constructivos más novedosos, pero se organizan siguiendo criterios compositivos inspirados en la tradición clásica. Se trata de una gran nave, con techo poligonal, con soportes metálicos a intervalos regulares, como si fueran las columnas de un solemne templo grecorromano. El frontón poligonal de la fachada se aprovecha para colocar el nombre de la fábrica y el logotipo de la empresa. Parece, pues, una catedral laica, un monumento para sacralizar la industria y el trabajo.

BEHRENS, Peter: *Fábrica de turbinas de AEG (1908-1909).*

Adolf Loos construyó en 1910 la **Casa Steiner**, una de las más radicalmente desornamentadas de todas sus obras vienesas. No tiene cornisas ni tampoco hay marcos en las puertas o ventanas. La terraza es plana, y los muros, revocados, están pintados de blanco. La fachada, sin embargo, es rigurosamente simétrica: esta casa no tiene todavía la "planta libre" o los grandes vanos apaisados que caracterizarán al movimiento moderno propiamente dicho (véase la unidad 24); aun así es uno de los exponentes más claros de ese protorracionalismo surgido de un modo natural en la Viena de principios de siglo, dominada por la estética de la Secession.

LOOS, Adolf: *Casa Steiner (1910).*

Adolf Loos: "Ornamento y delito" (1908)

"He encontrado la siguiente sentencia y se la ofrezco al mundo: la evolución de la cultura es proporcional a la desaparición del ornamento en los objetos utilitarios. Con ello, creí darle al mundo una nueva alegría; no me lo ha agradecido. Se entristecieron y agacharon la cabeza. Lo que les deprimía era saber que no podía inventarse ningún nuevo ornamento. ¿Cómo, sólo nosotros, personas del siglo diecinueve, seremos incapaces de hacer [...] lo que han sido capaces de hacer todos los pueblos y todos los tiempos anteriores a nosotros? [...]. Ved, es esto lo que caracteriza la grandeza de nuestro tiempo: que no sea capaz de ofrecer un nuevo ornamento. Hemos superado el ornamento, nos hemos decidido por la desornamentación. Ved, está cercano el tiempo, el gozo nos espera. ¡Pronto relucirán como muros blancos las calles de las ciudades! Como Sión, la ciudad santa, la capital del cielo [...]. Ausencia de ornamento es signo de fuerza intelectual. La persona moderna utiliza los ornamentos de culturas primitivas y exóticas a su gusto. Su capacidad de invención la concentra en otras cosas".

LOOS, A.: *Escritos I, 1897-1900.* Madrid, El Croquis Editorial, 1993, pp. 347-348 y 355

ANÁLISIS

La obra

La larga relación profesional de Eusebio Güell con Antoni Gaudí alcanzó un punto culminante cuando le encargó la ordenación urbana y el diseño de una especie de ciudad-jardín a las afueras de Barcelona, en una zona irregular conocida con el nombre de "muntanya pelada".

Gaudí empezó los trabajos en 1900, construyendo caminos y algunos edificios comunes, pero no los chalés, que quedaron sin hacer por falta de compradores. Como empresa urbanística fue un fracaso (sólo Gaudí y otro inquilino llegaron a vivir allí), pero, aunque inconclusa, quedó como una especie de parque, privado al principio, antes de ser declarado oficialmente "patrimonio de la humanidad".

El arquitecto

Se encontraba entonces Gaudí en la cumbre de su carrera. Las obras de la Sagrada Familia estaban encauzadas y había demostrado su talento tras la inauguración de edificios importantes como el mismo Palacio Güell. A partir de 1898 había dado una nueva orientación estilística a su obra, acercándose mucho a las curvas y sinuosidades del *art nouveau*.

Teatro griego y terraza con banco corrido.

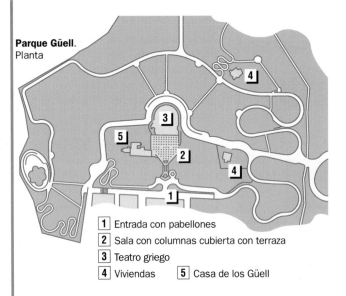

Parque Güell.
Planta

1 Entrada con pabellones
2 Sala con columnas cubierta con terraza
3 Teatro griego
4 Viviendas   5 Casa de los Güell

Análisis formal

Esto es perceptible en la ordenación global del parque: los caminos serpentean, adaptándose a los accidentes del terreno, pero también se crean encabalgamientos y vueltas cuya "utilidad" es exclusivamente estética. Gaudí parecía estar próximo a los ideales de la ciudad-jardín propugnados por Ebenezer Howard a partir de 1898, pero hizo una adaptación orgánica y emotiva de lo que era en el autor inglés algo meramente funcional.

De los numerosos elementos del parque destacan los pabellones de la entrada, que parecen ilustraciones de cuentos de hadas, así como el llamado "teatro griego", destinado inicialmente a mercado. Encima de este ámbito hay una amplia terraza con un prodigioso banco corrido, construido con "trencadís" (cerámica rota en fragmentos irregulares y pegada al muro con cemento), y donde hay pequeñas inscripciones escondidas de carácter mariano.

Significado

Por todas partes hay elementos simbólicos: numerosas bolas de piedra junto a unos caminos representan las cuentas del rosario; la serpiente de una fuente alude a Pitón, protectora de las aguas subterráneas; el dragón de la escalinata principal hace referencia a San Jorge. Aunque no hay acuerdo a la hora de dilucidar cuál puede haber sido el sentido global de aquella obra, sí parece que Gaudí quiso exaltar algunos símbolos de Cataluña, enlazándolos con otros de tipo religioso que nos hablan de su total conversión al catolicismo. Se diría que este parque es un canto a la naturaleza como lugar donde resplandece el poder creativo de la divinidad.

Pabellón de entrada.

- Coteja la planta del Parque Güell con las formas decorativas del *art nouveau*.
- ¿En qué sentido es "original" el Parque Güell?
- ¿Es Gaudí un mero copista de formas naturales?
- Compara los elementos formales y el significado del Parque Güell con los de la Sagrada Familia.

EDIFICIO LARKIN (BUFFALO, EE UU), DE FRANK LLOYD WRIGHT

La obra

Construido en 1904, fue inicialmente el edificio de oficinas de una empresa de ventas por correo en Buffalo, EE UU. Wright lo hizo enteramente de ladrillo con esqueleto metálico, más algunos elementos de piedra. Era el primer edificio de su género aislado completamente del exterior, con la temperatura y la ventilación controladas por un sistema parecido al aire acondicionado.

El arquitecto

Frank Lloyd Wright, su autor, llevaba entonces una actividad muy intensa en el Medio Oeste norteamericano. Se había hecho ya famoso por sus "casas de la pradera", y ejecutó en 1904 dos encargos simultáneos de gran importancia social: el *Unity Temple*, en Chicago, y este *Larkin Building*.

No se trataba ahora de albergar una familia sino de acoger a gran cantidad de personas, resolviendo problemas complejos de circulación y confort en el trabajo. Wright diseñó cuidadosamente todos los elementos, incluyendo los muebles de oficina.

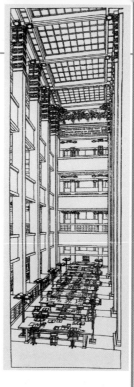

Vista del interior.
Dibujo original de Wright.

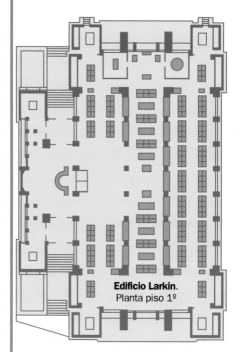

Edificio Larkin.
Planta piso 1º

Análisis formal

La apariencia y la distribución espacial eran insólitas, y así lo reconoció un crítico contemporáneo cuando escribió: "*Nunca antes se habían resuelto tan bien las exigencias esenciales de un edificio de oficinas, es decir, seguridad e iluminación, espacio y ventilación, ni tampoco se habían combinado de un modo tan hermoso y eficaz para permitir el trabajo diario de 1 800 empleados [...]. [Sin embargo el exterior] se aparta tanto de la tradición que las opiniones pueden ser divergentes*". En efecto, la disposición era insólita: en torno a un gran patio de trabajo rectangular, cubierto con una vidriera plana, se organizaban cinco galerías-pisos, con numerosas mesas de trabajo; en las cuatro esquinas, semidestacadas de ese cuerpo principal, se encontraban las torres prismáticas de las escaleras.

Valoración y significado

La desnudez de aquellos prismas se alejaba mucho de la decoración típica de la tradición ecléctica. Semejante severidad podía parecer adecuada para un inmueble industrial, pero evocaba mucho, en realidad, a los edificios mesopotámicos reconstruidos por los arqueólogos de la época.

Los primeros arquitectos modernos europeos que conocieron imágenes del Larkin admiraron su valentía formal y su perfecta funcionalidad, pero no fueron capaces de percibir un secreto simbolismo: en la fachada había dos grandes pilares coronados por esferas, una alusión a Yaquín y Boaz, las dos míticas columnas del Templo de Jerusalén. Wright (que estaba haciendo a la vez el *Unity Temple*, no lo olvidemos) diseñó, pues, un "templo del trabajo", rindiendo un homenaje a Salomón y a su arquitecto Hiram, patronos míticos de su profesión.

- ¿Por qué este edificio es considerado "protorracionalista"?
- Compara el edificio Larkin con las obras del *art nouveau* y de la Secession austriaca: ¿con cuáles tiene más semejanzas?
- ¿Crees que lo funcional en arquitectura es incompatible con la expresión simbólica?
- ¿En qué sentido parece continuar Wright la línea inaugurada por la Escuela de Chicago?

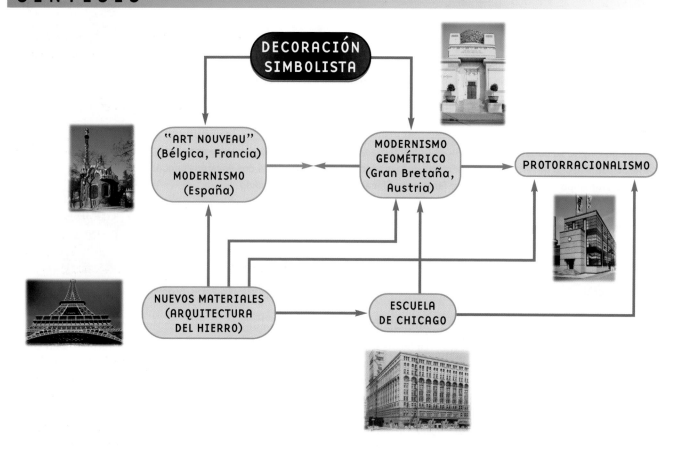

	CARACTERÍSTICAS	AUTORES Y OBRAS
La arquitectura del hierro (desde 1851)	• Edificios que suman a su funcionalidad una nueva belleza ligera y luminosa, por el uso del hierro. • No hay separación entre la estructura y la ornamentación.	• Palacio de Cristal, de Joseph Paxton (Londres, 1851). • Torre Eiffel de París (1889). • Puente de Brooklyn, de J. A. y W. Roebling (Nueva York, 1867-1883).
Escuela de Chicago (desde 1871)	• Tras el incendio de Chicago en 1871 surge en esa ciudad el rascacielos. Éste se caracteriza por poseer un esqueleto metálico, una multiplicidad de pisos en altura, y por utilizar ascensores para acceder a las distintas plantas.	• William Le Baron Jenney (el iniciador). • Auditorium de Chicago (Sullivan y Adler, 1887-1889).
Art nouveau en Bélgica y Francia (h. 1885-1910)	• Motivos decorativos vegetales y animales. • Preferencia por las formas curvilíneas. • Uso de todo tipo de materiales, incluyendo el hierro colado.	• Victor Horta: Casa Tassel (1892) y Casa del Pueblo (1896-1899), en Bruselas. • Guimard: Entradas del metro de París (1900). • Émille Gallé (vidriero). • Louis Marjorelle (ebanista). • René Lalique (joyero).
Modernismo en España: Gaudí (h. 1885-1920)	• Su máximo desarrollo tiene lugar en Barcelona, donde destaca la figura genial de Gaudí. • Dos fases: una historicista (hasta fines de los años noventa) y otra más influida por el art nouveau franco-belga.	• Domènech i Montaner: Palau de la Música Catalana (Barcelona, 1905-1908). • Gaudí: Sagrada Familia (desde 1883); Palacio Güell (1885-1889); Parque Güell (1900-1913); Casa Batlló (1904-1906); Casa Milá (1906-1912); Santa Coloma de Cervelló (1908-1915).
Secession y Modern Style: Gran Bretaña y Austria. (h. 1885-1914)	• Énfasis en lo geométrico y empleo del hierro y del cristal. • En Gran Bretaña influye el movimiento Arts and Crafts, animado por W. Morris. • En Austria la renovación viene impulsada por Otto Wagner.	• Mackintosh: Escuela de Arte de Glasgow (1888-1909). • O. Wagner: Caja Postal de Ahorros de Viena (1904-1906); Iglesia de Steinhof (1906). • Olbrich: Edificio de la Secession (1898). • Hoffmann: Sanatorio de Purkersdorf (1903); Palacio Stoclet de Bruselas (1905-1911).
Protorracionalismo (h. 1904-1914)	• Renuncia a la decoración. • Sinceridad en el empleo de los materiales. • Uso de volúmenes geométricos puros. • Anticipan la arquitectura del Movimiento Moderno. • Se detectan tres focos principales: Austria, Chicago y Alemania.	• Adolf Loos: "Ornamento y delito" (1908); Casa Steiner (1910). • Wright: Edificio Larkin (1904); Casa Robie (1908). • Behrens: Fábrica de turbinas AEG (1908-1910). • Gropius: Faguswerk (1911).

HACIA LA UNIVERSIDAD

1. Desarrolla uno de estos dos temas:

a) *El modernismo: corrientes en Europa y principales artistas.*

b) *El protorracionalismo.*

2. Analiza y comenta estas imágenes:

3. Caracteriza brevemente y menciona un representante de estas corrientes arquitectónicas: *art nouveau, Escuela de Chicago, arquitectura del hierro.*

4. Lee el siguiente documento y responde a las cuestiones que se plantean:

El edificio comercial de gran altura surgió de la presión de los precios del terreno, los precios del terreno de la presión de la población [...]. Pero un edificio de oficinas no puede alzarse [...] sin un medio de transporte vertical. Por tanto, se aplicó presión sobre el cerebro del ingeniero mecánico, cuya imaginación creativa y cuya industria crearon el ascensor de pasajeros [...]. Pero era un hecho inherente en la naturaleza de la construcción con ladrillo el fijar un nuevo límite de altura, ya que sus paredes cada vez más gruesas consumían un terreno y un espacio de planta cuyo precio era cada vez más elevado [...]. [La] actividad de Chicago en la erección de edificios altos atrajo finalmente la atención de los directivos de las fábricas de laminados [de acero] [...]. Durante algún tiempo, en el pasado, las fábricas habían estado laminando [...] [acero para la] construcción de puentes [...]. Era [...] una técnica propia de la ingeniería. Así, cuando la idea de una estructura de acero capaz de soportar toda la carga fue presentada [...] a los arquitectos de Chicago, la solución fue adoptada y surgió una novedad en el ramo. Los arquitectos de Chicago acogieron favorablemente la estructura y supieron emplearla.

SULLIVAN, L.: *The Autobiography of an Idea*, 1926. Recogido en FRAMPTON, K.: *Historia crítica de la arquitectura moderna.* Barcelona, Gustavo Gili, 1981

— ¿A qué se refiere el texto con los *arquitectos de Chicago*? ¿Podrías señalar algún representante?

— ¿A qué época se refiere el texto?

PASADO Y PRESENTE EN EL ARTE

Observa estas dos fotografías. En una de ellas vemos las columnas del Partenón (siglo v a.C.). La otra representa el proyecto de Adolf Loos para el edificio del periódico *Chicago Tribune* (1922).

— ¿Podemos hablar de pervivencias del clasicismo en un arquitecto protorracionalista como Loos?

— ¿Qué relación existe entre este austriaco y la Escuela de Chicago?

— ¿Ves algún tipo de ironía en semejante manera de imaginar un rascacielos?

23. LA ECLOSIÓN DE LAS VANGUARDIAS

En el período de tiempo comprendido entre 1905 y el comienzo de la Segunda Guerra Mundial (1939), se produjeron las mayores rupturas con la tradición artística que ha conocido la humanidad. Numerosos movimientos creativos se sucedieron entonces, y algunos de ellos coincidieron en el tiempo, ofreciendo simultáneamente propuestas creativas radicalmente diferentes. Es la época de los *ismos* (por la terminación común en el nombre de estas tendencias), o de las *vanguardias históricas*. El mundo que conoció las dos guerras mundiales, la revolución rusa y el auge del fascismo, vio también abrirse a la creación horizontes de una amplitud y complejidad inusitadas, con fenómenos tan revolucionarios como el cubismo o el dadaísmo, y figuras geniales como Picasso, Duchamp o Dalí.

FERNAND LÉGER: EL ARTE Y LA VIDA NUEVA

Somos la generación que surgió de la niebla impresionista, de la blandura impresionista, de la tendencia sentimental [...]. La guerra precipita la aurora de un mundo nuevo [...] que es firme, claro y preciso. Época soberbia, viril, lógica [...]. Algunos hombres llamados artistas, unos pocos y de raro valor, se esfuerzan por mantenerse a la altura de estas exigencias, por crear en sus obras la contrapartida de esa vida clara, pura, implacable [...]. La vida plástica surge con rapidez tan arrolladora que nos inunda y tenemos que ponernos a salvo en el plano de la belleza. Borrar la sequedad, no ser secos [...]. Adiós a lo blando, a lo vago, al sueño, a los largos cabellos y a las pequeñeces, mandolinas, guitarras y góndolas: todo eso ha desaparecido [...] surge la vida nueva, objetivada y realista.

Recogido por HESS, W.: *Documentos para la comprensión del arte moderno.* Buenos Aires, Nueva Visión, 1967, p. 155

PICASSO, Pablo: *Naturaleza muerta con silla de rejilla* (1912).

SÍNTESIS

CLAVES DE LA ÉPOCA

– El convulso marco
de las vanguardias

– ¿Qué es
la vanguardia?

– Variedad
y simultaneidad
de propuestas

**1. FAUVISMO
Y EXPRESIONISMO**

– Los artistas-fieras
(*fauves*)

– Unidad y variedad
del expresionismo

2. EL CUBISMO

– Orígenes del cubismo

– Del cubismo analítico
al cubismo sintético

3. PABLO PICASSO

– Los comienzos
de un genio

– De la "vuelta al orden"
al surrealismo

– Una fecunda vejez

4. LA ABSTRACCIÓN

– Abstractos "líricos":
Kandinsky y Klee

– Abstracción
"geométrica":
Mondrian y Malevich

**5. FUTURISMO
Y DADAÍSMO**

– El futurismo:
la pasión mecánica

– El dadaísmo

6. MARCEL DUCHAMP

– Cubista y "futurista"

– El final de la pintura
y la fase dadaísta

– Del surrealismo
a *Étant donnés*

7. EL SURREALISMO

– La fase
del "automatismo"

– Pintores de lo onírico.

– La escultura
surrealista

ANÁLISIS

– El *Gran vidrio*,
de Duchamp

– *El enigma sin fin*,
de Dalí

CLAVES DE LA ÉPOCA

El convulso marco de las vanguardias

No se debe buscar un paralelismo cronológico riguroso entre los grandes acontecimientos políticos y militares del siglo XX y el surgimiento de los fenómenos artísticos más relevantes. En 1914 estalló la Primera Guerra Mundial y en 1917 se produjo la revolución rusa; sin embargo, los primeros movimientos de vanguardia aparecieron algunos años antes. Podría decirse que el arte anunció con sus abruptas transformaciones algunos cambios que se producirían más tarde en otros dominios de la experiencia humana. No es fácil, en cualquier caso, separar los distintos dominios de la realidad histórica y considerar a algunos de ellos como "reflejo" o consecuencia de los otros.

Acorazado británico "Ormonde". Durante la Primera Guerra Mundial se inventó la pintura de camuflaje para los barcos. Las formas geométricas y los ángulos tienen una clara conexión con el arte de vanguardia de la época.

La Primera Guerra Mundial transformó la mentalidad del mundo occidental, hizo que el modelo político imperialista y el optimismo técnico-científico se vinieran abajo repentinamente. Las nuevas máquinas de guerra produjeron un número de víctimas muy superior al de todas las contiendas anteriores. La vieja razón europea quedaba enterrada en las trincheras, justificándose la nueva manera de descomponer la realidad que habían desarrollado ya los pintores cubistas, así como el nihilismo irrespetuoso con la autoridad de los dadaístas. También los artistas fueron clarividentes al prever con antelación los estragos del fascismo y la inusitada brutalidad de la Segunda Guerra Mundial: Picasso, con su *Guernica*, o algunos dadaístas berlineses hicieron trabajos "políticos" desde una óptica antifascista, mostrando con ello una tendencia al compromiso que parece peculiar de la vanguardia artística en general.

¿Qué es la vanguardia?

La palabra *vanguardia* procede del vocabulario militar (es la avanzadilla de un ejército) y también del político (designaba al grupo dirigente o más concienciado en un partido revolucionario). Al trasladarla al mundo del arte se aceptaba implícitamente la idea del combate por el triunfo de unas premisas estéticas que se presentaban en oposición a lo establecido. Las vanguardias artísticas fueron *militantes*, y en eso demostraron también su sintonía general con el período en el que surgieron y se desarrollaron. Los artistas "de vanguardia" fueron mayoritariamente partidarios de las opciones democráticas y progresistas. Pero aunque las obras de algunos de ellos fuesen instrumentalizadas a veces en las batallas políticas de la época, es importante subrayar sus diferencias con la simple propaganda. El arte demostró que no se agotaba en los mensajes coyunturales: las vanguardias abrieron nuevas vías a la creación, ampliando de un modo prodigioso la noción de lo artístico.

Las obras de los llamados "pueblos primitivos" pudieron ser vistas así como ejemplos o guías para la renovación; ello valía para justificar la ruptura con todas las convenciones y técnicas propugnadas por las academias; los objetos utilitarios del mundo industrial, las máquinas y productos manufacturados, entraron también en la esfera del arte. Con las vanguardias el artista eligió sus propias leyes, y no se preocupó mucho de si éstas podían parecer contradictorias. Lo que la mente racional no toleraba en ciertos dominios podía ser plausible en el ámbito de la creación.

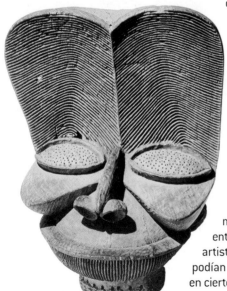

Máscara africana de madera procedente de Camerún. La inexpresividad y la fuerza de estas esculturas causó un gran impacto en los artistas de vanguardia.

Efigie kachina de los indios hopi de Arizona. La reducción a formas geométricas, tan frecuente en el arte de otras culturas no europeas, abrió nuevos caminos de exploración artística para los movimientos de vanguardia.

Variedad y simultaneidad de propuestas

Pese a lo dicho, es preciso reconocer la dificultad de hallar denominadores comunes a movimientos y artistas muy diferentes entre sí. El *fauvismo* heredó muchas cosas del postimpresionismo, como los puntos de color arbitrario (que llegaron a convertirse en brochazos) y el énfasis en los aspectos emotivos de la pintura; esto lo aproxima al expresionismo, que también se preocupó por desarrollar la idea del arte como vehículo para la subjetividad del creador.

El *cubismo* hizo lo contrario, rebajando el color, eliminando la emoción y concibiendo el cuadro como una construcción geométrica que, sin negar la representación, se oponía a la idea de la profundidad ilusoria infinita peculiar de la tradición renacentista. Picasso, su animador principal, fue también el inventor de otras vías creativas que pudieron convivir simultáneamente, demostrándonos con su existencia que no hubo nunca un único lenguaje artístico que pueda servir para caracterizar la época.

El *futurismo* y el *dadaísmo* se inspiraron en el mundo de las máquinas, pero mantuvieron ante ellas una actitud contrapuesta: de entusiasta adoración los futuristas, y de recuperación irónica los dadaístas. Duchamp es un caso aparte, con una postura iconoclasta que originaría muchas propuestas renovadoras de la segunda mitad del siglo XX.

Tampoco la *abstracción* fue el resultado de una sola idea, pues a ella se llegó desde posiciones tan diferentes como el expresionismo alemán, el neoplasticismo holandés o el futurismo italiano y su derivación rusa.

En cuanto al *surrealismo*, es obvia su deuda con corrientes de pensamiento como el psicoanálisis de Freud o el marxismo, pero no se limitó a asimilar esas influencias: su capacidad para estimular obras tan dispares como las de Miró, Masson, Calder o Dalí demuestra que los *ismos* no fueron estrechos corsés que limitaron la creación, sino palancas que la empujaron hasta límites nunca antes imaginados.

SEVERINI, Gino: *Tren blindado (1915).*
Los futuristas exaltaron el riesgo temerario y la guerra moderna, de ahí la gran cantidad de obras que dedicaron a la conflagración mundial.

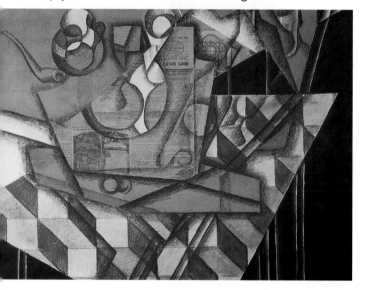

La época de las vanguardias históricas no tiene un final claro: la llegada al poder de los nazis en Alemania (1933) provocó la emigración (sobre todo a Estados Unidos) de muchos artistas; el éxodo se hizo extensivo a otros países con la guerra civil española (1936-1939) y con la Segunda Guerra Mundial (1939-1945). Y aunque una consecuencia de todo ello fuese el desplazamiento de la vanguardia desde París a Nueva York, no puede decirse que el impulso renovador se atenuara. Las vanguardias de la primera mitad de siglo inauguraron una actitud: la ruptura con lo anterior se ha convertido desde entonces en una tradición. Lo producido en las tres primeras décadas del siglo XX sigue en ebullición, y no es posible, en estas condiciones, considerar como algo cerrado el legado creativo de aquella generación.

GRIS, Juan: *Tazas de té (1914). Junto a Picasso y Braque, Gris fue otro de los grandes pintores cubistas. En esta obra se nota su preferencia por un orden geométrico regular a base de verticales, horizontales y diagonales paralelas.*

AÑOS	HISTORIA Y CULTURA	ARTE
1900-1929	• Teoría de la relatividad de Einstein (1905). • Primera Guerra Mundial (1914-1918). • Revolución rusa (1917).	• *La señoritas de Aviñón,* de Picasso (1907). • Primeras acuarelas abstractas de Kandinsky (1910). • *Naturaleza muerta con silla de rejilla,* de Picasso (1912). • Primer *ready-made* de Duchamp (1913). • Primer manifiesto del surrealismo (1924).
1930-1949	• Hitler sube al poder en Alemania (1933). • Guerra civil española (1936-1939). • Segunda Guerra Mundial (1939-1945).	• Terminación definitiva del *Gran vidrio,* de Duchamp (1936). • *Guernica,* de Picasso (1937). • *El enigma sin fin,* de Dalí (1938). • *Broadway Boogie-Woogie,* de Mondrian (1942).

Los artistas-fieras ("fauves")

En el Salón de Otoño de París de 1905, un grupo de pintores renovadores expusieron juntos sus obras; la violencia de sus colores puros impresionó a un crítico contemporáneo, que inventó para ellos el calificativo de *fauves* (fieras). El punto de partida de aquellos trabajos estaba en Cézanne, de quien tomaron su modo de descomponer las imágenes en planos de colores uniformes y contornos imprecisos. También se inspiraron en los punteados cromáticos de los neoimpresionistas. Las tonalidades de los *fauves* eran estridentes: un árbol podía ser rojo; un cielo, amarillo, etc. El cuadro adquiría así una total autonomía respecto a la supuesta realidad exterior, y por eso Matisse pudo afirmar: "A fin de cuentas, yo no creo ninguna mujer, hago un cuadro".

Los *fauves* no constituyeron ninguna asociación coherente ni tuvieron un programa estético definido. Aunque coincidieron durante unos años (entre 1903 y 1907 aproximadamente) haciendo un mismo tipo de pintura emocional, intensamente colorista, hubo entre ellos algunas diferencias. Henri Matisse (1869-1954), el más importante de todos, estuvo cerca de André Derain (1880-1954) en su gusto por un arte decorativo, relativamente amable. Maurice Vlaminck (1876-1958), en cambio, fue un pintor mucho más apasionado y vehemente, que aplicaba la pincelada con una violencia inspirada en Van Gogh. Sin embargo, no encontramos en sus obras ninguna de las obsesiones por la subjetividad angustiada que son características de los expresionistas alemanes.

Unidad y variedad del expresionismo

El más difuso de todos del *ismos* se desarrolló principalmente en Alemania. Tampoco tuvo el expresionismo un perfil cronológico preciso, por lo que se suele hablar de varias oleadas o generaciones expresionistas. Común a todos estos artistas es el deseo de dar primacía a lo subjetivo, sin excluir la representación de sentimientos y pasiones extremas. Son frecuentes los temas que aluden a la angustia, la soledad, el misterio, el amor mercenario o el alegre frenesí. Pero las técnicas evolucionaron: si los primeros expresionistas pudieron acusar la influencia de las curvas sinuosas del *art nouveau*, es obvio el impacto de los *fauves* franceses sobre los expresionistas de la siguiente generación.

El pintor noruego Edvard Munch (1863-1944) perteneció al primer grupo; su obra más famosa es *El grito* (1895). Destaca también el belga James Ensor (1860-1949) con un estilo más abrupto y caricaturesco.

MUNCH, E.: *El grito* (1895). *Se ve a un personaje cadavérico, con la boca abierta, sobre un puente o pasarela, y con un fondo sinuoso que parece un atardecer sangriento. Ambiente y figuras se funden en una mareante sensación de opresiva locura o pesadilla.*

Pero la eclosión del expresionismo se produjo en Alemania algo después por la creación de dos grupos de artistas. El primero, formado en 1905, adoptó el nombre de *Die Brücke* (El puente). Sus miembros pretendían servir de enlace entre todos los elementos revolucionarios del arte de su tiempo, y por eso acusaron en seguida la influencia del colorido estridente de los *fauves* franceses. Pero conservaron un gusto por las angulaciones atrevidas y por una estilización que daba cierta apariencia "gótica" a lo representado. El mejor representante de aquel grupo fue Ernst Ludwig Kirchner (1880-1938).

El segundo grupo expresionista, *Der blaue Reiter* (El jinete azul), fue constituido en Múnich en 1911 por Wassily Kandinsky (1866-1944) y Franz Marc (1880-1916), entre otros. Sus preocupaciones eran menos psicológicas y sociales, interesándose más por las posibilidades espirituales de la pintura pura. Parece lógico que acabaran desembocando en la abstracción.

KIRCHNER, E. L.: *La calle* (1913). *Éste es uno de los varios cuadros con prostitutas elegantes de Berlín que su autor pintó después de trasladarse a la capital alemana.*

LA ALEGRÍA DE VER Y DE VIVIR: TRES OBRAS DE MATISSE

La influencia de los neoimpresionistas es obvia en el cuadro de Matisse **Lujo, calma y voluptuosidad** (1904). Pero hay algunas diferencias: se trata de manchas discontinuas de color más que de puntos, y tampoco la paleta se reduce a los rojos, azules y amarillos básicos del espectro, pues hay también abundantes pinceladas verdes, violetas y naranjas. Parece claro que el fauvismo partió de la idea del color como algo que vive en el lienzo y es "recompuesto" al mirarlo por el espectador. Nos hallamos ante un asunto idílico: unas mujeres desnudas junto a una playa, en un sereno atardecer. Aunque el título procede de un poema de Baudelaire, existen conexiones entre esta pintura y los ideales anarquistas de la época que preveían un mundo futuro de libertad amorosa y de armonía con la naturaleza.

Lujo, calma y voluptuosidad (1904).

En 1906 volvió Matisse a abordar un tema parecido y ejecutó **Dicha de vivir**, que era un cuadro de gran tamaño, con varios grupos de figuras, también desnudas, en un paisaje "mediterráneo". Pero los puntos de color fueron sustituidos por gruesas pinceladas continuas y por masas de colores uniformes. Se formaba así un curioso juego entre los elementos cromáticos y un dibujo cuya apariencia sinuosa no estaba tan lejos de las incurvaciones peculiares del estilo "fin de siglo". La obra desagradó mucho (como era lógico) al puntillista Signac, pero fue el origen del estilo maduro de Matisse.

Dicha de vivir (1906).

Admirable por su equilibrio es **Armonía en rojo** (1908), un cuadro que Matisse ejecutó utilizando primero un tono dominante azul, sobre el cual pintó luego el color del título. Demostraba así que la obra no tenía por qué remitirse a los valores cromáticos de una supuesta realidad exterior, sino sólo al interior de sí misma. Observemos que el arabesco del mantel es también el de la pared del fondo, al igual que sucede con el rojo sobre el que destaca. Matisse logró plenamente que su obra transmitiera la sensación de paz que anhelaba para la pintura, y que defendió por escrito en su texto del mismo año *Notas de un pintor*, de 1908:

"*Si sobre una tela blanca extiendo diversas sensaciones de azul, verde, rojo, a medida que añada más pinceladas cada una de las primeras irá perdiendo su importancia. He de pintar, por ejemplo, un interior: tengo ante mí un armario que me produce una sensación de rojo vivísimo y utilizo entonces un tono rojo que me satisface [...]. Si luego pongo al lado un verde, o bien pinto el suelo de amarillo, seguirán existiendo entre el verde o el amarillo y el blanco de la tela relaciones que me satisfagan. Pero estos tonos diferentes pierden fuerza en contacto con los otros, se apagan mutuamente. Es necesario, pues, que las diversas tonalidades que emplee estén equilibradas de tal manera que no puedan anularse recíprocamente*".

Armonía en rojo (1908).

Orígenes del cubismo

Desde el siglo XV, el cuadro se concebía como una especie de ventana abierta al infinito. Pero ya hemos visto cómo esa idea de la pintura empezó a ser puesta en cuestión a partir del impresionismo. Una revolución radical se produjo con el cubismo, que fue una corriente de carácter formal (apenas tuvo al principio implicaciones políticas o sociológicas), inventada y desarrollada por Picasso y Braque entre 1907 y la Primera Guerra Mundial. Estos artistas reaccionaron inicialmente contra la brillantez cromática de los *fauves*, y por eso redujeron la gama cromática a un repertorio de grises, pardos, marrones y tonos verdosos. Seguían la senda de Cézanne, a quien también imitaron en su deseo de reducir los datos de lo real a unas pocas figuras geométricas elementales. El cubismo tuvo pronto múltiples seguidores y acabó produciendo, a partir de 1911, una revolución completa en la pintura de todo el mundo.

El punto de partida del cubismo fue el cuadro de **Pablo Picasso** *Las señoritas de Aviñón* (1907), que representa a cinco prostitutas en un burdel. Pero más sorprendente que el tema fue su técnica de grandes planos de color quebrados por esquinamientos agudos; no hay separación clara entre las líneas que delimitan las figuras y las que dibujan los elementos del entorno. La sensación de profundidad es escasa (carece de claroscuro), y todo parece más bien un bajorrelieve de configuración arbitraria.

PICASSO, Pablo: *Las señoritas de Aviñón (1907). Esta pintura pareció brutal y "salvaje" a los amigos de Picasso: no era casual que se hubiese inspirado en el arte ibérico y en las máscaras africanas.*

El primitivismo consciente del artista español se anticipaba un poco al del escultor rumano **Constantin Brancusi** (1876-1957). Suya es una obra tan innovadora como *El beso* (1908). Se trata de un cubo casi perfecto, en el cual se han tallado como grandes incisiones lineales los cabellos, los brazos y los ojos de una pareja enlazada. Cabría hablar, pues, de un "cubismo escultórico", manifiesto también en algunos experimentos tridimensionales del pintor español. Brancusi tuvo una larga y fructífera carrera, y es posible considerar su obra de los años veinte y treinta dentro de la órbita del movimiento surrealista.

Del cubismo analítico al cubismo sintético

Pero el cubismo propiamente dicho es algo posterior: entre 1908 y 1910, Picasso y el pintor **Georges Braque** (1882-1963) evolucionaron en paralelo hasta configurar un lenguaje pictórico nuevo que se conoce con el nombre de *cubismo analítico*. Los temas se redujeron a figuras estáticas y bodegones; los colores eran apagados; una maraña lineal (rectas interseccionadas y algunas curvas) hacía difícil reconocer las figuras representadas. Hacia 1911 encontramos en los cuadros de ambos artistas letras y números pintados. Al año siguiente se inicia el *cubismo sintético*: se trataba ahora de elaborar el lienzo a base de grandes planos de color uniforme y contornos geométricos precisos. Es frecuente encontrar papeles pegados y otros objetos combinados con la pintura propiamente dicha. El cuadro era ya, en cierto modo, una "construcción".

La tercera figura importante del cubismo fue **Juan Gris** (1887-1927), que, siguiendo la estela de Picasso, adoptó las fórmulas del cubismo sintético, llegando a elaborar una versión de este lenguaje más equilibrada. Él es el más "clásico" de todos los pintores cubistas. Mencionaremos finalmente a **Fernand Léger** (1881-1955), cuya versión del cubismo, contagiada por la fascinación futurista de la máquina y la velocidad, le llevó a representar figuras en movimiento con formas tubulares. Léger llegaría a ser más tarde un pintor de elementos mecánicos con admirable objetividad y gran valor decorativo.

BRANCUSI, Constantin: *El beso (1908). El escultor utilizó en esta obra el procedimiento de la "talla directa" sobre el bloque de piedra (es decir, sin un molde de arcilla preliminar), algo que era peculiar de la estatuaria de los pueblos primitivos y prehistóricos que habían servido de inspiración a Picasso el año anterior.*

EVOLUCIÓN DEL CUBISMO

Esta **Mesa pedestal**, pintada por Georges Braque en 1911, es un ejemplo muy representativo del cubismo analítico. El tema es aparentemente banal, pero existe: pese a la apariencia caótica de las líneas, podemos reconocer un violín y algunas partituras musicales sobre una mesa camilla. Las pinceladas cortas, de remota inspiración neoimpresionista, proporcionan una rara vibración superficial. No es arte abstracto: parece más bien que la realidad se ha descompuesto al filtrarse por un oscuro cristal natural, de variable configuración geométrica.

BRAQUE, Georges: *Mesa pedestal* (1911).

PICASSO, Pablo: *Naturaleza muerta con silla de rejilla* (1912).

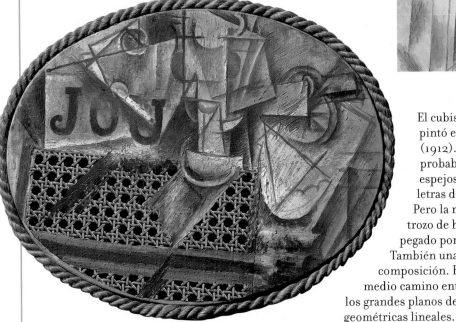

El cubismo sintético se inició cuando Picasso pintó esta **Naturaleza muerta con silla de rejilla** (1912). Se trata de un pequeño lienzo ovalado, probable alusión a las mesas de café o a los espejos de la época. Visibles son las primeras letras de la palabra "periódico" (en francés). Pero la novedad mayor consistió en introducir un trozo de hule impreso con una rejilla de silla, pegado por el artista en la mitad inferior de su obra. También una soga rodea, a modo de marco, toda la composición. El cubismo sintético se situaba, pues, a medio camino entre la pintura y el colage. Predominaban los grandes planos de color más que las descomposiciones geométricas lineales.

Los "tubos" peculiares de las figuras pintadas por Fernand Léger llegan casi a descomponerse (a desaparecer en el aire) en obras como **La escalera** (1914). Los planos de color y las abundantes líneas curvas se organizan aquí de un modo dinámico para sugerirnos las peculiaridades del progreso y la fascinación iconográfica de las máquinas: Léger representó (a la derecha de su cuadro) las palas propulsoras de un barco que funcionaba a principios de siglo junto a la Torre Eiffel.

LÉGER, Fernand: *La escalera* (1914).

Los comienzos de un genio

Es difícil encontrar a otro artista tan controvertido y tan mitificado como Pablo Ruiz Picasso (1881-1973), un personaje que encarnó mejor que nadie la aventura creativa de toda la vanguardia. Nacido en Málaga, se marchó a París el año 1900. Allí, influido por algunas corrientes postimpresionistas y por el clima ideológico del simbolismo y del anarquismo finiseculares, desarrolla la llamada *época azul*, debido a la tonalidad dominante en los cuadros. La temática era muy triste, con representaciones de pobres, mendigos y enfermos, como *El ciego de la guitarra* (1903). En 1904 Picasso inició una relación estable con Fernande Olivier y cambió la tonalidad de sus pinturas, que se hizo más cálida, al tiempo que desaparecían los asuntos miserabilistas. Esta etapa, conocida como *época rosa*, acabaría con *Las señoritas de Aviñón* y con la compleja aventura del cubismo.

De la "vuelta al orden" al surrealismo

Al terminar la Primera Guerra Mundial Picasso era ya una celebridad. Se casó entonces con Olga Koklova, cuyos gustos burgueses debieron de influir en Picasso, que evolucionó hacia una pintura más "clásica" y de temática amable. Sin embargo, este período no duró mucho: en 1921 pintó dos grandes versiones de un cuadro cubista enigmático, *Los tres músicos*, que era un homenaje encubierto a sus viejos amigos vanguardistas Apollinaire y Max Jacob; muy poco después ejecutó *La danza* (1925), un cuadro agresivo donde aparecían dobles imágenes (ojos-pechos, por ejemplo) y bailarinas descoyuntadas. Coincidía así Picasso con las preocupaciones características de la última corriente de la vanguardia, el surrealismo, cuyo primer manifiesto se había publicado unos meses antes.

PICASSO, Pablo: *El ciego de la guitarra* (1903). *La pobreza del personaje y el aire de "denuncia social" concuerdan con las ideas anarquistas de Picasso. En cuanto a la forma, la geometrización de la figura parece anticiparse a sus investigaciones cubistas posteriores.*

Así es como regresó al núcleo de los renovadores más radicales. La relación de Picasso con los surrealistas fue honda y compleja: éstos consideraron siempre al pintor español como uno de los suyos, pero no le exigieron la disciplina ni la misma ortodoxia ideológica que a los miembros ordinarios del movimiento surrealista. El cubismo continuó siendo para él un instrumento de gran eficacia encaminado a visualizar las cosas y los mitos que le obsesionaban: las corridas de toros y el Minotauro, sobre todo. No fue, sin embargo, su único "estilo", pues también cultivó un lenguaje a base de huesos redondeados, y otros modos expresivos de derivación clásica. La guerra civil española le empujó al compromiso político, inclinándole a la militancia antifascista y a la afiliación comunista. Pintó entonces *Guernica* (1937), la obra maestra indiscutible de aquel período. Pero este trabajo en clave de tragedia no debe hacernos olvidar los numerosos lienzos amables de aquellos años, con temáticas que exaltaban (como había hecho Matisse, su gran amigo y rival) la "alegría de vivir".

Una fecunda vejez

Fueron estos asuntos optimistas los que predominaron en las obras posteriores a la Segunda Guerra Mundial. La larguísima vejez de Picasso fue muy fecunda: vivió una buena temporada con la pintora Françoise Gillot antes de unirse con Jaqueline, su segunda esposa legal. Hizo en aquellos años cerámicas sorprendentes, numerosas esculturas, y pintó innumerables cuadros. Particularmente impresionante es la serie sobre *Las meninas* de Velázquez. La técnica y el desenfado temático peculiares de sus últimos años fueron un estímulo para los pintores transvanguardistas de los años ochenta. No ha habido, pues, un solo momento en la historia del arte del siglo XX sin que se proyecte sobre él la sombra gigantesca de Picasso.

PICASSO, Pablo: *La danza* (1925). *La agresividad y la distorsión de las figuras es mucho mayor en este cuadro que en los anteriores de Picasso. Con esta obra, el pintor inicia una etapa caracterizada por turbulentos conflictos emocionales y una gran riqueza intelectual.*

EL GUERNICA: VANGUARDIA Y COMPROMISO

Al estallar la guerra civil española, Picasso tomó partido por el bando republicano y comenzó a grabar una obra en dos planchas que tituló Sueño y mentira de Franco. *Es el antecedente más directo del gran mural que pintó unos meses después para el pabellón de la República española de la Exposición Universal de París de 1937. Su título,* Guernica, *aludía al cruel bombardeo de esa población vasca por parte de los aviones alemanes al servicio de los franquistas, un acto que indignó al mundo por su gratuita crueldad.*

Una visión dramática

Picasso situó la escena en un ambiente nocturno, como si fuera la visión dramática e instantánea del fogonazo provocado por las explosiones. La lámpara de una mujer y la bombilla actúan como el vértice de una pirámide luminosa en la que divisamos unos pocos personajes en actitudes desesperadas. Destaca el guerrero descuartizado, en el suelo, cuyo brazo empuña una espada rota con una flor. A la izquierda vemos a una mujer bramando de dolor, sosteniendo a su hijo muerto. En el centro hay un caballo (o más bien una yegua) agonizante, cuya cabeza parece dirigirse hacia el toro de la izquierda. No hay colores: todo se reduce a un dramático blanco y negro, como si la escena fuera una pesadilla (evocación, quizá, de los aguafuertes de Goya). El lenguaje cubista del que se sirvió parecía el más adecuado par aludir a la violenta destrucción del bombardeo.

Invitación a resistir

Picasso reutilizó aquí algunos de sus temas surrealistas, como las corridas. Símbolo de España, y también de la violencia ritual instintiva del amor, los toros habían sido representados con simpatía durante los años anteriores. Pero aquí se mostró una ruptura con las reglas rituales: nadie sale indemne, ni toreros, ni espectadores, ni caballos. La violencia ciega que viene de lo alto (del ataque aéreo) sobrepasa a la razón y ha de provocar el rechazo universal. *Guernica* contenía, pues, una invitación a resistir frente a la barbarie militar.

Se trata de arte político, sin duda, pero en este caso concreto se pudo demostrar que no tenía por qué haber una oposición radical entre las demandas de una militancia ideológica y los más exigentes requerimientos de la pintura experimental.

Abstractos "líricos": Kandinsky y Klee

Una constante de los movimientos de vanguardia fue su aspiración a conceder cada vez más autonomía a la obra respecto al asunto representado. El salto hacia la abstracción se produjo en distintos *ismos* entre 1910 y 1917, desde posiciones muy diferentes. Las razones para cultivar un arte sin tema podrían sintetizarse en lo que escribió Frantisek Kupka (uno de los primeros pintores abstractos) en 1913: "El hombre crea la exteriorización de su pensamiento por medio de la palabra. ¿Por qué no habría de crear en pintura y en escultura con independencia de las formas y de los colores que lo rodean?".

KANDINSKY, Wassily: *Curva dominante (1936).*

Hubo una variante de la abstracción que puede calificarse de "lírica", poco o nada geométrica, y cuyo principal representante fue el artista ruso **Wassily Kandinsky** (1866-1944), uno de los fundadores en Múnich el grupo expresionista *Der blaue Reiter*. En 1910 ejecutó ya una acuarela abstracta que surgió al contemplar fortuitamente, cabeza abajo, un paisaje muy estilizado. Su descubrimiento le fascinó, e inició una larga serie de cuadros sin tema, elaborados con manchas de colores sin contornos geométricos precisos. Kandinsky buscaba la belleza pura de las combinaciones cromáticas, a las cuales comparaba con los acordes musicales. Sobre este nuevo tipo de pintura escribió: "En general el color es un medio para ejercer una influencia directa sobre el alma". Tras el triunfo de la revolución en Rusia, Kandinsky volvió a su país y regresó a Alemania en 1921 con un estilo nuevo, más geométrico, aprendido de la vanguardista rusa (constructivismo). En 1933 emigró a París, donde vivió hasta su muerte, pero aún tuvo tiempo de evolucionar hacia otra modalidad de la abstracción, próxima a Miró y a algunos otros surrealistas, en la que predominan elementos curvilíneos que parecen inspirados en formas biológicas, como si fueran amebas, protozoos u otros entes microscópicos.

La emoción que suscitan los cuadros de Kandinsky puede compararse con la del suizo **Paul Klee** (1879-1940). Su actitud ante la abstracción fue menos dogmática que la de Kandinsky, manteniendo numerosas referencias figurativas.

Abstracción "geométrica": Mondrian y Malevich

Las variantes claramente geométricas de la abstracción surgieron principalmente en Holanda y en Rusia. En el primero de estos dos países hubo varios artistas agrupados en torno a la revista *De Stijl* (El estilo) que desarrollaron una estética coherente, de gran importancia para la arquitectura, y a la cual denominaron *neoplasticismo*. Su principal representante fue **Piet Mondrian** (1872-1944), un pintor que evolucionó a partir del cubismo. Ejercitándose en la geometrización de la figura de un árbol, llegó a una abstracción radical con cuadros donde sólo había líneas y planos ortogonales pintados con los colores puros del espectro: rojo, amarillo y azul (además de blanco, negro y gris). La idea era hacer un arte puro, universal, no vinculado a las contingencias sociales o psicológicas de cada espectador concreto.

Algo parecido buscaba también el ruso **Kazimir Malevich** (1878-1935), que también partió del fauvismo, del cubismo (en la versión "tubular" de Léger) y del futurismo, antes de llegar súbitamente, en 1915, al *suprematismo*. Así denominó él a un estadio de su trabajo caracterizado por la presencia de formas geométricas simples (triángulos, rectángulos, cuadrados y círculos) con colores planos. El nombre que dio a su trabajo aludía fundamentalmente a lo que él consideraba como "supremo" punto de llegada del arte de la pintura.

Esta fotografía es de una exposición de Malevich en 1915. Sólo había cuadros abstractos. Algunos de ellos muestran rectángulos y trapecios superpuestos, con líneas diagonales: es lo que Malevich llamó "suprematismo dinámico". Pero la obra capital, **Cuadrado negro sobre fondo blanco***, está en la parte superior, coronando el ángulo de la habitación. Se trata de una negación absolutamente radical de la figuración, un gesto que sólo fue superado por el mismo artista en 1919 con* **Cuadrado blanco sobre fondo blanco.**

LA ABSTRACCIÓN: TRES EJEMPLOS

En 1914 pintó Kandinsky cuatro lienzos para decorar
el apartamento de E. R. Campbell con el tema de las
estaciones del año. El que reproducimos aquí,
correspondiente al **Invierno**, posee tonos fríos y sombríos,
como parece corresponder a la idea tópica que se tiene
de esos meses de días cortos y gélidas noches. No pudo
Kandinsky sistematizar, en estos años iniciales de la
abstracción, una relación clara entre las emociones
y los colores, pero sí es evidente que logró acercar la
pintura a la música, tal como pretendía.

KANDINSKY, Wassily: *Invierno* (1914).

KLEE, Paul: *Motivo de Hammamet* (1914).

Este **Motivo de Hammamet** (1914) fue pintado por Klee
rememorando su viaje a Túnez. Es una pequeña acuarela
con delicadísimas transparencias, y en ella reconocemos
vagamente algunos motivos (casas, tal vez, o una mezquita,
el cielo y el mar). Pero lo esencial es el juego de los colores,
organizados en campos geométricos irregulares, y la
transición desde el ángulo inferior derecho (donde
predomina el amarillo) hasta la tonalidad fría, contrapuesta
a la anterior, que se impone en el ángulo superior
izquierdo. Klee hace una síntesis entre la abstracción y la
figuración, entre el lirismo cromático y el rigor geométrico.

Dos años antes de morir pintó Mondrian este cuadro
titulado **Broadway Boogie-Woogie** (1942). Seguía
conservando el artista una meticulosa predilección por las
líneas verticales y horizontales, y tampoco se sirvió de otros
colores que no fueran los básicos del espectro. Pero su
pretensión inicial de hacer un arte puro y universal se ha
mitigado: el título aludía a la ciudad de Nueva York, donde
estaba viviendo entonces, y los pequeños cuadraditos de
color parecen representar las luces y el movimiento de la
gran ciudad. La abstracción total fue una aspiración de
algunos artistas, como estamos viendo, pero pocas veces
encontramos ejemplos que no tengan una remota evocación
figurativa o emocional.

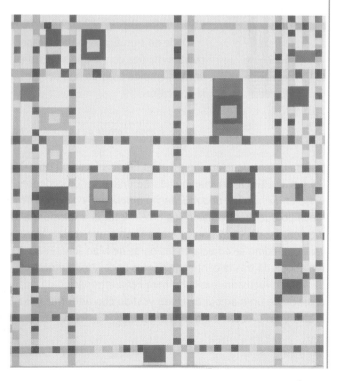

MONDRIAN, Piet: *Broadway Boogie-Woogie* (1942).

El futurismo: la pasión mecánica

El futurismo surgió en 1909 cuando el poeta italiano Filippo Tomasso Marinetti publicó el primero de los manifiestos de este movimiento literario. Muy pronto se adhirieron al nuevo *ismo* algunos artistas que impulsaron la publicación del *Manifiesto de los pintores futuristas* (1910), o el de la *Escultura futurista*. En aquellos escritos se ensalzaba el desarrollo industrial, la máquina y la velocidad.

Los futuristas consideraban agotadas las nociones de belleza heredadas de la tradición académica. Marinetti lo expresó con una fórmula lapidaria: "Un automóvil de carreras es más hermoso que la Victoria de Samotracia".

Los pintores futuristas eran inconformistas seguidores de la variante italiana del neoimpresionismo, caracterizada por una diferencia técnica: en vez de puntos aplicaban pequeñas rayas o "uves" de color. Con ese procedimiento hicieron sus primeros cuadros, pero en 1911 conocieron en París el trabajo de los cubistas, y decidieron, de modo súbito, adoptar aquel nuevo lenguaje. El mismo cambio de orientación es perceptible en la escultura, revolucionada por la introducción del vacío (del aire circundante), por la descomposición en planos (algo aprendido de los trabajos coetáneos de Picasso) y por el deseo de obtener continuidad espacial.

BALLA, Giacomo: *Niña corriendo en un balcón (1912)*. *Este artista empezó cultivando asuntos sociales con una técnica "divisionista"; luego adoptó el lenguaje puntillista e intentó representar el movimiento mediante la repetición de la misma imagen, tal como vemos en el cuadro.*

A todos los futuristas les influyeron las fotografías de Marey y Muybridge con las distintas fases de un movimiento, por ejemplo de un caballo galopando (cronofotografías), y también el cine, que empezaba ya a modificar la percepción visual del mundo occidental. Fueron figuras importantes del futurismo Giacomo Balla (1871-1958), Carlo Carrá (1881-1966), Umberto Boccioni (1882-1916) y Gino Severini (1883-1966).

PICABIA, Francis: *Retrato de una muchacha americana en estado de desnudez (1915)*.

El dadaísmo

El movimiento más radicalmente negador de todo lo establecido fue el dadaísmo, surgido en Zúrich durante la Primera Guerra Mundial. Suiza era un país neutral donde se refugiaron muchos jóvenes durante la guerra. Inmigrantes temporales fueron casi todos los primeros animadores del Cabaret Voltaire de Zúrich, un café cultural donde se inició *dada*, en 1916, con las actividades de los poetas Hugo Ball (1886-1927) y del rumano Tristan Tzara (1896-1963), o de artistas plásticos como Marcel Janco (1895-1984) y Hans Arp (1887-1966). Este último declaró más tarde refiriéndose a las intenciones de los primeros dadaístas: "Buscábamos un arte elemental que curara a los hombres de la locura de la época, un orden nuevo que restableciera el equilibrio entre el cielo y el infierno".

Dada no significaba nada en especial ("sí, sí", en rumano, o tal vez "caballito de madera"), pero fue una palabra mágica con la que se justificaron cosas como la recuperación del azar en tanto que fuerza creadora, el empleo programado del escándalo público o el uso de materiales heterogéneos y de desecho para la creación.

Atraído por *dada* acudió a Zúrich **Francis Picabia** (1879-1953). Se había interesado ya unos años antes por la utilización manipulada de imágenes procedentes de máquinas modernas, tal como puede verse en *Retrato de una muchacha americana en estado de desnudez* (1915): con una bujía de automóvil (lo que produce la chispa en el motor de explosión) alude a las peculiaridades del erotismo femenino. Esta actitud irónica era la misma que tenían Marcel Duchamp y todos los dadaístas neoyorkinos, como se aprecia en las obras de **Man Ray** (1890-1977). También la iconografía mecánica fue adoptada tras la contienda por los dadaístas berlineses. El acto público más importante del dadaísmo en Alemania fue la Primera Feria Internacional Dada, organizada en Berlín en 1920: la exposición de un maniquí de cerdo vestido con uniforme del ejército alemán produjo la clausura de la sala y un proceso a algunos organizadores del evento.

MAN RAY: *Regalo (1921)*. *Se trata de una plancha con clavos que destrozaría la ropa si se utilizase para su función habitual.*

FUTURISMO Y DADAÍSMO: TRES OBRAS ESENCIALES

Los futuristas resolvieron el problema de representar el movimiento sobre la superficie plana y estática del cuadro recurriendo al artificio (inspirado en las cronofotografías de Marey) de multiplicar la imagen, pero no era fácil adoptar el mismo procedimiento para la escultura. Los mejores hallazgos en este terreno los logró Umberto Boccioni, cuya obra maestra es la titulada **Formas únicas de continuidad en el espacio** (1913). Obsérvese cómo la interpenetración entre la figura y el espacio en el que se mueve ha sido sugerida proporcionando al cuerpo contornos imprecisos, a modo de aletas o protuberancias, con huecos y llenos arbitrarios. El dinamismo, parece indicarnos Boccioni, disuelve las fronteras de la materia.

BOCCIONI, Umberto: *Formas únicas de continuidad en el espacio (1913).*

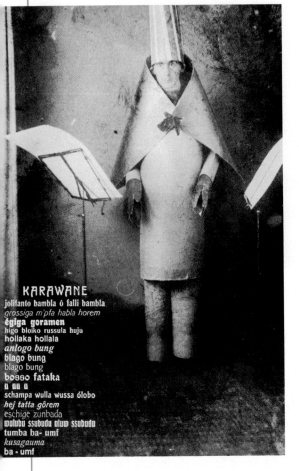

Del futurismo derivaban, en parte, algunas técnicas literarias empleadas por los dadaístas, como la poesía fonética. La provocación al público, el escándalo, fueron también actividades cultivadas de un modo sistemático, como si quisieran parodiar las complacientes intervenciones oficiales de los políticos y literatos burgueses. En esta foto, de 1916, aparece Hugo Ball, fundador y animador del Cabaret Voltaire de Zúrich, recitando su poema *Karawane*. Iba vestido con un traje de tubos y conos de cartón (inspirado probablemente en la variante del cubismo que había desarrollado Léger), y "cantaba" su poema, que estaba colocado en el atril como si de una partitura musical se tratase. El texto era "abstracto", con palabras inventadas que no tenían ningún significado.

Hugo Ball recitando su poema "Karawane" (1916).

Los dadaístas berlineses adoptaron posiciones políticas izquierdistas. Las simpatías de algunos de ellos por la revolución rusa se notan en esta fotografía tomada en la inauguración de la Primera Feria Internacional Dada de Berlín (1920): George Grosz (1893-1959) y John Heartfield (1891-1968) sostienen un cartel donde se lee: "El arte ha muerto, viva el nuevo arte maquinista de Tatlin" (este artista ruso era conocido por el *Monumento a la III Internacional*). Detrás vemos la escultura que ellos mismos habían hecho ensamblando a un maniquí mutilado una bombilla eléctrica (la cabeza) y otros elementos mecánicos o simplemente extravagantes (como una dentadura en el sexo); el título de aquella obra, *El burgués Heartfield que se ha vuelto salvaje (escultura electromecánica de Tatlin)*, reforzaba los mensajes explicitados en el cartel.

Fotografía de la inauguración de la Primera Feria Internacional Dada de Berlín (1920).

6. Marcel Duchamp

Cubista y "futurista"

La otra gran figura del arte del siglo XX, equiparable por su importancia a Pablo Picasso, fue Marcel Duchamp (1887-1968). Exploró una vía muy diferente a la del pintor español, modificando nuestra percepción del objeto manufacturado e inaugurando muchas de las corrientes "conceptuales" de la segunda postguerra. Este artista asimiló rápidamente todos los descubrimientos de la vanguardia, desde el impresionismo al fauvismo.

En 1912 pintó el *Desnudo bajando una escalera*, una obra cubista ortodoxa y al mismo tiempo muy original: los colores apagados correspondían a alguien que seguía de cerca el trabajo "analítico" de Picasso y Braque, sin embargo era nueva su pretensión de captar el movimiento recurriendo a la representación de un tema académico como el desnudo. Duchamp se inspiraba en las cronofotografías, con la misma imagen semirrepetida mostrando las distintas fases de una acción. Eso demuestra su afinidad, en aquellos momentos, con los futuristas italianos.

El final de la pintura y la fase dadaísta

A partir de 1912 Duchamp abandonó la pintura y se consagró a especulaciones de difícil clasificación. Convencido como estaba de la muerte de las "bellas artes" tradicionales, y de la necesidad de tomar en consideración la hermosura de los objetos manufacturados ofrecidos por la industria, decidió, en 1915, emigrar a Nueva York. Huía de la caduca Europa y del patrioterismo sofocante provocado por la guerra mundial. Allí se rodeó de amigos vanguardistas como Picabia o Man Ray, y de algunos mecenas locales, consagrándose principalmente a dos tareas:

DUCHAMP, Marcel: *Desnudo bajando una escalera* (1912). *Este cuadro le valió a su autor el rechazo de los cubistas parisinos, pero le hizo famoso en Estados Unidos después de que fuera colocado en la primera gran exposición vanguardista que se organizó en Nueva York (la llamada "Armory Show", de 1913).*

– La elaboración de una obra sobre cristal (el *Gran vidrio*) que él tituló *La casada desnudada por sus solteros, incluso* (que se analizará más adelante).

– El montaje de unas cuantas obras reutilizando de varios modos objetos "ya hechos". Llamó a estos trabajos *ready-mades*, jugando con el significado casi equivalente de las dos palabras inglesas. Aquella fase de su vida coincidió con el auge internacional de la revolución gestada en Zúrich, y no es una casualidad que a Duchamp se le considere como la figura más importante del dadaísmo neoyorkino.

A principios de los años veinte se inventó un *alter ego* femenino, al cual llamó Rrose Sélavy (su lectura fonética en francés significa "el amor es la vida"), y con ese nombre firmó en lo sucesivo muchas obras y fotografías. No se trataba de un simple fenómeno de travestismo, sino de una manera de reflexionar artísticamente sobre la identidad y sobre el género. Le sirvió también para desarrollar trabajos centrados en el *erotismo*, una de sus preocupaciones más persistentes (junto al descrédito de la ciencia positiva).

Del surrealismo a "Étant donnés"

En los años treinta Duchamp se convirtió en un compañero de viaje de los surrealistas, con los cuales colaboró en diversas exposiciones y actividades editoriales. Dio por terminado entonces (en 1936) el *Gran vidrio*, y continuó con sus especulaciones ópticas elaborando, entre otras cosas, los *Rotorrelieves* (1935), que eran discos con círculos irregulares para colocar sobre el plato del tocadiscos. Durante las últimas décadas de su vida trabajó en una instalación compleja a la cual tituló con las primeras palabras de una nota relativa al *Gran vidrio: Étant donnés* ("Dados...") (1946-1966). Era una especie de diorama de carácter erótico para ser visto por un único espectador a través de los agujeros de un portalón. Duchamp dispuso que esta obra fuese mostrada sólo después de su muerte, a modo de un testamento artístico cuyo asunto reitera el mensaje recurrente de toda su obra: "el amor es la vida".

LA REBELIÓN DEL OBJETO: TRES "READY-MADES"

El primer *ready-made* fue la **Rueda de bicicleta sobre un taburete**. Ensamblado en 1913, se perdió más tarde y fue rehecho por el propio Marcel Duchamp en distintas ocasiones. La operación intelectual que condujo a esta obra fue muy compleja, pues nadie hasta entonces había descontextualizado un objeto manufacturado para que funcionase como "arte". Lejos de la simplicidad, son muchas las alusiones que podemos destacar: el taburete, alto, funciona como una especie de pedestal fijo para la horquilla y la rueda, que pueden girar. Duchamp dijo que manipularla y verla moverse era tan relajante como contemplar las llamas de una chimenea. Podría poseer también un significado amoroso relacionado con la circularidad de los mecanismos "solteros" del *Gran vidrio*. No cabe duda, en cualquier caso, de que esta pieza convulsionó la idea de la escultura, vigente desde tiempo inmemorial: es móvil, la acciona el espectador y no ha sido elaborada físicamente por el artista-autor.

Rueda de bicicleta sobre un taburete (1913).

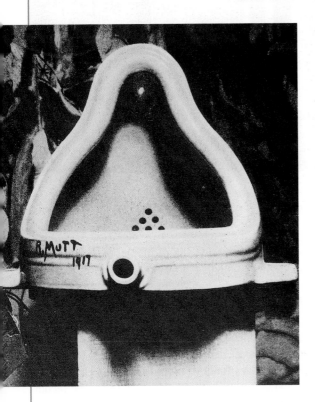

Más revolucionario aún fue el gesto de enviar un urinario masculino a la exposición neoyorkina de los Independientes de 1917. Duchamp lo firmó con el nombre de R. Mutt, le añadió la fecha (como solían hacer los artistas con sus creaciones), y un título: **Fuente**.
Fue rechazado por el comité directivo de la exposición, lo que aprovecharon los dadaístas neoyorkinos para protestar. Publicaron entonces la fotografía que reproducimos aquí (hecha por Stieglitz) y algunos artículos donde se justificaba la pertinencia de la obra. Reivindicaban su "casta belleza" industrial y afirmaban que lo importante no era la ejecución por parte del autor sino la elección del objeto. Las similitudes antropomorfas que detectaron, comparándolo con una Madonna o un Buda, indican la importancia que daba Duchamp al cambio de posición. Observemos que está girado noventa grados respecto a la colocación habitual de la pieza, lo cual tiene su importancia: si se quisiera usar como urinario, el líquido depositado dentro caería hacia afuera a través del agujero delantero.

Fuente (1917).

Sin sentido del humor parece difícil entender a Duchamp (tampoco a otras muchas creaciones de la vanguardia), lo cual es particularmente notorio en un *ready-made* "asistido" o "rectificado" (utilizamos los términos del artista) como es **L.H.O.O.Q.** (1919). No se trataba de coger un objeto y cambiarlo solamente de lugar o posición, sino de introducir algunas transformaciones significativas: a una reproducción barata de *La Gioconda* de Leonardo da Vinci le añadió un bigote y una perilla, la firmó con su nombre y le puso debajo la inscripción del título. Leída rápidamente en francés significa "ella tiene el culo caliente". Como Duchamp dijo que no se trataba de una mujer disfrazada, sino de un hombre efectivo, hemos de concluir que esa *ella* del título debe de aludir a una hipotética espectadora, a la cual está mirando el personaje del cuadrito. Los *ready-mades* nos obligan a participar (a veces hay que tocarlos): con ellos desapareció el remoto distanciamiento de las obras de arte.

L.H.O.O.Q. (1919).

La fase del "automatismo"

El último de los grandes movimientos de la vanguardia histórica apareció públicamente en 1924 cuando el escritor francés André Breton (1896-1966) publicó el *Primer manifiesto del surrealismo*. Se definía allí al nuevo *ismo* como un "dictado verdadero en ausencia de todo control ejercido por la razón, y fuera de toda preocupación estética o moral". Se presentaba, en realidad, como un sistema de pensamiento encaminado a cambiar toda la vida, pues los surrealistas aspiraban a borrar las fronteras entre lo racional y lo irracional, lo permitido y lo prohibido.

La apelación a la inmediatez psíquica llevó a los escritores surrealistas hacia técnicas como las de la escritura o el dibujo "automático".

Estos ejercicios instantáneos de autoexpresión permitieron a artistas como André Masson (1896-1987) obtener, durante los años veinte, obras abstractas de gran fuerza expresiva.

Próximo a ello, aunque sin practicar el automatismo en sentido estricto, estuvo el pintor catalán Joan Miró (1893-1983), quien a mediados de los años veinte ya estaba plenamente introducido en el universo ideológico surrealista, poblando sus cuadros con seres fabulosos indescriptibles. Miró dejó que el inconsciente respirase siempre en su obra. La luna y las estrellas, la mujer y el hombre, plantas y montañas: todo apareció reducido a una especie de vocabulario de signos semiabstractos, mantenido casi inalterable hasta su muerte.

CHIRICO, Giorgio de: *El enigma de un día* (1914). *Este cuadro, que perteneció a André Breton e inspiró luego a Salvador Dalí, es un buen ejemplo de la pintura metafísica.*

Pintores de lo onírico. La escultura surrealista

La vertiente "no automática" del surrealismo se deleitó en la representación de lo insólito, lo extraño, lo maravilloso y lo onírico, sin desdeñar el erotismo o la extrema crueldad. Por eso los surrealistas pudieron considerar como propios a artistas del pasado tan característicos como El Bosco, Arcimboldo, Antoine Caron, Füssli o Goya. Se apropiaron también de algunos contemporáneos como Picasso y Giorgio de Chirico (1888-1978). Las obras tempranas de este italiano, fundador de la llamada pintura metafísica, impresionaron a los surrealistas por la sensación de extrañamiento y angustiosa soledad que producían.

Podría hablarse, en realidad, de una especie de "senda metafísica" dentro del surrealismo, en la cual encontramos a muchas figuras capitales de este movimiento, como Ives Tanguy (1900-1955), Max Ernst (1891-1976), que había pertenecido al dadaísmo alemán y de ahí deriva su gusto por el colage que él aplicó recombinando viejos grabados populares, o René Magritte (1898-1967), el mejor representante del surrealismo en Bélgica, que pintó numerosas paradojas, haciéndonos dudar de la estabilidad de nuestra percepción.

Pero el mejor artista de esta corriente fue el catalán Salvador Dalí (1904-1989). De personalidad compleja, megalómano, genial publicista de sí mismo, puede ser considerado también como un precursor de las *performances* de finales del siglo xx. Creó el "método paranoico-crítico", y lo aplicó a la pintura, elaborando de modo sistemático cuadros con varias imágenes superpuestas. Su técnica relamida, de origen académico, favoreció una evolución (desde los años cuarenta) hacia posiciones muy conservadoras. Sin embargo, paradójico y genial siempre, no abandonó nunca una refrescante capacidad de provocación que denota su adhesión permanente a las vanguardias.

El surrealismo tuvo también grandes repercusiones en la escultura, como lo prueban las obras maravillosas de Alberto Giacometti (1901-1966), o los elementos flotantes y seres móviles del norteamericano Alexander Calder (1898-1976). Especialmente importante es la obra del español Julio González (1876-1942), que colaboró primero con Picasso antes de hacer por su cuenta prodigiosas figuras de hierro forjado en las cuales recuperaba elementos del lenguaje cubista, aunque poniéndolo al servicio de las hibridaciones fantásticas peculiares del surrealismo.

GONZÁLEZ, Julio: *Mujer peinándose ante un espejo* (1936).

LA FANTASÍA Y EL INCONSCIENTE: TRES PINTURAS SURREALISTAS

El mismo año en que Breton dio a conocer el *Primer manifiesto del surrealismo*, pintó Joan Miró el **Carnaval de Arlequín** (1924-1925). Su situación económica era entonces muy precaria, y de ahí que atribuyera al hambre los alucinantes personajillos que pueblan esa habitación. El espacio, en efecto, es euclidiano (parecido al de los cuadros renacentistas), con una clara horizontal separando el suelo de la pared del fondo; a través de la ventana puede verse una estilizada Torre Eiffel. Pero lo más interesante son esos seres innombrables: insectos o mamíferos, fragmentos de humanidad, cosificaciones, etc. Todos parecen volar en un espacio ingrávido. El propio Miró reconoció luego su deuda con El Bosco.

MIRÓ, Joan: *Carnaval de Arlequín (1924-1925).*

En 1927 hizo Yves Tanguy su primera exposición individual, y de ese mismo año es esta **Composición (Muerto acechando a su familia)**. Con colores apagados muestra un extraño universo de seres semiflotantes, como si estuviéramos ante una fantástica vista subacuática. Este descenso de la pintura a los abismos marinos podría entenderse como una metáfora de la inmersión en el inconsciente, algo importante para los surrealistas. Se ha hablado de la influencia en Tanguy de algunos mitos, como el de la ciudad sumergida de Ys (¿no parecía ese nombre una contracción del suyo propio, Yves?). Aquí vemos, en todo caso, un compromiso entre el automatismo y las composiciones más controladas de otros surrealistas.

TANGUY, Yves: *Composición (Muerto acechando a su familia) (1927).*

MAGRITTE, René: *El falso espejo (1928).*

Inspirándose en un grabado del arquitecto del siglo XVIII C. N. Ledoux, pintó Magritte **El falso espejo** (1928). Se trata de un juego que conduce al espectador hacia una poética perplejidad: el cielo (lo que supuestamente se mira) está detrás de la pupila, y no delante, como cabía esperar. Magritte tuvo muy presente un verso del poeta surrealista Paul Éluard: "En los ojos más sombríos se encierran los más claros". La técnica es pulida y neutra, pues al artista no le interesaba que una pincelada "valiente" distrajera la atención del impacto conceptual de su representación.

La obra

Sobre dos grandes paneles de vidrio pintó Duchamp diversos elementos de apariencia biomórfica y mecaniforme. Está ejecutada al óleo, con alambres de plomo en los contornos de las figuras, y polvo fijado con pegamento. Este "cuadro" avanzó lentamente entre 1913 y 1922; tras una rotura accidental, Duchamp lo restauró (y lo dio por acabado) en 1936. Se encuentra actualmente, junto a las obras más importantes de su autor, en el Philadelphia Museum of Art.

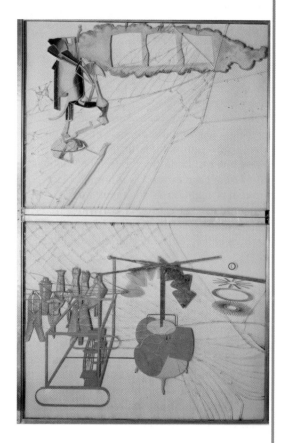

El artista

Duchamp había abandonado en 1913 su pretensión inicial de hacer una carrera artística. Ya tenía hechas muchas anotaciones para el *Gran vidrio* cuando llegó a Nueva York en 1915, y es allí donde emprendió la obra al tiempo que concebía la mayor parte de sus *ready-mades*. Se correspondió todo esto con el momento álgido del dadaísmo. En 1936, cuando acabó este trabajo, Duchamp estaba muy cercano a las posiciones intelectuales del surrealismo.

Análisis formal

El panel inferior está dedicado a dos mecanismos "solteros", de funcionamiento independiente, con los elementos siguientes: los "moldes málicos", término derivado del inglés "male" (sobre el trineo, a la izquierda); el molino de chocolate, los tamices cónicos y las aspas (todo ello en el centro); finalmente, los testigos oculistas (a la derecha). En la parte superior está la "novia", compuesta por la "vía láctea" (con tres grandes agujeros rectangulares) y el aparato del deseo (a la izquierda). Este elemento fue copiado de otro cuadro anterior del propio Duchamp titulado *La casada* (1912).

Moldes málicos.

Molino de chocolate y tamices cónicos.

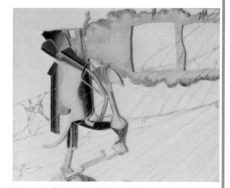

Aparato del deseo de la novia.

Significado

Los solteros están atrapados por una circularidad mecánica, que parece una metáfora masturbatoria ("el soltero se muele su propio chocolate", escribió Duchamp); pero también pugnan por hacer llegar a la novia, colgada en la parte alta, una especie de gas amoroso. La figura femenina estimula las demandas de los solteros mediante movimientos y mensajes. Todo eso parece una parodia del amor mecánico del mundo moderno, así como una representación de las dificultades del encuentro entre la esfera masculina y la remota elevación femenina. Una rotura accidental produjo grietas simétricas entre ambas mitades de la obra, y esto resolvió el problema de la conexión de los dos sectores, creándose entre la novia y los solteros una comunicación permanente. El "azar objetivo", típicamente surrealista, colaboró con el artista, que decidió considerar entonces al *Gran vidrio* como plenamente acabado (1936).

- Identifica con su propio nombre las distintas "piezas" del *Gran vidrio*.
- ¿Te parece "futurista" el universo mecánico del *Gran vidrio*?
- ¿Cuántos movimientos de vanguardia aparecen implicados en esta obra de Duchamp?
- ¿Qué relación puede haber entre la transparencia del *Gran vidrio* y la descomposición geométrica peculiar del cubismo analítico?

La obra

Este lienzo fue pintado en 1938, muy avanzada la guerra civil española, cuando ya se había hecho muy famoso un cuadro como *Guernica*. Al exponerlo en Nueva York a principios del año siguiente, Dalí dibujó en el catálogo hasta seis imágenes o escenas diferentes, superpuestas en la misma representación, que era posible distinguir mediante un ejercicio "paranoico" de desciframiento consciente. El pintor catalán no se desprendió nunca de este cuadro, que ha pasado al Estado español por legación testamentaria, encontrándose ahora en el Museo Nacional Centro de Arte Reina Sofía de Madrid.

El artista

Aquél fue un momento de crisis ideológica para Salvador Dalí. Sus simpatías por el bando franquista contrastaban con la militancia republicana de los surrealistas y de todos sus antiguos amigos españoles. García Lorca, su compañero (y tal vez amante) de juventud, había sido asesinado por los insurgentes fascistas. Dalí renunciaba ahora a sus viejos ideales y decidía "camuflarse", haciendo de su cobardía un asunto artístico. No es casual que la contienda española y luego la Segunda Guerra Mundial acentuaran sus trabajos con la imagen múltiple.

Análisis formal

Dalí identificó en su cuadro los siguientes elementos: playa del cabo de Creus con mujer sentada vista de espaldas remendando una vela y barco; filósofo recostado; cara del gran Cíclope cretino; galgo; mandolina, frutero con peras y dos figuras encima de una mesa; animal mitológico. Todas estas cosas están en un paisaje "mineral", una evocación del lejano Cadaqués (Dalí vivía en Estados Unidos y no podía regresar a España a causa de la guerra). Utilizó aquí la habitual técnica relamida y minuciosa, típica de su autor.

Significado

El "cretino" era, en realidad, un retrato disimulado de Federico García Lorca: al colocarlo debajo del galgo bien pudo aludir Dalí a *Un perro andaluz*, la película cuyo guión había escrito en 1929 con Luis Buñuel. El cuadro es una obra maestra en la aplicación del "método paranoico-crítico" (la imagen múltiple), pero también supone una especie de insulto privado a su amigo más querido, algo así como un escupitajo sobre su tumba. Se diría que Dalí escenificó en *El enigma sin fin* una especie de ruptura con su pasado "revolucionario", afirmando a su manera que no habría ya para él otro ideal que no fuese su amor por Gala, cuyo rostro aparece a la derecha, mirándonos intensamente, como si flotara sobre el mar.

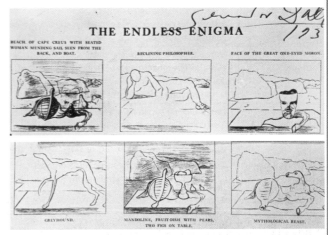

En estas ilustraciones del catálogo de la primera exposición del pintor se muestran las distintas imágenes que aparecen en el cuadro.

- Piensa en la relación entre la "imagen múltiple" surrealista y los colages del cubismo sintético.
- ¿En qué sentido se alejó Dalí del surrealismo ortodoxo?
- ¿Es *El enigma sin fin* un cuadro relacionado con la guerra civil española?
- Identifica en esta obra todas las imágenes escondidas que puedas.

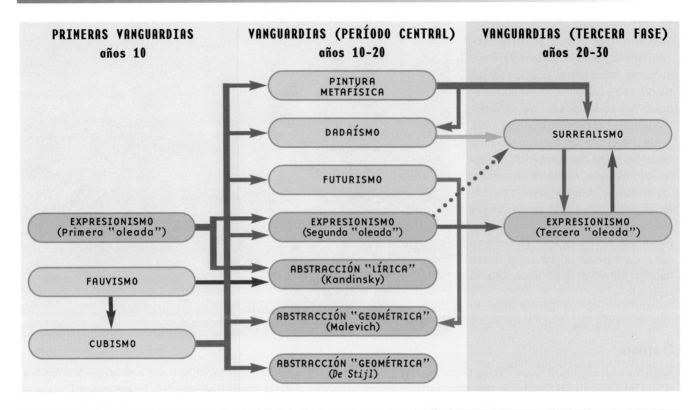

PRIMERAS VANGUARDIAS
años 10

VANGUARDIAS (PERÍODO CENTRAL)
años 10-20

VANGUARDIAS (TERCERA FASE)
años 20-30

VANGUARDIAS HISTÓRICAS (HACIA 1905-1945)		
MOVIMIENTOS	**CARACTERÍSTICAS**	**ARTISTAS Y OBRAS**
Fauvismo (hacia 1903-1910)	• Gran énfasis en el color, arbitrario y violento (como "fieras").	• MATISSE: *Lujo, calma y voluptuosidad* (1904); *La dicha de vivir* (1906); *Armonía en rojo* (1908).
Cubismo (desde 1907)	• La figura clave es Picasso, que inicia a partir de 1907 una "deconstrucción" geométrica de la figuración. • Hasta 1912, *cubismo analítico,* y desde ese año, *cubismo sintético.* Este último se caracteriza por los grandes planos de color y la introducción del colage.	• PICASSO: *Las señoritas de Aviñón* (1907); *Naturaleza muerta con silla de rejilla* (1912); *La danza* (1925); *Guernica* (1937). • BRAQUE: *Mesa-pedestal* (1911). • GRIS: *Tazas de té* (1914). • BRANCUSI [escultor]: *El beso* (1908).
Expresionismo (tres "oleadas": hacia 1900, 1910 y 1920-30)	• No es un movimiento único sino un conjunto de figuras aisladas y de grupos. • Arte emotivo volcado en la expresión subjetiva de la angustia y la soledad.	• MUNCH: *El grito* (1895). • Grupo "El puente" (1905), con artistas como KIRCHNER (*La calle,* 1913). • Grupo "El jinete azul" (1911), con artistas como KANDINSKY y MARC.
Futurismo (desde 1909)	• Lanzado por el escritor Marinetti. Exaltación de la máquina, la vida moderna y la velocidad. Dos fases: una inicial influida por el "divisionismo" y otra (desde 1911) en la que adoptan el lenguaje cubista.	• BOCCIONI: *Formas únicas de continuidad en el espacio* (1913). • BALLA: *Niña corriendo en un balcón* (1912). • SEVERINI: *Tren blindado* (1915). • CARRÁ.
Dadaísmo (hacia 1916-1923)	• Constituido en Zúrich durante la Primera Guerra Mundial y extendido luego a otras ciudades. • Crítica a la autoridad y gusto por la provocación. • Reivindican el azar. • Creadores de *ready-mades* y de fotomontajes. • La gran figura (que trasciende al movimiento) es Duchamp.	• Hugo BALL: *Karawane* (poema fonético de 1916). • PICABIA: *Retrato de una muchacha americana en estado de desnudez* (1915). • MAN RAY: *Regalo* (1921). • GROSZ y HEARTFIELD: *El arte ha muerto.* • DUCHAMP: *Desnudo bajando una escalera* [cubista] (1912); *Rueda de bicicleta sobre un taburete* (1913); *Gran vidrio* (1913-1936); *Fuente* (1917); *L.H.O.O.Q.* (1919); *Étant donnés* (1946-1966).
Abstracción (desde 1910)	• Ausencia de motivos reconocibles. • Dos grandes tendencias: abstracción "lírica", derivada del expresionismo (Kandinsky), y abstracción "geométrica" (neoplasticismo holandés y suprematismo ruso).	• KANDINSKY: *Primera acuarela abstracta* (1910); *Invierno* (1914). • KLEE: *Motivo de Hammamet* (1914). • MONDRIAN: *Broadway Boogie-Woogie* (1942). • MALEVICH: *Cuadrado negro sobre fondo blanco* (1915); *Cuadrado blanco sobre fondo blanco* (1919).
Surrealismo (desde 1924)	• Movimiento revolucionario que aspira a cambiar al individuo y al mundo. • Primacía del inconsciente (influencia de Freud y Marx). • A la práctica del automatismo se le suma el culto sistemático a la fantasía y la búsqueda del extrañamiento. • Un precedente es la pintura metafísica.	• CHIRICO: *El enigma de un día* (1914) [pintura metafísica]. • MIRÓ: *Carnaval de Arlequín* (1924). • TANGUY: *Muerto acechando a su familia* (1927). • MAGRITTE: *El falso espejo* (1928). • DALÍ: *El enigma sin fin* (1938). • Julio GONZÁLEZ: *Mujer peinándose ente un espejo* (1936).

HACIA LA UNIVERSIDAD

1. Comenta y analiza las siguientes imágenes:

2. Desarrolla uno de estos dos temas:

a) *La abstracción: tendencias y principales pintores.*

b) *El surrealismo. Características generales y artistas destacados.*

3. Define o caracteriza brevemente los siguientes conceptos: *colage, futurismo, dada, fauvismo, ready-made, vanguardia.*

4. Lee detenidamente el texto y responde a las cuestiones planteadas:

Cenábamos un jueves [...] Salmon, Apollinaire, Picasso y yo. Me parece que era con ocasión de una comida semanal, pero no lo juraría. Entonces Matisse tomó una estatuilla de madera negra que había sobre un mueble y la mostró a Picasso. Era la primera talla negra. Picasso la tuvo toda la noche en la mano. A la mañana siguiente, cuando llegué al taller, el suelo estaba alfombrado de hojas de papel [...]. Y sobre cada hoja un gran dibujo, casi el mismo: una cara de mujer con un ojo sólo, una nariz demasiado larga que se confundía con la boca y un mechón de cabellos sobre el hombro. Había nacido el cubismo. Esta misma mujer reapareció sobre telas. En lugar de una mujer hubo dos o tres. Después fueron Las señoritas de Aviñón, *cuadro grande como una pared.*

JACOB, Max: *Naissance du Cubisme*. París, 1928

— Resume las ideas principales expuestas en el texto.

— ¿Cuáles fueron las fuentes del cubismo?

— Comenta las características esenciales del cubismo, explica su evolución y menciona algunos de sus maestros más representativos en las artes plásticas.

PASADO Y PRESENTE EN EL ARTE

En 1957 Picasso hizo varios lienzos a partir de la reproducción fotográfica de *Las meninas* de Velázquez.

— Observa uno de aquellos cuadros y compáralo con el "modelo" original.

— ¿Es esto una copia o una recreación absolutamente personal?

— ¿Pervivía en los años cincuenta el lenguaje cubista?

— Estudia la unidad 25 y responde luego a esta pregunta: ¿Podríamos incluir estas variaciones picassianas de una obra famosa dentro de la órbita del *pop art*?

Arte y género

Una visión femenina del "acoso" aparece en esta representación de "Susana y los viejos", de Artemisia Gentileschi (1610).

Hemos hablado ya del punto de vista físico (desde dónde miramos un campo perceptivo), pero sabemos que las creaciones han estado muy condicionadas también por la posición intelectual, psicológica o social de quien las elabora o encarga. Por eso hablamos de obras "aristocráticas" o "burguesas", y se ha especulado con la existencia del arte "nacional", "proletario", de "minorías étnicas", etc.

¿Qué sucede con la diferencia entre hombres y mujeres?

Un repaso histórico apresurado nos permite reconocer en el arte un claro predominio masculino, lo cual no es muy distinto a lo que ha sucedido en otros dominios de la cultura. La sociedad patriarcal dominante en Occidente ha otorgado a las muje-res, que constituyen la mitad de la población, un papel meramente subsidiario: reproductoras biológicas y propagadoras de los valores establecidos. Pocas veces han sido consideradas como auténticas "creadoras".

Pero el vuelco radical a esa situación detectado en las últimas décadas está favoreciendo también una revisión de la historia. Las mujeres ocupan hoy importantes posiciones en todos los dominios y eso nos lleva a valorar las aportaciones de mujeres extraordinarias del pasado, demasiado oscurecidas a veces por la presencia cercana de varones poderosos. Mencionaremos aquí unos pocos casos paradigmáticos.

Artemisia Gentileschi

La pintora Artemisia Gentileschi (1593-1652) fue hija del gran caravaggista Orazio Gentileschi, y esta circunstancia ha venido pesando mucho en las viejas historias del arte, como si no fuera posible dejar de considerarla una mera "discípula indirecta" del fundador del tenebrismo.

La historiografía feminista ha hecho hincapié en un oscuro episodio biográfico: la violación de que habría sido objeto por parte del pintor Agostino Tassi, amigo de Orazio, la cual motivó un confuso proceso judicial de cuyas actas procede buena parte de la información que tenemos sobre esta artista. Sabemos que Artemisia se casó luego con otro pintor florentino de quien se separó poco después.

Su fama de "libertina" puede proceder de estas circunstancias, sumadas a la leyenda bohemia que acompañaba a los caravaggistas, pero muy especialmente del hecho que más nos importa ahora: fue una verdadera profesional cuya obra no desmerece en el altísimo promedio de la pintura italiana del siglo XVII, lo cual no debía de ser en la época fácil de tolerar. Su mirada añadió a los temas tradicionales algunos matices novedosos: las mujeres bíblicas que pintó resultan más convincentes que las de sus contemporáneos, los artistas masculinos. Su famoso cuadro *Susana y los viejos*

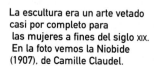

La escultura era un arte vetado casi por completo para las mujeres a fines del siglo XIX. En la foto vemos la Niobide (1907), de Camille Claudel.

(1610), por ejemplo, parece representar sentimientos ante la insinuación ofensiva de los hombres que sólo son concebibles con una percepción "femenina" del asunto.

Camille Claudel

El papel mítico del padre y de su amigo violador, oscureciendo la fama de Artemisia Gentileschi, es algo comparable al que ejercieron Auguste Rodin y Paul Claudel respecto a la escultora Camille Claudel (1864-1943).

En la segunda mitad del siglo XIX las mujeres podían pintar tranquilamente floreros y paisajes (hubo algunos ejemplos estimables de aquella dedicación, como el de la impresionista Mary Cassatt), pero tenían vetado el acceso a las clases de desnudo en las escuelas de bellas artes, de modo que no era fácil para ellas dominar los géneros "elevados" del arte académico.

La práctica profesional de la escultura, en particular, resultaba casi imposible. Camille lo logró con la ayuda del gran Rodin, de quien fue discípula, colaboradora y amante. Durante años trabajó en su taller, realizando también algunas obras personales con las que aspiraba a una independencia profesional que nunca logró plenamente.

Los factores sentimentales, las dificultades económicas y los problemas psicológicos se mezclaron para precipitar en la escultora una enfermedad mental que la aquejó gravemente a partir de 1908: Camille pasó recluida en un sanatorio psiquiátrico los últimos treinta años de su vida. Nunca

gozó de la comprensión humana de su hermano, el célebre poeta Paul Claudel, ni tampoco, seguramente, del amor pleno de Rodin.

A este último aludió con rencor en algunas cartas, y lo representó como un anciano decrépito en *La edad madura* (hacia 1903). Pero todo nos lleva a pensar que no fueron esos dos hombres los únicos "culpables" de su situación: Camille fue una víctima de aquella sociedad decimonónica que era incapaz de aceptar la existencia de una escultora trabajando y viviendo libremente, en un plano de igualdad con los hombres.

Frida Kahlo y otras mujeres artistas

La desgracia y la pasión presidieron también la vida de la mexicana Frida Kahlo (1907-1954): revolucionaria, amiga de León Trotsky y de André Breton, fue partícipe directa de algunos de los movimientos políticos y culturales más intensos del siglo XX. Su relación amorosa con el pintor Diego Rivera (con quien se casó dos veces con el intervalo de un divorcio) fue un estímulo para el desarrollo de su arte.

Muy interesante es la manera de reciclar sus graves problemas de salud, convirtiéndolos en asunto principal de sus pinturas. Frida Kahlo se representó a sí misma una y otra vez, exagerando los rasgos indígenas de su rostro y de su atuendo, aludiendo a los abortos, a sus múltiples intervenciones quirúrgicas, y a su amor desesperado. Podría hablarse de un cierto narcisismo de la desventura y el dolor, de una rara *coquetería* que parece reafirmar y

negar a la vez esa peculiaridad estereotipada de "lo femenino".

Frida Kahlo fue muy valorada por los surrealistas, y eso no es casual, ya que ellos trabajaron mucho por dar a las mujeres un papel central en el mundo del arte. Próximas a este movimiento hubo creadoras tan reputadas como Leonora Carrington, Remedios Varo, Dora Maar, Tina Modotti, Maruja Mallo, etc. Casi todas desarrollaron su trabajo a partir de los años treinta del siglo XX, una década decisiva para la evolución artística y social. La dinámica que se inauguró entonces culminaría en los años sesenta y setenta: mientras se desataban importantes acontecimientos (como Mayo del 68), hubo muchas mujeres participando en el *arte de acción*, en el *body art*, en las *performances* y en todo tipo de experiencias renovadoras. Abundan hoy las pintoras, fotógrafas (como Cindy Sherman) o cineastas. Las mujeres dirigen museos y galerías, y hay muchas críticas y comisarias de exposiciones. De nuevo el arte aparece como una avanzadilla que indica por dónde discurrirán en el futuro otros vectores más conservadores de la política, la economía o la sociedad en general.

La fotógrafa Cindy Sherman se ha autorretratado parodiando algunas pinturas famosas. En "Untitled #228" (1990), jugó con la interpretación de Botticelli de un tema "femenino" como es Judit con la cabeza de Holofernes.

El autorretrato trágico y la alegoría femenina del amor en "Las dos fridas" (1939), de Frida Kahlo.

El juego surrealista con las ocupaciones tradicionalmente "femeninas" aparece en "Las horas muertas" (h. 1956), de Remedios Varo.

24. DEL MOVIMIENTO MODERNO A LA DECONSTRUCCIÓN

La necesidad de reparar los destrozos arquitectónicos de la Primera Guerra Mundial estimuló la actividad constructiva. Pero pocos pensaron entonces que los nuevos edificios deberían parecerse a los anteriores: así es como, en medio de un fervor generalizado por todo tipo de utopías, se desarrollaron los lenguajes del llamado *Movimiento Moderno*, cuyo común denominador era el rechazo de la tradición ecléctica, la adopción de las formas de la vanguardia artística y la adhesión a las condiciones de la moderna sociedad industrial. Este tipo de arquitectura triunfará en todos los países del mundo después de la Segunda Guerra Mundial. A mediados de los años setenta se empezó a notar una especie de desencanto respecto a los ideales de "lo moderno" y surgió una nueva actitud, menos ortodoxa, que se conoce como postmodernidad. La moda ulterior de la *deconstrucción* supuso, de alguna manera, una especie de vuelta a los lenguajes más abstractos de la vanguardia arquitectónica de entreguerras.

WALTER GROPIUS: PRINCIPIOS DE LA PRODUCCIÓN DE LA BAUHAUS

Un objeto es definido por su naturaleza. Con el fin de diseñarlo para funcionar correctamente (sea un recipiente, una silla o una casa) debemos, ante todo, estudiar su naturaleza; porque debe servir a su fin perfectamente, es decir, debe cumplir útilmente su función, ser duradero, económico y "bello". Esta investigación sobre la naturaleza de los objetos nos lleva hacia la conclusión de que mediante una actividad de ponderación resuelta de los métodos modernos productivos, de las construcciones y los materiales, se originan formas con frecuencia inusuales y sorprendentes, puesto que se desvían de las convencionales [...]. Sólo a través del contacto permanente con las evoluciones más recientes de la técnica, con los descubrimientos de los nuevos materiales y construcciones, es posible al creador individual aprender a dar a los diseños de objetos una relación viva con la tradición y, a partir de ese punto, desarrollar una nueva actitud hacia el diseño.

Recogido por MARCHÁN, S.: *La arquitectura del siglo xx. Textos.* Madrid, Alberto Corazón, 1974, p. 159

LE CORBUSIER: *Villa Savoye (1928-1929).*

S Í N T E S I S

CLAVES DE LA ÉPOCA

Un siglo de utopías

En 1918 terminaba la Primera Guerra Mundial y un año antes, en 1917, se había producido en Rusia el triunfo de la revolución soviética. Fue un acontecimiento que convulsionó a todo el mundo provocando divisiones profundas en la izquierda política, y reacciones muy violentas en la derecha.

El auge de los fascismos puede entenderse, de alguna manera, como una respuesta patológica al desafío revolucionario.

Se trataba del experimento de transformación social más profundo y de mayor alcance que había conocido hasta entonces la humanidad: entre 1917 y 1989 (con la caída del muro de Berlín) se vivió en muchos países el intento de hacer realidad el sueño comunista.

El automóvil 2CV ("Dos Caballos"), de la fábrica francesa Citroën, se convirtió en los años treinta en un símbolo de la incipiente sociedad de consumo. Su éxito se basó en su pequeño tamaño, funcionalidad y economía.

Mientras tanto se extendieron en otros lugares los ideales democráticos y liberales: acompañados por un prodigioso desarrollo económico e industrial, los países occidentales vieron desarrollarse el modo de vida capitalista hasta unos límites que habrían parecido inimaginables a principios de siglo. La llamada "sociedad de consumo" se insinuó ya en los años veinte y treinta (aparecieron entonces automóviles utilitarios como el Volkswagen o el "Dos Caballos"), pero no fue hasta después de la Segunda Guerra Mundial cuando el fenómeno se disparó. De entonces data la eclosión de los electrodomésticos, la comida rápida o la idea de la ropa de temporada. El turismo masivo y el auge de la televisión modificaron la relación del hombre con su entorno alterando todas las nociones tradicionales del "tiempo libre".

En el siglo XX, muchos arquitectos se interesaron por el diseño de muebles. En estas piezas italianas de los años cincuenta destacan el uso expresivo del color y la potenciación de las cualidades escultóricas de la madera.

La vanguardia arquitectónica y el espíritu de la época

Es imposible separar de todos estos factores los debates estéticos y teóricos del siglo XX. La idea misma de la ciudad se transformó completamente: ya no se concebía como un centro estático donde se halla la arquitectura, sino como un lugar dinámico, funcional, determinado por el tráfico y penetrado por infinitas redes de comunicación.

Los mejores edificios del siglo XX, de formas abstractas, no han cargado sobre sí la responsabilidad de representar con imágenes los ideales del poder. Tampoco los arquitectos han dedicado sus mejores energías al diseño de lujosas mansiones individuales sino a la materialización de edificios públicos e inmuebles colectivos. El llamado *Movimiento Moderno* creyó que el espíritu de la época era incompatible con la subjetividad y con el capricho personal. En esto coincidieron, curiosamente, tanto las directrices de los utopistas socialistas como las de los pragmáticos capitalistas: los primeros concibieron sus diseños teniendo en cuenta las necesidades colectivas, mientras que los segundos propugnaban atenerse a las exigencias de un "mercado" cada vez más masivo. Por eso se examinan conjuntamente tendencias y figuras arquitectónicas procedentes de contextos ideológicos y estéticos aparentemente incompatibles.

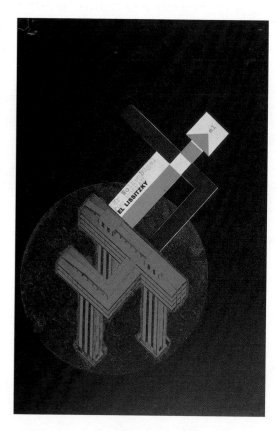

EL LISSITZKY: *Proyecto Estribanubes para Moscú* (1924).
Este arquitecto ruso ideó el proyecto en el momento en que todavía la vanguardia contaba con el apoyo oficial de los dirigentes revolucionarios. Es un inmueble colectivo destinado a viviendas consistente en una gran plataforma en recodo, de pocos pisos, que se sustentaría sobre tres grandes torres verticales, provistas de ascensores. Por uno de estos pilares podría accederse directamente al metro subterráneo. Este ejercicio de abstracción arquitectónica inspiró a algunos arquitectos ulteriores del Movimiento Moderno en los países occidentales.

Componentes del Movimiento Moderno

La arquitectura moderna puede considerarse como una síntesis de las aportaciones de muchos grupos y de varios diseñadores individuales de gran talento. Pero nunca fue un todo coherente ni constituyó un único "estilo". Los expresionistas, muy activos en Alemania durante los años iniciales de la primera postguerra, concibieron fantasías con pocas posibilidades de materialización; pero la importancia que aquellos arquitectos le dieron al cristal influyó mucho en construcciones ulteriores. Mayores repercusiones aún tuvieron las especulaciones y realizaciones concretas de los constructivistas rusos, muy interesados en promover una nueva arquitectura para la sociedad sin clases que se estaba intentando crear en la URSS.

La organización ortogonal de los volúmenes, la planta libre, el gusto por los planos de color uniforme (casi siempre blanco), y otras cosas que consideramos típicas del Movimiento Moderno, derivan en gran medida de comportamientos estéticos como los propugnados por la revista holandesa *De Stijl* (El estilo), o de las enseñanzas de la escuela de arquitectura y diseño conocida como la Bauhaus. Imposible olvidar tampoco la lección de los grandes maestros, empezando por Le Corbusier, el arquitecto más genial del siglo, pero sin relegar al colosal Mies van der Rohe ni a Frank Lloyd Wright, que se superó a sí mismo y continuó siendo un punto de referencia permanente hasta el momento mismo de su muerte.

MIES VAN DER ROHE: *Crown Hall del Campus del Instituto de Tecnología de Illinois (1950-1956). Mies van der Rohe concibió las plantas de los distintos edificios del Campus como si fueran las manchas cromáticas rectangulares en un cuadro neoplástico ideal. El Crown Hall, en la zona central, es un gran prisma cristalino, elevado sobre una especie de podio. Los soportes metálicos exteriores fueron distribuidos a intervalos regulares como si nos halláramos ante la versión moderna del peristilo de los templos clásicos.*

Del "estilo internacional" a la deconstrucción

Una versión sincrética de estas y de otras aportaciones se convirtió después de la Segunda Guerra Mundial en una especie de estilo arquitectónico oficial internacional. Siguiendo las premisas "modernas" se hicieron infinidad de ciudades y barrios, e incontables edificios de todas clases. Muchos de ellos fueron excelentes, pero la regularidad y la economía constructiva propugnada por los grandes de la generación anterior pudieron servir como coartadas intelectuales para justificar una arquitectura monótona y de mala calidad.

De este descontento surgieron las actitudes más críticas, ya en el último cuarto del siglo XX, y de ahí derivan movimientos arquitectónicos como la postmodernidad y la deconstrucción. Pero no tenemos todavía perspectiva histórica suficiente para dilucidar si éstos son fenómenos nuevos, o si debemos considerarlos como los últimos episodios de la historia, tan rica y compleja, de la modernidad.

AÑOS	ACONTECIMIENTOS HISTÓRICOS	ARQUITECTURA Y URBANISMO
1910-1929	• Primera Guerra Mundial (1914-1918). • Revolución rusa (1917). • Revolución espartaquista de Berlín (1919). • Mussolini sube al poder en Italia (1922).	• Pabellón de Cristal de Bruno Taut (1914). • Monumento a la III Internacional, de Tatlin (1920). • La Bauhaus en Dessau (1925). • Pabellón de Mies van der Rohe en Barcelona (1929).
1930-1949	• Segunda República española (1931). • Subida de Hitler al poder (1933). • Guerra civil española (1936-1939). • Segunda Guerra Mundial (1939-1945). • Primeras explosiones nucleares (1945). • Inicio de la guerra fría (1947).	• Villa Saboye, de Le Corbusier (1930). • Clausura de la Bauhaus (1933). • *Casa de la cascada*, de Wright (1936). • *Unidad de vivienda* de Marsella, de Le Corbusier (1947-1952).
1950-1969	• Descolonización. • Triunfo de la revolución cubana (1959). • Revuelta estudiantil y obrera en París (mayo de 1968). • El hombre pisa la Luna (1969).	• Crown Hall de Mies en el Instituto Tecnológico de Chicago (1956). • Terminal de la TWA en Nueva York, de Saarinen (1956-1962). • Proyectos para Brasilia de Costa y Niemeyer (1957). • Aparición de la revista *Archigram* (1961).
1970-Hoy	• Muerte del general Franco y comienzo en España de la etapa democrática (1975). • Caída del muro de Berlín (1989).	• Museo de Arte Kimbell, de Louis Kahn (1966-1972). • Terminación del rascacielos AT&T en Nueva York, de Ph. Johnson (1984). • Exposición de *Arquitectura deconstructivista* en el MOMA de Nueva York (1988).

El expresionismo arquitectónico

En la exposición de la Werkbund de Colonia de 1914 figuró el Pabellón de Cristal de Bruno Taut. Este pabellón fue el origen de la corriente expresionista en arquitectura que habría de desarrollarse terminada la Primera Guerra Mundial.

Aunque se corresponde cronológicamente con una "tercera oleada" en las artes figurativas, no se explica totalmente aquella expansión del expresionismo a la arquitectura si no se tienen en cuenta las circunstancias políticas y económicas que imperaban en la derrotada Alemania: no existían apenas oportunidades de construir y el ambiente era propicio para soñar con revoluciones radicales.

De ahí las numerosas utopías que estimuló el propio **Bruno Taut** (1889-1938), fundador de una agrupación de diseñadores denominada "La cadena de cristal". Numerosos fueron sus proyectos de extraordinarias "catedrales" o ciudades alpinas, concebidas siempre con vidrio, y presentadas en los dibujos como diamantes rutilantes. Otra subvariante estilística del expresionismo arquitectónico está representada por Erich Mendelsohn (1887-1953), autor de la Torre Einstein de Potsdam (1917-1921).

MENDELSOHN, E.: *Torre Einstein de Potsdam (1917-1921). Edificio de apariencia maciza y redondeada: claro precedente del diseño "aerodinámico", inspirado en máquinas modernas, que tanta importancia tendrá luego en el siglo XX.*

RIETVELD, Gerrit: *Silla roja y azul. Siguiendo los principios del neoplasticismo, diseñó esta silla usando los colores puros del espectro y jugando con formas rectas.*

La arquitectura y el diseño del neoplasticismo

El grupo holandés de la revista *De Stijl* (véase la unidad 23) propugnó el diseño arquitectónico con volúmenes cúbicos interpenetrados. Los proyectos de Theo van Doesburg (1883-1931), principal animador del neoplasticismo, muestran los edificios a modo de maclas cristalinas ortogonales y transparentes: los planos adquieren una gran autonomía, pintados con los colores puros del espectro. El mejor diseñador del grupo fue **Gerrit Rietveld** (1888-1964), autor de muebles como la *Silla roja y azul* (1917) o de un edificio-manifiesto como la Casa Schröder (1924). Ambas obras parecen intentos de llevar a la tercera dimensión los trabajos sobre el plano del cuadro de pintores como Mondrian.

El constructivismo ruso

La Rusia revolucionaria posterior a 1917 fue propicia para las innovaciones arquitectónicas. El sustrato estético suprematista, junto a otras influencias occidentales (desde el cubismo y el futurismo a la Bauhaus), permitieron el surgimiento de un lenguaje arquitectónico dinámico, con abundantes diagonales y alusiones al mundo de la máquina. Destaca **El Lissitzky** (1890-1941), un arquitecto que contribuyó mucho, por sus viajes al extranjero, a poner en comunicación la vanguardia soviética y la occidental. La figura estelar del momento fue **Vladimir Tatlin** (1885-1953), autor del proyecto de Monumento a la III Internacional (1920), que analizaremos más adelante.

La Bauhaus

La recuperación económica alemana después de la guerra resultaba muy palpable ya a mediados de los años veinte. Fue aquél el período culminante de la Bauhaus, una escuela de diseño y arquitectura fundada en Weimar y trasladada en 1926 a un edificio de nueva planta en Dessau. Su autor fue **Walter Gropius** (1883-1969), que dirigió la institución desde su creación en 1919 hasta 1928.

Una de las aspiraciones primordiales de la Bauhaus era promover el diseño lógico de objetos prototípicos para la industria. Con el fin de lograr ese propósito, se daba mucha importancia al estudio de los materiales y de los modernos procesos productivos, rechazando la separación estricta entre "bellas artes" y "artes aplicadas". También prestaron especial atención (sobre todo a partir de 1928) al diseño arquitectónico y a la planificación urbanística propiamente dichos, propugnando en ambos dominios la racionalización ortogonal y la eliminación de lo superfluo. El último director de la Bauhaus, **Mies van der Rohe**, se vio obligado a cerrar la escuela en 1933 como consecuencia de la hostilidad hacia la vanguardia del régimen nacional-socialista.

EL MOVIMIENTO MODERNO: TRES OBRAS ESENCIALES

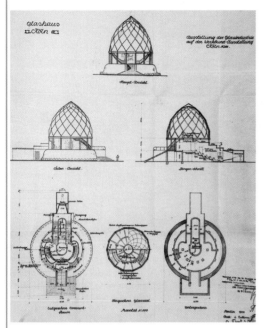

El **Pabellón de Cristal** de Bruno Taut estuvo colocado junto a la entrada de la exposición de la Werkbund de Colonia de 1914, a la cual sirvió como una especie de referente simbólico. El arquitecto se propuso mostrar las enormes posibilidades constructivas y expresivas del vidrio, concibiendo el edificio de tal modo que los visitantes se veían obligados a hacer un complejo recorrido: mediante una doble escalera se accedía a la cúpula, de grandes rombos cristalinos multicolores. Desde allí se bajaba luego a un sótano con cascadas de agua que se deslizaban sobre otros tipos de vidrio, contemplándose también la proyección de un caleidoscopio antes de salir al exterior. Este pabellón, tan "maravilloso", cuya forma evocaba a un diamante tallado, es el preludio de las especulaciones de la "cadena de cristal", publicadas en la inmediata postguerra.

TAUT, Bruno: *Dibujos del Pabellón de Cristal para la exposición de la Werkbund de Colonia (Alemania), 1914.*

Al final de una hilera de edificios convencionales de ladrillo se levanta la **Casa Schröder**, construida en Utrech por Gerrit Rietveld en 1924. Destaca la blancura inmaculada de sus superficies flotantes y lisas, con los característicos volúmenes ortogonales interpenetrados empleados en el neoplasticismo. Algunos de esos planos están pintados de negro, rojo, amarillo o azul, componiendo así la sinfonía cromática básica y universal que perseguían aquellos artistas holandeses. El ideal de un espacio móvil llevó a Rietveld a diseñar una planta transformable que podía quedar totalmente despejada cuando lo deseaban los propietarios de la casa.

RIETVELD, Gerrit: *Casa Shröder. Utrecht (Holanda), 1924.*

Sospechosamente parecido al proyecto constructivista *Estribanubes* de 1924, de El Lissitzky, fue el **edificio de la Bauhaus**, en Dessau, diseñado por Walter Gropius (1925-1926): varios edificios se despliegan en codos, formando una especie de aspa. La zona central se eleva sobre una calle, materializando de alguna manera el sueño de una arquitectura liberada del suelo (es decir, ingrávida), que no obstaculiza para nada la circulación urbana. Muy impresionante es el ala de los talleres, cubierta hacia el exterior con un muro-cortina de cristal: la Bauhaus racionalizaba los sueños expresionistas; era una demostración práctica de cómo podría llegar a diseñarse el mundo del porvenir.

GROPIUS, Walter: *Edificio de la Bauhaus en Dessau (Alemania), 1925-1926.*

Dibujo del conjunto de edificios que componían la Bauhaus.

2. LE CORBUSIER

Formación

Charles Édouard Jeanneret (1887-1965), conocido por el pseudónimo de Le Corbusier, nació en La Chaux-de-Fonds (Suiza), y allí recibió su primera formación artística. A partir de 1907 inició una serie de viajes gracias a los cuales pudo conocer de cerca lo que estaban haciendo los arquitectos más renovadores del momento, y ampliar sustancialmente su horizonte intelectual.

Recién acabada la Primera Guerra Mundial se estableció en París, donde entabló contacto con la vanguardia artística. Fundó entonces la revista *L'Esprit Nouveau* (El espíritu nuevo), en la cual publicó exaltados artículos que propugnaban la renovación completa de la arquitectura tomando como fuente de inspiración el diseño objetivo y eficaz de los ingenieros. De aquellos artículos surgió el libro *Hacia una arquitectura* (1923), el más influyente en su género de todo el siglo xx.

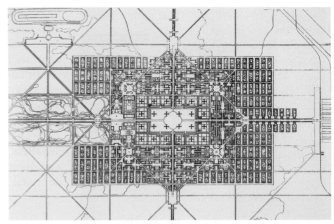

LE CORBUSIER: *Planta de una ciudad contemporánea (1922)*. Ideó esta ciudad para tres millones de habitantes con rascacielos de planta cruciforme, inmuebles colectivos en recodo y espacios verdes. Aportó también la zonificación funcional (organización del espacio urbano en zonas destinadas a trabajo, ocio, circulación rodada y peatonal, etc.).

Un "profeta" de la nueva arquitectura

Le Corbusier se convirtió así a mediados de los años veinte en un gran polemista, un profeta de la modernidad, cuya formidable capacidad de persuasión se basaba en una mezcla de talento literario, extraordinaria inventiva arquitectónica y genio para la publicidad. En la Exposición de Artes Decorativas de París de 1925 presentó un modelo de vivienda colectiva y también sus ideas urbanísticas, derivadas del primer "Proyecto para una ciudad contemporánea" (1922). Le Corbusier propugnaba concentrar la población en grandes rascacielos, con abundante espacio verde alrededor; habría una separación clara entre las vías peatonales y las dedicadas al automóvil; en algunos proyectos de aquellos años planeó también colocar el aeropuerto en el centro mismo de la ciudad.

De sus realizaciones concretas y de sus proyectos, extrajo Le Corbusier sus "Cinco puntos para una nueva arquitectura", que constituyen una receta sintética de la ortodoxia arquitectónica del Movimiento Moderno. Un gran empeño puso en sus diseños para el Palacio de las Naciones de Ginebra (1927): el edificio no se realizó pero le sirvió como plataforma propagandística de sus ideas, lo cual fue útil para conseguir otros encargos, como el Centrosoyus de Moscú (1929-30), y poco después el proyecto del Palacio de los Soviets (1931) para la misma ciudad.

LE CORBUSIER: *Parlamento de la ciudad de Chandigarh (Punjab, India) (1953-1962)*. *Lo más sorprendente de esta ciudad diseñada por Le Corbusier fue el parlamento, precedido por un inmenso pórtico de hormigón y rematado con un cono truncado que sustituía a la cúpula de la vieja arquitectura clásica.*

La etapa final

La brillante carrera de Le Corbusier continuó después de la Segunda Guerra Mundial. Un nuevo estilo más apasionado y vehemente, con el hormigón a la vista mostrando las huellas del encofrado de madera, lo hallamos en la *Unidad de vivienda* de Marsella (1945-1952). Aunque no era algo completamente nuevo, es entonces cuando Le Corbusier dio rienda suelta a su poderosa imaginación plástica. Más claramente escultórica fue la iglesia de Nuestra Señora de Ronchamp (1950-1955). Y una síntesis genial entre racionalidad y fuerza expresiva, entre lo funcional y lo simbólico, la encontramos en otros trabajos de aquella etapa final de su carrera, como el convento de La Tourette (1953-1960), y muy especialmente en Chandigarh (1951-1965). Esta ciudad de nueva planta, capital del estado indio del Punjab, fue diseñada enteramente por Le Corbusier.

Le Corbusier estuvo siempre en la primera línea de la vanguardia: su antigua definición de la arquitectura como "el juego sabio, correcto y magnífico de los volúmenes bajo la luz" demuestra que deseaba superar el estrecho funcionalismo de algunos de sus contemporáneos, haciendo con sus edificios obras emocionantes de valores artísticos perdurables.

INTENSIDAD PLÁSTICA Y SEDUCCIÓN: TRES OBRAS DE LE CORBUSIER

La **Villa Savoye** (1928-1929), al noroeste de París, fue construida por Le Corbusier en un momento en el que la arquitectura del Movimiento Moderno alcanzaba una perfección canónica. Por eso puede servir para ilustrar los "Cinco puntos para una arquitectura" formulados en 1926, que son los siguientes: 1) soportes sobre pilotes a distancias regulares; 2) azoteas planas utilizables como jardín; 3) planta libre, sin los constreñimientos de los antiguos muros de sostén; 4) ventanas apaisadas y corridas para proporcionar una iluminación uniforme al interior; 5) estructura libre de la fachada, la cual puede organizarse con independencia de la estructura interior. La Villa Saboye destaca nítidamente en el paisaje como un objeto de exquisita pureza cúbica. Todo el interior puede recorrerse en un "paseo arquitectónico" que conduce desde el garaje, en la planta baja, hasta el primer piso y la terraza.

Villa Savoye, París (1928-1929).

Con la **Unidad de vivienda** de Marsella (1945-1952) pudo Le Corbusier materializar al fin su viejo sueño de hacer un edificio compacto para la vivienda colectiva: lo concibió como un gran prisma rectangular separado del suelo por grandes pilares de hormigón armado. Este material, que permite el modelado de formas insólitas, fue el preferido por Le Corbusier después de la Segunda Guerra Mundial. Con él podía dar rienda suelta a su talento escultórico, lo cual es manifiesto en algunos detalles, como las chimeneas de la terraza. Pero la *Unidad* de Marsella es un gran contenedor de audaces metáforas arquitectónicas: inspirada en el diseño compacto de los transatlánticos (todos los servicios estaban en el edificio, incluyendo una guardería), es también una colmena utópica, un lugar concebido para hacer la vida más eficiente, solidaria y racional. Esta obra tuvo un gran éxito, y sirvió de modelo a numerosos edificios en muchos lugares del mundo.

Unidad de vivienda, Marsella (1945-1952).

Cuando Le Corbusier terminó la **Capilla de Nôtre Dame de Ronchamp** (1950-1955), muchos de sus admiradores quedaron estupefactos por la intensidad plástica y por la "irracionalidad" de lo que había realizado. Se trata, en efecto, de un edificio de planta irregular, elevado sobre una antigua colina de peregrinación: tres salientes en las esquinas, a modo de torreones, poseen un simbolismo trinitario; la cubierta de hormigón parece la quilla de un navío o una extraña lona inflada por el viento, una probable alusión al Tabernáculo de los israelitas; no apoya en el muro de un modo continuo, creándose así la sensación de que flota suspendida milagrosamente en el aire. El color blanco predominante está animado por algunos toques vibrantes en las puertas y en las ventanas, cuyos cristales coloreados proporcionan una mágica iluminación interior. Esta obra es la mejor demostración de que Le Corbusier no fue sólo el principal impulsor de una arquitectura racional sino un gran artista que buscaba con su obra seducir al espectador.

Capilla de Notre Dame de Ronchamp, París (1950-1955).

Frank Lloyd Wright

El Movimiento Moderno tuvo un desarrollo peculiar en Estados Unidos: aunque la tradición funcionalista era muy fuerte (recordemos a la Escuela de Chicago), también existía un respeto excesivo por las viejas formas de la tradición clásica. Por ello, las vanguardias artísticas penetraron con más dificultades que en Europa. Sin embargo, hacia fines de los años veinte ya se había extendido mucho una variante decorativa de la modernidad, el *art déco*, y con esa máscara se presentaron muchos rascacielos y edificios comerciales construidos en Estados Unidos durante los años veinte y treinta.

Pero siempre estuvo vivo el poderoso espíritu renovador de Frank Lloyd Wright. En los años veinte construyó en California algunas viviendas inspiradas en las formas de la arquitectura precolombina y desarrolló un modelo de casa prefabricada a la que llamó "usoniana" (de USA). Su obsesión por diseñar un entorno específicamente norteamericano le llevó a diseñar el proyecto de Broadacre City (1934-1935), una antítesis de la propuesta de Le Corbusier, pues Wright imaginaba una población dispersa por todo el territorio norteamericano, que estaría fragmentado en parcelas de un acre (4 000 m²) para cada casa; la arquitectura se fundía, pues, con el paisaje, de modo que no existiría la ciudad en el estricto sentido europeo de la palabra (los edificios públicos, en forma de torres-rascacielos, se concentrarían sólo en algunos lugares determinados). Estas ideas tuvieron luego mucho eco en el diseño de los inmensos suburbios creados en muchos lugares de Estados Unidos tras la Segunda Guerra Mundial. Lo mejor de Wright, sin embargo, continuaron siendo sus edificios concretos, como la *Casa de la cascada* (1934-1937) y las oficinas para Wax Johnson en Racine (1936-1939).

WRIGHT: *Exterior e interior de las oficinas para Wax Johnson en Racine, EE UU (1936-1939). Los principios de Wright sobre la "arquitectura orgánica" no significan siempre lo mismo: si en este edificio se hace referencia con este concepto a las suaves curvaturas formales, en otras obras, como la Casa de la cascada, alude al respeto del lugar donde se levanta la obra y al material constructivo empleado.*

Mies van der Rohe

La tercera gran figura del Movimiento Moderno es Mies van der Rohe (1886-1969). Formado en el clima expresionista de la primera postguerra, fue el primero en elaborar proyectos de rascacielos cubiertos enteramente con muros-cortina de cristal (1919-1921). A mediados de los años veinte ya había evolucionado hacia una arquitectura más racional y pragmática: tomando como base la idea de los planos ortogonales e interpenetrados del neoplasticismo holandés, hizo proyectos muy abstractos y personales, de un extraordinario refinamiento, como el pabellón alemán de la Exposición Universal de Barcelona de 1929 que analizaremos más adelante.

MIES VAN DER ROHE: *Casa Farnsworth (1946-1951). Este edificio era un prisma sobreelevado y cubierto totalmente de cristal, haciendo caso omiso de las duras condiciones meteorológicas del lugar que lo habrían desaconsejado. Desarrollaba así Mies su concepción de un espacio abstracto, de gran pureza, independiente de la función hipotética a la que pudiera estar destinada la obra.*

Los años treinta y cuarenta resultaron difíciles para la carrera de Mies: fue el último director de la Bauhaus, antes de emigrar a Estados Unidos en 1939. Allí alcanzó en los años cincuenta y sesenta una gran celebridad internacional.

En Chicago diseñó edificios prismáticos puros como las dos torres de apartamentos de Lake Shore Drive (1948-1951) o la Casa Farnsworth (1946-1951). Uno de sus trabajos más ambiciosos fue el diseño de todo el campus y de algunos edificios (como la Central Térmica o el llamado Crown Hall, 1950-1956) del Illinois Institute of Technology. El modelo para el rascacielos que Mies había imaginado hacia 1919 alcanzó su perfección máxima en el Seagram Building de Nueva York (1954-1958), una de las obras más influyentes en la arquitectura de la segunda mitad del siglo xx. Mies van der Rohe, en suma, fue el más radical entre aquellos arquitectos modernos que optaron por el espacio cúbico y por la máxima depuración en los detalles constructivos.

WRIGHT Y MIES: TRES OBRAS REPRESENTATIVAS

La Casa Kaufmann es más conocida con el nombre de **Casa de la cascada** (1934-1937) por su situación junto a la caída de agua de un río. Wright dispuso el edificio de tal modo que los distintos pisos se adaptaran admirablemente a los desniveles del terreno: de hecho, una de las alas sobrevuela el riachuelo, ofreciendo una vista excelente del paisaje circundante. Todo parece estar en armonía con la naturaleza: los estratos geológicos horizontales de las rocas se corresponden visualmente con lo construido. Esta integración de la obra en el entorno, junto con el empleo de aparejo rústico y el uso de la madera vista en el interior, son indicadores de lo que Wright entendía por "arquitectura orgánica".

LLOYD WRIGHT, Frank: *Casa de la cascada (1934-1937)*.

WRIGHT: *Museo Guggenheim de Nueva York (1944-1959)*.

El **Museo Guggenheim** de Nueva York (1944-1959), de Frank Lloyd Wright, es uno de los edificios más extraños del siglo XX. Se trata de una especie de cono invertido con una rampa en espiral: los visitantes suben a la parte alta en ascensor y descienden por la suave pendiente mientras contemplan las obras de arte colocadas en las habitaciones abiertas a la izquierda de ese corredor. En el centro hay un inmenso hueco luminoso cubierto por un gran lucernario cristalino. Las alusiones formales de este museo parecen muy complejas: a los laminados metálicos, a una torre de Babel invertida, a los zarcillos vegetales, etc. Su intensa fuerza poética es similar a la exhibida en las mismas fechas por Le Corbusier. La utilización de suaves curvaturas, llevadas en este edificio a su máximo desarrollo, fueron ya anunciadas en una obra anterior de Wright, el edificio de las oficinas para la Wax Johnson en Racine.

La consagración internacional definitiva de Mies van der Rohe le llegó gracias a un rascacielos construido en Nueva York: el **Seagram Building** (1954-1958). Es un depuradísimo paralelepípedo apoyado en pilares metálicos verticales, y retranqueado respecto a la calle; esto le permitió crear un espacio horizontal de base, como si semejante escultura "minimalista" no pudiera existir sin una plataforma visual en la que apoyarse. La sobriedad del diseño no significa que Mies buscase la máxima economía: el bronce con el que se cubre el exterior es, de hecho, un material noble y caro. Se diría que el arquitecto buscaba hacer un monumento moderno (comparable por sus dimensiones a la estatua de la Libertad), más que un edificio estrictamente funcional.

MIES VAN DER ROHE: *Seagram Building (1954-1958)*.

La obra

Conocemos varios diseños y algunas fotografías del proyecto de este impresionante edificio, concebido por Tatlin en 1919-1920, y ello permite hacernos una idea tan buena de sus pormenores que ha sido posible reconstruir la maqueta a una escala similar a la del perdido original. Es, pues, una propuesta para una construcción que, de haberse llevado a cabo, habría tenido más de 300 metros de altura, superando a ese hito simbólico de la modernidad que es la Torre Eiffel.

El artista

Vladimir Tatlin, una figura clave del constructivismo ruso, se hallaba en plena madurez creativa. La guerra civil que siguió a la Revolución propició un clima de exaltación utópica: se suponía que un gran desarrollo económico y tecnológico acompañaría al surgimiento de un sistema social completamente nuevo, permitiendo que todo fuera posible en el futuro inmediato. Tatlin creía que las nuevas condiciones inauguradas por el Estado soviético se extenderían pronto a todo el mundo y harían realizable su gigantesco monumento.

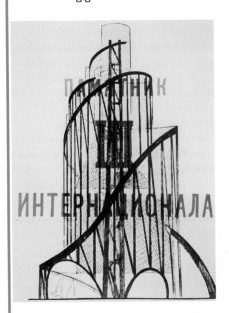

Análisis formal

El edificio consistiría en una gran torre inclinada, apoyada en arcos semicirculares; una rampa de doble espiral creaba dos "movimientos" ascensionales desde la base hasta la cúspide; numerosos travesaños diagonales armarían la estructura, que adquiría así una apariencia híbrida, a modo de síntesis entre la ya mencionada Torre Eiffel y otras construcciones espiraliformes como el alminar de la mezquita de Samarra (véase unidad 7). El centro de toda la estructura albergaría grandes espacios de uso público encerrados en formas geométricas puras, giratorias, de acero y cristal: un cubo, una pirámide, un cilindro y una semiesfera.

Significado

El monumento asumía todas las formas y los mitos del suprematismo y del constructivismo: los volúmenes geométricos y la combinación de los mismos formando atrevidas diagonales, el dinamismo ascensional de las espirales, la exaltación de los materiales industriales vinculados a la idea del progreso, etc. Estaba implícita la idea de que la transformación social revolucionaria era paralela al desarrollo técnico-científico, y de ahí el énfasis que puso Tatlin en que su monumento fuese también una prodigiosa antena utilizable para las transmisiones radiofónicas (el nuevo Estado soviético daba mucha importancia a la propaganda). La ascensión física desde la base hasta el espacio cósmico, sobre el vértice del monumento, sería para Tatlin una metáfora del supuesto ascenso imparable del proletariado como clase social hegemónica.

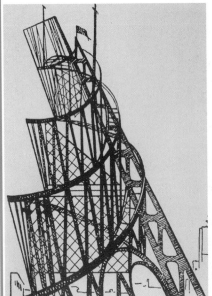

- ¿Es "futurista" el proyecto de monumento a la III Internacional de Tatlin?
- Compara esta maqueta con el alminar de Samarra y con la Torre Eiffel: señala las similitudes y las diferencias.
- ¿Era este trabajo una escultura o un edificio? ¿Tiene sentido esta distinción?
- Medita sobre las posibilidades de que la abstracción se aplique a un arte "representativo".

PABELLÓN DE ALEMANIA EN LA EXPOSICIÓN UNIVERSAL DE BARCELONA, DE MIES

La obra

El año 1929 se celebró en Barcelona la Exposición Universal con la participación de numerosas naciones y gran cobertura mediática. Mies van der Rohe construyó entonces el pabellón de Alemania, un edificio pequeño pero de materiales costosos: mármol, travertino, acero y cristal. No había en él productos, en sentido estricto, sino sólo un selecto mobiliario (diseñado también por Mies) y algunas cortinas de seda. El pabellón original, demolido al acabar la exposición, fue reconstruido nuevamente en su emplazamiento original el año 1986.

El artista

Estaba Mies en la etapa central de su carrera. Superada la fase expresionista, acusaba la influencia del neoplasticismo holandés y del espíritu racionalista de la Bauhaus. Contaba entonces con la eficaz colaboración de la arquitecta y diseñadora Lilly Reich, que fue, de hecho, la encargada de organizar los contenidos de la participación alemana en la exposición, dejando libre a Mies para concentrarse en el diseño del pabellón propiamente dicho.

El pabellón original de 1929 (arriba) y su reconstrucción actual.

Análisis formal

El edificio se levanta sobre un podio rectangular de travertino, y a él se accede por una escalera lateral; un estanque de poca profundidad, a la izquierda, obliga al visitante a girar hacia la derecha para entrar en el interior.

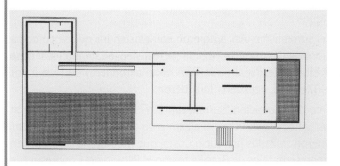

Todo el pabellón está compuesto por planos verticales de ónice y de cristal, y por los horizontales correspondientes al techo, al suelo y a los dos estanques. Pero el conjunto se sostiene mediante una retícula de ocho pilares cruciformes de acero cromado, distribuidos a intervalos regulares, de modo que ésta es una de las más hermosas "plantas libres" de toda la arquitectura moderna. Al fondo a la derecha, a modo de santasantórum, hay un pequeño patio con otro estanque sobre el que se levanta una estatua de Georg Kolbe, el único elemento figurativo.

Significado

El pabellón fue inaugurado por los reyes de España Alfonso XIII y Victoria Eugenia, lo cual prueba la importancia que se le concedía. Se dice que la llamada Silla Barcelona, diseñada también por Mies para su edificio, fue concebida como una especie de trono regio, pero no es necesario aceptar esa leyenda para constatar que todo aquello era más bien una sala de recepciones pensada para transmitir por sí misma los supuestos valores de la "nueva Alemania": austeridad, racionalidad, perfección, transparencia, alejamiento total de las viejas tradiciones asociadas al imperio guillermino, etc. Muy poco después se produciría el ascenso al poder del partido nacional-socialista, revelándose así lo ilusorio de aquella declaración radical de modernidad.

- Compara este edificio con los cuadros del neoplasticismo y del suprematismo. Señala las similitudes y las diferencias.
- ¿Puede ser el lujo constructivo algo independiente de la racionalidad moderna?
- Medita sobre el espacio fluido del Movimiento Moderno y compáralo con la fluidez del *art nouveau*.
- ¿En qué sentido es "funcional" el Pabellón de Alemania de la Exposición Universal de Barcelona?

471

Monumentalismo neoclásico frente al Movimiento Moderno

Durante los años treinta y buena parte de los cuarenta se produjo un cierto resurgimiento de la arquitectura neoclásica monumentalista, un fenómeno que parece independiente de los regímenes políticos de cada país, pues lo encontramos en la Rusia soviética de Stalin, en los regímenes fascistas de Italia y Alemania, o en la Norteamérica democrática de Roosevelt. Al acabar la Segunda Guerra Mundial, la modernidad quedó asociada a la victoria de la causa democrática, y fue entonces, coincidiendo con la reconstrucción acelerada de los años cincuenta, cuando se produjo una difusión incontestable y universal de la arquitectura moderna.

IOFAN, Boris: *Palacio de los Soviets para Moscú (1934). Desde 1930, en todas partes hubo edificios públicos con peristilos, frontones, cúpulas y arquerías. El proyecto más apoteósico de aquella tendencia fue este palacio. La competencia de estos lenguajes conservadores con los generados por el Movimiento Moderno duró hasta bien entrados los años cuarenta.*

Alvar Aalto y el organicismo

Junto a los grandes maestros del Movimiento Moderno de la generación anterior, alcanzaron preeminencia otras figuras, procedentes a veces de ámbitos geográficos relativamente marginales. El más importante de estos arquitectos "periféricos" es el finlandés Alvar Aalto (1898-1976), que ya había construido antes de la guerra edificios importantes como el Sanatorio de Paimio (1929-1933). A partir de los años cincuenta realizó sus obras más representativas y empezó a notarse su creciente influencia en la escena arquitectónica internacional. Aalto proyectó edificios sobrios, cuidando mucho las cualidades naturales de los materiales: la madera y el ladrillo fueron utilizados con profusión en obras como el Ayuntamiento de Säynätsalo (1949-1952). Incorporó con frecuencia en sus obras elementos curvos de sugestión naturalista, y de ahí que este arquitecto pueda ser considerado como uno de los principales valedores del *organicismo* de postguerra.

Esta corriente le debía mucho a las sinuosidades irracionales del surrealismo. Así, surgieron edificios en los que se combinaban la ortodoxia funcionalista de la modernidad y las curvas irracionales de un cierto tipo de surrealismo, adaptado ya al gusto popular. Las construcciones más famosas de aquella tendencia fueron la Terminal de la TWA en el aeropuerto de Nueva York (1956-1962), del finlandés Eero Saarinen, y la Ópera de Sidney (1957-1973), del sueco Jorn Utzon.

También en los países latinos tuvo mucha fuerza ese organicismo de inspiración "surrealizante". El poderío emergente de algunas naciones americanas se tradujo en empeños arquitectónicos tan colosales como el alzamiento de una nueva capital para Brasil, en el corazón del continente: los planos de Brasilia (1957) fueron trazados por Lucio Costa, que organizó la urbe partiendo de algunas ideas de Le Corbusier. Algunos de los edificios más representativos de Brasilia (como el Palacio del Congreso) fueron diseñados por Oscar Niemeyer, otro excelente representante del organicismo arquitectónico internacional.

Louis Kahn

La vocación monumental de estas realizaciones puede ponerse en paralelo con la obra del norteamericano Louis Kahn (1901-1974), aunque no hallamos nada en él que nos permita asociarlo con las poéticas organicistas. La inspiración de Kahn está, por el contrario, en la arquitectura antigua (Egipto y la Roma imperial), cuya majestad fue reinterpretada en clave moderna, sirviéndose a menudo del hormigón armado, con los encofrados a la vista, tal como hicieron en los años sesenta y setenta los arquitectos británicos del llamado *brutalismo*. Entre sus mejores obras están el Museo de Arte Kimbell en Fort Worth (1966-1972) y el Capitolio de Dhaka (hoy Bangladesh; 1962-1983).

KAHN, Louis: *Museo de Arte Kimbell (1966-1972). Es considerado el mejor edificio de su clase del siglo XX. No cabe duda de que se consiguió una identificación milagrosa entre la estructura y la luz, algo difícil de lograr en una construcción de hormigón como ésta. Dos vigas curvas contrapuestas de hormigón dejan libre unas amplias rendijas en las claves por las que se filtra la luz natural.*

ORGANICISMO Y MONUMENTALISMO MODERNO: TRES EJEMPLOS

El **Ayuntamiento de Säynätsalo** (1949-1952), la primera obra de la posguerra emprendida por Alvar Aalto, era un encargo institucional de dimensiones modestas cuyo programa incluía espacios municipales de oficinas, una biblioteca y algunas tiendas. Aalto organizó todo en torno a un patio, inspirándose en la tradición de la región finlandesa de Karelia. Ello le permitió adaptarse bien a la suave pendiente del terreno. Los materiales exteriores fueron estudiados cuidadosamente y algunos de ellos, como el ladrillo visto, acabarían convirtiéndose en una especie de seña de identidad del diseño de su autor. Éste es un edificio racional pero no dogmático, una invitación a adaptar al lugar concreto las normas del Movimiento Moderno que fueron aplicadas con excesiva rigidez por muchos arquitectos de la postguerra.

AALTO, Alvar: *Ayuntamiento de Säynätsalo (1949-1952).*

SAARINEN, Eero: *Terminal de la TWA en el aeropuerto Kennedy de Nueva York (1956-1962).*

La **Terminal de la TWA** en el aeropuerto Kennedy de Nueva York (1956-1962) es un edificio "figurativo" que parece representar a un águila (o a otro pájaro de grandes dimensiones) posado en el asfalto. Eero Saarinen hizo así una prodigiosa escultura de hormigón y vidrio, cuyas formas curvas y atrevidas soluciones constructivas delatan su plena adscripción al organicismo de inspiración surrealista que tanta importancia tuvo en los años cincuenta y parte de los sesenta. Los viajeros entran al cuerpo del animal cuando desembarcan o embarcan en los aviones de la compañía, una operación no exenta de sentido del humor; esto aleja a Saarinen de la grave seriedad que hallamos por las mismas fechas en las obras "prismáticas" de un Mies van der Rohe, por ejemplo.

Oscar Niemeyer, el principal arquitecto brasileño de la postguerra, empleó también en sus trabajos abundantes curvas surrealizantes. Él fue el encargado de dar forma a los principales edificios de Brasilia, como la catedral o los palacios civiles de la plaza de los Tres Poderes.

El **Palacio del Congreso** (1958-1960) está compuesto por una amplia plataforma horizontal de la que sobresalen dos casquetes esféricos (uno abierto hacia arriba y el otro hacia abajo, como una cúpula clásica) que se corresponden con los espacios del Senado y de la Cámara de Diputados. Dos grandes torres de oficinas ofrecen el poderoso complemento volumétrico vertical a una composición más parecida a una emocionante escultura abstracta que a un conjunto arquitectónico exclusivamente funcional.

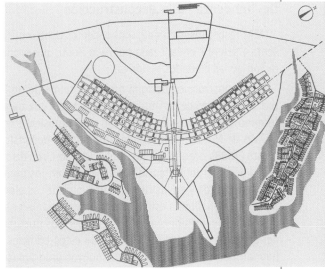

COSTA, Lucio: *Plano de Brasilia (1957).*
El conjunto parece un aeroplano posado en el altiplano brasileño, una metáfora sutil del medio de transporte más utilizado en aquella gigantesca nación de selvas impenetrables.

NIEMEYER, Oscar: *Palacio del Congreso de Brasilia (1958-1960).*

De "Archigram" a la postmodernidad

La crisis del Movimiento Moderno se insinuó a partir de los años sesenta mediante una serie de corrientes que propugnaban la revisión de los principios impuestos por la generación anterior. Hubo, por una parte, una postura más desinhibida, impregnada de ironía, mientras que de otro lado se acentuaron algunos de los impulsos formalistas abstractos peculiares de lo moderno. Es posible detectar una cierta secuencia cronológica en estos episodios, aunque conviene dejar claro que también se han solapado en ocasiones.

Archigram es el nombre de una revista editada a partir de 1961 por un grupo inglés empeñado en ofrecer visiones arquitectónicas del futuro, inspiradas en la ciencia ficción y en las grandes construcciones industriales. Peter Cook, su principal animador, concibió en 1964 una ciudad "enchufable" (*Plug-in City*), extremadamente móvil, que se montaría a base de módulos prefabricados. Era una propuesta divertida que no se presentaba como un "proyecto" en el estricto sentido de la palabra, aunque no dejaba de conectar con la obsesión por las "megaestructuras" que mostraron otros arquitectos de aquellos años (como los llamados *metabolistas* japoneses, encabezados por Kenzo Tange). De este tipo de preocupaciones derivó un edificio tan representativo de la época como el Centro Georges Pompidou de París, construido entre 1971 y 1977 por Piano y Rogers.

VENTURI, Robert: *Columna jónica para el Museo de Arte del Oberlin College en Ohio, (1973-1976). Éste es un ejemplo práctico del tipo de encantadores coqueteos con la tradición arquitectónica a los que se entregaron muchos diseñadores de los años setenta y ochenta.*

Los miembros de *Archigram* estaban próximos al *pop art*, y de ahí que se les pueda relacionar con la reivindicación que hizo Robert Venturi de la ambigua riqueza de las construcciones comerciales en general y de Las Vegas en particular. En 1966 publicó *Complejidad y contradicción en arquitectura*, obra muy influyente en las nuevas generaciones de arquitectos, que es como un manifiesto de la *postmodernidad*, derribando dogmas muy arraigados entonces, como el rechazo de la decoración añadida o la ausencia de referentes históricos para la arquitectura.

Puede hablarse de un nuevo eclecticismo para caracterizar las obras de Philip Johnson (como se ve en su rascacielos AT&T en Nueva York, de 1979-1984), Charles Moore, Michael Graves, o las del español Ricardo Bofill. En ellas (y en las de otros muchos) encontramos columnas, motivos palladianos y varios referentes historicistas más, aunque reinterpretados con gran libertad, como si quisieran dejar claro su irónico distanciamiento de todas las tradiciones respetables: tanto la del clasicismo como la del Movimiento Moderno.

De "tendenza" a la deconstrucción

Más respetuosas con algunos aspectos de la modernidad han sido otras corrientes, como la *tendenza* italiana de los años sesenta y setenta, encabezada por Aldo Rossi, que propugnaron la revisión racionalizada de tipologías tradicionales y una recuperación de las ciudades históricas.

La *deconstrucción* designa fundamentalmente un "estilo" desprovisto de las implicaciones teóricas que tiene el término en filosofía. Se inició con una exposición en el MOMA de Nueva York titulada *Arquitectura deconstructivista* (1988), organizada por Philip Johnson. Los diseñadores deconstructivistas se han deleitado en los agudos esquinamientos y en las rupturas abruptas de los planos. Su inspiración directa está en las fragmentaciones cristalinas de los expresionistas, o en los proyectos quebrados del constructivismo ruso. Muchos de estos edificios no habrían podido concebirse sin los nuevos programas informáticos, muy sofisticados, que proporcionan utensilios de trabajo impensables en la época gloriosa de la modernidad. Entre los arquitectos más importantes de la deconstrucción puede mencionarse a Frank Gehry (autor del Museo Guggenheim de Bilbao), Bernard Tshumi, Daniel Libeskind (diseñador del Museo Judío de Berlín), Zaha Hadid o Coop Himmelblau.

LIBESKIND, Daniel: *Maqueta del Museo Judío de Berlín (1989-1997). La forma de rayo de este edificio se logra quebrando sus distintos volúmenes. Situado en pleno Berlín, simboliza la fractura producida por el Holocausto.*

París, Nueva York, Bilbao: tres obras clave de finales del siglo XX

El **Centro Georges Pompidou** de París (1971-1977) fue diseñado por el equipo de arquitectos formado por el italiano Renzo Piano y el británico Richard Rogers. Muy influidos por las propuestas de *Archigram*, concibieron un gran prisma horizontal de seis plantas diáfanas, al cual se le adhieren en el exterior las incontables tuberías de los servicios, pasillos, ascensores y escaleras mecánicas. Se trataba de yuxtaponer dos ideas muy radicales, procedentes de tradiciones arquitectónicas contrapuestas: 1) la del edificio cúbico, con un espacio abstracto y sin barreras interiores definitivas, apto para recibir cualquier subdivisión provisional en función de hipotéticas necesidades cambiantes; 2) la del enmascaramiento del prisma mediante los hierros de los arriostramientos y todos los conductos, rompiéndose así la pureza abstracta del contenedor espacial. El resultado tuvo gran éxito popular: los numerosos tubos coloreados proporcionaron a este museo un aire lúdico, un alegre desenfado, contrapuesto a la grave seriedad de muchos museos tradicionales.

PIANO, Renzo y ROGERS, Richard: *Centro Georges Pompidou (1971-1977).*

Las fotografías de la maqueta y de los dibujos del rascacielos para la compañía **AT&T** (1979-1984), de Philip Johnson, circularon ampliamente por todo el mundo, convirtiendo este edificio, mucho antes de que fuera inaugurado, en una especie de símbolo de la postmodernidad. Competía con los otros prototipos de rascacielos de Manhattan, y muy en especial con el Seagram Building de Mies van der Rohe (en cuya construcción había colaborado el propio Philip Johnson), y por eso pudo ser reconocido como altamente representativo de una nueva sensibilidad: el remate parece un mueble antiguo, la base reconstruye un gigantesco motivo palladiano, y todo el cuerpo del rascacielos evoca las estrías de una pilastra; el granito rosa de la superficie contrasta también con la tersura del metal y del vidrio de los demás rascacielos "modernos". Podría hablarse a propósito del AT&T de un regreso del historicismo, de un guiño cómplice respecto a ciertas formas de la tradición.

JOHNSON, Philip: *Rascacielos para la compañía AT&T (1979-1984).*

Nada de eso hallamos, en cambio, en las obras más características de la *deconstrucción*, un lenguaje arquitectónico que quiso recuperar (y superar) el radicalismo abstracto de las vanguardias históricas. Frank Gehry fue uno de los iniciadores de este movimiento con su propia casa en Santa Mónica, California (1977-1979). Convertido en los años ochenta en una figura de dimensión internacional, fue seleccionado para diseñar el **Museo Guggenheim de Bilbao** (1992-1997). Es una prodigiosa estructura metálica descoyuntada y cubierta al exterior con placas de titanio. Aunque es un edificio destinado a albergar obras de arte (y cumple los requerimientos museológicos usuales), puede entenderse también como una enorme escultura abstracta, un emisor de metáforas relacionables con las obsesiones personales de Gehry y con la realidad del País Vasco a fines del siglo XX: navío varado junto a la ría, una explosión de metralla congelada, inconclusa torre de Babel, extraño animal marino, etc. Todas las lecturas son compatibles con el reconocimiento unánime de que este ejercicio estilístico, típico de la deconstrucción, es también una de las creaciones más importantes del siglo XX.

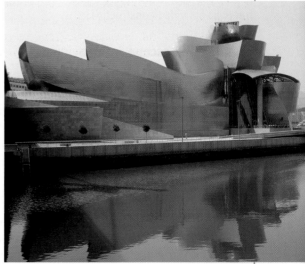

GEHRY, Frank: *Museo Guggenheim de Bilbao (1992-1997).*

6. ARQUITECTURA ESPAÑOLA DEL SIGLO XX

Los años treinta

El Movimiento Moderno llegó a España a mediados de los años veinte: en 1928 se fundó ya una asociación vanguardista, el GATCPAC (Grupo de Artistas y Técnicos Catalanes para el Progreso de la Arquitectura Contemporánea), y en 1930 se creó el GATEPAC (Grupo de Artistas y Técnicos Españoles para el Progreso de la Arquitectura Contemporánea).

TORROJA, Eduardo: *Hipódromo de la Zarzuela, Madrid (1935).* *Ésta fue una temprana demostración práctica de las posibilidades del hormigón para crear cubriciones delgadísimas aunque de gran resistencia.*

Las condiciones psicológicas favorables de la Segunda República permitieron la aparición de obras claramente renovadoras, como el famoso Dispensario Central Antituberculoso (1934-1936) de Sert, Torres Clavé y Subirana. También datan de aquellos años las construcciones con atrevidos voladizos de hormigón de Eduardo Torroja (1899-1961), cuyas técnicas fueron adoptadas, entre otros, por Félix Candela, que desarrolló en México una carrera muy brillante.

SERT, Josep Lluis, TORRES CLAVÉ, Josep y SUBIRANA, Joan: *Dispensario Central Antituberculoso, Barcelona (1934-1936).*

La época de Franco

La guerra civil (1936-1939) provocó el éxodo de muchos creadores modernos (como Sert o Candela). La hostilidad hacia la vanguardia del primer franquismo propició la aparición de una arquitectura inspirada en Juan de Herrera y en edificios de finales del siglo XVI y principios del XVII. Pero no siempre se hicieron obras detestables: Luis Gutiérrez Soto (que había sido antes de la guerra un arquitecto moderno) hizo un buen edificio con el Ministerio del Aire de Madrid (1943-1951), aunque hubo de recubrirlo con una fachada clasicista y unos tejados de pizarra inspirados en lo herreriano (se bromeó en la época llamándolo "monasterio del aire").

La renovación arquitectónica llegó a partir de 1949, cuando F. Cabrero y R. Aburto construyeron en Madrid el Edificio de Sindicatos (hoy Ministerio de Sanidad), una simple estructura prismática con ladrillo visto. Se produjo por entonces una acelerada incorporación española a las grandes corrientes de la arquitectura internacional, acusándose la influencia de Le Corbusier y Mies van der Rohe. Puede hablarse, pues, de varias orientaciones estilísticas desarrolladas en los años cincuenta y mediados de los setenta. Todo ello se acentuará a partir de 1959, tras el Plan de Estabilización, que propició un gran desarrollo económico y una frenética actividad constructiva.

España en la escena internacional

La muerte del general Franco (1975) y el advenimiento de las libertades democráticas coincidió aproximadamente con la crisis internacional de la modernidad. El abandono de los dogmas estéticos e ideológicos precedentes fue vivido en España como una liberación de las ataduras y constreñimientos de la dictadura, y de ahí que los lenguajes de la arquitectura postmoderna fuesen adoptados con mayor "alegría" que en otros países occidentales. España empezó a proyectar una nueva imagen en el mundo (algo que culminó con la Exposición Universal de Sevilla en 1992), y algunos de nuestros arquitectos se lanzaron al exterior, compitiendo con las grandes firmas de la escena mundial.

Mencionaremos sólo tres nombres esenciales: Ricardo Bofill, una de las estrellas de la postmodernidad; Rafael Moneo, refinado cultivador de una arquitectura elegante y despojada, que es según muchos el mejor arquitecto español actual; y Santiago Calatrava, que ha llegado a ser conocido en todo el mundo por sus puentes atrevidos, cargados de ricas metáforas orgánicas.

Además, España ha sido un interesante lugar de acogida para los extranjeros, como lo prueban los excelentes edificios diseñados aquí por Frank Gehry, Philip Johnson, Richard Rogers, etc. Las fronteras se han derribado también en este terreno y es difícil hablar ya de una arquitectura nacional.

ESPAÑA, SIGLO XX: TRES EDIFICIOS REPRESENTATIVOS

El año 1965 se produjo una inflexión en la cultura española: aumentó mucho el consumo de televisores, quedando asentada definitivamente la cultura de masas, pero también marcó importantes cambios de gusto. Desde el organicismo de inspiración surrealista se evolucionó hacia otras formas de la modernidad arquitectónica. El edificio **Torres Blancas** de Madrid, construido ese mismo año por los arquitectos Sáenz de Oiza y Fullaondo, parece testimoniar bien esa transformación. La superposición vertical de cilindros de hormigón estaba destinada a quedar oculta por lo que debería haber sido una maraña de vegetación colgante; pero el "organicismo" de tal propuesta es bastante lúdico: Torres Blancas parece un helipuerto para naves espaciales, y tiene algo de las hipertecnológicas fantasías pop del grupo de la revista *Archigram*.

SÁENZ DE OIZA, Francisco Javier. y FULLAONDO, Daniel: *Torres Blancas (1965)*.

El **Museo de Arte Romano de Mérida** (1980-1986) fue construido por Rafael Moneo sobre un solar plagado de restos arqueológicos, a pocos metros de los espléndidos monumentos de la antigua capital Emérita Augusta. Era difícil resistirse a la tentación de evocar el glorioso pasado local, así que tomó como fuente de inspiración la disposición de las basílicas: grandes arcos abiertos en numerosos muros paralelos crean un solemne espacio escenográfico en el que los tramos parecen bambalinas teatrales. Los objetos expuestos conviven así muy bien con una arquitectura que se reconoce afín al espíritu de la antigüedad. El deseo consciente de no copiar miméticamente las obras romanas denota que Moneo posee en dosis equilibradas el refinamiento y la distancia irónica que caracterizan a las mejores creaciones de la postmodernidad.

MONEO, Rafael: *Museo de Arte Romano de Mérida (1980-1986)*.

CALATRAVA, Santiago: *Puente del Alamillo (1992)*.

La Exposición Universal de Sevilla de 1992 conmemoraba el quinto centenario del descubrimiento de América, y fue una buena oportunidad para que la nueva España democrática se presentara ante el mundo como un Estado moderno que había superado los peores aspectos de su pasado. La construcción de los diferentes pabellones (estatales y autonómicos) demostró, en efecto, que el nivel arquitectónico del país anfitrión era muy bueno. Una de las construcciones más memorables de todo el evento, el **Puente del Alamillo**, de Santiago Calatrava, fue criticado como "poco funcional" por algunos ingenieros que no comprendieron, sin embargo, lo importante que podía llegar a ser la creación de imágenes arquitectónicas imborrables. En efecto, esta especie de lira con las cuerdas-tirantes sosteniendo el tablero colgante del puente era, más que un artificio técnico, un símbolo, una obra de arte.

LA ARQUITECTURA DEL SIGLO XX

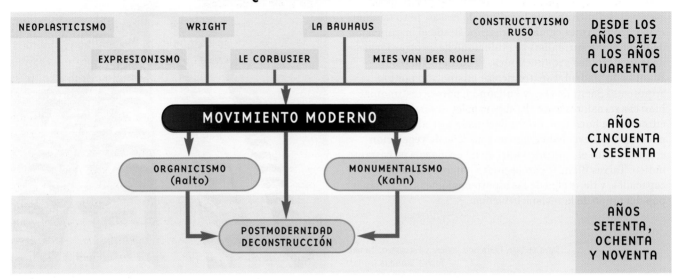

| NEOPLASTICISMO | | WRIGHT | | LA BAUHAUS | | CONSTRUCTIVISMO RUSO | DESDE LOS AÑOS DIEZ A LOS AÑOS CUARENTA |
| EXPRESIONISMO | | LE CORBUSIER | | MIES VAN DER ROHE | | | |

MOVIMIENTO MODERNO — AÑOS CINCUENTA Y SESENTA

ORGANICISMO (Aalto) · MONUMENTALISMO (Kahn)

POSTMODERNIDAD DECONSTRUCCIÓN — AÑOS SETENTA, OCHENTA Y NOVENTA

ARQUITECTURA DEL SIGLO XX

Tendencias y figuras	Características	Obras y autores
EXPRESIONISMO ARQUITECTÓNICO	Interés por el cristal. Empleo de formas curvas de carácter "orgánico" y con sugestiones mecánicas.	• Bruno TAUT: Pabellón de la Werkbund (1914). • E. MENDELSOHN: Torre Einstein (1917-21).
ARQUITECTURA NEOPLÁSTICA	Planos ortogonales interpenetrados y colores puros.	• RIETVELD: Casa Schröder (1924).
CONSTRUCTIVISMO RUSO	Geometría en diagonales. Incorporación de la máquina. Preocupación social.	• EL LISSITZKY: Proyecto Estribanubes (1924). • TATLIN: Monumento a la III Internacional (1920).
LA BAUHAUS	Escuela de arquitectura y diseño que preconizaba la racionalización.	• GROPIUS: Escuela de la Bauhaus en Dessau (1925).
LE CORBUSIER	El arquitecto más importante del siglo XX. Gran polemista y creador de formas plásticas. Autor de los "Cinco puntos para una nueva arquitectura".	*Hacia una arquitectura* (1923); Proyecto para una ciudad contemporánea (1922); Palacio de las Naciones de Ginebra (1927); Villa Savoye (1928-29); Centrosoyus de Moscú (1929-30); Palacio de los Soviets (1931); Unidad de vivienda de Marsella (1947-52); Nuestra Señora de Ronchamp (1950-55); Convento de la Tourette (1953-60); Chandigarh (1951-65).
F. L. WRIGHT	Propagador de la "arquitectura orgánica" y de un urbanismo disperso.	Proyecto Broadacre City (1934-35); Casa de la cascada (1934-37); Oficinas Wax Johnson (1936-39); Museo Guggenheim de Nueva York (1944-59).
MIES VAN DER ROHE	Gusto por la geometría depurada y por las disposiciones prismáticas. Materialización de la arquitectura cristalina.	Proyectos de rascacielos de cristal (1919); Pabellón alemán en la Exposición Universal de Barcelona (1929); Casa Farnsworth (1946-51); Seagram Building (1954-58).
CLASICISMOS MONUMENTALISTAS	Arquitectura al margen del Movimiento Moderno, especialmente importante en Alemania, Italia, la Unión Soviética y en la España de Franco.	• IOFAN: Proyecto para el Palacio de los Soviets en Moscú (1934). • GUTIÉRREZ SOTO: Ministerio del Aire en Madrid (1943-51). • Luis MOYA: Universidad Laboral de Gijón (1946-56).
ORGANICISMO	Elementos curvos con alguna influencia surrealista. Madera y ladrillo.	• Alvar AALTO: Sanatorio de Paimio (1929-33); Ayuntamiento de Säynätsälo (1949-52). • SAARINEN: Terminal de la TWA en Nueva York (1956-62). • UTZON: Ópera de Sidney (1957-73). • Lucio COSTA y Oscar NIEMEYER: Brasilia (desde 1957).
MONUMENTALISMO DE LOUIS KAHN	Empleo del hormigón y apariencia solemne.	Museo de Arte Kimbell (1966-72); Capitolio de Dhaka (1962-83).
POSTMODERNIDAD	Varios subgrupos, desde la *tendenza* italiana a la arquitectura pop y el neoeclecticismo historicista norteamericano de los años ochenta.	• Aldo ROSSI. • Revista *Archigram* (1961). • COOK: Ciudad enchufable (1964). • PIANO y ROGERS: Centro Pompidou (1971-77). • VENTURI: *Complejidad y contradicción en arquitectura* (1966). • JOHNSON: AT&T (1979-84).
DECONSTRUCCIÓN	Neovanguardia con esquinamientos geométricos.	• F. GEHRY: Museo Guggenheim de Bilbao (1992-97).

HACIA LA UNIVERSIDAD

1. Desarrolla el siguiente tema: *La arquitectura del Movimiento Moderno: fundamentos y principales protagonistas*.

2. Define o caracteriza brevemente: *deconstrucción, Bauhaus, expresionismo arquitectónico, planta libre, organicismo, arquitectura postmoderna*.

3. Analiza y comenta las siguientes imágenes:

LE CORBUSIER: *Notre Dame de Ronchamp*.

WRIGHT: *Casa de la cascada*.

4. Lee detenidamente el texto y responde a las cuestiones más abajo indicadas:

Ante este término "funcional", debemos detenernos a meditar, ya que él constituye uno de los puntos fundamentales de toda discusión sobre arquitectura moderna e, incluso, ha llegado a considerarse como sinónimo de la misma.

Funcional, o sea "adecuado a la función", ha venido a significar, desde hace veinte años, aquel sistema constructivo en el que el empleo de los materiales siempre está de acuerdo con las exigencias económicas y técnicas en el logro de un resultado artístico. Al decir arquitectura funcional se quiere indicar, pues, aquella arquitectura que logra, o se esfuerza en lograr, la unión de lo útil con lo bello; que no busca sólo lo bello olvidando la utilidad, y viceversa. Toda una estética arquitectónica se levantó sobre tales principios de manera incluso exagerada, negándose la legitimidad de aquellos elementos (ornamentales o decorativos) ajenos a la estética del edificio, hasta llegar a aquel puritanismo del primer racionalismo, que consideraba cualquier tipo de ornamento como un elemento de corrupción de toda obra arquitectónica.

DORFLES, G.: *Arquitectura moderna*. Madrid, 1956

— Resume el texto y relaciónalo con la arquitectura de estilos anteriores.

— ¿Qué tendencias arquitectónicas han surgido después del funcionalismo?

— Comenta las principales innovaciones técnicas aportadas por la arquitectura contemporánea.

— Menciona algunos representantes de la arquitectura contemporánea.

PASADO Y PRESENTE EN EL ARTE

En estas fotografías vemos dos imágenes de la Universidad Laboral de Gijón, construida entre 1946 y 1956 según los planos del arquitecto Luis Moya. Fue considerada en su tiempo como una de las realizaciones emblemáticas del régimen de Franco.

— Observa sus características formales y compáralas con las de otros edificios del siglo XX.

— Busca construcciones del pasado con las que pueda compararse esta "universidad".

— Averigua por qué razones pudo haberse hecho un edificio tan "anacrónico".

Metáforas de la modernidad

Se ha dicho con frecuencia que la arquitectura moderna se inspiraba en la pureza geométrica del arte abstracto, lo cual es una verdad a medias. Sabemos hoy que la renovación formal de las vanguardias estuvo cargada de implicaciones simbólicas: la pintura y la escultura poseyeron casi siempre connotaciones figurativas más o menos veladas. ¿Cómo extrañarnos de que hubiera pulsiones similares en la arquitectura moderna?

Arquitectura de cristal

Hemos hablado algo de las metáforas cristalinas en el expresionismo alemán. La principal inspiración de Bruno Taut procedió del escritor Paul Scheerbart, en cuyo libro *Arquitectura*

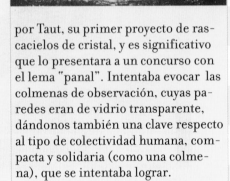

El primer proyecto de rascacielos de cristal fue elaborado por Mies van der Rohe en 1921 como un homenaje a Taut y Scheerbart, pero también como una referencia al mundo supuestamente perfecto de la colmena.

de cristal (1914) se describía un universo feliz construido enteramente de vidrios multicolores. Se trataba de una delirante fantasía estética, con muchas implicaciones morales, pues Scheerbart creía que la transparencia del material estaría en consonancia con el igualitarismo social.

Al acabar la Primera Guerra Mundial estas ideas se mezclaron con las noticias procedentes de la nueva Rusia soviética para producir, en el clima exaltado de la revolución espartaquista alemana, las estrafalarias utopías de una asociación de arquitectos conocida como la "Cadena de Cristal". Taut, su animador principal, describió y dibujó ciudades brillantes como piedras preciosas y "catedrales" de vidrio, inspiradas en las grandes creaciones góticas, como si fueran los santuarios ideales de una inconcreta religión fraternal del porvenir.

Algo quedó de todo aquello. Mies van der Rohe publicó en la revista *Frühlicht* ("Luz matinal"), dirigida

por Taut, su primer proyecto de rascacielos de cristal, y es significativo que lo presentara a un concurso con el lema "panal". Intentaba evocar las colmenas de observación, cuyas paredes eran de vidrio transparente, dándonos también una clave respecto al tipo de colectividad humana, compacta y solidaria (como una colmena), que se intentaba lograr.

Por eso pareció adecuado durante unos años asociar el gran muro cristalino con el universo proletario: pensemos en los talleres de la Bauhaus en Dessau (1925), que era un gran prisma cristalino, o en la inmensa fachada vítrea del Centrosoyus de Moscú, diseñado por Le Corbusier en 1929. Vemos cómo se encabalgaban las referencias metafóricas del cristal, asociándolo a las maclas geométricas de la naturaleza, a los diamantes tallados, a la sociedad perfecta de las colmenas, a la luz de la verdad moral, etc. Después de la Segunda Guerra Mundial esas referencias se perdieron casi por completo cuando el vidrio tuvo ya un empleo masivo en los rascacielos y en otros edificios industriales.

En este dibujo de Bruno Taut hay maclas minerales y diamantes tallados representando montañas arquitectónicas de cristal (1918).

Las grandes máquinas

Las grandes máquinas contemporáneas generaron también varias familias de metáforas arquitectónicas. Le Corbusier había aprendido en el taller de Peter Behrens la necesidad de vincular el diseño con el desarrollo industrial, y por eso escribió encendidos alegatos explicando a los arquitectos las virtudes de las creaciones "exactas" de los ingenieros.

La formulación más precisa de aquellas ideas apareció en 1920-1921 cuando publicó los artículos que constituirían su libro *Hacia una arquitectura*: la casa era una "máquina para vivir", dijo Le Corbusier con claridad; sólo una renovación total de la arquitectura evitará la revolución; los modelos que deberían inspirar el diseño contemporáneo son los aviones, los transatlánticos y los automóviles. Había allí páginas memorables como aquellas en las que se comparaba la evolución de la arquitectura griega y la del automóvil.

Las formas puras, el color blanco y el diseño compacto de los transatlánticos inspiraron el diseño de los grandes bloques de viviendas: se ha dicho que la *Unidad de vivienda* de Marsella (1947-1952) es como uno de aquellos navíos, anclado en tierra, lo cual no nos impide encontrar también (como otra metáfora superpuesta) el modelo de la colmena racional.

Los arquitectos modernos construyeron muchos edificios-barco: las ban-

das paralelas, tan abundantes en algunas modalidades del *art déco*, proceden en parte de las barandillas metálicas de los transatlánticos, aunque lo normal es que estas formas se fundieran con las de otras máquinas aerodinámicas como locomotoras, dirigibles y aeroplanos.

La proliferación de curvas regulares en algunas obras derivadas de Erich Mendelsohn indica una pasión futurista por las formas mecánicas, más que una pulsión "orgánica". La electricidad y la radiofonía estuvieron también en la base de otros repertorios formales: rayos, zigzags o expansivas ondas geométricas se encuentran en la decoración del *art déco* internacional, y es obvio que nos hallamos, en muchos casos, ante una serie de metáforas visuales procedentes del universo tecnológico.

Los rascacielos neoyorquinos del período de entreguerras (como el Chrysler Building, de 1930) delatan todo esto muy bien, con unos remates que eran, de hecho, anuncios visuales de lo que contenían: antenas radiofónicas y poderosos pararrayos.

Metáforas del constructivismo

Pero ninguna tendencia de la arquitectura moderna prestó tanta atención a las creaciones mecánicas como el constructivismo ruso. Ya hemos hablado de Tatlin y de su *Monumento a la III Internacional*, pero esto fue sólo como la punta de un iceberg: es difícil encontrar a un solo arquitecto soviético entre 1917 y mediados de los años

treinta que no especulara con las formas de las fábricas, transatlánticos, antenas o aviones.

El estímulo inicial había venido de la arquitectura futurista italiana (Antonio Sant'Elia, Virgilio Marchi y otros), con sus proyectos mecánicos exaltados y su rechazo radical de todas las formas históricas, pero el constructivismo no se explica sin la creencia revolucionara de la vinculación inexorable entre el progreso social y el tecnológico.

Los arquitectos de aquellos años (Melnikov, los hermanos Vesnin, El Lissitzky, etc.) manifestaron su talento en numerosos proyectos fantásticos. El mejor de todos ellos fue seguramente Jakov Chernijov, muy reivindicado en las últimas décadas del siglo XX como consecuencia del *revival* de las alusiones tecnológicas que se ha conocido con la deconstrucción. Es obvio que la historia de las metáforas arquitectónicas no acabó con la época gloriosa del Movimiento Moderno: las formas prestigiosas de la naturaleza y las de la industria más avanzada continúan inspirando a los arquitectos de nuestros días.

Chimeneas metálicas, cables, cintas transportadoras y otros elementos mecánicos pueblan los diseños arquitectónicos de Chernijov, como vemos en este ejemplo de 1931.

EL PARTENON. De 447 a 434 ant. de J.C.

que el adversario *en todos los aspectos*, en la línea de conjunto y en todos los detalles. Es, pues, el estudio a fondo de las partidas. El progreso.
La norma es una necesidad de orden llevada al trabajo humano.
La norma se establece sobre bases ciertas, no arbitrariamente, sino con la

DELAGE. Gran Sport 1921.

El progreso de la arquitectura y el progreso mecánico, vinculados por Le Corbusier en esta página de "Hacia una arquitectura" (1921).

Las metáforas aerodinámicas, eléctricas y radiofónicas se encabalgan en el Edificio Chrysler de Nueva York (William Van Alen, 1930).

481

25. TENDENCIAS DE LA SEGUNDA MITAD DEL SIGLO XX

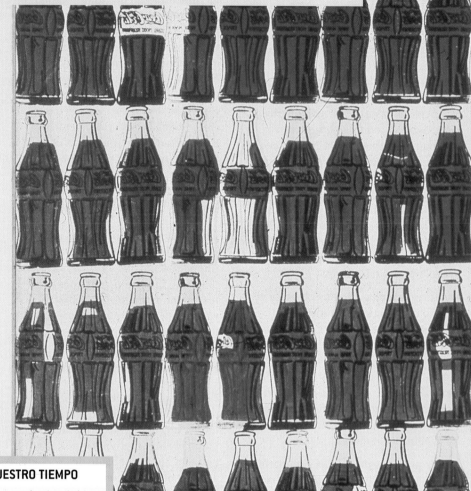

La vanguardia artística salió fortalecida de la Segunda Guerra Mundial. Estados Unidos se convirtió entonces en el centro de la creatividad contemporánea, y es allí donde se desarrolló lo mejor del expresionismo abstracto, así como de su gran corriente alternativa, el *pop art*. Pero el universo del arte se "globalizó" rápidamente: a la recuperación europea y japonesa le sucedió luego la de otros muchos países en todos los continentes. Las numerosas tendencias artísticas surgidas desde los años sesenta fueron ya plenamente universales. En esta segunda mitad del siglo XX culminaron muchas de las aspiraciones de las vanguardias históricas: el arte se amplió conquistando ámbitos insólitos, como la naturaleza, el cuerpo mismo del artista o el mundo de las ideas. Nunca antes habían sido las artes tan complejas ni tampoco habían suscitado sus diferentes manifestaciones la misma pasión pública que se detecta al empezar el tercer milenio.

EL SENTIDO COMÚN Y EL ARTE DE NUESTRO TIEMPO

Si en la vida cotidiana el sentido común permite la rápida y segura descodificación de los mensajes, en la operación artística ocurre normalmente lo contrario. La obra de arte debe ser descriptible por el sentido común pero debe ser también contraria a él, debe constituir un desafío al sentido común, sobre todo hoy, cuando el conformismo artístico corre a menudo el riesgo de escindirse del conformismo social y ético. De aquí el que se presente un arte anticonformista, anticomunicativo, en definitiva "insensato", que de esta manera escandaliza a menudo a sus destinatarios, provistos de e inmersos en el sentido común ético-social. Que podría ser también un sentido común antiburgués, revolucionario, políticamente progresista: muy a menudo el progresismo político es antiprogresista artísticamente porque no comprende la necesidad, por parte del arte, de ser contrario al sentido común.

DORFLES G.: *Sentido e insensatez en el arte de hoy.*
Valencia, Fernando Torres Editor, 1973, pp. 21-22

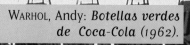
WARHOL, Andy: *Botellas verdes de Coca-Cola* (1962).

CLAVES DE LA ÉPOCA

– Del mundo dividido
a la globalización

– La angustia de la
postguerra y su
superación artística

– Autonomía del arte,
experimentación
e hibridación

**1. LAS CORRIENTES
ABSTRACTAS**

– El expresionismo
abstracto
y el informalismo

– De la abstracción
postpictórica
al *minimal art*

**2. LAS VÍAS
DE LA FIGURACIÓN**

– Hacia el *pop art* como
tendencia *neo-dada*

– La imagen de masas

– Escultura pop.
El hiperrealismo
y el arte del *graffiti*

**3. LA NATURALEZA
Y EL CONCEPTO**

– El *arte povera*

– Los trabajos con tie-
rra y el *land art*

– Hacia el arte
conceptual

**4. EL CUERPO
Y LA ACCIÓN**

– *Happenings* y *fluxus*

– *Performances*
y *body art*

ANÁLISIS

– *Díptico Marilyn*,
de Andy Warhol

– *Bomba de miel
en el lugar de trabajo*,
de Beuys

5. EL CASO ESPAÑOL

– La época
del informalismo

– Desde el pop hasta
el momento actual

S   Í   N   T   E   S   I   S

Del mundo dividido a la globalización

El período que se inicia con el final de la Segunda Guerra Mundial se caracteriza por una dura rivalidad o confrontación entre el mundo capitalista y los países comunistas: fue la llamada "guerra fría", que acabó en 1989 con la caída del muro de Berlín. Aquella división política y económica del mundo se tradujo en dos maneras de entender la actividad artística: protegida y tutelada por el Estado en el bloque comunista, e inserta en el sistema de libre mercado en el occidente capitalista. Pero, aunque hubo una permeabilidad de ideas y tendencias entre ambos bandos mayor de lo que se suele admitir, es indudable que fue en el sector occidental donde se produjeron las innovaciones artísticas más significativas.

En los años sesenta alcanzaron su independencia política casi todas las antiguas colonias europeas en África, Asia y Oceanía, acentuándose así la concepción del mundo como un todo global, sin centros rectores dominantes. Otro acontecimiento histórico muy importante ha sido el final de la guerra fría con la consiguiente reimplantación del capitalismo en los países de la antigua órbita soviética. El mundo ahora carece de fronteras significativas: los artistas viajan mucho, y circula ampliamente la información sobre lo que se está haciendo en los distintos lugares. Las ferias internacionales de arte, las exposiciones antológicas y las bienales se han multiplicado, contribuyendo a divulgar entre un público muy amplio las aportaciones de creadores procedentes de ámbitos geográficos muy dispares. Al igual que ya dijimos respecto a la arquitectura, tampoco aquí tiene mucho sentido hablar de tendencias artísticas nacionales.

Desde la primera celebración de ARCO (Feria de Arte Contemporáneo de Madrid) a principios de los años ochenta, el éxito de público y expositores ha ido en aumento de una forma espectacular. Esto muestra el gran interés que suscita el arte contemporáneo en nuestro tiempo.

La angustia de la posguerra y su superación artística

El triunfo universal de la vanguardia se produjo cuando los poderes públicos de Estados Unidos (que había emergido de la Segunda Guerra Mundial como gran potencia vencedora) decidieron adoptar el expresionismo abstracto como la forma artística genuina del llamado "mundo libre". El tormento individual del creador (su angustiada batalla por alcanzar la perfección en un universo estético que ya no tenía reglas) fue considerado como la quintaesencia de aquella parte del mundo donde los ciudadanos no eran considerados como meros engranajes en la maquinaria del Estado. Esto coincidió con el auge del existencialismo, una corriente filosófica muy preocupada por la alienación del ser humano (algo lógico en quienes habían vivido el enorme desastre que había sido la Segunda Guerra Mundial). *El ser y la nada* (1943) es el significativo título de un libro importante de Jean-Paul Sartre, el autor más característico de aquellos años.

MOTHERWELL, Robert: *Elegía por la República española* (1953-1954). Motherwell fue uno de los más importantes representantes del expresionismo abstracto de postguerra. En su obra es palpable la influencia española, como demuestra este lienzo que forma parte de su obra más importante: una larga serie de cuadros titulada "Elegía por la República española".

A finales de los años cincuenta es perceptible ya una clara recuperación moral y material. Nuevas formas artísticas, más frías y racionales, van a sobreponerse, desde los años sesenta, al patetismo informalista de la postguerra inmediata: se trata de la abstracción postpictórica, el *minimal*, *neo-geo*, etc.

También corresponde a esta situación psicológica la aparición del *pop art*, que es un resultado directo de la emergencia de la cultura visual de masas.

El cine, el cómic, la publicidad comercial y la televisión habían creado un nuevo entorno visual, y era inevitable que muchos artistas partieran de él para realizar sus obras.

El *pop art* era figurativo, pero también irónico y distanciado de aquel individualismo torturado que caracterizó al expresionismo abstracto.

El apogeo de esta corriente coincidió con la independencia de muchos países del Tercer Mundo y con la contestación juvenil que culminaría en París durante el mes de mayo de 1968.

Autonomía del arte, experimentación e hibridación

Pero no es posible explicar lo que ha sucedido en las artes después de la Segunda Guerra Mundial recurriendo exclusivamente a los datos de la historia política o económica. El sector artístico ha adquirido una autonomía indudable: la fundación de numerosos museos dedicados a la creación contemporánea y la consolidación de un mercado internacional han permitido que el arte tenga un ámbito propio e independiente de otras contingencias, un fenómeno este que podría ser comparable al desarrollo de las ciencias puras.

El público, por consiguiente, se ha diversificado, atendiendo al carácter de cada tendencia u obra concreta: junto a trabajos dirigidos a grandes masas de población hay otros que sólo puede entender y asimilar un grupo muy restringido de personas.

La *experimentación* (otra palabra importada del ámbito de la ciencia), convertida ahora en norma, sirve para que las artes asuman la tarea de ampliar hasta lo imposible la percepción y la conciencia humanas. El deseo de ir "más allá" en todos los ámbitos explica la enorme variedad de las tendencias surgidas en las décadas finales del siglo XX: el papel de la naturaleza, de lo efímero y perecedero, han sido asuntos primordiales para el *arte povera* y para el llamado *land art*; la función del lenguaje, su capacidad para definir la realidad y la artisticidad han sido abordados en algunos episodios del *arte conceptual*; la ciencia y la técnica de las telecomunicaciones están en la base de las corrientes artísticas que crean con los nuevos medios tecnológicos; algo de eso hay también en el ánimo de quienes trabajan con el cuerpo, desde el *body art* hasta las obras que problematizan las nociones heredadas sobre el género y el grupo étnico.

RAUCHENBERG, Robert: *Sin título (1955). En sus instalaciones, este artista usa elementos de desecho y combina diversas técnicas.*

Lo que caracteriza, en fin, a las artes al empezar el tercer milenio es la riqueza y la hibridación. La pintura y la escultura tradicionales conviven ahora con otros medios expresivos: en las *instalaciones artísticas*, por ejemplo, se utilizan todo tipo de recursos y materiales, desde los más humildes y naturales (hojas secas o estiércol, pongamos por caso) hasta los más caros y sofisticados (ordenadores o metales preciosos).

La fotografía es empleada en grandes formatos, similares a los de los óleos tradicionales. Pocas veces un medio de expresión, cualquiera que éste sea, aparece en estado puro, y son normales las contaminaciones entre múltiples recursos.

Es muy importante también tener en cuenta el gran poder alcanzado por las instituciones que definen y presentan las creaciones visuales: museos y centros de exposiciones, críticos e historiadores del arte, marchantes y coleccionistas, etc. Es éste un panorama muy diferente al del pasado. El arte ha sobrepasado todos los límites, como si se hubiera producido una eclosión.

DOCUMENTA (1992).
Cada cuatro años se celebra en la ciudad alemana de Kassel la Documenta, una de las citas más importantes para el arte contemporáneo. La variedad de tendencias y propuestas que se presentan en cada convocatoria muestra la pluralidad y complejidad de las manifestaciones artísticas actuales.

AÑOS	ACONTECIMIENTOS HISTÓRICOS	FENÓMENOS ARTÍSTICOS
1940-1959	• Fin de la Segunda Guerra Mundial y primeras explosiones nucleares (1945). • Creación del Estado de Israel (1947). • Triunfo de la revolución china (1949). • Conferencia afroasiática de Bandung (1955). • Revolución cubana (1958).	• POLLOCK: *Echo (number 25)* (1951). • HAMILTON: *¿Qué es lo que hace a los hogares de hoy tan diferentes, tan atractivos?* (1956). • Primeros happenings de A. KAPROW (1959).
1960-79	• Revuelta estudiantil en París (mayo de 1968). • Muerte del general Franco (1975).	• KLEIN: *Salto en el vacío* (1960). • WARHOL: *Díptico Marilyn* (1962). • Aparición del *arte povera* (1967). • SMITHSON: *Malecón en espiral* (1970).
1980-2000	• Caída del muro de Berlín (1989). • Revuelta racial en Los Ángeles (1992). • Guerra de Kosovo (1999).	• Neoexpresionismo alemán (años ochenta). • ORLAN: *Cuarta operación* (1991).

1. LAS CORRIENTES ABSTRACTAS

El expresionismo abstracto y el informalismo

La guerra hizo que muchos artistas europeos de vanguardia emigraran a Estados Unidos: los surrealistas constituyeron allí una colonia poderosa que ejerció mucha influencia en las nuevas generaciones. De ellos aprendieron la primacía del *automatismo*, asunto clave en las teorizaciones iniciales del surrealismo pero que nunca había alcanzado la relevancia que lograría después de 1945. El *expresionismo abstracto*, la escuela pictórica surgida entonces, se caracteriza por añadir a esa influencia surrealista otras procedentes de las filosofías orientales; con ambos ingredientes intelectuales se justificaban el vacío pictórico, el valor de la mancha y la autoexpresión directa sobre el lienzo sin controlar racionalmente el proceso de ejecución. Aquellos cuadros solían ser de gran tamaño. Entre los pintores del expresionismo abstracto destacaron **Franz Kline** (1910-1962), **Robert Motherwell** (nacido en 1915) o **Willem de Kooning** (nacido en 1904), excelente "colorista" y el más figurativo de su generación. El más representativo de aquellos artistas, **Jackson Pollock** (1912-1956), no utilizaba el pincel sino que hacía chorrear la pintura sobre el lienzo, situado horizontalmente sobre el suelo del estudio. El movimiento del artista durante la ejecución era tan importante como el resultado final, y por eso se llamó a este tipo de trabajos *action painting* (pintura de acción) o pintura gestual.

El expresionismo abstracto recibió otros nombres en Europa, como *tachismo* (del francés "tache", mancha) o *informalismo*. Se trataba siempre de una pintura subjetiva, apasionada, no figurativa y de apariencia caógena. Cuando se incorporaron al lienzo otros materiales (como arpilleras, arena, maderas, etc.) recibió la denominación de *arte matérico*. Estos términos no son excluyentes: una obra pude ser al mismo tiempo informalista y matérica.

DE KOONING, Willem: *Mujer I (1951-1952)*. Este cuadro no es, hablando con propiedad, una obra abstracta sino una figuración violenta, con grandes distorsiones en la apariencia de la mujer representada. La influencia de Picasso era muy grande. La pincelada de De Kooning es vigorosa, muy suelta. Su colorido, rico y matizado, contrasta con la tendencia al blanco y negro que predominó entre los artistas de su generación.

ROTHKO, Mark: *Negro, ocre, rojo sobre rojo (1957)*. Mark Rothko hizo en sus cuadros sutilísimos ámbitos cromáticos uniformes, de contornos imprecisos aunque con apariencia rectangular.

De la abstracción postpictórica al "minimal art"

En la primera generación del expresionimo abstracto norteamericano hubo dos creadores que tuvieron un control más racional del gesto pictórico: **Mark Rothko** (1903-1970) y **Barnett Newman** (1905-1970). De este tipo de planteamientos derivó en parte la *abstracción postpictórica*, que fue una reacción de los años sesenta contra la extrema subjetividad predominante en la década precedente. Se trataba de hacer un arte más abstracto, sin implicaciones emocionales. Los cuadros asumían a veces configuraciones geométricas variadas y éstas eran repetidas de alguna manera en las formas pintadas del interior (como en las obras de Frank Stella). También se formularon mejor las ideas relativas a la materialidad de la pintura haciendo que el color penetrara en el interior del lienzo (como en los cuadros "teñidos" de Morris Louis), o enfatizando la tersa superficie pintada con transiciones tan insignificantes de tono que hacen imposible su representación fotográfica (es el caso de los "cuadros negros" de Ad Reinhardt).

No muy alejadas de estos planteamientos han estado las diferentes corrientes del *arte normativo*, jugando siempre con la geometría, como las del *arte óptico* (con o sin movimiento real de las piezas). El *minimal art*, aparecido a mediados de los años sesenta, ha tenido una relevancia mayor: se trata de la reducción radical de los lenguajes artísticos a unas estructuras geométricas "mínimas". El artista minimal disocia el proyecto de la ejecución (esto es posible debido al carácter industrial de los materiales utilizados: planchas de acero, plásticos, luces de neón, etc.). Destacan dentro de esta tendencia Donal Judd, Sol Le Witt, Robert Morris, Dan Flavin, Carl André o Bruce Nauman.

LA ABSTRACCIÓN TRAS LA SEGUNDA POSTGUERRA: TRES OBRAS

Muy representativo de Jackson Pollock (y de la *action painting* en general) es este cuadro de 1951 titulado **Echo (number 25)**, de más de 5,5 metros de longitud, pintado enteramente con la técnica del chorreo sobre un lienzo sin preparar. Esto último es importante, pues los arabescos cromáticos no se conciben como si fueran una fina película de color que cubre la superficie de la tela, sino como entidades corpóreas flotando sobre ella. Así es como la obra adquiere profundidad espacial.

Pollock se desplazaba alrededor del cuadro durante la ejecución, por los cuatro lados, y los movimientos de su brazo y de su cuerpo pueden reconstruirse en su relación forzada con el rectángulo, colocado en el suelo del estudio. El cuadro es, pues, además de todo lo dicho, un testimonio antropológico: no es casualidad que la historia del arte de acción (que veremos más adelante) empiece, para muchos, con estos trabajos de Pollock.

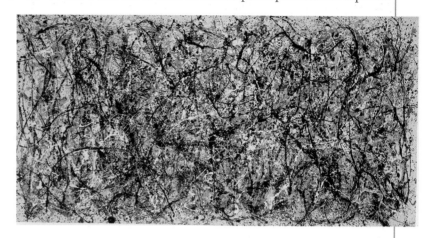

POLLOCK, Jackson: *Echo (number 25)* (1951).

También mide más de cinco metros la obra de Frank Stella **Empress of India** (1965), pero su contraste con la de Pollock es absoluto. No es un cuadro en sentido estricto (es decir, algo "cuadrado" o "rectangular"), sino una especie de escultura geométrica plana, colgable en la pared, con un eje de simetría oblicuo que permite repetir los motivos e invertirlos, a ambos lados de la obra.

Las formas de los bordes se multiplican en el interior, y son estas líneas paralelas pintadas sobre el lienzo lo que convierte a los límites externos de la pintura (a su contorno quebrado) en un dato básico para su elaboración. La abstracción postpictórica no se interesaba por la pasión del artista, por su subjetividad o corporeidad, sino por la materialidad y la configuración formal de las obras propiamente dichas.

STELLA, Frank: *Empress of India* (1965).

Más claramente "escultóricos" son la mayoría de los trabajos del arte *minimal*, aunque es evidente que en ellos se rompe con la definición y los límites de las artes plásticas tradicionales. Tomemos este ejemplo de Bruce Nauman, **Pasillo rosa y amarillo** (1972), que es una verdadera instalación en el techo de una habitación alargada, sin otro tipo de iluminación que la de los tubos de neón. Es un trabajo abstracto, ciertamente, pero el autor no se ha implicado físicamente en su elaboración. Los medios son muy elementales, de fabricación industrial. Destacable es también la simplicidad geométrica de las formas resultantes: meras rayas de colores luminosos sobre un fondo oscuro. Es obvio, sin embargo, que hay en este trabajo una clara voluntad de conquistar el espacio, introduciendo físicamente al espectador dentro de la obra.

NAUMAN, Bruce: *Pasillo rosa y amarillo* (1972).

2. LAS VÍAS DE LA FIGURACIÓN

Hacia el "pop art" como tendencia "neo-dada"

A pesar del auge alcanzado por la abstracción durante la segunda postguerra, nunca desapareció del todo el arte representativo. Hubo artistas figurativos muy estimables que se mantuvieron próximos al espíritu trágico peculiar del informalismo, como el francés **Jean Dubuffet** (1901-1985) o el británico **Francis Bacon** (1909-1992). Pero la figuración regresó a la escena artística de un modo apoteósico con la emergencia del *pop art*. Se originó en Londres durante los años cincuenta, en torno a artistas como Eduardo Paolozzi y Richard Hamilton. Ellos iniciaron una revisión de la cultura de masas recuperando con ironía estereotipos visuales procedentes de la publicidad, el cine, etc. El *pop art* alcanzó su apogeo durante los años sesenta en Estados Unidos, país donde la cultura transmitida por los medios había alcanzado mayores niveles cuantitativos. Pero no hubo uniformidad entre aquellos artistas. Algunos se interesaron mucho por la revisión crítica de los postulados estéticos de la generación anterior, como **Robert Rauschenberg** (nacido en 1925), que hizo instalaciones uniendo objetos de desecho con pintura aplicada en grandes brochazos (las llamaba *combine paintings*); empleó también en sus cuadros una técnica muy usada por sus contemporáneos, la serigrafía.

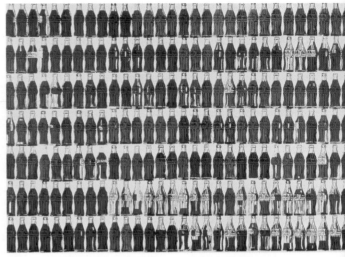

WARHOL, Andy: *Botellas verdes de Coca-Cola* (1962). Situar en el mismo plano la botella de Coca-Cola y el rostro de Marilyn Monroe (asuntos de varias obras de 1962) era un modo de reconocer su equivalencia en tanto que estereotipos iconográficos. Warhol hizo otras series más inquietantes, reproduciendo fotografías de prensa con accidentes automovilísticos o sillas eléctricas, obligándonos a pensar así en la banalización de la tragedia peculiar de nuestra civilización.

Próximos a él estuvieron **Jasper Johns** (autor de cuadros que representaban banderas o mapas norteamericanos), y los europeos englobados con la etiqueta de *nuevos realistas*. Estamos ante una resurrección del espíritu dadaísta, descaradamente iconoclasta: Arman reutilizaba objetos de la basura, Spoerri expuso los restos de comidas reales (incluyendo platos, cubiertos o las mesas y sillas de los comensales), Piero Manzoni enlató sus propios excrementos vendiendo así *Merda d'artista*, etc.

La imagen de masas

La otra variante del *pop art* se apoyó de un modo más literal en la iconografía y en las técnicas de los medios de masas, recuperando sus lenguajes y descubriéndonos el interés estético de productos habitualmente despreciados por la alta cultura. En los cómics se inspiró **Roy Lichtenstein** (1923-1998), cuyos cuadros eran como ampliaciones desmesuradas de viñetas, con los pequeños puntos de las tramas fotomecánicas convertidas en círculos de color uniforme. Desvelaba con ello los estereotipos de los géneros (asuntos sentimentales para las chicas y bélicos para los chicos), al tiempo que nos descubría el gran valor decorativo que tales cosas podían llegar a tener. **Andy Warhol** (1930-1987), el artista más importante de aquella generación, empezó también copiando viñetas, pero cambió de orientación tras conocer la obra de Lichtenstein. Adoptó entonces la serigrafía para trasladar a sus lienzos las imágenes repetidas de objetos o seres muy conocidos de la sociedad contemporánea.

Escultura pop. El hiperrealismo y el arte del "graffiti"

Los escultores pop tuvieron un interés indudable, como **Claes Oldenburg** (nacido en 1929) o **Eric Segal**, que hacía vaciados con escayola de individuos reales, pero esta forma "verdadera" del modelo estaba dentro de la obra, como un hueco, y el espectador sólo puede ver el vendaje o envoltorio externo. Del *pop art* derivó en buena medida el *hiperrealismo* de los años setenta, cuyos adeptos pintaron imágenes fotográficas y reprodujeron en tres dimensiones, hasta en sus más mínimos detalles, el aspecto de seres vulgares. También el arte derivado del *graffiti* (pintadas callejeras), cuyo mejor representante en los años ochenta fue **Keith Haring**, puede considerarse heredero del *pop art*.

HARING, Keith: *Sin título* (1982). Este artista alcanzó gran popularidad en los años ochenta. Sus obras, muy próximas al graffiti, tienen en muchas ocasiones un fuerte componente crítico hacia la sociedad pero expresado con un lenguaje aparentemente amable.

TRES HITOS DEL "POP ART"

Los orígenes del arte pop están en este famoso colage que Richard Hamilton realizó en 1956 y que tituló **¿Qué es lo que hace a los hogares de hoy tan diferentes, tan atractivos?** Se mostró en Londres por primera vez durante la exposición titulada "Esto es mañana", en la cual se anticiparon actitudes que llegarían a alcanzar preeminencia unos años después, al propagarse a Estados Unidos. Vemos recortes procedentes de anuncios de culturismo, revistas pornográficas, la portada ampliada de un cómic en la pared (anticipo de los cuadros de Lichtenstein), muebles baratos prefabricados, un magnetófono, una lata de jamón, un gran cartel de cine, etc. Es un universo barato y desprejuiciado, basado en las imágenes efímeras de consumo rápido.

HAMILTON, Richard: *¿Qué es lo que hace a los hogares de hoy tan diferentes, tan atractivos?* (1956).

El trabajo con los cómics de Roy Lichtenstein era ambivalente, pues si bien parecía detectarse en él un punto de ironía, es obvio que se reivindicaba la estética simplificada de este medio de masas. En **Chica ahogándose** (1963) encontramos ambos ingredientes: el breve texto con los pensamientos de la figura nos permite sonreír ante una narración que adivinamos convencional; el patetismo de esa situación revela su falsedad al presentarse con la técnica neutra del cómic, muy evidente aquí a causa de la ampliación desmesurada de todos los elementos visuales. Se trata de un proceso técnico cuidadoso, que reproduce fielmente todos los elementos de la viñeta; así se parodiaba la supuesta subjetividad irrepetible del gesto pictórico peculiar del expresionismo abstracto. El resultado es de un efectismo estético extraordinario. Obras así contribuyeron a la recuperación de los cómics propiamente dichos en el contexto del arte.

LICHTENSTEIN, Roy: *Chica ahogándose (1963).*

Las más espectaculares esculturas del *pop art* han sido realizadas por Claes Oldenburg, que alcanzó gran celebridad por sus ampliaciones en escayola pintada de comida rápida (helados, hamburguesas, patatas fritas con *ketchup*, etc.), así como por sus objetos blandos.

Este **Cucurucho de suelo (helado gigante)** (1962) mide casi tres metros de longitud y está hecho con tejidos sintéticos, látex sobre lienzo, espuma de goma y cajas de cartón. Es, obviamente, una obra blanda, y reproduce algo reconocible en la vida cotidiana contemporánea. Los temas del pop perdieron solemnidad: glorificaban lo banal, lo intrascendente, y se burlaban de la pretensión de eternidad implícita en los materiales (piedra y bronce) empleados por los escultores tradicionales.

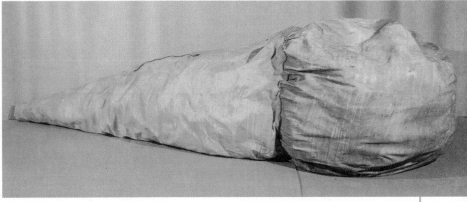

OLDENBURG, Claes: *Cucurucho de suelo (helado gigante) (1962).*

3. LA NATURALEZA Y EL CONCEPTO

El "arte povera"

El *arte povera* (arte pobre) surgió a finales de los sesenta. Esta tendencia agrupaba a varios creadores que empleaban materiales encontrados (trapos, cuerdas, plomo, hojas secas, estiércol, animales disecados, etc.) de nulo valor comercial y escaso grado de elaboración formal. Desde sus inicios se notó ya una bifurcación del *povera* en direcciones contrapuestas: unos artistas se interesaron por los procesos de transformación de la materia, enfatizando lo efímero de todas las configuraciones formales; otros mostraban mayor preocupación por la condición humana propiamente dicha. La primera actitud está bien representada por Mario Merz. A la segunda postura se aproximaría más Christian Boltanski. Otras figuras del *povera* son Jannis Kounellis, Michelangelo Pistoletto, Giovanni Anselmo o Giuseppe Penone.

Los trabajos con tierra y el "land art"

El *povera* fue una tendencia politizada en un sentido amplio, que tomó conciencia de los problemas ecológicos, suscitándolos con agudeza en el contexto del arte. De ahí que haya sido emparentado frecuentemente con los *earth works* (trabajos con tierra), que son obras ejecutadas con materiales extraídos directamente de la naturaleza. Esta tendencia no se ha diferenciado demasiado del *land art*: muchos artistas de los años sesenta y setenta buscaron intervenir directamente en el paisaje aprovechando las condiciones ofrecidas por las grandes extensiones abiertas (desiertos, lagos, montañas, etc.). Por ejemplo: Michael Heizer realizó en 1969 *Nueve depresiones en Nevada* (excavaciones en el desierto, con formas geométricas precisas); Walter de Maria hizo visible una gran línea recta trazada a lo largo de tres millas en el mismo desierto junto a Las Vegas; Dennis Oppenheim creó con la siembra mecánica de trigo sorprendentes formas geométricas y ondulaciones (1969).

Estos trabajos fueron, obviamente, efímeros. En el *land art* los agentes atmosféricos intervienen degradando o borrando en poco tiempo la obra del artista. Su reconocimiento en el contexto del arte depende del modo como sean documentados los trabajos: las fotografías, las películas o vídeos, los gráficos y descripciones literarias son los únicos vestigios materiales que pueden presentarse en la galería o en el museo. Ésta es también la parte comercializable de la obra. El caso de Christo (Christo Javacheff, nacido en 1935) nos parece significativo: sus empaquetamientos con lona y cuerdas de monumentos o de trozos enteros del paisaje han sido muy costosos, pero el artista ha podido financiarlos mediante la venta de la documentación generada por cada proyecto.

Hacia el arte conceptual

Es la parte "inmaterial" de estas manifestaciones artísticas lo que nos permite situarlas dentro de la órbita del *arte conceptual*. Veamos un ejemplo de Jannis Kounellis: "9 de mayo de 1969, pintaré un árbol negro; 15 de mayo de 1969, llevaré una barca de vela desde el mar a un lago alpino y la colorearé de negro". Se trataba de *ideas*, y no hacía falta que se materializasen para que fueran consideradas como creaciones artísticas. Así es como estas obras han podido llegar a parecerse a las composiciones musicales (su ejecución no es estrictamente necesaria para que "existan"). El *arte conceptual* es una corriente muy compleja, con muchas variantes, en las que prima siempre la dimensión intelectual (la "propuesta") sobre una eventual materialidad del objeto realizado.

Joseph Kosuth (nacido en 1945) ha sido seguramente el artista más representativo de esta tendencia. Una variante más comprometida frente a las desigualdades sociales y de género la han representado algunos cultivadores del *arte político* como Hans Haacke y, ya en los años ochenta, Barbara Kruger, Jenny Holzer y otros.

KRUGER, Barbara: ***Don't buy us with apologies*** (*1985*). *La imagen y el texto que la acompaña (No nos compréis con disculpas) son bastante elocuentes sobre el contenido de denuncia que tiene la vertiente comprometida del arte conceptual.*

ARTE "POVERA", "LAND ART" Y ARTE CONCEPTUAL: CUATRO OBRAS

Mario Merz fue el autor de **iglús** y de amontonamientos de ramas en instalaciones que nos hacen pensar en las formas primitivas de la vida social. No tiene título esta obra ejecutada por el artista en 1968 y que se muestra aquí según una reinstalación de 1984. Dos cabañas con forma de iglú se yuxtaponen mostrando claramente el contraste de sus respectivos materiales: haces de ramas informes en un caso, y plexiglás transparente en el otro. Es un trabajo muy representativo del *arte povera*, con su actitud desprejuiciada ante la forma y la aceptación de todo tipo de materias. Despreocupado por la solidez y por la permanencia, Mario Merz enfatiza el *proyecto* o la idea, lo cual hace posible "reinterpretar" físicamente la obra en distintos contextos y momentos.

MERZ, Mario: *Sin título (1968-1984).*

SMITHSON, Robert: *Malecón en espiral (1970).*

El **Malecón en espiral**, de Robert Smithson fue realizado en 1970 en una zona muy poco profunda del lago Salado, en el estado norteamericano de Utah. Era un camino de tierra y piedras que se enroscaba sobre sí mismo, introduciéndose en el agua. La obra podía contemplarse desde lejos al modo de una gran escultura en el paisaje natural, tal como se aprecia en esta fotografía; pero también ofrecía al espectador la posibilidad de adentrarse en las aguas quietas del lago y de sentirse atrapado así en un imaginario e imposible remolino. Smithson quiso que su trabajo se adaptara al "espíritu del lugar" y lo justificó evocando sus primeras impresiones ante el entorno desierto del lago Salado: "Cuando miré aquel sitio, reverberaba en el horizonte, como sugiriendo un ciclón inmóvil, mientras la luz parpadeante hacía que el paisaje pareciese temblar". Como tantas otras obras del *land art*, este *Malecón en espiral* se degradó en seguida y sólo se conoce ahora por las fotografías tomadas después de su construcción.

Una de las obras más sublimes del *land art* es el **Campo de relámpagos**, ejecutado en 1977 por Walter de Maria en una zona deshabitada de Nuevo México. Constaba de 400 postes de acero inoxidable organizados en 16 filas de 25 postes dispuestos de este a oeste, y otros tantos de norte a sur; todos ellos estaban alineados en altura. La obra, que ocupaba una extensión aproximada de dos kilómetros cuadrados, estaba destinada a atraer los relámpagos. El artista jugaba así con los fenómenos meteorológicos, superando las concepciones más estáticas y meramente terrestres de los otros cultivadores del *land art*.

DE MARIA, Walter:
Campo de relámpagos (1977).

La artista norteamericana Jenny Holzer es una de las mejores intérpretes del arte conceptual "politizado" de los años ochenta. Su obra se compone de frases, a modo de consignas o aforismos, que coloca en lugares públicos.

La que vemos aquí, de la serie "Sobre la vida" (1984), es un letrero luminoso similar al de los avisos comerciales. Pero el mensaje es diferente: "**Los hombres ya no te protegen**". La invitación a que las mujeres asuman el control de sus vidas tiene una significación especial en el mundo del arte, dominado ya por el estamento femenino a finales del siglo XX. Para Holzer el arte conceptual no está sólo en la frase o en su presentación, sino que reside en el ámbito de la transformación social suscitada por la propuesta.

HOLZER, Jenny: *Los hombres ya no te protegen (1984).*

"Happenings" y "fluxus"

El deseo de fundir el arte con la vida ha sido siempre una constante de toda la vanguardia, pero solamente a finales de los años cincuenta surgieron tendencias específicas que hacían de este asunto el tema central de la creación. A partir de 1958 Allan Kaprow y Jean-Jacques Lebel desarrollaron los primeros *happenings*, que eran acontecimientos provocados por sus autores en entornos específicos (generalmente galerías). Según Kaprow, un *happening* es "un ambiente exaltado en el cual el movimiento y la actividad son intensificados durante un cierto tiempo (digamos media hora) y donde, por lo general, un grupo de personas se juntan para realizar una acción dramática".

Nitsch, Hermann: *Orgien Mysterien Theater (1963-1985). Esta obra es el resultado final de una de las* performances *de Hermann Nitch en las que se descuartizaban bueyes. La utilización de sangre y vísceras de animales dota a estas acciones de una evidente apariencia ritual.*

Característico de los *happenings* era el desplazamiento creativo desde la tradicional elaboración o manipulación de los objetos hacia la configuración de sucesos relacionados con la vida humana. A veces el resultado era una obra de arte más o menos convencional, como ocurrió con las *antropometrías* de Yves Klein (modelos embadurnadas de pintura dejaban una impronta sobre lienzos preparados al efecto). Los *happenings* no se planteaban como algo que habría de producir resultados completamente previsibles, pues era esencial la colaboración no programada de los espectadores-participantes. La hibridación de este medio (con un fuerte componente teatral) lo aproxima a la música, y de ahí que se lo emparente frecuentemente con otra tendencia llamada *fluxus*, uno de cuyos creadores, Wolf Vostell, ofreció una buena definición de todas estas manifestaciones: "Considerar el arte como espacio, el espacio como entorno (*environment*), el entorno como acontecimiento, el acontecimiento como arte y el arte como vida". El *fluxus* fue un movimiento neodadaísta que no propugnaba la participación activa de los espectadores, sino su comunión ritual con las propuestas o acciones (con un importante componente sonoro) del artista-intérprete.

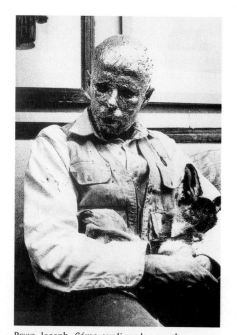

Beuys, Joseph: *Cómo explicar los cuadros a una liebre muerta (1965). Algunas acciones de Beuys como ésta iban encaminadas a redefinir las nociones heredadas sobre la artisticidad, pero otras tuvieron un contenido más claramente político.*

"Performances" y "body art"

Esto nos introduce en la *performance*, nombre con el que se denominan diferentes formas de arte de acción. Suele tener una gran importancia en ellas la presencia directa del artista, que considera su propio cuerpo como un lugar privilegiado o un instrumento para la materialización de la obra propiamente dicha.

El *performer* más importante ha sido seguramente el alemán **Joseph Beuys** (1921-1986), que desarrolló un concepto ampliado del arte formulando lo que él llamó la "plástica social". Se trataba de concebir como "artístico" el trabajo de transformación de la conciencia humana. El binomio artista-público era sustituido por una nueva comunidad espiritual encaminada a mejorar las condiciones de la vida social.

Una vertiente más individualista de esta misma actitud ha conducido desde el *body art* (arte con el cuerpo) de los años sesenta hasta algunas *performances* radicales de los años ochenta y noventa.

Veamos algunos ejemplos: **Chris Burden** se hizo disparar en un brazo (*Shoot*, 1971) para experimentar el dolor, y un componente similar tuvo el trabajo de **Gina Pane** cuando se produjo voluntariamente pequeños cortes con una cuchilla de afeitar en algunas partes de su cuerpo (*Le corps pressenti*, 1975). Pero algunas de las propuestas más radicales de arte corporal han partido de mujeres: la francesa **Orlan** (nacida en 1947) empezó midiendo las calles con su propio cuerpo; su acción *El beso de la artista* (1977) era una ácida reflexión sobre el papel de la mujer-creadora en el mundo contemporáneo: los espectadores recibían un verdadero beso de la artista a cambio de una moneda que se introducía en un maniquí.

ACCIONES CORPORALES

Este **Salto en el vacío** de Yves Klein puede considerarse como una imagen emblemática de las innovaciones artísticas más radicales de la segunda mitad del siglo XX. Es un insólito autorretrato en el que Klein se mostró a sí mismo durante un imposible vuelo sobre una tranquila calle de las afueras de París, unos instantes antes de que se produzca el despegue a las alturas o la probable caída sobre el duro asfalto.
La acción de saltar debió realizarse efectivamente, pues era necesario tomar una fotografía en el aire del protagonista, pero no pudo hacerse en ese lugar: Klein elaboró, pues, una "falsificación" para publicarla en 1960 en un periódico que imitaba el formato y la apariencia del *Journal du Dimanche* (suplemento semanal del *France Soir*). Pero, aunque lo mostrado era un cuidadoso montaje fotográfico, tenía todo el valor de un manifiesto en el cual se anticipaban muchos comportamientos futuros. Por eso se considera a Yves Klein un precursor del *happening*, de *fluxus*, del *body art* y de la *performance*.

KLEIN, Yves: *Salto en el vacío* (1960).

STERLAC: *Suspensión en la calle* (1984).

El deseo de Sterlac es superar las limitaciones biológicas del cuerpo, y de ahí el sentido de la mayor parte de sus acciones corporales: en 1972 hizo vídeos del interior de su estómago, con microcámaras de cirugía, y ya en los años noventa se ha divulgado mucho su propuesta de superar el cuerpo biológico mediante prótesis mecánicas y añadidos robóticos. Sus obras más espeluznantes fueron las **suspensiones**, un tipo de *performances* que inició en Tokio en 1976 y que luego repitió en espacios artísticos de distintos lugares del mundo. La foto que presentamos es de 1984 y se realizó en una calle de Nueva York. Su cuerpo, perforado por diversos ganchos de metal, era elevado a cierta altura mediante un cordelaje especial. Se trataba de una atrevida investigación empírica sobre la piel como límite orgánico, sobre la experiencia del dolor y la ingravidez. También suscitaba imágenes inconscientes relacionadas con algunos insectos y arácnidos, con la idea implícita de la regeneración posterior al estado inmóvil de la larva.

Una especie de culminación del arte corporal lo constituyen las intervenciones quirúrgicas de carácter artístico a las que Orlan se sometió desde principios de los años noventa. Los artistas del *body art* han considerado sus cuerpos respectivos como los lugares donde se hacía la obra de arte, pero sólo esta artista se servía conscientemente de las técnicas quirúrgicas para transformarse de un modo permanente. Es una especie de combinación de la *performance* con la idea tradicional del trabajo escultórico. Las operaciones fueron realizadas en ambientes preparados por la misma artista, y con objetivos estéticos que ella ha determinado en colaboración con los cirujanos. En algún caso se ha transmitido la operación, vía satélite, a distintos centros de arte de varios continentes. La fotografía corresponde a la **Cuarta operación** (1991): Orlan y el cirujano llevan trajes diseñados por Paco Rabanne; mientras aquél interviene, ella lee textos filosóficos; obsérvese la reproducción de la *Venus* de Botticelli, al fondo, una alusión a la convencionalidad de los modelos de belleza imperantes en el mundo occidental.

ORLAN: *Cuarta operación* (1991).

La obra

Está constituida por dos grandes lienzos de las mismas dimensiones (208 x 145 cm), que contienen cada uno 25 reproducciones del rostro de Marilyn Monroe.

No han sido pintados manualmente por el artista sino impresos sobre el lienzo por el procedimiento serigráfico (la misma impronta sirvió para todos los retratos).

Ejecutada en 1962, forma parte de una larga serie de trabajos en los que Warhol repitió, en distintos formatos, y con importantes variaciones cromáticas, el mismo rostro de la actriz.

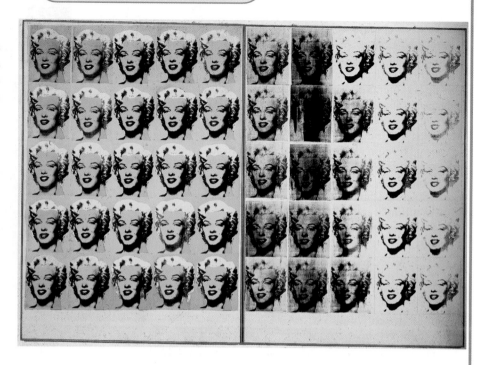

El artista

Andy Warhol, la figura más representativa del arte pop, empezó su carrera en torno a 1960, readaptando en grandes dimensiones viñetas de los cómics norteamericanos. En seguida cambió sus temas y durante los años siguientes produjo importantes series pictóricas con figuras muy reconocibles en el ámbito de la cultura de masas: Elvis Presley, la botella de Coca-Cola, Liz Taylor, la lata de sopa Campbell, Jacqueline Kennedy, la estatua de la Libertad, Mona Lisa, Marlon Brando, etc. Con todos estos trabajos alzanzó una súbita celebridad, convirtiéndose en el prototipo del artista mediático de la segunda mitad del siglo xx.

Análisis formal

El díptico presenta un curioso contraste cromático: mientras que el panel izquierdo está brillantemente coloreado, el de la derecha ofrece las imágenes en negro de la actriz sobre un fondo plateado. Los cincuenta retratos dejan en la parte inferior una tira horizontal en blanco, sin ninguna clase de representación. La redundancia iconográfica es un recurso típico de la publicidad (no es raro ver el mismo cartel pegado varias veces sobre una misma valla), pero nunca se había empleado antes en la pintura del modo como lo hizo Warhol. La fotografía de Marilyn utilizada en esta ocasión procede de la película *Niagara*, un hito en la carrera cinematográfica de su protagonista.

Significado

Los dípticos eran frecuentes en la pintura religiosa tradicional, de modo que adoptar esa disposición (y esa palabra) para una obra profana implicaba una cierta voluntad de sacralizar la representación. Marilyn Monroe era, en efecto, la diosa más esplendorosa del panteón cinematográfico, y Warhol consideró lógico ofrecer su imagen repetida, con una reiteración que aúna la de los iconos religiosos (muy similares todos ellos) con las técnicas publicitarias contemporáneas. Cabe la posibilidad de interpretar el panel derecho como una evocación de las grisallas (pinturas en color gris) existentes en los polípticos bajomedievales, y la parte en blanco, debajo, como un equivalente de los bancos o predelas. Parece difícil, en fin, imaginar una sacralización de lo banal que supere a estas series de Marilyn concebidas por Andy Warhol.

- Compara esta obra de Warhol con los cuadros más característicos de Lichtenstein. Señala las similitudes y diferencias.
- ¿Por qué no es igual una obra del *pop art* que una simple imagen publicitaria?
- ¿En qué sentido se aleja Warhol de la pintura realista tradicional?
- Medita sobre las diferencias entre la "sacralización" de Marilyn que hace Warhol y la del arte religioso propiamente dicho.

BOMBA DE MIEL EN EL LUGAR DE TRABAJO, DE BEUYS

La obra

En la Documenta de Kassel de 1977 hizo Joseph Beuys una compleja instalación consistente en dos motores poderosos que bombeaban miel desde el sótano hasta el ático del Museo Fridericianum. La miel descendía luego por una serie de tuberías flexibles, pasaba por distintas salas (y muy en especial por el lugar donde Beuys había instalado la sede temporal de su "Universidad Libre Internacional"), hasta regresar al depósito de la parte baja desde donde era bombeada nuevamente hacia lo alto. La instalación, financiada por el propio artista, estuvo funcionando durante los cien días de la Documenta. Casi todos sus restos materiales se conservan en el Museo Luisiana de Humlebaek (Dinamarca).

El artista

Joseph Beuys fue un creador muy complejo. Tras superar una profunda crisis psicológica el año 1957, se convirtió en algo diferente del dibujante y escultor que había sido hasta entonces. Según su "noción ampliada del arte", la creación era como un fermento para el cambio colectivo. La actividad artística y la política se fundían estrechamente. Beuys hizo instalaciones con o sin acciones, y de todo ello dejó restos materiales que podían exhibirse en museos y salas de arte: eran testimonios de la "escultura social", pero también aparecían como configuraciones materiales de indudable interés artístico. El intenso compromiso moral y la seriedad con la que se tomó su trabajo parecen situar a Beuys en las antípodas de la ligereza un tanto cínica de Andy Warhol.

Análisis de la obra

La *Bomba de miel* no tenía un único lugar de exposición en la sede del Museo Fridericianum, pues sus tubos invadían casi todos los espacios. De ahí que Beuys subtitulara este trabajo como "*La miel está fluyendo en todas las direcciones*".

La instalación y las acciones formaban una totalidad indistinguible: eran esenciales las discusiones permanentes (cerca de los tubos de miel) relativas al programa político de "democracia directa" propugnado entonces por el artista. Este trabajo (como muchas otras acciones e instalaciones, de él o de otros creadores) carece de forma fija o de "estilo", y no puede analizarse con los parámetros tradicionales de la historia del arte. Se apropiaba en cierto modo de las obras de los otros artistas de la Documenta de 1977, las cuales, al estar abarcadas por los tubos, pasaron a formar parte (como si fueran *ready-mades*) de la *Bomba de miel* de Joseph Beuys.

Significado

Beuys atribuía a la miel muchas cualidades positivas. Como buen conocedor de las teorías del teósofo Rudolf Steiner, pensaba que esta dulce sustancia regeneraba el cuerpo. Pero lo fundamental eran las virtudes morales que se asociaban a la vida solidaria de las abejas, trabajando siempre por el bien de toda la colmena. La miel debía de ser también para Beuys un símbolo positivo de la creación artística, una metáfora de lo que él entendía por "escultura social". El motor bombeando miel se asimilaba al corazón del cuerpo, impulsando la sangre. Con su *Bomba de miel* pretendía bendecir, de alguna manera, a toda la Documenta de 1977, estimulando los frutos de las discusiones de su "Universidad Libre Internacional".

- Medita sobre la *Bomba de miel* de Beuys y señala lo que hay en ella de "instalación" y de "arte de acción".
- ¿Por qué no se puede hacer un análisis formal o estilístico de muchas obras relacionadas con las acciones corporales?
- ¿Qué diferencias encuentras entre Beuys y los más conocidos artistas del *pop art*?
- ¿Son "esculturas" los restos materiales de las acciones?

La época del informalismo

Tras la guerra civil se impuso en España un arte conservador opuesto a la efervescencia vanguardista de los años treinta. Pero los contactos internacionales se incrementaron en los años cincuenta, y a finales de esa década se produjo la reincorporación del arte español a las corrientes de vanguardia. Mucha importancia tuvieron entonces dos grupos de artistas: Dau al Set y El Paso.

El primero de ellos se fundó en Barcelona en 1948, y aunque era inicialmente un heredero del surrealismo, produjo sus mejores frutos una década más tarde, siguiendo ya los dictados del informalismo internacional. El mejor artista de **Dau al Set** ha sido **Antoni Tàpies** (nacido en 1923).

El Paso se fundó en Madrid en 1957, para servir de puente o conexión entre los elementos artísticos más avanzados de su época. Fue, de hecho, la plataforma que permitió lanzar al exterior a una espléndida generación de artistas, equiparables a los mejores de la escena internacional: **Antonio Saura** (1930-1999) creó seres monstruosos, con vigorosos brochazos, en un violento blanco y negro. El aspecto feroz de sus pinturas fue vinculado a los terrores de la dictadura y a los peores traumas de nuestra historia (la Inquisición y la "España negra"). Lo mismo puede decirse de **Manuel Millares** (1926-1972), cuyas mejores obras fueron amontonamientos de arpillera, cosida sobre el bastidor, y pintada luego con colores industriales; también predominó en sus figuraciones pavorosas el dramático contraste de blanco y negro, signo de identidad de esa generación.

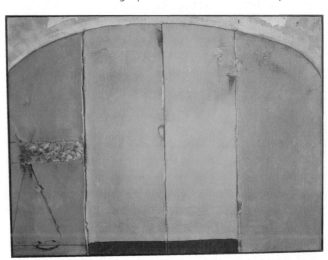

TÀPIES, Antoni: *Puerta de doble hoja beige* (1960). *La preocupación de Tàpies por la materia y por la evocación de muros degradados lo convierten en uno de los máximos representantes del arte matérico; debe decirse que Tàpies evolucionó mostrándose en algunas obras de los años setenta y ochenta próximo a la estética del arte povera.*

Desde el pop español hasta el momento actual

Casi simultáneamente aparecieron las corrientes abstractas normativas, con figuras tan estimables como las del **Equipo 57** o **Eusebio Sempere**. Esta línea enlazaba fácilmente con la abstracción postpictórica. En los años sesenta se crearon influyentes instituciones de arte contemporáneo, como el Museo Español de Arte Abstracto de Cuenca: la vanguardia abstracta empezó a "oficializarse". Fue el momento álgido del *pop art* español, que se desarrolló bastante politizado, dada la ausencia de libertades del franquismo. Se produjo entonces la confluencia entre una corriente autóctona, la llamada *estampa popular* (cuyo deseo era hacer un arte en lucha contra la dictadura), y los lenguajes internacionales del pop. De esa confluencia surgieron grupos como el **Equipo Crónica** y el **Equipo Realidad** (ambos de Valencia). Menor conexión con el arte español del momento, aunque sin dejar de lado la sórdida realidad política del franquismo, tuvo **Eduardo Arroyo** (nacido en 1937), un creador vinculado a la figuración narrativa internacional.

La muerte de Franco y la llegada de la democracia permitió liberar grandes energías creativas al tiempo que se producía la incorporación definitiva de España al panorama artístico internacional. En los años setenta hubo conceptuales y *accionistas*, especialmente en Cataluña. El **grupo Zaj** (como "jaz" al revés), conectado con *fluxus*, organizó conciertos y *performances*. Distinto es el caso de **Francesc Torres** (nacido en 1948), emigrado a Estados Unidos, que ha hecho, ya en los años ochenta y noventa, importantes instalaciones con recursos técnicos híbridos. Hay otros muchos creadores en una España rica y plural, que puede enorgullecerse de tener desde figuras conectadas con la *transvanguardia* internacional (como Miquel Barceló o José María Sicilia), hasta otras completamente distintas como Carmen Calvo, Susana Solano, Antoni Muntadas o Paloma Navares. La proliferación de instituciones dedicadas a la promoción del arte contemporáneo, y la importancia social de manifestaciones como ARCO (la feria de arte contemporáneo de Madrid), explican la extraordinaria floración artística española a fines del siglo XX.

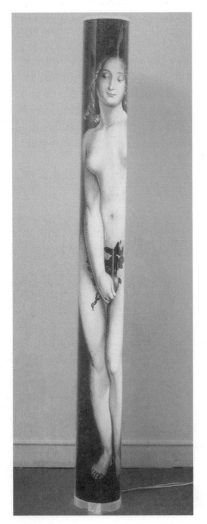

NAVARES, Paloma: *Eva* (1993). *La obra de esta artista está ligada a la problemática del cuerpo que tanto obsesiona actualmente. A partir de una reinterpretación de cuadros del pasado, sus montajes invitan a una reflexión sobre el cuerpo femenino y el papel de la mujer en la sociedad.*

EL INFORMALISMO, EL POP ESPAÑOL Y LAS INSTALACIONES

Manuel Millares (1926-1972) había nacido en Las Palmas, y siempre mantuvo un apego a la tradición artística ancestral de sus islas Canarias, previa a la conquista europea. Las "pintaderas" y las momias de los aborígenes guanches están en el origen de su lenguaje plástico, a base de enigmáticos *graffiti* y de arpilleras arrugadas que formaban a veces inquietantes configuraciones humanoides. Ése es el caso de **El enano. Cuadro 150** (1961), pintado con el violento blanco y negro típico de los informalistas de El Paso. La figura central parece tener una aureola blanca y una especie de brazos extendidos. Podría ser la evocación subliminal de un "crucificado", fundida con el retrato escondido de Franco (aludido en el título), que se proclamaba defensor de la cristiandad.

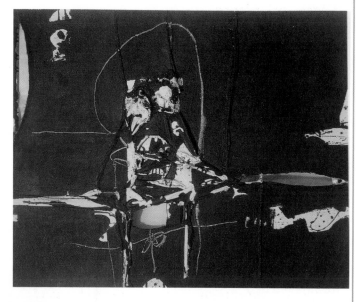

MILLARES, Manuel: *El enano. Cuadro 150 (1961).*

El Equipo Crónica (constituido en 1965 por los artistas valencianos Rafael Solbes y Manolo Valdés) reinterpretó el universo estético del *pop art* adaptándolo a la realidad española de los años sesenta y setenta. Estaba claro en sus trabajos el deseo de atacar la ideología conservadora de la España oficial del momento utilizando un lenguaje visual claro y despersonalizado, inspirado en la fotografía, el cómic y el cartel. Mezclando referentes populares con otros pertenecientes a la alta cultura, el Equipo Crónica consiguió provocar un choque intelectual no exento, en muchas ocasiones, de un ácido sentido del humor. Esto se aprecia en **El intruso** (1969): el Guerrero del Antifaz, famoso personaje de los tebeos de la época franquista, irrumpe a mandoblazos en el escenario de *Guernica*, desvelándose así la violenta ideología fascista de la cultura popular en la larga postguerra española.

EQUIPO CRÓNICA: *El intruso (1969).*

Las "instalaciones" en tanto que género artístico específico han alcanzado una gran importancia en las últimas décadas y han encontrado también acogida en las instituciones culturales de la España democrática. Se trata de montajes complejos que ocupan salas enteras: el espectador entra en esos espacios y vive físicamente la obra formando parte real de la misma. Francesc Torres, creador catalán residente en Estados Unidos, ha realizado muchas obras de este tipo. **Too late for Goya** ("Demasiado tarde para Goya"), de 1993, es una reflexión sobre el origen y el destino de los impulsos agresivos: un mono esculpido, muy realista, sentado en una silla elevada, preside la proyección, sobre varias pantallas, de imágenes relativas a la convulsa historia contemporánea. El espectador es invitado a reflexionar sobre su propia condición híbrida, o sobre la extraña proyección hacia la humanidad de la existencia animal.

TORRES, Francesc: *Too late for Goya (1993).*

SÍNTESIS

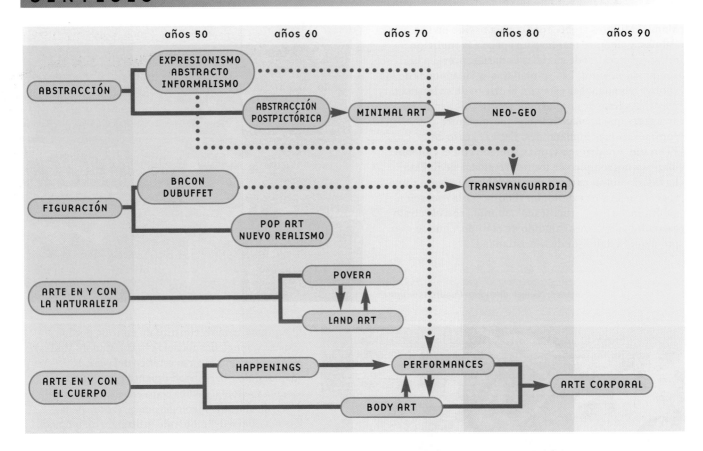

Tendencias artísticas de la segunda mitad del siglo XX	Artistas y obras
• **Expresionismo abstracto, informalismo** y **arte matérico.** Derivado del automatismo surrealista. Apariencia caógena y pasión subjetiva.	• Jackson Pollock: *Echo (number 25)* (1951). • Willem De Kooning: *Mujer I* (1951-1952). • Robert Motherwell: *Elegía por la República española* (1953-1954). • Antoni Tàpies, Antonio Saura, Manuel Millares (España).
• **Abstracción postpictórica** (**arte normativo**). "Enfriamiento" y racionalización de la abstracción.	• Frank Stella: *Empress of India* (1965). • Ad Reinhardt, Morris Louis. • Equipo 57, Eusebio Sempere (España).
• **Minimal.** Reducción al máximo de los elementos artísticos y separación entre el diseño y la ejecución.	• Bruce Nauman: *Pasillo rosa y amarillo* (1972). • Donald Judd, Sol Le Witt, Dan Flavin, Carl André, Robert Morris.
• **Pop art.** Arte figurativo, inspirado en las imágenes y técnicas de los medios de comunicación de masas.	• Richard Hamilton: *¿Qué es lo que hace a los hogares de hoy tan diferentes, tan atractivos?* (1956). R. Lichtenstein: *Chica ahogándose* (1963). • A. Warhol: *Díptico Marilyn* (1962). • C. Oldenburg: *Cucurucho de suelo* (1962). • Robert Rauschenberg, Jasper Johns, Eric Segal, K. Haring. • "Nuevos Realistas" (Arman, Spoerri, Manzoni, Tinguely). • Equipo Crónica, Equipo Realidad, E. Arroyo (España).
• **Arte povera.** Grupo italiano de artistas que reivindican los materiales pobres y degradados. La forma fija de la obra carece de importancia.	• Mario Merz: *Sin título (iglú)* (1968). • Kounellis, Boltanski, Pistoletto, G. Anselmo, G. Penone.
• **Land art** (**Earth Works**). Trabajos sobre el paisaje natural, abierto, lejos de las galerías y espacios de arte.	• M. Heizer: *Nueve depresiones en Nevada* (1969). • Smithson: *Malecón en espiral* (1970). • W. De Maria: *Campo de relámpagos* (1977). • D. Oppenheim, Christo.
• **Arte conceptual.** El acento se desplaza del objeto al concepto: primacía de la idea o propuesta.	• Jannis Kounellis, J. Kosuth, Hans Haacke, Barbara Kruger, Jenny Holzer.
• **Happenings** y **fluxus.** Arte como "representación" semiteatral. Interacción con el sonido: "conciertos" en espacios de arte.	• Y. Klein: *Salto en el vacío* (1960). • A. Kaprow, J. J. Lebel, W. Vostell.
• **Performance** y **body art.** El artista utiliza preferentemente su propio cuerpo como territorio de experimentación artística.	• Joseph Beuys: *Cómo explicar los cuadros a una liebre muerta* (1965); *Bomba de miel en el lugar de trabajo* (1977). • C. Burden: Shoot (1971). • G. Pane: *Le corps pressenti* (1975). • Orlan: *El beso de la artista* (1977); *Cuarta operación* (1991). • Sterlac: *Suspensiones* (desde 1976).

HACIA LA UNIVERSIDAD

1. Desarrolla el siguiente tema: *Tendencias artísticas actuales: principales movimientos y características del arte desde 1945 hasta hoy.*

2. Analiza y comenta estas imágenes:

3. Caracteriza brevemente cuatro de estas seis tendencias artísticas y menciona a uno de sus representantes: *arte conceptual, arte povera, pop-art, expresionismo abstracto, land-art, arte corporal.*

4. Lee este documento y contesta a las preguntas que se plantean a continuación:

El mundo en el que hoy surgen los artistas presenta unas características fundamentalmente nuevas en la historia. [...]. Es un mundo erizado de cambios sin precedentes. Los modelos y criterios del pasado no nos sirven de mucho. Todo está en continua transformación; no hay objetivos o ideales estables en los que la gente pueda creer, ni una tradición lo suficientemente duradera para evitar la confusión. La herencia de la modernidad es la soledad del artista que ha perdido su sombra. Como la sociedad no marca ningún rumbo a su arte, éste debe inventar su propio destino.

GABLIK, Suzi: *¿Ha muerto el arte moderno?*
Madrid, Herman Blume, 1987

— Resume brevemente las ideas expuestas en el texto.

— ¿Qué características nuevas, que no aparecen en el arte del pasado, podrías señalar para definir el arte de nuestros días?

— Explica esta frase del documento: *La herencia de la modernidad es la soledad del artista que ha perdido su sombra.*

PASADO Y PRESENTE EN EL ARTE

Estos dos cuadros fueron ejecutados por sendos artistas norteamericanos. El de la izquierda (*Lehigh V Span*) es de Franz Kline y fue pintado entre 1959 y 1960. El de la derecha (*White Brushtroke I*) fue realizado en 1965 por Roy Lichtenstein.

KLINE, Franz:
Lehigh V Span (1959-1960).

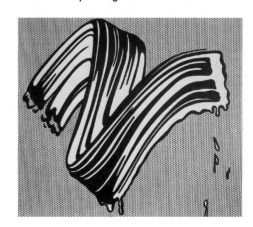

LICHTENSTEIN, Roy:
White Brushtroke I (1965).

— Observa las diferencias de actitud ante el brochazo "espontáneo" entre un representante típico del expresionismo abstracto y otro del *pop art.*

— Examina la técnica empleada en cada caso.

— Analiza el componente irónico y el distanciamiento del *pop art* respecto a la generación inmediatamente anterior (sólo cinco años separan la realización de ambas obras).

— ¿Puede el pasado artístico reciente ser vivido como algo muy "remoto"?

26. EL ARTE DE LOS MEDIOS DE MASAS

Desde el descubrimiento del grabado en madera, en la época renacentista, se ha venido produciendo un aumento paulatino del número de imágenes que puede consumir el individuo. Esto ha condicionado radicalmente los modos de ver. Es imposible olvidar ya en la historia del arte la existencia de nuevos medios como la fotografía, el cartel y el cómic. La apoteosis de esta nueva situación se produjo con el desarrollo del cine y con el auge, después de los años cincuenta del siglo XX, de la televisión y del vídeo. Los llamados *medios icónicos de masas* se han constituido en el vehículo de transmisión de los otros modos tradicionales de expresión (a fin de cuentas casi todo ha de ser fotografiado o filmado), permitiendo, además, la floración de numerosas obras de arte específicas para cada uno de esos medios: el universo de lo artístico se ha multiplicado y democratizado. Este fenómeno (unido a la eclosión de las vanguardias) ha convertido al siglo XX en el más rico y complejo de toda la historia universal del arte.

LA IMAGEN DE LOS MEDIOS EN LA SOCIEDAD CONTEMPORÁNEA

Pocas veces la imagen se ha hecho tan indispensable para el mantenimiento de un sistema político-económico como en las sociedades del capitalismo tardío [...]. Los sueños y los ideales colectivos son producidos y alimentados por la imagen [...]. El arte significativo de nuestros días no está en los museos ni en las galerías, pese a que una pertinaz tradición crítica así lo siga manteniendo [...]. La relevancia mayor está en los actuales "medios de masas" con todas sus enormes posibilidades a punto de ser adecuadamente encauzadas. Los medios permiten (exigen) una creación solidaria con su tecnología y con sus pautas lingüísticas (cosa normal también en los diversos modos artísticos tradicionales) y ofrecen por primera vez en la larga historia humana la posibilidad de una efectiva participación total en esa creación.

RAMÍREZ, J. A.: *Medios de masas e historia del arte.* Madrid, Cátedra, 1976, pp. 152-153

Fotogramas de la película de MÉLIÈS, Georges: *Viaje a la Luna* (1902).

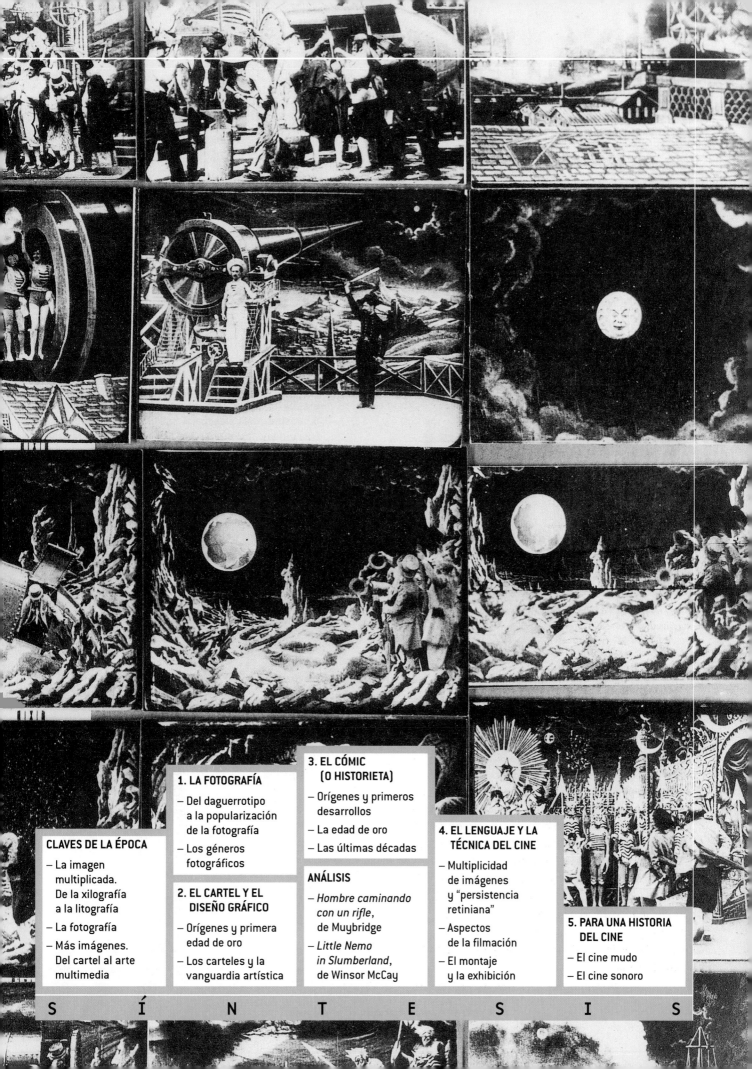

CLAVES DE LA ÉPOCA

– La imagen
  multiplicada.
  De la xilografía
  a la litografía

– La fotografía

– Más imágenes.
  Del cartel al arte
  multimedia

1. LA FOTOGRAFÍA

– Del daguerrotipo
  a la popularización
  de la fotografía

– Los géneros
  fotográficos

**2. EL CARTEL Y EL
DISEÑO GRÁFICO**

– Orígenes y primera
  edad de oro

– Los carteles y la
  vanguardia artística

**3. EL CÓMIC
(O HISTORIETA)**

– Orígenes y primeros
  desarrollos

– La edad de oro

– Las últimas décadas

ANÁLISIS

– *Hombre caminando
  con un rifle*,
  de Muybridge

– *Little Nemo
  in Slumberland*,
  de Winsor McCay

**4. EL LENGUAJE Y LA
TÉCNICA DEL CINE**

– Multiplicidad
  de imágenes
  y "persistencia
  retiniana"

– Aspectos
  de la filmación

– El montaje
  y la exhibición

**5. PARA UNA HISTORIA
DEL CINE**

– El cine mudo

– El cine sonoro

S   Í   N   T   E   S   I   S

CLAVES DE LA ÉPOCA

La imagen multiplicada. De la xilografía a la litografía

La cultura visual de masas, característica del mundo contemporáneo, se fue gestando lentamente desde la época renacentista. A fines del siglo XV se divulgaron por Europa los primeros libros ilustrados con xilografías (imágenes impresas con tacos de madera). En los siglos XVI, XVII y XVIII se usaron grabados sobre planchas de cobre, que eran más fáciles de elaborar y proporcionaban imágenes de mejor calidad. Las "estampas", sueltas o cosidas en forma de libro, se multiplicaron y abarataron, acostumbrando a consumir imágenes a un público cada vez más amplio.

Un salto cualitativo importante se produjo a fines del siglo XVIII con la aparición de dos procedimientos revolucionarios para la producción de imágenes multiplicadas: el grabado en madera de corte transversal (llamado también "a la testa") y la litografía. El primero de ellos, desarrollado a partir de 1775 por el británico Thomas Bewick, consistía en tallar las imágenes sobre maderas muy duras, transversalmente, lo cual permitía obtener muy buenas calidades visuales con relativa facilidad y a un coste más reducido que con el grabado en cobre.

BEWICK, Thomas: *Halcón peregrino* (1785). Grabado "a la testa". *Este procedimiento permitió obtener imágenes de gran calidad y a precios más bajos.*

La litografía, desarrollada hacia 1796 por el checo Alois Senefelder, permitía dibujar directamente sobre una piedra caliza pulimentada, eliminándose así la penosa tarea de trasladar a la plancha el trabajo preliminar del artista. Casi inmediatamente se produjeron otras mejoras técnicas, como las primeras prensas de vapor que aparecieron en 1811.

Así es como las tiradas de los impresos (no sólo textos sino también imágenes) pudieron aumentar de una forma prodigiosa, un fenómeno que tenemos que considerar indisociable de las grandes transformaciones históricas acarreadas por la Revolución francesa y por la revolución industrial.

Una sociedad más democrática, culta y desarrollada, que consumía mayor número de imágenes, estuvo pronto en disposición de asimilar nuevas invenciones y géneros que habrían parecido impensables a las generaciones precedentes.

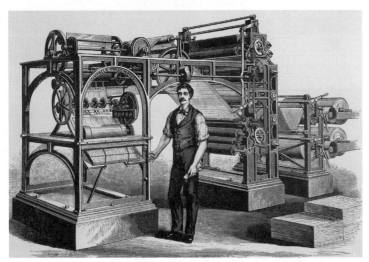

Rotativa de Cambpbell (1876). Con las mejoras técnicas que se produjeron con la revolución industrial en las artes gráficas pudo aumentarse considerablemente la difusión de textos e imágenes.

La fotografía

La fotografía produjo un impacto enorme, difícil de imaginar en nuestros días. El 19 de agosto de 1839, cuando se reveló pública y solemnemente su descubrimiento, un famoso pintor de la época dijo: "La pintura ha muerto". Aunque esta profecía no fue acertada, sí es verdad que las transformaciones vanguardistas, desde el realismo y el impresionismo en adelante, habrían sido inconcebibles sin el auge de las impresiones permanentes captadas por la cámara.

La popularización de este medio vino facilitada al principio por las imprentas fotográficas (se revelaban numerosas copias del mismo negativo), y ya a partir de los años noventa del siglo XIX, por las técnicas fotomecánicas.

Es evidente que nos encontramos ante uno de los hallazgos más trascendentales de la historia humana: la fotografía está en el origen del cine y de la televisión, y de ella derivan nuestras ideas acerca de la realidad; también ha sido esencial para el desarrollo de las ciencias, y muy en especial de la historia del arte, que no habría podido existir como disciplina académica de no ser porque este medio puso a disposición de los estudiosos las reproducciones necesarias para sus deducciones y argumentaciones.

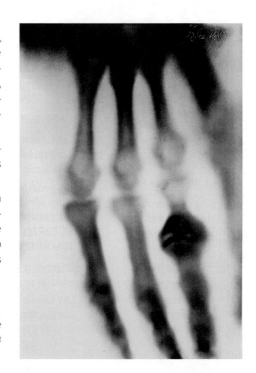

La utilización de la fotografía con fines científicos dio pronto sus frutos. Los "rayos X" fueron descubiertos por Röntgen hacia 1895; así fue posible ver el interior del cuerpo humano, como muestra esta radiografía que Röntgen hizo de la mano de su mujer ese mismo año.

Más imágenes. Del cartel al arte multimedia

En la segunda mitad del siglo XIX aparecieron también los otros medios de masas. El cartel en primer lugar, invadiendo las calles de unas ciudades condicionadas por la creciente velocidad del tráfico rodado. Luego surgieron, casi a la vez, el cómic (o historieta) y el cine. Ambos eran medios "narrativos" en los que se producía una convivencia o yuxtaposición integrada entre textos e imágenes, aunque utilizaran recursos técnicos muy diferentes: mientras que el cómic se insertó fácilmente en la tradición de las revistas o libros ilustrados (a fin de cuentas se trataba de papeles impresos), el cine requirió el desarrollo de una tecnología completamente nueva y de unos espacios de exhibición, los cines, que sólo en parte eran similares a los viejos teatros. En todos estos medios nuevos se produjeron pronto muchas obras maestras. La atracción irresistible que ejercían sobre las masas no era aparentemente un obstáculo para que algunos creadores desplegaran ahí un notable talento.

La llamada "sociedad de masas" es un fenómeno del siglo XX, que se caracteriza por el predominio de las pulsiones colectivas. Pero no implica tanto un progreso real de los ideales democráticos como un creciente poder de los medios de masas. Las imágenes que transmiten ofrecen "ya elaborados" nuestros valores, estereotipos de belleza y de comportamiento, mitos, modalidades de consumo, etc. La televisión, el vídeo y el arte multimedia (concebido y transmitido a través de las redes informáticas) son los últimos episodios de esta historia de la multiplicación de imágenes que se inició con los grabados renacentistas.

TOULOUSE-LAUTREC: *Jardín de París: Jane Avril* *(1893). Toulouse-Lautrec realizó numerosos carteles que anunciaban espectáculos de la noche parisina, como éste, encargado al pintor por la actriz Jane Avril.*

Los suntuosos "palacios cinematográficos" norteamericanos de los primeros años del cine fueron el modelo arquitectónico para numerosas salas de proyección en todos los países. El Teatro Columbus de Ohio, de 1928, es un buen ejemplo.

AÑOS	HISTORIA Y CULTURA	ARTE
1800-1849	• Revoluciones liberales en distintos puntos de Europa (1820, 1830, 1848). • *Manifiesto Comunista* (1848).	• Difusión creciente del grabado en madera de corte transversal y de la litografía. • Se desvela al público de forma solemne el descubrimiento de la fotografía (1839).
1850-1899	• Primera exposición universal en Londres (1851). • Guerra de Secesión americana (1861-1865). • Revolución liberal y caída de Isabel II en España (1868). • La Comuna de París (1871). • Primera exposición de los impresionistas (1874).	• Primera proyección cinematográfica de los hermanos Lumière (1895). • Primeras páginas del cómic *Yellow Kid* (1896).
1900-1924	• Teoría de la relatividad de Einstein (1905). • Primer manifiesto del futurismo (1909). • Primera Guerra Mundial (1914-1918). • Revolución rusa (1917). • Primer manifiesto del surrealismo (1924).	• *Little Nemo in Slumberland*, de W. McKay (1905). • *Intolerancia*, de Griffith (1916). • *El gabinete del doctor Caligari* (1919). • *Golpead a los blancos con la cuña roja*, de El Lissitzky (1919).
1925-1949	• Crack de la bolsa neoyorkina y crisis económica (1929). • Guerra civil española (1936-1939). • Segunda Guerra Mundial (1940-1945). • Constitución de la OTAN (1949).	• *El acorazado Potemkin*, de Eisenstein (1925). • *Un perro andaluz*, de L. Buñuel (1929). • *Mickey Mouse*, de W. Disney (1929). • *Flash Gordon*, de A. Raymond (1934).
1950-1974	• Constitución del Mercado Común Europeo (1957). • Proclamación de la República Socialista de Cuba (1961). • Primeros bombardeos norteamericanos en Vietnam del Norte (1964). • Revuelta estudiantil en París (mayo de 1968).	• Importancia creciente del *pop art* (desde 1960). • *Valentina*, de G. Crepax (1965).
1975-2000	• Muerte del general Franco (1975). • Caída del muro de Berlín y final de los regímenes comunistas del este de Europa (1989).	• Carteles de las Guerrilla Girls (desde 1989). • Gran difusión del vídeo (desde 1980) y del arte multimedia (desde 1995).

Del daguerrotipo a la popularización de la fotografía

A principios del siglo XIX, varios inventores trabajaron simultáneamente tratando de descubrir procedimientos que permitieran fijar las imágenes luminosas que se proyectaban en el fondo de las "cámaras oscuras". De la asociación entre **Nicéphore Niépce** (1765-1833) y **Louis-Jacques-Mandé Daguerre** (1787-1851) nació el daguerrotipo en 1839. Este procedimiento permitía obtener imágenes únicas sobre una plancha de metal; pero era relativamente caro, y de ahí que fuera suplantado pronto por otra invención, del británico **William Henry Fox Talbot** (1800-1877), que permitía ya hacer negativos fotográficos y revelarlos por contacto sobre un papel emulsionado.

Los perfeccionamientos técnicos fueron constantes a lo largo del siglo XIX: con los negativos de cristal (y luego de celuloide) se aumentó la nitidez de las tomas. Hacia la década de los años setenta fue posible ya hacer fotografías muy rápidas que captaban, "congelándolos", los movimientos instantáneos de los seres vivos y de las cosas. El paso siguiente fue el abaratamiento sustancial de los aparatos y la reducción de su tamaño. A fines del siglo XIX apareció la cámara Kodak Pocket, que fue vendida masivamente con un reclamo singular: "Usted aprieta el botón y nosotros hacemos lo demás". La producción de imágenes, reservada hasta entonces a un reducido círculo de especialistas, se puso al alcance de las masas.

DAGUERRE: *Vista del Boulevard du Temple (1839).*
El procedimiento de Daguerre fue publicado y ofrecido
al mundo por el gobierno francés en 1839.

Los géneros fotográficos

Las naturalezas muertas y el paisaje fueron los primeros temas explotados sistemáticamente, lo cual parece lógico dada la lentitud inicial de las tomas. Pero es emocionante comprobar cómo algunos de aquellos pioneros produjeron creaciones completamente ajenas a la tradición de la pintura. El retrato fue, con todo, el género más cultivado. Los primeros daguerrotipos (que no eran baratos) fueron sustituidos a mediados del siglo XIX por imágenes sobre papel, y hubo innovaciones técnicas que permitieron a fotógrafos célebres, como Disderi, rebajar sustancialmente los precios.

Los retratos se hicieron mucho más naturales cuando los adelantos técnicos permitieron fijar las expresiones fugaces de los modelos; esto fue decisivo también para la captación sistemática de los movimientos de todos los seres vivos. Durante los años setenta y ochenta destacaron los trabajos de Eadweard Muybridge (1830-1904) y de E. J. Marey (1830-1904): aunque ambos tuvieron pretensiones científicas, consiguieron tomas de gran interés estético, muy influyentes en movimientos artísticos ulteriores, desde el impresionismo hasta el futurismo. La colaboración de la fotografía con la ciencia trajo como consecuencia que fuese posible ver de un modo permanente cosas inaccesibles para la mirada ordinaria, como los entes microscópicos, los astros lejanos y también el interior de los cuerpos.

El reporterismo gráfico se desarrolló en gran medida gracias a las cámaras ligeras y a las películas rápidas. No ha habido ningún acontecimiento importante desde mediados del siglo XIX hasta nuestros días que no haya sido congelado para la posteridad mediante series fotográficas.

La exploración fotográfica del cuerpo humano ha sido, finalmente, otro filón temático de gran importancia artística, con visiones radicalmente encontradas como las que pueden representar Robert Mapplethorpe (hedonista y glorificador de la carne) y Cindy Sherman (inquietante fotógrafa de maniquíes repulsivos). Lo más novedoso, en fin, de la fotografía de fines del siglo XX ha sido su maridaje estrecho con el universo tradicional de las otras artes plásticas.

MUYBRIDGE, Eadweard: *Serie de fotografías con las distintas fases*
del galope de un caballo (1878). Gracias a los trabajos
de este fotógrafo se pudo saber cómo era exactamente
el movimiento de determinadas acciones cuya rapidez
no permitía que fueran captadas por el ojo humano.

MULTIPLICIDAD DE LA FOTOGRAFÍA: EL RETRATO, EL FOTOMONTAJE Y EL CUERPO

En 1854 André-Adolphe-Eugène Disderi patentó un procedimiento para hacer sobre una misma placa cuatro, seis u ocho negativos. Así fue posible obtener muchos positivos por contacto sobre tomas sucesivas de un mismo modelo. El tamaño reducido de estas fotografías permitió denominarlas "**tarjetas de visita fotográficas**". Disderi abarató mucho los precios, y su negocio fue tan próspero que pudo abrir sucursales de su estudio en diversas capitales europeas. Muy interesante fue el repertorio de poses convencionales (distintas según el género y la clase social del retratado), algo que va a perdurar en los retratos fotográficos casi hasta nuestros días. También Disderi es un precursor de Muybridge (una de cuyas obras analizaremos más tarde) y de la descomposición analítica del movimiento que caracterizaría a los medios narrativos como el cine y la historieta.

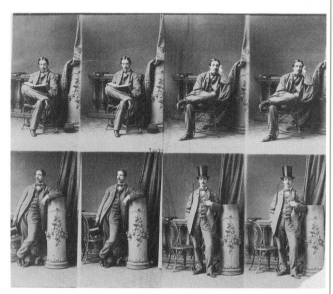

DISDERI: *Tarjeta de visita fotográfica* (1854).

Las vanguardias artísticas se ocuparon intensamente de la fotografía. Los dadaístas berlineses, especialmente, cultivaron mucho el **fotomontaje**: se trataba de una técnica híbrida mediante la cual varias fotos, con o sin material tipográfico, eran recortadas y pegadas de nuevo formando yuxtaposiciones insólitas. John Heartfield (1981-1968), el mejor de todos aquellos fotomontadores, realizó en los años treinta un gran número de obras políticas, como ésta, publicada en 1935 en el periódico comunista AIZ. Es una ácida sátira de los nazis en la cual se alude a unas absurdas declaraciones de Goering, el ministro de propaganda del Reich alemán: "El acero hace fuerte al Imperio; la mantequilla y la manteca, a lo sumo, engordan al pueblo". Obsérvese con qué delectación devoran elementos metálicos los miembros de una familia devota de Hitler y de la simbología del nacional-socialismo.

HEARTFIELD, John: *Fotomontaje* (1935).

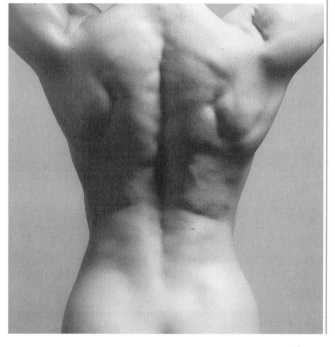

MAPPLETHORPE, Robert: *Espalda femenina* (1982).

La atención que se presta a la fulgurante vida de Robert Mapplethorpe (1946-1989), homosexual y víctima prematura del sida, no favorece siempre su consideración como uno de los mejores fotógrafos de todos los tiempos. Cultivó la naturaleza muerta (con maravillosas fotos de flores), pero su verdadera especialidad fue la representación del cuerpo humano desnudo, al cual glorificó, sin rehuir situaciones calificadas por algunos como "inmorales". No es éste el caso de la foto heroica de esta **espalda femenina** (1982), correspondiente a la amiga del fotógrafo Lisa Lyon: esta modelo era una célebre campeona de culturismo, y fue elegida por Mappelthorpe por su cuerpo "perfecto", independientemente del género (eventualmente femenino) al que pudiera pertenecer. Representaciones como ésta nos hacen pensar en los héroes y dioses del arte griego.

2. EL CARTEL Y EL DISEÑO GRÁFICO

Orígenes y primera edad de oro

El cartel es un mensaje visual (impreso en papel, generalmente) de mediano o gran tamaño, que se adhiere temporalmente a un soporte rígido para su contemplación por un público indiferenciado. El género se caracteriza por la yuxtaposición de imágenes y textos, combinados de tal manera que ambos se refuerzan con el fin de transmitir un mensaje claro y persuasivo. El primer creador de carteles artísticos fue Jules Chéret (1836-1933), que concibió sus trabajos como verdaderos "murales", inspirándose en parte en algunos pintores barrocos. El dinamismo de sus figuras indica el deseo (que será una constante entre todos los cartelistas) de llamar poderosamente la atención del espectador. No en vano una vieja definición dice que el cartel es "un grito en la pared".

La primera edad de oro de este medio llegó con el *art nouveau*, cuando una multitud de creadores de talento se consagraron a las "artes gráficas", como Alphonse Mucha (1860-1930), Van de Velde (1863-1957), Aubrey Beardsley (1872-1898) o Will Bradley (1868-1962). Un caso especial en los últimos años del siglo XIX fue el de Henri de Toulouse-Lautrec (1864-1901), aristócrata y dibujante que diseñó para sus amistades (como la actriz Jane Avril) algunos anuncios de gran soltura y personalidad. Resultaba obvio ya entonces que el cartel, aunque sin renunciar a cumplir sus funciones publicitarias, era considerado como un medio de expresión artística como muestra el trabajo tan personal de los "Hermanos Beggarstaff".

"HERMANOS BEGGARSTAFF": *Don Quixote* (1895). *James Pride y William Nicholson fueron dos cuñados que trabajaron en estrecha asociación entre 1893 y 1899. Su empleo sistemático de las tintas planas, sin contornos delimitadores para el diseño de las figuras, preludia la actividad de las siguientes generaciones de cartelistas.*

Los carteles y la vanguardia artística

La participación de los artistas de vanguardia en el diseño gráfico fue intensa y entusiasta. Pero, aunque todos los *ismos* hayan contado con carteles excelentes, debemos destacar la aportación del *constructivismo ruso*. El Estado soviético surgido de la revolución de 1917 concedió mucha importancia a la propaganda y fomentó al principio las investigaciones renovadoras derivadas del suprematismo de Malevich.

La abstracción geométrica favoreció la renovación tipográfica, y se combinó con técnicas derivadas del fotomontaje. La gran libertad y eficacia del diseño gráfico soviético de esta época se ve en los trabajos de Alexander Rodchenko (1891-1956) y de El Lissitzky (1890-1941). Los carteles cinematográficos lograron en Rusia también un nivel elevado, como se aprecia en las obras de los hermanos Vladimir (1899-1982) y de Georgii Stenberg (1900-1933). Su estilo es menos vanguardista que el de los anteriores, y está más cercano al sincretismo figurativo de la publicidad comercial occidental.

En Europa y en Estados Unidos triunfó entonces en los carteles un estilo tibiamente moderno, ecléctico y amable, que recogía los ecos de las vanguardias (el cubismo, la Bauhaus, el constructivismo ruso, etc.). Su mejor representante fue el ucraniano nacionalizado francés A. M. Cassandre (1901-1968).

Tras la Segunda Guerra Mundial, el cartel acusó la competencia de otros medios como la publicidad televisiva, pero aún conoció una nueva edad de oro como consecuencia de la influencia del *pop art*. Se produjo así una ósmosis muy fructífera entre la alta cultura visual y la cultura de masas, y es este fenómeno lo que explica el uso del cartel y de sus estrategias por parte de artistas críticos muy sofisticados como Barbara Kruger o el grupo norteamericano de las Guerrilla Girls.

CASSANDRE: *Étoile du Nord* (1927). *Las obras de este artista fueron todo un modelo para el cartelismo comercial de los años treinta y cuarenta.*

TRES CARTELES: EL "ART NOUVEAU", LA VANGUARDIA RUSA Y EL "ARTE POLÍTICO"

Éste es uno de los carteles teatrales que Alphonse Mucha hizo para la actriz Sarah Bernhardt (1896). Se trataba aquí de publicitar su interpretación de **La dama de las camelias**, pero no fue el único trabajo que Mucha realizó para ella. De hecho, se identificó tanto la actriz con este artista que lo convirtió en su principal asesor de imagen, haciendo que le diseñase pelucas, trajes y decorados, además de los carteles. Esta asociación entre un cliente y un creador visual se anticipa a la idea del "diseño total" que será frecuente ya bien entrado el siglo XX. Hay una concordancia en esta obra entre la forma de las letras, la figura femenina y las flores del primer plano, correspondiendo todo ello a la ortodoxia estilística del *art nouveau*. Obsérvese el contorno negro con el que delimita las figuras. Mucha conseguía así que sus carteles enlazaran con dos técnicas artísticas importantes en aquel momento: el cómic (trazado con tinta china y "rellenado" eventualmente de color) y la vidriera, que conoció entonces un nuevo período de esplendor. Su estilo fue muy imitado en todo el mundo.

MUCHA, Alphonse: *Cartel para la interpretación de Sarah Bernhardt en* La dama de las camelias *(1896).*

EL LISSITZKY: *Golpead a los blancos con la cuña roja (1919).*

El Lissitzky fue un gran arquitecto y un extraordinario diseñador gráfico que supo adaptar el lenguaje abstracto del suprematismo a las exigencias prácticas de la propaganda política. Viajó mucho entre Alemania y Rusia, contribuyendo decisivamente al intercambio de experiencias entre las vanguardias del este y del oeste de Europa. En su *Historia de dos cuadrados* (1920) hizo una interesante exploración de las posibilidades tipográficas. Pero su obra más conocida es este cartel titulado **Golpead a los blancos con la cuña roja** (1919), una alusión a la guerra civil entre el ejército "blanco" de Kerenski y el ejército "rojo" de los bolcheviques.

Este último sector militar aparece representado mediante un triángulo que se introduce amenazadoramente en el centro (el corazón) de un círculo. Formas y colores puros adquieren, pues, una personalidad dramática. El Lissitzky evitó el estatismo de la composición: las diagonales nos hacen pensar en las vistas aéreas y en el movimiento de las máquinas; el cartel de la vanguardia tendía a adoptar, pues, un lenguaje visual que evocaba la velocidad misma de su percepción.

Durante la revuelta estudiantil de mayo de 1968 se produjeron en París numerosos carteles contestatarios. Fue una época dominada por el deseo generalizado de fundir el arte con la actividad política revolucionaria. Muchos de los grupos creativos surgidos entonces (equipos, talleres, asociaciones, etc.) se disolvieron pronto, pero dieron paso a otros posteriores, como Guerrilla Gils, colectivo de mujeres artistas que empezó hacia 1985, cuando algunos de sus carteles se colocaron en las vallas publicitarias de Nueva York. Se trataba de denuncias del sexismo y de la discriminación racial imperantes en la sociedad y en el mundo del arte.

GUERRILLA GIRLS: *¿Tienen que desnudarse las mujeres para entrar en el Museo Metropolitano? (1989).*

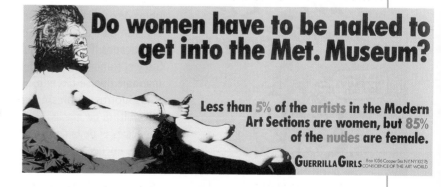

El que reproducimos aquí, de 1989, es muy significativo: **¿Tienen que desnudarse las mujeres para entrar en el Museo Metropolitano?** La careta con la que se cubre este desnudo de Ingres es una alusión a la cabeza de gorila con la que se presentaban en público las anónimas integrantes de Guerrilla Girls ("guerrilla" en inglés suena muy parecido a "gorila"). Los trabajos (en los años ochenta y noventa) de estas creadoras han demostrado que los lenguajes consagrados del arte publicitario pueden utilizarse también para denunciar la discriminación y la desigualdad.

3. EL CÓMIC (O HISTORIETA)

Orígenes y primeros desarrollos

A finales del siglo XIX cristalizó en la prensa norteamericana un género narrativo que se caracterizaba por la estrecha combinación de imágenes dibujadas y de breves textos complementarios. El primer cómic propiamente dicho, *Yellow Kid*, fue creado en 1896 por el dibujante **Richard Felton Outcault**, y se caracterizaba por una interesante novedad: lo que decían o pensaban los personajes aparecía encerrado en una especie de globo o "bocadillo", lo cual es un rasgo distintivo de la historieta frente a la ilustración, cuyos textos están fuera del dibujo.

Los cómics se hicieron muy populares, y en seguida aparecieron las primeras obras maestras, como *Little Nemo in Slumberland*, creada a partir de 1905 por Winsor McCay (1869-1934). Otras obras importantes del cómic norteamericano primitivo fueron *Krazy Kat*, de George Herriman (desde 1910); *Félix el Gato*, de Pat Sullivan, o *Mickey Mouse* (desde 1929-30) y todos los otros personajes de la factoría de Walt Disney.

OUTCAULT, R. F.: *Yellow Kid*. *El carácter humorístico de muchos de los primeros "relatos gráficos" determinó el nombre del género, cómic, que ha permanecido invariable a pesar del desarrollo ulterior de los subgéneros "serios": en español se les llama también tebeos e historietas.*

La edad de oro

La historieta había madurado a fines de los años veinte, por lo que surgen personajes dirigidos a los adultos, con dibujo realista y pretensiones literarias de más altos vuelos. Resabios caricaturescos tenía aún el detective *Dick Tracy*, creado por Chester Gould en 1931: su estilo seco y nítido serviría de modelo a las posteriores generaciones de dibujantes. En los años treinta se crearon los *comic books*, revistas especializadas dedicadas sólo a historietas (los cómics venían publicándose en los periódicos de información general), y fue también entonces cuando surgió en Estados Unidos una generación de espléndidos dibujantes que sentaron las bases de todos los géneros de este medio de masas: la ciencia ficción fue cultivada por Dick Calkins, creador de *Buck Rogers* (desde 1929), y especialmente por Alex Raymond, cuyo *Flash Gordon* (desde 1934) es una cumbre indiscutible del diseño de todos los tiempos; Harold Foster hizo *El príncipe valiente* (1937) con un estilo estático, de gran realismo, muy próximo a la ilustración tradicional de libros, condicionando todas las recreaciones gráficas posteriores del mundo medieval; igualmente destaca Milton Caniff, cuyo *Terry y los piratas* (desde 1934) le sirvió para crear un estilo muy personal, con intensos claroscuros logrados con el pincel cargado de tinta china (y no con la plumilla, que era el instrumento habitual de los dibujantes de historietas).

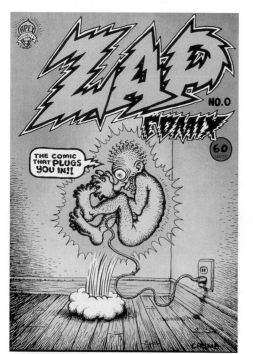

Las últimas décadas

El cómic europeo no estuvo en el período de entreguerras a la altura de las grandes creaciones norteamericanas. Si descontamos el caso excepcional de *Tintin*, de Hergé (creado en 1929), hay que esperar a la segunda postguerra para encontrar obras de calidad artística indiscutible. Lo mejor se produjo cuando varios artistas decidieron dibujar historias con planteamientos gráficos, literarios e ideológicos muy sofisticados. El italiano Guido Crepax (con *Valentina*, desde 1965), el español Enric Sió y el francés Guy Peelaert (*Jodelle*, de 1966; *Pravda*, de 1968) representan bien el maridaje que se dio entonces entre el cómic y la vanguardia artística. Es obvio que estos y otros autores no habrían podido surgir sin la retroalimentación del *pop art* a la cultura de masas. El último episodio significativo en la compleja historia de los cómics es el de la contracultura de los años sesenta y setenta, que acabó desembocando, en las dos últimas décadas del siglo XX, en la postmodernidad irónica de dibujantes como los españoles Javier Mariscal y Daniel Torres, cultivadores ambos de una "línea clara" parcialmente derivada del estilo de Hergé.

CRUMB, Robert: *Zap*. *Los trabajos de Robert Crumb o Gilbert Shelton durante los años sesenta y setenta abrieron el camino para el desarrollo en las décadas posteriores del lenguaje irónico de la postmodernidad.*

EL ARTE DEL CÓMIC: TRES OBRAS MAESTRAS

Los cómics de la época clásica se abocetaban a lápiz y luego se pasaban a tinta china. Los detalles se hacían con plumilla y las masas negras se rellenaban con pincel. Este proceso es perceptible en estos esbozos preliminares, con dos viñetas ya acabadas, de **Tarzán**. Su autor, Burne Hogarth, dominó todas las complejidades del cuerpo humano en movimiento, y llegó a elaborar incluso un tratado de anatomía para dibujantes de historietas. Harold Foster había iniciado las series ambientadas en la selva con su primera recreación de Tarzán (1929), pero no hay duda de que este personaje alcanzó su culminación con las páginas dibujadas por su continuador Burne Hogarth (desde 1937). La interpretación que hizo del "rey de la selva" es dramática, de un exaltado barroquismo. Cada una de sus páginas está compuesta como una totalidad perfecta; lo mismo sucede también con las viñetas, que funcionan como si fueran cuadros bien estructurados.

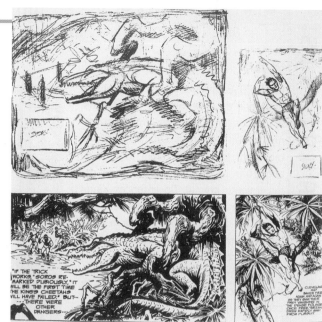

HOGARTH, Burne: *Bocetos y viñetas acabadas de Tarzán*.

HERGÉ: *Tintin: El loto azul (1936-1946)*.

El belga Geoges Remi (1907-1983), más conocido como Hergé, fue el creador de *Tintin*, el personaje de cómic más popular de todos los tiempos. Era un adolescente (de profesión "periodista", pero nunca se le vio escribir ningún artículo) al que su autor hizo recorrer muchos lugares del mundo resolviendo complicados embrollos policiacos. Aunque en la primera aventura, *Tintin en el país de los soviets* (1929), demostraba un anticomunismo muy primario, pronto evolucionó hacia posturas ideológicas más ambivalentes. En 1936 dibujó la primera versión de **El loto azul**, una historia situada en la China contemporánea, y Hergé se documentó rigurosamente por primera vez en su carrera, iniciándose así una nueva etapa de su trabajo. La página que reproducimos corresponde al rediseño en 1946 de aquella aventura: se aprecia una interesante combinación de las viñetas narrativas ordinarias con otras, muy grandes, de carácter descriptivo. El éxito de Hergé se debe a una admirable conjunción de humor e intriga, con un estilo gráfico de absoluta claridad.

El mejor ejemplo de la confluencia entre el cómic y el *pop art* fue **Les aventures de Jodelle**, un lujoso álbum publicado por Guy Peelaert en 1966. La calidad literaria del relato era insignificante en comparación con la brillantez del trabajo artístico. Peelaert mezcló, con astuta ironía, muchos rasgos de la Roma antigua con otros típicos de la cultura de masas contemporánea: el cine y sus mitos se amalgamaban con imágenes estereotipadas procedentes de Las Vegas y de otros lugares de esparcimiento. Los colores son planos y estridentes, como si todas las viñetas pudieran aislarse y reproducirse en grandes ampliaciones, al modo de los cuadros de Warhol o Lichtenstein. Son obvias en esta página las evocaciones de Los Beatles, de los parques de atracciones y del mundo popular del automóvil.

PEELAERT, Guy: *Les aventures de Jodelle (1966)*.

La obra

En 1879 Eadweard Muybridge terminó una serie de experimentos fotográficos, realizados por encargo del antiguo gobernador de California Leland Stanford, mediante los cuales había pretendido averiguar la verdadera naturaleza del movimiento animal. De entonces datan sus primeras series fotográficas relativas al galope de los caballos. El gran éxito internacional de aquellos trabajos le permitió encontrar financiación para un empeño mucho más ambicioso que habría de culminar, en 1887, con la publicación de las 781 láminas, en once volúmenes, de *Animal Locomotion*. Una de ellas es la que reproducimos aquí.

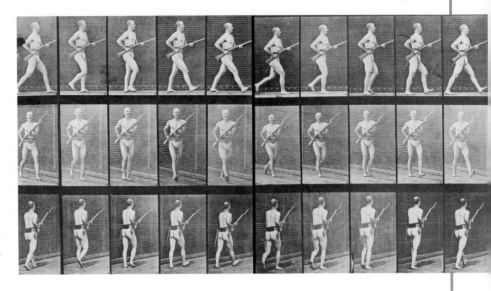

El artista

Muybridge fue uno de los primeros en captar el movimiento fugaz de los seres vivos. Antes de dedicarse a esta especialidad había realizado excelentes paisajes (son célebres sus vistas del valle Yosemite).

Para sus experimentos colocó varias cámaras en batería haciendo que los obturadores de cada una fueran accionados con mínimos intervalos de tiempo.

Sus series fotográficas (cada fase en una placa diferente) se diferenciaban así de las obtenidas por otros contemporáneos suyos, como el francés Marey, que inventó un "fusil fotográfico" con el cual captaba las distintas fases de los movimientos sobre un mismo negativo.

Análisis formal

Esta y otras láminas de *Animal Locomotion* demuestran que Muybridge colocaba tres cámaras, una lateral y dos diagonales (de frente y de espaldas), que se disparaban simultáneamente. Cada fase de un movimiento aparecía con varios puntos de vista, como si se pretendiese una reconstrución holográfica ideal del modelo.

Las intenciones del fotógrafo eran, aparentemente, científicas, y de ahí la desnudez de los seres humanos (las ropas habrían disimulado la naturaleza verdadera del movimiento) y la rejilla del fondo, que servía como guía rigurosa para medir los desplazamientos reales. Pero la belleza de sus láminas es tan irresistible que no ha dejado de cautivar a todos los artistas desde el momento en que se publicaron hasta la época actual.

Significado

Muybridge estaba muy influenciado por el positivismo científico de su época, y confundió, sin darse cuenta, los movimientos "naturales" de los seres vivos con los comportamientos "culturales" de los humanos. En sus láminas vemos cómo las mujeres se desnudan, planchan, castigan a sus niños, acarrean agua en un cubo, bailan, etc. Los hombres, en cambio, sierran, boxean, saltan, lanzan pesos, cavan o hacen ejercicios militares, como bien se aprecia en el ejemplo de esta página. Los movimientos reflejados se corresponden, pues, con los comportamientos convencionalmente asignados a las mujeres y a los hombres occidentales a fines del siglo XIX. El fotógrafo-científico se parece más, en realidad, a un director de escena que refleja fragmentos de dramas hipotéticos: el cine, con todas sus estrategias, estaba a la vuelta de la esquina.

- ¿Ves alguna relación entre la multiplicidad de puntos de vista en las series de Muybridge y la "descomposición de las imágenes" del cubismo?
- ¿Por qué la captación instantánea de los movimientos ha sido tan importante para el reporterismo fotográfico?
- ¿Qué movimientos y artistas de las vanguardias acusaron la influencia de Muybridge?
- Señala en qué sentido es "cultural" el trabajo supuestamente científico de Muybrige.

LITTLE NEMO IN SLUMBERLAND, DE WINSOR MCCAY

La obra

En 1905 empezó Winsor McCay a publicar semanalmente en el periódico *The New York Herald* las aventuras de *Little Nemo*.

Era un cómic muy ambicioso en sus pretensiones estéticas, aunque con una estructura narrativa muy simple: Nemo, un niño de unos cinco años, vive en sueños unas aventuras maravillosas que acaban abruptamente en la última viñeta cuando se despierta en su propia cama. Era frecuente que el sueño de cada semana enlazase con el final de la anterior.

La página reproducida aquí corresponde al 6 de mayo de 1906.

El artista

Winsor McCay está considerado como uno de los mejores ilustradores de todos los tiempos. Pionero de la animación cinematográfica, dibujó documentales (como el dedicado al hundimiento del transatlántico *Lusitania*) y dio movimiento simulado a Gertie (1909), el primer dinosaurio de la historia del cine.

En su formación ejerció mucha influencia el mundo lúdico y desinhibido de la Exposición Colombina de Chicago de 1893, lo cual es palpable en su obra maestra, *Little Nemo in Slumberland*.

Análisis formal

El sueño del pequeño Nemo fue un magnífico pretexto para que el autor desplegase una fantasía desbordada, jugando con las leyes de la perspectiva y con las de la gravedad. Los recuadros narrativos abandonan su formato regular y se adaptan a las exigencias del relato; obsérvese en esta página cómo las viñetas forman una escalera en descenso, en la tercera hilera, sugiriendo la "caída" que acaba en el cuadrado dedicado al despertar.

El colorido es también muy rico y matizado, aunque nunca desaparezca el contorno preciso con el que McCay (al igual que Mucha en sus carteles) delimitaba los objetos y los personajes.

Significado

Sigmund Freud había publicado *La interpretación de los sueños* cinco años antes de que apareciera esta serie, pero no hace falta que veamos en ello más que una coincidencia relacionada con la exaltación del ensueño propia del clima cultural del "fin de siglo". McCay hizo con *Little Nemo* una obra de entretenimiento popular, aunque no hay duda de que quiso también alardear de una gran inventiva artística: ninguna página repite su estructura y en todas ellas se evidencia la habilidad extraordinaria del creador.

Este trabajo fue, por muchas razones, inimitable, y de ahí que haya tenido pocas repercusiones en la historia ulterior del cómic. A partir de los años sesenta empezaron las reediciones de *Little Nemo*, reconocida desde entonces como una de las creaciones artísticas más importantes del siglo xx.

- ¿Qué relaciones ves entre *Little Nemo* y el *art nouveau*?
- Observa las viñetas y la composición de esta página y señala las diferencias respecto a un cómic convencional.
- ¿Es necesariamente incompatible el "entretenimiento popular" con la calidad artística?
- ¿En qué momentos y movimientos artísticos ha sido importante el tema del sueño?

Multiplicidad de imágenes y "persistencia retiniana"

El cine fue puesto a punto a fines del siglo XIX por inventores como Edison, Pathé y otros. Pero fueron necesarios algunos años más para que se desarrollara un lenguaje específico de este nuevo medio de expresión, y para que surgiera en torno suyo una industria próspera, con una producción de calidad, capaz de satisfacer las demandas de un público cada vez más numeroso. En las películas normales se proyectan sobre una pantalla veinticuatro imágenes por segundo: debido al fenómeno fisiológico de la "persistencia retiniana" (todo lo que vemos queda fijado un tiempo mínimo en nuestra retina), esas proyecciones estáticas, tan velozmente sustituidas por otras, son percibidas como un único movimiento continuo. El cine es un medio inmaterial que existe gracias a la luz y desaparece cuando la proyección ha terminado.

*La fantasía desaforada de algunos atuendos, como el de Hedy Lamaar en la película **Sansón y Dalila**, dirigida por Cecil B. De Mille en 1949, ha tenido mucho que ver con el atractivo que las estrellas han ejercido sobre el gran público.*

*Un ejemplo de la fidelidad con la que se solían seguir las ideas de los decoradores lo vemos en el boceto al óleo de Erich Kettelhut y en la maqueta final para **Metrópolis** (dirigida por Fritz Lang en 1927).*

Aspectos de la filmación

El primer estadio para la elaboración de una película es la *filmación*, que podría definirse como el proceso de captación de un fragmento espacio-temporal del mundo físico que queda registrado en un número variable de fotogramas. Como el cine es un procedimiento narrativo mediante el cual se cuentan historias complejas, no se puede, salvo raras excepciones, hacer coincidir el tiempo real con el de la ficción; de ahí que cada película sea una especie de antología seleccionada de filmaciones (tomas, también llamadas "planos") con fragmentos de tiempos reales. Los *elementos básicos* para apreciar esa selección son los siguientes:

1) *El lugar de la acción*, que puede ser natural o preparado al efecto por equipos de decoradores. El diseño de estos lugares, así como el de los otros aspectos visuales de la producción, ha estado a cargo de artistas visuales especializados.

2) *El maquillaje y el vestuario* de los actores y actrices.

3) *El encuadre*. Este asunto es esencial en todas las artes visuales y se relaciona muy estrechamente con el punto de vista elegido. Un caso especial es el llamado "encuadre subjetivo", mediante el cual la cámara (es decir, el espectador de la película) ve lo mismo que el personaje ficticio del relato.

4) *Movimiento de la cámara*, la cual puede girar sobre su propio eje para dar una panorámica, o desplazarse lateral y frontalmente respecto al asunto que se filma. A estos últimos movimientos se les llama *travellings* y tienen también distintos nombres según sea su naturaleza: de avance, de retroceso, lateral y vertical. El *zoom*, que es una lente de distancia focal variable, permite alejar o acercar el asunto sin que se desplace la cámara de lugar.

El montaje y la exhibición

Una vez terminada la filmación se procede al *montaje*, que es la operación mediante la cual se empalman los distintos planos para formar secuencias significativas con vistas a la articulación del relato total. Se obtiene así el negativo completo de la película acabada, a partir del cual se harán las copias necesarias para su distribución comercial. A propósito de esto, conviene recordar que las salas de cine han surgido en todas las ciudades del mundo como una de las tipologías arquitectónicas más representativas del siglo XX. La oscuridad de los interiores, mientras parpadea sobre la pantalla la mágica proyección luminosa, explica en parte el poderoso atractivo hipnótico del cine. Ninguna de las otras artes visuales ha tenido nunca un parentesco tan estrecho con el sueño, ni ha podido vanagloriarse de haber seducido a las masas de un modo tan efectivo.

DECORADOS, PLANOS Y MONTAJES

Uno de los decorados más grandiosos de la historia del cine fue el gran patio ceremonial de Babilonia para la película **Intolerancia**, dirigida en 1916 por D. W. Griffith. Su diseñador, Walter Hall, antiguo escenógrafo teatral, se inspiró en cuadros de historia y en grabados del siglo XIX. No usó aquí ningún truco para ahorrar gastos al construir unos edificios cuyas enormes proporciones pueden apreciarse en comparación con el tamaño diminuto de los extras. Lo normal en el cine ha sido combinar los decorados a tamaño real con miniaturas tridimensionales, pinturas sobre vidrio y telones. En fechas más recientes, el diseño con ordenador está reduciendo los gastos en "efectos especiales", consiguiéndose resultados muy espectaculares. Respecto a la fantasía de muchos decorados conviene recordar una máxima antigua del séptimo arte: el pasado debía ser evocador para el gran público, y no necesariamente fidedigno para los arqueólogos.

GRIFFITH: *Intolerancia (1916)*.

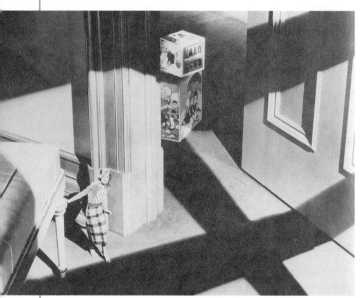

BROWNING: *Muñecos infernales (1936)*.

Con el encuadre se marca el punto de vista de la cámara (es decir, del espectador) respecto al objeto de la filmación. Cuando está muy cerca se le llama "primer plano"; los planos "medio" y "general" implican un mayor alejamiento del asunto; el "plano americano" corta a los personajes por las rodillas aproximadamente. Un plano general en picado (desde arriba) es el usado en este fotograma de la película **Muñecos infernales** (dirigida por Tod Browning en 1936), donde aparecen unas extrañas creaciones humanas miniaturizadas. La casa y los muebles eran, en realidad, un decorado de gran tamaño. Pero está claro que el efecto dramático de la toma se debe, en gran medida, a que la cámara capta a la figura desde arriba, tal como la veríamos nosotros, espectadores normales, si estuviéramos en la habitación donde se desarrolla la narración cinematográfica.

El montaje alcanzó un gran virtuosismo en el cine soviético durante los años veinte. Se realizaron entonces experimentos como los del cineasta Kulechov, que creó una mujer artificial filmando fragmentos de diferentes actrices y montándolos luego en una única película, haciendo creer así a los espectadores que eran varias tomas de la misma persona. El mejor director de aquella escuela cinematográfica fue Sergei M. Eisenstein, que utilizó el montaje simbólico (imágenes alegóricas intercaladas en la acción) en algunas de su películas. En **El acorazado Potemkin** (1925) demostró una maestría extraordinaria al lograr que los primeros planos de objetos y situaciones aparentemente secundarias confirieran una gran fuerza expresiva a los acontecimientos esenciales de la historia. Esta colección de fotogramas diversos de la película da sólo una idea aproximada del estilo de montaje utilizado por Eisenstein.

EISENSTEIN: *El acorazado Potemkin (1925)*.

El cine mudo

Los promotores de la primera exhibición cinematográfica (1895) fueron los hermanos **Louis** (1864-1948) y **Augusto Lumière** (1862-1954). El éxito del nuevo espectáculo fue tan grande que se vieron obligados a fundar una productora de la cual salieron títulos como *La salida de los obreros de una fábrica*, *La llegada del tren*, etc.

Frente al carácter "documental" de aquellas rudimentarias producciones, destacaron los trabajos mucho más elaborados, con ambición narrativa y gran despliegue de recursos fantásticos, de **Georges Méliès** (1861-1938).

Hasta fines de los años veinte el cine no tenía sonido incorporado, y el acompañamiento sonoro corría a cargo de músicos reales apostados en la sala (es la época "muda", pero las proyecciones rara vez se contemplaban "en silencio"). Como los textos explicativos no podían ser muy largos, los cineastas desarrollaron un lenguaje visual muy expresivo y eficaz.

MÉLIÈS: *Viaje a la Luna* (*1902*). *Algunas de las películas de Méliès como ésta o* El hombre con la cabeza de goma (*también de 1902*) *se anticiparon a los desarrollos estéticos del cine posterior.*

En Estados Unidos destacaron pioneros como **David Wark Griffith** (1875-1948) o **Edwin S. Porter** (1869-1941), inventor de recursos como las "acciones paralelas" y del valor expresivo del primer plano. Se consolidó por entonces la industria cinematográfica en Hollywood, un suburbio de Los Ángeles destinado a producir la mayor parte de las películas de consumo popular y a crear la única escuela cinematográfica de difusión universal.

En Europa destacó la cinematografía alemana, que acusó la influencia del expresionismo y produjo obras admirables. Directores como **Robert Wiene**, **F. W. Murnau** o **Fritz Lang** recrearon un universo inquietante que parece preludiar los terrores reales del nacional-socialismo. En la Rusia soviética se produjo también una confluencia entre el cine y la vanguardia artística (el constructivismo, en este caso) de la cual salieron resultados excepcionales, como los obtenidos por Dziga Vertov o V. I. Pudovkin y Alexander Dovjenko. Estos últimos justificaron bien con sus trabajos propagandísticos (aunque de gran hermosura) las razones por las que Lenin había considerado el cine como la más importante de las artes. El mejor de todos aquellos cineastas, y uno de los más grandes de toda la historia, fue **Sergei Mijailovich Eisenstein**, cuyas obras *La huelga* (1924), *El acorazado Potemkin* (1925) y *Octubre* (1927) superaron la mera intencionalidad política revolucionaria para situarse a la altura de las creaciones artísticas de valor intemporal. Otro caso de confluencia entre la vanguardia y el cine lo encontramos en las películas surrealistas del español **Luis Buñuel**.

El cine sonoro

La aparición del sonoro revolucionó el cine: las comedias se hicieron más sofisticadas (piénsese en la importancia de los diálogos en las obras de **Lubitsch** o de los **hermanos Marx**), y surgieron géneros nuevos como los musicales. El cine norteamericano siguió siendo hegemónico, con una industria poderosísima que imponía sus condiciones en todo el mundo. Siempre ha tenido directores de talento como Orson Welles, John Ford, William Wyler, Elia Kazan, Francis Ford Coppola, etc. Entre las cinematografías del resto del mundo puede destacarse el naturalismo poético francés y el neorrealismo italiano. Este último movimiento, surgido en la segunda postguerra, sufrió una interesante evolución desde los temas miserabilistas de Vittorio de Sica o Roberto Rossellini, hasta el lirismo irónico de un Federico Fellini. El cine español se recuperó a fines de los años cincuenta gracias a directores como Luis G. Berlanga o Carlos Saura, pero dio sus mejores frutos con la llegada de la democracia. Destacan Víctor Erice, Julio Medem, Pedro Almodóvar, etc.

WELLES, Orson: *Ciudadano Kane* (*1940*). *El excéntrico director Orson Welles destacó entre los grandes personajes del cine de su época, y su película* Ciudadano Kane *es considerada como una de las mejores obras de la historia del cine.*

TRES OBRAS MAESTRAS DEL CINE UNIVERSAL

El gabinete del doctor Caligari (1919), filmada tras terminar la Primera Guerra Mundial, contaba la truculenta historia de un asesino loco que se servía de un médium para ejecutar crímenes horribles. Fue importante aquí la asociación entre un relato de terror y unos decorados plagados de esquinamientos geométricos y de abruptos claroscuros. Contó mucho, pues, el trabajo de Robert Wiene, director de la película, pero más relevantes resultaron los diseños de W. Reimann, W. Röhring y Hermann Warm. A estos artistas correspondió el mérito de trasladar al cine la estética de los pintores y grabadores del grupo *Die Brücke* (El puente). Las consecuencias de este experimento estético fueron inmediatas: el cine expresionista alemán tuvo un gran desarrollo y logró mucho prestigio internacional. Esta escuela cinematográfica acabó cuando los nazis, hostiles a la vanguardia, tomaron el poder en Alemania.

WIENE, Robert: *El gabinete del doctor Caligari (1919).*

El comienzo de **Un perro andaluz**, con una navaja de afeitar seccionando el ojo de una mujer, es una promesa perturbadora del deslumbrante torrente de imágenes y asociaciones insólitas que aguardan al espectador. La película fue dirigida por Luis Buñuel en 1929 a partir de un guión escrito en colaboración con Salvador Dalí. Adoptaron entonces el método de las asociaciones automáticas, tan querido por los surrealistas, pero eso no quiere decir que no exista una narración inteligible, alusiva a la primacía del amor sobre las convenciones sociales, con referencias a los constreñimientos impuestos por la educación y por la sensibilidad burguesa. La segunda película surrealista de Buñuel y Dalí, *La edad de oro* (1930), explicitaba mucho más ese contenido argumental de *Un perro andaluz*. Estos primeros trabajos de Buñuel se encuadran todavía en la etapa inicial de la historia del cine; luego continuó una dilatada carrera en México y en Francia.

BUÑUEL, Luis: *Un perro andaluz (1928).*

Un ejemplo paradigmático de las superproducciones de Hollywood es **Lo que el viento se llevó**, terminada en 1939 después de tres años de intenso trabajo para un equipo numerosísimo de escritores, directores, decoradores y actores, todos ellos bajo la supervisión del productor David O. Selznick. El director artístico permanente (llamado aquí por primera vez "diseñador de la producción") fue William Cameron Menzies. La película costó cuatro millones de dólares, pero sus ganancias en los años cincuenta superaban ya los setenta millones. Es un grandilocuente melodrama, de casi cuatro horas de duración, ambientado durante la guerra de Secesión norteamericana. Los actores principales, Vivien Leight (en el fotograma) y Clark Gable, hicieron un notable trabajo, aunque es evidente que películas como ésta son resultado de un trabajo colectivo y no es fácil delimitar las responsabilidades y méritos individuales.

CAMERON, William: *Lo que el viento se llevó (1939).*

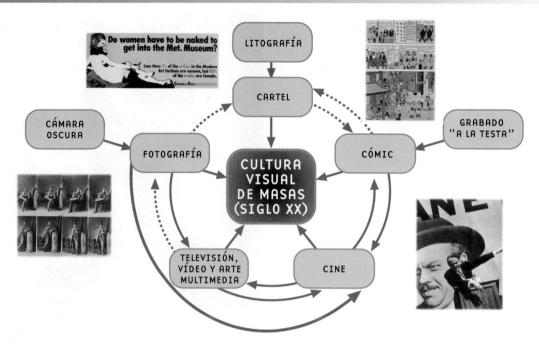

MEDIOS ARTÍSTICOS DE MASAS	AUTORES Y OBRAS
La fotografía • Hacia 1839, primeros daguerrotipos y primeras imágenes con negativo sobre papel. Entre 1875 y 1890, fijación del movimiento, aparición del celuloide y de las cámaras de bolsillo. A partir de este momento se desarrollan todos los géneros fotográficos, incluido el reporterismo.	• DAGUERRE: *Vista del Boulevard du Temple* (1839). • DISDERI: *Tarjetas de visita fotográficas* (1854). • MUYBRIDGE: *Galope de un caballo* (1878); *Hombre caminando con un rifle* (1879). • John HEARTFIELD: *Fotomontaje* (1935). • Robert MAPPLETHORPE: *Espalda femenina* (1982).
El cartel • Aparición y desarrollo en la segunda mitad del siglo XIX gracias al desarrollo de la litografía. • Vinculación estrecha a la vanguardia artística, con dos grandes momentos culminantes: en el *art nouveau* y en el período de entreguerras.	• Jules CHÉRET (el iniciador). • TOULOUSE-LAUTREC: *Jane Avril* (1893). • Alphonse MUCHA: *La dama de las camelias* (1896). • VAN DE VELDE, BEARDSLEY, BRADLEY. • Hermanos BEGGARSTAFF: *Don Quixote* (1895). • RODCHENKO, HERMANOS STENBERG. • El LISSITZKY: *Golpead a los blancos con la cuña roja* (1919). • CASSANDRE: *Étoile du Nord* (1927). • GUERRILLA GIRLS: *¿Tienen que desnudarse las mujeres para entrar en el Museo Metropolitano?* (1989).
El cómic (o historieta) • Medio narrativo cuya madurez se logró en Estados Unidos en los años finales del siglo XIX y en los primeros del XX. • En este país se produjo, en los años treinta y cuarenta, la primera edad de oro. • En Europa, desde los años sesenta, vinculación con la vanguardia artística. • Cómic de la contracultura entre los años sesenta y noventa.	• R. F. OUTCAULT: *Yellow Kid* (1896). • McCAY: *Little Nemo in Slumberland* (1905). • HERRIMAN: *Krazy Kat* (1910). • WALT DISNEY: *Mickey Mouse* (1929). • Burne HOGARTH: *Tarzán* (1937). • C. GOULD: *Dick Tracy* (1931). • Alex RAYMOND: *Flash Gordon* (1934). • H. FOSTER: *El príncipe valiente* (1937); *Tarzán* (1929). • Milton CANIFF: *Terry y los piratas* (1934). • HERGÉ: *Tintín en el país de los soviets* (1929); *El loto azul* (1936). • G. CREPAX: *Valentina* (1965). • G. PEELAERT: *Les aventures de Jodelle* (1966); *Pravda* (1968). • Robert CRUMB: *Zap* (años 70). • Enric SIÓ, Javier MARISCAL, Daniel TORRES.
El cine • Inventado a fines del siglo XIX a partir de la fotografía secuencial en movimiento. • Los elementos básicos de su lenguaje se basan en la filmación y el montaje. • Aparición de los cines, edificios específicos para la exhibición. • Hasta fines de los años veinte, cine mudo. • Desde principios de los años treinta, cine sonoro (incorpora la música y las voces reales de los actores).	• Hermanos LUMIÈRE: *Salida de los obreros de una fábrica, La llegada del tren*. • MÉLIÈS: *Viaje a la Luna* (1902). • GRIFFITH: *Intolerancia* (1916). • WIENE: *El gabinete del doctor Caligari* (1919). • Fritz LANG: *Metrópolis* (1927) • EISENSTEIN: *La huelga* (1924); *El acorazado Potemkin* (1925); *Octubre* (1927). • VERTOV, PUDOVKIN, DOVJENKO. • BUÑUEL: *Un perro andaluz* (1929). • O. WELLES: *Ciudadano Kane* (1940). • LUBITSCH, HERMANOS MARX, J. FORD, W. WYLER, E. KAZAN, COPPOLA, V. DE SICA, ROSSELLINI, FELLINI, etc. • C. SAURA, BERLANGA, V. ERICE, J. MEDEM, P. ALMODÓVAR, etc.

HACIA LA UNIVERSIDAD

1. Desarrolla este tema: *El arte y los medios de masas.*

2. Analiza y comenta estas imágenes:

3. Define o caracteriza brevemente los siguientes términos: *fotomontaje, litografía, cartel, cómic.*

4. Lee el siguiente texto y responde a las preguntas que se plantean:

En 1908, siendo todavía un niño, descubrí el cine [...]. En aquella época [...] no era más que una atracción de feria, un simple descubrimiento de la técnica. Me parece que [entonces] no había en la ciudad más que un solo automóvil [...]. El cine significaba la irrupción de un elemento totalmente nuevo en nuestro universo de la Edad Media [...].

En los cines de Zaragoza, además del pianista, había un explicador que, de pie al lado de la pantalla, comentaba la acción. Por ejemplo:

—Entonces el conde Hugo ve a su esposa en brazos de otro hombre. Y ahora, señoras y señores, verán ustedes al conde sacar del cajón de su escritorio un revólver para asesinar a la infiel.

El cine constituía una narrativa tan nueva e insólita que la inmensa mayoría del público no acertaba a comprender lo que veía en la pantalla ni a establecer una relación entre los hechos. Nosotros nos hemos acostumbrado insensiblemente al lenguaje cinematográfico, al montaje, a la acción simultánea o sucesiva e incluso al salto atrás. Al público de aquella época le costaba descifrar el nuevo lenguaje. De ahí la presencia del explicador.

> BUÑUEL, Luis: *Mi último suspiro.* Barcelona, Plaza & Janés, 1982

— ¿Quién fue Luis Buñuel?

— Define estos términos del texto: *montaje, acción simultánea, salto atrás.*

— Comenta la siguiente frase de Buñuel:

El cine significaba la irrupción de un elemento totalmente nuevo en nuestro universo de la Edad Media.

PASADO Y PRESENTE EN EL ARTE

Esta fotografía (excelente ejemplo de fotorreporterismo) fue tomada en Bolivia en 1967, y representa al cadáver de Che Guevara junto a varios militares y otros testigos. Muchos críticos han señalado su semejanza con el *Cristo muerto* de Mantegna, pintado en 1480 (ver página 247).

— ¿Crees que esta similitud casual entre la imagen de Cristo y la del líder guerrillero ha podido contribuir a la mitificación inconsciente de éste?

— Medita sobre las pervivencias de la iconografía tradicional en los géneros de la cultura de masas.

— Busca una imagen de *La lección de anatomía*, de Rembrandt, y compárala también con las obras mencionadas.

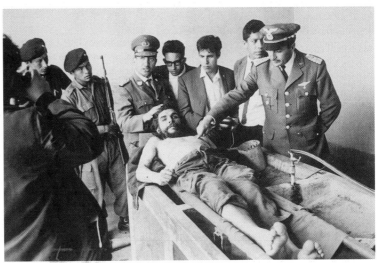

GLOSARIO

A

Abocinamiento: Disposición de un vano de forma que la abertura es distinta (más ancha o más estrecha) en el muro exterior que en el interior.

Ábside: Parte de una iglesia, normalmente abovedada y semicircular, que sobresale en la fachada posterior.

Abstracto: Es el arte en el que no hay elementos reconocibles ni intención de imitar la realidad.

Acrópolis: Ciudad alta, ciudadela defensiva. En Atenas, la Acrópolis es el recinto sagrado de la ciudad donde están los principales templos.

Acuarela: Técnica de pintura en la que los colores están previamente disueltos en agua.

Acueducto: Canalización de agua limpia que abastece las ciudades y que en los desniveles se eleva sobre arcos.

Adarve: Parte superior de una muralla que sirve como camino de vigilancia.

Aguafuerte: Procedimiento de grabado. El dibujo se traza a buril sobre una plancha de cobre cubierta de cera, que después se sumerge en ácido nítrico (también llamado aguafuerte) de manera que el ácido corroe la zona dibujada. La plancha luego se entinta para obtener las copias. El resultado es semejante a un dibujo a pluma.

Aguatinta: Procedimiento de grabado similar al aguafuerte en el que la acción del ácido es detenida con barnices y otros productos. El resultado consigue efectos similares a la acuarela.

Aguja: Elemento que acentúa la verticalidad del edificio gótico y que se coloca sobre el crucero o los contrafuertes.

Alegoría: Representación de una idea abstracta a partir de figuras o símbolos.

Alfiz: Moldura que encuadra el arco en la arquitectura musulmana.

Alicatado: Revestimiento de azulejo.

Aljibe: Depósito de agua que está normalmente enterrado.

Alminar: Torre que se levanta junto a una mezquita y a la que sube el almuédano para llamar a la oración.

Almohadillado: Aparejo formado por sillares con las aristas rehundidas, muy utilizado en el Renacimiento.

Alto relieve: Relieve en el que las figuras resaltan sobre el plano más de la mitad de su grueso.

Anfiteatro: Edificio romano de espectáculos que tiene planta ovalada con gradas (cávea) y un recinto para luchas (arena).

Aniconismo: Tendencia que en el arte evita la representación figurada.

Apocalipsis: Libro escrito por san Juan Evangelista en el que se relata su visión acerca del Juicio Final y el advenimiento de la Jerusalén Celeste.

Arabesco: Decoración a base de líneas entrelazadas. Línea curva que produce un efecto ornamental.

Arbotante: Arco exterior que contrarresta el empuje de otro arco, de un muro o de una bóveda.

Arco apuntado: Aquel compuesto por dos tramos curvos que se unen en la clave formando un ángulo agudo.

Arco ciego: Arco que no perfora la pared o el muro y que sirve como ornamento o para recibir parte de la carga del muro.

Arco conopial: Arco que tiene forma de quilla invertida.

Arco de herradura: Aquel cuya rosca tiene más de media circunferencia.

Arco de medio punto: Arco que tiene forma de media circunferencia.

Arco fajón: Arco que refuerza la bóveda de cañón por el interior.

Arco lobulado: Aquel cuya rosca está formada por pequeños arcos.

Arco mixtilíneo: Aquel cuya rosca está formada por segmentos curvos y rectos.

Arco peraltado: Arco de medio punto cuya rosca se prolonga de forma perpendicular al suelo.

Arquería lombarda: Sucesión de arcos ciegos que decoran la parte alta de algunos edificios románicos y que a intervalos se prolongan hasta el suelo formando bandas.

Arquitrabado: Con techo plano.

Arquivoltas: Varios arcos concéntricos que se disponen en un mismo vano.

Arte mueble: El que consiste en una pieza que puede ser desplazada.

Arte rupestre: El que tiene como soporte la pared rocosa.

Ataurique: Decoración mural, tallada en mármol o en yeso, que consiste en una estilización de elementos vegetales. Es especialmente importante en el arte califal cordobés.

Ático: Parte superior de un retablo.

Atrio: Pequeño patio que en la casa romana sirve de vestíbulo. En las basílicas, nave transversal que separa el resto de las naves del patio o del exterior.

Automatismo: Técnica de creación de pinturas y dibujos en la que el artista evita el control consciente sobre el proceso de ejecución de la obra y se deja llevar por impulsos. Este término se asocia al surrealismo y al expresionismo abstracto.

B

Bajorrelieve: Relieve en el que las figuras resaltan sobre el plano menos de la mitad de su grueso.

Basílica: En las ciudades romanas y antes del siglo IV, edificio rectangular y arquitrabado que se destinaba a celebrar juicios. Tras el siglo IV, iglesia con la misma disposición.

Boceto: Dibujo previo a la ejecución de una obra.

Bodegón o naturaleza muerta: Composición con seres inanimados (vegetales, objetos).

Bóveda: Obra arqueada que cubre el espacio entre muros o pilares.

Bóveda de arista: Es la formada por el cruce perpendicular de dos bóvedas de cañón.

Bóveda de cañón: Es aquella que tiene como sección media circunferencia.

Bóveda de crucería simple: Bóveda formada por dos nervios que se cruzan de forma diagonal.

Bóvedas de crucería califal: Es la que está formada por nervios que no se cruzan en el centro.

C

Cabujón: Piedra preciosa pulida.

Calvario: Representación de la muerte de Cristo en el monte Calvario.

Calle: En un retablo, cada parte en que se divide en sentido vertical.

Canecillo: Pieza saliente que sirve para sostener un alero.

Canon: Norma acerca de las proporciones que deben guardar entre sí las partes del cuerpo humano. Este concepto fue especialmente importante en el arte griego, que buscaba crear modelos perfectos e ideales.

Cardo: Calle que en las ciudades romanas estaba orientada de norte a sur y atravesaba el foro.

Cartel: Mensaje visual, generalmente de mediano o gran tamaño, que se coloca temporalmente sobre un soporte rígido para que sea contemplado por un público indiferenciado.

Cartones: Dibujos preparatorios hechos a tamaño natural empleados para la pintura o los tapices.

Casamata: Galería que corre en el interior de la muralla micénica y que sirve para abastecimiento y para vigilancia.

Casetón: Decoración de techos que consiste en una pieza cuadrada rehundida.

Cávea: Zona destinada a los espectadores en el teatro o anfiteatro romanos. En Grecia se llama *theatron.*

Centauro: Criatura mitológica unión de hombre y caballo. Representa las bajas pasiones.

Chapitel: Remate arquitectónico apuntado.

Ciclo iconográfico: Conjunto de temas religiosos que forman una unidad y que se han de interpretar conjuntamente. Por ejemplo, todos los que se refieren a la Pasión y resurrección de Cristo.

Ciclópeo: En la arquitectura antigua, construcción hecha con grandes piedras. Deriva del término cíclope, gigante de la mitología que tenía un solo ojo en la frente.

Cimacio: Piedra cuadrangular y decorada que aparece sobre el capitel en las iglesias bizantinas y prerrománicas.

Cimborrio: Construcción elevada que se levanta sobre el crucero.

Claustro: Espacio abierto y rodeado de una galería formada por arcos.

Colage: Técnica plástica que consiste en pegar sobre un soporte diversos elementos (papel, tela, arpillera, etc.). Los cubistas fueron los primeros artistas que introdujeron este tipo de objetos en sus cuadros.

Colores cálidos: Rojo, naranja, amarillo.

Colores fríos: Azul, verde, morado.

Colores puros: También llamados primarios, que son el azul, el rojo y el amarillo.

Columna helicoidal: Columna con el fuste decorado con estrías que parecen girar formando una espiral.

Columna salomónica: Aquella que tiene el fuste helicoidal. Recibe este nombre por identificarla con las que se encontraban en el templo del rey Salomón en Jerusalén. Fueron muy empleadas en el barroco recubiertas de hojas de vid y racimos de uvas.

Cómic: Combinación de imágenes dibujadas y breves textos complementarios.

Contrafuerte: Pilar que refuerza el muro al que está adosado.

Contrapposto: Término italiano que refleja la disposición de una figura de modo que una parte de ella aparece ligeramente girada o vuelta con respecto a la otra parte para potenciar la idea de profundidad y romper la frontalidad.

Cripta: Capilla subterránea que sirve en ocasiones como cámara sepulcral.

Crisoelefantina: Imagen con alma de madera y cubierta de oro y marfil.

Crismón: Anagrama de Cristo, con las dos primeras letras de su nombre en griego.

Crucero: Zona de la iglesia en la que se cruzan las naves y el transepto.

Cuerpo: En un retablo, cada una de las partes en que se divide en sentido horizontal.

Cúpula: Bóveda semiesférica.

Cúpula baída: Tipo de cúpula que no llega a formar una semiesfera en el exterior.

Custodia: Objeto de orfebrería que sirve para mostrar en su interior la Forma a los fieles.

D

Daguerrotipo: Reproducción de una imagen fotográfica sobre una plancha de metal.

Decumanus: Calle que en las ciudades romanas estaba orientada de este a oeste y atravesaba el foro.

Derrame: Abocinamiento.

Dintel: Elemento horizontal que soporta el muro y que permite que se abra un vano.

Dolmen: Tipo de construcción megalítica con forma de mesa.

Dovela: Piedra trapezoidal que forma la rosca de un arco.

Dromos: Pasillo que en las tumbas micénicas da acceso al *tholos* o cámara cubierta.

E

Encofrado: Obra o estructura en la que el cemento u hormigón se introducen en una estructura, generalmente de madera, para que reciban una forma determinada.

Ensamblaje: Estructura arquitectónica de un retablo o de cualquier otro conjunto escultórico. En muchas ocasiones el ensamblador no era la misma persona que el escultor que hacía las esculturas de bulto o los relieves del conjunto.

Eremitorio: Lugar de retiro de un ermitaño.

Escorzo: Representación pictórica de una figura o un objeto que utiliza los principios de la perspectiva para producir la impresión de estar colocado de modo perpendicular al plano.

Escultura de bulto redondo: Escultura exenta, que puede contemplarse desde todos los ángulos.

Esfinge: Criatura fantástica con cuerpo de león y cabeza humana que protege las puertas. Fueron muy frecuentes en el arte antiguo de Oriente Próximo.

Esquematismo: Modo de representar una figura atendiendo a sus rasgos esenciales.

Estampa: Obra obtenida por el procedimiento de la estampación.

Estampación: Procedimiento de reproducción de un dibujo a partir de una matriz sólida trabajada con alguna técnica de grabado, como el aguafuerte o la aguatinta.

Estela: Monumento, generalmente conmemorativo, que se erige en el suelo y que tiene forma de losa, de columna o prismática.

Estilo de placas: Decoración arquitectónica que usa formas geométricas recortadas, empleada en el barroco gallego.

Estilo: Conjunto de normas y características fijas que nos permiten reconocer como algo unitario la producción artística de una o varias épocas.

Estípite: Elemento sustentante en forma troncopiramidal invertida.

Exedra: Cuarto de esfera que cubre un ábside o nicho.

Exvoto: Ofrenda dedicada a alguna divinidad como agradecimiento por algún favor o beneficio recibidos.

F

Figurativo: Se dice del arte que representa algo identificable, por oposición al arte abstracto.

Filigrana: Labor propia de orfebres a base de hilos de oro o plata. Por extensión, labor delicada.

Flamígero: Dentro del gótico, la etapa más tardía (siglo XV), decorativa y recargada.

Foro: Espacio público de las ciudades romanas donde están los templos más importantes y la basílica.

Fotomontaje: Técnica en la que varias fotos, con o sin material tipográfico, se recortan y pegan en un nuevo formato.

Fresco: Técnica pictórica que consiste en la aplicación del color mezclado con agua de cal sobre el revoco de un muro húmedo.

G

Gallones: Segmentos cóncavos que forman ciertas bóvedas o que adornan algunas piezas de orfebrería.

Girola: Nave que rodea la parte posterior del altar.

Grutesco: Figura caprichosa mitad humana mitad vegetal derivada de motivos decorativos romanos y empleada con gran fortuna en el manierismo.

Guadamecí: Cuero adobado y adornado con pintura o relieve.

Guardapolvo: Alero que recorre la parte superior de un retablo.

H

Hagiografía: Relato acerca de la vida de los santos.

Haram: Zona de la mezquita formada por naves donde tiene lugar la oración.

Hieratismo: Carácter sagrado. En las imágenes, estatismo, solemnidad, ausencia de expresión.

Hipogeo: Enterramiento en el que la tumba se encuentra bajo tierra o excavada en la roca.

I

Iconografía: Estudio del origen, formación y desarrollo de los temas figurados.

Idealismo: Tendencia a representar las imágenes conforme a un ideal de belleza.

J

Jamba: Pieza vertical que sostiene el dintel y que forma el lateral de una puerta o ventana.

Jerusalén Celeste: Según el *Apocalipsis* de san Juan, la Tierra regenerada tras el Juicio Final.

K

Kitsch: Palabra de origen alemán con la que se designa lo cursi o lo hortera.

Koré: En el arte griego, imagen votiva femenina junto a la que se depositaban ofrendas en los recintos sagrados. Se representan vestidas con el peplo.

Kouros: En el arte griego, imagen de atleta desnudo y heroizado.

L

Línea serpentinata: Término italiano que describe un eje helicoidal que muestran algunas composiciones manieristas y que proporciona movimiento e inestabilidad al resultado final.

Litografía: Procedimiento de grabado plano inventado a finales del siglo XVIII. Se obtiene dibujando con un material graso sobre una matriz de piedra porosa, que luego se entinta, y a partir de la cual se imprimen las copias. Es un procedimiento flexible, rápido y económico.

Loggia: Término italiano con el que se define una galería cubierta y abierta que se antepone a un edificio.

Lonja: Edificio dedicado a las actividades comerciales.

M

Machón: Pilar.

Madonna: Término italiano que sirve para definir una representación pictórica o escultórica de la Virgen con el Niño.

Mandorla: Palabra italiana que significa almendra y que designa al óvalo que suele enmarcar a Cristo en la escena del Juicio Final.

Maniera greca: Modo de pintar las imágenes religiosas según la moda bizantina.

Mastaba: Monumento funerario del antiguo Egipto que tiene forma de pirámide truncada.

Megalito: Construcción prehistórica hecha con grandes piedras.

Megarón: Palacio micénico; para algunos autores es el origen del templo griego.

Menhir: Tipo de monumento megalítico que consiste en una gran piedra alargada y levantada en sentido vertical, ya sea de forma aislada o formando alineamientos.

Ménsula: Elemento que sostiene una cornisa o un alero. Cuando tiene decoración escultórica suele llamarse canecillo.

Mezquita: Edificio que en el mundo islámico se destina a lugar de oración.

Mihrab: Nicho u hornacina situado en el muro de la quibla de una mezquita y que suele estar ricamente decorado.

Misterio: Rito religioso reservado a los iniciados.

Mocárabe: Decoración del arte islámico formada por combinación de piezas prismáticas.

N

Naos: Cámara del templo griego en la que está la imagen del dios.

Nicho: Concavidad en el espesor de un muro.

Nimbo: Aureola. Luminosidad que enmarca la cabeza de los santos.

O

Óleo: Técnica de pintura en la que los pigmentos se disuelven en aceite y luego se aplican sobre una tabla o un lienzo.

Opistodomos: Cámara que en el templo griego clásico está tras la naos y que sirve como lugar para depositar ofrendas o como pórtico.

Opus caementicium: En la arquitectura romana, obra o fábrica formada por cal, trozos de teja, piedra volcánica, guijarros y agua.

Opus incertum: En la arquitectura romana, obra o fábrica con el interior del muro de cemento y revestimiento de piedras irregulares.

Opus quadratum: Obra en la que el muro se forma con sillares.

Opus reticulatum: Obra en la que el interior del muro es de cemento y el revestimiento se forma con piedras que tienen forma de pirámide que forman una red al exterior.

Opus sectile: Mosaico formado con grandes piezas de mármol.

Opus signinum: Mosaico formado por pequeñas piezas de barro cocido, pintadas o esmaltadas.

Opus tesellatum: Mosaico formado por teselas (cubos de mármol).

Opus testaceum: En la arquitectura romana, obra o fábrica con el interior del muro de cemento y revestimiento de ladrillo.

Oráculo: Lugar donde un dios se manifiesta. En la Grecia antigua el de Delfos fue el más importante.

Orden gigante: Aumento de las proporciones en los órdenes clásicos empleado en la arquitectura del manierismo y el barroco.

Orquestra: Zona del teatro griego o romano donde está el coro.

Ortogonal: Con ángulos rectos. Se dice del trazado urbano en el que las calles se cruzan en ángulo recto.

P

Panateneas: Fiestas en honor a Atenea que se celebraban en Atenas cada año, y de manera especialmente solemne cada cuatro años.

Pantocrátor: Imagen de Cristo como todopoderoso y rodeado de un círculo o mandorla.

Paño de pureza: Lienzo que cubre las partes púdicas de Cristo.

Parteluz: Elemento vertical que divide un vano.

Paso procesional: Grupo escultórico que representa uno de los episodios de la Pasión de Cristo y que recorre las calles de las ciudades durante la Semana Santa.

Pechina: Triángulo esférico que une un espacio cuadrado con el arranque de una cúpula.

Peplo: Túnica larga y gruesa que usaban las mujeres en la antigua Grecia.

Peristilo: En el templo griego clásico, columnas que rodean un templo. En la casa helenística y romana, galería con columnas que rodea el patio.

Perspectiva: Sistema que intenta representar en una superficie plana los objetos de modo que aparezcan tal y como los percibe el ojo humano, simulando la profundidad espacial.

Perspectiva aérea: Efecto de profundidad que se consigue en un plano representando con color y veladuras la apariencia que tienen los objetos alejados.

Perspectiva lineal: Recurso técnico para crear en una superficie sensación de profundidad a base de líneas que convergen en el fondo.

Piedad: Tema iconográfico en el que la Virgen sostiene en sus brazos a Cristo muerto. Es equivalente al término italiano *Pietà*.

Pilar cruciforme: El que tiene planta de cruz.

Pináculo: Elemento vertical típico del arte gótico que se coloca sobre el contrafuerte, reforzando su función y también como elemento decorativo.

Pintura al fresco: Técnica que consiste en aplicar los colores sobre un muro enlucido y aún húmedo.

Pintura de género: La que representa escenas cotidianas y sencillas.

Planta central: Planta que puede inscribirse en un círculo: poligonal, circular, de cruz griega.

Planta de cruz griega: Con forma de cruz de brazos iguales.

Planta de cruz latina: Planta de una iglesia con forma de cruz en la que uno de los brazos, en el se dispone la nave para los fieles, es más largo.

Planta de salón: Planta de una iglesia gótica sin brazos y con igual altura en todas las naves.

Planta libre: Aquella en la que no hay muros, sino sólo pilares de carga, y la distribución de los espacios puede hacerse libremente.

Policromía: Técnica empleada para proporcionar color a las esculturas de madera u otros materiales.

Políptico: Pintura compuesta por un conjunto de varias tablas pintadas que suelen plegarse.

Postizos: Elementos que se colocan en la escultura para proporcionar una mayor sensación de realismo (ojos de cristal, pelo natural, uñas de asta).

Predela: También llamada banco. Tabla que recorre la parte inferior de un retablo.

Pronaos: Vestíbulo del templo griego clásico.

Propíleos: Vestíbulo, pórtico de entrada a un recinto o a un edificio.

Proporción jerárquica: Aquella en la que el tamaño de los personajes depende de su importancia.

Púlpito: Recinto elevado sobre las naves de una iglesia desde donde el predicador se dirige a los fieles.

Q

Quibla: Muro de la mezquita orientado en dirección a La Meca que señala a los fieles hacia dónde deben dirigir sus oraciones.

R

Ready-mades: Término inventado por Marcel Duchamp y que designa las obras que él creó a partir de la combinación de otros objetos ya hechos. Su primer *ready-made*, de 1913, fue *Rueda de bicicleta sobre un taburete*.

Refectorio: En un monasterio es la zona destinada a comedor.

Relieve: Tipo de escultura en el que las figuras resaltan sobre un plano. Según el grosor de la talla se puede distinguir entre alto relieve y bajo relieve.

Retablo: Conjunto de esculturas o tablas pintadas que se coloca tras el altar. Suele constar de: cuerpos, calles, banco o predela, ático y guardapolvo.

Retícula: Red.

Retrato de aparato: Retrato oficial, en el que se muestran las insignias que distinguen al representado con boato y dignidad.

Rocalla: Motivo ornamental que distingue la decoración del período rococó.

Rosetón: Vano circular con decoración calada y frecuentemente también con vidrieras, muy habitual en la arquitectura medieval.

S

Sacra Conversación: Pareja o grupo de personajes sagrados representados en la pintura o la escultura en actitud dialogante.

Sahn: Patio de una mezquita.

Scaena o escena: Zona en la que se sitúan los actores en el teatro romano.

Schiacciato: Término italiano utilizado para definir una técnica del relieve que consiste en rebajar el volumen de la superficie desde prácticamente el bulto redondo a los trazos más leves para obtener mayores efectos de luz y volumen.

Scriptorium: En un monasterio, es la zona donde los monjes estudian o copian los manuscritos.

Sebqa: Motivo decorativo del arte islámico que tiene como trama una red de rombos.

Sfumato: Término italiano que define un recurso pictórico que busca la captación ambiental al envolver el espacio en una neblina y abandonar la definición del contorno.

Sillar: Piedra cuadrangular con la que se levanta un muro.

Sinagoga: Lugar donde se reúnen los judíos para orar y escuchar la lectura de sus libros sagrados.

Sinopia: Boceto que se hacía antes de pintar al fresco.

Soga: Sillar que se coloca de forma paralela al muro.

Sogueado: Decoración semejante a una soga o cuerda.

Superposición de órdenes: Esquema ornamental empleado en las fachadas de los edificios civiles del Renacimiento. Los órdenes clásicos se superponen desde el más pesado en la base (dórico), al más ligero (corintio).

T

Tablinium: Habitación de la antigua casa romana situada tras el atrio y que podía servir para recepciones.

Tamaño jerárquico: Recurso plástico medieval que consiste en aumentar el tamaño de las figuras más importantes rompiendo la escala y la proporción de una composición.

Taqueado jaqués: Moldura decorativa que recorre el muro en sentido horizontal y que está formada por cubos que forman un efecto de ajedrezado.

Témenos: En Grecia, suelo sagrado sobre el que se erige un templo o santuario.

Temple: Técnica de pintura en la que los colores se disulven en agua y aglutinantes (aceite, huevo, resinas, etc.), y después se aplican al muro o a una tabla.

Tenebrismo: Efecto lumínico que potencia el contraste brusco entre luces y sombras, practicado en el arte barroco por la escuela naturalista.

Termas: Edificios que en las ciudades romanas albergaban baños públicos y servían como lugar de ocio.

Terracotta: Término italiano que sirve para nombrar una técnica escultórica que emplea el barro cocido para crear volúmenes.

Tesoro: Tipo de templo griego con una sola cámara (naos) y columnas *in antis*.

Tetramorfos: Símbolos de los cuatro evangelistas: el ángel (san Mateo), el águila (san Juan), el león (san Marcos) y el buey (san Lucas).

Tholos: En las tumbas micénicas, cámara cubierta con falsa cúpula y planta circular. En el mundo helénico, templo de planta circular.

Tímpano: Espacio que queda entre el arco y el dintel, normalmente está recubierto de escultura.

Tizón: Sillar que se coloca de forma perpendicular al muro.

Tondo: Pintura o relieve de forma circular.

Tracería: Decoración arquitectónica típica del arte gótico, que está formada por la combinación de distintos motivos geométricos y que normalmente se coloca en el interior de los arcos.

Transepto: Nave transversal que, en una iglesia, separa la zona de los fieles del altar.

Travelling: En el cine, movimiento de cámara generalmente sobre un soporte técnico (grúas, raíles, etc.).

Triforio: Nave alta que en las iglesias se sitúa sobre las naves laterales.

Tríptico: Pintura compuesta por tres tablas pintadas.

V

Vanguardia: Propuesta creativa radicalmente diferente a lo anterior y que desarrolla unas premisas estéticas claramente opuestas a lo establecido.

Vánitas: Bodegón de carácter funerario que refleja el sentido barroco de la brevedad de la vida.

Vano: Hueco que tiene un muro, como una puerta o ventana.

Votivo: Que tiene carácter de exvoto.

Z

Zigurat: Pirámide escalonada de la antigua Mesopotamia que culminaba con un templo.

Zócalo: Parte inferior de un muro.

Zoom: Avance o retroceso de una imagen filmada sin que la cámara se mueva, con la utilización de una lente.

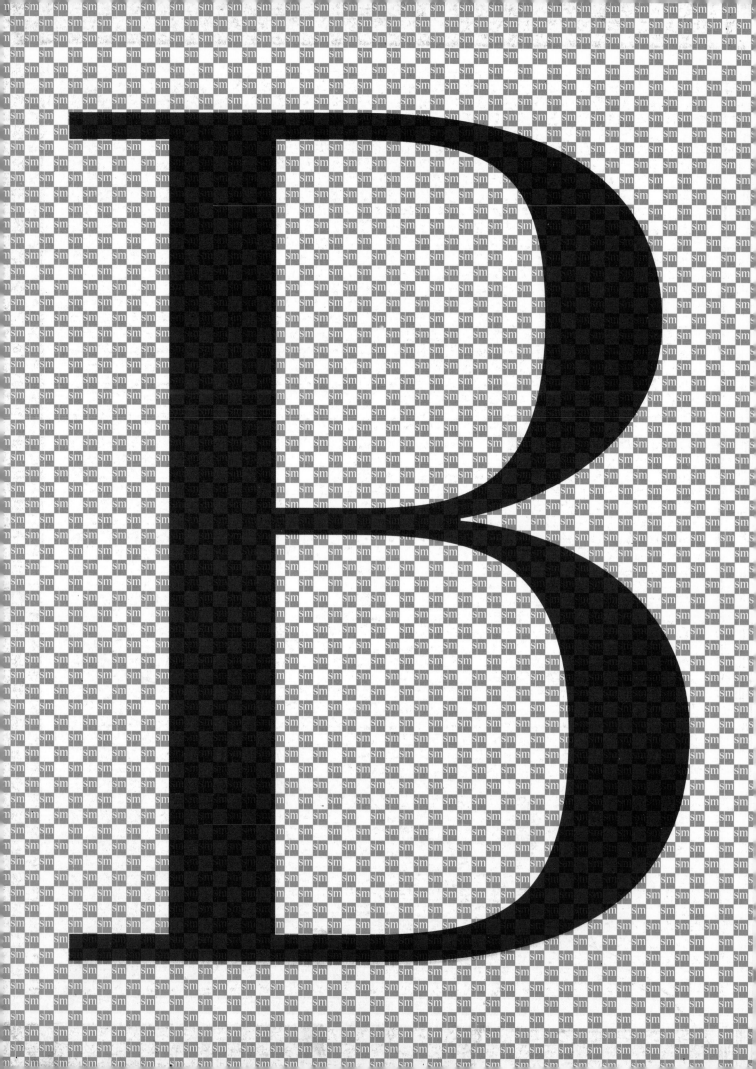